普通高等教育"十一五"国家级规划教材

分析化学

（第五版）下册

武汉大学
厦门大学
中山大学　编
南开大学
浙江大学

武汉大学　主编

高等教育出版社

内容提要

本书是普通高等教育"十一五"国家级规划教材,是根据教育部化学化工教学指导委员会制定的关于化学、应用化学、材料化学及医药学、环境科学等专业化学教学基本内容和仪器分析教学基本要求,参考国内外近年出版的仪器分析教材,以及从互联网搜索到的仪器分析教学大纲、教学内容、电子教案等编写而成。重点放在仪器分析方法、技术的基本原理及应用,包括分析仪器设计、结构的基本物理原理。全书共 26 章,包括光谱分析、电化学分析、色谱与毛细管电泳法、质谱、核磁共振波谱、表面分析、热分析、各种联用技术、流动注射分析及微流控技术、分析仪器电子线路、分析信号处理和计算机应用基础等。每章附有思考、练习题和参考资料。

本书可作为高等院校化学、应用化学等专业的仪器分析教材,也可供相关专业师生及分析测试工作者参考。

图书在版编目(CIP)数据

分析化学. 下册 / 武汉大学主编. —5 版. —北京:
高等教育出版社,2007.12 (2008 重印)
ISBN 978 - 7 - 04 - 020204 - 5

Ⅰ. 分⋯ Ⅱ. 武⋯ Ⅲ. 分析化学 – 高等学校 – 教
材 Ⅳ. O65

中国版本图书馆 CIP 数据核字(2007)第 171748 号

策划编辑	郭新华	责任编辑 刘 佳	封面设计 张 楠	责任绘图	朱 静
版式设计	张 岚	责任校对 张 颖	责任印制 宋克学		

出版发行	高等教育出版社		购书热线	010 - 58581118
社 址	北京市西城区德外大街 4 号		免费咨询	800 - 810 - 0598
邮政编码	100011		网 址	http://www.hep.edu.cn
总 机	010 - 58581000			http://www.hep.com.cn
			网上订购	http://www.landraco.com
				http://www.landraco.com.cn
经 销	蓝色畅想图书发行有限公司		畅想教育	http://www.widedu.com
印 刷	高等教育出版社印刷厂			
开 本	787×960 1/16		版 次	1978 年 8 月第 1 版
印 张	51.75			2007 年 12 月第 5 版
字 数	980 000		印 次	2008 年 8 月第 3 次印刷
			定 价	53.00 元

第五版（下册）前言

1990年高等教育出版社曾出版武汉大学化学系编写的《仪器分析》，当时国内主要是综合大学、理工院校化学类专业开设仪器分析课程。近20年来，仪器分析发展极其迅速，已成为高等院校化学、生命科学及其相关应用专业的重要基础课程。本教材根据教育部化学化工教学指导委员会制定的关于化学、应用化学、材料化学及医药学、环境科学等专业化学教学基本内容和仪器分析教学基本要求编写，是高等教育出版社百门精品课程教材之一。考虑到化学分析与仪器分析在教学内容和安排上的相互联系，我们此次统一组织分析化学教材编写，化学分析为上册，仪器分析为下册。

本书参考了国内外近些年出版的仪器分析教材以及从互联网上搜索到的仪器分析教学大纲、教学内容、电子教案。作为仪器分析基础课教材，本书以光谱分析、电化学分析、色谱法与毛细管电泳法及质谱、核磁共振波谱法为主；其他仪器分析方法，包括表面分析、热分析、各种联用技术、流动注射分析及微流控技术、分析仪器电子线路、分析信号处理和计算机应用作适当介绍等；限于篇幅，应用较少的仪器方法没有涉及。重点放在仪器分析方法、技术的基本原理及应用，包括分析仪器设计、结构的基本物理原理。全书共26章，各章顺序安排依次按谱学、电化学分析、分离分析方法；谱学方法依据主要研究对象，顺序安排为先原子、后分子；从实际应用、发展趋势及方法之间密切关联考虑，将分子质谱安排在色谱等分离分析方法之后。每章附有思考、练习题和参考资料，部分练习题附参考答案。

本教材由多所高校合作编写，武汉大学主编，参编学校有厦门大学、中山大学、南开大学、浙江大学。参编教师均具有丰富的仪器分析教学实践经验和科学研究成果、大多具有指导博士研究生资历。仪器分析内容涉及学科较多，知识面较广，编写中力求精选基本教学内容，理论联系实际，强化仪器分析在化学教学中的基础作用；注意拓宽知识范畴，充分反映学科发展与交叉渗透的新成果，对学生今后适应工作需要和各领域仪器分析工作者具有一定的参考价值。文字上力求深入浅出、通俗易懂、可读性好、便于自学，避免内容上过深、过细和求全。

参加本教材编写的有武汉大学达世禄（第1、18、20、22章），厦门大学赵一兵（第2章），武汉大学胡斌（第3、5、6章），厦门大学林竹光（第4章），武汉大学何治柯（第7章），厦门大学许金钩（第8章），南开大学李文友（第9章），武汉大学王红(第 10、11 章),厦门大学陈忠(第 12 章),武汉大学胡胜水(第 13、15、17 章),王长发(第 14、16 章),曾昭睿(第 19 章),中山大学胡玉玲(第 21 章),武汉大学冯钰锜、施治国、达世禄(第 23 章),厦门大学董炎明(第 24 章),中山大学邹世春(第 25 章第 1、2 节),浙江大学陈恒武(第 25 章第 3 节),中山大学甘峰(第 26 章)。

　　本书编写过程中,胡胜水教授、何治柯教授做了各种组织工作。北京大学叶宪曾教授对本书进行了审阅,给予积极评价,提出许多宝贵的意见和修改建议。全书由达世禄教授负责总体结构安排、初稿校核、最后整理、修改定稿。

　　限于编者的水平,教材编写中可能存在某些缺点、不足,乃至错误,请读者批评指正。

编　者

2007 年 4 月

于武汉大学

目　　录

第1章 绪 论

1.1 分析化学发展和仪器分析的地位

分析化学不断发展导致其学科内涵和定义的发展与变化。长期以来,分析化学涉及物质化学组成的测定方法,提供被测物质,即试样的元素或化合物组成,包括试样成分分离、鉴定和测定相对含量。通过测量与待测组分有关的某种化学和物理性质获得物质定性和定量结果。定性分析方法获得试样中原子、分子或功能基的有关信息。而定量分析方法获得试样中一种或多种成分的相对含量。组分分离通常是定性和定量分析的必需步骤。一般可把分析化学方法分为两大类,即经典分析方法和仪器分析方法。经典分析方法也称为湿化学方法或化学分析方法,已有长久历史;仪器分析则是随着较大型仪器出现而发展起来的方法。从化学分析到仪器分析是一个逐步发展、演变的过程,两者之间不存在清晰界线,化学分析需要使用简单仪器,仪器分析中亦包含某些化学分析技术。

1.1.1 经典分析化学

分析化学是最早发展起来的化学分支学科。化学分析是指利用化学反应和它的计量关系来确定被测物质组成和含量的一类分析方法。早期化学发展前沿是发现、鉴定和研究新元素;发现天然和合成新的化合物、鉴定和研究新化合物。自然界存在近 90 种元素的发现主要是基于各种化学反应的分离、鉴定工作。化学工作者研制了许多精巧的分析仪器,如天平、玻璃容量仪器、显微镜、分光仪等;采用沉淀、萃取或蒸馏分离出待测物后,进行测定。就定性分析而言,将分离后的组分用试剂处理,然后通过颜色、沸点、熔点,以及一系列溶剂中的溶解度、气味、光学活性或折射率等来鉴别它们。重量法是测定被分析物质量或由被分析物通过化学反应测定某种组分的质量。在滴定操作中,测定与被分析物完成化学反应所需标准试剂的体积或质量。19 世纪末、20 世纪初物理化学的发展,特别是溶液中四大平衡(沉淀-溶解平衡;酸-碱平衡;氧化-还原平衡;络合反应平衡)理论的建立,为基于溶液化学反应的经典分析化学奠定了理论基础,化学分析法得到空前繁荣和发展,使分析化学从一门技术发展成一门科学,确立了作为化学一个分支学科的地位。这是分析化学发展史上第一次变革,其显著特点是分析化学与物理化学结合。

1.1.2　仪器分析的产生

仪器分析是指通过测量物质某些物理或物理化学性质、参数及其变化来确定物质的组成、成分含量及化学结构的分析方法。仪器分析的产生与生产实践、科学技术发展的迫切需要、方法核心原理发现及相关技术产生等密切相关。仪器分析法所基于的很多现象在一个世纪或更早已为人知。然而,由于缺乏可靠和简单的仪器,它们的应用被大多数化学家延迟。20 世纪早期,化学工作者开始探索使用经典方法以外的其他现象以解决分析问题,即分析物质的物理性质,如电导、电位、光吸收或发射、质荷比和荧光等,用于各类无机、有机、生物化学分析物的定量分析,开始出现较大型的分析仪器及仪器分析方法。例如,1919 年 Aston F W(阿斯顿)设计制造第一台质谱仪并用于测定同位素是早期仪器分析的典型代表。

第二次世界大战前后至 20 世纪 60 年代,物理学、电子学、半导体及原子能工业发展促进了分析化学中物理方法和仪器分析方法的大发展,因为化学方法在很多方面已不能解决科学技术发展所面临的许多新问题,如半导体超纯材料分析;石油化工、环境科学、生物医药学复杂混合物分析等。科学发展史也证明,仪器是现代科学发展的基础。分析化学的许多分支学科都是从某种重要仪器装置研制成功而建立和发展起来。例如,光谱仪的发明产生了光谱学;极谱仪的发明产生了极谱学;色谱仪的发明产生了色谱学;质谱仪的发明产生了质谱学等。近代分子反应动力学重大进展亦得益于李远哲等发明了可转动、高灵敏度、适用于分子束散射测定的质谱检测器。以化学计量学(chemometrics)为基础的过程分析化学(process analytical chemistry)的发展,研究和开发各种在线分析仪器及分析方法使之成为自动化生产过程的组成部分,提供了过程质量控制新的技术手段。2002 年诺贝尔化学奖授予在生物大分子分析领域做出重大贡献的三位科学家,表明质谱、核磁共振波谱等现代分析仪器在研究生物大分子结构领域产生了重大突破。

仪器分析的产生和发展是分析化学第二次变革,是分析化学与物理学、电子学结合的时代,从以溶液化学分析为主的经典分析化学发展到以仪器分析为主的现代分析化学新阶段,分析仪器及仪器分析技术已成为分析化学的重要研究内容。经典分析化学主要研究的是物质化学组成。随着仪器分析发展,分析化学逐步成为研究物质化学组成、状态和结构的科学。仪器分析方法不仅用于分析目的,而且广泛地应用于研究和解决各种化学理论和实际问题。因此,亦可将它们称为化学中的仪器方法和技术。

仪器分析已成为当代分析化学的主流。表 1-1 给出不同年代各种分析方法所占比例,可以看出仪器分析发展及各种方法在分析化学中的地位。

表 1-1 不同年代各种分析方法所占的比例(%)

方法	1946	1955	1965	1975	1985	1995
仪器分析法						
光谱法	14.3	26.3	28.7	29.7	30.0	30.0
色谱分析法	1.4	2.3	12.0	26.7	35.0	36.0
电化学法	4.4	6.2	10.2	13.5	15.0	16.0
放射分析法	1.0	2.0	6.5	13.8	17.0	18.0
化学分析法						
比色法	23.0	20.0	15.2	9.2	2.0	—
滴定法	25.6	22.0	12.6	5.1	1.0	—
重量法	8.5	6.5	3.6	2.0	—	—

1.1.3 仪器分析的特点

仪器分析推动分析化学迅速发展,与化学分析比较,仪器分析具有一系列特点,主要有:

(1)试样用量少,适用于微量、半微量乃至超微量分析。由化学分析的 mL、mg 级降到 μL、μg 级,甚至更低的 ng 级。

(2)检测灵敏度高,最低检出量和检出浓度大大降低。由化学分析的 10^{-6} g 级降至 10^{-12} g,最低已达 10^{-18} g 级,适用于痕量、超痕量成分测定。

(3)重现性好,分析速度快,操作简便,易于实现自动化、信息化和在线检测。

(4)化学分析在溶液中进行,试样需要溶解或分解;仪器分析可在物质原始状态下分析,可实现试样非破坏性分析及表面、微区、形态等分析。

(5)可实现复杂混合物成分分离、鉴定或结构测定;一般化学分析方法难以实现。

(6)化学分析一般相对误差小于 0.3%左右,适用于常量和高含量成分分析。仪器分析一般相对误差较高,为 3%～5%,较不适宜常量和高含量成分分析。

(7)需要结构较复杂的昂贵仪器设备,分析成本一般比化学分析高。

1.1.4 分析化学向分析科学发展

仪器分析方法学上广泛采用各种化学及物理、生物等非化学的方法原理、技术,新型仪器装置及分析技术不断涌现,对分析化学发展和学科内涵带来革命性变化。20 世纪 70 年代以来,以计算机应用为主要标志的信息时代来临,给分析化学带来新的大发展机遇。分析化学正处在第三次大变革时期,主要反映在两个方面。

其一是分析化学作为信息学科的新发展。分析化学通过化学、物理测量取得物质化学成分和结构信息,研究获取这些信息的最佳方法和策略,从本质上它一直是一门信息科学。随着分析仪器研究、制造和发展大大提高了分析化学获取信息的能力,扩大获取信息的范围。其研究内容除物质的元素或化合物成分、结构信息外,在很大程度上还应包括价态、形态、状态、空间结构,乃至能态分析、测定;研究试样成分的平均组成外,还涉及成分的时空分布:包括静态、动态、瞬时分析;小至几纳米空间、单个细胞,大至生物圈、宇宙空间物质成分分布,此外还包括表面分析、微区分析等;除实验室取样分析外,还发展到现场实时分析,过程在线(on-line)、线内(in-line)、活体内(in-vivo)原位分析等;常量、微量分析外,还要求痕量分析,甚至单原子、分子检测。运用数据处理、信息科学理论,分析化学已由单纯的数据提供者,上升到从分析数据获取有用信息和知识,成为生产和科研实际问题解决者。例如,20世纪末实施的人类基因组计划,DNA测序仪器技术不断推陈出新,从凝胶板电泳到凝胶毛细管电泳、线性高分子溶液毛细管电泳、阵列毛细管电泳,直至全基因组发射枪测序(whole genome shotgun sequencing)技术,在提前完成人类基因组计划中起到关键性作用。

其二,随着仪器分析发展,分析化学的定义、基础、原理、方法、技术、研究对象、应用等均发生根本变化。与经典分析化学密切相关的范畴是定性、定量分析、重量法、容量法、溶液反应、四大平衡、化学热力学、动力学等;而与现代分析化学相关的范畴是化学计量学、传感器和过程控制、专家系统、生物技术和生命科学、微电子学、集微光学和微工程学等。分析化学已超越化学领域,与物理学、数学、统计学、电子、计算机、信息、机械、资源、材料、生物医学、药学、农学、环境科学、天文学、宇宙科学等学科交叉、渗透,发展成以多学科为基础的综合性分析科学。

分析化学发展历程和三次大变革说明,仪器分析起到承前启后作用,是现代分析化学应用最广泛的方法、技术,也是当今分析化学研究的前沿。美国《分析化学》杂志编者指出:分析化学是一门仪器装置(instrumentation)和测量的科学,明确地把仪器装置作为分析化学的主要研究内容。为此,欧洲化学协会联合会(Federation of European Chemical Societies)的分析化学小组(Division of Analytical Chemistry)给出的分析化学定义为:分析化学是发展和应用各种方法、仪器和策略以获得有关物质在空间和时间方面组成和性质信息的一门科学(Analytical Chemistry is a scientific discipline that develops and applies methods, instruments and strategies to obtain informations on the composition and nature of matter in space and time)。

1.1.5　仪器分析的发展趋势

纵观仪器分析的历史和现状,可以预计,它今后发展会更迅速,应用更广泛,并将深刻改变分析化学和整个化学学科的面貌,在化学及相邻学科前沿的任何重大科学发现和突破,都不可能离开仪器分析的不断创新。仪器分析发展趋势大致有下列几方面:

(1) 分析仪器和仪器分析技术将进一步向微型化、自动化、智能化、网络化发展。微型化、自动化的仪器分析方法将逐渐成为常规分析的重要手段;以生物芯片为代表的芯片实验室将进一步发展;并强化软件功能,创建虚拟仪器和虚拟实验室。

(2) 各种新材料、新技术,例如,仿生材料、特殊物理结构和功能材料;激光、纳米、生物、微制造技术等,将在分析仪器中得到更多应用,导致仪器分析灵敏度、选择性和分析速度进一步提高。遥测、遥感、远程在线分析、控制仪器及在资源、环境、国防等方面应用亦将进入仪器分析领域。能瞬时反映生产过程、生态和生物动态过程的高灵敏度、高选择性的新型动态分析检测和无损伤探测技术将有新的发展。

(3) 仪器分析联用技术,特别是色谱分离与质谱、光谱检测联用及与计算机、信息理论结合,将大大提高仪器分析获取并快速、高效处理化学、生物、环境等复杂混合体系物质组成、结构、状态信息的能力,成为解决复杂体系分析、分子群相互作用、推动组合化学、基因组学、蛋白组学、代谢组学等新兴学科发展的重要技术手段。

(4) 仪器分析研究对象重点将在生命科学或生物医药学,在细胞和分子水平上研究生命过程、生理、病理变化和药物代谢、基因寻找和改造。仪器分析将成为生物大分子多维结构和功能研究、疾病诊断技术的有力工具。

1.1.6　分析化学发展中的创新成就

分析化学伴随着科学发现和技术创新同步发展,作为体现创新、求实、献身等最高意义科学精神和最高科学成就的诺贝尔科学奖亦反映了近 100 年来分析化学,主要是仪器分析发展中里程碑式科学发明和技术进步。仪器分析发展是多学科相互渗透、交叉发展的结果,这些成就分布在物理、化学等各个领域。下面列出了与建立现代仪器分析方法有关的某些获得诺贝尔奖的科学家及其贡献,从他们在不同时期的发现也可以看出分析仪器及仪器分析技术的大致发展进程。

1901 年　Röntgen W C(德国)发现 X 射线。(物理学奖)

1907 年　Michelson A A(美国)制造光学精密仪器及对天体所作的光谱研究。(物理学奖)

1915 年　Bragg W H(英国)及 Bragg W L(英国)采用 X 射线技术对晶体结构的分析。(物理学奖)

1922 年　Aston F W(英国)发明质谱技术并用来测定同位素。(化学奖)

1923 年　Pregl F(奥地利)发明有机物质微量分析法。(化学奖)

1924 年　Sieghahn M(瑞典)在 X 射线仪器方面的发现及研究。(物理学奖)

1931 年　Raman C V(印度)发现 Raman(拉曼)效应。(物理学奖)

1944 年　Rabi I I(美国)用共振方法记录了原子核的共振。(物理学奖)

1948 年　Tiselius A W K(瑞典)采用电泳及吸附分离人血清中蛋白质组分。(化学奖)

1952 年　Bloch F(美国)及 Purcell E N(美国)发展核磁共振的精细测量方法。(物理学奖)

1952 年　Martin A J P(英国)及 Synge R L M(英国)发明分配色谱法。(化学奖)

1959 年　Heyrovsky J(捷克)首先发展极谱分析仪及分析方法。(化学奖)

1977 年　Yalow R(美国)开创放射免疫分析法。(生理医学奖)

1981 年　Sieghahn K M 发展高分辨电子能谱学、仪器并用于化学分析。(物理学奖)

1986 年　Binnig G(德国)及 Roher H(瑞士)发明隧道扫描显微镜。(物理学奖)

1991 年　Ernst R R(瑞士)对高分辨核磁共振分析的发展。(化学奖)

2002 年　Wüthrich K(瑞士),Fenn J B(美国)及 Tanaka K(日本)核磁共振、质谱生物大分子分析研究领域的重大突破。(化学奖)

1.2　仪器分析方法的类型

仪器分析方法很多,其方法原理、仪器结构、操作技术、适用范围等差别很大,多数形成相对较为独立的分支学科,但它们都是分析化学的测量和表征方法。表 1-2 列出了使用在仪器分析的特征性质。基于这些物理、化学特征性质形成的仪器分析方法一般包括下列几类。

1.2.1　光学分析法

光学分析法或光分析法是基于分析物和电磁辐射相互作用产生辐射信号变化,包括表 1-2 中的前六项。光学分析法可分为光谱法和非光谱法,前者测量信号是物质内部能级跃迁所产生的发射、吸收和散射的光谱波长和强度;后者不涉及能级跃迁,不以波长为特征信号,通常测量电磁辐射某些基本性质(反射、折射、干涉和偏振等)变化。

电子能谱是以光电子辐射为基础的方法,从广义辐射概念考虑也可将其归属光学分析法。

1.2.2 电分析化学法

电分析化学或电化学分析法是根据物质在溶液中的电化学性质及其变化规律进行分析的方法,测量电位、电荷、电流和电阻等电信号,如表1-2中的四个电性质。

1.2.3 分离分析法

分离分析法,这里是指分离与测定一体化的仪器分离分析法或分离分析仪器方法,主要是以气相色谱、高效液相色谱、毛细管电泳等为代表的分离分析方法及其与上述仪器联用的分离分析技术。色谱分析包括分离和检测两部分。色谱分离基于物质在吸附剂、分离介质或分离材料上的吸附、吸着、蒸气压、溶解度、疏水性、离子交换、分子体积等多种物理化学性质差异,未包含在表1-2特征性质中。色谱分离各组分,其检测可基于物质的物理化学性质,包括表1-2某些特征性质。尽管色谱检测器与一般分析仪器原理相似,但设计、结构相差很大。分离分析法用于混合物,特别是各种复杂混合物的分离测定。

1.2.4 其他仪器分析方法

其他仪器分析方法主要基于表1-2中的最后四个特征性质。包括质谱法,即物质在离子源中被电离形成带电离子,在质量分析器中按离子质荷比(m/z)进行测定;热分析法,基于物质的质量、体积、热导或反应热等与温度之间关系的测定方法;利用放射性同位素进行分析的放射化学分析法等。

表1-2 仪器分析方法中使用的化学和物理性质

特征性质	仪器分析方法
辐射的发射	发射光谱(X射线、紫外、可见、电子能谱、俄歇电子能谱),荧光,磷光和化学发光(X射线、紫外、可见)
辐射的吸收	分光光度法和光度法(X射线、紫外、可见、红外);光声光谱,核磁共振,电子自旋共振谱
辐射的散射	比浊法,浊度测定法,Raman光谱
辐射的折射	折射法;干涉衍射法
辐射的衍射	X射线,电子衍射法
辐射的旋转	偏振测定法;旋光散射法;圆二色谱
电位	电位法;计时电位分析法
电荷	库仑法

续表

特征性质	仪器分析方法
电流	安培法；极谱法
电阻	电导法
质量	重量法（石英晶体微天平）
质荷比	质谱法
反应速率	动力学方法
热性质	热重量和热滴定法；差示扫描量热法；差热分析法；热导法
放射性	放射化学分析法

1.3 分析仪器

    分析仪器涉及仪器物理原理、研发、设计、制造和装配等。仪器分析工作者应掌握分析仪器的物理、化学原理、机械结构、电子线路、计算机控制和数据处理等，这些是仪器保养、正常运行并处于最佳工作状态、充分发挥仪器功能的重要条件。但目前分析化学教学在这方面比较薄弱，难以适应社会需要，是教学改革需要解决的问题。当然实际工作锻炼、自学能力和经验积累是弥补这方面缺陷的途径。化学家常根据研究工作需要，实验室条件，利用各种元器件和商品仪器组件、配件，设计、组装各种性能、用途的分析仪器。自组装仪器一般不仅具有机动、灵活、实用、成本低等特点，也是发展新型分析仪器的重要途径。国内分析仪器研究、发展水平较低，多数现代分析仪器目前仍主要靠进口，相应地教学、改革对改变这种状况有积极意义。

1.3.1 分析仪器的类型

    分析仪器是仪器分析方法的技术设备，包括通用分析仪器和专用分析、测量仪器两大类。通用分析仪器根据仪器设计的物理或物理化学基础，可进一步分为光谱仪、电化学分析仪、色谱仪、质谱仪、核磁共振波谱仪、热分析仪等；而根据分析对象亦可分为分子分析仪器、原子分析仪器、分离分析仪器、联用分析仪器、试样预处理仪器和数据处理仪器等。专用性分析仪器主要是指不同应用学科领域测定某些特定对象或项目的分析仪器，如环境分析仪器中的大气监测仪、水质分析仪、噪声与振动测量仪等；生物医学分析仪器中的动态心电图仪、超声诊断仪、血气分析仪、人体磁共振成像仪、酶联免疫分析仪等；工业生产流程自动控制的过程分析仪器等。通用分析仪器是专用分析仪器产生的基础，大多数专用分析仪器具有通用分析仪器的共同物理、生物、化学原理和理论基础，但根据应用对象不同，其结构、技术设计、制造工艺更为复杂，涉及应用学科大量技术难题，每种专用仪器都有多种专著论述。本书主要讨论各种商品化通用分析仪器,这是分析仪器最核心的组成部分。

1.3.2 分析仪器的基本结构单元

分析仪器基于分析物质或体系的物理或化学性质、结构在外场作用下产生可收集、处理、显示并能为人们解释的信号或信息。物质的某些性质或内在结构并非人们能直接观察到,因此,分析仪器可看成被研究体系与研究者之间的通讯器件。现代分析仪器品种繁多、型号多变、结构各异、计算机应用和智能化程度等差别很大,但一般都包括如图 1-1 所示的四个基本结构单元或系统,且每个单元都或多或少与计算机控制有关。需要指出的是,由于分析仪器结构的多样性,功能组合不同,信息发生器和信息处理单元之间有些功能互相交叠。因而,各种仪器分析教材或文献对分析仪器基本结构单元划分不完全相同。

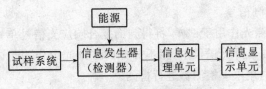

图 1-1　分析仪器基本结构单元

1. 试样系统

其功能是分析试样的引进或放置,亦可能包括物理、化学状态改变、成分分离等,以适应检测要求,但试样性质不得改变。不同仪器类型的试样系统差别很大,有些与检测处在同一位置;有些没有试样系统,如在线分析仪器。

2. 能源

提供与分析物或系统发生作用的探测能源,通常为电磁辐射或场、电能、机械能或核能等。如光分析仪器的光源,X 射线衍射仪的 X 光管等。

3. 信息发生器

包括检测器(detector)、转换器(transducer)或传感器(sensor),这三者常作为同义术语,但事实上它们含义有一定区别。最普遍的检测器是一个机械、电或化学装置,外能作用下,基于检测物质的物理、化学性质产生检测信息或信号,如电信号(电压、电流)、发射电磁波、电磁辐射的衰减、核辐射、电子流、离子流、热能、压力、粒子或分子等。检测器或检测系统成为整个仪器的接收装置,指示或记录物理或化学量,分析物或系统环境中存在某个变量或它的变化,例如,UV检测器指示或记录色谱淋洗液中存在 UV 吸收的组分及浓度变化。

转换器是一个将非电信号转换成电信号或相反的特殊装置。一般电信号可直接被处理单元接收,非电信号需通过转换器装置转变成电信号,如光电倍增管、光电二极管、光电池或其他光电检测器等,产生电流或电压正比于落在其表面的电磁辐射强度。其他例子有热敏电阻、热电堆、应变仪、Hall效应磁场强度变换器等。

传感器指一类能连续、可逆地监测特殊化学成分的分析装置或器件,能将某些化学成分感应转变成电信号,已成为广泛使用的术语。本教材有许多传感器的例子,包括玻璃电极、Clark氧电极、光纤传感器。基于压电特性的石英晶体微天平(QCM)具有特殊价值。这种传感器可检测各种气相成分,包括甲醛、氯化氢、硫化氢、苯及化学毒气等,如芥子气和光气。

分析仪器产生和变换信息或信号方式多种多样,下面以光分析仪器为例说明检测方式的多样性。

(1) 复合探测光单一化后作用于试样,用单一检测器检测响应信号。例如,紫外-可见吸收光谱仪中,将经过光栅或棱镜分光的紫外或可见光作用于试样,用单一转换器检测信号。

(2) 复合探测光作用于试样,将得到的复合响应光信号单一化后,用转换器依次检测。例如,红外光谱仪中,用不分光的红外光束作用于试样,得到的复合响应光信号分光,用单一检测器进行检测。

(3) 将得到的复合应答信号单一化后,用多检测器检测。例如,光电直读发射光谱仪,复合光响应光信号经光栅分光后,分别由不同的检测器检测不同元素的特征线。

(4) 将得到的复合响应光信号一次全部进入单一检测器,然后通过计算机用一些数学方法处理,得到有用的信息。例如,傅里叶变换红外光谱。

4. 信息处理单元

其功能是信号或信息接收、放大、衰减、相加、差减、积分、微分、数字化、变换、存储等。信号处理涉及模量信号和数字信号两种类型,计算机在分析仪器中广泛应用,模量信号均需通过模/数变换转变成数字信号,以适应程序控制、自动化、信息化仪器分析需要。

5. 信息显示单元

亦称为读出装置,将电信号或信息转变成人们能直接观察和理解的信息,主要包括表头、记录仪、示波器、显示器、打印机等。通常,这种信号转换采用阴极射线管阿拉伯数字或图形输出,在有些情况下,可直接给出分析物组分和相对浓度等。

分析仪器研发与电子学、化学计量学、计算机的发展密切相关,因为信号的发生、转换、放大和显示都可用电子元件、线路快速而方便地完成;计算机的引入可提高仪器性能、测定的重现性,亦可简化操作或实现分析自动化。

1.3.3 分析仪器的性能指标

为了评价分析仪器的性能,需要一定的性能参数与指标。根据这些参数可对同一类型的不同型号仪器进行比较,作为购置仪器、考察仪器工作状况的依据;亦可对不同类型仪器进行比较,预测其用途。一般来说,分析仪器具有以下一些常用性能参数与指标。

1. 精密度(precision)

分析数据的精密度指同一分析仪器的同一方法多次测定所得到数据间的一致程度,是表征随机误差大小的指标,亦称为重复测定结果随测定平均值的分散度,即重现性。按国际纯粹与应用化学联合会(IUPAC)规定,用相对标准差 d_r 表示精密度(也记为 RSD):

$$d_r = \frac{s}{x_n} \tag{1-1}$$

式中 s 为绝对标准偏差,x_n 为 n 次测定平均值,即

$$x_n = \frac{\sum_i^n x_i}{n} \tag{1-2}$$

$$s = \sqrt{\frac{\sum_i^n (x_i - x_n)^2}{n-1}} \tag{1-3}$$

2. 灵敏度(sensitivity)

仪器或分析方法灵敏度是指区别具有微小浓度差异分析物能力的度量。灵敏度决定于两个因素:即校准曲线的斜率和仪器设备的重现性或精密度。在相同精密度的两个方法中,校准曲线斜率愈大,方法愈灵敏。同样,在校准曲线斜率相等的两种方法中,精密度好的有较高灵敏度。根据 IUPAC 规定,灵敏度用校准灵敏度(calibration sensitivity)表示。即测定浓度范围内校准曲线斜率(S)。一般通过一系列不同浓度标准溶液来测定校准曲线。

$$R = Sc + S_{bl} \tag{1-4}$$

式中 R 是测定响应信号,S 为校准灵敏度,c 是分析物浓度,S_{bl} 为仪器的本底空白信号,是校准曲线在纵坐标上的截距。用这种校准曲线,校准灵敏度不随浓度改变。在考虑各次测定精密度时,校准灵敏度作为性能指标可能显示其不足。

需要说明的是,仪器校准灵敏度随选用的标准物和测定条件不同,测定的灵敏度不一致。仪器制造商或使用者给出灵敏度数据,一般应提供测定条件和试

样。如色谱仪器灵敏度常选用苯、联苯或萘为试样,并说明分离和检测器工作条件。此外,各种仪器方法通常有自己习惯使用的灵敏度概念,如原子吸收光谱中,常用"特征浓度",即所谓 1％净吸收灵敏度表示。原子发射光谱中也常采用相对灵敏度表示不同元素分析灵敏度,它是指某元素的最低检出浓度。

人们认为,灵敏度在具有重要价值的数学处理中,需要包括精密度。因而提出分析灵敏度 S_a(analytical sensitivity)的定义:

$$S_a = \frac{S}{s_s} \tag{1-5}$$

式中 S 仍为校准曲线斜率,s_s 为测定标准偏差。分析灵敏度具有的优点是对仪器放大系数相对不敏感。例如,用放大系数为 5 提高仪器增益,可产生 5 倍的 S 增加。然而,通常这种增加会伴随 s_s 增加,从而保持分析灵敏度相对恒定。分析灵敏度的第二个优点是与测定 S 的单位无关。分析灵敏度的缺点是与浓度的相关性,因 s_s 可能随浓度变化。

3. 检出限(detection limit)

又称检测下限或最低检出量等,定义为一定置信水平下检出分析物或组分的最小量或最低浓度。它取决于分析物产生信号与本底空白信号波动或噪声统计平均值之比。当分析物信号大于空白信号随机变化值一定倍数 k 时,分析物才可能被检出。因此,检出限的分析信号 S_m 和它的标准差接近空白信号 S_{bl} 及它的标准差 s_{bl}。最小可鉴别的分析信号 S_m 至少应等于空白信号平均值 S_{bla} 加 k 倍空白信号标准差之和:

$$S_m = S_{bla} + k s_{bl} \tag{1-6}$$

测定 S_m 的实验方法是通过一定时间内 20～30 次空白测定,统计处理得到 S_{bla} 和 s_{bl},然后,按检出限定义可得最低检测浓度 c_m 或最低检测量 q_m:

$$c_m = \frac{S_m - S_{bla}}{S} = \frac{k s_{bl}}{S} = \frac{3 s_{bl}}{S} \tag{1-7}$$

或

$$q_m = \frac{3 s_{bl}}{S} \tag{1-8}$$

式中 S 表示被测组分的质量或浓度改变一个单位时分析信号变化量,即灵敏度。研究表明,式(1-7),式(1-8)中,k 合理值为 $k=3$,此时大多数情况下检测置信水平为 95％,k 值进一步增加,难以获得更高检测置信水平。因此,最低检测浓度或检测量表示能得到相当于三倍空白信号波动标准差或噪声信号的最低物质浓度或最小物质质量。

上两式表明,检出限和灵敏度是密切相关的两个指标,灵敏度愈高,检出限愈低。但两者含义不同,灵敏度指分析信号随组分含量变化的大小,与仪器信号放大倍数有关;而检出限与空白信号波动或仪器噪声有关,具有明确统计含义。提高精密度,降低噪声,可以降低检出限。

这里给出一个灵敏度和检出限的计算例子,有助于对这些基本概念的理解。采用火焰发射光谱分析试样中的铅,其校正数据最小二乘法分析得方程:

$$R = 1.12 w_{Pb} + 0.312 \qquad (1-9)$$

式中 w_{Pb} 为铅的含量,单位是 $\mu g \cdot g^{-1}$;R 是测定铅发射线的相对强度。下面为获得的平行测定数据:

Pb 含量/$(\mu g \cdot g^{-1})$	平行测定次数	R 平均值	s
10.0	10	11.62	0.15
1.00	10	1.12	0.025
0.000	24	0.0296	0.0082

试计算:(1) 校准灵敏度,(2) 在 1 $\mu g \cdot g^{-1}$ 和 10 $\mu g \cdot g^{-1}$ 铅时的分析灵敏度,(3) 检出限。

解:(1) 按定义校准灵敏度 S 是直线斜率,因此,$S = 1.12$。

(2) 10 $\mu g \cdot g^{-1}$ Pb 时,$S_a = S/s_s = 1.12/0.15 = 7.5$;1$\mu g \cdot g^{-1}$ Pb 时,$S_a = 1.12/0.025 = 45$。

(3) 应用方程(1-6):$S_m = 0.0296 + 3 \times 0.0082 = 0.054$,代入式(1-7)得

$$w_m = (0.054 - 0.0296)/1.12 = 0.022 (\mu g \cdot g^{-1})。$$

各类分析仪器检出限差别很大,如各种极谱仪、分子光谱仪检出限为 $10^{-5} \sim 10^{-8}$ mol;原子光谱仪为 $10^{-9} \sim 10^{-11}$ g;各种质谱仪器和表面分析仪器检出限达 $10^{-13} \sim 10^{-15}$ g。

4. 动态范围(dynamic range)

图 1-2 描述动态线性响应范围或线性范围定义,即定量测定最低浓度(LOQ)扩展到校准曲线偏离线性响应(LOL)的浓度范围。定量测定下限一般取等于 10 倍空白重复测定标准差,或 10 s_{bl}。这点相对标准差约 30%,随浓度增加而迅速降低。检测上限,相对标准差是 100%。

各种仪器线性范围相差很大,实用分析方法动态范围至少两个数量级。有些方法适用浓度范围 5~6 个数量级。

5. 选择性(selectivity)

一种仪器方法的选择性是指避免试样中含有其他组分干扰组分测定的程度。没有一个分析方法能完全避免其他组分干扰,因而降低干扰是分析测试中常需要的步骤。

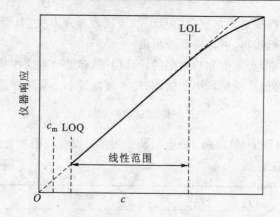

图 1-2　仪器分析方法适用线性范围
LOQ 为定量测定限；LOL 为线性响应限

　　例如，一个试样含有分析物 A 及潜在干扰物 B 和 C。如果 c_A，c_B 和 c_C 是三个组分浓度，S_A，S_B 和 S_C 是它们的校正灵敏度，则仪器总的检测信号为

$$S = S_A c_A + S_B c_B + S_C c_C + S_{bl} \qquad (1-10)$$

A 对 B，C 的选择性系数 k_{BA}，k_{CA} 分别定义为

$$k_{BA} = \frac{S_B}{S_A} \qquad (1-11)$$

$$k_{CA} = \frac{S_C}{S_A} \qquad (1-12)$$

式中 S_A，S_B，S_C 分别为组分 A，B 和 C 的校正灵敏度。代入式(1-6)得

$$S = S_A(c_A + k_{BA} c_B + k_{CA} c_C) + S_{bl} \qquad (1-13)$$

选择性系数从 0（无干扰）到 >1。注意，当干扰引起信号强度下降，系数可为负值。

　　6. 响应速度

　　是指仪器对检测信号的反应速度，定义为仪器达到信号总变化量一定百分数所需的时间。

　　7. 分辨率（resolution）

　　指仪器鉴别由两相近组分产生信号的能力。不同类型仪器分辨率指标各不相同，光谱仪器指将波长相近两谱线（或谱峰）分开的能力；质谱仪器指分辨两相邻质量组分质谱峰的分辨能力；色谱指相邻两色谱峰的分离度；核磁共振波谱有它独特的分辨率指标，以邻二氯甲苯中特定峰，在最大峰的半宽度（以 Hz 为单位）为分辨率大小。

　　需要指出的是目前国内外关于各种分析仪器性能及指标尚无统一认识和标

准,有些性能含义仍存在一定争议,不同类型仪器、不同厂家生产的同一类型仪器,乃至同一厂家生产的同一类型不同型号仪器常提供不同性能指标或参数。如红外光谱仪一般给出波长范围、波长精度、波长分辨率、信噪比等;质谱仪一般给出质量范围、分辨率、扫描速率、灵敏度等;而高效液相色谱仪分别提供高压输液泵的流速范围和流速精度及检测器,如紫外-可见光检测器的噪声、稳定性(漂移)、波长范围(nm)、测量范围(满刻度光吸收单位,AUFS)等。

1.3.4 分析仪器和方法校正

仪器分析中将分析仪器产生的各种响应信号值转变成被测物质的质量或浓度的过程称为校正,一般包括分析仪器的特征性能指标和定量分析方法校正。

各种分析仪器的性能指标在出厂前和实验室安装过程中都需调试和检测,使仪器性能处于最佳状态,一般不要轻易调整。但提供试样定性、结构特征的重要或特征性能及灵敏度、检出限等指标,在仪器运行过程中,根据需要经常或定期校正、检测,以监测仪器正常运行、保证分析结果的可靠性。如红外光谱仪的波长或波数的准确度和分辨率是否下降,通常使用已知吸收谱带的聚苯乙烯薄膜校正波数或波长准确度和分辨率,在各波数区的波数误差必须达到要求值,并能分辨出相邻的几个特征吸收峰。这两个指标与红外光谱仪其他性能密切相关,较全面反映整机工作状态。又如有机质谱仪在分析试样过程中需经常用全氟煤油(perfluorokerosene,PFK)进行质量校正。不同类分析仪器的校正技术和使用的标准试样差别较大。

各类仪器分析定量方法校正,即建立仪器输出测定信号与被分析物质浓度或质量的关系。最普通的方法是用一组含待测组分量不同的标准试样或基准物质配成浓度不同溶液作出校准曲线。用最小二乘法可得出分析信号与待测物浓度或量之间的函数关系,称为校准函数,$y=f(\tau)$。在定量分析中需要由试样经分析仪器测定信号求出待测物质浓度 c,因此用校准函数的反函数更为方便。$c=f(y)$,称为分析计算函数,或简称分析函数。实验测得的仪器响应与浓度关系并不都有用,只有在动态范围内才适用于定量校正。

在仪器分析中希望校准函数是线性,因为使用方便,如吸收光谱、极谱都如此,此时函数可表示为

$$y=b_0+b_1c \tag{1-14}$$

用最小二乘法可由实验值(y_i,c_i)求出此方程两个参数:

$$b_0=\frac{(\sum c_i^2)(\sum y_i)-(\sum c_i)(\sum c_i y_i)}{n(\sum c_i^2)-(\sum c_i)^2} \tag{1-15}$$

$$b_1 = \frac{n(\sum c_i y_i) - (\sum c_i)(\sum y_i)}{n(\sum c_i^2) - (\sum c_i)^2} \tag{1-16}$$

式中 n 为用作校正数据对的数目。一般用最小二乘法求回归时,基本假设是:
(1) c 比 y 要准确,将 c_i 作为准确数字;(2) y_i 只包含测量误差。测量误差服从
正态分布,且每次测量误差是独立的。由于用 n 个点建立一条校准曲线不可能
每个点都落在曲线上,即校准点有一定波动,故校准函数应写作 $y = b_0 + b_1 c + \Delta y$,式中 Δy 代表测量值的波动,其大小可用方差 σ_y^2 表示。

如果校准函数不是线性的,则可通过变量变换为线性。例如,离子选择性电
极的信号 E 与 c 呈对数关系,属于特例。普遍的简化方法是假设在一个小浓度
范围内是线性的。如发射光谱、X 射线荧光光谱等。这类仪器方法校准准确度
取决于试样浓度范围、响应曲线的曲率大小。可采用多项式校准函数,在函数中
引入二次项得 $y = b_0 + b_1 c + b_2 c + \Delta y$。用最小二乘法由实验数据求得三个参数
b_0, b_1, b_2,从而得到校准函数。同样可求出数据点波动方差。如果由二次多项式
模型算出的方差 $(\sigma_y^2)_2$ 较之用线性模型校正的 σ_y^2 显著得小,则说明应用二次模
型校正。反之,若二者差异不大,则表示可用线性校正。

各类仪器定量方法校正,根据标准物不同,一般分为外标法和内标法两大
类。外标法的共同点是所使用的标准物质与被测定物是同一物质;内标法的标
准物与被测定物不是同一物质。根据仪器类型、操作条件、试样组成、分析要求
等不同,操作技术大同小异,可形成多种名称定量校正方法,除校准曲线法、外标
法、内标法名称外,还有标准加入法、单点校正法等。需要指出,在多组分同时定
量测定中,可结合采用外标法和内标法。个别仪器定量方法校正可能需采用非
仪器方法,如化学定量分析校正。

由于不同类型分析仪器和方法校准存在较大差别,在各章讨论中将作具体
或深入介绍。

思考、练习题

1-1　试说明分析化学定义或学科内涵随学科发展的变化。

1-2　化学分析与仪器分析的主要区别是什么? 从分析化学整体来看,它们有哪些共
同点?

1-3　试说明仪器分析在当代分析化学中的作用和地位。

1-4　教材列出了与建立现代仪器分析方法有关的某些获得诺贝尔奖的科学家及其贡
献,你是否读到过并能提供、说明个别你感兴趣科学家的生平、研究经历的资料和启迪?

1-5　试说明分析仪器与仪器分析的区别与联系。分析仪器涉及化学以外的哪些主要
学科?

1-6 分析仪器一般包括哪些基本组成部分？通用性分析仪器和专用性分析仪器有何异同之处？

1-7 采用仪器分析进行定量分析为什么要进行校正？

参考资料

[1] Skoog D A,Holler F J,Nieman T A. Principles of instrumental analysis. 5th ed. Philadephia:Harcourt Brace & Company,1998.

[2] Skoog D A,West D M,Holler F J. Fundamentals of analytical chemistry. 7th ed. Philadephia:Sauder,1996.

[3] Kellner R,Mermet J-M,Otto M,et al. Analytical Chemistry. Weinheim:Wiley-VCH,1998.

[4] Harvey D. Modern analytical chemistry. McGraw Hill,2000.

[5] 布朗 R D. 最新仪器分析全书. 北京大学化学系,清华大学分析中心,南开大学测试中心,译. 北京:化学工业出版社,1990.

[6] 朱良漪. 分析仪器手册. 北京:化学工业出版社,1997.

[7] 北京大学化学系仪器分析教学组. 仪器分析教程. 北京:北京大学出版社,1997.

[8] 赵藻藩,周性尧,张悟铭,等. 仪器分析. 北京:高等教育出版社,1990.

[9] 汪尔康. 21世纪的分析化学. 北京:科学出版社,1999.

第2章 光谱分析法导论

光谱分析法或光谱分析是仪器分析中一类重要的光分析方法。光分析法的基础包括两个方面,其一为能量作用于待测物质后产生光辐射,该能量形式可以是光辐射和其他辐射能量形式,也可以是声、电、磁或热等能量形式;其二为光辐射作用于待测物质后发生某种变化,这种变化可以是待测物质物理化学特性的改变,也可以是光辐射光学特性的改变。基于此,可以建立一系列的分析方法,这些分析方法均可称为光分析法。随着学科的发展,除光辐射外,基于检测 γ 射线、X 射线以及微波和射频辐射等作用于待测物质而建立起来的分析方法,也归类于光分析法。任何光分析法均包含有三个主要过程:(1) 能源提供能量;(2) 能量与被测物质相互作用;(3) 产生被检测的信号。

光分析法分为光谱分析法和非光谱分析法。光谱分析法和非光谱分析法的区别在于,光谱分析法中能量作用于待测物质后产生光辐射,以及光辐射作用于待测物质后发生的某种变化与待测物质的物理化学性质有关,并且为波长或波数的函数,如光的吸收及光的发射,这些均涉及物质内部能级跃迁;非光谱分析法表现为光辐射作用于待测物质后,发生散射、拆射、反射、干涉、衍射、偏振等现象,而这些现象的发生只是与待测物质的物理性质有关,不涉及能级跃迁。因此,光谱分析法不仅可以提供物质的量的信息,还可以提供物质的结构信息,并广泛地应用于化学、物理、环境、生物和材料等领域,特别是在物质组成研究、结构分析、生物大分子几何构型的确定、表面分析等方面,发挥着重要作用。目前,光谱分析法已成为仪器分析方法中的重要组成部分。

2.1 电磁辐射的性质

电磁辐射的波动性和微粒性称为电磁辐射的二象性,两者相互补充。事实上已发现电子流和其他基本粒子流也具有波粒二象性。

2.1.1 电磁辐射的波动性

电磁辐射具有波动性,如光的折射、衍射、偏振和干涉等,其许多性质可以用经典的正弦波加以描述,因而通常用周期(T)、波长(λ)、频率(ν)和波数(σ)等进行表征。电磁波按所处波长或频率的不同区域,分为无线电波、微波、红外线、可见光、紫外线、X 射线等。电磁辐射可以在空间进行传播,不同波长和频率的电磁辐射在真空中的传播速率都等于光速 c(c 等于 $2.998 \times 10^8 \, \text{m·s}^{-1}$),即

$$\lambda\nu = c \qquad\qquad (2-1)$$

在光谱分析中,波长的单位常用纳米(nm)或微米(μm)表示;频率常用单位赫[兹](Hz,s^{-1})表示;波长的倒数 σ 称为波数,常用单位 cm^{-1},它表示在真空中单位长度内所具有的波的数目,即 $\sigma = 1/\lambda$。当波长的单位用微米时,波长与波数的关系式为

$$\sigma\lambda = 10^4 \qquad\qquad (2-2)$$

表 2-1 中列出了电磁波谱的主要参数。表中的紫外光区分为远紫外光区和近紫外光区,通常由于空气中的气体成分吸收远紫外光,因此远紫外光区也称为真空紫外光区;红外光区分为近红外光区、中红外光区和远红外光区,实际波谱区通常是合成光学光谱区,常用波数表示"波长"范围;$1 \, \text{m}(\text{米}) = 10^6 \, \mu\text{m}$(微米)$= 10^9 \, \text{nm}$(纳米)$= 10^{10} \, \text{Å}$(埃)$= 10^{12} \, \text{pm}$(皮米);光子能量单位为 eV(电子伏特),$1 \, \text{eV} = 1.602\,2 \times 10^{-19} \, \text{J}$(焦[耳]),相当于频率 ν 为 $2.418\,6 \times 10^{-14} \, \text{Hz}$,或波长 λ 为 $1.239\,5 \times 10^{-6} \, \text{m}$,或波数 σ 为 $8\,067.8 \, \text{cm}^{-1}$ 的光子所具有的能量。能量和波长换算所涉及的常数及换算关系包括:普朗克常数 $h = 6.626 \times 10^{-34} \, \text{J·s}$;玻耳兹曼常数 $k = 1.381 \times 10^{-23} \, \text{J·K}^{-1}$;电子的静止质量 $m = 9.109 \times 10^{-28} \, \text{g}$,电子电荷 $-e = -1.602 \times 10^{-19} \, \text{C}$(库[仑])。

表 2-1　电磁波谱的主要参数

波谱区域	波长范围	波数 σ/cm^{-1}	频率范围/MHz	光子能量/eV	主要跃迁能级类型
γ 射线	5 ～ 140 pm	$2 \times 10^{10} \sim 7 \times 10^7$	$6 \times 10^{14} \sim 2 \times 10^{12}$	$2.5 \times 10^6 \sim 8.3 \times 10^3$	核能级
X 射线	$10^{-3} \sim 10$ nm	$10^{10} \sim 10^6$	$3 \times 10^{14} \sim 3 \times 10^{10}$	$1.2 \times 10^6 \sim 1.2 \times 10^2$	内层电子能级
远紫外光	10 ～ 200 nm	$10^6 \sim 5 \times 10^4$	$3 \times 10^{10} \sim 1.5 \times 10^9$	125～6	原子及分子的价电子或成键电子能级
近紫外光	200～400 nm	$5 \times 10^4 \sim 2.5 \times 10^4$	$1.5 \times 10^9 \sim 7.5 \times 10^8$	6～3.1	
可见光	400～750 nm	$2.5 \times 10^4 \sim 1.3 \times 10^4$	$7.5 \times 10^8 \sim 4.0 \times 10^8$	3.1～1.7	
近红外光	0.75 ～ 2.5 μm	$1.3 \times 10^4 \sim 4 \times 10^3$	$4.0 \times 10^8 \sim 1.2 \times 10^8$	1.7～0.5	分子振动能级
中红外光	2.5 ～ 50 μm	4 000～200	$1.2 \times 10^8 \sim 6.0 \times 10^6$	0.5～0.02	
远红外光	50～1 000 μm	200～10	$6.0 \times 10^6 \sim 10^5$	$2 \times 10^{-2} \sim 4 \times 10^{-4}$	分子转动能级电子自旋
微波	0.1～100 cm	10～0.01	$10^5 \sim 10^2$	$4 \times 10^{-4} \sim 4 \times 10^{-7}$	
射频	1～1 000 m	$10^{-2} \sim 10^{-5}$	$10^2 \sim 0.1$	$4 \times 10^{-7} \sim 4 \times 10^{-10}$	核自旋

2.1.2　电磁辐射的微粒性

电磁辐射还具有微粒性,表现为电磁辐射的能量不是均匀连续分布在它传播的空间,而是集中在辐射产生的微粒上。因此,电磁辐射不仅具有广泛的波长(或频率、能量)分布,而且由于电磁辐射波长和频率的不同而具有不同的能量和动量,通常用 eV 表示电磁辐射的能量,1 eV 为一个电子通过 1V 电压降时所具有的能量。电磁辐射能量与波长的关系为

$$E = h\nu = \frac{hc}{\lambda} \tag{2-3}$$

电磁辐射的动量与波长的关系为

$$p = \frac{h\nu}{c} = \frac{h}{\lambda} \tag{2-4}$$

光的吸收、发射和光电效应等,都是电磁辐射的微粒性的现实表现。不同波长或频率区域的电磁波对应不同的量子跃迁,因而以不同波长或频率区域的电磁波为基础建立起来的各种电磁波谱方法也不尽相同。例如,紫外-可见吸收光谱是由分子价电子在电子能级间的跃迁产生的,分子的振动和转动能级的跃迁产生了红外光谱,而 X 射线衍射是高速运动的电子束轰击原子内层电子的结果。

2.1.3　电磁波谱

电磁辐射具有广泛的波长(或频率、能量)分布,将电磁辐射按其波长(或频率、能量)顺序排列,即为电磁波谱。与不同量子跃迁对应的电磁辐射具有不同的波长(或频率、能量)区域,而且产生的机理也不相同。通常以一种量子跃迁为基础可以建立一种电磁波谱方法,不同的量子跃迁对应不同的波谱方法。由电磁辐射提供能量致使量子从低能级向高能级的跃迁过程,称为吸收;由高能级向低能级跃迁并发射电磁辐射的过程,称为发射;由低能级吸收电磁辐射向高能级跃迁,再由高能级跃迁回低能级并发射相同频率电磁辐射,同时存在弛豫现象的过程,称为共振。

例如,分子外层存在电子能级,而每个电子能级存在不同的振动能级,每个振动能级又存在不同的转动能级,因此,基于低电子能级向高电子能级的跃迁可建立紫外-可见吸收光谱,而基于低振动-转动能级向高振动-转动能级的跃迁可建立红外吸收光谱,前者跃迁所涉及的能量对应于紫外-可见波长区域,后者跃迁所涉及的能量对应于红外波长区域。

2.1.4 电磁辐射与物质的相互作用

2.1.4.1 吸收

当电磁波作用于固体、液体和气体物质时,若电磁波的能量正好等于物质某两个能级(如第一激发态和基态)之间的能量差时,电磁辐射就可能被物质所吸收,此时电磁辐射能被转移到组成物质的原子或分子上,原子或分子从较低能态吸收电磁辐射而被激发到较高能态或激发态(图 2-1)。在室温下,大多数物质都处在基态,所以吸收辐射一般都要涉及从基态向较高能态的跃迁。

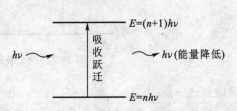

分析方法的线性范围

$E=(n+1)h\nu$

$h\nu$ 吸收跃迁 $h\nu$(能量降低)

$E=nh\nu$

图 2-1 辐射吸收引起能级跃迁示意图

由于物质的能级组成是量子化的,因此吸收也是量子化的。对吸收频率的研究可提供一种表征物质试样组成的方法,由此可以通过实验得到吸光度对波长或频率的函数图,即吸收光谱图。物质的吸收光谱差异很大,特别是原子吸收光谱和分子吸收光谱。一般来说,它与吸收组分的复杂程度、物理状态及其环境有关。

1. 原子吸收

当电磁辐射作用于气态自由原子时,电磁辐射将被原子所吸收,如图 2-2 所示。由于原子外层电子的能级,其任意两能级之间的能量差所对应的频率基本上处于紫外或可见光区,因此,气态自由原子主要吸收紫外或可见电磁辐射。同时,由于原子外层的电子能级数有限,因此,产生原子吸收的特征频率也有限,而且由于气态自由原子通常处于基态,致使由基态向更高能级的跃迁具有较高的概率,故而电磁辐射作用于气态自由原子时,在现有的检测技术条件下,通常只有少数几个非常确定的频率被吸收,表现为原子中的基态电子吸收特定频率的电磁辐射后,跃迁到第一激发态、第二激发态或第三激发态等。以气态钠原子为例,它只具有很少几个可能的能态。在通常情况下,钠蒸气中的所有原子基本上都处在基态,即它们的价电子位于 3s 能级,其 3p 的两个能级与 3s 能级的能量差所对应的波长分别为 589.30 nm 和 589.60 nm。如果以含有波长 589.30 nm 和 589.60 nm 的可见光作用于钠原子,则许多基态钠原子的外层电子将吸收 589.30 nm 或 589.60 nm 的光子并跃迁到 3p 的两个能级上,并可以观测到基态钠原子对 589.30 nm 和 589.60 nm 波长的光的吸收双线。如果电磁辐射的能量更高,还可能观测到 3s 能级到更高能级如 5p 能级的吸收,相对应的吸收波长为 285 nm 左右。实际上,3s 能级到 5p 能级的跃迁概率较小,因此对检测技术的灵敏度要求更高,同时由于 5p 的两个能级能量差极小,要观测到 3s 能级到 5p 两个能级的吸收双线,对检测技术的分辨率同样要求更高,而常规的仪器很

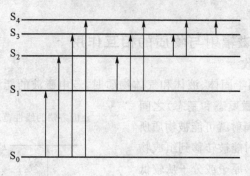

图 2-2　原子吸收跃迁示意图

难做到这一点。

　　紫外和可见光区的能量足以引起外层电子或价电子的跃迁，相应的分析方法是原子吸收光谱法。而能量大几个数量级的 X 射线，能与原子的内层电子相互作用，故在 X 射线光谱区能观察到原子最内层电子跃迁产生的吸收峰。

　　2. 分子吸收

　　当电磁辐射作用于分子时，电磁辐射也将被分子所吸收。分子除外层电子能级外，每个电子能级还存在振动能级，每个振动能级还存在转动能级，因此分子吸收光谱较原子吸收光谱要复杂得多。分子的任意两能级之间的能量差所对应的频率基本上处于紫外、可见和红外光区，因此，分子主要吸收紫外、可见和红外电磁辐射，表现为紫外-可见吸收光谱和红外吸收光谱。

　　同时，由于振动能级相同但转动能级不同的两个能级之间的能量差很小，由同一能级跃迁到该振动能级相同但转动能级不同的两个跃迁的能量差也很小，因此对应的吸收频率或波长很接近，通常的检测系统很难分辨出来，而分子能量相近的振动能级又很多，因此，表观上分子吸收的量子特性表现不出来，而表现为对特定波长段的电磁辐射的吸收，光谱上表现为连续光谱。

　　分子的总能量 $E_{分子}$ 通常包括三个部分，分子的电子能量 $E_{电子}$，分子中各原子振动产生的振动能 $E_{振动}$，以及分子围绕它的重心转动的转动能 $E_{转动}$。通常用下式表示：

$$E_{分子} = E_{电子} + E_{振动} + E_{转动} \tag{2-5}$$

　　图 2-3 为分子电子能级的吸收跃迁示意图，图示仅仅为两个电子能级之间的跃迁，这种跃迁可以从较低的电子能级跃迁到较高电子能级的不同的振动能级和不同的转动能级。如果考虑分子外层多个电子能级相互之间的跃迁以及所涉及的多个振动能级和转动能级，其跃迁数将大幅增加。该跃迁所对应的波长范围在紫外-可见光区，根据分子对紫外、可见光的吸收特性，建立了紫外-可见吸收光谱法。

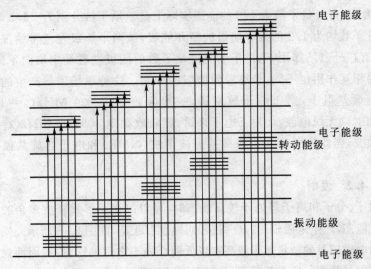

图 2-3　电子能级的吸收跃迁示意图

图 2-4 为分子振动能级之间的吸收跃迁示意图,图示仅仅为一个电子能级上不同振动能级之间的跃迁。同样,这种跃迁可以从较低的振动能级跃迁到较高振动能级的不同的转动能级。如果考虑分子外层多个电子能级上不同的转动和振动能级之间的跃迁,其跃迁数也将大幅增加。该跃迁所对应的波长范围在红外光区,根据分子对红外线的吸收特性,建立了红外吸收光谱法。

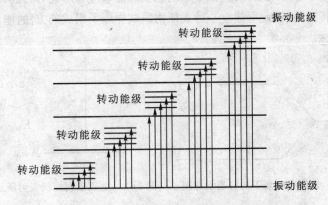

图 2-4　分子振动能级的吸收跃迁示意图

3. 磁场诱导吸收

将某些元素原子放入磁场,其电子和核受到强磁场的作用后,它们具有磁性质的简并能级将发生分裂,并产生具有微小能量差的不同量子化的能级(图 2-5),进而可以吸收低频率的电磁辐射。以自旋量子数为 $1/2$ 的常见原子核 ^1H, ^{13}C, ^{19}F

及 ^{31}P 等为例,自旋量子数为 1/2 的能级实际上是磁量子数分别为 +1/2 和 -1/2 但自旋量子数均为 1/2 的两个能级的简并能级,该两个能级在通常情况下能量相同,只有在外磁场作用下,由于不同磁量子数的能级在磁场中取向不同,因而与磁场的相互作用也不同,最终导致能级的分裂。这种磁场诱导产生的不同能级间的能量差很小,对于原子核来讲,一般吸收 $30 \sim 500$ MHz($\lambda = 1\,000 \sim 60$ cm)的射频无线电波,而对于电子来讲,则吸收频率为 $9\,500$ MHz($\lambda = 3$ cm)左右的微波,据此分别建立了核磁共振波谱法(NMR)和电子自旋共振波谱法(ESR)。

2.1.4.2 发射

当原子、分子和离子等处于较高能态时,可以以光子形式释放多余的能量而回到较低能态,产生电磁辐射,这一过程叫做发射跃迁,如图 2-6 所示。发射跃迁所发射的电磁辐射的能量等于较高和较低两个能态之间的能量差,因而对特定物质具有特定的频率。通常情况下,发射跃迁以电磁辐射形式所释放出来的能量,其对应的频率或波长处于紫外-可见光区。发射跃迁可以理解为吸收跃迁的相反过程,与吸收跃迁类似,由于原子、分子和离子的基态最稳定,所以发射辐射一般都涉及从较高能态向基态的跃迁,而且由于原子、分子和离子的能级组成是量子化的,因此发射跃迁也是量子化的。通常可以通过实验得到发射强度对波长或频率的函数图,即发射光谱图。物质的发射光谱差异很大,尤其是原子发射光谱和分子发射光谱。特别对于原子发射光谱,由于不同原子的能级分布不同,而且对原子能级来说是有显著特征的,据此可建立一种表征物质试样原子组成的方法。

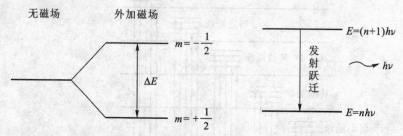

图 2-5 能级在磁场下的分裂示意图   图 2-6 电磁辐射能级发射跃迁示意图

处于非基态的分子、原子和离子叫做受激粒子。由于通常情况下分子、原子和离子均处于基态,因此要产生发射跃迁必须使分子、原子和离子处于激发态,这一过程叫做激发。激发可以通过提供不同形式的能量来实现,包括提供热能的形式,即将试样置于高压交流火花、电弧、火焰、高温炉体之中,物质以原子、离子形式存在,可获取热能而处于激发态,并产生紫外、可见或红外辐射;提供电磁辐射的形式,即用光辐射作用于分子或原子,使之产生吸收跃迁,并发射分子荧光、分子磷光或原子荧光;提供化学能的形式,即通过放热的化学反应使反应物或产物获取化学能而被激发,并产生化学发光。

1. 原子发射

当气态自由原子处于激发态时,将发射电磁波而回到基态(图 2-7),所发射的电磁波处于紫外或可见光区。通常采用的电、热或激光的形式使试样原子化并激发原子,一般将原子激发到以第一激发态为主的有限的几个激发态,致使原子发射具有限的特征频率辐射,即特定原子只发射少数几个具有特征频率的电磁波。

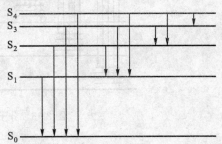

图 2-7 原子发射特征频率辐射能级发射跃迁示意图

2. 分子发射

分子发射与分子外层的电子能级、振动能级和转动能级相关,因此分子发射光谱较原子发射光谱更复杂。为了保持分子的形态,分子的激发不能采用电热等极端形式,而采用光激发或化学能激发。分子发射的电磁辐射基本上处于紫外、可见和红外光区,因此,分子主要发射紫外、可见电磁辐射,据此建立了荧光光谱法、磷光光谱法和化学发光法。

与分子吸收光谱一样,由于相邻两个转动能级之间的能量差很小,因此由相邻两个转动能级跃迁回到同一较低能级的两个跃迁的能量差也很小,两个发射过程所发射的两个频率或波长的辐射很接近,通常的检测系统很难分辨出来;而分子能量相近的振动能级又很多,因此,表观上分子发射表现为对特定波长段的电磁辐射的发射,光谱上表现为连续光谱。

图 2-8 为分子发射跃迁示意图,图示仅仅为两个电子能级之间的跃迁,如果考虑分子外层多个电子能级相互之间的跃迁以及所涉及的多个振动能级和转动能级,其跃迁数将大幅增加。

通过光激发而处于高能态的原子和分子的寿命很短,它们一般通过不同的弛豫过程返回到基态,这些弛豫过程分为辐射弛豫和非辐射弛豫。辐射弛豫通过分子发射电磁波的形式释放能量,而非辐射弛豫通过其他形式释放能量。

非辐射弛豫通常指以非发光的形式释放能量的过程,此时激发态分子与其他分子发生碰撞而将部分激发能转变成动能,并释放出少量的热量。非辐射弛豫包括振动弛豫、内转移、外转移和系间窜越等。振动弛豫指同一电子能级但不同振动能级之间的非辐射跃迁,内转移指不同电子能级但能量相近的振动能级之间的非辐射跃迁,不同电子能级之间的非辐射跃迁则称为外转移,而系间窜越指单重态电子能级向能量相近的三重态电子能级之间的非辐射跃迁。图 2-9

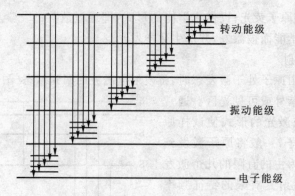

图 2-8　分子发射示意图

简示了典型的非辐射弛豫过程。由于非辐射弛豫过程的存在,尤其是外转移过程的存在,受激分子不一定产生分子发射。

辐射弛豫通常指以发光的形式释放能量的过程,此时激发态分子通过振动弛豫、内转移和系间窜越等过程回到第一激发单重态的最低振动能级或第一激发三重态的最低振动能级,然后通过辐射跃迁回到基态,并分别发射荧光和磷光(如图 2-9 所示)。

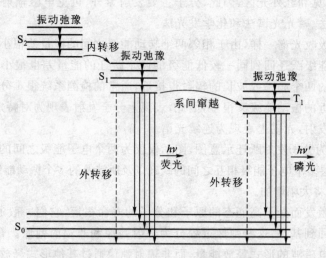

图 2-9　辐射弛豫和非辐射弛豫示意图

S_0,S_1 和 S_2 分别为基态、第一激发态和第二激发态;S 表示单重态,T 表示三重态

2.1.4.3　散射

电磁辐射的散射是一种物理现象。对光来讲,当按一定方向传播的光子与其他粒子碰撞时,会改变其传播方向,而且方向的改变在宏观上具有不确定性,这种现象称为光的散射。光的散射一般分为 Tyndall(丁铎尔)散射和分子散射两类。

Tyndall 散射是指当被照射粒子的直径等于或大于入射光的波长时所发生的散射,其特点是光的波长不发生改变,即散射光波长与入射光的波长一样。到目前为止,Tyndall 散射在定量分析中的应用较少。

分子散射是指当被照射试样粒子的直径小于入射光的波长时所发生的散射。直径小于入射光波长的粒子通常是分子,当光子与分子发生弹性碰撞的相互作用时,相互间没有能量交换,这时所发生的散射称为瑞利散射;当光子与分子间发生非弹性碰撞的相互作用时,相互间有能量交换,使光子的能量增加或减少,这时将产生与入射光波长不同的散射光,这种散射称为 Raman 散射。

从理论上来说,散射光强 I 与散射光频率的四次方成正比:

$$I \propto \nu^4 \propto 1/\lambda^4 \qquad (2-6)$$

所以,短波入射光激发比用长波入射光激发所产生的 Raman 散射光强得多。

2.1.4.4 折射和反射

当光作用于两种物质的界面时,将发生折射和反射现象,光的折射和反射如图 2-10 所示。图中 AO 为入射光,OB 为反射光,OC 为折射光,NN' 为法线,i 为入射角,i' 为反射角,r 为折射角。

光的折射是由于光在两种不同折射率的介质中传播速率不同而引起的,介质的折射率定义为电磁辐射在真空中的传播速率 c 与其在该介质中的传播速率 v 的比值,即

$$n = c/v \qquad (2-7)$$

当光从介质 1 进入介质 2 时,其入射角 i 与折射角 r 的正弦比称为相对折射率 $n_{2,1}$,即

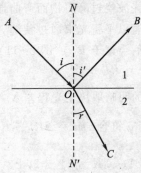

图 2-10　光的折射和反射示意图

$$n_{2,1} = \frac{\sin i}{\sin r} = \frac{v_1}{v_2} = \frac{n_2}{n_1} \qquad (2-8)$$

任何介质对于真空的折射率称为绝对折射率。由于空气的绝对折射率仅为 1.000 27(20 ℃),所以,介质对于空气的相对折射率,近似地等于它的绝对折射率。

不同物质的折射率不同,不同波长的光对同一物质的折射率也是不相同的,棱镜的分光作用就是基于光的这种性质。

当光线从绝对折射率较大的介质 1 入射到绝对折射率较小的介质 2 的界面上,除一部分光发生折射进入介质 2 继续传播外,另一部分光则在介质 1 中改变传播方向发生反射,发生反射时入射角 i 等于反射角 i'。

反射光和折射光的能量分配由介质的性质和入射角的大小来决定。当光从空气照射水面时,入射角等于 30°,反射光能大约占 2.2%,入射角等于 60°时大

约占 6%，入射角等于 90°时是 100%，即反射光能随入射角的增大而增加。因此，在各种光学仪器中，应当考虑由反射作用所造成的光损失。

2.1.4.5　干涉和衍射

当频率相同、振动相同、相位相等或相差保持恒定的波源所发射的相干波互相叠加时，会产生波的干涉现象。通过干涉现象，可以得到明暗相间的条纹。当两列波相互加强时，可得到明亮条纹；相互抵消时，则得到暗条纹。这些明暗条纹称为干涉条纹。

设 δ 为两束波长同为 λ 的光波的光程差，则当 δ 等于波长的整数倍时，即

$$\delta = \pm K\lambda \qquad (K=0,1,2,\cdots) \qquad (2-9)$$

两束光波将相互加强到最大程度，并在焦点上相互加强形成明条纹。

相反，当 δ 等于半波长的奇数倍时，即

$$\delta = \pm(2K+1)\lambda/2 \qquad (K=0,1,2,\cdots) \qquad (2-10)$$

两束光波将相互减弱到最大程度，此时，两束光波在焦点上将相互减弱形成暗条纹。

光波绕过障碍物而弯曲地向它后面传播的现象，称为波的衍射现象。

若以平行光束通过狭缝 AB，狭缝宽度为 a，入射线以 φ 角方向传播，经透镜聚焦后会聚于 P 点（图 2-11）。则 AP 与 BP 的光程差 $AC(\Delta)$ 应为

$$\Delta = a\sin\varphi \qquad (2-11)$$

P 点的明暗取决于光程差 Δ。对应于某确定角度 φ，即当 $\varphi=0$ 时，为零级明条纹；当 φ 符合 $a\sin\varphi = 2K\dfrac{\lambda}{2}$，$K=\pm1,\pm2,\pm3,\cdots$时，为暗条纹；当 φ 符合 $a\sin\varphi = (2K+1)\dfrac{\lambda}{2}$，$K=\pm1,\pm2,\pm3,\cdots$时，为明条纹。

随着 $K=\pm1,\pm2,\pm3,\cdots$出现第一级，第二级……明暗条纹。图 2-11 所示，其中 P_0 点出现零级亮条纹，紫色光的条纹离 P_0 最近，红色光的条纹离 P_0 最远，在 P_0 的两边排列着 P_1，P_2，P_3 各级光谱，每一级中对称地排列着尚未分开的各单色光的衍射条纹。

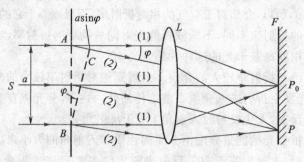

图 2-11　单缝衍射示意图

2.2 光学分析法

2.2.1 非光谱法

2.2.1.1 折射法

基于测量物质折射率的方法称为折射法。折射法可用于纯化合物的定性及纯度测定,并可用作二元混合物的定量分析,还可得到物质的基本性质和结构的某些信息。此方法虽简单,但应用范围有限。

实验表明,气体的折射率除与温度和压强有关外,还与共存的其他气体的性质和浓度有关。此外,溶液的折射率也与溶质的性质及其浓度有关。在合适的条件下,通过测定折射率,可以确定混合气体或溶液中某一成分的浓度。测定时,通常并不要求测出折射率的绝对值,而只要与标准气体或溶剂进行比较,测出折射率的差值即可。对于气体(折射率略大于1),可以测出折射率在小数点后第八位上的差别,因此较一般折射法要准确得多。

目前,已有携带式瑞利干涉仪可供实际工作应用。这种方法已被应用于研究水、胶体溶液、发酵液、牛奶以及测定血浆、血液中的二氧化碳,酶的活性和重水浓度等。

2.2.1.2 旋光法

溶液的旋光性与分子非对称结构有密切的关系,因此,旋光法可作为鉴定物质化学结构的一种手段。它对于研究某些天然产物及络合物的立体化学问题,更有特殊的效果。此外,它还可用于物质纯度的鉴定,例如"糖量计"就是专用于测定具有旋光性的糖含量。

圆二色性法也是旋光法中的一种,其原理可参阅有关专著。

2.2.1.3 比浊法

本法是测量光线通过胶体溶液或悬浮液后的散射光强度来进行定量分析,主要适用于测定 $BaSO_4$,$AgCl$ 及其他胶体沉淀溶液的浓度。

2.2.1.4 衍射法

基于光的衍射现象而建立的方法有:X射线衍射法和电子衍射法(透射电子显微镜)。

1. X射线衍射法

以 X 射线照射晶体时,由于晶体的点阵常数与 X 射线的波长为同一个数量级(约 10^{-8} cm),故可产生衍射现象。Bragg(布拉格)方程表示 X 射线的波长 λ、衍射角 θ 与晶格间距 d 的关系,即

$$n\lambda = 2d\sin\theta \qquad\qquad (2-12)$$

式中 n 表示衍射级。

因为晶胞的形状和大小决定 X 射线衍射的方向,衍射强度决定于晶胞中原子的分布,所以各种晶体具有不同的衍射图,以此可作为确定晶体化合物结构的依据。

2. 电子衍射法

电子束具有一定的波长(λ),其波长为

$$\lambda = \frac{h}{\sqrt{2m(-e)V}} \qquad\qquad (2-13)$$

式中 h 为 Plank(普朗克)常数,m 为电子的质量,$-e$ 为电子的电荷量;V 为加速电压。透射电镜采用的加速电压一般为 50～100 kV,因此,电子束的波长为 5.36～3.70 pm,比 X 射线的波长小 1～2 个数量级。电子束与晶体物质作用所产生的衍射现象,也遵循 Bragg 方程。

在电镜中,电子透镜使衍射束会聚成为衍射斑点,晶体试样的各衍射点构成了衍射图。电子衍射的衍射角小,一般为 1°～2°;形成衍射图的时间短,只需几秒钟。但电子束的穿透能力小,所以只适用于研究薄晶体。

电子衍射原理是透射电子显微技术的基础。目前,透射电子显微术已成为对物质的表面形貌和内部组织结构进行研究的强有力工具,它兼有显微观察和结构分析的性能。

此外,各种电子能谱法也可纳入光分析方法的范畴。

2.2.2 光谱法

光谱分析方法涉及不同能级之间的跃迁,这种跃迁可以是吸收辐射的跃迁,也可以是发射辐射的跃迁,由此建立了基于外层电子能级跃迁的光谱法、基于转动及振动能级跃迁的光谱法、基于内层电子能级跃迁的光谱法、基于原子核能级跃迁的光谱法,以及 Raman 散射光谱法。

2.2.2.1 基于原子、分子外层电子能级跃迁的光谱法

基于电子能级跃迁的光谱法包括原子吸收光谱法、原子发射光谱法、原子荧光光谱法、紫外-可见吸收光谱法、分子荧光光谱法、分子磷光光谱法、化学发光分析法,吸收或发射光谱的波段范围在紫外-可见光区,即 200～800 nm 之间。

对于原子来讲,其外层电子能级和电子跃迁相对简单,只存在不同的电子能级,因此其外层电子的跃迁仅仅在不同电子能级之间进行,光谱为线光谱。基于原子外层电子的吸收跃迁,建立了原子吸收光谱法;基于原子外层电子的发射跃迁,建立了原子发射光谱法;基于原子外层电子的吸收跃迁、非辐射弛豫和发射

跃迁,建立了原子荧光光谱法。

对于分子来讲,其外层电子能级和电子跃迁相对复杂,不仅存在不同的电子能级,而且存在不同的振动和转动能级,因此,分子外层电子在两个电子能级之间的跃迁,包含有在这两个能级的不同转动能级和不同振动能级间的跃迁,也就是说,电子从一个电子能级向另一个电子能级的跃迁,可以跃迁到这个电子能级的不同的振动能级和不同的转动能级,宏观上光谱为连续光谱,即带光谱。基于分子外层电子的吸收跃迁,建立了紫外-可见吸收光谱法;基于分子外层电子的吸收跃迁、非辐射弛豫和发射跃迁,建立了分子荧光光谱法和分子磷光光谱法;基于化学能激发、外层电子发生发射跃迁,建立了化学发光分析法。

1. 原子吸收光谱法

原子吸收光谱法是基于基态原子外层电子对其共振发射的吸收的定量分析方法,其定量基础是 Lambert-Beer(朗伯-比尔)定律。原子吸收光谱法可以定量测定周期表中 60 多种金属元素,检出限在 ng/mL 水平,是应用广泛的低含量元素的定量测定方法。

原子吸收光谱法的核心技术是原子化技术和锐线光源技术等。根据常用原子化技术的不同,原子吸收又分为火焰原子吸收和石墨炉原子吸收。锐线光源技术的核心是要求发射待测原子的共振发射光,也就是要求光源发射与待测原子的吸收跃迁所对应的频率相同的光,但锐线光源的采用限制了多元素同时测定的可能。

2. 原子发射光谱法

原子发射光谱法是基于受激原子或离子外层电子发射特征光学光谱而回到较低能级的定量和定性分析方法。其定量基础是受激原子或离子所发射的特征光强与原子或离子的量成正比相关;其定性基础是受激原子或离子所发射的特征光的频率或波长由该原子或离子外层的电子能级所决定,而原子或离子外层的电子能级是具有该原子或离子的特征的,且不同原子或离子其特征显著不同,因此,只要能准确测定原子或离子所发射的特征光谱各条谱线所对应的频率,就可以进行不同元素的识别。原子发射光谱法可以对周期表中约 70 种元素进行定性和定量分析,是多元素同时测定的有效方法。

原子发射光谱法的核心技术是原子化及原子激发技术,通常采用激发源来实现原子化和激发。早期的激发源通常采用火焰、交直流电弧、高压火花等,现代的原子发射光谱激发源主要是各种等离子体光源,如电感耦合等离子体光源。

3. 原子荧光光谱法

气态自由原子吸收特征波长的辐射后,原子外层电子从基态或低能态跃迁到高能态,约经 10^{-8} s,又跃迁至基态或低能态,同时发射出与原激发波长相同或不同的辐射,称为原子荧光。通常认为,原子荧光光谱法是较原子吸收更灵敏的定量分析方法,但其应用对象范围相对原子吸收要窄一些,原因是原子吸收只与光的吸收过程有关,而原子荧光不仅与光的吸收过程有关,还与光的发射过程有关,而由于非辐射弛豫过程的存在,吸光的原子不一定都能发射荧光。

4. 紫外-可见吸收光谱法

紫外-可见吸收光谱法是一种分子吸收光谱法,该方法利用分子吸收紫外-可见光,产生分子外层电子能级跃迁所形成的吸收光谱,可进行分子物质的定量测定,其定量测定基础是 Lambert-Beer 定律。

紫外-可见吸收光谱的波长范围通常在 200~800 nm 之间,因此,从跃迁所涉及的分子外层电子两个不同电子能级之间的能量差考虑,分子需要具有共轭双键结构才具备该能量要求的能级结构,因此,紫外-可见吸收光谱的测定对象通常是具有共轭双键结构的有机化合物,除此之外,一些水合金属离子和阴离子等也满足该能量要求。

5. 分子荧光光谱法和分子磷光光谱法

分子荧光和分子磷光是用于分析上重要的光致发光过程。当分子吸收电磁辐射后激发至激发单重态,并通过内转移和振动弛豫等非辐射弛豫释放部分能量而到达第一激发单重态的最低振动能层,然后通过发光的形式跃迁返回到基态,所发射的光即为荧光。当分子吸收电磁辐射后激发至激发单重态,并通过内转移、振动弛豫和系间窜越等非辐射弛豫释放部分能量而到达第一激发三重态的最低振动能层,然后通过发光的形式跃迁返回到基态,所发射的光即为磷光。相对于荧光而言,磷光的产生需要一个系间窜越过程,因此,荧光的寿命通常在 10^{-5} s 数量级,即大约在激发后 10^{-5} s 发射荧光,而磷光的寿命大于 10^{-5} s。一些特殊的物质,在激发的电磁辐射停止照射后,仍能持续数分钟甚至数小时发射磷光。

分子荧光光谱和分子磷光光谱虽然同时具有激发和发射光谱,但同样是由于分子吸收和发射的带状光谱特性,使分子荧光光谱法和分子磷光光谱法一般不能提供分子的结构信息,除非在液氮或液氦温度下,分子荧光光谱和分子磷光光谱将显著窄化,并提供一些物质的结构信息。分子荧光光谱法和分子磷光光谱法常用于物质的高灵敏定量分析,对吸光度≤0.05 的溶液试样而言,其荧光或磷光发射强度与溶液的浓度成正比。尤其重要的是,该强度与激发光的强度成正比,可引入激光等强光源,并结合其他相关技术,使测定灵敏度得到极大的提高,如激光荧光光谱法,可检测到单分子浓度水平(10^{-23})的物质,对微量体积试样的检测,因而具有独特的优势。

与紫外-可见吸收光谱相比,分子荧光光谱和分子磷光光谱的应用对象范围要窄一些,原因是前者只要分子在紫外-可见波段吸光就可以进行测定,而后者不仅需要吸光,而且需要发光。由于非辐射弛豫的存在,尤其是外转移过程的存在,致使吸光的物质不一定发光。而比较分子荧光和分子磷光的发生过程可以知道,由于分子磷光的发生需要分子外层电子发生激发单重态向激发三重态的系间窜越过程,决定了分子磷光光谱的应用范围小于分子荧光的应用对象范围。

6. 化学发光分析法

化学发光分析法也是一种较灵敏的定量分析方法。与荧光和磷光的激发不同,化学发光通过化学反应提供激发能,使该化学反应的一种反应产物的分子被激发,形成激发态分子,激发态分子跃迁回到基态时,通过发光的形式释放能量,其发光强度随时间而变化,并可得到较强的发光。在合适的条件下,化学发光强度随时间变化的峰值与被分析物浓度呈线性关系,可用于定量分析。由于化学发光反应类型不同,其发射光谱波长范围在 $400 \sim 1\,400$ nm。

目前看来,由于能产生化学发光的反应体系相对较少,化学发光分析法的应用对象范围较紫外-可见吸收光谱和荧光光谱的应用对象范围都要小。

2.2.2.2　基于分子转动、振动能级跃迁的光谱法

基于分子转动、振动能级跃迁的光谱法即红外吸收光谱法,红外吸收光谱的波段范围在近红外光区和微波光区之间,即 $0.75 \sim 1\,000$ μm 之间,是复杂的带状光谱。

由分子外层电子能级间的跃迁可知,虽然也涉及分子的振动、转动能级,但分子的振动和转动对跃迁能量的贡献较小,因此在相应分子光谱中,分子振动和转动的特性不能突显出来。而对于红外吸收光谱,吸收发生时,不存在电子能级之间的跃迁,只存在振动能级和转动能级之间的跃迁,其吸收频率或波长直接反映了分子的振动和转动能级状况,而分子中官能团的各种形式的振动和转动直接反映在分子的振动和转动能级上,分子精细而复杂的振动和转动能级,蕴涵了大量的分子中各种官能团的结构信息,因此,只要能精细地检测不同频率的红外吸收,就能获得分子官能团结构的有效信息。通常情况下,红外吸收光谱是一种有效的结构分析手段。

红外吸收光谱与紫外-可见吸收光谱和原子吸收光谱一样,也遵循 Lambert-Beer 定律,但通常不用作定量分析,原因是振动和转动能级间的跃迁所涉及的能量较小,同时也受到信号检测技术的限制。近年来,红外吸收光谱也用于一些测定灵敏度要求不高、吸收近红外光的物质的定量分析,如试样中水的分析测定等。

2.2.2.3　基于原子内层电子能级跃迁的光谱法

与原子内层电子能级跃迁相关的光谱法为 X 射线分析法,它是基于高能电子的减速运动或原子内层电子跃迁所产生的短波电磁辐射所建立的分析方法,包括 X 射线荧光法、X 射线吸收法和 X 射线衍射法。

2.2.2.4　基于原子核能级跃迁的光谱法

基于原子核能级跃迁的光谱法为核磁共振波谱法。在强磁场作用下,核自旋磁矩与外磁场相互作用分裂为能量不同的核磁能级,核磁能级之间的跃迁吸

收或发射射频区的电磁波。利用这种吸收光谱可进行有机化合物的结构鉴定，以及分子的动态效应、氢键的形成、互变异构反应等化学研究。

2.2.2.5　基于 Raman 散射的光谱法

频率为 ν_0 的单色光照射到透明物质上，物质分子会发生散射现象。如果这种散射是光子与物质分子发生能量交换所产生，则不仅光子的运动方向发生变化，它的能量也发生变化，则称为 Raman 散射，其散射光的频率与入射光的频率不同，产生 Raman 位移。Raman 位移的大小与分子的振动和转动能级有关，利用 Raman 位移研究物质结构的方法称为 Raman 光谱法。

2.2.2.6　光谱的形状

在光谱分析中，通常将检测信号对相应的波长或频率作图，就得到光谱图。检测信号可以是吸光度，也可以是发光强度等。对原子光谱和分子光谱而言，通常我们说原子光谱是线光谱，而分子光谱是带光谱。

1. 线光谱

对任何一个跃迁而言，在检测信号和跃迁所对应的能量或频率、波长关系上，都是一一对应关系，并在检测信号和相应的波长或频率的二维关系图即光谱图上，表现为一个点。如存在多个跃迁，则表现为多个点。由于这些跃迁对应的波长或频率不同，以及跃迁的概率不同，这些光谱点在光谱图上位于不同的位置，一般情况下，能量差较小的跃迁，即波长较长、频率较小的跃迁概率较大，如图 2–12 所示。

对特定的原子而言，由于其外层电子能级数、跃迁选律、跃迁概率以及检测器灵敏度等的限制，通常只能检测到少数几个跃迁，在光谱图上表现为特定的几个点。

但是，为什么通常得到的原子光谱又是线状的呢？

这与光谱仪器和实际测定有关。如果原子光谱只是光谱图上的几个特定的点，宏观上不便于观测，同时实际测定时，原子发光或吸光都是无数原子所形成的三维气态原子团在吸光或发光，因

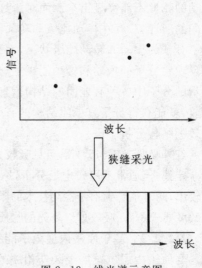

图 2–12　线光谱示意图

此，仪器通过狭缝来采光，然后通过光学系统在检测器上形成线状的狭缝像。如果光学系统的分辨率足够高，则不同波长光通过狭缝所成的像就能分辨出来，从而形成一条条独立的线，即光谱线。每一条线状光谱，实际上是狭缝采集相同波长的光谱点，并在狭缝的维度上顺序排列起来所形成的。当然，这些光谱线的深

浅反应了发射或吸收的强弱。

2. 带光谱

与原子外层电子能级不同,分子外层除电子能级外,还存在振动能级和转动能级,因而存在一系列能量非常接近的跃迁,如果检测器的分辨率足够高,则在光谱图上将表现为一系列光谱点,每一个光谱点对应一个跃迁,如图 2-13 所示。但通常情况下,光谱仪的检测器不能分辨相邻两个转动能级甚至相邻两个振动能级之间的能量差,因此,采用波长扫描的方法,相隔一定波长采光并测定,得到一系列光谱点,并将光谱点相连,即得到分子光谱。分子光谱为带光谱,可以理解为是由一系列紧密排列的线光谱点组成。

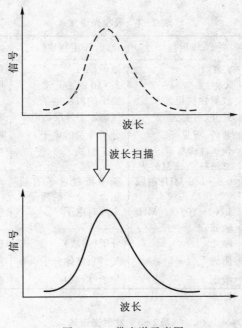

图 2-13 带光谱示意图

3. 连续光谱

线光谱和带光谱都是指单一组分的光谱,在原子光谱法中,还有连续光谱的概念。固体在炽热状况下会产生黑体辐射,黑体辐射是通过热能激发凝聚体中无数原子和分子振荡所产生的辐射,其辐射波长范围随温度的升高向短波方向扩展。由于无数原子和分子振荡所产生辐射跃迁的能量非常接近,因而表现为连续光谱,这种连续光谱实际上是无数谱线紧密排列在一起所形成的。在交流电弧作为激发源的原子发射光谱分析中,由于炽热的碳电极的黑体辐射,可以观测到连续光谱;而在火焰原子吸收分析中,由于火焰中存在的凝聚微粒的黑体辐射,也可以观测到连续的背景辐射。一般来说,在原子光谱分析中,由于黑体辐射所产生的连续光谱,是一种干扰因素,对原子光谱的应用是一种限制。但是,黑体辐射所产生的连续光谱可以用作连续光源,典型的例子是生活中的白炽灯,而在分析化学中,则是红外光谱仪所采用的硅碳棒和紫外-可见光谱仪所采用的碘-钨灯,前者在电热的情况下可以发射连续的红外光,后者可以发射连续的可见光。

2.2.2.7　光谱法的分类

光谱法还可以按吸收、发射、Raman 散射等作用进行分类,即光谱法可分为三种基本类型:吸收光谱法、发射光谱法和散射光谱法,吸收光谱法和发射光谱法分别分类于表 2-2 和表 2-3 中。

表 2-2　吸收光谱法

方法名称	辐射能	作用物质	检测信号
Mössbauer 谱法	γ 射线	原子核	吸收后的 γ 射线
X 射线吸收光谱法	X 射线 放射性同位素	$Z>10$ 的重元素 原子的内层电子	吸收后的 X 射线
原子吸收光谱法	紫外、可见光	气态原子外层的电子	吸收后的紫外、可见光
紫外-可见分光光度法	紫外、可见光	分子外层的电子	吸收后的紫外、可见光
红外吸收光谱法	炽热硅碳棒等 $2.5\sim15\ \mu m$ 红外光	分子振动	吸收后的红外线
核磁共振波谱法	$0.1\sim800$ MHz 射频	原子核磁量子有机 化合物分子的质子	吸收
电子自旋共振波谱法	$1\,000\sim800\,000$ MHz 微波	未成对电子	吸收
激光吸收光谱法	激光	分子(溶液)	吸收
激光光声光谱法	激光	气、固、液体分子	声压
激光热透镜光谱法	激光	分子(溶液)	吸收

表 2-3　发射光谱法

方法名称	辐射能(或能源)	作用物质	检测信号
原子发射光谱法	电能、火焰	气态原子外层电子	紫外、可见光
X 射线荧光光谱法	X 射线$(0.1\sim25\text{Å})$	原子内层电子的逐 出,外层能级电子跃 入空位(电子跃迁)	特征 X 射线(荧光)
原子荧光光谱法	高强度紫外、可见 光(λ_i)	气态原子外层电子 跃迁	原子荧光
荧光光谱法	紫外、可见光	分子	荧光(紫外、可见光)
磷光光谱法	紫外、可见光	分子	磷光(紫外、可见光)
化学发光法	化学能	分子	可见光

2.3 光谱分析仪器

2.3.1 光谱分析仪器原理和基本结构

2.3.1.1 光谱分析仪器原理

光谱分析仪器是在物质与光的吸收、发射、散射等相互作用基础上，根据相应的光谱分析原理构建起来的。现以紫外-可见吸收光谱为例说明光谱分析仪器的构建。

紫外-可见吸收光谱的原理简述如下：分子外层电子吸收紫外-可见光，并从较低电子能级跃迁到较高电子能级，其对光的吸收遵循 Lambert-Beer 定律，即

$$A = \lg \frac{I_0}{I} = \varepsilon bc \tag{2-14}$$

式中 A 为吸光度，定义为入射光强度 I_0 与出射光强度 I 的比值的对数，ε 为摩尔吸光系数，由物质本身的吸光特性所决定，是波长的函数，b 为吸收光程，c 为物质的量浓度。由 Lambert-Beer 定律可知，信号值 A 与摩尔吸光系数 ε、吸收光程 b 及物质的量浓度 c 成正比，同时由于 ε 是波长的函数，因此，A 也是波长的函数。由此可以预期，由信号值 A 对波长 λ 作图所得到的紫外-可见吸收光谱是随波长变化的带光谱。因此，构建紫外-可见吸收光谱仪的核心就是要能够检测不同波长的吸光度值 A，而吸光度值 A 不是一个可直接检测的信号，它是入射光强度 I_0 与出射光强度 I 的比值的对数，因此，构建紫外-可见吸收光谱仪的核心转化为要能够检测不同波长的入射光强度 I_0 与出射光强度 I。

2.3.1.2 光谱分析仪器基本结构

以紫外-可见吸收光谱仪器为例，各种光谱仪应包括下列基本组件：

(1) 首先，需要一个连续光源，该光源要求在紫外-可见光波段发射连续光谱，提供物质吸收的光。

(2) 试样引入系统，由于是溶液试样，所以采用透明的光学玻璃或石英玻璃液池。当光作用于空白溶液时，可以得到 I_0 值，当光作用于试样溶液时，可以得到 I 值。

(3) 可检测紫外-可见光波段不同波长光的检测器。

(4) 以上三部分组成紫外-可见吸收光谱仪的核心组件，但由于紫外-可见吸收光谱为带光谱，光源为连续光源，因此，还需要一个单色器，其作用是对连续光源采光，所采的光被认为是单色光，即单波长的光，并作用于试样上产生吸收。同时，该单色器还要求具有光谱扫描功能，即在紫外-可见光波段，可以采集任意波长的光，并作用于试样上产生吸收。

（5）由于给出的信号为吸光度 A 的值，而检测的信号为入射光强度 I_0 和出射光强度 I 的值，因此，还需要一个对数转换器，其作用是将特定波长的 I_0 和 I 值转换成相应波长的 A 值，并输出信号。

如此，紫外-可见吸收光谱仪基本结构如图 2-14 所示。

按照以上的思路，可以构建各种各样的光谱分析仪器，且均可以用类似图 2-14 所示的方框图来表示。各种光谱分析仪器结构上略有不同，且分别适用于原子或分子物质的分析，适用的光谱区域也可在紫外-可见光区或红外光区，但每个基本组件的功能却是相同的。

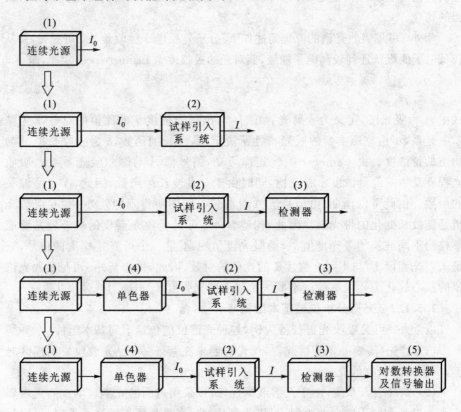

图 2-14　紫外-可见吸收光谱仪的构建示意图

典型的光谱仪一般都由五个部分组成，即：（1）稳定的光源系统；（2）试样引入系统；（3）波长选择系统，通常是色散元件和狭缝组成的单色器；（4）检测系统，一般是将辐射能转换成电信号；（5）信号处理或读出系统，并在标尺、示波器、数字计、记录纸等显示器上显示转换信号。

根据光谱分析仪器结构及光与物质的相互作用差异，可以将光谱分析仪分为三大类，即吸收光谱仪、吸收/发射和光散射光谱仪以及发射光谱分析仪。

吸收光谱分析仪包括原子吸收光谱仪、紫外-可见吸收光谱仪和红外吸收光谱仪,仪器结构示意图如图 2-15 所示。由于检测的是光的吸收,即入射光被试样吸收前后的光强,因此,其仪器结构特点是检测系统与光源发出的光即入射光在同一条光轴上。

图 2-15　基于光吸收的光谱分析仪结构示意图

吸收光谱仪分析理论上都满足 Lambert-Beer 定律,所不同的是,原子吸收采用光源为线光源,试样引入系统同时具备使试样原子化产生基态原子的功能,通常采用带有进样功能的火焰原子化器和石墨炉原子化器;而分子吸收光谱仪,包括紫外-可见吸收和红外吸收所采用的光源为连续光源,试样为常态下的液体试样或透明固体试样,通常采用透光玻璃液池和透光 KBr 压片引入试样。同时,紫外-可见吸收光谱仪的波长选择系统通常在光源系统和试样引入系统之间,而原子吸收光谱仪和红外光谱仪的波长选择系统通常在试样引入系统和检测系统之间。

吸收/发射光谱仪,包括原子荧光光谱仪、分子荧光光谱仪和分子磷光光谱仪;光散射光谱仪为 Raman 光谱仪,仪器结构如图 2-16 所示。检测信号是吸光后的发光强度或 Raman 散射光强度,由于入射光的存在,检测系统与入射光不能在同一条光轴上,因此,其仪器结构特点是检测系统通常与光源入射光成 90°。

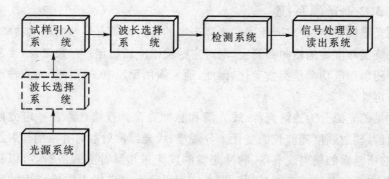

图 2-16　光吸收/发射和光散射光谱仪结构示意图

原子荧光光谱仪通常采用线光源或激光为光源,其试样引入系统兼具试样原子化、产生基态原子的功能,通常采用带有进样功能的火焰原子化器。分子荧光光谱仪和分子磷光光谱仪采用连续光源,Raman 光谱仪采用激光光源,它们均具有液体和固体试样引入系统,液体试样引入系统为透光玻璃液池及池架。分子荧光光谱仪和分子磷光光谱仪由于需要检测激发光谱和发射光谱,因此需要两个波长选择系统,分别位于激发光路和发射光路;而原子荧光光谱仪和 Raman 光谱仪只需分别检测发射光谱和散射光谱,因而只需要一个位于发射或散射光路的波长选择系统,特殊情况下,原子荧光光谱仪甚至不需要波长选择系统。

发射光谱分析仪包括原子发射光谱仪和化学发光光谱仪,仪器结构如图 2-17所示。由于检测信号是试样直接发光的强度,因此没有传统意义上的光源,其仪器结构特点是检测系统与试样发出的光在同一条光轴上。

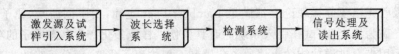

图 2-17　发射光谱分析仪结构示意图

原子发射光谱仪的试样引入系统同时具有使试样原子化并激发到高能态的功能,因此通常又称为激发源,常见的有电弧、火花放电、等离子体焰炬等。化学发光光谱仪的试样引入系统同时兼具反应器的功能,并通过化学反应提供能量将待测物激发到高能态并发光,通常为透光容器。

以上各种类型的光谱仪中,除红外光谱仪适用于红外波长段外,其他光谱仪均适用于紫外-可见波长段,因此,其通用的检测系统为光电检测器,通过光电检测器将光信号转化为电信号。光电转换的基础是光敏材料制作的器件,常用的是光电倍增管,光电倍增管还具有信号放大的功能。

2.3.2　光源系统

在光谱仪器中,要求所使用的光源产生的辐射必须有足够的输出功率,以便检测系统能够准确地检测和测定,同时它的输出应该稳定。一般来说,光源的辐射功率随所加电功率呈指数变化,因此,通常需用稳压电源以保证光源输出有足够的稳定性。

常见的光源分为连续光源、线光源和脉冲光源。连续光源在一定波段区间发光,且其辐射强度随波长的变化十分缓慢;线光源发射数目有限的辐射线或辐射带,它所包含的辐射线有限;脉冲光源的发光采用脉冲方式进行,可以是脉冲线光源,也可以是脉冲连续光源。图 2-18 所示为光谱仪中广泛应用的连续光源和线光源。

2.3.2.1　连续光源

连续光源广泛应用在紫外-可见吸收光谱、分子荧光光谱、分子磷光光谱和

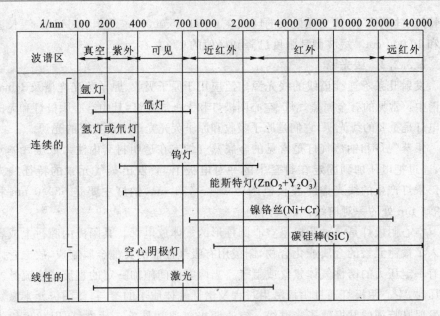

图 2-18   光谱仪中广泛应用的连续光源和线光源

红外吸收光谱中。理想的连续光源应该具备如下条件：(1) 足够的光强度；(2) 在所属波长区域内发射连续光谱；(3) 其发射强度与波长无关，即光源发射的光在所属波长区域强度恒定不变。图 2-19 为理想光源的发光能量示意图，但符合上述条件的理想光源实际上并不存在。

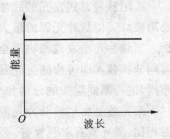

图 2-19   理想光源发光能量-波长关系示意图

实际应用的紫外连续光源为氢灯或氘灯，它们通过低压($\approx 1.3 \times 10^3$ Pa)下电激发的方式产生紫外连续光谱，光谱范围为 160～375 nm。高压氢灯以 2 000～6 000 V 的高压使两个铝电极之间发生放电并发光；低压氢灯在有氧化物涂层的灯丝和金属电极间形成电弧。氘灯的工作方式与氢灯相同，光谱强度比氢灯大 3～5 倍，寿命也比氢灯长。当需要特别强的光源时，选用高压、充有氙气、氦气或汞蒸气的充气弧灯。

传统的可见光源是钨灯。在大多数仪器中，钨丝的工作温度约为 2 870 K，光谱波长范围为 320～2 500 nm。改进的连续可见光源为碘钨灯。氙灯也可用作紫外-可见光源，当电流通过氙灯时，产生较氢灯和碘钨灯更强辐射，辐射波长范围在 250～700 nm。但氙灯能量随波长变化起伏较大，因此不用于紫外-可见吸收光谱，用于荧光和磷光发射光谱。

常用的红外光源是一种用电加热到 1 500～2 000 K 之间的惰性固体，如能斯特灯、硅碳棒等,其光强最大的区域在 $6\,000\sim5\,000$ cm^{-1},但在 667 cm^{-1} 长波侧和 10 000 cm^{-1} 短波侧其强度已降到峰值的 1% 左右。

2.3.2.2　线光源

发射几条不连续谱线的线光源广泛应用于原子吸收、原子荧光光谱及 Raman 光谱中。常见的有金属蒸气灯、空心阴极灯和无极放电灯,其中空心阴极灯和无极放电灯是重要的线光源,它们是原子吸收和原子荧光光谱中最重要的光源。

汞蒸气灯和钠蒸气灯是常见的金属蒸气灯。在透明封套内注入低压气体元素,通过把电压加到固定在封套中的一对电极上,激发出蒸气元素的特征线光谱。汞灯产生的线光谱的波长范围为 $254\sim734$ nm,钠灯主要是 589.0 nm 和 589.6 nm 处的一对谱线。

空心阴极灯是一种阴极呈空心圆柱形的气体放电管。其阴极内腔衬上或者熔入了被测元素的金属或化合物,阳极用有吸气性能的其他金属制成,放电管内充有一定压力的惰性气体氖气或氩气。当两电极间施加一定的直流或直流脉冲电压时,空心阴极灯通过阴极溅射过程及惰性气体原子的参与,使阴极元素激发并发射其特征的共振原子光谱线。空心阴极灯通常是单一元素灯,因此也称为元素灯,在原子吸收和原子荧光光谱中应用时,与待测元素一一对应使用。

2.3.2.3　脉冲光源

采用脉冲方式发光的脉冲光源可以延长光源的寿命,如脉冲氙灯和脉冲空心阴极灯。但脉冲光源的最大应用在于与时间分辨技术的结合,如荧光寿命分析。当脉冲光激发待测物质至高能态后,激发光停止,这时荧光开始衰减,通过时间分辨技术即可检测荧光衰减的动力学过程,并基于不同物质荧光半衰期的不同,进行不同物质的分辨和分别测定,或消除背景干扰等。

激光器是典型的脉冲光源,通过原子或分子受激辐射产生激光。与普通光源相比,激光具有单色性好、强度高、相干性好等优点,因此除用作强光源外,普遍应用于时间分辨光谱分析。

2.3.3　波长选择系统

通常主要由一个色散元件和一个狭缝组成,如图 2-20 所示。色散元件的功能是使光发生色散,即使光按照波长顺序排列开来,常采用光栅或棱镜;狭缝的功能是采光,即采集按照波长顺序排列的一定波段的光进入检测系统检测。

理论上,光谱分析所检测的信号,不管是吸收信号、发射信号或散射信号,都应该是单一波长光的信号,光谱只是若干个波长的光所产生信号的集成。但实际上单一波长光是相对的一个概念,即从波长选择系统输出的信号不可能是真正意义上的单色光,而是具有极小带宽的连续光。主要原因有两个,其一,光源都是有带宽的,连续光源自不必说,就是基于原子发光的锐线光源所发射的特定

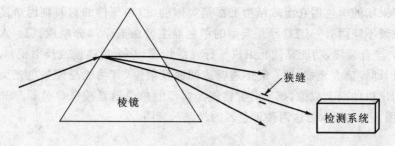

图 2-20 波长选择系统示意图

波长的光,由于变宽效应的存在,也具有一定的波长宽度。其二,在仪器构建上,检测器所检测到的光信号,通常都通过狭缝采光,由于狭缝具有一定的宽度,因此,到达检测器上的光信号也有一定的带宽。基于这样的事实,在许多光谱分析中,通常将狭缝采集的具有极小带宽的连续光作为单色光处理。狭缝越小,所采集的光越接近单色光,不仅可以增加光谱测定的分辨率,使所得光谱越真实,同时也是利用光谱方法进行定量测定的必要条件。如荧光光谱定量分析时,必须固定波长,才能保证荧光强度(I_f)与物质的量浓度(c)成正比。

那么,狭缝宽度到什么程度,才能将狭缝采集的具有极小带宽的连续光作为单色光处理而不使光谱失真呢?

从光谱分辨率的角度讲,狭缝越小,光谱的分辨率越高,越接近真实光谱,但狭缝太小可能导致通过狭缝的光通量太小,光信号太弱,以至于现有的检测器难以有效地检测到光信号,由此决定了狭缝宽度的下限。从光谱信号检测的角度讲,狭缝越大,通过狭缝的光通量越大,光信号越强,越利于信号检测,但将狭缝所采集的一定带宽的连续光作为单色光处理的前提是,其最长波长光和最短波长光所产生信号的偏差应在仪器方法的误差范围内,由此决定了狭缝宽度的上限。在此上、下限范围内,如果需要得到高分辨的光谱,可以采用较小宽度的狭缝,如果进行定量测定,则可适当采用较大宽度的狭缝。

事实上,如图 2-20 所示,决定狭缝实际宽度的因素,还应该包括色散元件的色散率和狭缝与色散元件的相对位置。色散元件的色散率越大,或狭缝离色散元件越远,狭缝宽度均可以稍大一些。

实际的光谱仪中,波长选择系统通常有两种方式选择波长,其一为利用滤光片滤光,将不需要的光滤掉;其二为利用棱镜或光栅对光的几何色散功能对光进行色散,然后用狭缝采集所需要的狭窄波段的光。相比之下,采用色散元件的波长选择系统所采集光的单色性更好,而光栅则优于棱镜,故现代光谱仪多采用光栅作为色散元件。

2.3.3.1 单色器

采用色散元件的波长选择系统通常又称为单色器或单色仪。紫外、可见、红外光区采用的单色器在组成结构上都是类似的,但各部件的材料则因所适用的光谱波段不同而有一定差异。典型的单色器主要由五个部分组成:(1)入射狭缝;(2)准直装置,功能是使光束成平行光线传播,常采用透镜或反射镜;(3)色散装置,即棱镜或光栅;(4)聚焦透镜或凹面反射镜,其功能是使单色光束在单色器的出口曲面上成像;(5)出射狭缝。典型的单色器是棱镜单色器和光栅单色器,图 2-21 所示为这两种单色器的光路示意图。

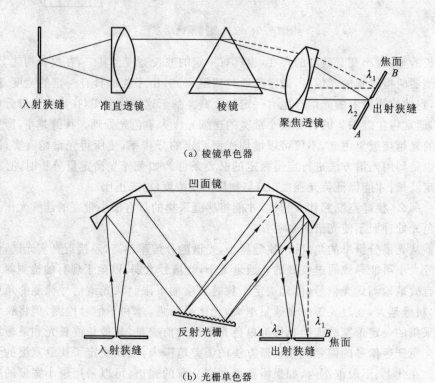

(a)棱镜单色器

(b)光栅单色器

图 2-21 棱镜单色器和光栅单色器光路示意图

　　单色器是用来产生单色光束的装置,但由于需要测定不同波长单色光的光谱信号,因此要求通过出射狭缝所出射的单色光的波长可以在光谱法适用波长范围内任意改变,即可以进行光谱扫描。光谱扫描通常通过转动单色器的色散元件如棱镜或光栅来实现。

2.3.3.2 滤光片

　　滤光片有吸收滤光片和干涉滤光片两种类型。前者仅适用于可见光区,后者则适用于紫外、可见和红外光区。

　　吸收滤光片是由有色玻璃或夹在两片玻璃间的分散在明胶薄层中的吸光染料组成,因此只适用于可见光区的波带选择,而且其所选光波带的带宽较宽,透射效率低,故只能用于较简单的以定量测定为主的光度计中。吸收滤光片一般比干涉滤光片便宜,用有色玻璃制成的吸收滤光片还具有较好的热稳定性。

干涉滤光片通过光的干涉作用而获得窄的辐射带宽,通常由两层半透明银膜和银膜间的介电薄膜(常为氟化钙或氟化镁)组成。介电膜的厚度决定了透射光的波长。当光线通过第一层银膜后,将在第二层银膜上反射,并随之在第一层膜的内侧反射。当不同波长的两束光的路径差是波长的整倍数时,将发生光的干涉现象,其结果是只有很窄波带的光线透过滤光片,达到滤光的目的。干涉滤光片的波长选择性优于吸收滤光片。

2.3.3.3 棱镜

棱镜对光的色散基于光的折射现象。构成棱镜的光学材料对不同波长的光具有不同的折射率,波长短的光折射率大,波长长的光折射率小。因此,当平行光经棱镜色散后,不同波长的光就按波长顺序分解开来,经聚集后可在焦面的不同位置上成像,得到按波长展开的光谱。常用的棱镜有 Cornu(考纽)棱镜和 Littrow(立特鲁)棱镜,如图 2-22 所示。前者是一个顶角 α 为 60° 的棱镜,为了防止生成双像,该 60° 棱镜由两个 30° 棱镜组成,一边为左旋石英,另一边为右旋石英。后者由左旋或右旋石英做成 30° 的直角棱镜,并在其纵轴面上镀上铝或银膜来反光。制造棱镜的光学材料随使用的波长区域而异,可制作出适用于紫外、可见和红外光区的棱镜。棱镜的光学特性一般用色散率和分辨率来表征。

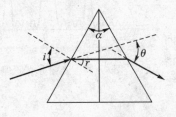 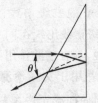

(a) Cornu 棱镜　　　　　(b) Littrow 棱镜

图 2-22　棱镜的光色散作用示意图

2.3.3.4 光栅

光栅分为透射光栅和反射光栅。近代光谱仪主要采用反射光栅作为色散元件,典型的反射光栅是平面反射光栅和凹面反射光栅。

平面反射光栅通过真空蒸发镀膜的方法将金属铝镀在玻璃平面上,然后用金刚石在铝膜上刻出许多等间隔、等宽度的平行刻纹而制成。利用刻纹技术制作光栅精度要求高,工艺复杂,因而价格较高。现代的制作工艺是通过复制的方法制作光栅,复制方法制作光栅需要一个通过刻纹技术制作的高质量原始光栅,并在原始光栅上浇铸可塑性材料,成型后将它剥落下来并固定在刚性平面上制成复制光栅。复制方法制作光栅工艺简单,可大批量制作,因而便宜得多。

1. 光栅公式

由物理光学可知,光栅色散作用的产生是多缝干涉和单缝衍射二者联合作用的结果(如图 2-23 所示)。多缝干涉决定光谱线的空间位置,单缝衍射决定各级光谱线的相对强度。光栅的色散作用满足光栅方程,即 Bragg 方程:

$$d(\sin\phi \pm \sin\theta) = n\lambda \qquad (2-15)$$

式中入射光和光栅平面法线的夹角 ϕ 为入射角,衍射光和光栅平面法线的夹角 θ 为衍射角,光栅相邻两刻痕间的距离 d 称为光栅常数,λ 为入射光的波长,n 为光谱级次,其值可取 $\pm1, \pm2, \cdots$。当 ϕ 和 θ 角在法线的同侧时,式(2-15)取正值;ϕ 和 θ 角在法线异侧时,式(2-15)取负值。由式(2-15)可以看出,当一束平行的复合光以一定的入射角 ϕ 照射到光栅平面时,对于给定的光谱级次,衍射角随波长的增长而增大,即产生光的色散;当级次 $n=0$ 时,则有 $\theta=-\phi$,即零级光谱不起色散作用;当 $n_1\lambda_1 = \lambda_2 n_2$ 时,就会出现谱线重叠现象,如 $\lambda_1=600$ nm 的一级光谱线,就会同 $\lambda_2=300$ nm 的二级谱线以及 $\lambda_3=200$ nm 的三级谱线出现在同一个方向上。一般来说,具有色散作用的一级谱线强度最强,并用于实际检测,而高级次谱线则常需要加滤光片除去。

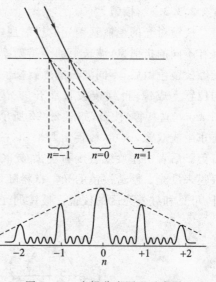

图 2-23　光栅分光原理示意图

2. 几种典型的光栅

除平面反射光栅外,典型的光栅有凹面反射光栅、闪耀光栅、中阶梯光栅和全息光栅等。

凹面反射光栅通过在凹面反射镜上沿其弦刻出等间距、等宽度的平行刻痕线而制成,它不仅起色散分光作用,同时其凹面又具有将光线聚焦于出射狭缝的聚焦作用,因而不需要聚焦物镜。聚焦物镜的减少,不仅可以降低单色器的成本,而且还可以避免聚焦物镜采光时的光损失,增大单色器出射光的能量。

从光栅公式(2-15)可知,当级次 $n=0$ 时,$\theta=-\phi$,即零级光谱不起色散作用,而平面反射光栅几乎 80% 的能量都集中在零级光谱中而没有分光,不能用于光谱分析。为了改善这种情况,即充分利用零级光谱的高能量,发展了闪耀光栅。

闪耀光栅采用定向闪耀的办法,将光栅刻制成沟槽面与光栅平面成一确定角度的锯齿结构,使衍射的辐射强度集中可发生色散的光谱级上。

图2-24是闪耀光栅锯齿结构和分光示意图。如图所示,闪耀光栅有两条法线,一条为光栅平面法线 M,ϕ 和 θ 角为光束对光栅平面的入射角和衍射角,另一条为槽面法线 M',α 和 β 角为光束对槽平面的入射角和衍射角,光栅光滑刻面与光栅平面的夹角 i 称为闪耀角。闪耀光栅所产生的衍射图形仍由光栅方程式(2-15)决定,因此零级光谱仍在 $\theta=-\phi$ 方向。但闪耀光栅衍射图形的最大值在 $\beta=-\alpha$ 方向,与零级光谱 $\theta=-\phi$ 的方向不再重合,即光强最大值从零级光谱移到某一级光谱上了。

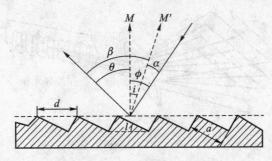

图2-24 闪耀光栅

如图2-25所示,当入射光垂直于闪耀光栅平面时,则 $\alpha=i$。由于闪耀光栅衍射光谱的最大光强在 $\beta=-\alpha$ 方向,即在 $\beta=i$ 处衍射谱线具有最大的辐射强度,由光栅方程式(2-15)可得

$$n\lambda_{b(n)}=2d\sin i \tag{2-16}$$

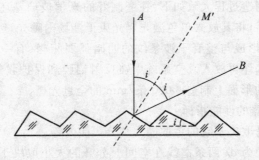

图2-25 闪耀角与闪耀波长

所对应的光波长 λ_b 称为 n 级光谱的闪耀波长,其值由闪耀角 i 决定。从式(2-16)可以看出,闪耀角 i 越小,闪耀波长 λ_b 越短。

与普通的闪耀光栅相比,中阶梯光栅的刻槽密度较小(如8~80条/mm),

但刻槽深度大(为数微米),闪耀角大,对紫外-可见光谱区工作级次达 40～120 级,因此谱级重叠十分严重。为了将不同级次的重叠谱线分开,通常采取交叉色散的原理,即使谱线色散方向和谱级散开方向正交,在焦面上形成一个二维色散图像。因此,中阶梯光栅实际上是二维光栅,通过安设一个辅助色散元件(大多是棱镜)在中阶梯光栅光路的前方或后方实现交叉色散,如图 2-26 所示。由于二维光谱色散图像占据焦面的面积小,非常适宜采用电视摄像管检测谱线。中阶梯光栅具有大色散高分辨的特点,可使仪器结构紧凑,已应用于商品仪器中。

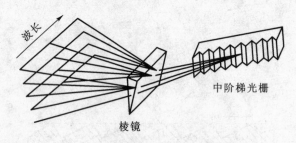

图 2-26 中阶梯光栅示意图

全息光栅是为避免机刻光栅和复制机刻光栅的衍射光谱中出现"鬼线"而发展起来的光栅。机刻光栅制作过程中,因刻画过程机械运动的周期性和非周期性误差,刻痕不能完全等距,造成光栅中出现"鬼线",干扰光谱分析。由于激光的单色性好,相干长度大,因而利用单色激光的双光束干涉现象,可以得到面积足够大的等距、等宽的清晰干涉条纹。基于此干涉条纹,可制造出有实用价值、色散性能好的各种形面的光栅。

全息光栅的制造过程大致如下:在磨制好的光学玻璃基坯上涂上一层给定厚度的光敏物质后,将其放入单色激光双光束干涉场内曝光,然后在特殊溶剂中"显影",则基坯上形成与整套干涉条纹的明暗强弱相当、有一定截面形状的槽线。将显影后的基坯再放入真空系统中镀反射铝膜和保护膜就得到全息光栅。目前可在 50 cm 的形面上制造 6 000 条/mm 的全息光栅。

3. 光栅单色器的性能指标

单色器的质量取决于它的色散能力和分辨能力等。

光栅对波长差为 dλ 两条谱线在空间上分开的大小取决于它的色散。光栅的色散有角色散和线色散之分。

角色散是指两条波长相差 dλ 的光线被分开的角度,它可以通过固定入射角 ϕ,对光栅公式(2-15)微分得到

$$\frac{\mathrm{d}\theta}{\mathrm{d}\lambda} = \frac{n}{d\cos\theta} \qquad (2-17)$$

从式(2-17)可以看出,在一个小的波长范围内,$\cos\theta$ 随 λ 变化并不大,所以,光栅的色散几乎是线性的。

线色散 D 是指在焦面上波长相差 $d\lambda$ 的两条光线被分开的距离 dl,用 $\dfrac{dl}{d\lambda}$ 表示。若用 F 代表物镜的焦距,它与角色散的关系可以用下式表示:

$$D=\frac{dl}{d\lambda}=F\frac{d\theta}{d\lambda}=\frac{Fn}{d\cos\theta} \tag{2-18}$$

在实际工作中,常用倒线色散这一术语,即

$$D^{-1}=\frac{d\lambda}{d\theta}=\frac{d\cos\theta}{Fn} \tag{2-19}$$

倒线色散的意义是指在焦面上每毫米距离内所容纳的波长数,单位常用 $nm\cdot mm^{-1}$,$Å\cdot mm^{-1}$。当 θ 很小(小于 $20°$ 时),$\cos\theta\approx1$,则式(2-19)可以近似地写成:

$$D^{-1}=\frac{d}{nF} \tag{2-20}$$

由该式可以看出,当衍射角 θ 较小时,光栅的倒线色散是一个常数,这将大大简化了光栅的设计。

单色器的分辨能力是仪器分辨相邻两条谱线的能力。根据瑞利准则,在波长相近的两条谱线中,当一条谱线波长的极大值正好落在另一谱线波长的极小值上时,则认为这两条线是可分辨的。分辨能力 R 可以用下式确定:

$$R=\frac{\lambda}{\Delta\lambda} \tag{2-21}$$

式中 λ 是两谱线的平均波长,$\Delta\lambda$ 是这两波长的差。一般来说,紫外-可见光区光栅的分辨能力在 $10^3\sim10^4$。

对光栅来说,其分辨能力可用下式表示:

$$R=\frac{\lambda}{\Delta\lambda}=nN \tag{2-22}$$

式中 n 是衍射的级次,N 是受照射的刻线数。因此,刻画面积愈大,级次愈高,光栅的分辨能力也就愈大。

2.3.3.5 狭缝

狭缝由金属构成,且要求两片刀口的边缘正好平行并落在同一平面上,如图 2-27 所示。由于到达检测器的光强度及波长分布与单色器的分辨能力及出射狭缝宽度有关,因此对狭缝的加工、调节及安装都有严格的要求。

选定单色器入射狭缝宽度时,以 $W(\overset{\circ}{A})$ 表示单色器出射光的带宽,$S(\mu m)$ 表示出射狭缝宽度,$D(\overset{\circ}{A}/mm)$ 表示单色器的线色散率,则它们相互间具有如下关系:

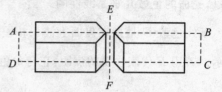

$$W = DS \times 10^{-3} \qquad (2-23)$$

由式(2-23)可知,单色器的线色散率越小,出射狭缝的宽度越小,单色器出

图 2-27　狭缝结构示意图

射光的带宽就越小,即出射光的单色性越好。实际分析中,出射狭缝宽度增加,出射光带宽增大,进入检测器的光通量增加,有可能增加信噪比。但是,当分析线存在强的背景或邻近非吸收线干扰时,增大出射狭缝宽度,反而会降低信噪比。因此,人们常常通过改变带宽,来调整仪器的信噪比,选择最佳工作条件。

2.3.4　试样引入系统

不同的光谱方法,其试样引入系统可能不同。电弧原子发射光谱一般将固体试样放置在放电体系的下电极(通常是碳电极)的凹槽内;高压火花原子发射光谱则直接将金属试样制成电极;而等离子体原子发射光谱通常是将溶液试样直接喷雾进样。火焰原子吸收光谱与等离子体原子发射光谱相似,也是将溶液试样直接喷雾进样;石墨炉原子吸收光谱通常是采用微量注射器将溶液试样直接加入石墨炉中。原子荧光光谱则通常采用火焰原子吸收的喷雾进样系统进行溶液试样进样。

分子光谱的试样是常温常压下的固体、液体或气体试样,因此只需要一个透光容器和相应的试样架即可,或者制成透光的固态或液态试样形式直接引入光路。

在采用透光容器引入试样时,常采用玻璃容器,但容器的材质不能吸收所在光谱区域的光,因此,普通的光学玻璃因吸收紫外线而不能用于紫外光谱段,石英玻璃因不吸收紫外线和可见光而适用于紫外-可见波段,但两者均不适用于红外光谱。由于难以找到合适材质的容器,红外光谱采用固体压片或液膜的试样形式。另外,分子光谱的试样容器,必须保证入射光和出射光垂直作用于容器表面,以减少光反射所带来的光损失,故通常采用精密制作的正方形容器,且通过试样架来准确固定。

在试样的介质条件上,由于原子光谱的原子化过程和光谱的高分辨特性等,原子光谱对试样的介质条件要求不高,基本上只要能保证有效进样和有效原子化,同时不损害进样和原子化系统就可。但介质条件将直接影响分子的吸收和发射,并且一些介质本身也会吸光或发光。紫外-可见吸收光谱、分子荧光光谱、分子磷光光谱、化学发光光谱均适用于紫外-可见波段,均采用溶液试样,原因是水及一般的溶剂在紫外-可见波段均不吸光,而红外光谱由于水及一般溶剂均有红外活性,因而不能采用溶液试样,通常采用的溴化钾固体压片,也是基于溴化钾在红外光谱段没有红外活性且其固体压片透光的事实。

2.3.5 检测系统

在光谱分析法中,检测系统的功能是将光辐射信号转换为可量化输出的信号,主要有两类检测器:光电检测器和热检测器。

2.3.5.1 理想的检测器

理想的检测器应该在整个研究波长范围内对光辐射有恒定的响应,同时具有高灵敏度、高信噪比、响应时间快的特点,在没有光辐射时,检测器输出信号应该为零。从分析测定量的角度要求,理想检测器响应光辐射所产生的信号还应该正比于光辐射的强度,即

$$S=kI \tag{2-24}$$

式中 S 是检测器响应的输出信号, k 是检测器的灵敏度, I 为作用于检测器的光辐射强度。

实际上,理想检测器是不存在的,主要是因为实际的检测器不可能在整个研究波长范围内对光辐射有恒定的响应,也就是说当波长不同但强度相同的光辐射作用于实际检测器时,不可能产生恒定的响应,即检测器的灵敏度 k 是波长的函数;另一方面,与实际光源相关的作用于检测器的光辐射强度 I 也是波长的函数。因此,检测器输出信号 S 亦即是波长的函数。同时,实际检测器还存在暗信号输出 S_0, S_0 是在没有光辐射作用于检测器时输出的微弱信号,它通常决定了检测器的检测下限。鉴于上述原因,对实际检测器,式(2-24)应该表示为

$$S(\lambda)=k(\lambda)I(\lambda)+S_0 \tag{2-25}$$

在实际的仪器设计中,一般都采用补偿电路将暗电流尽可能地消除掉,因此式(2-25)可表示为

$$S(\lambda)=k(\lambda)I(\lambda) \tag{2-26}$$

由式(2-26)可知, $k(\lambda)$ 和 $I(\lambda)$ 均是波长的函数,在研究波段范围内并非恒定不变,因此,光谱分析所得到的光谱即 $S-\lambda$ 关系曲线并非物质的实际光谱。要得到物质的实际光谱,必须对 $k(\lambda)$ 和 $I(\lambda)$ 的影响进行校准,使之在研究波段范围恒定不变。校准的方法是分别对检测器的灵敏度 k 和光源发出的光强度在研究的波段范围内进行归一化处理。另一方面,如果仅仅是定量测定,则只要固定波长即可,这时的信号值直接与被分析物质的量有关。

2.3.5.2   光电检测器

光电检测器是将光信号转换为可量化输出的电信号的检测器。光电检测器有两种类型，一类检测器的信号转换功能主要通过光敏材料来实现，当光作用于光敏材料时，光敏材料释放出电子，由此实现光电转换；另一类检测器的信号转换功能主要通过半导体材料来实现，当光作用于半导体材料时，半导体材料的导电特性将发生改变，并实现光电转换。

由于光敏材料释放出电子以及半导体材料导电特性改变均需要一定的能量，而光能量的大小与波长成反比，因此光敏材料和半导体材料只对紫外线、可见光和近红外光敏感，相应的光电检测器只适用于紫外到近红外光区的光谱检测。所对应的光谱法包括原子吸收光谱、原子发射光谱、原子荧光光谱、紫外-可见吸收光谱、分子荧光光谱、分子磷光光谱、化学发光以及近红外光谱。而由于红外光的能量较低，不足以使光敏材料释放出电子，或使半导体材料的导电特性发生改变，因此光电检测器不能用作红外光谱的检测器。

常见的光电检测器包括硒光电池、真空光电管、光导检测器、硅二极管、光电倍增管以及硅二极管阵列和电荷转移器件等。其中，硒光电池、真空光电管、光导检测器、硅二极管和光电倍增管为单波长检测器，它们均需要通过狭缝采光，将不同波长的光投射到检测器上分别检测。因而，如果要获得光谱，单色器必须有波长扫描功能，即借助于单色器的旋转，使不同波长光在不同时间通过固定狭缝到达检测器进行检测，光谱的分辨是靠时间分辨来实现的。而硅二极管阵列和电荷转移器件为多道检测器，它们本质上是多个单波长检测器的集成，可进行多波长同时测定。最早使用的多道检测器是原子发射光谱中使用的照相干板，它将照相干板放置在光谱仪的聚焦平面上曝光，可同时记录光谱中的所有谱线。因此，一个设计合理的多通道检测器，不要求单色器具有波长扫描功能，光谱的分辨依靠分光系统的合理设计（如将检测器设置在光谱仪的焦面上）和阵列微型检测器的空间分布来实现。

典型的光电检测器是光电倍增管和电荷转移器件。

1. 硒光电池

硒光电池通过半导体材料硒实现光电转换，其光谱响应的波长范围为300～800 nm，最灵敏响应波长范围为500～600 nm。将硒沉积在铁或铜的金属基板上，硒表面再覆盖一层金、银或其他金属的透明金属层就构成了硒光电池，其结构如图2-28所示。图中，金属基板为光电池的正极，与透明金属薄膜相连接的金属收集环为光电池的负极，即集电极。当光照射在半导体材料硒上时，在硒材料内将产生自由电子和空穴对，自由电子向透明金属薄膜流动，而空穴则移向金属基板电极。所产生的自由电子通过外电路与空穴复合而产生电流。当外电路的电阻不大时，所产生的电流与入射光的强度成线性关系，强度约为 $10 \sim 100~\mu A$，可直接进行测定,无需外电源及放大装置。硒光电池受强光持续照射会产生"疲劳"现象,且由于其内阻小,输出不易放大,故一般应用于简单的便携式仪器中。

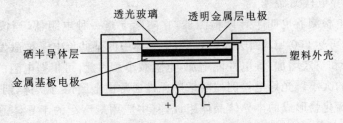

图 2-28 硒光电池结构示意图

2. 真空光电管

真空光电管也称真空光电二极管,由真空透明封套内的一个半圆筒形阴极和一个阳极组成。其阴极内表面涂有碱金属及其他材料组成的光敏物质,阳极为与阴极骨架轴面同轴的金属镍环或镍片。当光线照射在阴极表面上时,光敏物质发射光电子,这些光电子被加在两电极间的电压(≈90 V)所加速,并为阳极所收集而产生光电流。该光电流一般只有硒光电池的十分之一,难于直接测定,但该电流容易放大。将该电流通过一负载电阻并在负载电阻两端产生电压降,再经直流放大器放大,即可进行测量(如图 2-29 所示)。

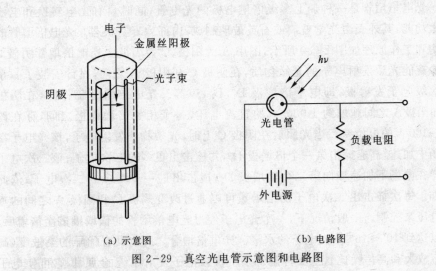

(a) 示意图   (b) 电路图

图 2-29 真空光电管示意图和电路图

真空光电管的光谱响应范围和灵敏度取决于沉积在阴极上的光敏材料性质。不同阴极材料制成的光电管有着不同的光谱适用范围,即使同一光电管,对不同波长的光,其灵敏度也不同。因此,对不同波长区域光的检测,应该选用不同的光电管。例如,氧化铯-银光敏材料对近红外光敏感,氧化钾-银和铯-银光敏材料对紫外和可见光最敏感。

3. 光导电检测器

光导电检测器也叫半导体检测器,它实际上是一种电阻器,当没有光照射时,其电阻可达 200 kΩ,而吸收辐射后,半导体中的某些价电子被激发成为自由电子,电子和空穴增加,导电性能增加,电阻减小。因此,可根据电阻的变化检测辐射强度的大小。光导电检测器的敏感元件通常由金属铅、镉、镓、铟的硫化物、硒化物及碲化物形成的半导体晶体组成,其中应用最广泛的半导体晶体是硫化铅,它可以在室温下使用,适用波数范围在 12 500~3 300 cm⁻¹(0.75~3 μm)的近红外光区,而适用于中红外和远红外光区的汞/镉碲化物晶体,则必须采用液氮冷却,以抑制因热产生的噪声。光导电检测器在傅里叶变换红外光谱仪中有着重要的应用。

4. 硅二极管

硅二极管由在一硅片上形成的反向偏置的 p-n 结构组成,反向偏置造成了一个耗尽层,使该结的传导性几乎降到了零。当辐射光照射到 n 区,就可形成空穴和电子。空穴通过耗尽层到达 p 区而湮没,于是电导增加,形成光电流。硅二极管的灵敏度小于光电倍增管,可响应的光谱范围为 190~1 100 nm。

5. 光电倍增管

光电倍增管是一种加上多级倍增电极的光电管,同时具有光电转换和电流放大功能,其外壳由光学玻璃或石英玻璃制成,内部为真空状态。光电倍增管的结构和工作原理如图 2-30 所示,图中 A 为阳极,C 为阴极。光电倍增管阴极 C 上涂有能光致发射电子的光敏物质,在阴极 C 和阳极 A 之间,设计安装了一系列次级电子发射极,即电子倍增极 D_1,D_2,… 等。光电倍增管工作时,在阴极 C 和阳极 A 之间施加约 1 000 V 的直流电压,每个相邻倍增电极之间,存在约 50~100 V 的电位差。当光照射在阴极 C 上时,光敏物质发射电子,该光电子在电场中加速,高速撞击第一个倍增极 D_1,并撞击出更多的二次电子;该二次电子同样在电场下加速撞向第二个倍增极 D_2,撞击出进一步增多的二次电子;依此类推。每次撞击出二次电子的倍增数可以通过改变阴极 C 和阳极 A 之间的直流电压来控制。一般情况下,一个光电子经过光电倍增管的倍增极多次倍增后,可以达到 10^6~10^{10} 个光电子的水平。光电倍增管之所以具有优异的灵敏度(高电流放大和高信噪比),主要得益于多个次级电子发射系统的使用,它可使电子在低噪声条件下得到倍增。

光电倍增管由阴极 C 吸收入射光子的能量并将其转换为电子,其转换效率(阴极灵敏度)随入射光的波长而变化,这种光阴极灵敏度与入射光波长之间的关系叫做光谱响应特性,图 2-31 给出了双碱阴极光电倍增管(其光阴极材料为

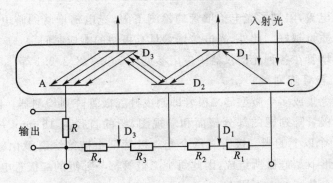

图 2-30　光电倍增管结构和工作原理示意图

Sb–Rb–Cs 和 Sb–K–Cs)的典型光谱响应曲线。一般情况下,光谱响应特性的长波段取决于光阴极材料,短波段则取决于入射窗材料。光电倍增管的阴极一般都采用具有低电子逸出动能的碱金属材料所形成的光电发射面,而入射窗材料通常由硼硅玻璃、透紫玻璃(UV 玻璃)、合成石英玻璃和氟化镁(或镁氟化物)玻璃制成。硼硅玻璃窗材料可以透过近红外至 300 nm 的入射光,而其他三种玻璃窗材料则可用于紫外光区。

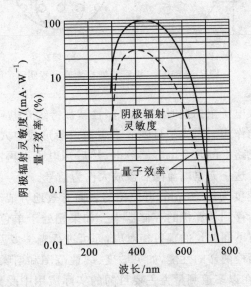

图 2-31　双碱阴极光电倍增管光谱响应曲线

与光电管不同,光电倍增管的输出电流随外加电压的增加而增加,原因是每个倍增电极获得的增益取决于加速电压,因此,光电倍增管对外加电压极其敏感,必须严格控制光电倍增管外加电源的电压。光电倍增管在没有光照射阴极时产生的暗电流,限制了光电倍增管的检测下限,光电倍增管的暗电流越小,光电倍增管的质量越好。此外,光电倍增管具有极快的响应时间。

光电倍增管在各种光谱仪器中应用参见 3.3.5.3,8.2.2.1 等。

6. 硅二极管阵列

在硅片上集成多个微型硅二极管即制成硅二极管阵列检测器。图 2-32 是放大的光二极管阵列靶的部分截面和端视图,靶的直径为 16 mm,每平方毫米含有 15 000 个以上的光二极管。每个光二极管都由被绝缘二氧化硅层包围着的一个圆柱形 p 型硅区所组成,因此每个二极管都与邻近的二极管电绝缘,它们都联结到一个共同的 n 型层上。

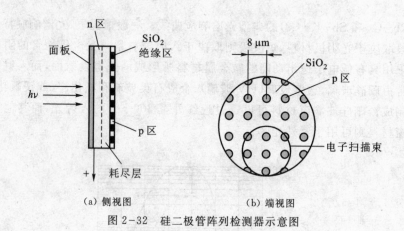

(a) 侧视图　　(b) 端视图

图 2-32　硅二极管阵列检测器示意图

当靶的表面被电子束扫描时,每个 p 型柱就被持续充电到电子束的电位,起一个充电电容器的作用。当光子打到 n 型表面以后形成空穴,空穴向 p 区移动并使沿入射辐射光路上的几个电容器放电,然后当电子束再次扫到它们时又使这些电容器充电。这一充电电流随后被放大作为信号。

若电子束的宽度为约 20 μm,可使靶的表面有效地分成 500 个通道。每个通道的信号分别储存到计算机的存储器中。如果靶处于单色器的焦面上,则每个通道的信号就与不同波长的辐射相对应,即可进行光学多道分析。

硅二极管阵列检测器的性能,如灵敏度、线性范围和信噪比等,与光电倍增管相比较差,使它在以多道测量为主要目的的实际应用中受到限制。而电荷转移器件除具有多道测量的优点外,其性能接近光电倍增管,因此,在现代光谱仪中的应用正日益增加。

7. 电荷转移器件

电荷转移器件是新型的多道检测器,因其将电荷从收集区转移到检测区后完成测定而得名。电荷转移器件分为电荷耦合器件(charge-coupled device,

CCD)和电荷注入器件(charge-injection device,CID)。

电荷转移器件的微型光敏元件称为像素,通常以二维面阵形式排列,它包含若干行和列的结合。例如,在一块 6.5 mm×8.7 mm 的硅片上,可制成由数万个像素组成的电荷转移器件,每一个像素可看成是一个单波长检测器,它实际上是一个金属－氧化物－半导体电容器。该电容器的形成方法是:在 p 型或 n 型单晶硅的衬底上用氧化的办法生成一层厚度约为 $100\sim150$ nm 的 SiO_2 绝缘层,再在 SiO_2 表面按一定层次蒸镀一金属电极或多晶硅电极,在衬底和电极间加上一个偏置电压(栅极电压),即形成了一个金属－氧化物－半导体电容器(如图 2－33所示)。

电荷转移器件最突出的特点是以电荷作为信号,通过检测一定时间周期内不同像素的累计光生电荷量,并与入射光的波长及强度相关联。其作用十分像感光胶片,即产生的是辐射照射在其上面的累积信号。

电荷转移器件测定光生电荷量的方法有两种,一种是测量当电荷从一个电极移到另一个电极时产生的电压改变;另一种是将电荷引入敏感放大器中测量,前者称为电荷注入器件,后者称为电荷耦合器件。电荷耦合器件在低温工作时,暗电流非常低,因而常用作高灵敏检测。

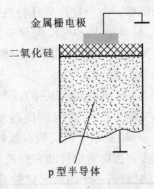

图 2－33 金属－氧化物－半导体电容器示意图

CCD 在各类光谱仪器中应用参见 3.3.5.3,8.2.2.1 等。

2.3.5.3 热检测器

热检测器是基于黑体吸收辐射并根据吸收引起的热效应测定辐射强度的一类检测器。由于红外光的能量一般不足以产生光电子发射,因此光电检测器不能用于红外光区的光谱检测。除光导电检测器以外,热检测器广泛用于红外辐射的检测,其响应值与入射辐射的平均功率相关联。实际应用中,为了减少环境热效应的影响,吸收元件应放在真空中,并与其他热辐射源隔离。

根据温度检测方法的不同,热检测器分为三类,即真空热电偶、辐射热测量计和热释电检测器。

1. 真空热电偶

真空热电偶是目前红外光谱仪中最常用的一种检测器。它利用不同导体构成回路时的热电效应,将温差转变为电势差进行测量。其检测原理如图 2－34所示。该检测器以一小片涂黑的金箔作为红外辐射的接受面,选择两种不同的金属、合金或半导体(如铜和康铜),将它们的一端焊接在金箔的一面作为热接点,而它们的另一端作为冷接点(室温)与金属导线和检测电路相连,即组成热电偶。此热电偶封装在高真空的腔体内。为接受各种波长的红外辐射,在此腔体上对着涂黑的金箔开一小窗,黏以红外透射材料,如 KBr、CsI、KRS-5 等。当红外光通过此窗口照射到涂黑的金箔上时,热接点温度升高,两种不同的金属、合金或半导体间产生温差电动势,在闭路的情况下,回路即有电流产生。由于它的阻抗很低(约 10 Ω 左右),在和前置放大器耦合时需要升压变压器。一个设计良好的热电偶检测器,可响应 $10\sim6$ K 温度差。为了增

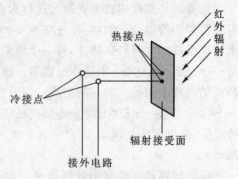

图 2-34　真空热电偶检测原理示意图

加灵敏度,常常将几个热电偶串联起来,这就是所谓的热电堆。

2. 测热辐射计

基于导体(如铂、镍)或半导体吸收辐射后,温度的改变使其电阻改变,从而产生输出信号而构建的检测器,所采用的测量电路为惠斯通电桥。用厚约 10 μm 的热敏电阻安装在散热基片上制成热敏元件,将两个相同的该热敏元件连接到惠斯通电桥的相应两个臂上,其中一个热敏元件为检测元件,用于吸收红外辐射;另一个热敏元件起补偿环境温度变化影响的功能,不用于吸收红外辐射。当检测元件没有吸收红外辐射时,惠斯通电桥处于平衡状态,没有信号输出;当检测元件吸收红外辐射时,检测元件的电阻发生变化,惠斯通电桥不平衡,并输出信号,此信号大小与红外辐射强度成正比。

测热辐射计在中红外光区的应用较其他红外检测器少一些,但以锗为热敏电阻的测热辐射计是 $5\sim400$ cm^{-1} 波段范围的理想换能器。

3. 热释电检测器

某些热电材料晶体,如氘化硫酸三甘酞(DTGS)、硫酸三甘氨酸酯、钽酸锂等,具有温敏偶极矩的性质。将这些热电材料(如 DTGS)的 $10\sim20$ μm 厚单晶薄片放在两块金属薄片电极之间(其中一个可透射红外光),然后连接到放大器上,并一起封入带红外投射窗的高真空玻璃外壳内,即构成热释电检测器。当红外辐射照射到 DTGS 晶体上时,随着温度的变化,DTGS 晶体表面电荷减少。这相当于 DTGS 释放了一部分电荷,在连接两电极的外电路形成测定电流,并经放大后检测记录,该电流的大小正比于晶体的表面积和晶体随温度改变极化的速率。热释电检测器的响应时间极快,可进行快速扫描,在中红外区的扫描时间仅需 1s 左右,足以跟踪检测从干涉仪的时间域信号变化,因而适用于傅里叶变换红外光谱仪。

2.3.6　信号处理和读出系统

信号处理和读出系统主要由信号处理器和读出器件组成。

信号处理器通常是一种电子器件,它可放大检测器的输出信号。此外,它也可以把信号从直流变成交流(或相反),改变信号的相位,滤掉不需要的成分。同时,信号处理器也可用来执行某些信号的数学运算,如微分、积分或转换成对数等。

在现代分析仪器中,常用的读出器件有数字表、记录仪、电位计标尺、阴极射线管等。

通常,光电检测器的输出采用模拟技术处理和显示,即将由检测器出来的平均电流、电位等放大、记录或馈入某一个适当的表头。近年来,利用光电倍增管的输出,将已应用在 X 射线辐射功率测量中的光计数技术,引入了紫外和可见光区的测量。

与模拟技术比较,光计数技术有更多的优点。它包括:改善信噪比和低辐射强度的灵敏度;提高给定测量时间的测量精度;降低光电倍增管电压和温度的敏感性。采用光计数技术需要较复杂的设备,价格昂贵,目前该技术尚不能广泛用于紫外-可见光区的测量。而在那些低强度辐射中,如荧光、化学发光和 Raman 光谱,已成为首选的方法。

思考、练习题

2-1　光谱仪一般由哪几部分组成? 它们的作用分别是什么?

2-2　单色器由几部分组成? 它们的作用分别是什么?

2-3　简述光栅和棱镜分光的原理。

2-4　简述光电倍增管的作用原理。

2-5　对下列单位进行换算:

(1) 150 pm X 射线的波数(cm^{-1});

(2) Li 的 670.7 nm 谱线的频率(Hz);

(3) 3 300 cm^{-1} 波数对应的波长(nm);

(4) Na 的 588.995 nm 谱线相应的能量(eV)。

2-6　下列各类型跃迁所涉及的能量(eV)和波长(nm)范围各是多少?

(1) 原子内层电子跃迁;

(2) 原子外层电子跃迁;

(3) 分子的电子跃迁;

(4) 分子振动能级的跃迁;

(5) 分子转动能级的跃迁。

2-7　若光栅的宽度为 5.00 mm,每毫米刻线数为 720 条,那么该光栅的第一级光谱的分辨率是多少？对波数为 1 000 cm⁻¹ 的红外光，该光栅能分辨的最靠近的两条谱线的波长差是多少？

2-8　在 25 mL 容量瓶中，加入 1 mL 标准溶液，定容至刻度，然后进行光谱分析。如果在定容到刻度线时，多加了两滴水，你怎么办？为什么？

2-9　你根据什么来构建一个分析仪器？

2-10　阐述为什么原子光谱为线光谱，分子光谱为带光谱。如果说原子光谱谱线的强度分布也是峰状的，对吗？为什么？

2-11　紫外-可见分光光度法的定量关系为：$A=\varepsilon bc$，如何提高方法的灵敏度？

2-12　不经任何改装的商品荧光光谱仪和紫外-可见吸收光谱仪可以用来做化学发光分析测定吗？为什么？将商品紫外-可见吸收光谱仪的试样引入系统改装为常规的红外光谱仪试样引入系统后，可以用来做红外光谱分析吗？为什么？

2-13　分子荧光光谱仪通常用光电倍增管作为检测器，请问，该检测器可以分别用作紫外-可见吸收光谱仪、原子吸收光谱仪、ICP-原子发射光谱仪、化学发光分析仪、红外光谱仪的检测器吗？为什么？

2-14　紫外-可见吸收光谱和红外吸收光谱均满足 Lambert-Beer 定律 $A=\varepsilon bc$，通常紫外-可见吸收光谱用作定量测定，红外吸收光谱用作结构分析，为什么紫外-可见吸收光谱通常很少用作结构分析，而红外吸收光谱很少用作定量测定？

参考资料

[1] Skoog D A, Holler F M, Nieman T A. Principles of Instrumental Analysis. 5th ed. Philadephia: Harcourt Brace & Company, 1998.

[2] 北京大学化学系仪器分析教学组. 仪器分析教程. 北京：北京大学出版社, 1997.

[3] 赵藻藩, 周性尧, 张悟铭, 等. 仪器分析. 北京：高等教育出版社, 1990.

[4] 武汉大学化学系. 仪器分析. 北京：高等教育出版社, 2001.

[5] 方惠群, 史坚, 倪君蒂. 仪器分析原理. 南京：南京大学出版社, 1994.

第3章 原子发射光谱法

3.1 概论

原子发射光谱法,是依据每种化学元素的原子或离子在热激发或电激发下,发射特征的电磁辐射,进行元素定性、半定量和定量分析的方法。它是光学分析中产生与发展最早的一种分析方法。

1859 年德国学者 Kirchhoff G R 和 Bunsen R W 合作制造了第一台用于光谱分析的分光镜,并获得了某些元素的特征光谱,奠定了光谱定性分析的基础。20 世纪 20 年代,Gerlarch 为了解决光源不稳定性问题,提出了内标法,为光谱定量分析提供了可行性依据。60 年代,电感耦合等离子体(ICP)光源的引入,大大推动了发射光谱分析的发展。近年来,随着固态成像检测器件的使用,使多元素同时分析能力大大提高。

原子发射光谱法包括了三个主要的过程,即:由光源提供能量使试样蒸发,形成气态原子,并进一步使气态原子激发而产生光辐射;将光源发出的复合光经单色器分解成按波长顺序排列的谱线,形成光谱;用检测器检测光谱中谱线的波长和强度。

原子发射光谱法的特点:多元素同时检测;分析速度快;选择性好;检出限低,一般光源可达 $g \cdot g^{-1}$(或 $g \cdot mL^{-1}$)级,如采用电感耦合等离子体(ICP)作为光源,则可降低至 $10^{-3} \sim 10^{-4}$ $g \cdot mL^{-1}$(或 $g \cdot g^{-1}$);精密度好,一般光源为 $\pm 10\%$ 左右,线性范围约 2 个数量级。采用 ICP 作光源,精密度可达到 $\pm 1\%$ 以下,线性范围可扩大至 $4 \sim 6$ 个数量级。这种方法可有效地用于同时测量高、中、低含量的元素;试样消耗少;非金属元素测定困难。

3.2 基本原理

3.2.1 原子发射光谱的产生

原子的外层电子由高能级向低能级跃迁,能量以电磁辐射的形式发射出去,这样就得到发射光谱。原子发射光谱是线光谱。基态原子通过电、热或光致激发等激发光源作用获得能量,外层电子从基态跃迁到较高能态变为激发态,激发态不稳定,约经 10^{-8} s,外层电子就从高能级向较低能级或基态跃迁,多余的能量以电磁辐射的形式发射可得到一条光谱线。

原子中某一外层电子由基态激发到高能级所需要的能量称为激发能。由激发态向基态跃迁所发射的谱线称为共振线。由第一激发态向基态跃迁发射的谱线称为第一共振线,第一共振线具有最小的激发能,因此最容易被激发,为该元素最强的谱线。

离子也可能被激发,其外层电子跃迁也发射光谱。每一条离子线都有其激发能。这些离子线的激发能大小与电离能高低无关。

在原子谱线表中,用罗马数字 I 表示原子线,II 表示一次电离离子发射的谱线,III 表示二次电离离子发射的谱线。如 Mg I 285.21 nm 为原子线,Mg II 280.27 nm 为一次电离离子线。

3.2.2 原子能级与能级图

原子光谱是原子的外层电子(或称价电子)在两个能级之间跃迁而产生的。原子的能级通常用光谱项符号表示:

$$n^{2S+1}L_j$$

核外电子在原子中存在运动状态,可以用四个量子数 n,l,m,m_s 来规定。

主量子数 n 决定电子的能量和电子离核的远近。

角量子数 l 决定电子角动量的大小及电子轨道的形状,在多电子原子中也影响电子的能量。

磁量子数 m 决定磁场中电子轨道在空间的伸展方向不同时电子运动角动量分量的大小。

自旋量子数 m_s 决定电子自旋的方向。电子自旋在空间的取向只有两个,一个顺着磁场,另一个反着磁场,因此,自旋角动量在磁场方向上有两个分量。

四个量子数的取值:

$n=1,2,3,\cdots,\pm n$; $l=0,1,2,\cdots,n-1$,相应的符号为 s,p,d,f,$\cdots$;$m=0$,$\pm1,\pm2,\cdots,\pm m$; $m_s=\pm1/2$。

电子的每一运动状态都与一定的能量相联系。主量子数 n 决定了电子的主要能量,半长轴相同的各种轨道电子具有相同的 n,可以认为是分布在同一壳层上,随着主量子数不同,可分为许多壳层,$n=1$ 的壳层,离原子核最近,称为第一壳层;依次 $n=2,3,4,\cdots$ 的壳层,分别称为第二、三、四壳层……,用符号 K,L,M,N,$\cdots$代表相应的各个壳层。角量子数 l 决定了各椭圆轨道的形状,不同椭圆轨道有不同的能量。因此,又可以将具有同一主量子数 n 的每一壳层按不同的角量子数 l 分为 n 个支壳层,分别用符号 s,p,d,f,g,$\cdots$来代表。原子中的电子遵循一定的规律填充到各壳层中,首先填充到量子数最小的量子态,当电子逐渐填满同一主量子数的壳层,就完成一个闭合壳层,形成稳定的结构,次一个电子再填充新的壳层。这样便构成了原子的壳层结构。周期表中同族元素具有相类似的壳层结构。

有多个价电子的原子,它的每一个价电子都可能跃迁而产生光谱。这些核外电子之间存在着相互作用,其中包括电子轨道之间的相互作用,电子自旋运动之间的相互作用以及轨道运动与自旋运动之间的相互作用等,因此原子的核外电子排布并不能准确地表征原子的能量状态,原子的能量状态需要用以 $n, L, S,$ J 等四个量子数为参数的光谱项来表征:

n 为主量子数;L 为总角量子数,其数值为外层价电子角量子数 l 的矢量和,即 $L=\sum l_i$ 两个价电子偶合所得的总角量子数 L 与单个价电子的角量子数 $l_1,$ l_2 有如下的关系:

$L=(l_1+l_2), (l_1+l_2-1), (l_1+l_2-2), \cdots, |l_1-l_2|,$ 其值可能:$L=0, 1, 2,$ $3, \cdots,$ 相应的谱项符号为 S,P,D,F,$\cdots,$ 若价电子数为 3 时,应先把 2 个价电子的角量子数的矢量和求出后,再与第三个价电子求出其矢量和,就是 3 个价电子的总角量子数。

S 为总自旋量子数,自旋与自旋之间的作用也较强的,多个价电子总自旋量子数是单个价电子自旋量子数 m_s 的矢量和。$S=\sum m_{s,i},$ 其值可取 $0, \pm 1/2,$ $\pm 1, \pm 3/2, \cdots$。J 为内量子数,是由于轨道运动与自旋运动的相互作用即轨道磁矩与自旋量子数的相互影响而得出的,它是原子中各个价电子组合得到的总角量子数 L 与总自旋量子数 S 的矢量和,$J=L+S$。

J 的求法为 $J=(L+S), (L+S-1), (L+S-2), \cdots, |L-S|$。

光谱项符号左上角的 $(2S+1)$ 称为光谱项的多重性。当用光谱项符号 $3^2 S_{1/2}$ 表示钠原子的能级时,表示钠原子的电子处于 $n=3, L=0, S=1/2,$ $J=1/2$ 的能级状态,这是钠原子的基本光谱项,$3^2 P_{3/2}$ 和 $3^2 P_{1/2}$ 是钠原子的两个激发态光谱项符号。

由于一条谱线是原子的外层电子在两个能级之间跃迁产生的,故原子的能级可用两个光谱项符号表示。例如,钠原子的双线可表示为

Na 588.996 nm $3^2 S_{1/2} \rightarrow 3^2 P_{3/2}$

Na 589.593 nm $3^2 S_{1/2} \rightarrow 3^2 P_{1/2}$

把原子中所有可能存在状态的光谱项——能级及能级跃迁用图解的形式表示出来,称为能级图。通常用纵坐标表示能量 $E,$ 基态原子的能量 $E=0,$ 以横坐标表示实际存在的光谱项。图 3-1 为钠原子的能级图。图中的水平线表示实际存在的能级,能级的高低用一系列的水平线表示。由于相邻两能级的能量差与主量子数 n^2 成反比,随 n 增大,能级排布越来越密。当 $n \rightarrow \infty$ 时,原子处于电

离状态,这时体系的能量相应于电离能。因为电离了的电子可以具有任意的动能,因此,当 $n \to \infty$ 时,能级图中出现了一个连续的区域。能级图中的纵坐标表示能量标度,左边用电子伏标度,右边用波数标度。各能级之间的垂直距离表示跃迁时以电磁辐射形式释放的能量的大小。每一时刻一个原子只发射一条谱线,因许多原子处于不同的激发态,因此,发射出各种不同的谱线。其中在基态与第一激发态之间跃迁产生谱线强度最大的称为第一共振线。

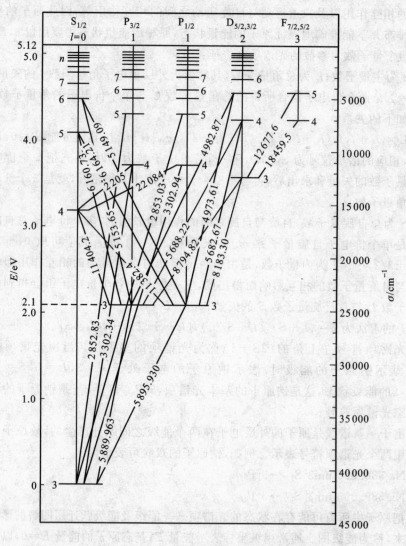

图 3-1　钠原子的能级图

应该指出的是,并不是原子内所有能级之间的跃迁都是可以发生的,实际发生的跃迁是有限制的。根据量子力学的原理,电子的跃迁不能在任意两个能级之间进行,而必须遵循一定的"选择定则",这个定则是:

(1) $\Delta n = 0$ 或任意正整数;

(2) $\Delta L = \pm 1$,跃迁只允许在 S 项和 P 项,P 项和 S 项或 D 项之间,D 项和 P 项或 F 项之间,等;

(3) $\Delta S = 0$,即单重项只能跃迁到单重项,三重项只能跃迁到三重项,等;

(4) $\Delta J = 0, \pm 1$,但当 $J = 0$ 时,$J = 0$ 的跃迁是禁阻的。也有个别例外的情况,这种不符合光谱选律的谱线称为禁戒跃迁线。该谱线一般产生的机会很少,谱线的强度也很弱。

3.2.3 谱线强度

设 i,j 两能级之间的跃迁所产生的谱线强度 I_{ij} 表示,则

$$I_{ij} = N_i A_{ij} h \nu_{ij} \tag{3-1}$$

式中 N_i 为单位体积内处于高能级 i 的原子数,A_{ij} 为 i,j 两能级间的跃迁概率,h 为 Planck 常数,ν_{ij} 为发射谱线的频率。

若激发是处于热力学平衡的状态下,分配在各激发态和基态的原子数目 N_i,N_0,应遵循统计力学中 Maxwell-Boltzmann 分布定律。

$$N_i = N_0 g_i / g_0 \, e^{(-E/kT)} \tag{3-2}$$

式中 N_i 为单位体积内处于激发态的原子数,N_0 为单位体积内处于基态的原子数,g_i,g_0 为激发态和基态的统计权重,E_i 为激发能,k 为 Boltzmann 常数,T 为激发温度。

从式(3-2)可以看出,影响谱线强度的因素有:

(1) 统计权重　谱线强度与激发态和基态的统计权重之比成正比。

(2) 跃迁概率　谱线强度与跃迁概率成正比。跃迁概率是一个原子在单位时间内两个能级之间跃迁的概率,可通过实验数据计算。

(3) 激发能　谱线强度与激发能成负指数关系。在温度一定时,激发能越高,处于该能量状态的原子数越少,谱线强度越小。激发能最低的共振线通常是强度最大的线。

(4) 激发温度　温度升高,谱线强度增大。但温度升高,电离的原子数目也会增多,而相应的原子数减少,致使原子谱线强度减弱,离子的谱线强度增大。

(5) 基态原子数　谱线强度与基态原子数成正比。在一定的条件下,基态原子数与试样中该元素浓度成正比。因此,在一定的条件下谱线强度与被测元素浓度成正比,这是光谱定量分析的依据。

3.2.4　谱线的自吸与自蚀

在实际工作中,发射光谱是通过物质的蒸发、激发、迁移和射出弧层而得到的,而弧焰具有一定的厚度,如图 3-2 所示,弧焰中心 a 的温度最高,边缘 b 的温度较低。由弧焰中心发射出来的辐射,必须通过整个弧焰才能射出,由于弧层边缘的温度较低,因而这里处于基态的同类原子较多。这些低能态的同类原子能吸收高能态原子发射出来的光而产生吸收光谱。原子在高温时被激发,发射某一波长的谱线,而处于低温状态的同类原子又能吸收这一波长的辐射,这种现象称为自吸现象,如图 3-3 所示。

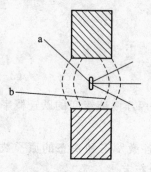

图 3-2　弧焰示意图

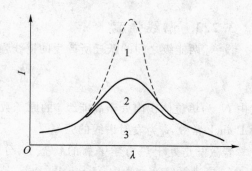

图 3-3　谱线的自吸
1. 无自吸;2. 自吸;3. 自蚀

弧层越厚,弧焰中被测元素的原子浓度越大,则自吸现象越严重。

当原子浓度低时,谱线不呈现自吸现象;原子浓度增大,谱线产生自吸现象,使其强度减小。由于发射谱线的宽度比吸收谱线的宽度大,所以,谱线中心的吸收程度要比边缘部分大,因而使谱线出现“边强中弱”的现象。当自吸现象非常严重时,谱线中心的辐射将完全被吸收,这种现象称为自蚀。

共振线是原子由激发态跃迁至基态而产生的。由于这种迁移及激发所需要的能量最低,所以基态原子对共振线的吸收也最严重。当元素浓度很大时,共振线呈现自蚀现象。自吸现象严重的谱线,往往具有一定的宽度,这是由于同类原子的互相碰撞而引起的,称为共振变宽。

由于自吸现象严重影响谱线强度,所以在光谱定量分析中是一个必须注意的问题。

3.3　原子发射光谱仪器

原子发射光谱仪器分为三部分:光源、分光仪和检测器。图 3-4 是典型的原子发射光谱仪器示意图。

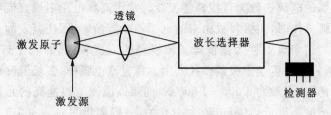

图 3-4 原子发射光谱仪器示意图

3.3.1 光源

在发射光谱仪中,光源具有使试样蒸发、解离、原子化、激发、跃迁产生光辐射的作用。它对光谱分析的检出限、精密度和准确度都有很大的影响。目前常用的光源有直流电弧、交流电弧、电火花及电感耦合等离子体。

使电极之间气体电离的方法有:紫外线照射、电子轰击、电子或离子对中性原子碰撞以及金属灼热时发射电子等。当气体电离后,还需在电极间加以足够的电压,才能维持放电。通常,当电极间的电压增大,电流也随之增大,当电极间的电压增大到某一定值时,电流突然增大到差不多只受外电路中电阻的限制,即电极间的电阻突然变得很小,这种现象称为击穿。在电极间的气体被击穿后,即使没有外界电离作用,仍然继续保持电离,使放电持续,这种放电称为自持放电。光谱分析用的电光源(电弧和电火花),都属于自持放电类型。

使电极间击穿而发生自持放电的最小电压称为"击穿电压"。要使空气中通过电流,必须要有很高的电压,在 100 kPa 压强下,若使 1 mm 的间隙中发生放电,必须具有 3 300 V 的电压。

如果电极间采用低压(220 V)供电,为了使电极间持续地放电,必须采用其他方法使电极间的气体电离。通常使用一个小功率的高频振荡放电器使气体电离,称为"引燃"。自持放电发生后,为了维持放电所必需的电压,称为"燃烧电压"。燃烧电压总是小于击穿电压,并和放电电流有关。气体中通过电流时,电极间的电压和电流的关系不遵循欧姆定律,其相应的关系如图 3-5 所示。

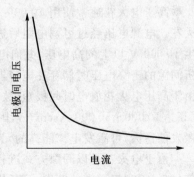

图 3-5 气体放电中的
电压和电流的关系曲线

3. 3. 1. 1   直流电弧

直流电弧的电源一般为可控硅整流器。常用高频电压引燃直流电弧。

直流电弧工作时,阴极释放出来的电子不断轰击阳极,使其表面上出现一个炽热的斑点。这个斑点称为阳极斑。阳极斑的温度较高,有利于试样的蒸发。因此,一般均将试样置于阳极碳棒孔穴中。在直流电弧中,弧焰温度取决于弧隙中气体的电离能,一般约 4 000~7 000 K,尚难以激发电离能高的元素。电极头的温度较弧焰的温度低,且与电流大小有关,一般阳极可达 3 800 ℃,阴极则在 3 000 ℃以下。

直流电弧的最大优点是电极头温度高(与其他光源比较),蒸发能力强,适用于难挥发试样分析;缺点是放电不稳定,重现性差;且弧较厚,自吸现象严重,故不适宜用于高含量定量分析;弧焰温度较低,激发能力差,不利于激发电离能高的元素;但可很好地应用于矿石等的定性、半定量及痕量元素的定量分析。

3. 3. 1. 2   交流电弧

采用高频高压引火装置产生的高频高压电流,不断地"击穿"电极间的气体,造成电离,维持导电。在这种情况下,低频低压交流电就能不断地流过,维持电弧的燃烧。这种高频高压引火、低频低压燃弧的装置就是普通的交流电弧。

交流电弧是介于直流电弧和电火花之间的一种光源,与直流电弧相比,交流电弧的电极头温度稍低一些,不利于难挥发元素的挥发;弧焰温度比直流电弧高,有利于元素的激发;但由于有控制放电装置,故电弧较稳定。弧层稍厚,也易产生自吸现象。这种电源常用于金属、合金中低含量元素的定量分析。

3. 3. 1. 3   电火花

高压电火花通常使用 10 000 V 以上的高压交流电,通过间隙放电,产生电火花。电源电压经过可调电阻后进入升压变压器的初级线圈,使初级线圈上产生 10 000 V 以上的高电压,并向电容器充电。当电容器两极间的电压升高到分析间隙的击穿电压时储存在电容器中的电能立即向分析间隙放电,产生电火花。由于高压电火花放电时间极短,故在这一瞬间内通过分析间隙的电流密度很大(高达 10 000~50 000 A·cm^{-2}),因此弧焰瞬间温度很高,可达 10 000 K 以上,故激发能量大,可激发电离能高的元素。

由于电火花是以间隙方式进行工作的,平均电流密度并不高,所以电极头温度较低,不利于元素的蒸发;且弧焰半径较小,弧层较薄,自吸不严重,适用于高含量元素的分析。这种光源主要用于易熔金属合金试样的分析、高含量元素及难激发元素的定量测定。

3. 3. 1. 4   等离子体光源

等离子体是一种电离度大于 0.1% 的电离气体,由电子、离子、原子和分子所组成,其中电子数目和离子数目基本相等,整体呈现中性。

最常用的等离子体光源是直流等离子焰(DCP)、电感耦合等离子体(ICP)、电容耦合微波等离子体(CMP)和微波诱导等离子体(MIP)等。

1. 直流等离子焰

经惰性气体压缩的大电流直流弧光放电，可获得一股高速喷射的等离子"火焰"。这种等离子"火焰"称为直流等离子焰，如图 3-6 所示。

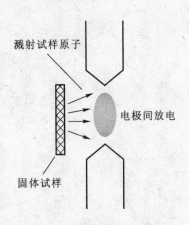

一般的直流弧光在电流增加时，弧柱随之增大，电流密度和有效能量几乎没有增加，所以弧温不能提高。直流等离子焰形成时，惰性气体由冷却的喷口喷出，使弧柱外围的温度降低，弧柱收缩，电流密度和有效能量增加，所以激发温度有明显的提高。这种低温气流使弧柱收缩的现象，称为热箍缩效应。另外，在等离子焰放电时，带电粒子沿着一定的方向运

图 3-6 直流等离子焰示意图

动，产生电流，形成磁场，从而导致弧柱收缩，提高了等离子焰的温度和能量，这种电磁作用引起的弧柱收缩的现象，称为磁箍缩效应。总之，直流等离子焰的温度比直流电弧高的原因主要是放电时的热箍缩效应和磁箍缩效应使等离子体受到压缩。此外，等离子焰的稳定性也比直流电弧高。

直流等离子焰不仅采用粉末进样，而且可以采用溶液进样。弧焰呈蓝色，它的温度比直流电弧高($5\,000\sim10\,000$ K)。

这种等离子焰，对难激发元素具有较好的检出限。等离子焰的温度不仅受工作气体和电流强度的影响，而且与气体流量、喷样速度有关。氩或其他惰性气体喷焰的温度，比氮或空气喷焰的温度高。等离子焰的激发温度随着电流强度的增加而升高，虽可使谱线强度增加，但背景也随之增大，因而不能改善线背比，不利于元素检出限提高。气体流量和喷样速度对谱线强度的影响也很大，而且对原子线和离子线的影响各不相同。

2. 电感耦合等离子体(ICP)

ICP 用电感耦合传递功率，是应用较广的一种等离子光源。ICP 光源由高频发生器、进样系统(包括供气系统)和等离子炬管三部分组成。图 3-7 是 ICP 的示意图。

在有气体的石英管外套装一个高频感应线圈，感应线圈与高频发生器连接。当高频电流通过线圈时，在管的内外形成强烈的振荡磁场。管内磁力线沿轴线方向，管外磁力线成椭圆闭合回路。一旦管内气体开始电离(如用点火器)，电子和离子则受到高频磁场所加速，产生碰撞电离，电子和离子急剧增加，此时在气

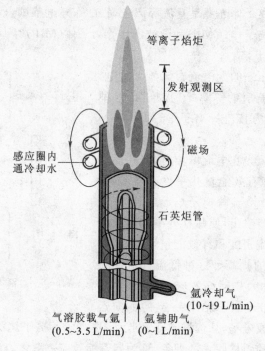

等离子焰炬

发射观测区

磁场

感应圈内
通冷却水

石英炬管

氩冷却气
(10~19 L/min)

气溶胶载气氩　　氩辅助气
(0.5~3.5 L/min)　(0~1 L/min)

图 3-7　ICP 示意图

体中感应产生涡流。这个高频感应电流,产生大量的热能,又促进气体电离,维持气体的高温,从而形成等离子体。为了使所形成的 ICP 稳定,通常采用三层同轴炬管,等离子气沿着外管内壁的切线方向引入,迫使等离子体收缩(离开管壁大约 1 mm),并在其中心形成低气压区。这样一来,不仅能提高等离子体的温度(电流密度增大),而且能冷却炬管内壁,从而保证 ICP 具有良好的稳定性。

等离子炬管分为三层。最外层通氩作为冷却气,沿切线方向引入,并螺旋上升。其作用:第一,将等离子体吹离外层石英炬管的内壁,可保护石英炬管不被烧毁;第二,是利用离心作用,在炬管中心产生低气压通道,以利于进样;第三,这部分氩气流同时也参与放电过程。中层管通入辅助气体氩,用于点燃等离子体。内层石英管内径为 1~2 mm 左右,以氩为载气,形成中心通道,把经过雾化器的试样溶液以气溶胶形式引入等离子体中。

用氩作工作气体的优点:氩为单原子惰性气体,不与试样组分形成难解离的稳定化合物,也不像分子那样因解离而消耗能量,有良好的激发性能,本身光谱简单。

不同频率的电流所形成的等离子体,具有不同的形状。在低频(约 5 MHz)时形成的等离子体,其形状如水滴,试样微粒只能环绕等离子炬表面通过,对试样的蒸发激发不利。在高频(约 30 MHz)时形成的等离子体,其形状似圆环,试样微粒可以沿着等离子体轴心通过,对试样的蒸发激发极为有利。这种等离子体,具有许多与常规光源不同的特性,正是 ICP 成为原子发射光谱分析具有竞争能力,优良激发光源的重要原因。

(1) 环状结构 ICP 的外观与火焰相似,但它的结构与火焰截然不同。由于等离子气和辅助气都从切线方向引入,因此高温气体形成旋转的环流。同时,由于高频感应电流的趋肤效应,涡流在圆形回路的外周流动。这样,ICP 就必然具有环状结构。这种环状结构造成一个电学屏蔽的中心通道。这个通道具有较低的气压、较低的温度、较小的阻力,使试样容易进入焰炬,并有利于蒸发、解离、激发、电离以至观测。

图 3-8 是 ICP 外观示意图。其环状结构可以分为若干区,各区的温度不同,性状不同,辐射也不同。

① 焰心区 感应线圈区域内,白色不透明的焰心,高频电流形成的涡流区,温度最高达 10 000 K,电子密度高。它发射很强的连续光谱,光谱分析应避开这个区域。试样气溶胶在此区域被预热、蒸发,又叫预热区。

② 内焰区 在感应圈上 10~20 mm

图 3-8 ICP 外观示意图

左右处,淡蓝色半透明的焰炬,温度约为 6 000~8 000 K。试样在此原子化、激发,然后发射很强的原子线和离子线。这是光谱分析所利用的区域,称为测光区。测光时在感应线圈上的高度称为观测高度。

③ 尾焰区 在内焰区上方,无色透明,温度低于 6 000 K,只能发射激发能较低的谱线。

(2) ICP 的分析性能 高频电流具有"趋肤效应",ICP 中高频感应电流绝大部分流经导体外围,越接近导体表面,电流密度就越大。涡流主要集中在等离子体的表面层内,形成环状结构,造成一个环形加热区。环形的中心是一个进样中心通道,气溶胶能顺利进入等离子体内,使得等离子体焰炬有很高的稳定性。

试样气溶胶在高温焰心区经历较长时间加热,在测光区平均停留时间长。这样的高温与长的平均停留时间使试样充分原子化,并有效地消除了化学干扰。周围是加热区,用热传导与辐射方式间接加热,使组分的改变对 ICP 影响较小,加之溶液进样少,因此,基体效应小。试样不会扩散到 ICP 焰炬周围而形成自吸的冷蒸气层。因此 ICP 具有如下特点:

① 检出限低;② 稳定性好,精密度、准确度高;③ 自吸效应、基体效应

小；④ 选择合适的观测高度,光谱背景小。

ICP 局限性在于对非金属测定灵敏度低,仪器价格昂贵,维持费用较高。

3.3.2　试样引入激发光源方式

试样引入激发光源的方式,对方法的分析性能影响极大。一般来说,试样引入系统应将具有代表性的试样重现、高效地转入激发光源中。是否可以达到这一目的或达到这一目的程度如何,依试样的性质而定。

3.3.2.1　溶液试样

将溶液试样引入原子化器,一般采用气动雾化、超声雾化和电热蒸发方式。其中,前两个方式需要事先雾化。雾化是通过压缩气体的气流将试样转变成极细的单个雾状微粒(气溶胶)。然后由流动的气体将雾化好的试样带入原子化器进行原子化。

气动雾化器进样是利用动力学原理将溶液试样变成气溶胶并传输到原子化器的进样方式。当高速气流从雾化器喷口的环形截面喷出时,在喷口毛细管端部形成负压,试液从毛细管中被抽吸出来。运动速率远大于液流的气流强烈冲击液流,使其破碎形成细小雾滴。

气动雾化器的种类很多,大致可以分为三大类,即同心型、直角型和特殊型(Babington 型雾化器)。

同心雾化器的应用最广泛,如图 3-9(a)所示,溶液试样被吸入毛细管,在高压气流作用下,在毛细管口以雾滴形式喷出;图 3-9(b)为交叉型雾化器,溶液通常用蠕动泵引入,高压气流在溶液引入的垂直方向喷入;图 3-9(c)为烧结玻璃雾化器(fritted-disk nebulizer),气流从砂心底部引入,溶液试样用蠕动泵泵至砂心表面,与(a)、(b)相比,(c)型雾化器能得到更好的气溶胶;图 3-9(d)为 Babington 雾化器的简图,下部(如图)是一个中空的球体,溶液试样从上部流下来在球体表面形成一层液膜,而高压气流引入后从球体上的一个小孔喷出,将溶液试样变为气溶胶,这种雾化器堵塞的情况比前三种好一些,适用于高盐溶液及有一定固体颗粒含量的悬浮液的分析。

超声雾化器进样是根据超声波振动的空化作用把溶液雾化成气溶胶后,由载气传输到火焰或等离子体的进样方法。与气动雾化器相比,超声雾化器具有雾化效率高,可产生高密度均匀的气溶胶,不易被阻塞等优点。

电热蒸发进样(ETV)是将蒸发器放在一个有惰性气体(氩气)流过的密闭室内。当有少量的液体或固体试样放在碳棒或钽丝制成的蒸发器上,电流迅速地将试样蒸发并被惰性气体携带进入原子化器。与一般雾化器不同,电热蒸发产生的是不连续的信号。

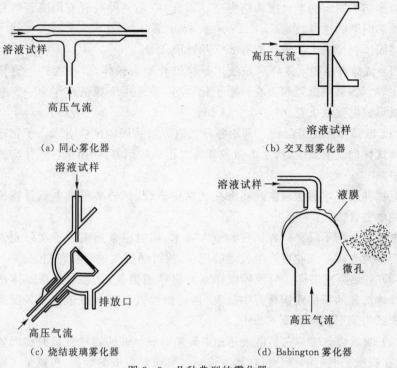

（a）同心雾化器　　　　　　　（b）交叉型雾化器

（c）烧结玻璃雾化器　　　　　　（d）Babington 雾化器

图 3-9　几种典型的雾化器

3.3.2.2　气体试样

气体试样可直接引入激发光源进行分析。有些元素可以转变成其相应的挥发性化合物而采用气体发生进样（如氢化物发生法）。例如砷、锑、铋、锗、锡、铅、硒和碲等元素可以通过将其转变成挥发性氢化物而进入原子化器，这种进样方法就是氢化物发生法。目前普遍应用的是硼氢化钠（钾）-酸还原体系，典型的反应如下：

$$3BH_4^- + 3H^+ + 4H_3AsO_3 = 3H_3BO_3 + 4AsH_3 \uparrow + 3H_2O$$

氢化物发生法可以提高对这些元素的检出限 10～100 倍。由于这类物质毒性大，在低浓度时检测它们尤其显得重要。当然也要求操作者，应用安全有效的方法清除从原子化器出来的气体。其信号类似于电热原子化获得的峰。

3.3.2.3　固体试样

将固体以粉末、金属或微粒形式直接引入等离子体和火焰原子化器中测定的分析方法，具有不需加入化学试剂，省去试样溶解、分离或富集等化学处理，减少污染的来源和试样的损失，以及测定灵敏度高等特点。但由于固体进样技术存在取样的均匀性，基体效应严重，以及较难配制均匀、可靠的固体标样等问题，严重地影响了测定的准确度和精密度。因此,它是一种既有应用前景但目前又存在较多问题的进样技术。

将固体直接进入原子化器有如下几种形式。

(1) 试样直接插入进样   该技术是将试样磨成粉体,放在探针上直接插进原子化器。如果用电弧和火花为原子化器时,常常用金属试样作为一支或两支电极以形成电弧或火花。

(2) 电弧和火花熔融法   常用各种放电方法将固体试样引入原子化器。通过固体试样的表面放电,产生由微粒和蒸气组成的烟雾,再由惰性气体转入原子化器中。

电弧和火花熔融法通常是在惰性气氛中进行,试样必须导电或者将试样与某种导体混合。

电弧和火花不仅是一种试样的引入技术,同时也常用于原子发射光谱分析中作为激发光源。火花可产生大量的离子,故可通过质谱分析和测定。

(3) 电热蒸发进样   与液体电热蒸发进样相类似,该技术是将固体试样放在用导体加热的石墨或钽棒等中蒸发,再随惰性气体带入原子化器。固体试样以粉末或匀浆形式引入蒸发器中。

(4) 激光熔融法   它是将激光光束聚焦形成足够的能量直接射在固体试样表面,在被激光照射的部分试样转变成蒸气和微粒组成的烟雾,再被带入原子化器。激光熔融法可以应用于导体和非导体、无机和有机试样、粉体和金属材料,是一种通用型的方法。除分析块状试样外,激光聚焦光束还可以对固体表面一个很小的范围进行微区分析或进行表面分析。

表 3-1 总结了原子光谱中试样引入激发光源的方法。

表 3-1 原子光谱中试样引入激发光源的方法

方法	试样状态	方法	试样状态
气动雾化器	溶液或匀浆	试样直接插入	固体
超声雾化器	溶液	激光熔融法	固体
电热蒸发	固体、液体	电弧和火花熔融法	导电固体
氢化物发生	氢化物形成元素		

3.3.3 试样的蒸发与光谱的激发

试样在激发光源的作用下,蒸发进入等离子区内,随着试样蒸发的进行,各元素的蒸发速率不断发生变化,以致谱线强度也不断变化。各种元素以谱线强度或黑度对蒸发时间作图,称为蒸发曲线。

一般地,易挥发的物质先蒸发出来,难挥发的物质后蒸发出来。试样中不同组分的蒸发有先后次序的现象称为分馏。试样的蒸发速率受许多因素的影响，如试样成分、试样装入量、电极形状、电极温度、试样在电极内产生的化学反应和电极周围的气氛等。在试样中加入一些添加剂等，也影响试样的蒸发速率。

物质蒸发到等离子区，发生原子化和电离。气态的原子或离子在等离子体内与高速运动的粒子碰撞而被激发，发射特征的电磁辐射。与粒子高速运动碰撞而引起的激发为热激发；与电子的碰撞所引起的激发为电激发。

表 3-2 对几种光源进行了比较。

表 3-2 几种光源的比较

光源	蒸发温度	激发温度/K	放电稳定性	应用范围
直流电弧	高	4 000～7 000	较差	定性分析，矿物、纯物质、难挥发元素的定量分析
交流电弧	中	4 000～7 000	较好	试样中低含量组分的定量分析
火花	低	瞬间 10 000	好	金属与合金、难激发元素的定量分析
ICP	很高	6 000～8 000	最好	溶液的定量分析

3.3.4 分光仪

原子发射光谱的分光仪目前采用棱镜和光栅两种分光系统。请参阅第 2 章。

3.3.5 检测器

原子发射光谱法用的检测方法有：目视法、摄谱法和光电法。

3.3.5.1 目视法

用眼睛来观测谱线强度的方法称为目视法（看谱法）。它仅适用于可见光波段。常用仪器为看谱镜。看谱镜是一种小型的光谱仪，专门用于钢铁及有色金属的半定量分析。

3.3.5.2 摄谱法

摄谱法是用感光板记录光谱。将光谱感光板置于摄谱仪焦面上，接受被分析试样的光谱作用而感光，再经过显影、定影等过程后，制得光谱底片，其上有许多黑度不同的光谱线，如图 3-10 所示。然后用影谱仪观察谱线位置及大致强度，进行光谱定性及半定量分析。用测微光度计测量谱线的黑度，进行光谱定量分析。

感光板上谱线的黑度与作用其上的总曝光量有关。曝光量等于感光层所接受的照度和曝光时间的乘积：

$$H = Et \tag{3-3}$$

式中 H 为曝光量，E 为照度，t 为时间。

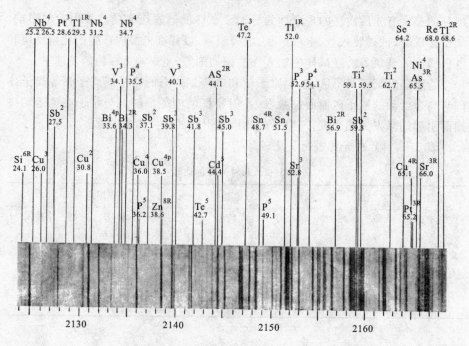

图 3-10　摄谱法用感光板记录的典型光谱

感光板上谱线黑度，一般用测微光度计测量。设测量用光源强度为 a，通过感光板上没有谱线部分的光强 i_0，通过谱线部分的光强为 i，则透射比 T 为

$$T = i/i_0 \tag{3-4}$$

黑度 S 定义为透射比倒数的对数，故

$$S = \lg(1/T) = \lg(i_0/i) \tag{3-5}$$

感光板上感光层的黑度 S 与曝光量 H 之间的关系极为复杂。通常用图解法表示。若以黑度为纵坐标，曝光量的对数为横坐标，得到的实际的乳剂特征曲线。乳剂特征曲线是表示曝光量 H 的对数与黑度 S 之间关系的曲线，如图 3-11所示。可分为四部分：AB 部分为曝光不足部分，BC 部分为正常曝光部分，CD 部分为曝光过量部分，DE 部分为负感部分（黑度随曝光量的增加而降低部分）。

在光谱定量分析中，通常需要利用乳剂特征曲线的正常曝光部分 BC，因为

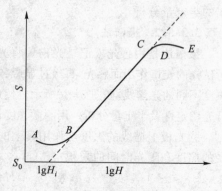

图 3-11　乳剂特征曲线

此时黑度和曝光量 H 的对数之间可用简单的数学公式表示：

$$S=\gamma(\lg H-\lg H_i)=\gamma\lg H-i \qquad (3-6)$$

H_i 是感光板的惰延量,可从直线 BC 延长至横轴上的截距求出。$1/H_i$ 决定感光片的灵敏度,i 代表 $\gamma\lg H_i$。γ 为相应直线的斜率,称为"对比度"或"反衬度",它表示感光板在曝光量改变时,黑度改变的程度。

定量分析用的感光板,γ 值应在 1 左右。光谱定量分析常选用反衬度较高的紫外Ⅰ型感光板,定性分析则选用灵敏度较高的紫外Ⅱ型感光板。

3.3.5.3 光电法

光电转换器件是光电光谱仪接收系统的核心部分,主要是利用光电效应将不同波长的辐射能转化成光电流的信号。光电转换器件主要有两大类:一类是光电发射器件,例如光电管与光电倍增管,当辐射作用于器件中的光敏材料上,使发射的电子进入真空或气体中,并产生电流,这种效应称光电效应;另一类是半导体光电器件,包括固体成像器件,当辐射能作用于器件中光敏材料时,所产生的电子通常不脱离光敏材料,而是依靠吸收光子后所产生的电子-空穴对在半导体材料中自由运动的光电导(即吸收光子后半导体的电阻减小,而电导增加)产生电流的,这种效应称内光电效应。

光电转换元件种类很多,但在光电光谱仪中的光电转换元件要求在紫外至可见光谱区域(160～800 nm)很宽的波长范围内有很高的灵敏度和信噪比,很宽的线性响应范围,以及快的响应时间。

目前可应用于光电光谱仪的光电转换元件有以下两类:即光电倍增管及固体成像器件。

1. 光电倍增管

外光电效应所释放的电子打在物体上能释放出更多的电子的现象称为二次电子倍增。光电倍增管就是根据二次电子倍增现象制造的。它由一个光阴极、多个打拿极和一个阳极所组成,每一个电极保持比前一个电极高得多的电压(如100 V)。当入射光照射到光阴极而释放出电子时,电子在高真空中被电场加速,打到第一打拿极上。一个入射电子的能量给予打拿极中的多个电子,从而每一个入射电子平均使打拿极表面发射几个电子。二次发射的电子又被加速打到第二打拿极上,电子数目再度被二次发射过程倍增,如此逐级进一步倍增,直到电子聚集到管子阳极为止。通常光电倍增管约有十二个打拿极,电子放大系数(或称增益)可达 10^8,特别适合于对微弱光强的测量,普遍为光电直读光谱仪所采用。光电倍增管的窗口可分为侧窗式和端窗式两种。

用光电倍增管来接收和记录谱线的方法称为光电直读法。光电倍增管既是光电转换元件,又是电流放大元件。

2. 固态成像器件

固态成像器件是新一代的光电转换检测器,它是一类以半导体硅片为基材的光敏元件制成的多元阵列集成电路式的焦平面检测器,属于这一类的成像器件,目前较成熟的主要是电荷注入器件(CID)、电荷耦合器件(CCD)。

Denton 与其同事们是将电荷耦合与电荷注入检测器(charge-coupled device 和 charge-injection device,简称 CCD 与 CID)用于原子光谱分析的主要推动者。在这两种装置中,由光子产生的电荷被收集并储存在金属-氧化物-半导体(MOS)电容器中,从而可以准确地进行像素寻址而滞后极微。这两种装置具有随机或准随机像素寻址功能的二维检测器。可以将一个 CCD 看成是许多个光电检测模拟移位寄存器。在光子产生的电荷被储存起来之后,它们近水平方向被一行一行地通过一个高速移位寄存器记录到一个前置放大器上。最后得到的信号被储存在计算机里。

作为一种新型固体多道光学检测器件,CCD 是在大规模硅集成电路工艺基础上研制而成的模拟集成电路芯片,图 3-12 为结构示意图。由于其输入面空域上逐点紧密排布着对光信号敏感的像元,因此它对光信号的积分与感光板的情形颇相似。但是,它可以借助必要的光学和电路系统,将光谱信息进行光电转换、储存和传输,在其输出端产生波长-强度二维信号,信号经放大和计算机处理后在末端显示器上同步显示出人眼可见的图谱,无需感光板那样的冲洗和测量黑度的过程。目前这类检测器已经在光谱分析的许多领域获得了应用。

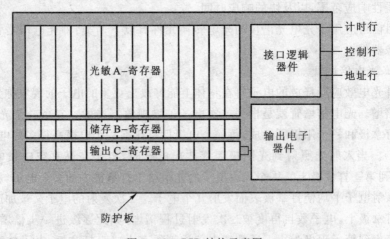

图 3-12　CCD 结构示意图

在原子发射光谱中采用 CCD 的主要优点是这类检测器的同时多谱线检测能力,和借助计算机系统快速处理光谱信息的能力,它可极大地提高发射光谱分析的速度。如采用这一检测器设计的全谱直读等离子体发射光谱仪可在 1 min

内完成试样中多达 70 种元素的测定;此外,它的动态响应范围和灵敏度均有可能达到甚至超过光电倍增管,加之其性能稳定、体积小、比光电倍增管更结实耐用,因此在发射光谱中有广泛的应用前景。

CCD 器件的整个工作过程是一种电荷耦合过程,因此这类器件叫电荷耦合器件。对于 CCD 器件,当一个或多个检测器的像素被某一强光谱线饱和时,便会产生溢流现象。即光子引发的电荷充满该像素,并流入相邻的像素,损坏该过饱和像素及其相邻像素的分析正确性,并且需要较长时间才能使溢流的电荷消失。为了解决溢流问题,应用于原子光谱分析的 CCD 器件,在设计过程中必须进行改进,例如,进行分段构成分段式电荷耦合器件(SCD),或在像素上加装溢流门,并结合自动积分技术等。

CID 是一种电荷注入器件,其基本结构与 CCD 相似,也是一种 MOS 结构,如图 3-13 所示,当栅极上加上电压时,表面形成少数载流子(电子)的势阱,入射光子在势阱邻近被吸收时,产生的电子被收集在势阱里,其积分过程与 CCD 一样。

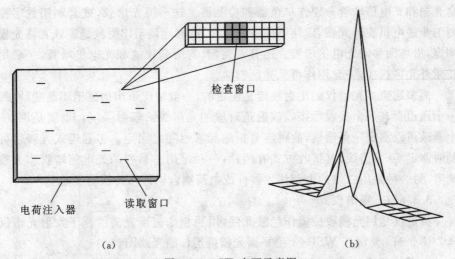

(a)　　　　　　　　　　　　　　　　　　(b)

图 3-13　CID 表面示意图

(a) 为电荷注入器件表面示意图。短横线表示读取窗口,其放大的图在其右上方,其中,中间的九个相位组成一个检查窗口,一条谱线就是由此来定位的;(b) 为一条铁谱线的强度轮廓。这条谱线的所有辐射都落在 3×3 的检查窗口上。

CID 与 CCD 的主要区别在于读出过程,在 CCD 中,信号电荷必须经过转移,才能读出,信号一经读取即刻消失。而在 CID 中,信号电荷不用转移,是直接注入体内形成电流来读出的。即每当积分结束时,去掉栅极上的电压,储存在势阱中的电荷少数载流子(电子)被注入体内,从而在外电路中引起信号电流,这种读出方式称为非破坏性读取。CID 的非破坏性读取特性使它具有优化指定波长处的信噪比(S/N)的功能。

同时 CID 可寻址到任意一个或一组像素,因此可获得如"相板"一样的所有元素谱线信息。

3.3.6　光谱仪类型

光谱仪的作用是将光源发射的电磁辐射经色散后,得到按波长顺序排列的光谱,并对不同波长的辐射进行检测与记录。光谱仪按照使用色散元件的不同,分为棱镜光谱仪和光栅光谱仪;按照光谱记录与测量方法的不同,又分为照相式摄谱仪和光电直读光谱仪。光电光谱仪还可分为顺序扫描式、多通道式及傅里叶变换型。目前,傅里叶变换型应用较少。

顺序扫描式光电光谱仪一般用两个接收器来接收光谱辐射,一个接收器是接收内标线的光谱辐射,另一个接收器是采用扫描方式接收分析线的光谱辐射。它属于间歇式测量,其程序是从一个元素的谱线移到另一个元素的谱线时,中间间歇几秒钟,以获得每一谱线满意的信噪比。大多数顺序扫描式光谱仪采用全息光栅和光电倍增管分别作单色器和检测器。这一类光谱仪,或者利用数字控制的步进电机旋转光栅,以使不同波长顺序、准确地调至出射狭缝。或者将光栅固定,沿焦面移动光电倍增管。还有一类,具有两套狭缝和光电倍增管,一套用作紫外光区扫描,一套用作可见光区扫描。

而多通道式光谱仪的出射狭缝是固定的,一般情况下出射通道不易变动,每一个通道都有一个接收器接收该通道对应的光谱线的辐射强度。也就是说,一个通道可以测定一条谱线,故可能分析的元素也随之而定。多通道式光谱仪可同时测定 60 条谱线,其接收方式有两种:一种是用一系列的光电倍增管作为检测器,另一种是用二维的电荷注入器件或电荷耦合器件作为检测器。

3.3.6.1　摄谱仪

摄谱仪是用光栅或棱镜作色散元件,用照相法记录光谱的原子发射光谱仪器。图 3-14 是国产 WSP-1 型平面光栅摄谱仪的光路图。

由光源 B 来的光经三透镜 L 及狭缝 S 投射到反射镜 P_1 上,经反射之后投射到凹面反射镜 M 下方的准光镜 O_1 上,变为平行光,再射至平面光栅 G 上。波长长的光,衍射角大,波长短的光,衍射角小,复合光经过光栅色散之后,便按波长顺序被分开。不同波长的光由凹面反射镜上方的物镜 O_2 聚焦于感光板的乳剂面 F 上,得到按波长顺序展开的光谱。转动光栅台 D,改变光栅角度,可以调节波长范围和改变光谱级次。P_2 是二级衍射反射镜,图中虚线表示衍射光路。为了避免一次和二次衍射光相互干扰,在暗箱前设一光阑,将一次衍射光谱挡掉。不用二次衍射时,转动挡光板将二次衍射反射镜 P_2 挡住。光栅光谱利用的是非零级光谱。

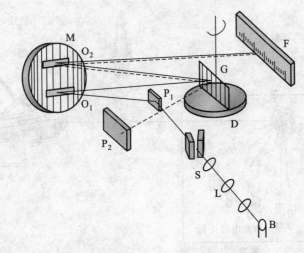

图 3-14 国产 WSP-1 型平面光栅摄谱仪

利用光栅摄谱仪进行定性分析十分方便,且该类仪器的价格较便宜,测试费用也较低,而且感光板所记录的光谱可长期保存,因此目前应用仍较普遍。

3.3.6.2 多道直读光谱仪

图 3-15 是一个多道直读光谱仪示意图。从光源发出的光经透镜聚焦后,在入射狭缝上成像并进入狭缝。进入狭缝的光投射到凹面光栅上,凹面光栅将光色散,聚焦在焦面上,焦面上安装有一组出射狭缝,每一狭缝允许一条特定波长的光通过,投射到狭缝后的光电倍增管上进行检测,最后经计算机进行数据处理。

多道直读光谱仪的优点是分析速度快,准确度优于摄谱法;光电倍增管对信号放大能力强,可同时分析含量差别较大的不同元素;适用于较宽的波长范围。但由于仪器结构限制,多道直读光谱仪的出射狭缝间存在一定距离,使利用波长相近的谱线有困难。

多道直读光谱仪适合于固定元素的快速定性、半定量和定量分析。如这类仪器目前在钢铁冶炼中常用于炉前快速监控 C,S,P 等元素。

3.3.6.3 单道扫描光谱仪

图 3-16 为一个典型的单道扫描光谱仪的简化光路图。从光源发出的光穿过入射狭缝后,反射到一个可以转动的光栅上,该光栅将光色散,经反射使某一条特定波长的光通过出射狭缝投射到光电倍增管上进行检测。光栅转动至某一固定角度时只允许一条特定波长的光线通过该出射狭缝,随光栅角度的变化,谱线从该狭缝中依次通过并进入检测器检测,完成一次全谱扫描。

和多道光谱仪相比,单道扫描光谱仪波长选择更为灵活方便,分析试样的范围更广,适用于较宽的波长范围。但由于完成一次扫描需要一定时间,因此分析

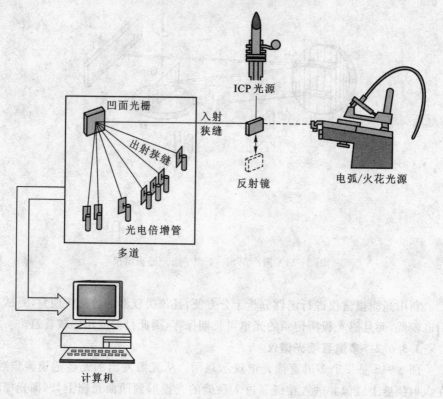

图 3-15　多道直读光谱仪示意图

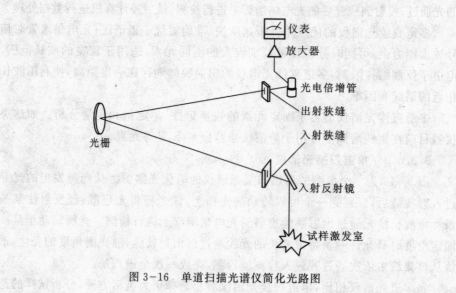

图 3-16　单道扫描光谱仪简化光路图

速度受到一定限制。

3.3.6.4 全谱直读光谱仪

图 3-17 为一个带面阵型 CCD 检测器的中阶梯光栅全谱直读等离子体发射光谱仪。光源发出的光通过两个曲面反光镜聚焦于入射狭缝,入射光经抛物面准直镜反射成平行光,照射到中阶梯光栅上使光在 x 方向上色散,再经另一个光栅(Schmidt 光栅)在 y 方向上进行二次色散,使光谱分析线全部色散在一个平面上,并经反射镜反射进入面阵型 CCD 检测器检测。由于该 CCD 是一个紫外型检测器,对可见光区的光谱不敏感,因此,在 Schmidt 光栅的中央开一个孔洞,部分光线穿过孔洞后经棱镜进行 y 方向二次色散,然后经反射镜反射进入另一个 CCD 检测器对可见光区的光谱(400~780 nm)进行检测。

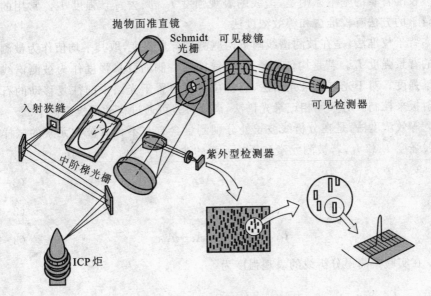

图 3-17 全谱直读等离子体发射光谱仪
From Barnard T W et al. Anal. Chem. ,1993,65,1232. with permission

这种全谱直读光谱仪不仅克服了多道直读光谱仪谱线少和单道扫描光谱仪速度慢的缺点,而且所有的元件都牢固地安置在机座上成为一个整体,没有任何活动的光学器件,因此具有较好的波长稳定性。

3.4 干扰及消除方法

在原子发射光谱中的干扰类型可分为光谱干扰和非光谱干扰两大类。

3.4.1　光谱干扰

在发射光谱中最重要的光谱干扰是背景干扰。带光谱、连续光谱以及光学系统的杂散光等,都会造成光谱的背景。其中光源中未解离的分子所产生的带光谱是传统光源背景的主要来源,光源温度越低,未解离的分子就越多,因而背景就越强。在电弧光源中,最严重的背景干扰是空气中的 N_2 与碳电极挥发出来的 C 所产生的稳定化合物 CN 分子的三条带光谱,其波长范围分别是 353~359 nm,377~388 nm 和 405~422 nm,干扰许多元素的灵敏线。此外,仪器光学系统的杂散光到达检测器,也产生背景干扰。由于背景干扰的存在使校准曲线发生弯曲或平移,因而影响光谱分析的准确度,故必须进行背景校准。

校准背景的基本原则是,谱线的表观强度 I_{l+b} 减去背景强度 I_b。常用的校准背景的方法有校准法和等效浓度法。

背景校准法,是在被测谱线附近两侧测量背景强度,取其平均值作为被测谱线的背景强度 I_b。若是均匀背景,以谱线的任一侧的背景强度作为被测谱线的背景强度。对于光电记录光谱法,离峰位置可由置于光路中的往复移动的石英折射板来控制。对于照相记录光谱法,离峰位置可通过移动谱板来调节。

等效浓度法,是在分析线波长处分别测量含有与不含有被测元素的试样的谱线强度 I_l 和 I_b,若被测元素和干扰元素的浓度分别为 c 与 c_b,有

$$I_l = Ac \qquad\qquad (3-7)$$

$$I_b = A_b c_b \qquad\qquad (3-8)$$

$$I_{l+b} = I_l + I_b = Ac + A_b c_b \qquad\qquad (3-9)$$

在实验中测得分析线的表观强度为

$$I' = A\left(c + \frac{A_b}{A} c_b\right) = Ac' \qquad\qquad (3-10)$$

式中 c' 是表观浓度。$A_b c_b / A$ 称为背景等效浓度,以 c_{eq} 表示。真实浓度 c 为

$$c = c' - c_{eq} \qquad\qquad (3-11)$$

式中 c' 与 c_{eq} 可由被测元素与干扰元素在分析波长的校准曲线求得,由上式便可求得 c。

3.4.2　非光谱干扰

非光谱干扰主要来源于试样组成对谱线强度的影响,这种影响与试样在光源中的蒸发和激发过程有关,亦被称为基体效应。

3.4.2.1 试样激发过程对谱线强度的影响

物质蒸发进入等离子体内并原子化,原子或离子在等离子体温度下被激发,激发态原子或离子按照光谱选择定则跃迁到较低的能级或基态,伴随着发射一定波长的特征辐射。激发温度与光源等离子体中主体元素的电离能有关,当等离子区中含有大量低电离能的成分时,激发温度较低。电离能愈高,光源的激发温度就愈高。所以,激发温度也受试样基体组成的影响,进而影响谱线的强度。

3.4.2.2 基体效应的抑制

在实际分析过程中,由于标准试样与试样的基体组成差别常常较大,因此存在基体效应,使测量结果产生误差。所以应尽量采用与试样基体一致的标准试样,以减少测定误差。但是,由于实际试样千差万别,要做到这一点是很不容易的。

在实际工作中,特别是采用电弧光源时,常常向试样和标准试样中加入一些添加剂以减小基体效应,提高分析的准确度,这种添加剂有时也被用来提高分析的灵敏度。添加剂主要有光谱缓冲剂和光谱载体。有关光谱缓冲剂和光谱载体的作用及实际应用中的选择将在 3.5.3.5 中讨论。

3.5 光谱分析方法

3.5.1 光谱定性分析

由于各种元素的原子结构不同,在光源的激发作用下,试样中每种元素都发射自己的特征光谱。光谱定性分析一般多采用摄谱法。

试样中所含元素只要达到一定的含量,都可以有谱线摄谱在感光板上。摄谱法易操作,价格便宜,快速。它是目前进行元素定性检出的最好方法。

3.5.1.1 元素的分析线与最后线

每种元素发射的特征谱线有多有少(多的可达几千条),当进行定性分析时,只需检出几条谱线即可。

进行分析时所使用的谱线称为分析线。如果只见到某元素的一条谱线,不可断定该元素确实存在于试样中,因为有可能是其他元素谱线的干扰。

检出某元素是否存在必须有两条以上不受干扰的最后线或灵敏线。

灵敏线是元素激发能低、强度较大的谱线,多是共振线。最后线是指当试样中某元素的含量逐渐减少时,最后仍能观察到的几条谱线。它也是该元素的最灵敏线。

3.5.1.2 分析方法

1. 铁光谱比较法

目前最通用的方法,是采用铁的光谱作为波长的标尺,来判断其他元素的谱线。铁光谱作标尺有如下特点:

(1) 谱线多,在 210~660 nm 范围内有几千条谱线。

(2) 谱线间距离都很近,在上述波长范围内谱线均匀分布,且对每一条谱线波长已精确测量。

标准光谱图是在相同条件下,在铁光谱上方准确地绘出 68 种元素的逐条谱线并放大 20 倍的图片。

铁光谱比较法实际上是与标准光谱图进行比较,因此又称为标准光谱图比较法。比较时首先需将谱图上的铁谱与标准光谱图上的铁谱对准,然后检查试样中的元素谱线。若试样中的元素谱线与标准图谱中标明的某一元素谱线出现的波长位置相同,即为该元素的谱线。

判断某一元素是否存在,必须由其灵敏线决定。铁谱线比较法可同时进行多元素定性鉴定。

2. 标准试样光谱比较法

将要检出元素的纯物质或纯化合物与试样并列摄谱于同一感光板上,在映谱仪上检查试样光谱与纯物质光谱。若两者谱线出现在同一波长位置上,即可说明某一元素的某条谱线存在。

3.5.2　光谱半定量分析

光谱半定量分析可以给出试样中某元素的大致含量。若分析任务对准确度要求不高,多采用光谱半定量分析。例如钢材与合金的分类、矿产品位的大致估计等等,特别是分析大批试样时,采用光谱半定量分析,尤为简单而快速。

光谱半定量分析常采用摄谱法中比较黑度法,这个方法须配制一个基体与试样组成近似的被测元素的标准系列。在相同条件下,在同一块感光板上标准系列与试样并列摄谱,然后在映谱仪上用目视法直接比较试样与标准系列中被测元素分析线的黑度。黑度若相同,则可做出试样中被测元素的含量与标准试样中某一个被测元素含量近似相等的判断。

例如,分析矿石中的铅,即找出试样中灵敏线 283.3 nm,再以标准系列中的铅的 283.3 nm 线相比较,如果试样中的铅线的黑度介于 0.01%~0.001% 之间,并接近于 0.01%,则可表示为 0.01%~0.001%。

3.5.3　光谱定量分析

3.5.3.1　光谱定量分析的关系式

光谱定量分析主要是根据谱线强度与被测元素浓度的关系,当温度一定时谱线强度 I 与被测元素浓度 c 成正比,即

$$I = ac \tag{3-12}$$

当考虑到谱线自吸时,有如下关系式:

$$I = ac^b \tag{3-13}$$

此式为光谱定量分析的基本关系式。式中 b 为自吸系数。b 随浓度 c 增加而减小,当浓度很小无自吸时,$b=1$,因此,在定量分析中,选择合适的分析线是十分重要的。a 值受试样组成、形态及放电条件等的影响,在实验中很难保持为常数,故通常不采用谱线的绝对强度来进行光谱定量分析,而是采用"内标法"。

3.5.3.2 内标法

1. 定量关系式

采用内标法可以减小前述因素对谱线强度的影响,提高光谱定量分析的准确度。内标法是通过测量谱线相对强度来进行定量分析的方法。具体做法是:

在分析元素的谱线中选一条谱线,称为分析线;再在基体元素(或加入定量的其他元素)的谱线中选一条谱线,作为内标线。这两条线组成分析线对。然后根据分析线对的相对强度与被分析元素含量的关系式进行定量分析。此法可在很大程度上消除光源放电不稳定等因素带来的影响,因为尽管光源变化对分析线的绝对强度有较大的影响,但对分析线和内标线的影响基本是一致的,所以对其相对影响不大。这就是内标法的优点。

设分析线强度为 I,内标线强度为 I_0,被测元素浓度与内标元素浓度分别为 c 和 c_0,b 和 b_0 分别为分析线和内标线的自吸系数。

$$I = ac^b \tag{3-14}$$

$$I_0 = a_0 c_0^{b_0} \tag{3-15}$$

分析线与内标线强度之比 R 称为相对强度:

$$R = I/I_0 = ac^b/(a_0 c_0^{b_0}) \tag{3-16}$$

式中内标元素 c_0 为常数,实验条件一定时,$A = a/(a_0 c_0^{b_0})$ 为常数,则

$$R = I/I_0 = Ac^b \tag{3-17}$$

取对数,得

$$\lg R = b \lg c + \lg A \tag{3-18}$$

此式为内标法光谱定量分析的基本关系式。

2. 内标元素与分析线对的选择

金属光谱分析中的内标元素,一般采用基体元素。如钢铁分析中,内标元素是铁。但在矿石光谱分析中,由于组分变化很大,又因基体元素的蒸发行为与待

测元素也多不相同,故一般都不用基体元素作内标,而是加入定量的其他元素,加入内标元素应符合下列几个条件:

（1）内标元素与被测元素在光源作用下应有相近的蒸发性质。

（2）内标元素若是外加的,必须是试样中不含或含量极少可以忽略的。

（3）分析线对选择需匹配。两条都是原子线或离子线。

（4）分析线对两条谱线的激发能相近。若内标元素与被测元素的电离能相近,分析线对激发能也相近,这样的分析线对称为"均匀线对"。

（5）分析线对波长应尽可能接近。分析线对两条谱线应没有自吸或自吸很小,并不受其他谱线的干扰。

（6）内标元素含量要恒定。

3.5.3.3　定量分析方法

1. 校准曲线法

在确定的分析条件下,用三个或三个以上含有不同浓度被测元素的标准试样与试样在相同的条件下激发光谱,以分析线强度 I 或内标分析线对强度比 R 或 $\lg R$ 对浓度 c 或 $\lg c$ 作校准曲线。再由校准曲线求得试样被测元素含量。

（1）摄谱法　将标准试样与试样在同一块感光板上摄谱,求出一系列黑度值,由乳剂特征曲线求出 $\lg I$,再将 $\lg R$ 对 $\lg c$ 作校准曲线,求出未知元素含量。

分析线与内标线的黑度都落在感光板正常曝光部分,可直接用分析线对黑度差 ΔS 与 $\lg c$ 建立校准曲线。选用的分析线对波长比较靠近,此分析线对所在的感光板部位乳剂特征相同。

若分析线对黑度为 S_1,内标线黑度为 S_2,则

$$S_1 = g_1 \lg H_1 - i_1 \qquad\qquad (3-19)$$

$$S_2 = g_2 \lg H_2 - i_2 \qquad\qquad (3-20)$$

因分析线对所在部位乳剂特征基本相同,故 $\gamma_1 = \gamma_2 = \gamma$, $i_1 = i_2 = i$。由于曝光量与谱线强度成正比,因此

$$S_1 = \gamma \lg I_1 - i \qquad\qquad (3-21)$$

$$S_2 = \gamma \lg I_2 - i \qquad\qquad (3-22)$$

黑度差 $\Delta S = S_1 - S_2 = \gamma \lg(I_1 - I_2) = \gamma \lg(I_1/I_2) = \gamma \lg R$

$$\Delta S = \gamma b \lg c + \gamma \lg A \qquad\qquad (3-23)$$

上式为摄谱法定量分析内标法的基本关系式。

分析线对黑度值都落在乳剂特征曲线直线部分,分析线与内标线黑度差 ΔS 与被测元素浓度的对数 $\lg c$ 呈线性关系。

（2）光电直读法　ICP 光源稳定性好，一般可以不用内标法，但由于有时试液黏度等有差异而引起试样导入不稳定，也采用内标法。ICP 光电直读光谱仪商品仪器上带有内标通道，可自动进行内标法测定。

光电直读法中，在相同条件下激发试样与标样的光谱，测量标准试样的电压值 U 和 U_r，U 和 U_r 分别为分析线和内标线的电压值；再绘制 $\lg U - \lg c$ 或 $\lg(U/U_r) - \lg c$ 校准曲线；最后，求出试样中被测元素的含量。

2. 标准加入法

当测定低含量元素时，找不到合适的基体来配制标准试样时，一般采用标准加入法。

设试样中被测元素含量为 c_x，在几份试样中分别加入不同浓度 $c_1, c_2, c_3, \cdots$ 的被测元素；在同一实验条件下，激发光谱，然后测量试样与不同加入量试样分析线对的强度比 R。在被测元素浓度低时，自吸系数 $b=1$，分析线对强度 $R-c$ 图为一直线，将直线外推，与横坐标相交截距的绝对值即为试样中待测元素含量 c_x。

3.5.3.4　背景的扣除

光谱背景是指在线状光谱上，叠加着由于连续光谱和分子带光谱等所造成的谱线强度（摄谱法为黑度）。

1. 光谱背景来源

（1）分子辐射　在光源作用下，试样与空气作用生成的分子氧化物、氮化物等分子发射的带光谱。如 CN，SiO，AlO 等分子化合物解离能很高，在电弧高温中发射分子光谱。

（2）连续辐射　在经典光源中炽热的电极头，或蒸发过程中被带到弧焰中去的固体质点等炽热的固体发射的连续光谱。

（3）谱线的扩散　分析线附近有其他元素的强扩散性谱线（即谱线宽度较大），如 Zn，Sb，Pb，Bi，Mg 等元素含量较高时，会有很强的扩散线。

（4）电子与离子复合过程也会产生连续背景　轫致辐射是由电子通过荷电粒子（主要是重粒子）库仑场时受到加速或减速引起的连续辐射。这两种连续背景都随电子密度的增大而增大，是造成 ICP 光源连续背景辐射的重要原因，火花光源中这种背景也较强。

（5）光谱仪器中的杂散光也造成不同程度的背景　杂散光是指由于光谱仪光学系统对辐射的散射，使其通过非预定途径，而直接达到检测器的任何所不希望的辐射。

2. 背景的扣除

有关背景扣除的原理和方法在 3.3.1 中已作了介绍，但必须注意：背景的扣除不能用黑度直接相减，必须用谱线强度相减。光电直读光谱仪由于光电直读光谱仪检测器将谱线强度积分的同时也将背景积分，因此需要扣除背景。ICP

光电直读光谱仪中都带有自动校正背景的装置。

3.5.3.5 光谱定量分析工作条件的选择

1. 光谱仪

一般多采用中型光谱仪,但对谱线复杂的元素(如稀土元素等)则需选用色散率大的大型光谱仪。

2. 光源

可根据被测元素的含量、元素的特征及分析要求等选择合适的光源。

3. 狭缝

在定量分析中,为了减少由乳剂不均匀所引入的误差,宜使用较宽的狭缝,一般可达 20 mm。

4. 内标元素和内标线

内标元素和内标线按照前面 3.5.3.2 所述的原则进行选择。

5. 光谱缓冲剂

试样组分影响弧焰温度,弧焰温度又直接影响待测元素的谱线强度。这种由于其他元素存在而影响待测元素谱线强度的作用称为第三元素的影响。

为了减少试样成分对弧焰温度的影响,使弧焰温度稳定,试样中加入一种或几种辅助物质,用来抵偿试样组成变化的影响,这种物质称为光谱缓冲剂。光谱缓冲剂是一些具有适当电离能、适当熔点和沸点、谱线简单的物质,如 Ga_2O_3 具有较低的熔点、沸点,且 Ga 元素的电离能较低,可以控制等离子区的电子浓度和蒸发、激发温度的恒定,有利于易挥发、易激发元素的分析。同时可抑制复杂谱线的出现,减小光谱干扰。

常用的缓冲剂有:碱金属盐类用作挥发元素的缓冲剂;碱土金属盐类用作中等挥发元素的缓冲剂,碳粉也是缓冲剂常见的组分。

此外,缓冲剂还可以稀释试样,这样可减少试样与标样在组成及性质上的差别。在矿石光谱分析中,缓冲剂的作用是不可忽视的。

ICP 光源的基体效应较小,一般不需要光谱添加剂,但是为了减小可能存在的干扰,使标准溶液与试样溶液保持大致相同的基体组成也是必要的。

6. 光谱载体

进行光谱定量分析时,在试样中加入一些有利于分析的高纯度物质称为光谱载体。它们多为一些化合物、盐类、碳粉等。

载体的作用主要是增加谱线强度,提高分析的灵敏度,并且提高准确度和消除干扰等。如 AgCl 等则可使难挥发的 Nb,Ta,Ti,Zr,Hf 等转变为易挥发的氯化物,改善了蒸发条件,大大提高了这些元素谱线的强度,从而提高了它们的分析灵敏度。

(1)控制试样中的蒸发行为可通过化学反应,使试样中被分析元素从难挥发性化合物(主要是氧化物)转化为低沸点、易挥发的化合物,使其提前蒸发,提高分析的灵敏度。

载体量大可控制电极温度,从而控制试样中元素的蒸发行为并可改变基体效应。基体效应是指试样组成和结构对谱线强度的影响,或称元素间的影响。

(2)稳定与控制电弧温度。电弧温度由电弧中电离电位低的元素控制,可选择适当的载体,以稳定与控制电弧温度,从而得到对被测元素有利的激发条件。

(3)电弧等离子区中大量载体原子蒸气的存在,阻碍了被测元素在等离子区中自由运动,增加它们在电弧中的停留时间,提高谱线强度。

(4)稳定电弧,减少直流电弧的漂移,提高分析的准确度。

需要指出的是光谱缓冲剂和光谱载体二者之间有时没有明显的界限,一种添加剂往往同时起缓冲剂和载体的作用。

3.6 分析性能

原子发射光谱可用于痕量甚至超痕量元素测定,通过适当的稀释,它也可用于主量和微量元素测定。原子发射光谱是一个多元素同时测定方法,而精密度、准确度、线性范围、检出限和基体效应则是原子发射光谱定量分析中最重要的分析性能指标。

精密度与原子发射光谱中的各种噪声有关。瞬间噪声是由随机发射的光子产生,而脉动噪声是仪器的不稳定性及检测器噪声所引起。直接分析固体试样时,精密度还受试样的均匀性影响。高压火花和等离子体光源具有较好的精密度,其相对标准差(RSD)在 1% 左右。但采用电弧光源时,所得的精密度就较差,其 RSD 一般在 $5\%\sim10\%$ 的范围内,这也是电弧光源常用作定性或半定量分析的主要原因。采用内标法可以显著地改善精密度。

当光谱和化学干扰较小时,原子发射光谱定量分析结果的准确度为 $1\%\sim5\%$。由于等离子体的高温导致更多的发射谱线,等离子体发射光谱的准确度常常会受到光谱干扰的影响。

直流电弧光源是一种自吸性光源,其线性范围为 $1\sim2$ 个数量级;ICP 光源是一种非自吸性光源,其线性范围为 $4\sim6$ 个数量级。

固体试样分析的检出限以 $mg\cdot g^{-1}$(或 $\mu g\cdot g^{-1}$)表示,而液体试样则用 $ng\cdot mL^{-1}$(或 $\mu g\cdot L^{-1}$)表示。电弧光谱可以测定周期表中 $60\sim70$ 种元素,其检出限一般在 $0.1\sim1\ \mu g\cdot g^{-1}$ 范围,通常比火花光谱($1\sim10\ \mu g\cdot g^{-1}$)要好。ICP 光谱可以测定周期表中大多数元素,其液体试样分析的检出限通常在 $0.1\sim50\ ng\cdot mL^{-1}$ 之间。

ICP 光源具有相当高的温度,基体效应小。

3.7 分析应用

以直流电弧为光源、光谱干板为检测器的发射光谱分析在工业上至今仍用于定性分析。

火花源发射光谱分析广泛用于金属和合金的直接分析。由于分析速度和精密度高的优点,火花源发射光谱法是钢铁工业中一个相当好的分析技术。火花源发射光谱法最大的不足是由于基体效应需要对组成不同的试样分别建立一套校准曲线。

常规的 ICP 发射光谱法是一种理想的溶液试样分析技术,它可以分析任何能制成溶液的试样,其应用领域非常广泛,包括石油化工、冶金、地质、环境、生物和临床医学、农业和食品安全、难熔和高纯材料等。通过采用合适的试样引入技术,如试样直接插入、电弧和火花熔融法、电热蒸发、激光熔融法等,ICP 发射光谱法还可以用于固体试样直接分析。

思考、练习题

3—1　光谱定性分析时,为什么要用哈特曼光阑?

3—2　说明缓冲剂和挥发剂在矿石定量分析中的作用。

3—3　采用 404.720 nm 作分析线时,受 Fe 404.582 nm 和弱氰带的干扰,可用何种物质消除此干扰?

3—4　对一个试样量很少的试样,而又必须进行多元素测定时,应选用下列哪种方法:(1)顺序扫描式光电直读;(2)原子吸收光谱法;(3)摄谱法原子发射光谱法;(4)多道光电直读光谱法。

3—5　简述背景产生的原因及消除的方法。

3—6　什么是内标?为什么要采用内标分析?

3—7　为什么用以火焰、电弧和 ICP 作为激发光源的发射光谱法比火焰原子吸收法更适合同时测定多种元素?

3—8　简述三种用于 ICP 炬的试样引入方式。

3—9　比较 ICP 炬和直流电弧的优缺点。

3—10　为什么 ICP 中的离子化干扰没有火焰发射光谱中严重?

3—11　ICP 的优点有哪些?

参考资料

[1] 寿曼立.发射光谱分析.北京:地质出版社,1985.

[2] 徐秋心. 实用发射光谱分析. 成都:四川科学技术出版社,1992.

[3] 武汉大学化学系. 仪器分析. 北京:高等教育出版社,2001.

[4] Kellner R,Mermet J－M,Otto M,et al. 分析化学. 李克安,金钦汉,译. 北京:北京大学出版社,2001.

第4章 原子吸收光谱法与原子荧光光谱法

4.1 原子吸收光谱法

原子吸收光谱法(atomic absorption spectrometry, AAS)是基于气态和基态原子核外层电子对共振发射线的吸收进行元素定量的分析方法。虽然早在19世纪初科学家就对太阳所发射光谱中的暗线进行了观测和研究,但直到20世纪60年代原子吸收光谱才成为一种仪器分析方法。1955年澳大利亚物理学家 Walsh A 发表了著名的论文"原子吸收光谱在化学分析中的应用",奠定了原子吸收光谱法的理论与应用基础。随着商品化原子吸收分光光度计的出现和更新换代,原子吸收光谱法得到了迅速发展。

4.1.1 原子吸收光谱的产生

1. Boltzmann 分布定律

气态和基态原子核外层电子,按其能量高低分壳层分布而形成量子化的能级,在较低温度下都处于基态能级。若在温度较高等离子体火焰中,核外层电子在各个量子化能级上的分布遵循 Boltzmann 分布定律:

$$\frac{N_i}{N_0} = \frac{g_i}{g_0} e^{-\frac{\Delta E_i}{kT}} \tag{4-1}$$

式中 N_0 与 N_i 分别为处于基态与激发态(i)的气态原子数,g_0 与 g_i 分别为基态与激发态(i)的统计权重,ΔE_i 为基态与激发态(i)之间的能量差,k 为 Boltzmann 常数,T 为热力学温度。

表4-1是火焰原子化法的空气-乙炔火焰(2 300 K)与氧化亚氮-乙炔火焰(2 950 K)和石墨炉原子化法(3 500 K)温度下,按 Boltzmann 分布定律计算出的8种元素的 N_i/N_0 比值。N_i/N_0 比值表明,在 0.1% 的显著性水平以下,以上几种原子化器中原子核外层电子基本处于基态能级,但随着 T 的增大,N_i/N_0 比值也增大。

2. 原子吸收光谱的产生

处于基态原子核外层电子,如果外界所提供特定能量(E)的光辐射恰好等

表 4-1 8 种元素共振线 3 种温度时 N_i/N_0

元素	g_i/g_0	$\dfrac{E_i}{\text{eV}}$	$\dfrac{\lambda}{\text{nm}}$	N_i/N_0		
				$T = 2\,300$ K	$T = 2\,950$ K	$T = 3\,400$ K
Na	2	2.104	589.0	4.91×10^{-5}	5.09×10^{-4}	1.87×10^{-3}
Sr	3	2.690	460.7	3.83×10^{-6}	7.61×10^{-5}	4.01×10^{-4}
Ca	3	2.932	422.7	1.13×10^{-6}	2.94×10^{-5}	1.80×10^{-4}
Ag	2	3.778	328.1	1.05×10^{-8}	7.03×10^{-7}	7.26×10^{-6}
Cu	2	3.817	324.8	8.65×10^{-9}	6.03×10^{-7}	6.38×10^{-6}
Mg	3	4.346	285.2	9.00×10^{-10}	1.13×10^{-7}	1.66×10^{-6}
Pb	3	4.375	283.3	7.77×10^{-10}	1.01×10^{-7}	1.50×10^{-6}
Zn	3	5.795	213.9	6.01×10^{-13}	3.78×10^{-10}	1.36×10^{-8}

注：$k = 1.380\,662\times10^{-23}$ J/K，1 eV $= 1.602\,2\times10^{-19}$ J。

于核外层电子基态与某一激发态（i）之间的能量差（ΔE_i）时，核外层电子将吸收特征能量的光辐射由基态跃迁到相应激发态，从而产生原子吸收光谱。表 4-2 是 Na 原子的 $(3s)^1$ 电子从基态（$3^2S_{1/2}$）或亚稳态（$3^2P_{1/2}$ 或 $3^2P_{3/2}$）向较高激发态跃迁时，所需吸收光辐射的能量（波长）。

激发态原子核外层电子在瞬间（10^{-8} s）以光辐射或热辐射的形式释放能量回到基态或低能态，原子核外层电子从基态跃迁至激发态时所吸收的谱线称为共振吸收线（简称共振线），如表 4-2 中 $3^2S_{1/2} \rightarrow 3^2P_{1/2}$（589.59 nm）和 $3^2S_{1/2} \rightarrow 3^2P_{3/2}$（588.99 nm）两条谱线。核外层电子从激发态返回基态时所发射的谱线称为共振发射线，如表 4-2 中 $3^2P_{1/2} \rightarrow 3^2S_{1/2}$（589.59 nm）和 $3^2P_{3/2} \rightarrow 3^2S_{1/2}$（588.99 nm）两条谱线。

表 4-2 Na[①] 的 $(3s)^1$ 基态和亚稳态与部分激发态的光谱项及其能量差 ΔE_i（波长）

基态	激发态	波长/nm	亚稳态	激发态	波长/nm	亚稳态	激发态	波长/nm
$3^2S_{1/2}$	$3^2P_{1/2}$	589.59		$4^2S_{1/2}$	1140.42		$3^2D_{3/2,5/2}$	818.33
	$3^2P_{3/2}$	588.99		$4^2F_{7/2,5/2}$	819.48		$4^2S_{1/2}$	1138.24
	$3^2D_{3/2,5/2}$	342.11		$5^2S_{1/2}$	616.07		$4^2D_{3/2,5/2}$	568.27
	$4^2P_{1/2}$	330.29	$3^2P_{3/2}$	$4^2D_{3/2,5/2}$	568.82	$3^2P_{1/2}$	$5^2S_{1/2}$	615.42
	$4^2P_{3/2}$	330.23		$6^2S_{1/2}$	515.36		$6^2S_{1/2}$	514.91
	$5^2P_{1/2}$	258.30		$5^2D_{3/2,5/2}$	498.29			
	$5^2P_{3/2}$	258.28						

注：① Na$(1s)^2(1s)^2(2p)^6(3s)^1$。

由于基态与第一激发态之间能量差最小，跃迁概率最大，故第一共振吸收线的吸光度最大与第一共振发射线的发射强度最强。对于多数元素的原子吸收光谱法分析，首先选用共振线作为吸收谱线，只有共振吸收线受到光谱干扰时才选用其他吸收谱线。

4.1.2　原子吸收谱线的轮廓

1. 谱线的轮廓

原子吸收和发射谱线并非是严格的几何线,其谱线强度随频率(ν)分布急剧变化,通常以吸收系数(K_ν)为纵坐标和频率(ν)为横坐标的 $K_\nu - \nu$ 曲线描述,如图 4-1 谱线轮廓示意图所示。$K_\nu - \nu$ 曲线图中 K_ν 的极大值处称为峰值吸收系数(K_0),与其相对应的 ν 称为中心频率(ν_0),$K_\nu - \nu$ 曲线又称为吸收谱线轮廓,吸收谱线轮廓的宽度以半宽度($\Delta\nu$)表示。$K_\nu - \nu$ 曲线反映出原子核外层电子对不同频率的光辐射具有选择性吸收特性。

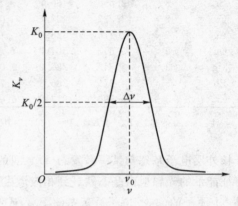

图 4-1　谱线轮廓示意图

2. 谱线的变宽因素

原子吸收谱线变宽原因,一方面是由激发态原子核外层电子的性质决定,如自然宽度;另一方面,由于外界因素影响,如 Doppler(多普勒)变宽、碰撞变宽、场致变宽和自吸变宽等。

(1) 自然宽度($\Delta\nu_N$)　$\Delta\nu_N$ 与原子核外层电子激发态的平均寿命有关,平均寿命越长,吸收谱线的 $\Delta\nu_N$ 越窄。若原子核外层电子激发态平均寿命为 10^{-8} s,对于多数元素的共振吸收线,$\Delta\nu_N$ 约为 10^{-5} nm 数量级。

(2) Doppler 变宽($\Delta\nu_D$)　Doppler 变宽也叫热变宽,主要是自由原子无规则热运动引起的。$\Delta\nu_D$ 与 $T^{1/2}$ 成正比,与 $A_r^{1/2}$ 成反比,A_r 为元素的相对原子质量。在 1 500～3 000 K 原子化器中,$\Delta\nu_D$ 约为 10^{-3} nm 数量级,比 $\Delta\nu_N$ 大了约 2 个数量级。

(3) 碰撞变宽($\Delta\nu_C$)　碰撞变宽也叫压力变宽,包括 Lorentz(洛伦兹)变宽和 Holtsmark(霍尔兹马克)变宽。

① Lorentz 变宽($\Delta\nu_L$)　来源于待测元素的原子与其他共存元素原子相互碰撞,$\Delta\nu_L$ 随原子化器中原子蒸气压力增大和温度增高而增大,在 101. 325 kPa 以及 2 000～3 000 K 原子化器中,$\Delta\nu_L$ 约为 10^{-3} nm 数量级,与 $\Delta\nu_D$ 的数量级相同。

② Holtsmark 变宽($\Delta\nu_R$)　是由待测元素原子自身的相互碰撞而引起的。一般在原子化器中,待测元素原子密度很低,$\Delta\nu_R$ 约为 10^{-5} nm 数量级。

(4) 场致变宽　在外界电场或磁场的作用下,引起原子核外层电子能级分裂而使谱线变宽现象称为场致变宽。由于磁场作用引起谱线变宽,称为 Zeeman

(塞曼)变宽。

（5）自吸变宽　光源发射共振谱线，被周围同种原子冷蒸气吸收，使共振谱线在 ν_0 处发射强度减弱，这种现象称为谱线的自吸收，所产生的谱线变宽称为自吸变宽。

综上所述，原子吸收谱线变宽主要原因是受 Doppler 变宽（$\Delta\nu_D$）和 Lorentz 变宽（$\Delta\nu_L$）的影响，当其他共存元素原子的密度很低时，主要是受到 Doppler 变宽（$\Delta\nu_D$）影响。

4.1.3　积分吸收与峰值吸收

1. 积分吸收

对图 4-1 的 $K_\nu-\nu$ 曲线进行积分后得到的总吸收称为面积吸收系数或积分吸收，它表示吸收的全部能量。理论上积分吸收与吸收光辐射的基态原子数（N_0）成正比。

（1）积分公式　积分吸收数学表达式为

$$\int_0^\infty K_\nu \mathrm{d}\nu = \frac{\pi(-e)^2}{mc} f N_0 \tag{4-2}$$

式中 $-e$ 为电子电荷，m 为电子质量，c 为光速，f 为振子强度，N_0 为单位体积原子蒸气中基态原子数。

（2）积分吸收的限制　要对半宽度（$\Delta\nu$）约为 10^{-3} nm 的吸收谱线进行积分，需要极高分辨率的光学系统和极高灵敏度的检测器，目前还难以做到。这就是早在 19 世纪初就发现了原子吸收的现象，却难以用于分析化学的原因。

2. 峰值吸收

Walsh A 提出，在不太高温度的稳定火焰中，K_0 与 N_0 也成正比。若仅考虑气态原子 Doppler 变宽（$\Delta\nu_D$）时，K_ν 与 K_0 数学关系式为

$$K_\nu = K_0 \exp\left\{-\left[\frac{2\sqrt{\ln 2}(\nu-\nu_0)}{\Delta\nu_D}\right]^2\right\} \tag{4-3}$$

将式（4-3）代入式（4-2）积分后为

$$\int_0^\infty K_\nu \mathrm{d}\nu = \frac{1}{2}\sqrt{\frac{\pi}{\ln 2}} K_0 \Delta\nu_D \tag{4-4}$$

合并式（4-2）与式（4-4）后，得到

$$\frac{\pi(-e)^2}{mc} f N_0 = \frac{1}{2}\sqrt{\frac{\pi}{\ln 2}} K_0 \Delta\nu_D \tag{4-5}$$

整理后：

$$K_0 = \frac{2}{\Delta\nu_D}\sqrt{\frac{\ln 2}{\pi}}\frac{\pi(-e)^2}{mc}fN_0 \qquad (4-6)$$

由式(4-6)可以得出 K_0 与 N_0 也成正比。

根据光吸收定律:

$$A = -\lg T = -\lg(I_t/I_0) = -\lg[\exp(-K_0 l)] \qquad (4-7)$$

式中 T 为透射比, I_0 为入射光强度, I_t 为透过光强度, K_0 为峰值吸收系数, l 为原子蒸气吸收光程。

式(4-6)代入式(4-7),经 $e^{-K_0 l}$ 级数展开和忽略级数展开项中高幂次方项后,得到

$$A = 0.43\frac{2}{\Delta\nu_D}\sqrt{\frac{\ln 2}{\pi}}\frac{\pi}{mc}fN_0 l = kN_0 l \qquad (4-8)$$

因为 $N_0 \propto c$(c 为试样溶液中待测元素的浓度),所以

$$A = Kc \qquad (4-9)$$

式(4-9)是原子吸收光谱法定量分析的理论依据。在仪器条件、原子化条件和测定元素及其浓度恒定时, K 为常数,就是 $A-c$ 线性方程的斜率。

3. 锐线光源

Walsh A 峰值吸收理论的提出和锐线光源的实现,对原子吸收光谱法发展起了至关重要作用。所谓锐线光源就是所发射谱线与原子化器中待测元素所吸收谱线中心频率(ν_0)一致,而发射谱线半宽度($\Delta\nu_E$)远小于吸收谱线的半宽度($\Delta\nu_A$)。此时,吸收就是在 $K_0(\nu_0)$附近,即相当于峰值吸收,锐线光源发射谱线与峰值吸收示意图如图4-2所示。

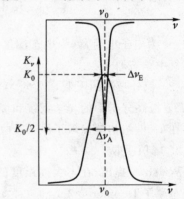

图 4-2 锐线光源发射谱线与峰值吸收示意图

4.1.4 原子吸收光谱法的特点

原子吸收光谱法具有以下特点:

(1) 选择性好 由于原子吸收谱线比原子发射谱线少,并采用了空心阴极灯作为锐线光源,因此谱线重叠概率小,光谱干扰比原子发射光谱小得多。

(2) 灵敏度高 采用火焰原子化法,70 多种元素的分析灵敏度可达 mg·L^{-1} 或 mg·kg^{-1} 水平;若采用石墨炉原子化法,其绝对灵敏度可达 $10^{-10} \sim 10^{-14}$ 水平。因此,原子吸收光谱法适用于微量和痕量的金属与类金属元素的定量分析。

（3）精密度（RSD）高　火焰原子化法的 RSD 为 3％左右；若采用自动进样器进样，石墨炉原子化法 RSD 可以控制在 5％左右。

（4）操作方便和快速　原子吸收光谱法与紫外－可见分光光度法的分析原理和仪器结构类似，但却省略掉繁琐与复杂的显色反应，分析操作较方便，分析速度也较快。

（5）应用范围广　从不同原子化方式而言，空气－乙炔［氧化亚氮（笑气）－乙炔］火焰原子化法可以分析 30 多种（70 多种）元素，石墨炉原子化法可以分析 70 多种元素，氢化物发生法可以分析 11 种元素；从分析对象不同含量而言，既可分析主量元素，又可以分析微量、痕量甚至超痕量元素；从分析不同性质元素而言，既可分析金属元素和类金属元素，也可间接分析有机物；从试样不同状态而言，可分析液态试样、气态试样，甚至可以直接分析固态试样。

（6）局限性　原子吸收光谱法通常采用单元素空心阴极灯作为锐线光源，分析一种元素就必须选用该元素的空心阴极灯，因此不适用于多元素混合物的定性分析；对于高熔点、形成氧化物、形成复合物或形成碳化物后难以原子化元素的分析灵敏度低。

4.2　原子吸收分光光度计

4.2.1　仪器结构与工作原理

原子吸收分光光度计的结构组成框图如图 4-3 所示，锐线光源发射出待测元素特征谱线被原子化器中待测元素原子核外层电子吸收后，经光学系统中的单色器，将特征谱线与原子化器在原子化过程中产生的复合光谱色散分离后，检测系统将特征谱线强度信号转换成电信号，通过模/数转换器转换成数字信号；计算机光谱工作站对数字信号进行采集、处理与显示，并对分光光度计各系统进行自动控制，单光束火焰原子吸收分光光度计工作原理示意图如图 4-4 所示。

1. 空心阴极灯（hollow cath-

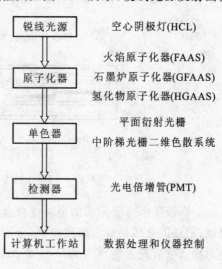

图 4-3　仪器组成结构框图

ode lamp,HCL)

(1) **基本结构**   空心阴极灯(HCL)的组成结构示意图如图 4-5 所示。HCL 是由空心阴极、阳极和内充气组成,在空心阴极周围设有玻璃保护套,全部都密封在带石英或耐热玻璃(Pyrex)窗的玻璃筒中,通常使用单种元素的 HCL。

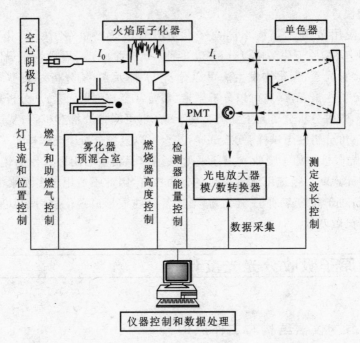

图 4-4   单光束火焰原子吸收分光光度计工作原理示意图

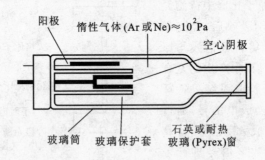

图 4-5   HCL 的组成结构示意图

空心阴极是由待测元素的金属或合金制成空心阴极圈和钨或其他高熔点金属制成;阳极由金属钨或金属钛制成,金属钛兼有吸收杂质气体吸气剂作用;玻璃筒内抽真空后充入惰性气体(Ne 或 Ar,$\approx 10^2$ Pa)。窗片材料可以采用石英($200\ \text{nm} < \lambda < 900\ \text{nm}$)和耐热玻璃($360\ \text{nm} < \lambda < 900\ \text{nm}$)。

(2) 发光原理简介 HCL 是一种辉光放电灯。当阴极与阳极之间施加 300～500 V 直流电压时,电子由阴极向阳极高速运动,运动过程中与惰性气体分子发生碰撞使气体分子电离,气体正离子在电场作用下高速撞击空心阴极的内壁并溅射出原子,被溅射出的原子在空心阴极圈内形成原子云,原子云中原子核外层电子在气体正离子高速撞击下被激发,激发态核外层电子瞬间以光辐射形式释放能量回到基态或低能态,发射出该元素的特征谱线。与此同时,HCL所发射的谱线中还包含了内充气、阴极材料和杂质元素等谱线。

通过控制 HCL 阴极材料、电压与电流、内充气种类和压力,HCL 基本满足发射谱线的半宽度窄、谱线强度大且稳定、谱线背景小、操作方便和经久耐用等锐线光源的基本要求。

(3) HCL 电源调制 为了提高 HCL 发射谱线强度、减少谱线半宽度和自吸现象,HCL 普遍采用矩形窄脉冲调制电源供电,其原理示意图如图 4-6 所示。一般采用 200 Hz 的调制电源,占空比为 1:3,矩形窄脉冲电流为 10～20 mA,平均电流为 2～5 mA。

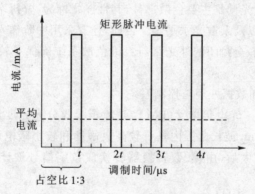

图 4-6 HCL 电源调制原理示意图

2. 光学系统

光学系统一般由外光路与单色器组成。外光路可以分为单光束与双光束两种。

(1) 单光束光学系统 单光束光学系统光路示意图如图 4-4 所示,HCL 发射谱线只有单光路通过原子化器,试剂空白原子化时透过原子化器的谱线强度为 I_0,待测元素原子化时透过原子化器的谱线强度为 I_t。单光束光学系统光辐射能量损失较小,分析灵敏度较高,但不能避免由于 HCL 发射谱线过程和光电倍增管检测过程及其电学放大系统工作过程中不稳定因素所引起的基线信号漂移。

(2) 双光束光学系统 双光束光学系统光路示意图如图 4-7 所示。传统双光束光学系统采用电机旋转"旋转镜"或"斩光器"将 HCL 所发射谱线分为参比光束(I_0)与分析光束(I_t),两束光分别通过空气和原子化器,经过单色器分别色散后被光电倍增管检测。双光束光学系统减少或避免了单光束光学系统存在的不足,提高了光学系统的稳定性。

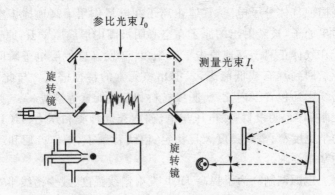

图 4-7　双光束火焰原子吸收分光光度计工作原理示意图

（3）单色器　由入射狭缝、反射镜、准直镜、平面衍射光栅、聚焦镜和出射狭缝组成。平面衍射光栅是主要色散部件,其性能指标为:分辨率、倒线色散率、聚光本领、闪耀特性以及杂散光水平等。目前,还有采用中阶梯光栅与石英棱镜组成的二维色散系统,全封闭的外光路与二维色散系统确保了较少杂散光水平和较高分辨率。

3. 检测系统和数据处理与控制系统

（1）检测系统　光电倍增管（PMT）是原子吸收分光光度计的主要检测器,要求在 $200 \sim 900$ nm 波长范围内具有较高灵敏度和较小暗电流。PMT 响应信号经电学放大器放大后,由模/数转换器转换成数字信号被计算机光谱工作站采集。

（2）数据处理与控制系统　计算机光谱工作站对所采集的数字信号进行数据处理与显示,并对原子吸收分光光度计各种仪器参数进行自动控制。计算机光谱工作站还提供原子吸收光谱法的分析数据库。

4.2.2　原子化系统

原子吸收光谱法常用的原子化系统有:火焰原子化系统、石墨炉原子化系统和低温原子化系统三种。不同类型原子化系统直接影响元素分析的灵敏度、检出限、精密度和线性范围。原子吸收分光光度计可以配置:单火焰原子化系统、单石墨炉原子化系统、火焰原子化和石墨炉原子化双系统;低温原子化系统通常为选购附件。

1. 火焰原子化系统

（1）火焰原子化器的结构　火焰原子化器包括雾化器、预混合室、燃烧器及其高度控制、燃气与助燃气路控制装置,其组成结构示意图如图 4-8 所示。

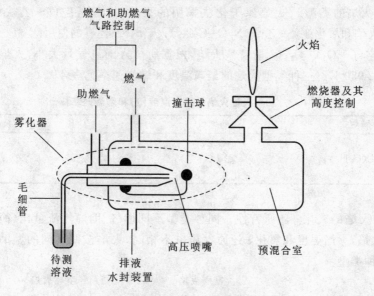

图 4-8　火焰原子化器组成结构示意图

① 雾化器　一般采用同轴气动雾化器,固定压力与流速的助燃气通过高压喷嘴减压时造成负压,负压提升毛细管内的待测溶液,助燃气和提升液流由高压喷嘴喷出,经撞击球撞击后雾化,形成气溶胶(μm 级)进入预混合室。

② 预混合室　采用耐酸碱和氢氟酸的材料制成(如聚四氟乙烯),助燃气、气溶胶和燃气在预混合室均匀混合后进入燃烧器。预混合室设有排液管和水封装置,不仅将凝聚的溶液排出,还要防止燃气泄漏。预混合室还设有防"回火"装置。

③ 燃烧器及其高度控制　燃烧器由不锈钢制成,一般采用单缝燃烧器。对于不同类型火焰,燃烧器的缝长度有所不同,如空气-乙炔火焰的缝长度约为 10 cm,而氧化亚氮-乙炔火焰缝长度约为 5 cm。在预混合室内均匀混合的助燃气、气溶胶和燃气在燃烧器缝口点燃,进行复杂的火焰反应过程,其中包括了最重要的原子化反应过程。燃烧器都设置有位置(高度和前后)控制装置,手动或自动地调节燃烧器位置,使 HCL 发射的特征谱线通过火焰原子化器中原子蒸气密度最大的区域,以提高元素分析灵敏度。

④ 燃气与助燃气气路控制系统　一般有手动和自动控制两种。气路手动控制系统:点火时先通助燃气,调节合适的助燃气压力和流量后,才能通燃气并立即点火,再调节合适的燃气压力和流量;熄火时先关闭燃气,待火焰熄灭后再关闭助燃气。气路自动控制系统:能自动完成点火、熄火和火焰类型切换等操作;计算机光谱工作站对助燃气、燃气流量实施控制,并配备安全监控装置。

（2）火焰的类型与特性

① 火焰的类型　　火焰原子化法采用的火焰类型有：空气－乙炔（空气－C_2H_2）火焰和氧化亚氮－乙炔（N_2O－C_2H_2）火焰两种；还有的使用（空气＋氧气）－乙炔［（空气＋O_2）－C_2H_2］的富氧火焰，根据所掺入的氧气量大小，火焰温度为 2 300～2 950 K。三种类型火焰的最高温度和燃烧速率见表 4-3。

表 4-3　三种类型火焰的最高温度（T）和燃烧速率（v）

燃气	助燃气	T/K	v/(cm·s^{-1})
	空气	2 300	160
乙炔（C_2H_2）	氧气（O_2）	3 160	1 140
	氧化亚氮（N_2O）	2 950	160

② 火焰的氧化－还原特性　　同种类型不同燃气/助燃气流量比（简称燃助比）的火焰，火焰温度和氧化－还原性质也不相同，火焰按照不同的燃助比可以分为三种类型：

$$\frac{燃气}{助燃气} \begin{cases} > \\ = \\ < \end{cases} 化学计量 \begin{cases} 富燃火焰 \\ 中性火焰 \\ 贫燃火焰 \end{cases} \qquad \frac{C_2H_2}{空气} \begin{cases} >1/4 & 富燃火焰 \\ =1/4 & 中性火焰 \\ <1/4 & 贫燃火焰 \end{cases}$$

中性火焰：火焰燃烧充分、温度高、干扰小和背景低，适合于大多数元素分析。

贫燃火焰：火焰燃烧充分，温度比中性火焰低，氧化性较强，适用于易电离的碱金属和碱土金属元素分析，分析的重现性较差。

富燃火焰：火焰燃烧不完全，具有强还原性，即火焰中含有大量 CH,C,CO,CN,NH 等组分，干扰较大，背景吸收高，适用于形成氧化物后难以原子化的元素分析。

③ 火焰的透射比　　不同类型的火焰，除了燃气和助燃气本身的分子吸收外，在燃烧反应过程中还存在许多分子、离子和自由基等，因此火焰的光吸收特性不同，图 4-9 是三种类型火焰的透射比图。若在 190～200 nm 处进行原子吸收光谱法分析，采用空气－H_2 火焰比较适宜。

④ 火焰的安全性　　N_2O－C_2H_2 火焰发射强紫外线，直接肉眼观察会损害眼睛；N_2O－C_2H_2 火焰容易在燃烧器缝口积碳，若积碳堵塞缝口存在爆炸危险，应立即熄火并去除积碳；在 N_2O－C_2H_2 火焰中使用较高浓度的高氯酸存在爆炸或回火危险。大量的 Ag,Au 和 Cu 等元素存在，会使空气－C_2H_2 火焰

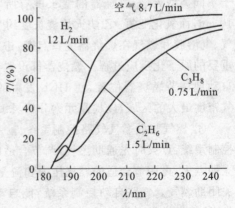

图 4-9　三种类型火焰的透射比

不稳定,亦存在爆炸与回火的危险。大量的有机溶剂在火焰原子过程中具有潜在危险。预混合室后部所配置的防爆膜若破裂,应及时清洗与更换。

(3) 火焰原子化的过程　由燃气(化学燃料)和助燃气(氧化剂)之间的燃烧反应形成化学火焰,燃烧过程中雾化的气溶胶进行下列各种物理变化与化学反应过程:

干燥与蒸发:

$$M_mN_n(l) \xrightarrow{\text{干燥}} M_mN_n(s) \xrightarrow{\text{蒸发}} M_mN_n(g)$$

解离与原子化反应:

$$M_mN_n(g) \xrightleftharpoons{\text{解离}} M^{m+} + N^{n-} \xrightleftharpoons{\text{原子化}} M+N$$

原子吸收与发射过程:

$$M+N \xrightarrow{\text{原子吸收}} M^* + N^* \xrightarrow{\text{原子发射}} M+N$$

电离与离子发射过程:

$$M+N \xrightleftharpoons{\text{电离}} M^{m+} + N^{n-} \xrightarrow{\text{激发}} M^{(m+)^*} + N^{(n-)^*} \xrightarrow{\text{离子发射}} M^{m+} + N^{n-}$$

图 4-10 为火焰原子化过程示意图。对于原子吸收光谱法元素分析,以上各种过程中最重要的是原子化反应和原子吸收过程。

(4) 火焰原子化的特点与局限性

适用范围广,分析操作简单、分析速度快和分析成本低。然而,同轴气动雾化器的雾化效率低(约为 5%～10%)、所需试样溶液体积较大(mL 级)、火焰原子化效率低并伴随着复杂的火焰反应、原子蒸气在光程中滞留时间短(10^{-4} s)和燃气与助燃气稀释作用,限制了方法检出限的降低,而且只能分析液体试样。

2. 石墨炉原子化法(GFAAS)

(1) 石墨炉原子化器的结构　石墨炉原子化器又称电热原子化器,由石墨炉电源、石墨炉体和石墨管组成。石墨炉体包括石墨电极、内外保护气、冷却系统和石英窗部分,其结构示意图如图 4-11 所示。

① 电源　采用直流电源(12～24 V,

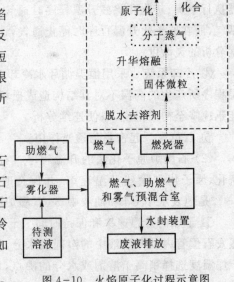

图 4-10　火焰原子化过程示意图

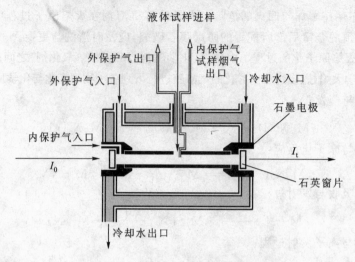

图4-11   石墨炉原子化器的结构示意图

$0\sim500$ A)加热石墨管,使石墨管内腔产生高温,注石墨管内试样溶液在设定的温度与时间程序下进行脱溶剂、热解和原子化等过程。

②石墨管   石墨管质量将直接影响分析灵敏度、检出限与精密度,它通常是由高纯度、高强度和高密度石墨制成,主要类型有:普通石墨管、热解涂层石墨管、平台石墨管和L'vov平台石墨管等。

③内外保护气   采用氩气作为内、外保护气体,内、外保护气采用分别控制的方式。外保护气在所有升温程序持续通气,以保护石墨管;内保护气在原子化器执行干燥、灰化和除残升温程序时通气,以便带走水蒸气、基体气体和试样的烟气,而在原子化升温程序时停止通气,让原子蒸气保持在石墨管内,以提高元素分析的灵敏度。

④冷却系统   采用恒温循环水冷却系统,冷却系统首先是保证原子化器升温程序所产生的高温不对其结构造成损坏;其次是在原子化器升温程序结束后,能迅速降至初始温度,以便连续分析。

⑤石英窗   起密封与透光作用。

(2)石墨炉原子化法的升温程序   石墨炉原子化法必须选择适宜的干燥、灰化、原子化和除残升温速率,并保持时间程序及内保护气的控制程序。图4-12是地表水中Cd和油漆中Sn石墨炉原子化法的升温程序示意图。

①干燥的升温速率和保持时间   干燥升温程序是低温加热过程,其目的是蒸发石墨管内试样溶液中的溶剂或水分,且要避免试样溶液暴沸与飞溅。一般干燥温度选择稍高于溶剂或水分的沸点,例如,$20\ \mu L$的水溶液试样,选择干燥升温速率为$10\ ℃/min$,在$100\sim125\ ℃$保持$30\sim40\ s$。对于黏度大和含盐高的

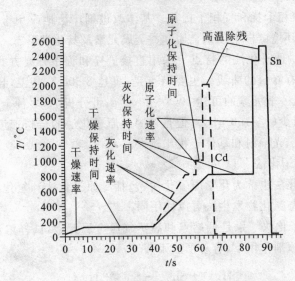

图 4-12 Cd 和 Sn 的石墨炉原子化法升温程序示意图

试样溶液,可加入适量乙醇或 MIBK 作为稀释剂改善干燥过程。

② 灰化升温速率和保持时间 灰化升温程序主要从两方面考虑:首先是尽可能采用较高灰化温度和较长灰化时间,除去复杂基体干扰组分,降低原子化阶段的背景吸收;其次是尽可能采用较低灰化温度和较短灰化时间,保证待测元素不在灰化阶段损失。不同的元素及含量、不同基体,可通过绘制灰化温度曲线来选择最佳升温程序。

③ 原子化升温速率和保持时间 原子化温度决定于元素种类、含量及其化合物性质。原子化采用较快的升温速率,保持时间通常维持 2～5 s。不同元素和不同基体,可通过绘制原子化温度曲线来选择最佳的原子化升温程序。

④ 除残升温程序 进入石墨管的试样溶液,除了依靠干燥、灰化和原子化的升温程序使溶剂、基体组分和待测元素转变为烟气被内外保护气携带出石墨管外,一些难挥发物质还残留其中,因此需要提供更高的温度使其挥发,否则会造成石墨管的"记忆效应"。

除了以上主要升温程序外,计算机光谱工作站通常提供多段线性与非线性升温程序的设置空间,有的还具有灰化与原子化升温程序自动优化功能。

(3) 基体改进技术 所谓基体改进技术就是向待测溶液中加入某些化合物,一方面改善复杂基体物理特性,例如,使基体形成易挥发化合物在待测元素原子化前驱除,降低背景吸收;使基体形成难解离的化合物,避免基体与分析元素形成难解离化合物;另一方面使分析元素形成较易解离、热稳定化合物、热稳定的合金和形成强还原性环境等,改善原子化过程。还有防止分析元素被基体包藏,降低凝聚相干扰和气相干扰等。基体改进剂广泛地应用于石墨炉原子化法分析生物和环境试样中痕量金属和类金属元素及其化学形态。

(4) 石墨炉原子化法的特点　采用直接进样和程序升温方式,原子化温度曲线是一条具有峰值的曲线。主要特点是:可达 3 500 ℃高温,且升温速度快;绝对灵敏度高,一般元素的可达 $10^{-9} \sim 10^{-12}$ g;可分析 70 多种金属和类金属元素;所用试样量少(1~100 μL)。但是石墨炉原子化法的分析速度较慢,分析成本高,背景吸收、光辐射和基体干扰比较大。

3. 低温原子化法

低温原子化法也称为化学原子化法,包括冷原子化法和氢化物发生法。一般冷原子化法与氢化物发生法可以使用同一装置。

(1) 冷原子化法　汞是低熔点和高蒸气压金属元素,试样溶液中的汞化合物在低温和还原剂作用下,容易形成汞蒸气:

$$Hg^{2+} + Sn^{2+} \rightarrow Sn^{4+} + Hg \uparrow$$

试样溶液与还原剂在密闭的反应器产生氧化还原反应,载气(N_2 或 Ar)携带反应产生的 Hg 蒸气经气液分离器分离后进入放置在原子化器光路上的石英管,直接测量 Hg 蒸气的吸光度,图 4-13 为冷原子吸收原理示意图。

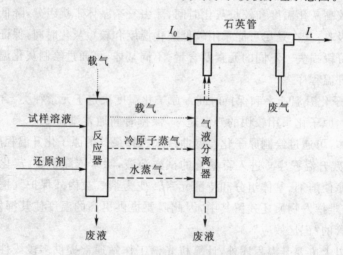

图 4-13　汞冷原子吸收原理示意图

(2) 氢化物发生法　氢化物发生法的原理见本章 4.5 节:原子荧光光谱法部分。载气携带氢化物发生器生成的金属或类金属元素氢化物,经气液分离器分离后进入原子化器光路上的石英管,石英管采用电热或火焰加热方法使氢化物分解成基态原子,直接测量元素原子的吸光度。

4.2.3 原子吸收分光光度计的性能指标

1. 光学系统的波长显示值误差

吸收谱线的理论波长与仪器光学系统显示波长差值为显示值误差。在 0.2 nm 光谱通带下,分别点亮 Cu 灯(324.8 nm)、Mg 灯(285.2 nm)或 Ca 灯(422.7 nm),待仪器稳定后,调节波长控制装置,达到最强光辐射能量时光学系统显示波长与理论波长的误差小于 ±0.2 nm。

2. 光学系统分辨率

光学系统分辨率是单色器对共振吸收线与其他干扰谱线分辨能力的一项重要指标。通常以 Mn 的双线(279.5 nm 和 279.8 nm)检验,双线的峰谷与峰值谱线强度差值必须小于 30%。

3. 基线的稳定性

(1) 静态基线稳定性 点亮 Cu 灯(324.8 nm),调节狭缝(0.2 nm)和灯电流(>3 mA),仪器稳定后,在连续测量 30 min 时间内吸光度(A)的漂移值小于 0.004 A。

(2) 动态基线稳定性 按静态基线稳定性实验条件,点燃 Air-C$_2$H$_2$ 火焰,在连续测量 30 min 内吸光度(A)的漂移值小于 0.005 A。

4. 吸收灵敏度($S_{1\%}$)

灵敏度($S_{1\%}$)定义为产生 1% 吸收($T=99\%$,$A=0.0044$)时所对应的元素含量。

(1) 火焰原子化法 4 种元素火焰原子化法(Air-C$_2$H$_2$)的 $S_{1\%}$ 见表 4-4。

$$S_{1\%}=\frac{\rho\times0.0044}{A}(\text{mg}\cdot\text{L}^{-1})$$

式中 A 为吸光度,ρ 为质量浓度(mg·L^{-1})。

(2) 石墨炉原子化法 5 种元素石墨炉原子化法灵敏度见表 4-6。

$$S_{1\%}=\frac{\rho\times V\times0.0044}{A}$$

式中 A 为吸光度,ρ 为质量浓度(μg·L^{-1}),V 为进样体积(μL)。

5. 精密度

精密度用相对标准差(RSD)表示。在仪器最佳工作状态下,对一定浓度的溶液进行多次重复测量($n>10$),火焰原子化法的 RSD 必须小于 3%,石墨炉原子化法若采用自动进样器进样,RSD 必须小于 5%。

6. 检出限

按照 IUPAC1975 年规定,检出限(D.L)的定义为吸收信号相当于 3 倍噪声水平的标准差时所对应的元素含量。

D. L 的计算式为

$$D.L = 3s_{bl}/S$$

式中 s_{bl} 为空白溶液多次测量($n > 10$)时吸光度的标准差，S 为测定元素的灵敏度（标准曲线的斜率）。火焰原子化法 S 的单位为 $\mu g \cdot mL^{-1}$，石墨炉原子化法 S 的单位为 A/pg。

通常火焰原子化法 Cu 的 D. L 为 $0.0045mg \cdot L^{-1}$，石墨炉原子化法 Cd 的 D. L 为 0.20 pg。

4.3　干扰及其消除

原子吸收光谱法分析中的干扰主要包括物理干扰、化学干扰、电离干扰和光谱干扰。

4.3.1　物理干扰及其消除方法

1. 物理干扰

物理干扰是指试样溶液物理性质变化而引起吸收信号强度变化，物理干扰属非选择性干扰。在火焰原子化法分析中，如试样溶液表面张力或黏度发生变化时，不仅影响到试样溶液的提升量和雾化效率，而且影响脱溶剂效率、蒸发效率和原子化效率，最终影响原子化过程中原子蒸气密度，物理干扰一般都是负干扰。

2. 减少或消除的办法

为减少或消除物理干扰，一般采用以下方法：

（1）最常用的方法是配制与待测试样溶液基体相一致的标准溶液。

（2）当配制与待测试样溶液基体相一致的标准溶液有困难时，采用标准加入法。

（3）被测试样溶液中元素的浓度较高时，采用稀释方法来减少或消除物理干扰。

4.3.2　化学干扰及其消除方法

1. 化学干扰

待测元素在原子化过程中，与基体组分原子或分子之间产生化学作用而引起的干扰，主要影响待测元素或化合物的熔融、蒸发、解离和原子化等过程。化学干扰可以增强原子吸收信号；也可以是降低原子吸收信号。化学干扰是一种选择性干扰,它不仅取决于待测元素与共存元素的性质,还涉及不同的原子化方法与条件等。

2. 减少或消除办法

火焰原子化法主要采用以下几种减少或消除化学干扰办法:

(1)改变火焰类型　利用高温 N_2O-C_2H_2 火焰,许多在空气-C_2H_2 火焰中出现的干扰,在 N_2O-C_2H_2 火焰中可以减少或完全的消除。

(2)改变火焰特性　对于形成难熔、难挥发氧化物的元素,如硅、钛、铝、铍等,使用强还原性气氛火焰更有利于这些元素的原子化。

(3)加入释放剂　待测元素和干扰元素在火焰原子化器中形成稳定化合物所产生的干扰,通过加入一种称为释放剂的物质使之与干扰元素反应生成更容易挥发的化合物,从而使待测元素释放出来。

(4)加入保护剂　加入一种物质使待测元素不与干扰元素生成难挥发的化合物,可以保护待测元素不受干扰,所加入的物质称为保护剂。例如,EDTA 保护剂可抑制磷酸根对钙的干扰,8-羟基喹啉保护剂可抑制铝对镁的干扰。

(5)加入缓冲剂　在试样溶液和标准溶液中都加入一种过量的物质,使该物质产生的干扰恒定,进而抑制或消除对分析结果影响,这种物质称为缓冲剂。例如,用 N_2O-C_2H_2 火焰原子化法分析钛时,铝抑制钛的原子化,但是当铝的浓度大于 $200~\mu g/mL$ 时,干扰趋于稳定。

(6)采用标准加入法　见 4.5.3 节原子吸收光谱定量分析。

4.3.3　电离干扰及其消除方法

1. 电离干扰

电离干扰是由于电离能较低的碱金属和碱土金属元素在原子化过程中产生电离而使基态原子数减少,导致吸光度下降。原子化过程中元素电离度与原子化温度和元素的电离能有密切关系。原子化温度越高,元素电离电位越低,则电离度越大,电离度随元素总浓度的增加而减小。

2. 减少或消除方法

最常用方法是加入电离能较低的消电离剂;利用强还原性富燃火焰也可抑制电离干扰;标准加入法也可在某些程度上减少或消除电离干扰;提高金属元素总浓度也是减少或消除电离干扰的基本方法。

4.3.4　光谱干扰及其消除方法

1. 光谱干扰

原子吸收光谱法分析应该是在选用的光谱通带内,仅有一条锐线光源所发射的谱线和原子化器中基态原子与之相对应的一条吸收谱线。当光谱通带内存在其他谱线时,都产生光谱干扰;还有分子吸收和光散射也属于光谱干扰。

吸收谱线(吸收线重叠)、原子化器原子化过程中所发射的复合光谱(直流发射)和干扰元素的其他吸收谱线(非吸收线)时,都产生光谱干扰。

2. 减少或消除吸收线重叠干扰方法

(1) 吸收线重叠干扰　当光谱通带内存在两种以上元素的吸收线相重叠,同时或部分吸收锐线光源所发射特征谱线时,产生吸收线重叠干扰,这种干扰使分析结果偏高。

(2) 减少或消除的方法　选用较小的光谱通带;选用被测元素的其他分析线;预先分离干扰元素。

3. 减少或消除直流发射光谱干扰方法

(1) 直流发射干扰　原子化器在高温原子化过程也是光辐射源,其中包括了发射待测元素的共振线,这种干扰使结果偏低。但是这种光辐射是直流发射过程。

(2) 减少或消除的方法　采用锐线光源的电源调制技术,见 4.2.1 节中结构与工作原理中的空心阴极灯部分。

4. 减少或消除非吸收线光谱干扰方法

(1) 非吸收线干扰　这些谱线可能是待测元素的其他共振线或非共振线,也可能是锐线光源中电极材料或杂质的发射谱线。

(2) 减少或消除的方法　选用较小的光谱通带;选用较小 HCL 灯电流。

4.3.5　背景的吸收与校正

背景吸收也属光谱干扰,包括分子吸收和光散射两个部分。

1. 分子吸收与光散射

分子吸收是指在原子化过程中所产生的无机分子或自由基等对特征谱线吸收,分子吸收光谱是带光谱(带宽为 20～100 nm),而原子吸收光谱是线光谱(带宽为 10^{-3} nm)。分子吸收会在一定波长范围内对原子吸收形成光谱干扰。光散射是指原子化过程中所产生的微小颗粒物对特征谱线的散射,其作用使吸光度增大。分子吸收与光散射的干扰都造成吸光度增大,产生正误差。

2. 背景校正技术

原子吸收分光光度计采用氘灯背景校正、Zeeman(塞曼)效应背景校正、谱线自吸收背景校正等技术和非吸收谱线背景校正技术。以下主要介绍氘灯背景校正技术和 Zeeman 效应背景校正技术。

(1) 氘灯背景校正技术　氘灯背景校正是火焰原子化法、石墨炉原子化法和低温原子化法都可以采用的背景校正技术。

图 4-14 是机械调制式氘灯背景校正技术原理示意图,在垂直于锐线光源和原子化器之间增加了氘灯光源与切光器,氘灯在发射连续带光谱(紫外波段),

通过控制切光器的频率,让锐线光源所发射的特征谱线和一定光谱通带氘灯所发射的谱线分时通过原子化器,当特征谱线进入原子化器时,原子化器中的基态原子核外层电子对它进行吸收,同时也产生分子吸收和光散射背景吸收,检测得到原子吸收(A_A)和背景吸收(A_B)的总吸收(A),$A=A_A+A_B$。当氘灯所发射的谱线进入原子化器后,宽带背景吸收要比窄带原子吸收大许多倍,此时原子吸收可忽略不计,检测只获得背景吸收(A_B)。根据光吸收定律加和性,两束谱线吸收结果差减:$A_A=A-A_B$,得到扣除背景吸收以后的原子吸收(A_A)。

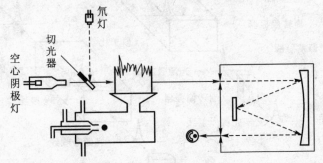

图 4-14 机械调制式氘灯背景校正技术原理示意图

氘灯背景校正的灵敏度高,动态线性范围宽,但仅对紫外光谱区($<350\ nm$)有效。

(2) Zeeman 效应背景校正技术 石墨炉原子化器中的自由原子浓度较高,滞留时间较长,同时基体组分的浓度也较高,因此背景吸收干扰比火焰原子化法更严重,Zeeman 效应背景校正是石墨炉原子化法必须采用的背景校正技术之一。

利用原子化器中原子核外层电子能量简并能级在强磁场作用下产生 Zeeman 裂分来进行背景校正称为反向 Zeeman 效应背景校正技术,而对锐线光源进行同样调制的背景校正称为正向 Zeeman 效应背景校正技术。反向 Zeeman 效应背景校正技术又分为恒定磁场调制方式与交变磁场调制方式两种,图 4-15 是反向 Zeeman 效应背景校正技术原理示意图。

① 交变磁场调制方式 锐线光源所发射的特征谱线被偏振器偏振成垂直于磁场的特征偏振谱线。在石墨炉原子化器上施加恒定强度电磁场,采用调制电流使磁场交替地开启和关闭。当磁场开启时,恒定强度磁场使原子化器中待测元素原子核外层电子的吸收谱线裂分为 π 和 σ^+,σ^- 部分,垂直于磁场的 σ^+ 和 σ^- 部分($\lambda_0 \pm \Delta\lambda$ 处)只对垂直于磁场的特征偏振谱线产生吸收,检测器检测得到背景吸收(A_B),如图 4-15(a)所示;当磁场关闭时,恒定强度磁场消失,原子化器中待测元素原子核外层电子的吸收谱不产生裂分,此时对垂直于磁场的特征偏振谱线产生吸收,检测得到原子吸收(A_A)和背景吸收(A_B)的总吸收(A),如

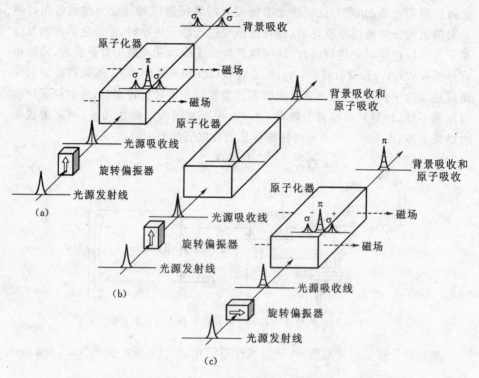

图 4-15   反向 Zeeman 效应背景校正技术原理示意图

图 4-15(b)所示;两种吸收结果的差减:$A_A = A - A_B$,就得到扣除背景吸收以后的原子吸收(A_A)。

② 恒定磁场调制方式   在原子化器上施加恒定强度的电磁场使待测元素原子核外层电子吸收谱线裂分 π 和 σ^+,σ^- 部分,锐线光源发射特征谱线被旋转偏振器偏振成垂直或平行于磁场的两种特征偏振谱线,分时通过原子化器。垂直于磁场的 σ^+ 和 σ^- 部分($\lambda_0 \pm \Delta\lambda$ 处)只对垂直于磁场的特征偏振谱线产生吸收,检测器分时检测得到背景吸收(A_B),如图 4-15(a)所示;平行于磁场的 π 部分(λ_0)仅对平行于磁场的特征偏振谱线产生吸收,分时检测得到原子吸收(A_A)和背景吸收(A_B)的总吸收(A),如图 4-15(c)所示。两种吸收结果差减:$A_A = A - A_B$,得到扣除背景吸收后的原子吸收(A_A)。

(3)背景校正的能力   背景校正能力将影响复杂基体试样分析的准确度,一般是以吸光度(A)为 1 A 时,背景校正的相对标准差小于 1% 作为标准。

① 火焰原子化法   仪器运行稳定后,在无背景校正方式下,将 $A \approx 1$ 的铜丝网插入火焰原子化器的光路中,读取吸光度 A_1。再改为氘灯背景校正方式,同样把铜网插入光路,读取吸光度 A_2。A_2/A_1 应小于 1%。

② 石墨炉原子化法　仪器运行稳定后,在无背景校正方式下,往石墨炉原子化器中加入氯化钠溶液($5\ mg\cdot mL^{-1}$)使其在石墨炉原子化过程产生约 $1\ A$ 的吸光度,读取吸光度 A_1。再改为氘灯或 Zeeman 效应背景校正方式,测量等量氯化钠溶液在石墨炉原子化过程产生的吸光度 A_2,A_2/A_1 应小于 1%。

4.4 原子吸收光谱法分析

4.4.1 仪器操作条件的选择

1. HCL 电流选择

采用较小的 HCL 电流,HCL 所发射谱线半宽度较窄,自吸效应小,分析灵敏度增高;但 HCL 电流若太小,HCL 放电不稳定,影响分析灵敏度和精密度。采用较大的灯电流,HCL 所发射谱线半宽度变宽和谱线强度增高,此时检测器的负高压降低,吸光度读数稳定。4 种元素 HCL 的电流选择见表 4-4。不同品牌与不同占空比的调制电源,所选择的 HCL 电流大小不同。

表 4-4　火焰原子化法(空气-C_2H_2)4 种元素的标准分析条件

元素	波长 nm	光谱通带 nm	灯电流 mA	火焰类型与性质				线性范围 $\mu g\cdot mL^{-1}$	$S_{1\%}$ $\mu g\cdot mL^{-1}$	其他分析线 nm
				流量 $L\cdot min^{-1}$		燃助比	火焰性质			
				空气	C_2H_2					
Au	242.8	0.4	2	6.5	1.0	0.15	氧化性蓝色焰	5.0	0.075	267.6,312.3,274.8
Cr	357.9	0.4	2	6.5	2.5	0.38	还原性黄色焰	5.0	0.031	359.4,360.5,425.4
Ni	232.0	0.2	2	6.5	1.3	0.20	氧化性蓝色焰	6.0	0.037	231.1,352.5,341.5
Sn	286.3	0.2	2	6.5	1.9	0.29	还原性黄色焰	200	3.3	224.6,235.5,270.6

注:此表"线性范围"指检出限至所示浓度。

2. 吸收谱线选择

首先选择最灵敏的共振吸收线,当共振吸收线存在光谱干扰或分析较高含量的元素时,可选用其他分析线。4 种元素的吸收谱线选择见表 4-4,选择不同分析线有不同的检出限、灵敏度和线性范围。

3. 光谱通带的选择

所谓光谱通带($W'\ nm$)的选择,在光学系统中就是狭缝宽度($S'\ mm$)的选择,光谱通带主要取决于单色器的倒线色散率(D,$nm\cdot mm^{-1}$)。光谱通带的计算式为:$W=D\times S$。光谱通带的宽窄直接影响分析的检出限、灵敏度和线性范围。对于碱金属、碱土金属,可用较宽的光谱通带,而对于如铁族、稀有元素和连续背景较强的情况下,要用较小的光谱通带。4 种元素的光谱通带选择见表 4-4。

4.4.2　火焰原子化法最佳条件选择

1. 火焰的类型与特性选择

火焰原子化法的检出限、灵敏度和线性范围都与火焰的类型和特性有关,4 种元素空气-C_2H_2 火焰原子化法的燃助比、$S_{1\%}$ 和线性范围见表 4-4,4 种元素 N_2O-C_2H_2 火焰原子化法的 C_2H_2 流量、火焰性质和灵敏度见表 4-5。

表 4-5　4 种元素 N_2O-C_2H_2 火焰原子吸收标准分析条件

元素	$\dfrac{C_2H_2 \text{ 流量}}{\text{L·min}^{-1}}$	火焰性质	$\dfrac{\text{灵敏度}[1]}{\text{mg·L}^{-1}}$
Ba	1～4.4	中性火焰	15
Al	4.1～4.4	中性火焰	30
Se	3.8～4.2	贫燃火焰	40
W	4.3～4.8	富燃火焰	400

注:[1] 吸光度为 0.4 A 时,待测元素的浓度。

2. 燃烧器高度的选择

自由原子在火焰空间的分布与火焰的类型与特性、元素的性质和浓度、基体的种类和含量相关,图 4-16 是 3 种元素在火焰不同高度的吸收轮廓示意图。图中可以看出,随着火焰高度的增加,Mg 原子的密度增大,到达火焰中部以上时 Mg 原子形成氧化物,原子的密度逐步减少,所以它的最佳吸收高度为火焰的中部。而 Ag 和 Cr 元素在相同火焰中的行为与 Mg 完全不同。对于每种元素的分析,都要选择最佳的燃烧器高度。

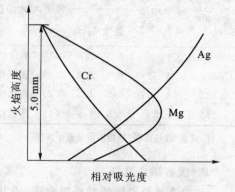

图 4-16　三种元素在火焰不同高度吸收轮廓示意图

3. 火焰原子化器的吸喷速率

吸喷速率也称为待测溶液的提升量,提升量不仅与助燃气的压力和流量有关,还与提升溶液的毛细管内径和待测溶液物理性质有关。提升量过大,对火焰产生冷却效应,影响原子化效率;而提升量过小,影响分析方法的灵敏度和检出限。通常控制提升量为 4～9 mL·min^{-1}。

4.4.3　石墨炉原子化法最佳条件选择

1. 石墨管类型的选择

（1）普通石墨管　比较适合于原子化温度低，易形成挥发性氧化物元素的分析，例如，Li，Na，K，Rb，Cs，Ag，Au，Be，Mg，Zn，Cd，Hg，Al，Ga，In，Tl，Si，Ge，Sn，Pb，As，Sb，Bi，Se，Te 等元素。

（2）热解涂层石墨管　对 Cu，Ca，Sr，Ba，Ti，V，Cr，Mo，Mn，Co，Ni，Pt，Rh，Pd，Ir，Pt 等元素的灵敏度较高。

（3）L'vov 平台石墨管　是在普通或热解涂层石墨管中衬入一小块热解石墨小平台。小平台可以防止试样溶液在干燥时渗入石墨管管壁，它是靠石墨管的热辐射加热，扩展了原子化等温区，提高分析灵敏度和精密度。

2. 升温程序选择

根据分析元素的种类、进样量的大小和基体效应的影响选择适宜的升温程序，是石墨炉原子化法分析的检出限、灵敏度、精密度和准确度的重要保证，表4-6是 5 种元素石墨炉原子化法的升温程序及其灵敏度。

表 4-6　5 种元素石墨炉原子化法的升温程序及其灵敏度

元素	干燥温度 ℃	灰化温度 ℃	原子化温度 ℃	灵敏度[①] $\mu g \cdot L^{-1}$
Ag	100～120	450	1 100	1.3
Pb	100～120	800	1 200	2.5
Mn	100～120	900	1 800	0.7
Fe	100～120	1 100	2 100	2.0
Mo	100～120	1 800	2 750	6.0

注：① 吸光度为 0.1 A 时，待测元素的浓度。

3. 基体改进剂选择

加入基体改进剂是消除石墨炉原子化法基体效应影响的重要措施，表 4-7 是 10 种元素石墨炉原子化法常用的基体改进剂。

表 4-7　10 种元素石墨炉原子化法常用的基体改进剂

元素	基体改进剂	元素	基体改进剂
Al	硝酸镁，Triton X-100，氢氧化铁，硫酸铵	Se	硝酸铵，镍，铜，钼，铑，高锰酸钾/重铬酸钾
As	镍，镁，钯	Mn	硝酸铵，EDTA，硫脲
Be	钙，硝酸镁	Ag	镍，铂，钯
Bi	镍，EDTA/O_2，钯，镍	Au	TritonX-100＋Ni，硝酸铵
Ga	抗坏血酸	Tl	钙，镁，硝酸铵，EDTA

4. 进样量的选择

石墨炉原子化法进样量的大小,首先涉及溶剂的干燥升温程序,其次是随试样溶液带进的基体组分的含量不同,进一步涉及灰化、原子化和高温除残程序。一般进样量控制在 $5\sim100\ \mu\mathrm{L}$。

4.4.4 原子吸收光谱定量分析方法

1. 线性范围

原子吸收光谱法定量分析的理论依据是:$A = Kc$。对于大部分元素,$A-c$ 曲线在一定的浓度范围内呈线性关系,K 为常数,$A-c$ 呈线性关系的限定浓度范围称为标准曲线的线性范围,4 种元素的线性范围见表 4-4。

不同的原子化方法、相同原子化方法的不同原子化条件、不同的分析波长、不同的基体和介质条件等都影响分析元素的线性范围。

2. 标准曲线法

标准曲线法是原子吸收光谱法最常用的定量分析方法。在分析元素的线性范围内,配置系列浓度(ρ_{si})的标准溶液,在最佳的分析条件下测量系列浓度标准溶液的吸光度(A_{si}),采用最小二乘法回归 $A_{\mathrm{si}}-\rho_{\mathrm{si}}$ 线性方程或绘制 $A_{\mathrm{si}}-\rho_{\mathrm{si}}$ 标准曲线图。在相同分析条件下测量试样溶液的吸光度(A_x),求出试样溶液的浓度(ρ_x),如图 4-17 所示。标准曲线法适用于基体效应影响较小的试样溶液分析;在满足实验室质量控制的要求时,一条标准曲线可以同时分析多个试样溶液。

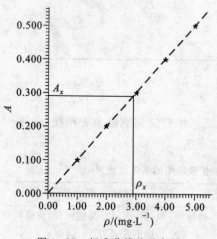

图 4-17 标准曲线法示意图

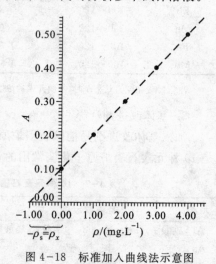

图 4-18 标准加入曲线法示意图

3. 标准加入曲线法

对于基体效应影响较大或无法确证时,可以采用标准加入曲线法。配置含有等量试样溶液的系列浓度(ρ_{si})的标准加入溶液,测量系列浓度的标准加入溶液吸光度(A_{si}),采用最小二乘法回归 $A_{si}-\rho_{si}$ 线性方程或绘制 $A_{si}-\rho_{si}$ 标准曲线图,并外推到吸光度 A_{si} 为零时与浓度轴的交点,得到:$-\rho_s=\rho_x$,ρ_x 即为试样溶液的浓度,如图 4-18 所示。标准加入曲线法适合基体效应影响较大或无法确证的试样溶液分析,一条标准加入曲线只能分析一个试样溶液。

4.5 原子荧光光谱法

原子荧光光谱法(atomic fluorescence spectrometry,AFS)是基于气态和基态原子的核外层电子吸收共振发射线后,发射出荧光进行元素定量分析,是 20世纪 60 年代初期由 Winfordner 和 Vickers 提出原子荧光分析技术后发展起来的一种原子光谱分析方法。经过国内众多分析科学工作者的长期努力,现已形成了具有我国特色的原子荧光光谱法分析理论与仪器。

从理论原理上说,原子荧光光谱法分析对象与原子吸收光谱法和原子发射光谱法相同,可以进行数十种元素的定量分析。但是迄今为止,原子荧光光谱法最成功的分析对象主要是:易形成冷原子蒸气(Hg)、易形成气态氢化物(As,Sb,Bi,Se,Te,Ge,Pb,Sn)和可以形成气态组分(Cd,Zn)的 11 种元素。

4.5.1 原子荧光光谱法基本原理

1. 原子荧光光谱的产生

气态和基态原子核外层电子吸收了特征频率的光辐射后被激发至第一激发态或较高的激发态,在瞬间又跃迁回基态或较低的能态。若跃迁过程以光辐射的形式发射出与所吸收的特征频率相同或不同的光辐射,即产生原子荧光。原子荧光为光致发光,当光辐射停止激发时,荧光发射就立即停止。

2. 原子荧光的类型

原子荧光主要分为共振荧光、非共振荧光和敏化荧光三种,图 4-19 是原子荧光产生机理示意图,图中 A 为光吸收过程,F 为光发射过程,H_1 为热助激发过程,H_2 为无辐射跃迁过程。

(1) 共振荧光 处于基态原子核外层电子(E_0)吸收了共振频率的光辐射后被激发,发射与所吸收共振频率相同的光辐射,即为共振原子荧光,见图 4-19(a)中的 A 与 F;若核外层电子先被热助激发(H_1)处于亚稳态(E_1),吸收光辐射后被激发至激发态(E_2),然后发射出与吸收频率相同的光辐射,称为热助共振荧光,见图 4-19(a)中的 A' 与 F'。共振荧光的跃迁概率最大,荧光强度最强,在原子荧光分析中最为常用。

(2) 非共振荧光 基态原子核外层电子吸收的光辐射与发射的荧光频率不相同时,产生非共振荧光。非共振荧光又分为 Stokes 荧光(包括直跃线荧光、阶

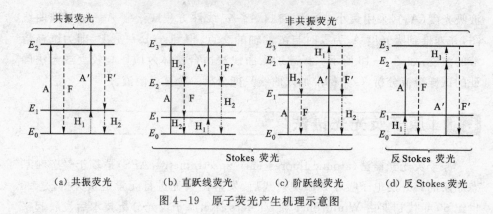

图 4-19　原子荧光产生机理示意图

跃线荧光)和反 Stokes 荧光。Stokes 荧光所发射光辐射频率比所吸收光辐射的频率低,而反 Stokes 荧光所发射光辐射频率比所吸收光辐射的频率高。

① 直跃线荧光　基态(E_0)或受热助激发(H_1)至亚稳态(E_1)的原子核外层电子被激发至较高的激发态(E_3),跃迁回较低激发态(E_2)时所发射的荧光称为直跃线荧光,如图 4-19(b)中的 A 与 F,A′ 与 F′。

② 阶跃线荧光　存在正常阶跃荧光和热助阶跃线荧光两种。正常阶跃荧光是基态(E_0)原子核外层电子被激发至较高的激发态(E_2),以非辐射形式(H_2)跃迁回较低能级(E_1),以光辐射形式返回基态(E_0)而发射出荧光,如图 4-19(c)中的 A 与 F。热助阶跃线是原子核外层电子被激发至较高的激发态(E_2)后,受热助(H_1)过程进一步被激发至激发态(E_3),以光辐射形式返回较低激发态(E_1)而发射出荧光,如图 4-19(c)中的 A′ 与 F′。

③ 反 Stokes 荧光　有两种发射荧光方式,一种是受热助激发(H_1)至亚稳态(E_1)的原子核外层电子被光辐射激发至激发态(E_2),由激发态(E_2)跃迁回基态(E_0)时发射出荧光,如图 4-19(d)中的 A 与 F;另一种是基态(E_0)原子核外层电子被光辐射激发至较高的激发态(E_2),受热助(H_1)过程进一步激发至激发态(E_3),由激发态(E_3)跃迁回基态(E_0)时发射出荧光,如图 4-18(d)中的 A′ 与 F′。

(3) 敏化荧光　受光辐射激发的原子与另一个原子碰撞时,把激发能传递给这个原子并使其激发,受碰撞被激发的原子以光辐射形式跃迁回基态或低能态而发射出荧光,即为敏化荧光。火焰原子化法基本观察不到敏化荧光,石墨炉原子化法才能观察到。

3. 荧光强度与浓度的关系

气态和基态原子核外层电子对特定频率(ν_0)光辐射的吸收强度(I_a)、发射出的荧光强度(I_f)和荧光量子效率(ϕ)的关系为

$$I_f = \phi I_a$$

(4-10)

依据原子吸收定量关系式(4-8):

$$A = 0.43 \frac{2}{\Delta \nu_D} \sqrt{\frac{\ln 2}{\pi}} \frac{\pi}{mc} f N_0 l = k l N_0$$

将式(4-8)代入式(4-10)后得到

$$I_f = \phi I_0 (1 - e^{-klN_0}) \tag{4-11}$$

式(4-10)经 e^{-klN_0} 级数展开和忽略级数展开项中高幂次方项后,得到

$$I_f = \phi I_0 k l N_0$$

因为 $N_0 \propto c$(c 为试样溶液中待测元素的浓度),所以

$$I_f = Kc \tag{4-12}$$

式(4-12)是原子荧光光谱法定量分析依据。

4. 荧光猝灭

处于激发态的原子核外层电子除了以光辐射形式释放激发能量外,还可能产生非辐射形式释放激发能量,所发生的非辐射释放能量过程使光辐射的强度减弱或消失,称为荧光猝灭。荧光猝灭主要有以下几种机理:

(1) 与自由原子碰撞　$A^* + X \Longrightarrow A + X + \Delta H$。A 和 A^* 为基态和激发态原子,X 为其他自由原子,ΔH 为热能。

(2) 与自由原子碰撞后形成不同的激发态　$A^* + X \Longrightarrow A' + X + \Delta H$。$A^*$ 和 A' 为原子不同激发态。

(3) 与分子碰撞　$A^* + HX \Longrightarrow A + HX + \Delta H$。HX 为原子化器中的其他分子。HX 可能是原子化过程中的产物,与分子碰撞过程是荧光猝灭的主要原因。

(4) 与分子碰撞后形成不同的激发态　$A^* + HX \Longrightarrow A' + HX + \Delta H$。

(5) 与电子碰撞　$A^* + e^- \Longrightarrow A + e^{-'}$。$e^{-'}$ 为高速电子,主要发生在原子化的电离过程。

(6) 化学猝灭反应　$A^* + HX \Longrightarrow A + H\cdot + X\cdot$。$H\cdot$ 和 $X\cdot$ 为分子均裂后的自由基。

5. 荧光量子效率

荧光猝灭的程度可以采用荧光量子效率(ϕ)表示:

$$\phi = \phi_f / \phi_A \tag{4-13}$$

式中 ϕ_f 为单位时间内发射的荧光光子数;ϕ_A 为单位时间内吸收激发光的光子数。

在原子荧光光谱法分析中力求 ϕ 接近于 1,但是通常情况下 ϕ 小于 1。

4.5.2　原子荧光分光光度计

1. 原子荧光分光光度计的组成

原子荧光分光光度计与原子吸收分光光度计的结构相似,为了避免锐线光源

所发射的强光辐射对弱原子荧光信号检测的影响,单色器和检测器的位置与激发光源位置成 90°;还有原子荧光分光光度计都配置了氢化物(冷原子)发生器。

　　原子荧光分光光度计分为色散型和非色散型两类,其结构示意图如图 4-20 所示。激发光源可采用锐线光源(空心阴极灯)或连续光源(氙弧灯);光学系统可采用色散型和非色散型两种,色散型光学系统采用平面衍射光栅,非色散型光学系统采用滤光片;氢化物发生器主要采用电加热方式分解氢化物,也可以采用火焰加热方式;检测系统都采用光电倍增管。

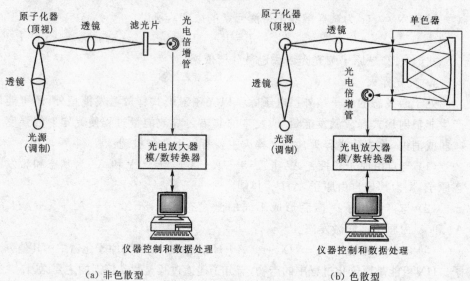

（a）非色散型　　　　　　　　　　　　（b）色散型

图 4-20　原子荧光分光光度计结构示意图

　　2. 氢化物发生法

　　(1) 氢化物的发生　氢化物发生法是依据 8 种元素:As,Bi,Ge,Pb,Sb,Se,Sn 和 Te 的氢化物在常温下为气态,利用某些能产生初生态还原剂(H·)或某些化学反应,与试样中的这些元素形成挥发性共价氢化物,8 种元素氢化物的沸点见表 4-8。

表 4-8　氢化物的沸点

氢化物	沸点/K
AsH_3	218
SbH_3	226
BiH_3	251
SeH_2	231
TeH_2	269
GeH_4	184.5
PbH_4	260
SnH_4	221

　　氢化物发生方法有:硼氢化钠(钾)-酸还原体系、金属-酸还原体系、碱性模式还原体系和电解还原法四种,目前应用最多的是硼氢化钠(钾)-酸还原体系。

　　硼氢化钠(钾)-酸还原体系氢化物形成原理:

$$NaBH_4 + 3H_2O + HCl \longrightarrow H_3BO_3 + NaCl + 8H\cdot$$

$$8H\cdot + E^{m+} \longrightarrow EH_n\uparrow + H_2\uparrow(过剩)$$

式中 E^{m+} 为正 m 价的被测元素离子,EH_n 为被测元素的氢化物,$H\cdot$ 为初生态的氢。

　　金属氢化物的形成决定于两个因素:被测元素与初生态氢的化合速率和硼氢化钠在酸性溶液中的分解速率。硼氢化钠(钾)-酸还原体系氢化物发生体系在还原能力、反应速率、自动化操作、抗干扰程度以及分析元素等方面都可满足微量和痕量元素的分析要求,适用于以上 8 种元素和其他 3 种元素(Hg,Cd,Zn)的定量分析。

　　(2) 氢化物的发生器　氢化物发生器一般包括进样系统、混合反应器、气液分离器和载气系统。根据不同的蠕动泵进样法,可以分为连续流动法、流动注射法、断续流动法和间歇泵进样法等。图 4-21 是连续流动式氢化物发生器原理示意图,连续流动式所得到的荧光信号是连续信号。

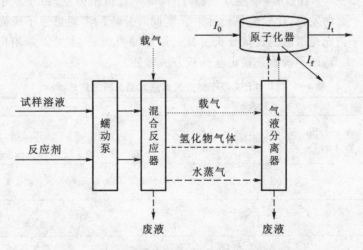

图 4-21　连续流动式氢化物发生器原理示意图

　　试样溶液和反应剂由蠕动泵携带进入混合反应器进行生成氢化物反应,所产生的氢化物和水蒸气(气溶胶)被载气携带进入气液分离器,分离掉大部分的水蒸气(气溶胶)后氢化物被载气携带进入原子化器,依据氢化物热稳定性差的特点,用电加热或火焰加热方法使氢化物迅速解离成基态原子蒸气,从而吸收特征谱线(I_0)后发射出荧光信号(I_f)。

(3)氢化物发生法的特点   分析元素在混合反应器中产生氢化物与基体元素分离,消除基体效应所产生的各种干扰;与火焰原子化法的雾化器进样相比,氢化物发生法具有预富集和浓缩的效能,进样效率高;连续流动式氢化物发生器易于实现自动化;不同价态的元素的氢化物发生的条件不同,可以进行该元素的价态分析;但是无法分析不能形成氢化物或挥发性化合物的元素,氢化物发生法存在液相和气相等干扰。

4.5.3   原子荧光光谱定量分析

若采用火焰原子化或石墨炉原子化法分析这些元素,由于这些元素的吸收谱线与发射谱线都位于紫外光谱区,不仅分析的灵敏度低,而且火焰原子化过程产生严重的背景吸收,石墨炉原子化过程的基体干扰和灰化损失比较严重,甚至电感耦合等离子发射光谱法(ICP-AES)对低含量的这些元素和汞元素分析都无法满足要求。

表 4-9 是原子荧光光谱法分析 11 种元素的检出限、精密度和线性范围,以及在空气和水样中 Hg 的分析指标。可以看出,原子荧光光谱法具有较低的检出限、较高的灵敏度、较少的干扰、吸收谱线与发射谱线比较单一、标准曲线的线性范围宽(3～5 个数量级)等特点;仪器结构简单且价格便宜,由于原子荧光是向空间各个方向发射,比较容易设计多元素同时分析的多通道原子荧光分光光度计。原子荧光光谱法的定量分析主要采用标准曲线法,也可以采用标准加入法,见 4.4.4 节:原子吸收光谱定量分析方法部分。

表 4-9   11 种元素原子荧光光谱法定量分析方法的指标

方法指标	元素					对象	
	As,Se,Sb Bi,Pb,Te	Hg	Ge,Sn	Zn	Cd	气态汞 (空气/天然气 /实验室)	水样中汞 (饮用水/矿泉水 /海水/地面水)
检出限 ng·mL^{-1}	≤0.06	≤0.005	≤0.5	≤5.0	≤0.008	<1.0 ng/m³	<0.4 ng/mL
精密度 (RSD)	1.0%					5.0%	2.0%
线性范围	3 个数量级					2 个数量级	

思考、练习题

4-1   Mg 原子的核外层电子 $3^1S_0 \rightarrow 3^1P_1$ 跃迁时吸收共振线的波长为 285.21 nm,计算

在 2 500 K 时其激发态和基态原子数之比。

(5.06×10^{-9})

4-2　原子吸收分光光度计单色器的倒线色散率为 1.6 nm/mm,欲测定 Si251.61 nm 的吸收值,为了消除多重线 Si251.43 nm 和 Si251.92 nm 的干扰,应采取什么措施?

4-3　简述原子吸收光谱产生的原理,并比较与原子发射光谱有何不同。

4-4　简述原子吸收光谱法定量分析的依据及其定量分析的特点。

4-5　原子谱线变宽的主要因素有哪些?对原子吸收光谱分析有什么影响?

4-6　画出原子吸收分光光度计的结构框图,并简要叙述原子吸收分光光度计的工作原理。

4-7　原子吸收分光光度计有哪些主要性能指标?这些性能指标对原子吸收光谱定量分析有什么影响?

4-8　简述火焰原子化法和石墨炉原子化法的工作原理、特点及其注意事项;为什么石墨炉原子化法比火焰原子化法具有更高的灵敏度和更低的检出限?

4-9　原子吸收光谱法存在哪些主要的干扰?如何减少或消除这些干扰?

4-10　简述氘灯校正背景校正技术的工作原理及其特点。

4-11　简述 Zeeman 效应背景校正技术的工作原理及其特点。

4-12　简述标准曲线法和标准加入法的特点与使用注意事项。

4-13　简要回答以下问题:

(1) 在测定血清中钾时,先用纯水将试样稀释 40 倍,再加入钠盐至 800 $\mu g \cdot mL^{-1}$,试解释这些实验操作的理由,并简述此定量分析的标准曲线法系列标准溶液应如何配制。

(2) 硒的共振吸收线为 196.0 nm,若分析头发中硒元素含量,应选用何种火焰类型并说明理由。

(3) 分析矿石中的锆元素含量,应选用何种火焰类型并说明理由。

4-14　火焰原子吸收光谱法分析某试样中微量 Cu 的含量,称取试样 0.500 g,溶解后定容到 100 mL 容量瓶中作为试样溶液。分析溶液的配制及测量的吸光度如下表所示(用 0.1 $mol \cdot L^{-1}$ 的 HNO_3 定容),计算试样中 Cu 的质量分数(%)。

	1	2	3
移取试样溶液的体积/mL	0.00	5.00	5.00
加入 5.00 $mg \cdot L^{-1}$ 的 Cu^{2+} 标准溶液的体积/mL	0.00	0.00	1.00
定容体积/mL		25.00	
测量的吸光度(A)	0.010	0.150	0.375

$(0.012\ 4)$

4-15　原子吸收光谱法测定水样中 Co 的含量,分取 $V_{水样}$ (mL)的水样于 6 个 50.0 mL 的容量瓶中,加入 $V_{标准溶液}$ (mL)的 60.0 $\mu g \cdot mL^{-1}$ Co 的标准溶液,然后稀释至刻度,计算水样中 Co 的质量分数($\mu g \cdot mL^{-1}$)。

	1	2	3	4	5	6
$V_{水样}$/mL	0			10.0		
$V_{标准溶液}$/mL	0	0	1.0	2.0	3.0	4.0
定容体积/mL				50.0		
吸光度(A)	0.042	0.201	0.292	0.378	0.467	0.554

(10.9 μg/mL)

4-16 原子荧光光谱是怎么产生的? 有几种类型?

4-17 画出色散型原子荧光分光光度计的结构框图,并简要叙述原子荧光分光光度计的工作原理。

4-18 简述氢化物发生法的工作原理、特点及其注意事项。

参考资料

[1] 武汉大学化学系. 仪器分析. 北京:高等教育出版社,2001.

[2] 何锡文. 近代分析化学教程. 北京:高等教育出版社,2005.

[3] 北京大学化学系仪器分析教学组. 仪器分析教程. 北京:北京大学出版社,1997.

[4] 邓勃. 应用原子吸收与原子荧光光谱分析. 北京:化学工业出版社,2003.

[5] Skoog D A,Holler F J,Nieman T A. Principles of instrumental analysis,5th ed. USA:Harcourt Brace & Company,1998.

[6] James D Ingle,Jr Stanley R Crouch. 光谱化学分析. 张寒琦,译. 长春:吉林大学出版社. 1996.

[7] 李果. 原子荧光光谱分析. 北京:地质出版社,1983.

[8] 杨孙楷,苏循荣,林竹光. 仪器分析实验. 厦门:厦门大学出版社,1996.

第5章 X射线光谱法

1895年,Rontgen W C(伦琴)发现了X射线,1913年Moseley H G J在英国曼彻斯特大学奠定了X射线光谱分析的基础,在初步进行其用于定性及定量分析的基础研究后,预言了该方法用于痕量分析的可能性。目前,X射线光谱法发展成熟,多用于元素的定性、定量及固体表面薄层成分分析等。和光谱法一样,X射线光谱法也是基于对电磁辐射的发射、吸收、散射、衍射等测定建立起来的一种仪器分析方法。X射线荧光分析(X-ray fluorescence analysis,XRF)和X射线吸收分析(X-ray absorption analysis,XRA)被广泛用于元素的定性和定量分析。一般来说,它们可以用于测定周期表中原子序数大于11(钠)的元素;如果采用特殊的设备,还可以测定原子序数在5~10范围的元素。定量测定的浓度范围可以为常量、微量或痕量。而X射线衍射分析(X-ray diffraction analysis,XRD)则广泛用于晶体结构测定。

5.1 基本原理

X射线是由高能电子的减速运动或原子内层轨道电子跃迁产生的短波电磁辐射。X射线的波长在10^{-6}~10 nm,在X射线光谱法中,常用波长在0.01~2.5 nm范围内。

5.1.1 X射线的发射

产生X射线的途径有四种:(1)用高能电子束轰击金属靶;(2)将物质用初级X射线照射以产生二级射线——X射线荧光;(3)利用放射性同位素源衰变过程产生的X射线发射;(4)从同步加速器辐射源获得。在分析测试中,常用的光源为前3种,第4种光源虽然质量非常优越,但设备庞大,国内外仅有少数实验室拥有这种设施。

与紫外-可见的发射器一样,X射线光源产生连续光谱和线光谱,两者在分析中都有重要作用。连续辐射通常被称为白光或韧致辐射;韧致辐射是指高能带电粒子在与原子核相碰撞突然减速时产生的辐射。在自然界中,这种韧致辐射通常是连续的。

5.1.1.1 电子束源产生的连续X射线

在一个X射线管中,固体阴极被加热后产生大量电子,这些电子在高达

100 kV电压下被加速,向金属阳极(金属靶)轰击;在碰撞过程中,电子束的一部分能量转变为 X 射线。某些情况下,只会出现如图 5-1 所示的连续 X 射线谱;其他情况下,线光谱会叠加在连续 X 射线谱上,如图 5-2 所示。

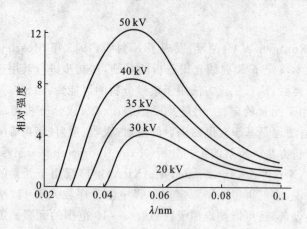

图 5-1　连续 X 射线谱与 X 光管电压的关系(钨靶)

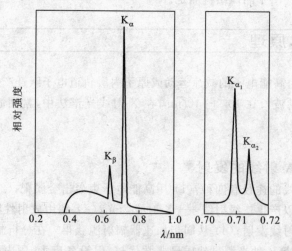

图 5-2　钼的特征谱线

在轰击金属靶的过程中,有的电子在一次碰撞中耗尽其全部能量,有的则在多次碰撞中才丧失全部能量。因为电子数目很大,碰撞是随机的,所以产生了连续的具有不同波长的 X 射线,这一段波长的 X 光谱即为连续 X 射线谱。

连续 X 射线可以用短波限(λ_0)来进行描述。根据量子理论,一次碰撞就丧失其全部动能的电子将辐射出具有最大能量的 X 射线光子,其波长最短,称为短波限。它会随 X 光管的加速电压发生改变,与金属靶材料没有关系;因此在

图 5-1 与图 5-2 中,虽然选用的靶材不同(钨和钼),但是加速电压为 35 kV 时的短波限是一样的,或者说产生的连续 X 射线是一样的。

另外,最低加速电压也用于描述 X 射线谱,它是各元素产生激发所需要的最低 X 光管电压。X 光管电压低于 20 kV 时,钼(原子序数为 42)不再有特征 X 射线产生;而对钨而言(图 5-1),即使用 50 kV,在 0.01~0.1 nm 也没有特征 X 射线;但是如果电压升至 70 kV,会有 K 线系出现在 0.018 和 0.021 nm。

一个高速运动电子具有的动能可以写成 eU,U 为 X 光管电压,则电子的能量按下式转化为 X 光能:

$$eU = h\nu_{最大} = h\,\frac{c}{\lambda_0}$$

$$\lambda_0 = \frac{hc}{eU} = \frac{1\,239.8}{U} \tag{5-1}$$

λ 和 U 的单位分别为 nm 和 V。连续 X 射线谱的短波限仅与 X 光管电压有关,升高管电压,短波限将减小,即 X 光量子能量增大。连续 X 射线的总强度(I)与 X 光管的电压(U)和靶材的原子序数(Z)有关,其关系式为

$$I = AiZU^2 \tag{5-2}$$

式中 A 为比例常数,i 为 X 光电管电流(A),不难看出,增加靶材的原子序数,可提高光强,故常采用钨、钼等重金属作为 X 光电管靶材,可以得到能量较高的连续 X 射线。

5.1.1.2 电子束源产生的特征 X 射线

由图 5-2 可以看到,在对钼靶进行轰击后产生了两条强的发射线(0.063 nm 和 0.071 nm),在 0.04~0.06 nm 还产生了一系列连续谱。在原子序数大于 23 的元素中,钼的发射行为很典型:与紫外的发射线相比,钼的 X 射线非常简单;它由两个线系组成,短波称为 K 系,长波称为 L 系。表 5-1 列举了部分元素的特征 X 射线。

表 5-1　某些元素的特征 X 射线(单位:nm)

元素	原子序数	K 系		L 系	
		α_1	β_1	α_1	β_1
Na	11	1.190 9	1.161 7	—	—
K	19	0.374 2	0.345 4	—	—
Cr	24	0.229 0	0.208 5	2.171 4	2.132 3
Rb	37	0.092 6	0.082 9	0.731 8	0.707 5
Cs	55	0.040 1	0.035 5	0.289 2	0.268 3
W	74	0.020 9	0.018 4	0.147 6	0.128 2
U	92	0.012 6	0.011 1	0.091 1	0.072 0

Moseley 发现,元素特征 X 射线的波长 λ 与元素的原子序数 Z 有关,其数学关系如下:

$$\sqrt{\frac{1}{\lambda}} = K(Z-S) \tag{5-3}$$

这就是 Moseley 定律,式中 K 与 S 是与线系有关的常数。因此,只要测出特征 X 射线的波长,就可以知道元素的种类,这就是 X 射线定性分析的基础。此外,特征 X 射线的强度与相应元素的含量有一定的关系,据此,可以进行元素定量分析。

特征 X 射线是基于电子在原子最内层轨道之间的跃迁所产生的。高能光子(X 射线或 γ 射线)或高速带电粒子(电子、质子或各种离子)轰击靶材(试样)中的原子时,会将自己的一部分能量传递给原子,激发原子中某些内层能级上的电子,形成空位后立即可由外层较高轨道上的电子来填充(小于 10^{-15} s);与此同时,多余的能量以 X 射线光子的形式释放出来,其能量等于跃迁电子的能级差,$\Delta E = h\nu$。

特征 X 射线可分成若干线系(K,L,M,N),同一线系中的各条谱线是由各个能级上的电子向同一壳层跃迁而产生的。同一线系中,还可以分为不同的子线系如 L_I,L_{II},L_{III},同一子线系中的各条谱线是电子从不同的能级向同一能级跃迁所产生的。$\Delta n = 1$ 的跃迁产生 α 线系,$\Delta n = 2$ 的跃迁产生 β 线系。K_α 表示 $K_{\alpha_1 \alpha_2}$ 双线;K_β 表示 $K_{\beta_1 \beta_2}$ 双线。

K 层电子被逐出后,其空穴可以被外层中任一电子所填充,从而可产生一系列的谱线,称为 K 系谱线:由 L 层跃迁到 K 层辐射的 X 射线叫 K_α 射线,由 M 层跃迁到 K 层辐射的 X 射线叫 K_β 射线。同样,L 层电子被逐出可以产生 L 系辐射(见图 5-3)。如果入射的 X 射线使某元素的 K 层电子激发成光电子后 L 层电子跃迁到 K 层,此时就有能量 ΔE 释放出来,且 $\Delta E = E_K - E_L$,这个能量是以 X 射线形式释放,产生的就是 K_α 射线,同样还可以产生 K_β 射线,L 系射线等。由于 L 层与 K 层之间的能级差比 L 层与 M 层之间的能级差大,所以 K 线系的波长短一些。另外,还应注意:α_1 和 α_2 之间的能量差异,或者 β_1 和 β_2 之间的能量差异,都非常小,除非使用高分辨的光谱仪,否则只能看到单条谱线。

应当指出,目前在 X 射线光谱分析中,特征线的符号系统比较混乱,尚未达到规范化。通常,在一组线系中,α_1 线最强。除 K_{α_2} 比 K_{β_1} 强以外,一般 β_1 为第二条最强线。元素中的各谱线都是用相应的符号来表示的。上述能级图(图 5-3)适用于大部分元素,能级差会随原子序数增大而规律性地增大;而核电荷的增加也会提高最低加速电压。

不同元素具有不同的特征 X 射线。根据特征谱线的波长和强度,可以进行

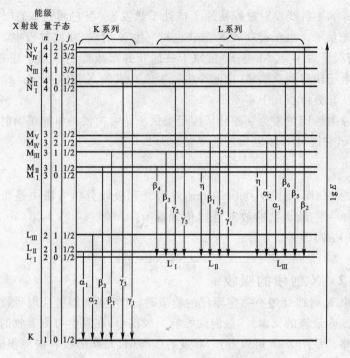

图 5-3　X 射线能级图及特征 X 射线的产生

定性和定量分析。

特征 X 射线的产生,也要符合一定的选择定则。这些定则是:

(1) 主量子数 $\Delta n \neq 0$;

(2) 角量子数 $\Delta L = \pm 1$;

(3) 内量子数 $\Delta J = \pm 1$ 或 0。内量子数是角量子数 L 和自旋量子数 S 的矢量和。

磁量子数 m 及单独的自旋量子数在特征 X 射线的产生中无重要意义。不符合上述选律的谱线称为禁阻谱线。

注意:除位于低能级位置的谱线(例如,轻元素的 K 系线和元素的一些 L,M 系线),元素的特征 X 射线的波长与元素的物理和化学性质无关,因为产生这些特征 X 射线的电子跃迁与其键合形式无关。因此,上述钼的特征 X 射线与靶材是否为纯金属或是其氧化物没有关系。

得到特征 X 射线的另一个便捷的手段,是用 X 射线管发射连续辐射照射该元素或其化合物。在下面的章节会进行详细阐述。

5.1.1.3　放射源产生的 X 射线

通常,X 射线是放射性衰变过程的产物。γ 射线是由核内反应产生的 X 射线。许多 α 和 β 射线发射过程使原子核处于激发态,当它回到基态时释放一个或多个 γ 光量子。电子捕获或 K 捕获也能产生 X 射线,在此过程中,一个 K 电子(较少情况下为 L 或 M 电子)被原子核捕获并形成低一个原子序数的元素。K 捕获使电子转移到空轨道,由此产生新生成元素的 X 射线光谱。K 捕获过程的半衰期从几分钟至几千年不等。

人工放射性同位素为某些分析应用提供了非常简便的单能量辐射源。最常用的是 ^{55}Fe,它进行 K 捕获反应的半衰期为 2.6 年:

$$^{55}\text{Fe} \longrightarrow {}^{54}\text{Mn} + h\nu$$

生成的 MnK$_\alpha$ 线位于约 0.21 nm,在荧光和吸收分析方法中是非常有用的光源。其他一些最常见的放射性同位素源有 $^{57}_{27}$Co(6.4 keV),$^{109}_{48}$Cd(22 keV),$^{125}_{51}$I(27,35 keV)等。

5.1.2　X 射线的吸收

当一束 X 射线穿过有一定厚度的物质时,其光强和能量会因吸收和散射而显著减小。除最轻的元素外,散射的影响一般很小,在发生可测吸收的波长区域通常被忽略。从图 5-4 可以看到,和发射线类似,元素的吸收谱也很简单,而且其波长与元素的化学形态无关。

5.1.2.1　基本原理和概念

X 射线照射固体物质时,一部分透过晶体,产生热能;一部分用于产生散射、衍射和次级 X 射线(X 荧光)等;还有一部分将其能量转移给晶体中的电子。因此,用 X 射线照射固体后其强度会发生衰减。衰减率与其穿过的厚度成正比,即也符合光吸收基本定律:

$$\frac{\mathrm{d}I}{I} = -\mu \mathrm{d}x \tag{5-4}$$

将上式积分后,得到

$$I = I_0 \mathrm{e}^{-\mu x} \tag{5-5}$$

式中 I_0 和 I 是入射和透射的 X 射线强度,x 是试样厚度,μ 是线衰减系数 (cm^{-1})。

在 X 射线分析法中,对于固体试样,最方便使用的是质量衰减系数 μ_m (cm$^2 \cdot$ g^{-1}),即

$$\mu_m = \frac{\mu}{\rho} \tag{5-6}$$

ρ 为物质密度(g·cm^{-3})。对于一般的 X 射线,可以认为它的衰减主要是由 X 射线的散射和吸收所引起的,因此可以将质量衰减系数写成

$$\mu_m = \tau_m + \sigma_m \tag{5-7}$$

式中 τ_m 和 σ_m 分别代表质量吸收系数和质量散射系数(包括相干散射和非相干散射)。在有些书籍中,将 X 射线的衰减广义地称为吸收,而将真正吸收 X 射线致使原子内层电子激发的过程称为真吸收。质量衰减系数具有加和性,因此

$$\mu_m = w_A \mu_A + w_B \mu_B + w_C \mu_C \tag{5-8}$$

式中 μ_m 是试样的质量衰减系数,所含元素 A,B,C 的质量分数为 w_A, w_B, w_C,而 μ_A, μ_B, μ_C 分别为各元素的质量衰减系数。元素在不同波长或能量的质量衰减系数表可从许多文献中查到。

质量吸收系数是物质的一种特性,对于不同的波长或能量,物质的质量吸收系数也不相同,质量吸收系数与 X 射线波长(λ)和物质的原子序数(Z)大致符合下述经验关系:

$$\tau_m = K \lambda^3 Z^4 \tag{5-9}$$

式中 K 为常数。此式说明,物质的原子序数愈大,即元素愈重,它对 X 射线的阻挡能力愈大;X 射线波长愈长,即能量愈低,愈易被吸收。

5.1.2.2 吸收过程

当吸收过程中伴随内层电子的激发时,情况比较复杂。此时,当波长在某个数值时,质量吸收系数发生突变,如图 5-4 所示。图中突变时的波长值称为吸收边或吸收跃,它是指一个特征 X 射线谱系的临界激发波长。当入射 X 射线的波长达到此临界时,将引起相应的电子激发而电离。否则因入射 X 射线波长太长,能量过低,不足以引起电子电离为自由电子(X 光电子)。

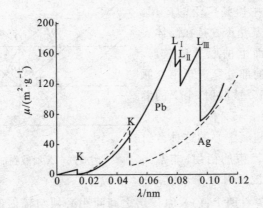

图 5-4　X 射线吸收边示意图

在图 5-4 中,虚线表示没有特征 X 射线吸收时的质量吸收系数与波长的关系(假如没有 M,N,O 电子的激发)。它符合上述经验式所表示的关系。由图可见,当入射 X 射线由长波向短波方向(自右向左)变化时,达到 L_{III} 的吸收边后,

由于该层电子吸收相应的 X 射线而得到激发和电离,因而使入射 X 射线的强度大大减小,即质量衰减系数突然增大,引起突变。根据特征 X 射线产生的机理,可知 K 层有 1 个吸收边,L 层有 3 个、M 层有 5 个、N 层有 7 个吸收边等。能级越接近原子核,吸收边的波长越短。

5.1.3　X 射线的散射和衍射

X 射线的散射分为非相干散射和相干散射两种。

非相干散射是指 X 射线与原子中束缚较松的电子作随机的非弹性碰撞,把部分能量给予电子,并改变电子的运动方向。很明显,入射线的能量愈大,波长愈短,这种非弹性碰撞的程度愈大;元素的原子序数愈小,它的电子束缚愈牢固。这种非弹性碰撞的程度愈小。非相干散射造成 X 射线能量降低,波长向长波移动,即所谓“康普顿效应”。这种散射线的相位与入射线无确定关系,不能产生干涉效应,只能成为衍射图像的背景值,对测定不利。

相干散射是指 X 射线与原子中束缚较紧的电子作弹性碰撞。一般说来,这类电子散射的 X 射线只改变方向而无能量损失,波长不变,其相位与原来的相位有确定的关系。在重原子中由于存在大量与原子核结合紧密的电子,尽管有外层电子产生的非相干散射,但相干散射仍是重要部分。

瑞利散射属于弹性碰撞引起的散射,不产生波长的变化,在 X 射线分析中不太重要。

相干散射是产生衍射的基础,它在晶体结构研究中得到广泛的应用。当一束 X 射线以某角度 θ 打在晶体表面,一部分被表面上的原子层散射。光束没有被散射的部分穿透至第二原子层后,又有一部分被散射,余下的继续至第三层,如图 5-5。

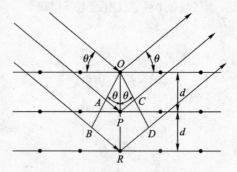

图 5-5　X 射线在晶体上的衍射

从晶体规则间隔中心的这种散射的累积效应就是光束的衍射,非常类似于可见光辐射被反射光栅衍射。X 射线衍射所需条件有两个:(1)原子层之间间距必须与辐射的波长大致相当;(2)散射中心的空间分布必须非常规则。如果距离

$$AP + PC = n\lambda \qquad (5-10)$$

n 为一整数,散射将在 OCD 相,晶体好像是在反射 X 辐射。但是,

$$AP = PC = d\sin\theta \qquad (5-11)$$

d 为晶体平面间间距。因此,光束在反射方向发生相干干涉的条件为

$$n\lambda = 2d\sin\theta \qquad (5-12)$$

此关系式即为 Bragg 公式。值得注意的是,X 射线仅在入射角满足下列条件时,才从晶体反射,即

$$\sin\theta = \frac{n\lambda}{2d} \qquad (5-13)$$

而其他角度,仅发生非相干干涉。

X 射线衍射法的原理及应用在本章后面进一步讨论。

5.1.4 内层激发电子的弛豫过程

当能量高于原子内层电子结合能的高能 X 射线与原子发生碰撞时,驱逐一个内层电子而出现一个空穴,使整个原子体系处于不稳定的激发态,激发态原子寿命约为 $10^{-12} \sim 10^{-14}$ s,然后自发地由能量高的状态跃迁到能量低的状态,这个过程称为弛豫过程。弛豫过程可以是辐射跃迁,如发射 X 荧光;也可以是非辐射跃迁,如发射 Auger(俄歇)电子和光电子等。

当较外层的电子跃入内层空穴所释放的能量不在原子内被吸收,而是以辐射形式放出,便产生 X 射线荧光,其能量等于两能级之间的能量差。因此,X 射线荧光的能量或波长是特征性的,与元素有一一对应的关系。

当较外层的电子跃迁到空穴时,所释放的能量随即在原子内部被吸收而逐出较外层的另一个次级光电子,称为 Auger 效应,亦称次级光电效应或无辐射效应,所逐出的次级光电子称为 Auger 电子。它的能量是特征的,与入射辐射的能量无关。图 5-6 给出了 X 射线荧光和 Auger 电子产生过程示意图。

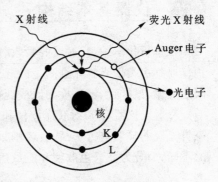

图 5-6 X 射线激发电子弛豫过程示意图

5.1.4.1 X 射线荧光发射

设入射 X 射线使 K 层电子激发生成光电子后,L 层电子落入 K 层空穴,此时就有能量释放出来,如果这种能量是以辐射形式释放,产生的就是 K_α 射线,即 X 射线荧光。这些荧光的波长一般都比物质吸收的波长略长;比如,银的 K 层吸收边在 0.048 5 nm,而它的 K 层的发射线波长是 0.049 7 nm 和 0.055 9 nm。当经由 X 射线管放射激发荧光时,工作电压必须足够大,这样短波限 λ_0 比元素激发光谱的吸收波长要短。所以,要激发出银的 K 层线,X 射线管的电压必须满足:$U \geqslant 12\ 398$ V$/0.485 = 25\ 560$ V 或者 25.6 kV。

X 射线荧光的波长和强度是确定元素存在和测定其含量的依据,是 X 射线荧光分析法的基础。

5.1.4.2　Auger 电子发射

L 层电子向 K 层跃迁时所释放的能量,也可能使另一核外电子激发成自由电子,即 Auger 电子。Auger 电子也具有特征能量。各元素的 Auger 电子的能量都有固定值,Auger 电子能谱法就是建立在此基础上。

5.1.4.3　光电子发射

原子内层一个电子吸收了一个 X 光子的全部能量后,克服原子核的库仑作用力,进入空间成为自由电子。对于一定能量的 X 射线,在测得 X 光电子的动能后,利用如下近似关系式可以求得光电子的结合能。

$$E_B = h\nu - E_K \tag{5-14}$$

式中的 E_K 和 E_B 分别表示光电子的动能和结合能。这是 X 光电子能谱法分析的原理。

5.2　仪器基本结构

在分析化学中,X 射线的吸收、发射、荧光和衍射都有应用。这些应用中所用仪器都由类似光学光谱测量的五个部分组成,它们包括:光源、入射辐射波长限定装置、试样台、辐射检测器或变换器、信号处理和读取器。

X 射线仪器有 X 射线光度仪和 X 射线分光光谱仪之分,前者采用滤光片对来自光源的辐射进行选择,后者则采用单色仪。X 射线仪器根据解析光谱方法的不同,而分为波长色散型和能量色散型。

5.2.1　X 射线辐射源

5.2.1.1　X 射线管

分析工作最常用的 X 射线光源是各种不同形状和方式的高功率 X 射线管,一般是由一个带铍窗口(能透过 X 射线)的防射线的重金属罩和一个具有绝缘性能的真空玻璃罩组成的套管,如图 5-7 所示。

热阴极灯丝加热到白炽后发出的热电子,经凹面聚焦电极聚焦后,在正高压电场的作用下加速奔向靶面(阳极)。X 射线管的靶是嵌入或镀在空心铜块上的金属圆片或金属镀层,铜块可把焦斑(灯丝电子轰击的地方)上的热量带走。X 射线向各个方向发射,但只能通过铍窗口的光才能射出。窗口里有一开孔的环形罩,用以遮住来自灯丝聚焦不完全的电子以及靶面散射的电子,从而减少钨丝升华和靶溅射出来的金属元素污染窗口。可选用的靶材料包括钨、铬、铜、钼等

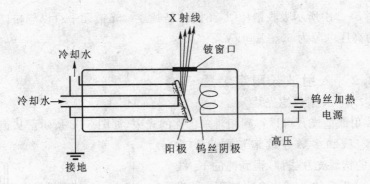

图 5-7 X射线管结构示意图

金属。两套线路分别控制灯丝加热和电子加速,在定量分析时其相对稳定性应优于 0.1%。

灯丝和靶极之间的高压(一般为 40 kV)使灯丝发射的电子加速撞击在靶极上,产生 X 射线。X 射线管产生的初级 X 射线,作为激发 X 射线的辐射源。只有当初级 X 射线的波长稍短于受激元素的吸收限时,才能有效地激发出 X 射线荧光。X 射线管的靶材和工作电压决定了能有效激发受激元素的那部分初级 X 射线的强度。管工作电压升高,短波长初级 X 射线比例增加,故产生的 X 射线荧光的强度也增强。但并不是说管工作电压越高越好,因为入射 X 射线的荧光激发效率与其波长有关,越靠近被测元素吸收限波长,激发效率越高。

用电子轰击产生 X 射线是一个非常低效的过程,仅有低于 1% 的电能转变为辐射能,其他则转化为热能。因此,老式的 X 射线管需要采用水冷系统。由于现代 X 射线检测装置的灵敏度大大提高,X 射线管可以以非常低的功率运行,不再需要水冷系统。X 射线管的高压电源一般为 30~50 kV。

5.2.1.2 放射性同位素

许多放射性物质可以用于 X 射线荧光和吸收分析。

通常,放射性同位素封装在容器中防止实验室污染,并且套在吸收罩内,吸收罩能够吸收除一定方向外的所有辐射。多数同位素源提供的是线光谱。由于 X 射线吸收曲线的形状,一个给定的放射性同位素,可以适合一定范围元素的荧光和吸收研究。例如在 0.03~0.047 nm 范围产生一条谱线的光源可用于银 K 吸收边的荧光和吸收研究。当辐射源谱线的波长接近吸收边,灵敏度得到改善。从这点看,有 0.046 nm 谱线的 ^{125}I 是测定银的理想辐射源。

5.2.1.3 次级 X 射线

为了减少 X 射线管初级射线的背景,可采取次级 X 射线辐射源,利用从 X 射线管出来的辐射,去激发某些纯材料的二次靶面,然后再利用二次辐射来激发试样。例如带钨靶的 X 射线管可以用来激发钼的 K_α 和 K_β 谱线,所产生的荧光光谱与图 5-2 中所示吸收谱相似,不同的是其连续光谱几乎可以忽略。此时 X 射线管的高压电源为 $50 \sim 100$ kV。

5.2.2　入射波长限定装置

5.2.2.1　X 射线滤光片

用 X 射线滤光片可以得到相对单色性的光束,如图 5-8 所示。从钼靶发射出来的 K_β 线和多数连续谱被厚度约为 0.01 cm 的锆滤光片去掉,得到纯的 K_α 线即可用于分析目的。将几个不同靶-滤光片结合,各材料用于分离某一靶元素强线。这种方法产生的单色化辐射广泛用于 X 射线衍射研究。但由于靶-滤光片的组合不多,用这种手段来选择波长受到一定限制。

从 X 射线管出来的连续谱也可以用薄金属片过滤掉,但所希望得到的波长的强度也会明显减弱。

5.2.2.2　X 射线单色器

图 5-9 所示,X 射线单色器由一对光束准直器和色散元件组成,为 X 射线光谱仪的基本部分。色散元件是一块单晶,装

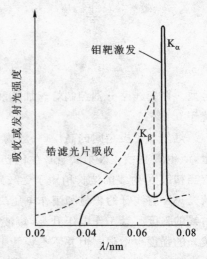

图 5-8　过滤光片产生单色光

在测角计或旋转台上,可以精确测定晶面和准直后入射光束之间的夹角 θ。这种晶体分光器的作用是通过晶体衍射现象把不同波长的 X 射线分开。

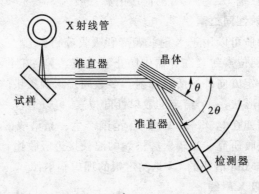

图 5-9　波长色散型 X 射线光谱仪

根据 Bragg 衍射定律 $2d\sin\theta = n\lambda$,当波长为 λ 的 X 射线以 θ 角射到晶体上,

如果晶面间距为 d，则在出射角为 θ 的方向，可以观测到波长为 $\lambda = 2d\sin\theta$ 的一级衍射及波长为 $\lambda/2, \lambda/3, \cdots$ 的高级衍射。改变 θ 角，可以观测到另外波长的 X 射线，因而使不同波长的 X 射线可以分开。分光晶体靠一个晶体旋转机构带动。因为试样位置是固定的，为了检测到波长为 λ 的 X 射线荧光，分光晶体转动 θ 角，检测器必须转动 2θ 角。也就是说，一定的 2θ 角对应一定波长的 X 射线，连续转动分光晶体和检测器，就可以接收到不同波长的 X 射线荧光。

一种晶体具有一定的晶面间距，因而有一定的应用范围，目前的 X 射线荧光光谱仪备有不同晶面间距的晶体，用来分析不同波长范围的元素。上述分光系统是依靠分光晶体和检测器的转动，使不同波长的特征 X 射线按顺序被检测，这种光谱仪称为顺序型光谱仪。另外还有一类光谱仪的分光晶体是固定的，混合 X 射线经过分光晶体后，在不同方向衍射，如果在这些方向上安装检测器，就可以检测到这些 X 射线。这种同时检测不同波长 X 射线的光谱仪称为同时型光谱仪，同时型光谱仪没有转动机构，因而性能稳定，但检测器通道不能太多，适合于固定元素的测定。

准直器是由一系列间隔很小的金属片或金属板制成，它们的作用是将发散的 X 射线变成平行射线束。增加准直器的长度，缩小片间距离可以提高分辨率，但强度也会降低。

波长大于 0.2 nm 的 X 射线辐射会被空气吸收，因此在此波长范围测定时可以在试样室和单色器通入连续氦气气流或者在这些区域用泵抽真空。

使用平面晶体作为单色器时，由于有 99% 的辐射被发散并为准直器所吸收，因此辐射强度的损失很大。采用凹面晶体则可使出射强度提高十倍，如图 5-10 所示。

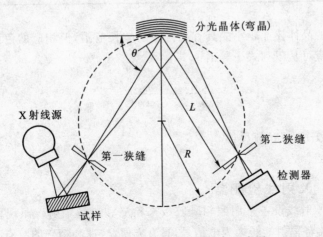

图 5-10 凹面晶体 X 射线荧光仪示意图

当采用凹面晶体时,所用的晶体点阵面被弯曲成曲率半径为 $2R$ 的圆弧形,同时晶体的入射表面研磨成曲率半径为 R 的圆弧,第一狭缝、第二狭缝和分光晶体放置在半径为 R 的圆周上,使晶体表面与圆周相切,两狭缝到晶体的距离相等,用几何法可以证明,当 X 射线从第一狭缝射向弯曲晶体各点时,它们与点阵平面的夹角都相同,且反射光束又重新会聚于第二狭缝处。因为对反射光有会聚作用,因此这种分光器称为聚焦法分光器,以 R 为半径的圆称为聚焦圆或罗兰圆。当分光晶体绕聚焦圆圆心转动到不同位置时,得到不同的掠射角 θ,检测器就检测到不同波长的 X 射线。当然,第二狭缝和检测器也必须作相应转动,而且转动速度是晶体速度的两倍。聚焦法分光的最大优点是 X 射线荧光损失少,检测灵敏度高。

常用的分析晶体列于表 5-2。从表中所列看出,测定 $0.01 \sim 1$ nm 整个波长范围仅使用一种晶体是不够的,因此 X 射线光谱仪一般都配有两个以上可更换的晶体,用于不同的波长范围。

表 5-2　常用的分析晶体

名称	$2d$/nm	测定元素
LiF(422)	0.165 2	$_{87}$Fr$\sim_{29}$Cu
LiF(420)	0.180	$_{84}$Po$\sim_{28}$Ni
LiF(200)	0.402 7	$_{58}$Ce$\sim_{19}$K
ADP(112)	0.614	$_{48}$Cd$\sim_{16}$S
Ge	0.653 2	$_{46}$Pd$\sim_{15}$P
PET(002)	0.874 2	$_{40}$Zr$\sim_{13}$Al
EDDT(020)	0.880 8	$_{41}$Nb$\sim_{13}$Al
LOD	10.04	$_{12}$Mg$\sim_{5}$B

晶距大的晶体比晶距小的具有大得多的波长范围,但相应的色散率要小许多。这种效应可从下列式子导出:

$$\frac{\mathrm{d}\theta}{\mathrm{d}\lambda} = \frac{n}{2d\cos\theta} \tag{5-15}$$

式中 $\frac{\mathrm{d}\theta}{\mathrm{d}\lambda}$ 为色散率,与 d 成反比。

5.2.3　X 射线检测器

早期的 X 射线设备采用照相乳胶板来检测和测量辐射。而现代的仪器一般配置探测器将辐射能转换为电信号,具有方便、快速和精确的特点。常用的检测器有正比计数器、闪烁计数器和半导体检测器三种。

5.2.3.1 正比计数器

正比计数器是一种充气型探测器,图 5-11 为结构示意图。它的外壳为圆柱形金属壁,管内充有工作气体(Ar,Kr 等惰性气体)和抑制气体(甲烷、乙醇等)的混合气体。在一定电压下,进入探测器的入射 X 射线光子与工作气体作用,产生初始离子——电子对。这个过程称为"光电离"。探测器中的高压直流电可使电离产生的离子移向阳极,并受到加速而引起其他离子的电离。如此循环,一个电子可以引发 10^3 到 10^5 个电子。这种现象称为"雪崩"。这种雪崩式的放电,使瞬时电流突然增大,并使高压电突然减小而产生脉冲输出。在一定条件下,脉冲幅度与入射 X 射线光子能量成正比。

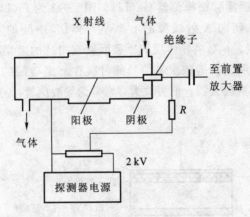

图 5-11　正比计数器

自脉冲开始至达到脉冲满幅度的 90% 所需的时间称为脉冲的"上升时间"。两次可探测脉冲的最小时间间隔称为"分辨时间"。分辨时间也可以粗略称为"死时间"。在"死时间"内进入的 X 射线光子不能被测出。正比计数器的"死时间"约为 0.2 μs。

5.2.3.2 闪烁计数器

闪烁晶体为一种荧光物质,它可将 X 射线光子转换成可见光。通常使用的闪烁晶体为铊激活的碘化钠 NaI(Tl)。由闪烁晶体发出的可见光子以光电倍增管放大,形成闪烁计数器的输出脉冲,脉冲高度与入射 X 射线的能量成正比,"死时间"为 0.25 μs,如图 5-12 所示。一些有机化合物也可以用作闪烁体,如茂、蒽、三联苯等。处于晶体形态时,这些化合物的衰减时间为 0.01~0.1 μs。有机液态闪烁体也可以使用,其优点是对辐射的自吸收较固态要小。

5.2.3.3 半导体检测器

半导体检测器或探测器是最重要的 X 射线检测器。有时,它们称为锂漂移

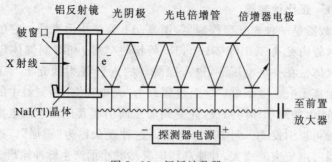

图 5-12　闪烁计数器

硅检测器 Si(Li)或锂漂移锗检测器 Ge(Li)。图 5-13 为 Si(Li)检测器的结构示意图。晶体分三层,朝向 X 射线源的 p 型半导体层、中间的本征区(纯硅晶体层)和 n 型半导体层。p 型半导体层的外表面镀有很薄的金层以增加导电性,同时还有对 X 射线透明的薄的铍窗。信号通过镀在 n 型硅层的铝层传导,送到放大系数约为 10 的前置放大器。前置放大器常常为场效应管,是探测器的一部分。

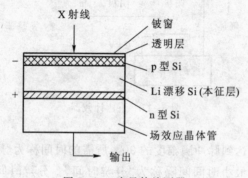

图 5-13　半导体检测器

　　Si(Li)检测器是用气相沉积法将锂沉积 p 掺杂硅晶体表面制备得到的。加热至 400～500 ℃,锂即在晶体中扩散。因为锂很容易失去电子,将 p 型区域转化为 n 型区域。在仍处于高温时,在晶体两端加一个直流电势,从锂层撤除电子,从 p 型层撤除空穴。电流通过 pn 结要求锂离子迁移或漂移至 p 层和形成本征层,在本征层锂离子取代因导通失去的空穴。冷却后,因为锂离子在介质中的移动性小于被取代的空穴,此中间层相对其他层来说电阻要高些。

　　Si(Li)检测器的本征层在某种形式上类似于正比计数器中的氩气。起初,光子的吸收使高能量光电子形成,其动能因加速硅晶体中几千个电子至导带,明显地使导电性增大。在晶体两端施加电压时,伴随每个光子的吸收产生一个电流脉冲,脉冲幅度的大小直接正比于被吸收光子的能量。但是,相比于正比计数器,不发生脉冲的二级放大。

Si(Li)检测器和前置放大器必须放置在液氮中,使电子噪声降低至可接受水平,因为在室温下锂原子会在硅中扩散,由此影响检测器的性能,新型的Si(Li)检测器仅需在使用时进行冷却。锗可以在锂漂移检测器中替换硅,尤其是用于检测小于 0.03 nm 短波长辐射时,但必须有冷却保护。由超纯锗制备的锗检测器不需要锂漂移,称为本征锗检测器,仅需要在使用时进行冷却。

5.2.3.4 X射线检测器的脉冲高度分布

在能量色散光谱仪中,检测器对同能量的 X 射线光子的吸收所得到的电流脉冲的大小不完全相同。光电子的激发和相应导电电子的产生是一个符合概率理论的随机过程。因而,脉冲高度在平均值附近为高斯分布。分布的宽度因检测器的不同而不同,半导体检测器的脉冲宽度明显地要窄,因此,锂漂移检测器在能量色散 X 射线光谱仪中显得尤为重要。

5.2.4 信号处理器

从 X 射线光谱仪的前置放大器出来的信号被输送到一个快速响应放大器,增益可以变化 10 000 倍。结果是电压脉冲高达 10 V。

5.2.4.1 脉冲高度选择器

所有现代 X 射线光谱仪(波长色散以及能量色散)都配备脉冲高度选择器,用来除去放大后小于 0.5 V 的脉冲。这样,检测器和放大器噪声大大降低。许多仪器使用脉冲高度选择器,此电子线路不仅除去低于某一设定值的脉冲,也除去高于某些预设最大值的脉冲,即除掉所有不在脉冲高度窗口或通道范围内的脉冲。色散型仪器常常配备脉冲高度选择器来除去噪声和协助单色器把分析线与同一晶体出来的高级衍射线或能量更高的线分开。

5.2.4.2 脉冲高度分析器

脉冲高度分析器由一个或多个脉冲高度选择器组成,用来提供能量谱图,图 5-14 为脉冲高度分析器原理图。单道分析器通常有一个电压范围,10 V 或更高,窗口为 0.1~0.5 V。窗口可手工或自动调节以扫描整个电压范围,为能量色散光谱提供数据。多道分析器通常由几千个分离的通道组成。每一个通道表现为与一个不同电压窗口相对应的独立通道。之后,从各通道出来的信号被收集在分析器中与通道能量对应的存储器地址中,因此能够对整个光谱进行同步计数和记录。X 射线检测器的输出有时会很高,要得到合适的计数速率就需要进行换算,将脉冲数降低。

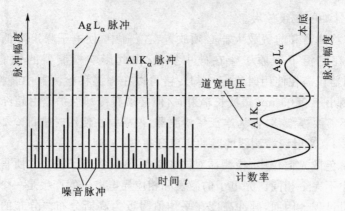

图 5-14　脉冲高度分析器

5.3　X 射线荧光法

　　将试样置于 X 射线管的靶区能够激发 X 射线发射谱,但此方法在许多试样上难于应用。更普遍地是采用从 X 射线管或同位素源出来的 X 射线来激发试样。在此种情况下,试样中的元素将初级 X 射线束吸收而激发并发射出它们自己的特征 X 射线荧光。这一分析方法称为 X 射线荧光法。X 射线荧光法(XRF)是所有元素分析方法中最常用的一种。它可以对原子序数大于氧(8)的所有元素进行定性分析。同时也可以对元素进行半定量或定量分析。与其他元素分析方法比较,其最独特的一个优点是对试样无损伤。

5.3.1　仪器装置

　　X 射线荧光光谱仪可以分成三种类型,即波长色散型、能量色散型和非色散型;后两种可以依其使用的光源是 X 射线管或放射性物质源来进一步细分。

5.3.1.1　波长色散型

　　波长色散型仪器总是使用 X 射线管作为光源,因为当 X 射线束被准直和色散为它的组分波长时会有很大的能量损失。放射源产生的 X 射线光子的速率仅为 X 射线管的 10^{-4},加上单色器的损耗,形成的光束难于或不可能被检测或精确测定。

　　波长色散型仪器有两种,单道和多道。图 5-9 和图 5-10 所示的光谱仪可以用于 X 射线荧光分析。单道仪器可以是手动或自动。前者用于仅含几个元素的试样定量分析。在此类应用中,晶体和检测器固定在合适的角度(θ 和 2θ),持续计数直到收集到精确结果。自动化仪器更适合于需要扫描整个光谱的定性分析。晶体和检测器的驱动必须同步,检测器输出接到数据采集系统。图5-15是一种不锈钢试样的波长色散X荧光光谱图。现代单道光谱仪都提供两个X射线源,通常铬靶用于长波而钨靶用于短波。波长大于0.2 nm时,就有必要用泵抽出光源和检测器间的空气或用连续氦气流来取代。同时,应当有色散晶体转换装置。

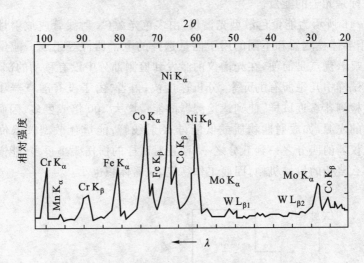

图5-15　不锈钢试样的波长色散X荧光光谱

多道色散仪器庞大且昂贵,可以同时检查和测定多至24种元素。这里,由晶体和检测器组成的单个通道沿X射线源和试样架成圆周排列。晶体或多数通道固定在与给定分析线相应的角度。在某些仪器上,一个或多个晶体可以移动以进行光谱扫描。多道仪器中,各检测器有自己的放大器、脉冲高度选择器、转换器和计数器或积分器。这些仪器一般都配有计算机用于仪器控制、数据处理和分析结果显示。20个以上元素的分析可以在几秒至几分钟内完成。

多道仪器广泛用于工业试样中某些组分的测定,如钢铁、合金、水泥、矿石和石油产品。多道和单道仪器可以分析诸如金属、粉末固体、蒸发镀膜、纯液体或溶液。如有必要,试样可装在有塑料薄膜窗口的试样池内。

5.3.1.2　能量色散型

以上介绍的是利用分光晶体将不同波长的X射线荧光分开并检测,得到X射线荧光光谱。能量色散谱仪是利用X射线荧光具有不同能量的特点,将其分开并检测,不使用分光晶体,而依靠半导体探测器来完成。这种半导体探测器有锂漂移硅探测器,锂漂移锗探测器,高能锗探测器等。X光子射到探测器后形成一定数量的电子-空穴对,电子-空穴对在电场作用下形成电脉冲,脉冲幅度与

X 光子的能量成正比。在一段时间内,来自试样的 X 射线荧光依次被半导体探测器检测,得到一系列幅度与光子能量成正比的脉冲,经放大器放大后送到多道脉冲分析器(通常要 1 000 道以上)。按脉冲幅度的大小分别统计脉冲数,脉冲幅度可以用 X 光子的能量标度,从而得到计数率随光子能量变化的分布曲线,即 X 光能谱图。能谱图经计算机进行校正,然后显示出来,其形状与波谱类似,只是横坐标是光子的能量。

图 5-16 所示为能量色散型光谱仪,由多色光源(X 射线管或放射性物质)、试样架、半导体检测器和不同的用于能量选择的电子器件等组成。能量色散系统的一个显著优点是简便,在光谱仪的激发和检测部分中没有移动的部件;可以同时测定试样中几乎所有的元素,分析速度快;再者,由于没有准直器和晶体衍射器并且检测器靠近试样,使到达检测器的能量增大 100 倍或更多,因而可以用强度较弱的光源,如放射性物质或低能量 X 射线管;能量色散型仪器价格仅为波长色散仪器的四分之一到五分之一,而且对试样的损伤要小很多;能谱仪没有光谱仪那么复杂的机械机构,因而工作稳定,仪器体积也小。

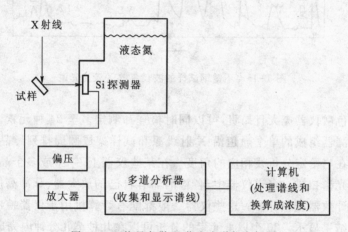

图 5-16　能量色散 X 荧光光谱仪方框图

其缺点在于能量分辨率差,与晶体光谱仪相比,能量色散系统在 0.1 nm 以上的波长区分辨率较低,但在短波长范围能量色散系统分辨率较高;探测器必须在低温下保存;对轻元素检测困难。

图 5-17 为一血清试样的能量色散 X 荧光光谱图。

5.3.1.3　非色散型

非色散型系统一般用于一些简单试样中少数几个元素的常规分析。采用合适的放射源激发试样,发出的 X 射线荧光经过两个相邻的过滤片进入一对正比计数器。一个过滤片的吸收边界在被测线的短波方向,而另一个的在长波方向,

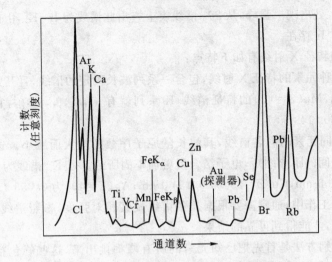

图 5-17　一种血清试样的能量色散 X 荧光光谱图

两信号强度之差正比于被测元素含量。这类仪器需要较长的计数时间。分析的相对标准差约为 1%。

5.3.2　X射线荧光法及其应用

前面已经提到,当用 X 射线照射物质时,除了发生散射现象和吸收现象外,还能产生特征 X 射线荧光(X 荧光),荧光的波长与元素的种类有关,据此可以进行定性分析;荧光的强度与元素的含量有关,据此可以进行定量分析。

5.3.2.1　试样制备

进行 X 射线荧光光谱分析的试样,可以是固态,也可以是水溶液。无论什么试样,试样制备的情况对测定误差影响很大。对金属试样要注意成分偏析产生的误差;化学组成相同,热处理过程不同的试样,得到的计数率也不同;成分不均匀的金属试样要重熔,快速冷却后车成圆片;对表面不平的试样要打磨抛光;对于粉末试样,要研磨至 300～400 目,然后压成圆片,也可以放入试样槽中测定。对于固体试样如果不能得到均匀平整的表面,则可以把试样用酸溶解,再沉淀成盐类进行测定。对于液态试样可以滴在滤纸上,用红外灯蒸干水分后测定,也可以密封在试样槽中。总之,所测试样不能含有水、油和挥发性成分,更不能含有腐蚀性溶剂。

5.3.2.2　定性分析

X 荧光的本质就是特征 X 射线,Moseley 定律就是定性分析的基础。

目前,除轻元素外,绝大多数元素的特征 X 射线均已精确测定,且已汇编成表册(2θ-谱线表),供实际分析时查对。例如,以 LiF(200)作为分光晶体时,在

2θ 为 44.59°处出现一强峰,从 2θ-谱线表上查出此谱线为 Ir-K_α,由此可初步判断试样中有 Ir 存在。

元素的特征 X 射线有如下特点:

(1) 每种元素的特征 X 射线,包含一系列波长确定的谱线,且其强度比是确定的。例如,Mo($Z=42$)的特征谱线,K 系列就有 α_1,α_2,β_1,β_2,β_3,它们的强度比为 $100:50:14:5:7$。

(2) 不同元素的同名谱线,其波长随原子序数的增大而减小。这是由于电子与原子之间的距离缩短,电子结合得更加牢固所致。以 K_{α_1} 谱线为例,Fe($Z=26$)为 0.193 6 nm,Cu($Z=29$)为 0.154 0 nm,Ag($Z=49$)为 0.055 9 nm 等。

在实际工作中,通常需要根据几条谱线及其相对强度,参照谱线表,对有关峰进行鉴别,才能得到可靠的结果。

峰的识别方法是首先把已知元素的所有峰都挑出来,这些峰包括试样中已知元素的峰,靶线的散射线等。然后,再鉴别剩下的峰,从最强线开始逐个识别。识别时应注意:

(1) 由于仪器的误差,测得的角度与表中所列数据可能相差 0.5°(2θ)。

(2) 判断一个未知元素的存在最好用几条谱线,如果一个峰查得是 FeK_α,则应寻找 FeK_β 峰,以肯定 Fe 的存在。

(3) 应从峰的相对强度来判断谱线的干扰情况,若一个强峰是 CuK_α,则 CuK_β 应为 K_α 强度的 1/5。当 CuK_β 很弱不符合上述关系时,则考虑可能有其他谱线重叠在 CuK_α 上。

考虑以上各种因素,慎重判断元素的存在,一般都能得到可靠的定性分析结果。

5.3.2.3　定量和半定量分析

现代 X 射线荧光仪器对复杂试样进行定量分析能够得到等同或超过经典化学分析方法或其他仪器方法的精密度,但要达到这一精密度水平,需要有化学和物理组成接近试样的标样或解决基体效应影响的合适方法。最简单的半定量方法是比较未知试样中待测元素某一谱线的强度(I_s)和纯元素的谱线强度(I_p)。用 w 表示待测元素的质量分数,则

$$w = I_s / I_p \tag{5-16}$$

1. 基体效应

在 X 荧光过程中所产生的 X 射线不仅来自试样表面的原子,也来自表面之下的原子。因此,入射的辐射和生成的荧光都在试样中穿透相当一段厚度。这两束射线的衰减决定于介质的质量吸收系数,进而取决于试样中所有元素的吸收系数。故此,在 X 射线荧光测量中,到达检测器的分析线净强度一方面取决于产生此线的元素的浓度,另一方面受到基体元素的浓度和质量吸收系数的

影响。

基体的吸收效应将使由式(5-16)所得的结果偏高或偏低。举例来说,如果基体中的其他某些元素对入射和出射光束的吸收比被测定元素强且含量显著,那么计算得到的 w 将会偏低,因为 I_s 是从吸收较小的标样计算得来的,相反地,如果试样的基体元素比标样中元素吸收低,计算得到的含量则会偏高。

第二种基体效应是增强效应,它会使得被测元素的结果偏高。这种效应就是被测元素能够被基体中的其他元素的 X 射线荧光激发产生分析线的次级发射。

2. 常用定量和半定量方法

X 射线荧光分析中常用的定量和半定量方法有标准曲线法、加入法、内标法等。

选择内标元素时应注意:(1) 试样中不含该内标元素;(2) 内标元素与分析元素的激发和吸收性质要尽量相似;(3) 一般要求内标元素的原子序数在分析元素的原子序数附近(相差 1~2);(4) 两种元素间没有相互作用。

3. 数学方法

在 X 射线荧光分析法中,采用标准曲线法或内标法等方法时,标样的制作十分费时和困难;尤其是在基体效应复杂和基体元素变化范围较大的情况下,要得出准确的分析结果是不容易的。为了提高定量分析的精度,发展了一些复杂的数学处理方法,如经验系数法和基本参数法等。随着计算机性能的提高和普及,这些方法已成为 X 射线荧光分析法的主要方法。

5.3.2.4 应用

X 射线荧光分析法可能是元素分析中最为有效方法之一。可以测定原子序数 5 以上的所有元素,并可以同时检测,是一种快速、精密度高的分析方法,广泛用于金属、合金、矿物、环境保护、外空探索等各个领域。

应用正确的基体效应校正方法,可以分析复杂的矿物试样,同时检定十多个元素,平均每个试样分析时间约为十多分钟。相对平均误差可以小于 0.08%,优于化学分析方法。在冶金工业中,X 射线荧光分析广泛用于金属和合金生产的质量控制,可以在合金的生产过程中,快速提供元素分析结果以校正合金成分。X 射线荧光法还可以方便地用于液体试样分析,例如,航空煤油中 Pb 和 Br 的直接定量分析,润滑油中 Ca,Ba 和 Zn 的定量分析,以及油漆中填充料的直接分析等。X 射线荧光法在分析大气污染物时也有广泛应用,用过滤膜收集的大气漂尘可以直接在 X 射线荧光仪上进行定量分析。在空间探索中,例如,发射到火星的"探路者"机器人装置,使用 X 射线荧光法定量分析着陆点附近岩石和土壤中重于 Na 的所有元素,与散射法和中子发射法结合,定量分析了除 H 以外质量分数在千分之几的所有元素。装置所配备的是 ^{244}Ce 同位素,发射 α 粒子轰击试样,产生的 X 射线荧光用能量色散光谱计测量,得到的光谱直接从火星发回地球,在地球上进行最后的分析。

X 射线荧光法与原子发射光谱法有很多相似之处,但比较起来具有如下优点。

(1) 特征 X 射线来自原子内层电子的跃迁,谱线简单,且谱线仅与元素的原子序数有关,与其化合物的状态无关,所以方法的特征性强;

(2) 各种形状和大小的试样均可分析,且不破坏试样;

(3) 分析含量范围广、自微量至常量均可进行分析、精密度和准确度也较高。

目前高度自动化和程序控制的 X 射线荧光光谱法是仪器分析中最重要的元素分析方法之一。

X 射线荧光法的主要局限性:

(1) 不能分析原子序数小于 5 的元素;

(2) 灵敏度不够高(除最新发展的全反射 X 射线荧光法外,但其为破坏性检测),一般只能分析含量在 $0.0x\%$ 以上的元素;

(3) 对标准试样的要求很严格。

5.4 X 射线吸收法

X 射线吸收法的应用远不及 X 射线荧光法广泛。虽然吸收测量可以在相对无基体效应的情况下进行,但所涉及的技术与荧光法比起来相当麻烦和耗时。因此多数情况下,X 射线吸收法应用于基体效应极小的试样。

吸收法与前面的光学吸收法相似,X 辐射线或带的减弱为分析变量。波长的选择采用单色器或滤光片,或者采用放射源的单色辐射。

因为 X 射线吸收峰很宽,直接吸收方法一般仅用于由轻元素组成基体的试样里的单个高原子序数元素的测定,例如,汽油中的 Pb 含量的测定和碳氢化合物中卤素元素含量的测定。

5.5 X 射线衍射法

X 射线衍射法是目前测定晶体结构的重要手段,应用极其广泛。

晶体是由原子、离子或分子在空间周期性排列而构成的固态物质。自然界中的固态物质,绝大多数是晶体。按晶体内部微粒间的作用力区分,晶体的基本类型有离子晶体、原子晶体、分子晶体、金属晶体及混合型晶体等。

晶体结构的周期性可以用点阵来描述。点阵是指这样一组点,当连接其中任意两点的向量平移后,均能复原。每个点阵的周围环境相同;在平移方向的两个邻近点的距离相同。晶体周期性结构包括两个要素:一是按周期重复的内容,称为结构基元;二是重复周期的大小和方向。若把结构基元抽象成一个几何点来表示,画在每个结构基元某个确定的位置,而不考虑结构基元中具体的原子、离子或分子,这些点就形成了点阵,因此,晶体结构=点阵+结构基元。

晶体结构是在三度空间上伸展的点阵结构,由一个个包含相同内容的基本单位晶格所组成。晶体中空间点阵的单位叫晶胞,它是晶体结构的最小单位。包含一个结构基元的叫素晶胞,包含两个或两个以上结构基元的叫复晶胞。

晶胞有两个要素:一是晶胞的大小、类型,也就是它在三维空间中的向量大小、方向以及是素晶胞还是复晶胞;另一个是晶胞的内容,即晶胞中原子或分子的种类数目以及它们在晶胞中的分布位置。晶胞的三个向量 a,b,c 的长度,以及它们之间的夹角 α,β,γ 称为晶胞参数。其表示方式如图 5-18 所示。晶胞的六个参数表示晶胞的大小和形状。晶胞中每个原子的位置可用三个坐标 x,y,z 来确定。由于原子在晶胞内,故 x,y,z 值均小于或等于 1,称为原子的分数坐标。晶胞中含有几个原子,就有几组分数坐标。

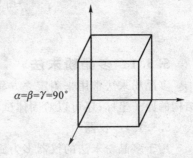

图 5-18 正交晶胞

设有一个晶面或平面点阵与三个晶轴 x,y,z 相交,截距分别为 ra,sb,tc,如图 5-19 所示,则 r,s,t 分别称为晶面或平面点阵在三个晶轴上的截数,$1/r,1/s,1/t$ 称为倒易截数。晶面指标就是晶面在三个晶轴上的倒易截数之比。这三个截数之比可以化为一组整数,即

$$1/r:1/s:1/t=h:k:l \tag{5-17}$$

晶面指标用 (hkl) 符号来表示。当一个晶面和某一个晶轴平行时可认为晶面与这个晶轴在无穷远处相交,截数为无穷大,而其倒易截数为零。因此若晶面指标中某一个数为零,就意味着晶面与该指标相对应的晶轴平行。如(110)晶面与 c 轴平行。

由于晶体中原子散射的电磁波互相干涉和互相叠加而在某一个方向得到加强或抵消的现象称为衍射,其相应的方向称为衍射方向。一个原子对 X 射线的散射能力,取决于它的电子数。晶体衍射 X 射线的方向,与构成晶体的晶胞大小、形状以及入射 X 射线波长有关。衍射光的强度,则与晶体内原子的类型和晶胞内原子的位置有关。所以,从所有衍射光束的方向和强度来看,每种类型晶体物质都有自己的衍射图。衍射图是晶体化合物的"指纹",可用作定性分析的依据。在实际应用中,又可将 X 射线衍射法分为多晶粉末法和单晶衍射法两种。

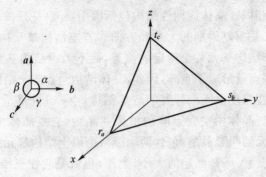

图 5-19　晶面指标

5.5.1　多晶粉末法

多晶粉末法常用来测定立方晶系的晶体结构的点阵形式、晶胞参数及简单结构的原子坐标;还可以对固体试样进行物相分析等。

5.5.1.1　仪器

用于多晶粉末法的仪器多为旋转阳极 X 射线衍射仪。由单色 X 射线源、试样台和检测器(闪烁计数器)组成。如图 5-20 所示。

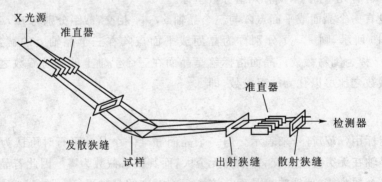

图 5-20　旋转阳极 X 射线衍射仪

为了增加 X 射线对晶体各部位的照射,通常使试样平面旋转,光源对试样以不同的 θ 角进行扫描,而检测器则以 2θ 角位置进行探测。X 射线管发射出来的辐射,是由阳极靶材决定的。在辐射线中只有 K_{α_1},K_{α_2} 是有用的。常用的靶材是铜,CuK_β 射线可用薄镍箔滤掉。如果晶体中存在某些能吸收某一特定波长的元素,则必须选用合适的靶。K_β 能被原子序数较其小 1 或 2 单位的元素强烈吸收;K_α 能被原子序数较其小 2 或 3 单位的元素强烈吸收。

5.5.1.2 应用

1. 晶体结构分析

多晶粉末法常用于测定立方晶系的晶体结构,并可对固体进行物相分析。Bragg 公式是晶体 X 射线衍射法的基本方程,其表达式为

$$2d\sin\theta = n\lambda \tag{5-18}$$

将晶面间距 d 与晶胞参数 a 的关系式代入上式,则得到

$$\sin^2\theta = (\lambda/2a)^2(h^2+k^2+l^2) \tag{5-19}$$

由此可见,$\sin^2\theta$ 值与衍射指标平方和 $(h^2+k^2+l^2)$ 成正比。按粉末线的 θ 值由小到大顺序排列,$\sin^2\theta$ 值的比例有如下规律:对于 P(简单立方点阵):1:2:3:4:5:6:8:9(缺 7,15);I(体心立方点阵):1:2:3:4:5:6:7(不缺 7,15);F(面心立方点阵):3:4:8:11:12:16:19:20(双线、单线交替)。根据试样晶体衍射线的出现情况,即可判断属于哪种结构。

自然界中固态物质多数以多晶形式存在,每一种晶态物质都有其特定的结构。因此,实验上得到的各种晶态物质的粉末衍射图都有不同的特征。由 Bragg 方程,根据 θ 值可求得 d/n 值。对于每一种晶态物质,可用已知标样根据其衍射图建立一套相应的 $\dfrac{d}{n}$-I 数据,编成 X 射线粉末衍射图谱。将未知晶体物质的衍射图以及计算出来的 d 值同已知数据进行比较,即可得出结果。每种晶态物质建立一张卡片,将最强的三或四条反射线列入卡片中,强度最大的衍射线以 100 表示,其他线的强度按比例记入。

如果试样是一混合物,则应对每一组分进行鉴定,具体方法是先按 d 值找出可能的组分,再按谱线的强度比,确定其中所含的某一组分。然后将这一组分的所有谱线删除,对剩余的谱线重新定标,即以峰强最大的为 100,其他谱线按比例重新算出其相对强度,再重复上述方法找出其余组分。粉末衍射法是鉴定物质晶相的有效手段。例如鉴别同一元素组成的几种氧化物,如 FeO,Fe_2O_3,Fe_3O_4 等。这是一般化学分析方法无法解决的。

2. 粒子大小的测定

固体催化剂、高聚物以及蛋白质粒子的大小与它们的性能有密切关系。这些物质的晶粒太大($10^{-4} \sim 10^{-6}$ cm),不能再近似地看成是具有无限多晶面的理想晶体,所得到的衍射线条就不够尖锐而产生一定的宽度。根据谱线宽度,利用有关计算公式,可求得平均晶粒大小。$2 \sim 50$ nm 的微晶或非均质,能在很低的角度内产生衍射效应,通过测定在 $0.2° \sim 2°$ 的低角散射强度,结合有关公式,也可求出粒子的大小。由于此法是基于粒子的外部尺寸而不是内部的有序性,所以对于晶体和无定形物质都适用。

5.5.2   单晶衍射法

以单晶来作为研究对象能比多晶更方便、更可靠地获得更多的实验数据。目前,测定单晶晶体结构的主要设备是四圆衍射仪。它是将电子计算机和衍射仪结合,通过程序控制,自动收集衍射数据和进行结构解析,使晶体结构测定的速度和精确度大大提高。四圆衍射仪也是由单色 X 光源,试样台和检测器组成。它与多晶衍射仪的主要区别在于:试样台能在四个圆的运动中使晶体依次转到每一个 hkl 晶面所要求的反射位置上,以便检测器收集到全部反射数据。

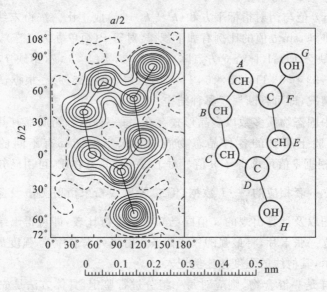

图 5-21 β-间苯二酚(001)晶面衍射图

单晶结构分析是结构分析中最有效的方法之一。它能为一个晶体给出精确的晶胞参数,同时还能给出晶体中成键原子间的键长、键角等重要的结构化学数据。图 5-21 是 β-间苯二酚在 c 轴方向的电子云密度图。左侧为等电子密度线图,其最高点就相应于原子的位置。由此还可以求出分子的键长和键角,如图 5-22 所示。

由此可见,在结构化学、无机化学和有机化学中,单晶衍射法是研究化学成键和结构与性能关系等性质的重要手段;同时它在材料科学、生物化学、地质、冶金等学科中,也能提供很多有用的结构信息。

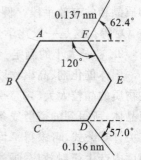

图 5-22 β-间苯二酚的键长与键角

思考、练习题

5-1 解释并区别下列名词:连续 X 射线与 X 射线荧光;吸收限与短波限;Moseley 定律与 Bragg 方程;K_α 与 K_β 谱线;K 线系与 L 线系。

5-2 欲测定 Si K_α 0.712 6 nm,应选用什么分光晶体?

5-3 试对几种 X 射线检测器的作用原理和应用范围进行比较。

5-4 采用 50 kV 的 X 射线管电源电压时,哪些元素不能被激发?

5-5 试从工作原理、仪器结构和应用三方面对色散型与能量型 X 射线荧光仪进行比较。

5-6 在下列情况时,应选用哪种 X 射线光谱法进行分析:

(1) 区别 FeO,Fe_2O_3 和 Fe_3O_4;

(2) 矿石中各元素的定性分析;

(3) 油画中颜料组分(钛白)的判断;

(4) Ni-Cu 合金中主要成分的定量分析;

(5) 未知有机化合物的结构。

参考资料

[1] 伯廷 E P. X 射线光谱分析的原理和应用. 李端成,译. 北京:国防工业出版社,1983.

[2] Tertian R,Claisse F. Principles of Quantitative X-Ray Fluorescence Analysis. London:Philadelphia,Rheine,1982.

[3] 勃克斯 L S. X 射线光谱分析. 高新华,译. 北京:冶金工业出版社,1973.

[4] 冶金工业部钢铁研究总院物理室扫描电镜组. 物质元素的 X 射线分析-能谱测试技术及其应用. 北京:科学普及出版社,1984.

[5] 游效曾. 结构分析导论. 北京:科学出版社,1980.

[6] Skoog D A,Holler F J,Nieman T A. Principles of Instrumental Analysis. Harcourt Brace College Publisher,1998.

第6章 原子质谱法

6.1 概论

6.1.1 质谱法发展简史

质谱法(mass spectrometry)是通过对被测试样离子的质荷比进行测定的一种分析方法。被分析的试样首先要离子化,然后利用不同离子在电场或磁场中运动行为的不同,把离子按质荷比(m/z)分离而得到质谱,通过试样的质谱和相关信息,可以得到试样的定性定量结果。

1886 年 Goldtein E 和 1898 年 Wien W 发明阳极射线管并对其进了研究。1912 年 Thomson J J 发现阳极射线管内用电场和磁场可使阳极射线偏转,并证实氖有两种同位素^{20}Ne 和^{22}Ne。1918 年 Dempster A J 发明方向聚焦质谱仪器并用于测定同位素丰度。1919 年 Aston F W 制成第一台能分辨百分之一质量单位,较为完整的速度聚焦质谱仪,即原始质谱仪器,并用于发现同位素、测定相对原子质量,因而于 1922 年获得诺贝尔化学奖。1934—1936 年 Mattauch J 等研制出双聚焦质谱仪器。1940 年 Nier A O 研制成功扇形磁场单聚焦质谱仪器,并于 1942 年实现商品化。早期的质谱仪器主要是用来进行同位素测定和无机元素分析,20 世纪 40 年代以后开始用于有机物分析,20 世纪 60 年代出现商品化气相色谱-质谱联用仪,使质谱仪器的应用领域大大扩展,成为有机物分析的重要仪器,有机质谱逐渐成为质谱学的主流发展方向。计算机的应用又使质谱分析法发生了飞跃变化,使其技术更加成熟,使用更加方便。20 世纪 80 年代以后出现了一些新的质谱技术,如快原子轰击离子源、基质辅助激光解吸离子源、电喷雾离子源、大气压化学离子源,以及随之而来的液相色谱-质谱联用仪、电感耦合等离子体质谱仪器、傅里叶变换质谱仪器等。这些新的离子化技术和新的质谱仪器使质谱分析取得了长足进展。目前质谱分析法已广泛地应用于化学、化工、材料、环境、地质、能源、医药、刑侦和法检、生命科学、运动医学等各个领域。

6.1.2 质谱法分类

质谱法涉及学科范围和应用领域很广,基于研究对象、仪器结构、原理和技术、应用等不同,一般分为如下几种主要类型:

(1) 从研究对象来看,质谱法可以分为原子质谱法(atomic mass spectrometry)和分子质谱法(molecular mass spectrometry)。原子质谱和分子质谱在仪器结构上基本相似,都由离子源、质量分析器和检测器组成。两者所用的质量分析器和检测器相同,只是离子源不同。

(2) 按研究试样性质或应用领域可分为同位素质谱、无机质谱、有机质谱,此外还有用于表面分析的二次离子质谱,用于高真空检漏的氦质谱等。原子质谱与无机质谱属同一范畴。

(3) 按质谱仪器设计原理,主要是质量分析器类型,可分为静态仪器和动态仪器两大类,从而形成相应不同类型质谱方法和技术。静态仪器的质量分析器采用稳定的或变化慢的电、磁场,按照空间位置将不同质荷比的离子分离,主要包括扇形磁场单聚焦和电场、磁场串联双聚焦质谱等;动态仪器分为磁式和非磁式,采用变化的电、磁场或无磁场而按时间、空间分离不同质荷比的离子,如回旋质谱、飞行时间质谱和四极滤质器质谱等。

(4) 有时亦按离子源或离子化技术分类,如高频火花电离质谱、离子探针质谱、电子轰击质谱、快原子轰击质谱等。

本章仅讨论原子质谱分析法,亦称原子质谱法,它是将单质离子化,按质荷比不同而进行分离和检测的方法,广泛用于各种试样中元素的识别和浓度测定。几乎所有元素都可以用无机质谱进行测定。

6.2 基本原理

6.2.1 原子质谱法基本过程

原子质谱分析包括以下几个步骤:(1) 试样原子化;(2) 将原子化的大部分试样转化为离子流或离子束,一般为单电荷正离子;(3) 离子按质荷比分离;(4) 计算各种离子的数目或测定由试样形成的离子轰击传感器时产生的离子电流。因为在第(2)步中形成的离子多为单电荷,故 m/z 值通常就是该离子的质量数。

6.2.2 质谱法中的相对原子质量和质荷比

用克作原子质量单位,数字太小,使用很不方便,历史上出现过多种相对原子质量测定标准。1959 年 Mattauch J H 建议,1960 年 IUPAP 和 1961 年 IUPAC 分别要求,以 ^{12}C 原子质量的 1/12 为基准,作为度量各种元素相对平均质量的单位,令 $A_r(^{12}C)/12=1$ 原子质量单位,记作 u,1 u=$1.660\,54\times10^{-27}$ kg。质谱法测定的是试样相对原子质量或相对分子质量,一个元素同位素的原子质量是以 ^{12}C 为比较标准的原子质量,如 ^{35}Cl 与 ^{12}C 比较其质量为 ^{12}C 的 2.914 07 倍,

则 ^{35}Cl 的原子质量为 $12 \times 2.914\,07 = 34.968\,8$，即相对原子质量。

同位素（isotope）是指元素拥有两个或两个以上原子序数（质子数）相同，而原子质量不同的原子，它们有不同的中子数。同位素化学性质相近，但物理性质不同。表 6-1 列出部分元素的同位素及相应丰度信息。只有一个同位素的元素通常被称为单同位素元素，如下表中的 ^{19}F，^{31}P 和 ^{127}I。

表 6-1　几种常见同位素的精确质量及天然丰度

元素	同位素	精确质量	天然丰度/(%)	元素	同位素	精确质量	天然丰度/(%)
H	^{1}H	1.007 825	99.98	P	^{31}P	30.973 763	100.00
	^{2}H(D)	2.014 102	0.015	S	^{32}S	31.972 072	95.02
C	^{12}C	12.000 000	98.9		^{33}S	32.971 459	0.85
	^{13}C	13.003 355	1.07		^{34}S	33.967 868	4.21
N	^{14}N	14.003 074	99.63		^{35}S	35.967 079	0.02
	^{15}N	15.000 109	0.37	Cl	^{35}Cl	34.968 853	75.53
O	^{16}O	15.994 915	99.76		^{37}Cl	36.965 903	24.47
	^{17}O	16.999 131	0.03	Br	^{79}Br	78.918 336	50.54
	^{18}O	17.999 159	0.20		^{81}Br	80.916 290	49.96
F	^{19}F	18.998 403	100.00	I	^{127}I	126.904 477	100.00

与其他分析方法不同，质谱法中所关注的常常是某元素特定同位素的实际质量或含有某组特定同位素的实际质量。在质谱法中用高分辨率质谱仪器测量质量通常可达到小数点后第三或第四位。自然界中，元素的相对原子质量（A_r）由下列式子计算：

$$A_r = A_1 p_1 + A_2 p_2 + \cdots + A_n p_n = \sum_{i=1}^{n} A_i p_i \qquad (6\text{-}1)$$

式中 $A_1, A_2, \cdots, A_n$ 为元素的 n 个同位素以原子质量单位 u 为单位的原子质量，$p_1, p_2, \cdots, p_n$ 为自然界中这些同位素的丰度，即某一同位素在该元素同位素总原子数中的百分含量。相对分子质量即为化学分子式中各原子的相对原子质量之和。

例如，氯在自然界有两种不同丰度的天然同位素 ^{35}Cl（75.78%）和 ^{37}Cl（24.22%）。每一种氯原子都有 17 个质子和电子，但含有不同量的中子。一般认为氯原子的相对原子质量是 35.45，这是取了两种同位素的平均相对原子质量（$34.97 \times 0.757\,8 + 36.97 \times 0.242\,2$）得到的。

通常情况下，质谱分析中所讨论的离子为正离子。质荷比为离子的原子质量 m 与其所带电荷数 z 之比。因此，

$$^{12}C^1H_4^+ \text{ 的 } m/z = 16.035/1 = 16.035$$
$$^{13}C^1H_4^{2+} \text{ 的 } m/z = 17.035/2 = 8.518$$

6.3 质谱仪器

6.3.1 质谱仪器的基本组成

质谱仪器能使物质粒子(原子、分子)电离成离子,并利用电磁学原理,使带电的试样离子按质荷比分离、检测进行物质分析的装置。质谱仪器一般由四个大系统组成:电子学系统、真空系统、分析系统和计算机系统,其中分析系统是质谱仪器的核心,它包括离子源、质量分析器和质量检测器三个重要部分。另外,为了获得离子的良好分析,必须避免离子损失,因此凡有试样分子及离子存在和通过的地方,必须处于真空状态。图 6-1 简单表示了质谱仪器的构造。

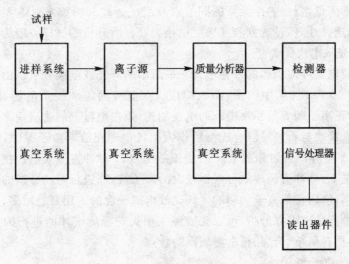

图 6-1 质谱仪器组件方框图

6.3.2 分析系统

6.3.2.1 离子源

离子源(ion source)随分析对象和目的的不同,需要采用不同的离子源,其结构和性能对分析结果有很大影响。下面介绍几种原子质谱分析中常见的离子源。

1. 高频火花离子源

高频火花离子源主要用于无挥发性的无机试样的离子化,如金属、半导体、矿物等。被分析试样直接(或与石墨混压)作为离子源的一个或两个电极。在真空状态下,对试样电极和参比电极间施加约 30 kV 脉冲高频电压,电极之间发生的火花放电使得电极上的试样蒸发并离子化。

高频火花离子源的电离效率高,对不同试样(包括气体、液体和固体),其离子化效率大致相同。因此,不必进行定量校正就能得到定性分析和半定量分析数据。这种离子源主要缺点是能量分散较大,必须采用双聚焦分析器,此种仪器价格昂贵。

2. 电感耦合等离子体离子源

自 20 世纪 80 年代初以来,电感耦合等离子体(ICP)也应用于质谱分析中作为离子源,电感耦合等离子体质谱(ICPMS)已经成为元素分析中一项最重要的技术。有关 ICP 产生机理在原子发射光谱中已经进行了介绍。在 ICPMS 中,从 ICP 炬产生的金属正离子通过一个蠕动泵接口导入质量分析器。

与传统的电感耦合等离子体原子发射光谱(ICPAES)相比,从 ICPMS 得到的谱图非常简单,仅由各个元素的同位素峰组成。此分析技术对绝大多数元素都很灵敏,选择性好,精确度和准确度也相当好。所分析的试样一般为溶液。

3. 辉光放电离子源

辉光放电是等离子体的一种形式。最简单的辉光放电装置可以由安放在低压(10~1 000 Pa)气氛中的阴、阳极构成。在电极间施加一个电场,使气体击穿,电子和正离子朝着带相反电荷的电极加速,轰击电极上的物质使之电离。待测试样可直接或与石墨粉混合成型后作为阳极。辉光放电离子源中,有三种放电模式:(1)电容耦合射频放电;(2)直流放电;(3)脉冲直流放电。在平均功率相同的情况下,脉冲直流放电可获得较大的离子流,能进行时间分辨的数据采集和质谱甄别,削弱背景离子的影响。辉光放电离子源的应用日益增多,尤其是对块状金属进行快速可靠分析,可以完成原来用火花源质谱才能进行的元素快速定性普查,具有简单、价廉、精密度较高的特点。

4. 其他离子源

(1)激光离子源利用简单的光学系统,将能量为焦耳级的激光束聚集在固体表面某一微小区域内(微米级),就能使该微区的表面温度达到 5 000~10 000 K,并产生以下效应:热电子发射、热离子发射、中性原子发射或分子蒸发、光电离。其中所产生的热离子即可进行质谱分析。

(2)离子轰击离子源是利用气体放电或其他方法产生具有一定能量的一次离子束,轰击真空中的固体表面时,可以使被轰击区域的温度高达 10 000 K,而整个靶体的温度仍保持常温,同时发生一系列物理现象,如散射、中性粒子溅射、正负二次离子溅射、X 射线荧光、二次电子等。依溅射现象可以建立两种质谱分析方法:① 直接引出溅射二次离子进行分析的二次离子质谱法(SIMS);② 利用辅助电子束碰撞溅射出的中性原子,使之成为离子后进行分析,称为电离中性粒子质谱法(INMS)。以上两种离子源具有微区、微量、表面、深度分析等一系列特点,是最新发展的固体表面和深度分析方法。

6.3.2.2 质量分析器

质量分析器(mass analyzer)是质谱仪器的重要组成部分,它位于离子源和检测器之间,其作用是依据不同方式将试样离子按质荷比分离。质量分析器的主要类型有:磁分析器、飞行时间分析器、四极滤质器、离子捕获分析器和离子回旋共振分析器等。随着微电子技术的发展,已出现这些分析器的多种变型。

1. 磁质量分析器

最常用的分析器类型之一就是扇形磁场分析器,亦称为单聚焦型磁分析器。其主体是处在磁场中的扇形真空腔体。离子源生成的离子束经加速后飞入磁极间的弯曲区,由于磁场作用,飞行轨道发生偏转改作圆周运动,如图 6-2 所示。不同 m/z 离子偏转半径可用下式表示:

$$R = \frac{1.44 \times 10^{-2}}{B}\sqrt{\frac{m}{z}U} \qquad (6-2)$$

式中 m 为离子质量,z 为离子电荷量,U 为离子加速电压,B 为磁感应强度。公式推导参见第 23 章。

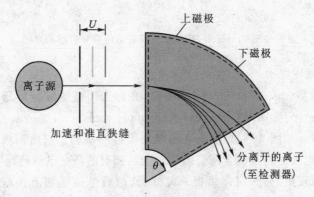

图 6-2 磁式质量分析器

由上式可知,在一定的 B、U 条件下,不同 m/z 的离子其运动半径不同,这样,由离子源产生的离子,经过分析器后可实现质量分离,如果检测器位置不变(即 R 不变)、连续改变 U 或 B 可以使不同 m/z 的离子顺序进入检测器,实现质量扫描,得到试样的质谱。这种单聚焦磁场分析器可以是 $180°$ 的,也可以是 $90°$ 或其他角度的,其形状像一把扇子,因此又称为扇形磁分析器。设计良好的单聚焦质谱仪器分辨率可达 5 000。单聚焦分析器结构简单,操作方便但其分辨率较低。不能满足有机物分析要求,主要用于同位素质谱仪器和气体质谱仪器。

单聚焦质谱仪分辨率低的主要原因在于它不能克服离子初始能量分散对分辨率造成的影响。为了消除离子能量分散对分辨率的影响,通常在扇形磁场前加一扇形电场,扇形电场是一个能量分析器,不起质量分离作用。质量相同而能量不同的离子经过静电电场后会彼此分开。即静电场有能量色散作用。如果设法使静电场的能量色散作用和磁场的能量色散作用大小相等方向相反,就可以消除能量分散对分辨率的影响。只要是质量相同的离子,经过电场和磁场后可以会聚在一起,另外质量的离子会聚在另一点。改变离子加速电压可以实现质量扫描。这种由电场和磁场共同实现质量分离的分析器,同时具有方向聚焦和能量聚焦作用,叫双聚焦质量分析器,如图 6-3 所示。将在第 23 章分子质谱法进一步讨论。

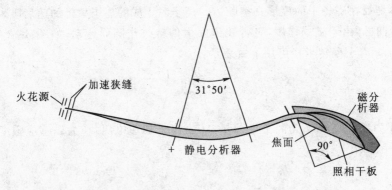

图 6-3　Mattauch-Herzog 型双聚焦质量分析器示意图

2. 四极滤质器

四极滤质器(quadrupole mass filter),亦称为四极质量分析器(quadrupole mass analyzer),简称四极杆分析器(quadrupole analyzer),这是原子质谱法中最常用的分析器。如图 6-4 所示描述四极滤质器的结构。它由四根平行的圆柱状电极组成,电极材料是镀金陶瓷或钼合金。相对的两个电极相连,一对连接变化的直流电源正极,另一对接负极。此外,这两对电极还加上相差 $180°$ 的射频交流电压,即相对两根电极间加有电压($U_{dc} + U_{rf}$),另外两根电极间加有 $-(U_{dc} + U_{rf})$。其中 U_{dc} 为直流电压,U_{rf} 为射频电压,其频率可变。四个圆柱状电极形成一个四极电场。

下面我们定性地说明四极滤质器的质量分离原理。为了实现离子按 m/z 分离,用 $5\sim10$ V 的电压加速离子引至四极滤质器的空隙。

(1) 交流电场中正离子迁程过程　为了理解四极滤质的质量分离,首先考察交流电压对正离子通过电极间通道的路径影响。图 6-5 说明,在 xz 平面电极上,当不施加直流电压时,通道内的离子在交流电压为正半周期时趋于聚合(图中 A 点),而为负半周期时趋于离散(图中 B 点)。如果在负半周期时,离子离散打在电极上,其正电荷将被中和,变为分子而被吸收。正离子是否打到电极

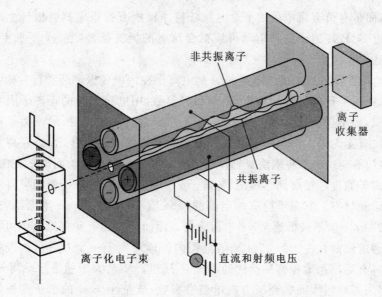

图 6-4　四极滤质器结构示意图

杆,取决于离子沿 z 方向的运行速率、质荷比和交流信号的频率和大小。

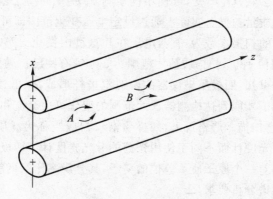

图 6-5　离子在 xz 平面上迁移轨迹

A 点. 离子趋于聚焦;B 点. 离子被 x 轴电极吸引而离散

　　(2)复合电场内正离子运动轨迹　考虑施加在交流信号上的直流电压的影响,对于相同动能的离子,其动量正比于质量的平方根,因此改变重离子的运动行为比轻离子要困难些。如果离子的质量重而且交流电压的频率高,交流电压将不会对离子运动有显著的响应,而主要受直流电压的影响。在此情况下,离子将留在电极之间的空腔内。相反,而对于质量轻的离子,且交流频率低的情况,离子将打在电极杆上,并在交流电压的负半周期时被清除掉。因而,在 xz 平面上一对正电极成为正离子很易通过的通道,即高通量滤质器。在没有交流电压的时候,而带有负直流电压的一对电极杆将湮没所有被吸引到电极杆上的正离子。不过,对较轻离子这种运动可以被交流电的振荡抵消,在 yz 平面上,形成低通量滤质器。

(3) 滤质器扫描　描述不同 m/z 荷电离子在四极场振动运动行为的各种方程说明,根据平行电极杆的距离、U_{dc}、U_{rf} 等参数,用电压加速的正离子引至四极电场空隙,离子振动迁移可分为两类,一类是振幅有限或稳定;另一类是振幅呈指数增加直至无限大。当加在电极杆的交流和直流电压同步增加,保持它们之比 U_{dc}/U_{rf} 不变。离子将围绕 z 轴作有限振幅或振幅增加运动而沿 z 方向前进。为了让离子通过四极杆到达检测器,离子必须在 xz 和 yz 两平面间呈有限振幅的稳定运动状态。其离子应有一定高的 m/z 值不被高通量 xz 平面消去,而又足够小的 m/z 值不被低通量 yz 平面除去。因而调节交流和直流电压可将四极杆总的通道限制在一个特定 m/z 值范围内。即对应于一个 U_{rf} 值,四极场只允许一种具有适当稳定振幅质荷比的离子 m 通过。质量大于稳定运动离子 m 的离子,将因振幅增大而碰到 y 方向电极被吸收;质量小于 m 的离子则振幅不断增大碰到 x 方向电极被吸收,稳定运动离子 m 以外,其余离子则因振幅不断增大最后碰到四极杆而被吸收。因此,四个电极上的交流和直流电压从零到一最大值同步增加,其 U_{dc}/U_{rf} 不变,可使不同质荷比 m/z 的离子依次分离,按顺序通过四极场实现质量扫描。实际上通过设定电压变化范围即可设置试样离子的扫描范围。典型的扫描参数为:直流电压在几毫秒内变化 ± 250 V,交流电压从零到 1 500 V,相位 180°,扫描质荷比范围达 2 000,有些已扩展到 3 000~4 000。

由上述讨论可知,四极质谱仪器的两对电极杆形成高、低通带,只有在一定质荷比范围的离子才能到达检测器。此范围的变化可由交流和直流的电压来调节,进而实现质谱扫描。严格说来,四极质谱仪器应当称为滤质器,它类似于使用波长滤光片的光度计而不同于使用光栅的分光光度计。四极质量分析器通常可轻易地分辨相差一个原子质量单位的离子,其分辨率比双聚焦式低,但适合绝大多数的原子质谱分析要求。

扫描电压变化可以是连续的,也可以是跳跃式的。连续变化可获得完整扫描质谱图;所谓跳跃式扫描是只检测某些质量的离子,此时称为选择离子检测(select ion monitoring,SIM)。当试样量很少,而且试样中特征离子已知时,可以采用选择离子监测以提高灵敏度,同时可避免试样基体组分的干扰。

根据电极长度和距离不同,有小型滤质器和大型滤质器两种类型。小型滤质器场半径只有数毫米,电极长度也只有数十厘米;大型滤质器四极滤质场半径在数厘米,极杆长数百厘米,即两者几何尺寸相差 1~2 个数量级。

四极滤质器结构紧凑、体积小、质量轻、价格低廉,对离子初始能量要求不严,性能稳定,真空度范围宽,分析速度快。它采用电压扫描,具有高速扫描的优点,因而能在少于 100 ms 的时间得到一张完整的质谱图,是原子质谱、色谱-质谱联用使用最多的一种分析器。

3. 离子回旋共振分析器(ion cyclotron resonance,ICR)

ICR 工作原理如图 6-6 所示。当一气相离子进入或产生于一个强磁场中时,离子将沿与磁场垂直的环形路径运动,称之为回旋,其频率 ω_c 可用下式表示:

$$\omega_c = \frac{U}{R} = \frac{zeB}{m} \tag{6-3}$$

回旋频率只与 m/z 的倒数有关。增加运动速率时,离子回旋半径亦相应增加。

回旋的离子可以从与其匹配的交变电场中吸收能量(发生共振)。当在回旋器外加上这种电场,离子吸收能量后速率加快,随之回旋半径逐步增大;停止电场后,离子运动半径又变为常数。

当图 6-6 中为一组 m/z 相同的离子时,合适的频率将使这些离子一起共振而发生能量变化,其他 m/z 离子则不受影响。

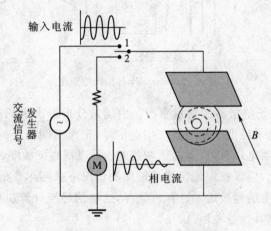

图 6-6　离子回旋共振工作原理图

由于共振离子的回旋可以产生称之为相电流的信号,相电流可以在停止交变电场后观察到。将图 6-6 开关置于 2 位时,离子回旋在两极之间产生电容电流,电流大小与离子数有关,频率由共振离子的 m/z 决定。在已知磁感应强度 B 存在时通过不同频率扫描,可以获得不同 m/z 的信息。

感应产生的相电流由于共振离子在回旋时不断碰撞而失去能量并归于热平衡状态而逐步消失,这个过程的周期一般在 $0.1\sim10$ s 之间,相电流的衰减信号与傅里叶变换 NMR 中的自由感应衰减信号(FID signal)类似。

6.3.2.3　检测器

质谱仪器常用的检测器有 Faraday(法拉第)杯(Faraday cup)、电子倍增器及闪烁计数器、照相底片等。

Faraday 杯是其中最简单的一种,其结构如图 6-7 所示。Faraday 杯与质谱仪器的其他部分保持一定电位差以便捕获离子,当离子经过一个或多个抑制栅极进入杯中时,将产生电流,经转换成电压后进行放大记录。Faraday 杯的优点是结构简单可靠,配以合适的放大器可以检测约 10^{-15} A 的离子流。但 Faraday 杯只适用于加速电压<1 kV 的质谱仪器,因为更高的加速电压会产生能量较大的离子流,这样离子流轰击入口狭缝或抑制栅极时会产生大量二次电子甚至二次离子,从而影响信号检测。

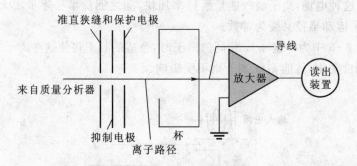

图 6-7　Faraday 杯结构原理图

图 6-8 是电子倍增器结构示意图。由质量分析器出来的离子打到高能打拿极产生电子,电子经电子倍增器产生电信号,记录不同离子的信号即得质谱。信号增益与倍增器电压有关,提高倍增器电压可以提高灵敏度,但同时会降低倍增器的寿命,因此,应该在保证仪器灵敏度的情况下采用尽量低的倍增器电压。由倍增器出来的电信号被送入计算机储存,这些信号经计算机处理后可以得到色谱图、质谱图及其他各种信息。

图 6-9(a)是不连续打拿极电子倍增器的示意图。其传感器很像用于紫外-可见光的光电倍增管传感器,每一个打拿极加有不连续的高压。阳极和一些打拿极有 Cu/Be 表面,这些表面受到能量离子或电子轰击后电子溅射出来。可以得到有 20 个打拿极的电子倍增器,它可以得到放大 10^7 倍的电流。

图 6-9(b)是连续打拿极电子倍增器的示意图,外观呈喇叭形,玻璃材质并涂有一层很厚的铅。传感器上加有 $1.8\sim2$ kV 的电压。离子在入口附近轰击表面溅射出电子,它们在表面跳跃,使更多的电子溅射出来。这种传感器可得到放大 10^5 倍的电流,但在一些应用中可以得到放大 10^8 倍的电流。

通常电子倍增器可以提供高电流增益和十亿分之一秒的响应时间。这种传

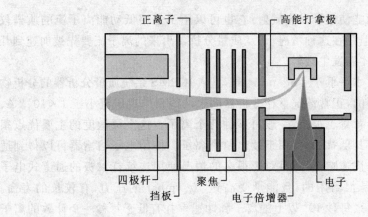

正离子　高能打拿极

四极杆　聚焦　电子倍增器　电子

挡板

图 6-8　电子倍增器示意图

离子束

检测器狭缝

电子

至放大器

（a）不连续打拿极电子倍增器

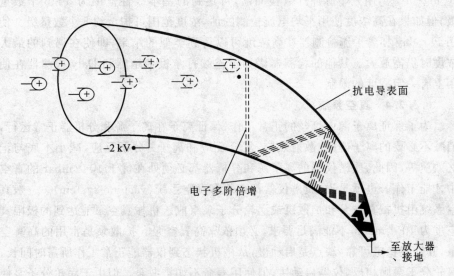

抗电导表面

-2 kV

电子多阶倍增

至放大器
、接地

（b）连续打拿极电子倍增器

图 6-9　不连续打拿极和连续打拿极电子倍增器示意图

感器可以直接放在磁式分析器质谱仪器的出射狭缝后面,因为到达传感器的离子具有足够的动能使电子发生溅射;它也可以用于采用低动能离子流的质谱仪器(如四极杆),但是在这种情况下,从质量分析器出来的离子流要先被加速到几千电子伏,然后才能发生溅射。

分析物浓度水平低于 1 ng·mL^{-1} 时,进入 ICPMS 系统质量分析器的分析物离子数目是很小的,正常情况下在分析器的末端得到的离子流小于 1×10^{-13} A。随机涨落或仪器背景也很小,一般每秒钟几个离子。这个灵敏度的主要优点很大程度上得益于其低背景,可用于读出单个离子。使用电子倍增器可以得到适当的电学增益和快速响应,并且对于很多的情况使用连续打拿极的通道式电子倍增器,它们都是很耐用的,且能承受高达 10^{-5} mbar 的压力,有较长的寿命。这些检测器可记录每秒 10^6 以上的离子脉冲速率并有低于每秒一个计数的离子脉冲速率的天然背景。

遗憾的是,这些倍增器在高计数时会有疲劳现象,也就是随计数的变化有一个可变的死时间,增益滞后。除此之外,大部分的情况是令人满意的。在计数率远远高于 1 MHz 时,死时间和疲劳效应限制了它们的使用,除非借助于诸如改变离子透镜的电压来减少系统的计数率灵敏度,系统在高于某个浓度水平时其响应变得非线性。但在低增益的平均电流模式时也可以使用同样的检测器,对于高离子密度可以在高达 1 A 时给出线性响应。在分析物浓度高到使等离子体平衡出现明显的扰动,分析物电离度下降以前,可以得到线性响应。通常在 10 mg·mL^{-1},用一个脉冲计数检测器,可达到的基本线性范围为 5~6 个数量级,但如果在高浓度使用平均电流检测的话,浓度范围可扩至约 8 个数量级。使用 Faraday 杯离子流检测器在高浓度可以得到类似的结果,即使在遇到的最大浓度时仍需放大。其他的检测器诸如不连续打拿极倍增器和 Daly 检测器在使用上有一定程度的限制。

6.3.2.4　真空系统

为了保证离子源中灯丝的正常工作,保证离子在离子源和分析器正常运行,消减不必要的离子碰撞、散射效应、复合反应和离子－分子反应,减小本底与记忆效应等,因此,质谱仪器的离子源和分析器都必须处于优于 10^{-5} mbar 的真空中才能工作。也就是说,质谱仪器都必须有真空系统(vacuum system)。一般真空系统由机械真空泵和扩散泵或涡轮分子泵组成。机械真空泵能达到的极限真空度为 10^{-3} mbar,不能满足要求,必须依靠高真空泵。扩散泵是常用的高真空泵,其性能稳定可靠,缺点是启动慢,从停机状态到仪器能正常工作所需时间长;涡轮分子泵则相反,仪器启动快,但使用寿命不如扩散泵。但由于涡轮分子泵使用方便,没有油的扩散污染问题,因此,近年来生产的质谱仪器大多使用涡轮分子泵。涡轮分子泵直接与离子源或分析器相连,抽出的气体再由机械真空泵排到体系之外。

以上是一般质谱仪器的主要组成部分。当然,若要仪器能正常工作,还必须要供电系统,计算机数据处理系统等。

6.3.3 质谱仪器的主要性能指标

1. 质量测定范围

表示质谱仪器能够分析试样的相对原子质量(或相对分子质量)范围。

2. 质谱仪器的分辨率

指其分离相邻质量数离子的能力,一般定义为:对两个相等强度的相邻峰,当两峰间的峰谷不大于其峰高10%时,则认为两峰实现分离,其分辨率为

$$R = \frac{m_1}{m_2 - m_1} = \frac{m_1}{\Delta m} \tag{6-4}$$

式中 m_1、m_2 为质量数,且 $m_1 < m_2$,故分离两峰质量数越小时,要求仪器分辨率越大,如图 6-10 所示。

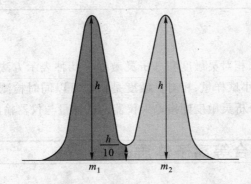

图 6-10 质谱仪器 10% 峰谷分辨率

而在实际工作中,有时很难找到相邻的且峰高相等的两个峰,同时峰谷又为峰高的 10%。在这种情况下,可任选一单峰,测其峰高 5% 处的峰宽 $W_{0.05}$,即可当作上式中的 Δm,此时分辨率定义为

$$R = m/W_{0.05} \tag{6-5}$$

如果质谱峰是高斯型的,上述两式计算结果是一样的。

质谱仪器的分辨本领由几个因素决定:① 离子通道的半径;② 加速器与收集器狭缝宽度;③ 离子源的性质。

质谱仪器的分辨本领几乎决定了仪器的价格。分辨率在 500 左右的质谱仪器可以满足一般有机分析的要求,此类仪器的质量分析器一般是四极滤质器、离子阱等,仪器价格相对较低。若要进行准确的同位素质量及有机分子质量的准

确测定,则需要使用分辨率大于 10 000 的高分辨率质谱仪器,这类质谱仪器一般采用双聚焦磁式质量分析器。目前这种仪器分辨率可达 100 000,当然其价格也将比低分辨率仪器贵很多倍。表 6-2 列出了一些典型质谱仪器的大致分析质量范围和分辨本领。

表 6-2　某些典型质谱仪器的比较

类型	近似质量范围	近似分辨本领
双聚焦	2～5 000	13 000～20 000
	1～240	1 000～2 500
单聚焦	1～1 400	2 500
	2～700	500
	2～150	100
飞行时间	1～700	150～250
	0～250	130
四极滤质器	2～300	200～500
	2～80	20～50

3. 灵敏度

有绝对灵敏度、相对灵敏度和分析灵敏度等几种表示方法。绝对灵敏度是指仪器可检测的最小试样量;相对灵敏度是仪器可以同时检测的大组分与小组分的含量之比;而分析灵敏度则指输入仪器的试样量与仪器输出的信号比。

6.4　电感耦合等离子体质谱法

自 20 世纪 80 年代以来,电感耦合等离子体质谱法(ICPMS)已经成为元素分析中最重要的技术之一,它以 ICP 焰炬作为原子化器和离子化器。ICPMS 的主要优点归纳为:试样在常温下引入;气体的温度很高使试样完全蒸发和解离;试样原子离子化的百分比很高;产生的主要是一价离子;离子能量分散小;外部离子源,即离子并不处在真空中;离子源处于低电位,可配用简单的质量分析器。采用 ICP 时应当考虑其气体高温(5 000 K)和高压(1 bar)。

溶液试样经过常规或超声雾化器雾化后可以直接导入 ICP 焰炬,而固体试样也可以采用火花源、激光或辉光放电等方法气化后导入。对大多数元素,用 ICPMS 分析试样能够得到很低的检出限、高选择性及相当好的精密度和准确度。ICPMS 谱图与常规的 ICP 光学光谱相比简单许多,仅由元素的同位素峰组成,可用于试样中存在元素的定性和定量分析。定量分析一般采用标准曲线法,也可采用同位素稀释法。

6.4.1　基本装置

图 6-11 为 ICPMS 基本装置,其关键部分是将 ICP 焰炬中的离子引出至质谱仪器的引出接口。ICP 炬周围为大气压力,而质谱仪器要求压力小于 10^{-4} mbar,压力相差几个数量级。典型的离子引出接口如图 6-11 所示,让 ICP 炬的尾焰喷射到称为采样锥的金属镍锥形挡板上,挡板用水冷却,中央有一个采样孔(<0.1 mm),炙热的等离子气体经过此孔进入由机械泵维持压力为1 mbar 的区域。在此区域,气体因快速膨胀而冷却,一小部分的气体通过称为分离锥的金属镍锥形挡板上的微孔进入一个压力与质量分析器相同的空腔。在空腔内,正离子在一负电压的作用下与电子和中性分子分离并被加速,同时被一磁离子透镜聚焦到质谱仪器的入口微孔。经过离子透镜系统后产生的粒子束具有圆柱形截面,所含离子的平均能量为 $0\sim30$ eV,能量分散约为 5 eV(半高宽度),很适合于四极质谱仪器进行质量分析。离开质量分析器出口狭缝的离子,用离子检测器检测。通常采用的是配置电子倍增管的脉冲计数检测器,以得到尽可能高的灵敏度,检测试样中所有存在的元素。

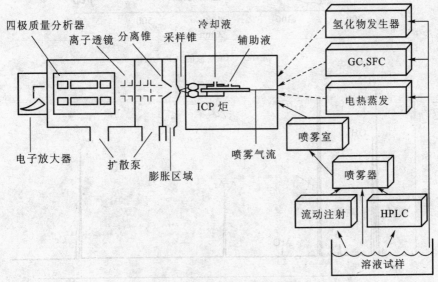

图 6-11　ICPMS 系统示意图
虚线表示气体试样引入;实线表示液体试样引入

在 ICPMS 中是用计算机来控制质量分析器,因此除按传统工作方式在选定的质量区间进行扫描外,还可以选用峰开关模式,对于较弱的峰或质量区间给予较长的记录或扫描时间,使所有感兴趣的元素能保持比较一致的记录统计误差。

6.4.2　干扰及消除方法

与等离子体光谱相比,等离子体质谱所得到的谱图要简单很多,而且容易识别,特别是对于那些发射谱线非常多的元素,如稀土元素。图 6-12 为 Ce 溶液的光谱图及质谱图[(a)为 100 $\mu g \cdot mL^{-1}$ Ce 溶液的光谱图,(b)为 10 $\mu g \cdot mL^{-1}$ Ce 溶液的质谱图]。

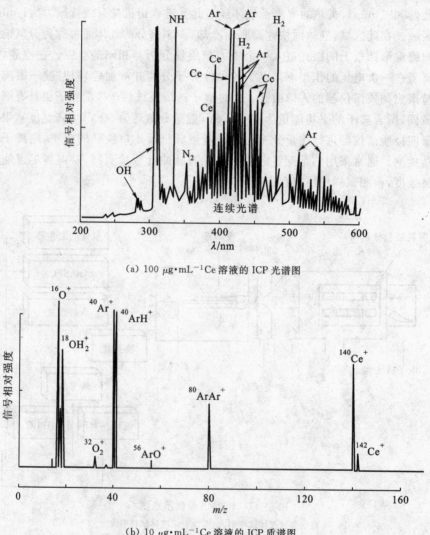

(a) 100 $\mu g \cdot mL^{-1}$ Ce 溶液的 ICP 光谱图

(b) 10 $\mu g \cdot mL^{-1}$ Ce 溶液的 ICP 质谱图

图 6-12　Ce 溶液的光谱图及质谱图

Ce 的光谱图中含有几十条强度大的谱线和更多弱一点的线,它们叠加在一个复杂的背景上。背景是由空气中的分子带(如 NH,OH,N_2,H_2 等)所形成;

而其质谱图明显简单得多,仅由 $^{140}Ce^+$ 和 $^{142}Ce^+$ 两个同位素峰和一个双电离 $^{140}Ce^{2+}$ 位于 70 的小峰组成,其光谱背景也只由几个分子离子峰组成,且都出现在 m/z 等于和小于 40 的位置。

6.4.2.1 光谱干扰

当等离子体中离子种类与分析物离子具有相同的 m/z,即产生光谱干扰。光谱干扰有四种:同质量类型离子、多原子或加和离子、双电荷离子、难熔氧化物离子。

1. 同质量类型离子

同质量类型离子干扰是指两种不同元素有几乎相同质量的同位素。对使用四极杆质量分析器的原子质谱仪器来说,同质量类型指的是质量相差小于一个原子质量单位的同位素。使用高分辨率仪器时质量差可以更小一些。周期表中多数元素都有同质量类型重叠的一个、两个甚至三个同位素。铟有 $^{113}In^+$ 和 $^{115}In^+$ 两个稳定的同位素,前者与 $^{113}Cd^+$ 重叠,后者与 $^{115}Sn^+$ 重叠。更为常见的是,同质量种类干扰出现在最大丰度峰,即最灵敏同位素峰上。例如,$^{40}Ar^+$ 与最大丰度钙同位素 $^{40}Ca^+$(97%)的峰相重叠,因而有必要使用次最大丰度钙同位素 $^{44}Ca^+$(2.1%)。因为同质量重叠可以从丰度表上精确预计,此干扰的校正可以用适当的计算机软件进行。现在许多仪器已能自动进行这种校准。

2. 多原子离子干扰

多原子离子(或分子离子)是 ICPMS 中干扰的主要来源。一般认为,多原子离子并不存在于等离子体本身中,而是在离子的引出过程中,由等离子体中的组分与基体或大气中的组分相互作用而形成。氢和氧占等离子体中原子和离子总数的 30% 左右,余下的大部分是由 ICP 炬的氩气产生的。ICPMS 的背景峰主要是由这些多原子离子给出。它们有两组:以氧为基础质量较轻的一组和以氩为基础质量较重的一组,两组都包含氢的分子离子。较轻的一组中,最强的峰是 $^{16}O^+$,$^{16}O^1H^+$,$^{16}O^1H_2^+$,较弱的是 $^{14}N^+$ 和 $^{16}O^1H_3^+$。较重的一组峰由高度相近的 $^{40}Ar^+$ 和 $^{40}Ar^1H^+$ 两个较强的峰,以及 $^{16}O_2^+$ 和 $^{40}Ar_2^+$ 两个较弱的二聚离子峰组成。此外,还有 $^{40}Ar^{16}O^+$,$^{40}Ar^{14}N^+$,$^{14}N^{16}O^+$,$^{14}N^{16}O^1H^+$ 和 $^{14}N_2^+$ 等多原子离子峰。它们对一些同位素检测形成比较严重的干扰,例如 $^{14}N_2^+$ 对 $^{28}Si^+$,$^{14}N^{16}O^1H^+$ 对 $^{31}P^+$,$^{16}O_2^+$ 对 $^{32}S^+$,$^{40}Ar^{16}O^+$ 对 $^{56}Fe^+$,以及 $^{40}Ar_2^+$ 对 $^{80}Se^+$ 等。其中有些干扰可用空白进行校正,另一些则必须采用不同的分析同位素。

3. 氧化物和氢氧化物干扰

在 ICPMS 中,另一个重要的干扰因素是由分析物、基体组分、溶剂和等离子气体等形成的氧化物和氢氧化物,其中分析物和基体组分的这种干扰更为明显些。它们几乎都会在某种程度上形成 MO^+ 和 MOH^+,M 表示分析物或基体组分元素,进而有可能产生与某些分析物离子峰相重叠的峰。例如钛的五种天然同位素的氧化物,质量数分别为 62,63,64,65 和 66,会对分析物 $^{62}Ni^+$,

$^{63}Cu^+$,$^{64}Zn^+$,$^{65}Cu^+$ 和 $^{66}Zn^+$ 产生干扰。表 6-3 列举了部分元素可能受到的氧化物/氢氧化物干扰。

表 6-3　部分元素可能受到的氧化物/氢氧化物干扰

m/z	元素[①]	干扰
56	Fe(91.66)	^{40}ArO,^{40}CaO
57	Fe(2.19)	$^{40}ArOH$,$^{40}CaOH$
58	Ni(67.77),Fe(0.33)	^{42}CaO,NaCl
59	Co(100)	^{43}CaO,$^{42}CaOH$
60	Ni(26.16)	$^{43}CaOH$,^{44}CaO
61	Ni(1.25)	$^{44}CaOH$
62	Ni(3.66)	^{46}CaO,Na_2O,NaK
63	Cu(69.1)	$^{46}CaOH$,$^{40}ArNa$
64	Ni(1.16),Zn(48.89)	$^{32}SO_2$,$^{32}S_2$,^{48}CaO
65	Cu(30.9)	$^{33}S^{32}S$,$^{33}SO_2$,$^{48}CaOH$

注:① 圆括号里面为元素的自然丰度。

　　氧化物的形成与许多实验条件有关,例如进样流速、射频能量、取样锥-分离锥间距、取样孔大小、等离子气体成分、氧和溶剂的去除效率等,调节这些条件可以解决某些特定的氧化物和氢氧化物重叠的问题。

　　4. 仪器和试样制备所引起的干扰

　　等离子气体通过采样锥和分离锥时,活泼性氧离子会从锥体镍板上溅射出镍离子(相当于 $2\ ng \cdot mL^{-1}$ 的水平)。采取措施使等离子体的电位下降到低于镍的溅射阈值,可使此种效应减弱甚至消失。痕量浓度水平上常出现与分析物无关的离子峰,例如在几个 $ng \cdot mL^{-1}$ 的水平出现的铜和锌通常是存在与溶剂酸和去离子水中的杂质。因此,进行超纯分析时,必须使用超纯水和溶剂。最好用硝酸溶解固体试样,因为氮的电离能高,其分子离子相当弱,很少有干扰。

6.4.2.2　基体效应

　　ICPMS 中所分析的试样,一般为固体含量其质量分数小于 1%,或质量浓度约为 $1\ 000\ \mu g \cdot mL^{-1}$ 的溶液试样。当溶液中共存物的质量浓度高于 $500\sim1\ 000\ \mu g \cdot mL^{-1}$ 时,ICPMS 分析的基体效应才会显现出来。共存物中含有低电离能元素如碱金属、碱土金属和镧系元素且超过限度,由于它们提供的等离子体的电子数目很多,进而抑制包括分析物元素在内的其他元素的电离,影响分析结果。试样固体含量高会影响雾化和蒸发溶液以及产生和输送等离子体的过程。试样溶液提升量过大或蒸发过快,ICP 炬的温度就会降低,影响分析物的电离,使被分析物的响应下降。

　　基体效应的影响可以采用稀释、基体匹配、标准加入法或者同位素稀释法降低至最小。

6.4.3　ICPMS 的应用

ICPMS 可以用于物质试样中一个或多个元素的定性、半定量和定量分析。ICPMS 可以测定的质量范围为 $3\sim300$ u,分辨率小于 1 u,能测定周期表中 90% 的元素,大多数检出限在 $0.1\sim10$ ng·mL^{-1} 范围且有效测量范围达 6 个数量级,相对标准偏差为 $2\%\sim4\%$。每个元素测定时间 10 s,非常适合多元素的同时测定分析。

6.4.3.1　定性和半定量分析

ICPMS 可以很容易地应用于多元素分析,非常适合于不同类型的天然和人造材料的快速鉴定和半定量分析,其检测限优于 ICPAES,类似于石墨炉原子吸收法(GFAAS)。通常,原子质谱的谱图比发射光谱的谱图简单,且更容易解释,特别是分析试样中含有稀土元素和其他重金属元素的时候,例如含有能产生复杂发射光谱的铁。图 6-13 是原子质量数从 139 至 175 的 14 种稀土元素混合物的原子质谱图,相当简单清晰,而这类复杂混合物的发射光谱则非常复杂,不易解释。半定量分析混合物中的一个或更多的组分时,可以选一已知某待测元素浓度的溶液,测定其峰离子电流或强度。而后假设离子电流正比于浓度,即可计算出来试样中分析物的浓度。

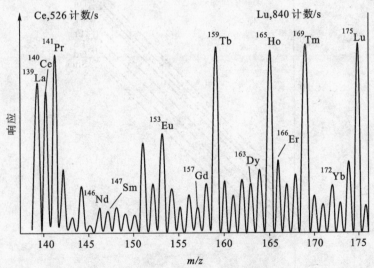

图 6-13　稀土元素的 ICPMS 质谱图

各元素质量浓度为 1 μg·mL^{-1}

6.4.3.2　定量分析

ICPMS 最常用的定量方法是工作曲线法。如果未知溶液中的溶解固体总含量小于 2 000 $\mu g \cdot mL^{-1}$，使用简单的水剂标样就足够了。基体元素浓度高时，常将试样加以稀释，使它们与标样中的基体元素浓度相近。为了克服仪器的漂移、不稳定性和基体效应，通常可采用内标法。要求在试样中不存在内标元素且相对原子质量和电离能与分析物相近，通常选用质量在中间范围（115，113 和 103）并很少存在于试样中的 In 和 Rh。图 6-14 是几个稀土元素的工作曲线，其线性范围达 4 个数量级。

更为精确的 ICPMS 分析可以采用同位素稀释质谱法（isotop dilution mass spectrometry，IDMS），即所谓的标准加入法。它是往试样中加入已知量的添加同位素（spike isotope，同位素稀释剂）的标准溶液。添加同位素一般为分析元素所有同位素中天然丰度较低的某种稳定同位素或寿命长的放射性同位素，经富集后加入试样。通过测定此同位素与另一同位素（参比同位素）的信号强度比来进行精密的定量分析，参比同位素一般选用分析元素的最高丰度同位素，除非该同位素受到其他元素的同质量类干扰。此方法在很大程度上类似于内标元素方法。由于分析元素的同位素是能够采用的最佳内标，许多由化学和物理性质差异所引起的干扰得以克服，分析精度在各种定量分析方法中是最高的。但是，IDMS 的主要缺点是比较费时，而且使用示踪同位素的花费也比较高。

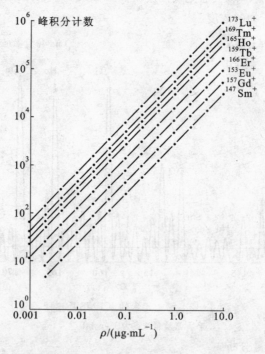

图 6-14　某些稀土元素的工作曲线

6.4.3.3 同位素比的测量

同位素比的测量在科学和医学领域极其重要。以前,同位素比的测量都是采用热原子化和离子化,在一个或多个电热灯丝上将试样分解、原子化和离子化,而后将生成的离子引入一个双聚焦质谱仪器,测定同位素比。测量精度在相对标准差 0.01％级,相当精确但非常费时。而现在采用 ICPMS,分析一个试样只需几分钟,相对标准差达 0.1％~1％,满足多数分析的要求,同时还进行多元素测定,将会大大扩展同位素比测量的应用范围。

思考、练习题

6-1 ICPMS 中的 ICP 炬起什么作用?

6-2 无机质谱仪器由哪些部分组成,为什么必须在超高真空进行测量?

6-3 无机质谱仪器中的质量分析器或分离器有哪几种,各有什么特点?

6-4 比较 ICPAES 和 ICPMS 的优缺点。

6-5 试描述 ICPMS 中 ICP 炬与质量分析器之间的接口。

6-6 在原子质谱分析中常见的干扰有哪些,如何降低和消除这些干扰?

6-7 为什么原子质谱分析中常采用内标法?

6-8 简述无机质谱分析中的同位素稀释法,为什么说它是元素分析中最精确的方法?

参考资料

[1] 周华. 质谱学及其在无机分析中的应用. 北京:科学出版社,1986.

[2] Adams F,Gijbels R,Van Grieken R. 无机质谱法. 祝大昌,译. 上海:复旦大学出版社,1993.

[3] 季欧. 质谱分析法. 北京:原子能出版社,1977.

[4] Skoog D A,Holler F J,Nieman T A. Principles of Instrumental Analysis. Philadephia:Harcourt Brace College Publisher,1998.

[5] Barshick C,Duckworth D,Smith D. Inorganic Mass Spectrometry:Fundamentals and Applications. CRC:Rev Ed edition,2002.

[6] De Laeter J R. Applications of Inorganic Mass Spectrometry. Wiley-Interscience,2001.

第7章 表面分析方法

7.1 概论

在仪器分析中,把物体与真空或气体间的界面称为表面,通常研究的是固体表面;当分析区域的横向线度小于 $100~\mu m$ 量级时称为微区。表面是固体的终端,表面原子有部分化学键伸向空间,因此表面具有很活跃的化学性质。表面的化学组成、原子排列、电子状态等往往和体相不同,并将决定表面的化学反应活性、耐腐蚀性、黏性、湿润性、摩擦性及分子识别特性等。因而表面,包括微区分析,涉及微电子器件、催化、材料及高新技术等众多领域。本章介绍表面及微区分析表征的方法和技术。

通常近似地将表面厚度定义为 5 倍于原子或分子的直径,这意味着,对于原子结构的固体物质,如铁或硅,表面约 1 nm 厚;对于分子结构的固体物质,如聚合物,其表面是指 5 倍单体的厚度,约 5~10 nm,这个厚度下面则显示整体材料的性质。在实际测试过程中,表面有时指 1 个原子层或几个原子层,有时指厚度达微米级的表面层。

表面分析是指对表面及微区的特性和表面现象进行分析、测量的方法和技术,包括表面组成、结构、电子态和形貌等。表面组成包括表面元素组成、化学价态及其在表层的分布,包括元素在表面的横向及纵向/深度分布;表面结构包括表面原(分)子排列等;表面电子态包括表面能级性质、表面态密度分布、表面电荷密度分布及能量分布等;表面形貌指"宏观"几何外形,当分析方法的分辨率达到原子级时,可观察到原子排列,这时表面形貌分析和表面结构分析之间就没有明确的分界了。

表面分析与表征涉及的内容很多,没有一种单独的方法能提供所有这些信息。表面分析通常是用一束粒子(光子、电子、离子或原子等)为探针来探测试样表面,在探针的作用下,从试样表面发射或散射粒子或波(粒子或波可以是电子、离子、光子、热辐射或声波等),检测这些粒子或波的特征和强度,就可以得到有关表面的信息。表面分析方法可以按探测"粒子"或发射"粒子"来分类,例如,探测粒子和发射粒子都是电子,则称电子能谱;如探测粒子和发射粒子都是光子,则称光谱;探测粒子和发射粒子都是离子,则称离子谱;如探测粒子是光子,发射粒子是电子,则称光电子谱。此外还有近场显微、扫描隧道显微、原子力显微等。

因此有人将表面分析按表征技术分为 4 类。第一类:电子束激发;第二类:光子激发;第三类:离子轰击;第四类:近场显微镜法。表面分析方法还可以按用途划分,即按组分分析、结构分析、原子态分析、电子态分析等划分。由于一种表面分析方法不可能提供不同材料表面所有这些信息,因而不同表面分析方法应运而生,在本章我们将仅对其中最重要和最常用的几种方法加以讨论。

7.2 光电子能谱法

光电子能谱法是指采用单色光或电子束照射试样,使电子受到激发而发射,通过测量这些电子的(相对)强度与能量分布的关系,从中获得有关信息。用 X 射线作激发源的称 X 射线光电子能谱(X-ray photoelectron spectrometry, XPS)、用紫外光作激发源的称紫外光电子能谱(ultra-violet photoelectron spectrometry,UPS)、测量俄歇电子能量分布的称俄歇电子能谱(Auger electron spectrometry,AES)。有的教材将前两者称为光子探针技术,而将 AES 称为电子探针技术。

7.2.1 光电子能谱法基本原理

物质受光作用释放出电子的现象称为光电效应。光子与物质相互作用时,单个光子把它的全部能量转给原子某壳层上一个受束缚的电子(内层电子容易吸收 X 光量子;价电子容易吸收紫外光量子),其中一部分用于克服结合能,剩余能量则作为它的动能,使分子或原子中的电子脱离而成为自由电子,即光电子;而原子或分子 A 本身则变成一个激发态离子 A^{+*},这种现象称为光电离作用,这一过程可表示如下:

$$A+h\nu \longrightarrow A^{+*}+e^-$$

只有当光子能量大于临阈光子能量 $h\nu_0$,即光电离作用发生所需要的最小能量时,光电离作用才能发生。因此,光子的能量可用式(7-1)表示。

$$h\nu=E_B+E_K+E_r \tag{7-1}$$

式中 E_B 是原子能级中电子的电离能或结合能,E_K 是出射光电子的动能,E_r 是发射光电子的反冲动能。E_K 的大小与电子被束缚的程度有关,$E_r \approx mh\nu/M$(式中 m 和 M 分别代表光电子和反冲原子的质量),一般很小,所以

$$E_B=h\nu-E_K \tag{7-2}$$

因此,测得 E_K 后,就可以求得 E_B。

光电离作用发生时,光电离作用的概率可用"光电离截面"σ 表示,σ 定义为

某能级的电子对入射光子有效能量转移面积,也可以表示为一定能量的光子与原子作用时从某个能级激发出一个电子的概率。σ 越大,激发光电子概率也越大,它与电子壳层平均半径、入射光子能量和受激原子的原子序数等因素有关。对于不同元素,同一壳层的 σ 值随原子序数的增大而增大;而同一原子的 σ 值反比于轨道半径的平方。所以对于轻原子,1s 比 2s 电子的激发概率要大 20 倍;对于重原子的内层电子,由于随着原子序数增大而轨道收缩,使得半径的影响不太重要;对于同一主量子数 n,σ 值随角量子数 L 的增大而增大。

    电子能谱法所能研究的信息深度 d 取决于逸出电子的非弹性碰撞平均自由程 λ。所谓平均自由程(电子逸出深度)是指电子在经受非弹性碰撞前所经历的平均距离。电子平均自由程 λ 与其动能大小和试样性质有关,金属中为 0.5~2 nm,氧化物中为 1.5~4 nm,有机和高分子化合物中为 4~10 nm。一般认为 $d=3\lambda$。因此电子能谱的取样深度一般很浅,在 30 nm 以内,是一种表面分析技术。

7.2.2   X 射线光电子能谱法

    X 射线光电子能谱是瑞典 Uppsala 大学 Siegbahn K M(1981 年诺贝尔物理学奖获得者)及其同事经过近 20 年的潜心研究而建立的一种分析方法。他们发现了内层电子结合能的位移现象,解决了电子能量分析的技术问题,并测定了元素周期表中各元素的轨道结合能。X 射线光电子能谱的理论依据就是 Einstein 的光电子发射公式(光电效应),而在实际的 X 射线光电子能谱分析中,不仅用 XPS 测定轨道电子结合能,还经常用量子化学方法进行计算,并将两者进行比较。由于各种原子、分子的轨道电子结合能是一定的,XPS 可用来测定固体表面的电子结构和表面组分的化学成分,因此,XPS 一般又称为化学分析光电子能谱法(electron spectroscopy for chemical analysis,ESCA)。

7.2.2.1   电子结合能

    电子结合能是指一个原子在光电离前后的能量差,即原子终态(2)与始态(1)之间的能量差,可表示为

$$E_B = E_{(2)} - E_{(1)} \qquad\qquad (7-3)$$

    对于气体试样,可以视为自由原子或分子。如果以电子不受原子核吸引的真空能级为参比能级,电子的结合能就是电子能级和真空能级的能量之差。根据式(7-3)就可求得结合能 E_B。

    对于固体试样,由于真空能级与表面情况有关,所以选用 Fermi(费米)能级 (E_F) 作为计算结合能的参考点,即固体试样中某个能级的结合能是指它跃迁到 Fermi 能级所需的能量,而不是跃迁到真空能级所需的能量。所谓 Fermi 能级

是相当于热力学零度时固体能带中充满电子的最高能级。把固体试样中的电子由 Fermi 能级移到真空能级所需的能量称为逸出功,也称功函数。因此,对于固体试样,在计算结合能 E_B 时,还应当考虑电子由 Fermi 能级进入真空成为静止电子所需的能量,即克服功函数 φ_{sa}。即有如下能量关系式:

$$E_B = h\nu - E'_K - \varphi_{sa} \qquad (7-4)$$

试样与仪器试样架材料之间存在接触电位差 ΔV,其值等于试样功函数(φ_{sa})与谱仪功函数(φ_{sp})之差。

$$\Delta V = \varphi_{sa} - \varphi_{sp} \qquad (7-5)$$

由于接触电位差的存在,此时自由电子的动能从 E'_K(谱仪测量的电子动能)变为 E_K(试样发射电子的动能),如图 7-1 所示,E_r 为反冲能量,E_L 为自由电子能级。因为 $E_K + \varphi_{sp} = E'_K + \varphi_{sa}$,所以固体试样光电子能量公式可变为

$$E_B = h\nu - E_K - \varphi_{sp} \qquad (7-6)$$

固体试样的功函数 φ_{sa} 随试样而改变,而仪器的功函数 φ_{sp} 基本上为一定值(约为 4 eV),当激发源的能量和仪器的功函数为已知时,准确测出光电子动能 E_K 后,根据式(7-6)即可求出固体试样中该电子的结合能 E_B。由于不同原子的电子结合能是一定的,据此可进行定性分析。

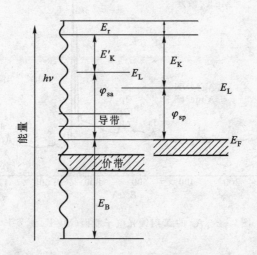

图 7-1　固体试样 X 光电子能谱能量关系示意图

7.2.2.2　X 射线光电子能谱图

X 射线光电子能谱图是以检测器单位时间内接收到的光电子数——光电子强度对电子结合能或光电子动能作图。由于 X 射线能量大,而价电子对 X 射线

的光电效应截面远小于内层电子,所以 XPS 主要是研究原子的内层电子结合能。内层电子不参与化学反应,保留了原子轨道特征,因此其电子结合能具有特征性;不同元素原子产生彼此完全分离的电子谱线,所以相邻元素的识别也不会发生混淆。在实际工作中,一般选用元素的最强特征峰来鉴别元素。图 7-2 所示是以 Mg K_α 为激发源,Ag 片的 X 射线光电子能谱,通常采用被激发电子所在能级来标志光电子。例如,由 K 层激发出来的电子称为 1s 电子,由 L 层激发出来的电子分别记作 2s,$2p_{1/2}$,$2p_{2/3}$,依此类推。图中 Ag $3d_{3/2}$ 和 Ag $3d_{5/2}$ 是两个最强的特征峰,其中后者更强一些,而 Ag 3p 峰仅为 Ag 3d 峰的 1/6 左右。

　　元素的特征峰与其量子数有关,由图 7-2 可以看出,主量子数 n 较小,则峰较强;主量子数 n 相同时,角量子数 L 较大者,峰较强;对于两个自旋分裂峰,内量子数 J 较大,则峰较强。由于元素原子在受 X 射线作用时,也伴随着其他一些物理过程的作用,因而在能谱中出现非光电子峰,即伴峰。另外,在进行光电子能谱分析时,试样表面有可能被周围水、CO_2 和尘埃玷污,造成图谱中出现 C,O,Si 等的特征峰,即污染峰。因此,实验过程中要保持试样表面高度清洁。

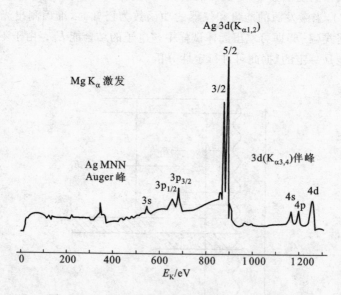

图 7-2　Ag 的 X 射线光电子能谱(Mg K_α 激发)

7.2.2.3　谱峰的物理位移和化学位移

　　由固体的热效应及表面荷电作用等物理因素引起的谱峰位移称为物理位移。由电子所处的化学环境不同而引起的谱峰位移称为化学位移。化学位移与该元素有效电荷分布密切相关,即与氧化数、电负性等密切相关。由于原子的内层电子同时受到核电荷的库仑引力和核外其他电子的屏蔽作用,当外层电子密度增大时,屏蔽作用增强,内层电子的结合能减少;反之,结合能将增加。图 7-3 为不同铍化合物的化学位移,由图可见,当 Be 被氧化成 BeO 后,Be 的 1s 电子结合能向高结合能方向移动 2.9 eV,BeF_2 和 BeO 中的 Be 虽然具有相同的氧化数,但由于氟的电负性比氧的电负性高,所以 Be 在 BeF_2 中具有更高的氧化态。XPS 结果表明,在 BeF_2 中由氟引起的结合能变化比 BeO 中由氧引起的结合能变化大,说明内层电子结合能随元素氧化态增高而增加,化学位移增大。即与电负性大的原子结合时,其电子结合能将向高结合能位移。

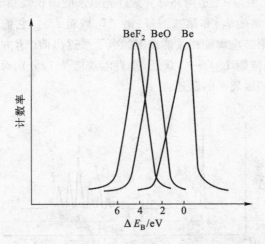

图 7-3 Be,BeO 和 BeF_2 中 Be 的 1s 电子光电子谱线的化学位移

7.2.3 紫外光电子能谱法

7.2.3.1 电离能

由于紫外线的能量比 X 射线能量低,只能激发原子或分子的价电子,因此,它所测定的是价电子的结合能,习惯上称为电离能。当气体试样在紫外光作用下激发出一个光电子后,相应地将产生一个激发态离子,这个离子可以处于振动、转动等激发状态,因此,入射紫外光的能量将用于以下几个方面:电子的电离能 E_I,光电子的动能 E_K,分子的振动能 E_v 和转动能 E_r,即

$$h\nu = E_I + E_K + E_v + E_r \tag{7-7}$$

式中 E_v 大约为 0.05~0.5 eV,E_r 更小,由于 E_v,E_r 比 E_I 小得多,因此,由式(7-7),可得

$$E_K = h\nu - E_I \tag{7-8}$$

E_v 通常可以忽略不计,但是,当采用高分辨率紫外光电子能谱仪时,可以观

察到振动的精细结构。由于 X 射线光电子是由原子内层电子激发出来的,其结合能比离子的振动能和转动能要大得多,而且射线的自然宽度也比紫外线大得多,所以它不能分辨出振动精细结构。而紫外光源能量较低,线宽较窄(通常约 0.01 eV),可分辨出分子的振动精细结构。由此可见,紫外光电子能谱是研究振动结构的一种有效方法。

7.2.3.2 紫外光电子能谱图

紫外光电子能谱图的形状取决于入射光子的能量和电离后离子的状态以及具体的实验条件。图 7-4 是用高分辨紫外光电子能谱仪观察到的谱图,可分为第一谱带(第一电离能 I_1)和第二谱带(第二电离能 I_2)。它们分别是由分子中与第一电离能和第二电离能相关能级上的电子被逐出而产生的。第一谱带又包括几个峰(绝热电离能 I_n:O←O 跃迁,垂直电离能 I_v),分别对应于振动基态的分子到不同振动能级离子的跃迁。

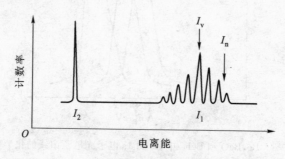

图 7-4 假设的高分辨紫外光电子能谱

在紫外光电子能谱中,由于价电子的谱峰很宽,在实验上测定其化学位移很难。然而一些由非键或弱键轨道中电离出来的电子的谱峰很窄,其化学位移容易测量,同时它们的化学位移又与元素所处的化学环境有关,所以能够提供一些有用的结构信息。但是有关计算非常复杂,因此对于图谱的解释,通常采用简化的方法,即在大量实验事实的基础上,对某些规律进行概括。

一般来说,根据谱带的形状和位置,可以知道有关分子轨道的一些信息。图 7-5 是紫外光电子能谱中一些典型的谱带形状,它们与化学键性质有关(Ⅰ:非键或弱键轨道,尖锐对称峰;Ⅱ,Ⅲ:成键或反键轨道,垂直电离能对应的峰最强,其他峰较弱;Ⅳ:非常强的成键或反键轨道,缺乏精细结构的宽谱带;Ⅴ:振动精细谱叠加在离子的连续谱上;Ⅵ:离子振动类型不止一种,组合谱带)。图 7-6 列出了某些典型轨道的电离能范围,即谱带出现的位置,它可以帮助我们估计有关谱峰所对应的轨道性质。此外,诱导效应、中介效应和轨道相互作用对谱峰也有影响。因此,在实际工作中,常采用谱图的"指纹"来进行鉴定,即比较未知化合物和已知化合物图谱,这样就不需要对谱图进行严格的解释了,而且很容易掌握。

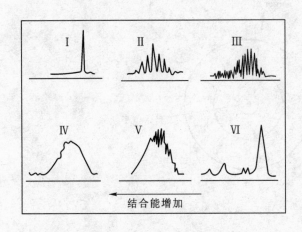

图 7-5 紫外光电子能谱中典型的谱带形状

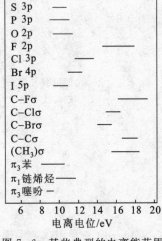

图 7-6 某些典型的电离能范围

7.2.4 Auger 电子能谱法

1925 年法国的物理学家 Auger P(俄歇)在用 X 射线研究光电效应时就已发现 Auger 电子,并对该现象给予了正确的解释。到 20 世纪 60 年代,随着微电子及筒镜能量分析器的引入,提高了分析的灵敏度和速度,使 Auger 电子能谱被广泛应用。Auger 电子能谱法(AES)是用具有一定能量的电子束(或 X 射线)激发试样,以测量二次电子中的那些与入射电子能量无关,而本身具有确定能量的 Auger 电子峰为基础的分析方法。由于采用电子激发得到的 Auger 电子谱强度较大,因而 AES 常用电子作激发源;Auger 电子峰的能量具有元素特征性,故可以用于定性分析;Auger 电流近似地正比于被激发的原子数目,据此可以进行定量分析。它是一种快速、灵敏的表面分析方法。

7.2.4.1 Auger 电子能谱的产生

在一定能量的电子束(或 X 射线)轰击下,使原子内壳层电子电离,形成具有初态空位的激发态离子,处于激发态的离子恢复到基态的去激发可以经过两种竞争的过程。(1)发射 X 射线荧光,即外层电子跃迁到内层轨道,并以 X 射线释放多余的能量;(2)发射 Auger 电子,即此内层空穴被较外层电子填入,多余的能量以非辐射方式传给另一个电子(Auger 电子),并使之发射,如图 7-7 所示。即

$$A^{+*} \longrightarrow A^{+} + h\nu (发射 X 射线荧光)$$

$$A^{+*} \longrightarrow A^{2+} + e^{-} (发射 Auger 电子)$$

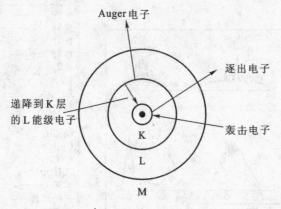

图 7-7　Auger 电子发射过程

Auger 电子常用 X 射线能级来表示。例如，$KL_I L_{II}$ Auger 电子表示最初逐出 K 能级电子，然后由 L_I 能级上电子填入 K 能级的空穴，多余能量传给 L_{II} 能级上的一个电子并使之发射出来。由于 Auger 跃迁过程至少有两个能级和三个电子参与，所以第一周期的氢和氦原子不能产生 Auger 电子。

7.2.4.2　Auger 电子产额

Auger 电子产生与 X 射线荧光发射是两个相互竞争的过程，对于 K 型跃迁，设发射 X 射线荧光的概率为 P_{KX}，发射 K 系 Auger 电子的概率为 P_{KA}，则 K 层 X 射线荧光的产额 Y_{KX} 为

$$Y_{KX} = P_{KX}/(P_{KX} + P_{KA}) \tag{7-9}$$

K 系 Auger 电子的产额为 Y_{KA}，则

$$Y_{KA} = 1 - Y_{KX} \tag{7-10}$$

由于 Y_{KX} 与原子序数有关，所以 X 射线荧光产额和 Auger 电子产额均随原子序数而变化，如图 7-8 所示。由图可见，Auger 电子能谱法更适用于轻元素（$Z < 32$）的分析，产额较高，原子序数在 11 以下的轻元素发射 Auger 电子的概率在 90% 以上；随着原子序数的增加，X 射线荧光产额增加，而 Auger 电子产额下降。

7.2.4.3　Auger 电子峰的强度

Auger 电子峰的强度 I_A 主要由电离截面 Q_i 和 Auger 电子发射概率 P_A 决定：

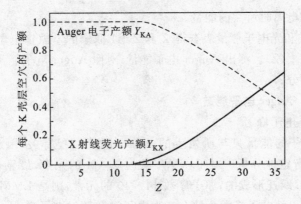

图 7-8　Auger 电子产额与原子序数的关系

$$I_{\mathrm{A}} \propto Q_{\mathrm{i}} \cdot P_{\mathrm{A}}$$

电离截面与被束缚电子 i 的能量(E_{Bi})和入射电子束能量(E_{in})有关。一般来说,当 $E_{\mathrm{in}} \approx 3 E_{\mathrm{Bi}}$ 时,Auger 电流较大。若 $E_{\mathrm{in}} < E_{\mathrm{Bi}}$,入射电子的能量不足以使 i 能级电离,Auger 电子产额等于 0;若 E_{in} 过大,入射电子与原子相互作用时间过短,也不利于产生 Auger 电子。通常采用较小的入射角($10° \sim 30°$),可增大检测体积,获得较大的 Auger 电流。

7.2.4.4　Auger 电子的能量

Auger 电子的动能只与电子在物质中所处的能级及仪器的功函数 φ 有关,与激发源的能量无关。因此,要在 X 光电子能谱中识别 Auger 电子峰,可变换 X 射线源的能量,X 光电子峰会发生移动,而 Auger 电子峰的位置不变。据此可加以区别。

Auger 电子的动能可以根据 X 射线能级来估算,例如 $KL_{\mathrm{I}} L_{\mathrm{II}}$ Auger 电子的能量是 $E_{\mathrm{K}} - E_{\mathrm{LI}} - E_{\mathrm{LII}}$。精确计算时,还应该考虑到仪器的功函数及 Auger 跃迁过程中电离态的变化。与单电离原子相比,双重电离原子的 L_{II} 电子的电子结合能还需要考虑电子从 Fermi 能级提升到仪器的试样托架电位所需要做的功。因此,固体物质的 $KL_{\mathrm{I}} L_{\mathrm{II}}$ Auger 电子的能量应为

$$E_{\mathrm{KL_I L_{II}}} = E_{\mathrm{K}}(Z) - E_{\mathrm{LI}}(Z) - E_{\mathrm{LII}}(Z + \Delta) - \varphi \qquad (7-11)$$

式中 Z 为原子序数,φ 为仪器功函数,Δ 为有效核电荷补偿数,一般在 $1/2 \sim 1/3$ eV 之间。

Auger 电子能量的通式可写成

$$E_{\mathrm{wxy}}(Z) = E_{\mathrm{w}}(Z) - E_{\mathrm{x}}(Z) - E_{\mathrm{y}}(Z + \Delta) - \varphi \quad (Z \geqslant 3) \qquad (7-12)$$

式中 $E_{\mathrm{w}}(Z) - E_{\mathrm{x}}(Z)$ 是 x 轨道电子填充 w 轨道空穴时释放出的能量,$E_{\mathrm{y}}(Z + \Delta)$

是 y 轨道电子电离时所需的能量。

由 X 射线和光电子能量表查得 Z 和 $Z+1$ 原子的 y 轨道电子单重电离能，便可估算出 $E_{wxy}(Z)$。测出 Auger 电子能量，对照 Auger 电子能量表，就可确定试样表面的成分。

7.2.4.5 Auger 电子能谱

1. Auger 电子峰

Auger 电子的能量只与所发生的 Auger 跃迁过程有关，因此它具有特征性，可据此进行定性分析。对于原子序数为 3~14 的元素，最显著的 Auger 电子峰是由 KLL 跃迁形成的；原子序数 14~40 的元素，则是 LMM 跃迁形成的，以此类推。Auger 电子峰常叠加在二次电子谱和散射电子谱上，当把各种信息的电子按其能量分布绘制成电子能谱图 $N(E)-E$ 时，为了提高谱图的 Auger 信号并同时抑制本底信号，通常将 $\mathrm{d}N(E)/\mathrm{d}E$ 峰的最大负振幅处作为 Auger 电子峰的能量（但要指出的是，它和真正的 Auger 电子能量有区别），它出现在第二次能量分布曲线 Auger 电子峰高能侧的拐点，而不是该峰的顶点。图 7-9 是用 1 keV 的入射电子激发银靶得到的 Auger 电子峰。由图可见，采用微分值后，可得到明显的 Auger 电子峰。

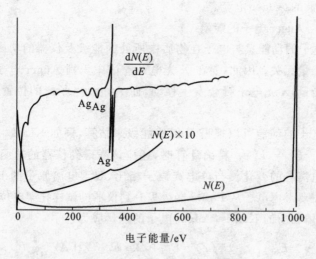

图 7-9   Ag 的 Auger 电子能谱

2. 化学环境的影响

Auger 电子能谱除对固体表面的元素种类具有标识外，它还能反映 3 类化学效应——即原子化学环境的改变引起 Auger 电子能谱结构的变化。这 3 类化学效应如下：

（1）电荷转移　原子发生电荷转移（如价态变化）引起内壳层能级移动，使 Auger 电子峰产生化学位移。实验中测得的 Auger 电子峰位移可以从小于 1 eV 到大于 20 eV。可以根据化学位移来鉴别不同化学环境的同种原子。

（2）价电子谱　价电子谱能直接反映价电子的变化，它不仅使 Auger 电子能量发生位移，而且由于新化学键（或带结构）形成时原子外层电子重排，造成谱图形状改变。图 7-10 是纯锰、部分氧化和严重氧化后锰的 Auger 电子能谱。由图可见，氧化程度不同，不仅使 Auger 电子峰位移了几个电子伏，而且在 40 eV 处还发生了峰的分裂（一分为二）。

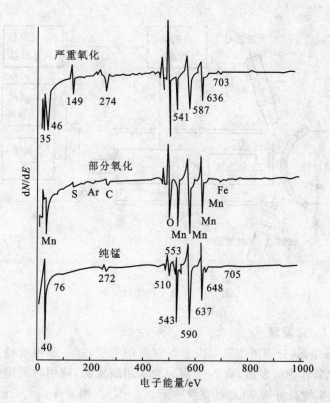

图 7-10　各种状态 Mn 的 Auger 电子能谱

（3）等离子激发　不同的化学环境将造成不同的等离子激发而损失能量，会造成一群附加等离子伴峰。例如，纯镁的 Auger 电子能谱中低能端出现一群小峰，而氧化镁的谱图就没有这些峰。

Auger 电子能谱作为一种表面分析方法，它的信息深度取决于 Auger 电子的逸出深度，即电子平均自由程。对于能量为 50～2 000 eV 范围内的 Auger 电子，平均自由程大约是 0.4～2 nm，逸出深度与 Auger 电子能量以及试样材料有关。

7.2.5　电子能谱仪

X 射线光电子能谱仪、紫外光电子能谱仪和 Auger 电子能谱仪都是测量低能电子的,均由激发源、试样室系统、电子能量分析器、检测器和放大系统、真空系统以及计算机等部分组成。电子能谱仪通常采用的激发源有三种:X 射线源、真空紫外线灯和电子枪。由于各能谱仪之间除激发源不同外,其他部分基本相同,因此,配备不同激发源,可使一台能谱仪具有多种功能,这是近年来能谱仪制造的发展趋势。图 7-11 为以 XPS 为主机的多功能电子能谱仪。

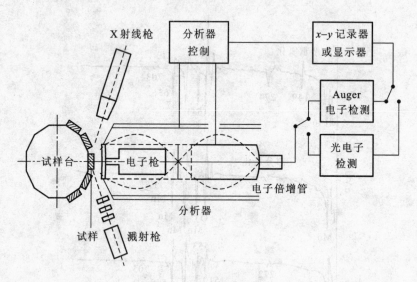

图 7-11　电子能谱仪简图

7.2.5.1　激发源

在 XPS 中,其分辨率主要取决于 X 射线的宽度,故一般用较轻金属元素作阳极的 X 光管作为激发源,表 7-1 所列为常用激发源,使用时采用分光晶体使光源单色化来提高分辨率(能量宽度小于 0.3 eV)。在紫外光电子能谱仪中,常采用 He、Ne 气体等放电产生的共振线为激发源,如表 7-2 所列。Auger 电子

表 7-1　X 射线光电子能谱仪常用激发源

射线	能量 E/eV	半峰高宽 $W_{1/2}$/eV	射线	能量 E/eV	半峰高宽 $W_{1/2}$/eV
NaK_{α}	1 041.0	0.4	TiK_{α}	4 511	1.4
MgK_{α}	1 253.6	0.7	CrK_{α}	5 415	2.1
AlK_{α}	1 486.6	0.8	CuK_{α}	8 048	2.5
SiK_{α}	1 739.4	0.8			

能谱仪则常用电子枪作为激发源,以得到强度较大、多能量(5~10 keV)的电子枪源。

表 7-2　紫外射线光电子能谱仪常用激发源

真空紫外线光源	能量 E/eV	真空紫外线光源	能量 E/eV
He(Ⅰ)	21.2	Ar(Ⅰ)	11.62;11.83
He(Ⅱ)	40.8	Xe(Ⅰ)	9.55;8.42
莱曼 a	10.2	Kr(Ⅰ)	10.02;10.63
Ne(Ⅰ)	16.5;16.83		

7.2.5.2　单色器——电子能量分析器

电子能量分析器是电子能谱仪的核心部分,是测量电子能量分布的一种装置,其作用是探测试样发射出来的不同能量电子的相对强度。电子能量分析器的分辨率定义为:$(\Delta E/E_\mathrm{K})\times100\%$,表示分析器能够区分两种相近能量电子的能力。电子能量分析器可分为磁场型和静电型两类。由于静电型能量分析器具有体积小,外磁场屏蔽简单,易于安装和调整等优点,因此现在的商品仪器绝大多数采用静电场式能量分析器。常用的静电场式能量分析器有半球形电子能量分析器和筒镜电子能量分析器两种。

1. 半球形电子能量分析器

半球形电子能量分析器由两个同心半球面组成,如图 7-12 所示。外球面加负电荷,内球面加正电荷,在同心球面间隙形成一个径向电场,当电子束从两半圆中通过时,不同能量的电子在不同方向偏转而得到分离。如果在球形半圆上加上连续改变的电压(扫描电压),则可以使不同能量的电子在不同的时间依次通过分析器,记录每一种动能的电子数,并与其对应的电子能量作图,就得到电子能谱图。

2. 筒镜电子能量分析器

筒镜电子能量分析器(CMA)由两个同轴圆筒组成,如图 7-13 所示。试样和检测器放置在两个圆筒的公共轴线上,空心内筒的圆周上开有彼此平行、垂直于圆筒公共轴线的入口和出口狭缝。外筒加上负电压,内筒接地,内外筒之间的电压产生一个筒型轴对称的减速静电场,使具有一定能量的电子聚焦并进入检测器。能够通过筒镜分析器的电子的能量由下式决定:

$$E_\mathrm{K}=-eU/[2\ln(r_2/r_1)] \tag{7-13}$$

式中 E_K 为通过分析器的电子动能,$-e$ 为电子电荷,U 为加在内外筒之间的电压,r_1 为内筒半径,r_2 为外筒半径。

筒镜电子能量分析器的接收角比较大,几乎全部 2π 都能利用,因此灵敏度

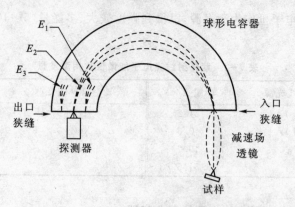

图 7-12   半球形电子能量分析器示意图

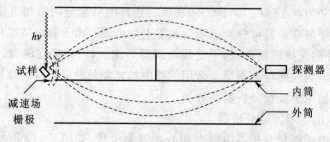

图 7-13   筒镜电子能量分析器示意图

较高,大多数 Auger 电子能谱仪都采用 CMA。但为了弥补其分辨率较低的缺陷,现在的商品仪器常采用二级串联筒镜电子能量分析器。

3. 检测器

由于原子和分子的光电子截面都较小,因此从原子或分子产生并经能量分析器出来的光电子流仅为 $10^{-13} \sim 10^{-19}$ A,要接收这样弱的信号,必须采用电子倍增器,如单通道电子倍增器或多通道电子倍增器。

4. 试样室系统和真空系统

试样预处理(如氢离子清洗等)、进样系统和试样室三部分构成了试样室系统;真空系统提供高真空环境。真空系统有两个功能,其一是使试样室和分析器保持一定的真空度,以便减少光电子在运动过程中与残留气体分子发生碰撞而损失信号强度;其二是降低活性残余气体的分压,防止杂质峰产生。由于试样室处于超高真空($< 10^{-6}$ Pa),所以对于气体试样,常采用差分抽气进样方式。对于液体试样,常采用蒸发冷冻或直接冷冻的办法将液体转变为固态后进行测定,或将液体气化成气体后进行测定。

7.2.6 电子能谱法的应用

7.2.6.1 电子能谱法的特点

（1）可分析除 H 和 He 之外的所有元素；可以直接测定来自试样单个能级光电发射电子的能量分布，且直接得到电子能级结构的信息。

（2）如果把红外光谱提供的信息称为"分子指纹"，那么电子能谱提供的信息可称为"原子指纹"。它能提供有关化学键方面的信息，直接测量价层电子及内层电子轨道能级。而相邻元素的同种谱线相隔较远，相互干扰少，元素定性标识性强。

（3）是一种无损分析。

（4）是一种高灵敏超微量表面分析技术。分析所需试样约 10^{-8} g 即可，绝对灵敏度达 10^{-18} g，试样分析深度约 2 nm。

7.2.6.2 X 射线光电子能谱法的应用

X 射线光电子能谱法的优点：它是研究表面及界面化学最好的方法之一。可进行多元素同时分析、定性分析、定量分析、化学状态分析、结构鉴定、无损深度剖析、微区分析等；可进行不同形状（如平面、粉末、纤维及纳米结构）材料，包括有机材料的分析（对 X 射线敏感材料除外），分辨率为 0.2 eV。随着科学技术的发展，XPS 也在不断地完善。目前，已开发出的小面积 X 射线光电子能谱，大大提高了 XPS 的空间分辨能力。

1. 元素定性分析

元素周期表中每一种元素的原子结构互不相同，原子内层能级上的电子结合能是元素特性的反应，据此可以进行定性分析。可检测元素从 Li 到 U。图 7-14 是有机化合物 $(C_3H_7)_4N^+S_2PF_2^-$ 的 X 射线光电子能谱图，可见除氢以外，其他元素都清晰可见。图中氧峰为杂质峰，说明该化合物已部分被氧化。

XPS 除用于元素定性分析外，还可用于稀有气体、不活泼气体及一氧化碳等气体的混合物分析；用于不同价态金属氧化物中金属价态及相对含量的确定。

2. 元素定量分析

XPS 定量分析的依据是光电子谱线的强度（光电子峰的面积或峰高）与元素含量有关，光电子峰的面积（或峰高）的大小主要取决于试样中所测元素的含量（或相对浓度），但在不同试样中，元素含量与光电子峰的强度之间并不存在简单的比例关系。因此，在实际分析中，采用与标准试样相比较的方法进行元素的定量分析，相对标准偏差可达 1%～2%；还可采用灵敏度因子法，虽然此法误差较大，但具有简便、快速等优点，对于许多实际问题来说，采用灵敏度因子法所得实验数据，已足以说明问题。

XPS 用于定量分析，具有如下优点：可进行多元素同时测定、能分析有机及

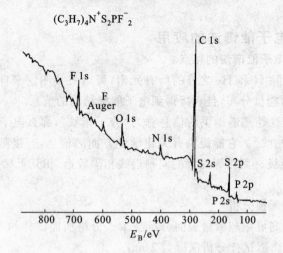

$(C_3H_7)_4N^+S_2PF_2^-$

图 7-14 $(C_3H_7)_4N^+S_2PF_2^-$ 的 X 射线光电子能谱图

高分子材料(元素及分子结构)、对试样辐射损伤小,是非破坏性分析技术。

3. 固体表面状态分析

固体表面存在一个与固体内部组成和性质不同的相,作为重要的表面分析方法之一,X 射线光电子能谱在表面吸附、催化、氧化和腐蚀等方面都有应用。图 7-15 是一种钯催化剂在含氮有机化合物体系中失活前后的 X 射线光电子能谱图。由图可见,催化剂失活前,表面上钯的谱峰明显,氮的谱峰很弱;失活后,钯峰消失,氮峰明显。这一结果充分地说明此催化剂的失活是由于它的表面吸附了含氮有机化合物。

4. 化合物结构鉴定

XPS 结构分析的特点是直接捕获到表征化合物的化学键和电荷分布的信息,化学键和电荷分布的信息来源于原子内层电子结合能的化学位移。所谓化学位移是指分子中原子的化学环境的改变影响光电子能量变化,从而导致谱图上出峰位置发生移动。由化合物中各原子的化学位移值,可以得到化合物结构的有关信息。图 7-16 是 1,2,4,5-苯四甲酸、邻苯二甲酸和苯甲酸钠的 C1s 光

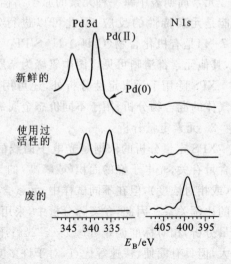

图 7-15 不同情况下钯催化剂的 X 射线光电子能谱图

电子谱线。在这些化合物中,有两种碳原子,一种是苯环上的碳,一种是羧基上的碳,由于氧的电负性比碳、氢大,因此羧基碳周围的电子密度比苯环碳小,所以它的1s电子的结合能大;这两种碳在能谱上有两条分开的峰,且峰的强度之比符合这三种化合物中羧基碳和苯环碳的比例。

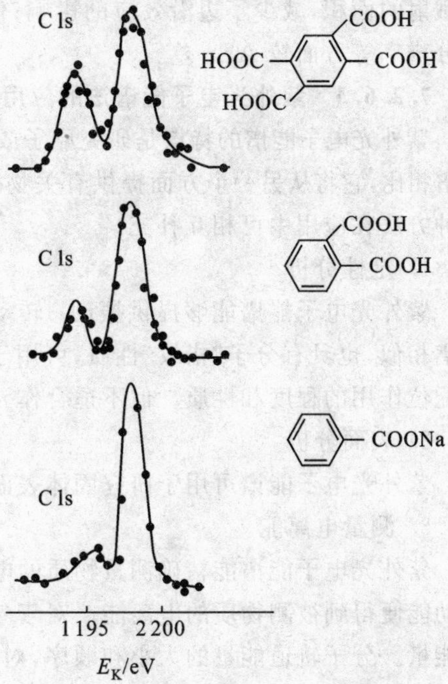

5. 生物大分子研究

XPS用于生物大分子研究也有不少例子。例如,维生素 B_{12} 在 C,H,O,N 等 180 个原子中只有一个 Co 原子,因此,在 10 nm 厚的维生素 B_{12} 层中只有非常少的 Co 原子,但从维生素 B_{12} 的 X 射线光电子能谱图中仍能清晰地观察到 Co 的电子峰(图 7-17)。

图 7-16   1,2,4,5-苯四甲酸、邻苯二甲酸和苯甲酸钠的 C1s 电子能谱图

6. 深度剖析及微区分析

XPS 和 AES 均可用于深度剖析及微区分析,其分析特点如下:采样深度均在 1 nm 左右;试样本体对表面元素的检测灵敏度影响很小;采样面积通常小于

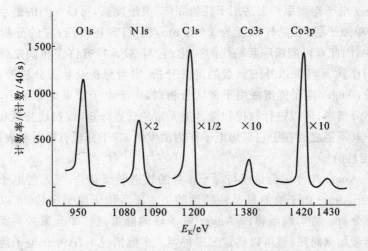

图 7-17   维生素 B_{12} 的 X 射线光电子能谱图

被溅射的面积,减少了边沿效应的影响;但 XPS 在检测速度、信号/本底比和空间分辨率等方面较 AES 差。

7.2.6.3　紫外光电子能谱法的应用

紫外光电子能谱的特点是研究原子或分子的价电子,因此,与 X 射线光电子能谱相比,它将从另一个方面提供有关物质的结构信息,分辨率为 $2\sim25$ meV。两种方法在应用中可相互补充。

1. 定性分析

紫外光电子能谱能够提供振动−转动能级结构方面的信息,所以它与红外光谱相似,也具有分子"指纹"性质,可用于鉴定某些同分异构体、确定取代作用和配位作用的程度和性质。但不适合作元素的定性分析。

2. 表面分析

紫外光电子能谱可用于研究固体表面吸附、催化及表面电子结构等。

3. 测量电离能

紫外光电子能谱能精确测量物质的电离能。紫外光电子的能量减去光电子的动能便得到被测物质的电离能。对于气体试样而言,电离能相等于分子轨道的能量。分子轨道能量的大小和顺序,对于解释分子结构、研究化学反应、验证分子轨道理论的计算结果等,提供了有力的依据。

4. 研究化学键

观察紫外光电子能谱各种谱带的形状,可以得到有关分子轨道成键性质的某些信息。例如,出现尖锐的电子峰,可能存在非键电子;带有振动精细结构的比较宽的峰,可能有 π 键存在等。

7.2.6.4　Auger 电子能谱法的应用

Auger 电子能谱原则上适用于任何固体,灵敏度高,可以探测的最小面浓度达 0.1% 单原子层;其采样深度为 $1\sim2$ nm,比 XPS 还要浅;它的分析速度比 XPS 更快,因此有可能跟踪某些快的变化;它与 XPS 具有许多相同之处,例如,都可以用作除 H,He 以外的元素的定性分析、定量分析及状态分析等,但亦有不同之处:Auger 电子能谱法用于微区分析时,由于电子束束斑非常小,具有很高的空间分辨率,可以进行扫描和微区上元素的选点分析、线扫描分析和面分布分析等。其不足之处在于它采用电子作为激发源,难于分析有机材料表面。

1. 定性分析

由于 Auger 电子的能量仅与原子本身的轨道能级有关,与入射电子的能量无关,因而 Auger 电子的能量是特征性的。主要适用于原子序数 33 以下轻元素的定性分析。将实验测得的 Auger 电子峰的能量与已知元素的各类 Auger 跃迁的能量加以对照,就可以确定元素种类。多数情况下,Auger 电子能谱主要用于监测洁净表面和被污染表面的元素组成或化学组成,多用于薄膜材料的分析。

2. 定量分析

Auger 电流近似地正比于被激发的原子数目,因此可以利用这一特征进行元素的半定量分析。由于 Auger 电流不仅与原子数有关,还与 Auger 电子的逃逸深度、试样表面的光洁度、元素的化学状态及仪器状态有关,因此 Auger 电子能谱技术一般不能给出所分析元素的绝对含量,常用相对含量来进行定量分析,即把试样的 Auger 电子信号与标准试样的信号在相同条件下进行比较,即半定量分析。

3. 表面元素的化学状态分析

表面元素的化学状态分析是 Auger 电子能谱技术的一种重要功能,Auger 化学位移比 XPS 的化学位移大,且结合深度分析可以研究表面化学状态。此外,Auger 电子能谱还与线形变化有关,因此,Auger 电子能谱的线形分析也是元素化学状态分析的重要方法。

4. 微区分析

微区分析是 Auger 电子能谱分析的一个重要功能,可分为选点分析、线扫描分析和面扫描分析,它是纳米材料研究的主要手段。从理论上讲,Auger 电子能谱选点分析的空间分辨率可以达到束斑面积大小,利用计算机选点,可以同时对多点进行表面定性分析、表面成分分析、化学状态分析和深度分析;可以了解一些元素沿某一方向的分布情况——线扫描分析;可以把某一元素在某一区域的分布以图像的方式表示出来——面扫描分析;结合化学位移分析,还可以获得特定化学价态元素的化学分布像。

7.3 二次离子质谱法

7.3.1 二次离子质谱法原理

当初级离子束(Ar^+,O_2^+,N_2^+,O^-,F^-,N^- 或 Cs^+ 等)轰击固体试样表面时,它可以从表面溅射出各种类型的二次离子(或称次级离子),利用离子在电场、磁场或自由空间中的运动规律,通过质量分析器,可以使不同质荷比(m/z)的离子分开,经分别计数后可得到二次离子强度-质荷比关系曲线,这种分析方法称为二次离子质谱法(secondary ion mass spectrometry,SIMS)。每个入射离子从试样表面溅射出的平均粒子数,称为溅射产额。元素种类或化合物类型不同,溅射产额不同,大约为 $0.1 \sim 10$ 原子/离子。同一化合物的各种不同二次离子的产额存在几个数量级的差别,因此质谱图中的二次离子流强度通常用对数坐标表示。

二次离子质谱有"静态"和"动态"两种,在静态(static)二次离子质谱(SSIMS)中,入射离子能量低(<5 keV),束电流密度小(nA·cm⁻²量级),以尽量降低对表面的损伤,这样接收的信息可以看成是来自未损伤的表面。动态(dynamic)二次离子质谱(DSIMS),入射离子能量较高,束电流密度大(mA·cm⁻²量级),表面剥离速度快,分析的深度深,在表面分析过程中,它会使表面造成严重损伤。

7.3.2　二次离子质谱仪

除"探测粒子"源不同外,SIMS 与介绍过的质谱仪及其他表面分析仪器类似,这里只作简要介绍。在 SIMS 中,"探测粒子"源为离子枪系统。一次离子通常是用双等离子枪类型的气体放电源(O_2^+,O^-,N_2^+,Ar^+)、表面电离源(Cs^+,Rb^+)或液态金属场离子发射源(Ga^+,In^+)产生的。离子枪的基本结构由离子源、引出、聚集和偏转装置等组成。图 7–18 为 SIMS 原理示意图。

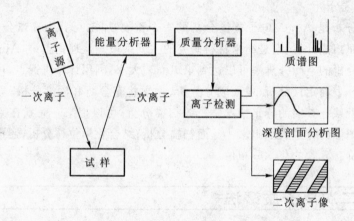

图 7–18　二次离子质谱原理示意图

7.3.3　二次离子质谱的应用

1. 表面成分分析

SIMS 的检测灵敏度是所有表面分析法中最高的,很适合于痕量杂质分析。如对集成电路(IC)上 500 nm 厚的 SiO_2 保护膜进行分析以找出其失效的原因。SiO_2 膜为一种低熔点玻璃态材料,含有 Na,K,Li,B,SiO_2 等。用 Auger 电子能谱仪发现 Si,O,C,SiO_2 峰,无法找出 IC 失效原因所在;而将未失效与失效的 IC 进行 SIMS 分析时,可以看到后者的谱图有 Li^+,B^+,K^+,Na^+,KO^+ 等杂质峰,其中 Na^+ 峰比前者高一个数量级,据此判断 Na^+ 是造成 IC 失效的原因。

2. 深度剖析

其他表面分析方法(如 XPS,AES 等)在进行深度分析时,是采用溅射方式将试样逐级剥离,这些方法对剥离掉的物质不加分析,所分析的是新生成的表面。与此相反,SIMS 则是连续研究所有正被剥离的物质,它的试样利用率高,信息深度大约为一个原子层,可以检测所有元素或同位素且有很高的灵敏度,因此 SIMS 成为深度剖析的主要方法。

3. 二维及三维成分分布分析

利用直接成像或扫描方式可以得到试样各种成分(元素及其同位素)二维分布的真实图像,进而构成各种成分的三维分布图像。随着计算机数字图像技术发展以及 SIMS 的空间和质量分辨率的提高,从 SIMS 图像中可以提取丰富的化学成分和结构信息。

此外,利用低密度和能量的一次离子束为激发源,进行所谓静态 SIMS 分析,可以分析一些不挥发、热稳定性差的有机物,例如,用 SIMS 分析在 Ag 表面上沉积的单层维生素 B_{12}。

7.4 扫描隧道显微镜和原子力显微镜

扫描隧道显微术(scanning tunneling microscopy,STM)是 IBM 苏黎世实验室的 Binnig G 博士和 Röhrer H 博士及其同事们发明的。1986 年,Binnig 和 Röhrer 与发明电子显微镜的 Ruska E 一道,获得诺贝尔物理学奖。

7.4.1 扫描隧道显微镜的基本原理

扫描隧道显微镜的工作原理是基于量子力学的隧道效应。它是将原子尺度尖锐的探针(又称针尖)和被研究物质(即试样,通常为导体或半导体)表面作为两个电极,当这两个电极距离非常接近(<1 nm)时,其间的势垒变得非常薄,以至电子可以穿过势垒从一个电极进入另一个电极,这样两个导体及其间的薄绝缘层便构成了隧道结,此效应即所谓隧道效应。由于隧道电流的大小与电极间的有效间隙成指数关系,因此由隧道电流的变化能很敏感地检测到距离的变化。

扫描隧道显微镜有两种不同的工作模式:恒电流模式和恒高模式。恒电流模式如图 7-19(a)所示,在针尖扫描过程中,为了维持电流恒定,反馈系统必须随时调整探针高度,记录针尖上下运动的轨迹即可给出表面形貌。恒电流模式是 STM 常用的工作模式,它不要求试样表面呈原子水平平整。恒高模式是指保持针尖高度一定,通过测量电流的变化来反映表面上原子尺度的起伏,如图 7-19(b)所示。恒高模式仅适用于对起伏不大的表面进行成像。当试样表面起伏较大时,由于针尖离表面非常近,采用恒高模式扫描容易造成针尖与试样表面相撞,导致针尖与试样表面被破坏。STM 的曲线和图像除了反映表面形貌和原子空间排列情况外,还可以反映出表面电子分布的变化,从而得到表面原子种类的信息。

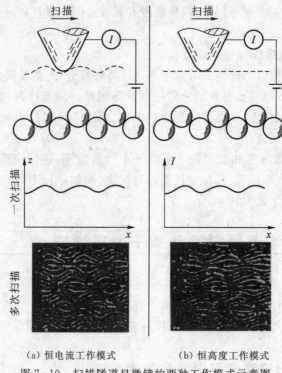

（a）恒电流工作模式   （b）恒高度工作模式

图 7-19   扫描隧道显微镜的两种工作模式示意图

7.4.2   仪器装置

STM 针尖与试样之间的距离 S 通常小于 1 nm,是一种近场成像仪器。主要由 xyz 位移器、针尖和计算机接口等三部分组成。仪器结构的两个核心问题分别是获得单原子直径的尖端和维持隧道结间隙的稳定性。通过切削 Pt/Ir 丝或电解腐蚀 W 丝,并采用进一步精细处理(例如用针尖与试样之间加较大直流或交流电流以及预扫描 10～60 min)可以制备这种单原子针尖;后一问题的解决方法是采用严密的振动隔离系统、使用刚性和热胀系数相近的构件连接针尖或试样、保持恒温和绝热等,这些措施可以使针尖与表面之间距离变化不大于 0.001 nm。

7.4.3 应用

STM 实验可以在大气、真空、溶液、惰性气体甚至反应性气体等各种环境中进行,工作温度可以从热力学零度到摄氏几百度。STM 的用途非常广泛,可用于原子级空间分辨的表面结构观测,用于各种表面物理化学过程和生物体系研究;STM 还是纳米结构加工的有力工具,可用于制备纳米尺度的超微结构;还可用于操纵原子和分子等。STM 是一种无损分析方法,目前它的横向分辨率已达到 0.1 nm,垂直分辨率已达到 0.01 nm。

7.4.4 原子力显微镜

由于 STM 是利用隧道电流进行表面形貌及表面电子结构性质研究,所以只能对导体和半导体试样进行研究,不能用来直接观察和研究绝缘体试样和有较厚氧化层的试样。为了弥补 STM 的不足,1986 年 Binnig,Quate 和 Gerber 在斯坦福大学发明了第一台原子力显微镜(atomic force microscope,AFM)。AFM 不但可以测量绝缘体表面形貌,达到原子分辨水平,还可以测量表面原子间力,测量表面的弹性、塑性、硬度、黏着力、摩擦力等性质。

AFM 是利用一个对力敏感的探针探测针尖与试样之间的相互作用力来实现表面成像,工作原理如图 7-20 所示。将一个对微弱力极敏感的弹性微悬臂一端固定,另一端的针尖在试样表面依次扫描,当针尖尖端原子与试样表面间存在极微弱的作用力($10^{-8} \sim 10^{-6}$ N)时,微悬臂会发生微小的弹性形变,测定微悬臂形变量的大小,就可以获得针尖与试样之间作用力的大小。针尖与试样之间的作用力与距离之间有强烈的依赖关系,所以在扫描过程中利用反馈回路保持针尖和试样之间的作用力恒定,即保持微悬臂的变形量不

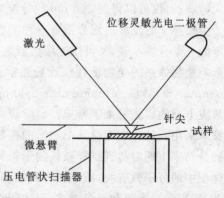

图 7-20 光束反射法原子力显微镜原理图

变,针尖就会随表面的起伏上下移动,记录针尖上下运动的轨迹即可得到表面形貌的信息。这种检测方式被称为"恒力"模式(constant force mode),是使用最广泛的扫描方式。

AFM 的图像也可以使用"恒高"模式(constant height mode)来获得,也就是在 x,y 扫描过程中,不使用反馈回路,保持针尖与试样之间的距离恒定,检测器直接测量微悬臂 z 方向的形变量来成像。这种方式由于不使用反馈回路,可

以采用更高的扫描速率,通常在观察原子、分子的图像时用得比较多,但对于表面起伏较大的试样不适用。

也有人将"恒力"和"恒高"模式分别称为接触和非接触模式,此外还提出了第三种图像模式,即间歇接触——敲击模式。敲击模式更适合于在空气中对软试样进行检测,此时图像分辨率与接触模式相当,而所用在试样上的力较小,对试样、针尖或它们两者的损伤较小。但敲击模式扫描速率慢,仪器操作更复杂。

7.5　近场光学显微镜

光学显微镜的放大本领来源于光的波动性,而正是光的波动性阻碍了人们无限地增加放大倍数。这个规律早在 1873 年就由德国科学家 Abbe E 根据衍射理论推导出来了,而后由瑞利归纳为一个常用公式:

$$\Delta\chi = k\lambda/(n\sin\theta)$$

式中 $\Delta\chi$ 为光学显微镜的最小分辨距离,λ 为照明光的波长,n 为物方折射率,θ 为物镜对试样的半张角,k 为常数(为 0.61 时表示不相干光照明;为 0.77 时表示相干光照明),$n\sin\theta$ 称为数值孔径(NA)。由上式可见,要想提高光学显微镜的分辨本领,就必须减小照明光波长 λ,或增大数值孔径 NA。就增大数值孔径而言,最好的油浸式显微镜的 NA 也不过 1.5 左右,也就是说,假如使用 500 nm 的入射波长,仅可以得到 200 nm 的分辨率。

生命科学的发展迫切希望有一种实验显微方法,它既具有亚微米甚至纳米尺度的光学分辨本领,又可以连续监测生物大分子和细胞器微小结构的演化,且不影响生物体系的生物活性。近场光学显微镜(near-field scanning optical microscopy NSOM 或 scanning near-field optical microscopy,SNOM)技术的出现为解决上面的难题带来了希望。与常规光学显微镜的二维同时成像不同,这一新技术采用距试样表面仅几个纳米的探针逐点扫描成像的方法,可以在几十纳米的分辨率下同时得到试样微区的形貌和光学信息。由于背景信号强度与受激发体积中的分子数有关,减小激发和检测体积,是提高信噪比的重要措施之一,因此,采用激光光源和近场方式,可达到减小激发和检测体积的目的。

7.5.1　近场光学显微镜的基本原理

生物试样常处于水环境中,试样往往较绵软和表面起伏较大,因此,利用超高分辨的扫描隧道显微镜和原子力显微镜观察活体生物试样难度较大,而近场光学显微镜的出现,为生物试样的超高分辨观察带来了新的希望。近场光学显微技术可用于自然或接近自然环境条件下,研究生物物质分子水平的光吸收、发射、散射和偏振等光学信息。其原理如图 7-21 所示。它由激光器和光纤探针构成的"局域光源"、带有超微动装置的"试样台"和由显微镜等构成的"光学放大系统"三部分组成。近场光学显微镜的结构在总体上可与传统光学显微镜的结构一一对应，但也有明显差别：照明光源的尺度和照明方法不同；成像方法不同。近场光学显微镜有三类工作模式：(1) 探针只为试样提供近场局域照明激发光；(2) 探针只在近场收集来自试样的光信号；(3) 探针同时作照明和收集用。

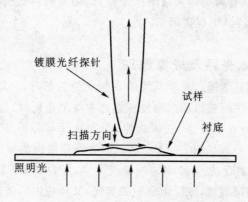

图 7-21　近场光学显微镜原理图

7.5.2　近场光学显微镜的应用

　　与用电子(束)进行成像的扫描电子显微镜和利用隧道效应的扫描隧道显微镜不同，近场光学显微镜用光子(束)成像。光子不同于电子，它是玻色子，没有质量也不携带电荷，因而，很易聚焦和改变偏振，可以开展扫描电子显微镜和扫描隧道显微镜所没有的所谓主动式应用。近场光学显微镜除用于表面分析外，还可用于超分辨成像、近场光谱学、近场光电导、近场光刻/光写、近场光储存等。为适应某些特殊需要，还出现了具有特定用途的近场光学显微镜：如生物近场光学显微镜、低温近场光学显微镜、偏光近场光学显微镜、红外光近场光学显微镜、时间分辨近场光学显微镜等。

7.6　激光共焦扫描显微镜

　　生物医学及材料科学的发展对显微技术提出了更高的要求，不仅要有更高的分辨力，而且还要能对试样进行无损层析，进而能观察其三维图像。这是普通显微技术所不可能实现的。而基于共焦原理的激光共焦扫描显微技术却能满足以上要求，从而使传统的显微镜有了新的发展。共焦成像原理是由 Minsky M

等在20世纪50年代提出的,由于受技术条件限制,直到20世纪80年代后期,随着激光技术、计算机图像处理技术的迅速发展,才逐渐发展成性能稳定的产品。激光共焦扫描显微镜(laser confocal scanning microscopy,简称LCSM)是集共焦原理、激光扫描技术和计算机图像处理技术于一体的新型显微镜,是一种典型的高新技术光电仪器。其主要优点如下:(1)既有高的横向分辨力,又有高的轴向分辨力,同时能有效抑制杂散光,具有高的对比度。(2)能通过对物体不同深度的逐层扫描,获得物体大量断层图像,既能对物体进行层析,又能构建三维立体图像。(3)容易实现高倍率。

7.6.1　基本光路及成像原理

激光共焦扫描显微镜以光学系统的共焦成像为基础,利用光扫描技术和试样扫描技术对试样进行三维动态测量。它通常由激光光源、光学显微系统、扫描聚焦系统、计算机及具有控制、三维构建、图像处理与分析功能的软件等组成。其基本光路及成像原理如图7-22所示。由激光器输出的激光束经透镜L1、针孔1及扩束透镜L2后,成为较均匀的准直光束,经物镜L3后会聚于物体某一点,该点反射光(或透射光,或受激辐射的荧光)又经物镜后被分束镜反射到探测光路,由会聚透镜将其聚焦于针孔2,被探测器接收,并将其输入计算机进行存储。通过二维扫描,得到物体某一层面的二维断层图像,再经轴向扫描,得到大量断层图像,经计算机图像重构,合成三维立体图像。其扫描装置也由计算机进行控制。

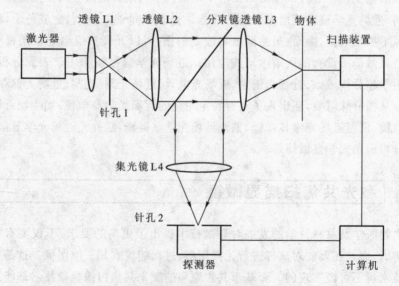

图7-22　激光共焦扫描显微镜典型光路图

激光共焦扫描显微镜关键技术包括共焦技术、扫描技术、层析技术等。在利用共焦技术进行细胞或生物体的结构分析时,其主要的信息来源是收集从细胞或生物体表层进入内部所产生的散射光信息。如果被观察试样进行了荧光着色,那么就可以收集到不同激光照射截面的荧光信息。与电子显微镜及其他光学显微技术相比,它无须进行超薄切片,即可得到具有一定厚度和不透明试样的三维图像,从而可以对活体进行动态层析观察,这正是生物、医学研究所十分希望实现的新技术。

7.6.2　应用

激光共焦扫描显微镜自诞生以来,已被广泛应用于生命科学、半导体、化学、医学领域和三维高密度存储及微细加工的研究,是一种应用前景很好的技术平台。在基础研究方面,可用于单分子荧光光谱研究,在应用研究如生理病理研究方面,可对某个生理过程进行特异性荧光标记,利用激光共焦显微镜对其荧光信号进行检测,从而获得病变细胞与正常细胞不同的信息。还可用于活细胞二维荧光图像定量分析,例如对 DNA、RNA 的含量,分子扩散等一些动态过程进行定性、定量、定时、定位分析,并且可以借助三维图像重组,实现不同角度观测。

7.7　双光子 NSOM 及双光子 LCSM 简介

双光子激发是指一个分子或原子可以在同一个量子过程中同时吸收两个光子而形成激发态,这种情况就是双光子激发过程。1994 年美国太平洋西北实验室的谢小亮等人将双光子荧光检测技术与 NSOM 结合,通过试样对双光子吸收激发,获得了很好的图像。因为双光子激发是非线性过程,荧光强度与入射光强度的平方成正比,图像的空间分辨率比常规的小孔成像好得多。与单光子共焦显微镜相比,双光子共焦显微镜具有许多突出的优点:第一,双光子共焦显微镜可以采用波长比较长的、在生物组织中穿透能力比较强的红外激光作为激发光源,因此可以解决生物组织中深层物质的层析成像问题;第二,由于双光子荧光波长远离激发光波长,因此双光子共焦显微镜可以实现暗场成像;第三,双光子荧光可以避免普通荧光成像中的荧光漂白问题和对生物细胞的光致毒问题;第四,双光子跃迁具有很强的激发选择性,有利于对生物组织中一些特殊物质进行成像研究。

思考、练习题

7-1　试述 X 射线光电子能谱与 Auger 电子能谱各自的特点。

　7-2　比较 X 射线光电子能谱与紫外光电子能谱,哪个更适合研究振动的精细结构?

　7-3　简述光电离截面 σ 与原子序数的关系;并简述元素电负性是怎样影响结合能的?

　7-4　简述 Auger 电子能谱用于元素定性、定量分析的原理;第一周期的元素为什么不能产生 Auger 电子能谱?

　7-5　什么是二次离子质谱法,从二次离子质谱能够得到哪些主要的分析信息?

　7-6　静态和动态二次离子质谱各有什么特点? 进行深度剖析时,二次离子质谱与其他表面分析方法有何不同?

　7-7　STM 常用的工作模式是什么? 与恒高模式相比,恒电流模式有何优点?

　7-8　AFM 常用的工作模式有哪些? 各自的特点是什么?

　7-9　简述近场光学显微术提高分辨率的原理。采用远场是否可达到同样的效果?

　7-10　与单光子共焦显微镜相比,双光子共焦显微镜有何优点?

参考资料

　[1] Bubert H,Jennett H. Surface and Thin Film Analysis. Wiley-VCH-Verlag GmbH,2002.

　[2] 潘承璜,赵良仲.电子能谱基础.北京:科学出版社,1981.

　[3] 范康年.谱学导论.北京:高等教育出版社,2001.

　[4] 张树霖.近场光学显微镜及其应用.北京:科学出版社,2000.

　[5] 黄惠忠.纳米材料分析.北京:化学工业出版社,2003.

　[6] 陈培榕,邓勃.现代仪器分析实验与技术.北京:清华大学出版社,1999.

　[7] 武汉大学化学系.仪器分析.北京:高等教育出版社,2001.

　[8] Christan G D,O'Reilly J E.仪器分析.王镇浦,王镇棣,译.北京:北京大学出版社,1991.

　[9] 李克安.分析化学教程.北京:北京大学出版社,2005.

　[10] 黄惠忠.固体催化剂的研究方法——第九章表面分析方法(上).石油化工,2001,30(4):325-339.

　[11] 杨威生,盖峥.扫描隧道显微镜对表面科学的巨大推动.物理,1996,25(9):513-520.

　[12] 郭宁,秦紫瑞.原子力显微镜的发展与表面成像技术.理化检验-物理分册,1998,34(10):13-16.

　[13] 沈玉民,朱星.近场光学显微镜下的生物世界.物理,2000,29(1):13-18.

　[14] 田明丽,包正康,刘昱.激光共焦扫描显微镜及其应用.光学仪器,2001,7(1):16-19.

　[15] 唐志列,梁瑞生,常鸿森.双光子和多光子共焦显微镜的成像理论.物理学报,2002,49(6):1076-1080.

第8章 分子发光分析法

8.1 概论

8.1.1 分子发光的类型

分子吸收外来能量时,分子的外层电子可能被激发而跃迁到更高的电子能级,这种处于激发态的分子是不稳定的,它可以经由多种衰变途径而跃迁回基态。这些衰变的途径包括辐射跃迁过程和非辐射跃迁过程,辐射跃迁过程伴随的发光现象,称为分子发光。

分子发光的类型,可按分子激发的模式,或按分子激发态的类型来加以分类。按激发的模式分类时,如果分子通过吸收光能而被激发,所产生的发光称为光致发光,分子的荧光和磷光就属于光致发光类型;如果分子是由化学反应的化学能或由生物体(经由体内的化学反应)释放出来的能量所激发,其发光分别称为化学发光或生物发光。如以分子的激发态类型来分类时,则可划分为荧光和磷光两个类型。以分子发光作为检测手段的分析方法称为分子发光分析法,本章所介绍的包括荧光分析法、磷光分析法和化学发光分析法。

8.1.2 分子发光分析法的特点

分子发光分析法具有如下特点:

(1) 灵敏度高。与吸收光度法相比较,分子发光分析法的灵敏度一般要高2~3个数量级。

(2) 选择性比较高。物质对光的吸收具有普遍性,但吸光后并非都有发光现象。即便都有发光现象,但在吸收波长和发射波长方面不尽相同,这样就有可能通过调节激发波长和发射波长来达到选择性测定的目的。

(3) 试样量小,操作简便,工作曲线的动态线性范围宽。

(4) 由于发光检测的高灵敏度,以及发光光谱、发光强度、发光寿命等各种发光特性对所研究体系的局部环境因素的敏感性,因此,发光分析法在光学分子传感器以及在生物医学、药学和环境科学等方面的应用更显示了它的优越性。

8.2　分子荧光与磷光光谱分析法

8.2.1　基本原理

8.2.1.1　荧光、磷光产生的机理

1. 荧光、磷光的产生

当物质分子吸收入射光子的能量之后,发生了价电子从较低的能级到较高能级的跃迁,这时分子被激发而处于激发态,称为电子激发态分子。这一电子跃迁过程经历的时间约 10^{-15} s。跃迁所涉及的两个能级间的能量差,等于所吸收光子的能量。紫外、可见光区的光子能量较高,足以引起分子中的价电子发生电子能级间的跃迁。

分子中同一轨道里所占据的两个电子必须具有相反的自旋方向,即自旋配对。假如分子中的全部电子都是自旋配对的,该分子即处于单重态(或称单线态),用符号 S 表示。大多数有机物分子的基态是处于单重态的。倘若分子吸收能量后电子在跃迁过程中不发生自旋方向的变化,这时分子处于激发的单重态;如果电子在跃迁过程中还伴随着自旋方向的改变,这时分子便具有两个自旋不配对的电子,分子处于激发的三重态(或称三线态),用符号 T 表示。符号 S_0,S_1 和 S_2 分别表示分子的基态、第一和第二电子激发单重态,T_1 和 T_2 则分别表示第一和第二电子激发三重态。

激发态分子不稳定,它可能通过辐射跃迁和非辐射跃迁的衰变过程而返回基态。当然,激发态分子也可能经由分子间的作用过程而失活,这种过程将在以后加以讨论。

辐射跃迁的衰变过程伴随着光子的发射,即产生荧光或磷光;非辐射跃迁的衰变过程,包括振动弛豫(VR)、内转化(ic)和系间窜越(isc),这些衰变过程导致激发能转化为热能传递给介质。振动弛豫是指分子将多余的振动能量传递给介质而衰变到同一电子能级的最低振动能级的过程。内转化指的是相同多重态的两个电子态间的非辐射跃迁过程(例如 $S_1 \rightsquigarrow S_0$,$T_2 \rightsquigarrow T_1$);系间窜越则指不同多重态的两个电子态间的非辐射跃迁过程(例如 $S_1 \rightsquigarrow T_1$,$T_1 \rightsquigarrow S_0$)。图 8-1 为分子内所发生的激发过程以及辐射跃迁和非辐射跃迁衰变过程的示意图。

假如分子被激发到 S_2 以上的某个电子激发单重态的不同振动能级上,处于这种激发态的分子,很快(约 $10^{-12} \sim 10^{-14}$ s)发生振动弛豫而衰变到该电子态的最低振动能级,然后又经由内转化及振动弛豫而衰变到 S_1 态的最低振动能级。

接着,有如下几种衰变到基态的途径:(1) $S_1 \rightarrow S_0$ 的辐射跃迁而发射荧光; (2) $S_1 \rightsquigarrow S_0$ 的内转化;(3) $S_1 \rightsquigarrow T_1$ 的系间窜越。而处于 T_1 态的最低振动能级的分子,则可能发生 $T_1 \rightarrow S_0$ 的辐射跃迁而发射磷光,也可能同时发生 $T_1 \rightsquigarrow S_0$ 的系间窜越。

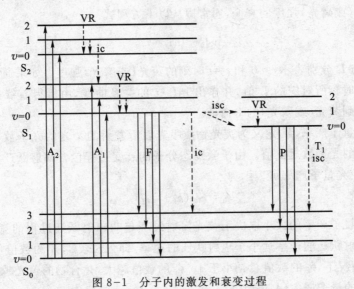

图 8-1 分子内的激发和衰变过程

A_1,A_2. 吸收;F. 荧光;P. 磷光;ic. 内转化;isc. 系间窜越;VR. 振动弛豫

激发单重态间的内转化速率很快(速率常数约为 $10^{11} \sim 10^{13}$ s^{-1}),S_2 以上的激发单重态的寿命通常很短($10^{-11} \sim 10^{-13}$ s),因而除了极少数例外,通常在发生辐射跃迁之前便发生了非辐射跃迁而衰变到 S_1 态。所以,所观察到的荧光现象通常是来自 S_1 态的最低振动能级的辐射跃迁。由于系间窜越是自旋禁阻的,因而其速率常数小得多(约为 $10^2 \sim 10^6$ s^{-1})。

以上讨论得出这样的结论:荧光是来自最低激发单重态的辐射跃迁过程所伴随的发光现象,发光过程的速率常数大,激发态的寿命短;而磷光是来自最低激发三重态的辐射跃迁过程所伴随的发光现象,发光过程的速率常数小,激发态的寿命相对较长。

2. 荧光、磷光的寿命和量子产率

发光的寿命和量子产率是重要的发光参数。荧光寿命(τ_f)指的是荧光分子处于 S_1 激发态的平均寿命,可用下式表示:

$$\tau_f = 1/(k_f + \sum K) \tag{8-1}$$

式中 k_f 表示荧光发射过程的速率常数,$\sum K$ 代表各种分子内的非辐射衰变过程的速率常数的总和。从以上给出的速率常数的数据可知,典型的荧光寿命在

$10^{-8} \sim 10^{-10}$ s。磷光寿命(τ_p)指的是磷光分子处于 T_1 激发态的平均寿命,可由类似的公式表示。由于 $T_1 \rightarrow S_0$ 的跃迁属于自旋禁阻的跃迁,磷光发射过程的速率常数(k_p)比 k_f 要小得多,因而磷光的寿命比荧光要长得多,通常达到毫秒级。

荧光(或磷光)强度的衰变,通常遵从以下方程式

$$\ln I_0 - \ln I_t = t/\tau \qquad (8-2)$$

式中 I_0 与 I_t 分别表示 $t=0$ 和 $t=t$ 时刻的荧光(或磷光)强度。如果通过实验测量出不同时刻所对应的 I_t 值,并作出 $\ln I_t - t$ 的关系曲线,由所得直线的斜率便可计算得到荧光(或磷光)的寿命值。

荧光量子产率(ϕ_f)定义为荧光物质吸光后所发射的荧光的光子数与所吸收的激发光的光子数之比值。由于激发态分子的衰变过程包含辐射跃迁和非辐射跃迁,故荧光量子产率可表示为

$$\phi_f = k_f/(k_f + \sum K) \qquad (8-3)$$

可见荧光量子产率的大小取决于荧光发射过程与非辐射跃迁过程的竞争结果。假如非辐射跃迁的速率远小于辐射跃迁的速率,即 $\sum K \ll k_f$,ϕ_f 的数值便接近于 1。通常情况下,ϕ_f 的数值总是小于 1。ϕ_f 的数值越大,化合物的荧光越强。

磷光的量子产率(ϕ_p)定义为

$$\phi_p = \phi_{ST} \frac{K_p}{K_p + \sum K_j} \qquad (8-4)$$

式中 K_p 为磷光发射的速率常数,ϕ_{ST} 为 $S_1 \rightsquigarrow T_1$ 系间窜越的量子产率,$\sum K_j$ 为与磷光辐射过程相竞争的从 T_1 态发生的所有非辐射跃迁过程的速率常数的总和。应当指出的是,这里所定义的磷光量子产率,其前提是假定 T_1 态的布居是来自 $S_1 \rightsquigarrow T_1$ 的系间窜越,而由 S_0 激发到 T_1 的过程是可以忽略的。

荧光(或磷光)量子产率的大小,主要决定于化合物的结构与性质,同时也与化合物所处的环境因素有关。荧光量子产率的数值,可通过参比法加以测定。该法是通过比较待测荧光物质和已知荧光量子产率的参比荧光物质两者的稀溶液在同样激发条件下所测得的积分荧光强度(即校准的发射光谱所包含的面积)和对该激发波长入射光的吸光度而加以测量的。测量结果按下式计算待测荧光物质的荧光量子产率。

$$\phi_U = \phi_S \cdot \frac{F_U}{F_S} \cdot \frac{A_S}{A_U} \qquad (8-5)$$

式中 ϕ_U,F_U 和 A_U 分别表示待测物质的荧光量子产率、积分荧光强度和吸光度,ϕ_S,F_S 和 A_S 分别表示参比物质的荧光量子产率、积分荧光强度和吸光度。

8.2.1.2 荧光、磷光与分子结构的关系

分子中的电子是依序排列在能量由低到高的分子轨道上。分子轨道除了成键轨道之外，还有一系列能量较高、通常情况下没有电子占据的反键轨道（图 8-2）。

图 8-2 中的 n 电子代表未成键的电子。由图 8-2 可见，要激发 σ 电子，需要很高的激发能量，即需要能量处于真空紫外区（波长短于 200 nm）的激发光。因而除了特殊的需要之外，一般的荧光分析法中很少应用。分子的价电子被激发到更高的能级时，所需要的能量通常在 $200 \sim 600 \; kJ \cdot mol^{-1}$，因而分子的电子光谱通常位于光谱的紫外或可见区，所涉及的是 π 电子或 n 电子的跃迁，即常见的 $n \rightarrow \pi^*$ 跃迁 (n, π^*) 和 $\pi \rightarrow \pi^*$ 跃迁 (π, π^*)。

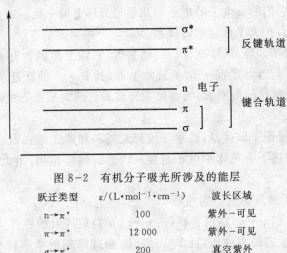

图 8-2 有机分子吸光所涉及的能层

跃迁类型	$\varepsilon/(L \cdot mol^{-1} \cdot cm^{-1})$	波长区域
$n \rightarrow \pi^*$	100	紫外-可见
$\pi \rightarrow \pi^*$	12 000	紫外-可见
$\sigma \rightarrow \pi^*$	200	真空紫外

虽然许多物质能够吸收紫外和可见光，然而只有一部分物质能发荧光或磷光。分子能否发荧光或磷光，在很大程度上决定于它们的分子结构。具有强荧光性的物质，其分子往往具有以下特征：(1) 具有大的共轭双键（π 键）体系；(2) 具有刚性的平面构型；(3) 环上的取代基是给电子取代基团；(4) 其最低的电子激发单重态为 (π, π^*) 型。

1. 共轭 π 键体系

具有共轭双键体系的分子，含有易被激发的非定域的 π 电子；共轭体系越大，非定域的 π 电子越容易被激发，往往具有更强的发光。此外，随着共轭体系的增大，发射峰向长波方向移动。例如，萘、蒽、丁省等分子要比苯发射更强的荧光，且荧光峰随着苯环数的增多而逐渐向长波方向移动。

2. 刚性平面构型

具有刚性平面构型的分子，其振动和转动的自由度减小，从而增大了发光的

效率。例如具有刚性平面构型的荧光素和曙红会发强荧光,而类似的化合物酚酞,由于非刚性平面构型而不发荧光。同一分子在构型发生变化时,其荧光光谱和荧光强度也将发生变化。

有些有机芳香化合物在与非过渡金属离子形成络合物之后,因增大了分子的刚性而使荧光增强。具有未填满的外层 d 轨道的过渡金属离子,在与有机芳香化合物形成络合物时,往往使荧光猝灭。

3. 取代基的影响

对于给电子取代基,如—NH_2,—$NHCH_3$,—$N(CH_3)_2$,—OH,—OCH_3,—CN 和—F 等取代基团,往往使荧光增强,例如苯胺或苯酚的荧光比苯强。含这类取代基的荧光体,其激发态常由环外的羟基或氨基上的 n 电子激发转移到环上而产生的,它们的 n 电子的电子云几乎与芳环上的 π 轨道平行,从而共享了共轭 π 电子结构,扩大了共轭双键体系。

吸电子取代基如醛基、羰基、羧基、硝基等,它们虽然也含有 n 电子,但 n 电子的电子云并不与芳环上的 π 电子云共平面,其 n→$π^*$ 的跃迁为禁阻跃迁,且 $S_1 \longrightarrow T_1$ 系间窜越的概率大,故而使荧光减弱。例如苯发荧光,而硝基苯则不发荧光。

Cl,Br,I 等重原子取代基,通常导致荧光减弱和磷光增强,这被认为是因为重原子的取代促进了荧光体中电子自旋-轨道的偶合作用,增大了 $S_1 \longrightarrow T_1$ 系间窜越的概率。

4. 最低电子激发单重态的性质

比较 π→$π^*$ 和 n→$π^*$ 这两种跃迁:π→$π^*$ 是自旋许可的跃迁,摩尔吸光系数大,约为 10^4,激发态的寿命短,且 $S_1 \longrightarrow T_1$ 系间窜越的概率较小;n→$π^*$ 属于自旋禁阻的跃迁,摩尔吸光系数小,约为 10^2,且 $S_1 \longrightarrow T_1$ 系间窜越的概率大,激发态的寿命较长。因此,π→$π^*$ 跃迁将产生比 n→$π^*$ 跃迁更强的荧光,而 n→$π^*$ 跃迁相对有利于磷光的产生。

不含 N,O,S 等杂原子的芳香化合物,它们的最低激发单重态 S_1 通常是(π,$π^*$)激发态,而含 N,O,S 等杂原子的芳香化合物,它们的最低激发单重态 S_1 通常是(n,$π^*$)激发态。

8.2.1.3   影响分子发光的环境因素

1. 溶剂的影响

首先,我们以荧光为例考虑溶剂极性的影响。溶液中荧光体的偶极与溶剂分子的偶极之间存在着静电相互作用,溶剂分子围绕在荧光体分子的周围组成了溶剂笼(solvent cage)。荧光体的基态与激发态具有不同的电子分布,从而具有不同的偶极矩。当荧光体被激发后,偶极矩发生改变,从而引起周围的溶剂分子受到微扰,发生溶剂分子的电子重排,以及溶剂分子的偶极围绕激发态荧光体的重新定向,组成新的溶剂笼。这个过程称为溶剂弛豫,费时约 10^{-11} s,是造成吸收和发射之间存在能量差的主要原因之一。

许多共轭芳族化合物,激发时发生了 $\pi \rightarrow \pi^*$ 跃迁,其激发态比基态具有更大的极性,随着溶剂极性的增大,激发态比基态能量下降得更多,结果荧光光谱向长波方向移动。

除了溶剂极性的影响之外,倘若荧光体与溶剂之间发生了特殊的化学作用(如形成氢键),便会导致荧光光谱发生更大的位移。荧光体与溶剂分子之间发生氢键作用有两种情况,一种是荧光体的基态分子与溶剂分子形成氢键络合物,另一种是荧光体的激发态分子与溶剂分子形成激发态氢键络合物。前一种情况下,荧光物质的吸收光谱和荧光光谱都将受到影响;后一种情况下,只有荧光光谱才受到影响。

一般来说,由于在 $n \rightarrow \pi^*$ 跃迁和某些分子内电荷转移跃迁中涉及非键的孤对电子,故溶剂的氢键形成能力对这一跃迁类型的光谱有较大的影响,随着溶剂形成氢键的能力增大,荧光光谱向短波方向移动。

某些芳族羰基化合物和氮杂环化合物,它们在非极性的、疏质子溶剂中,其最低激发单重态是 (n, π^*) 态,因而荧光很弱或不发荧光。但在高极性的氢键溶剂中,其最低激发单重态可能变为 (π, π^*) 态,从而使荧光量子产率迅速增大。例如异喹啉在环己烷中不发荧光而发强磷光,在水溶液中却能发荧光。

2. 介质酸碱性的影响

如果荧光物质是一种有机弱酸或弱碱,它们的分子及其相应的离子,可视为两种具有不同荧光特性的型体,介质的酸碱性变化将使两种不同型体的比例发生变化,从而对荧光光谱的形状和强度产生很大的影响。具有酸性基团或碱性基团的芳香族化合物,其酸性基团的解离作用或碱性基团的质子化作用,可能改变与发光过程相竞争的非辐射跃迁过程的性质和速率,从而影响到化合物的发光特性。例如水杨醛不发荧光而显现强磷光,然而在碱性溶液中由于酚基解离,或在浓的无机酸溶液中由于羰基的质子化,使水杨醛呈现强荧光性而不发磷光。显然这是由于处在阳离子或阴离子形式时,其最低激发单重态已是 (π, π^*) 态,而不是分子形式下的最低激发单重态 (n, π^*) 态。

测定金属离子时,改变溶液的 pH 将会影响到金属离子与有机试剂所生成的发光络合物的稳定性和组成,从而影响它们的发光性质。

3. 介质的温度和黏度的影响

温度对于溶液的荧光强度尤其是对磷光强度有着显著的影响。温度上升,将使激发态分子的振动弛豫和内转化作用的过程加剧,同时增大了发光分子与溶剂分子碰撞失活的机会,因此,随着温度的上升,将导致溶液的荧光和磷光强度下降。

　　介质黏度的提高,将减小激发态分子振动和转动的速率,同时由于减小了运动速率而降低了与其他溶质分子的碰撞概率,因而有利于提高荧光或磷光的强度。

　　4. 有序介质的影响

　　表面活性剂或环糊精溶液属于有序介质,对发光分子的发光特性有着显著的影响。

　　在表面活性剂的胶束溶液中,发光分子被分散进入胶束的内核或栏栅部位,或者被束缚在胶束-水界面,这样一来,既降低了发光分子活动的自由度,又对发光分子起了屏蔽作用,从而减小了非辐射衰变过程的速率,提高了发光强度。胶束的粒径通常很小,以致胶束溶液在宏观上近似于真溶液,并不引起可测量的光散射误差。胶束溶液光学上透明、稳定,对发光物质具有增溶、增敏和增稳的作用,是提高发光分析法灵敏度和选择性的有效途径之一。值得注意的是,在增敏作用方面,表现出对表面活性剂有较强的选择性。如果发光型体是荷电的,那么具有与发光型体相同电性的表面活性剂,通常对该发光型体不起增敏作用或增敏效果差。

　　环糊精是一类环状低聚糖,最常见的有 $\alpha-$、$\beta-$ 和 $\gamma-$ 环糊精,分别由 6、7 和 8 个葡萄糖单元组成,其中,$\beta-$ 环糊精及其衍生物的应用最为广泛。环糊精类化合物的特点是分子结构中存在一个亲水的外缘和一个疏水的空腔,其疏水的空腔能与许多有机物形成主客体包合物。某些发光分子对于环糊精的疏水空腔有更大的亲和力,如果分子的尺寸大小合适,便能够与环糊精分子结合形成包合物而进入环糊精的腔体。这样的包合物是稳定的,并且由于降低了发光分子活动的自由度和对发光分子起了屏蔽作用,能够增强发光的强度。

8.2.1.4　荧光、磷光的猝灭

　　这里所讨论的荧光(或磷光)猝灭,是发光分子与溶剂或溶质分子之间所发生的导致发光强度下降的物理或化学作用过程。与发光分子相互作用而引起发光强度下降的物质,称为猝灭剂。猝灭过程可能发生于猝灭剂与发光物质的激发态分子之间的相互作用,也可能发生于猝灭剂与发光物质的基态分子之间的相互作用。前者称为动态猝灭,后者称为静态猝灭。在动态猝灭过程中,发光物质的激发态分子通过与猝灭剂分子的碰撞作用,以能量转移的机制或电荷转移的机制丧失其激发能而返回基态。静态猝灭指的是猝灭剂与发光物质的基态分子发生络合反应,所产生的络合物在实际检测的光谱区内不发光。

　　荧光的动态猝灭过程可用以下的 Stern-Volmer 方程式加以表示:

$$F_0/F = 1 + k_q \tau_0 [Q] = 1 + K_{sv}[Q] \tag{8-6}$$

式中 k_q 为双分子猝灭过程的速率常数,τ_0 为没有猝灭剂存在下测得的荧光寿

命,[Q]为猝灭剂的平衡浓度,K_{sv} 称为 Stern–Volmer 猝灭常数,是双分子猝灭过程的速率常数与单分子衰变过程的速率常数的比值(单位为 $L \cdot mol^{-1}$),它意味着这两种衰变途径之间的竞争。

根据猝灭剂存在与不存在时荧光寿命不同,Stern–Volmer 方程式的另一表示形式为

$$\tau_0 / \tau = 1 + K_{sv}[Q] \tag{8-7}$$

τ_0 与 τ 分别表示没有猝灭剂存在与有猝灭剂存在下所测得的荧光寿命。

由上所述,若以 F_0/F(或 τ_0/τ)对[Q]作图将得一直线,其斜率为 K_{sv}。假如测定了 τ_0,便可由 $k_q \tau_0 = K_{sv}$ 的关系求得双分子猝灭过程的速率常数 $k_q (L \cdot mol^{-1} \cdot s^{-1})$。

对于有效的猝灭剂,$K_{sv} \approx 10^2 \sim 10^3 \ L \cdot mol^{-1}$,假如荧光分子的平均寿命 $\tau_0 \approx 10^{-8} \ s$,那么 k_q 的数值约为 $10^{10} \ L \cdot mol^{-1} \cdot s^{-1}$,这表明猝灭作用是扩散控制的。磷光由于寿命比荧光长得多,因而对猝灭剂的影响要敏感得多,少量猝灭剂的存在,就可能导致磷光丧失殆尽。

荧光的静态猝灭,源于发光分子和猝灭剂形成不发光的基态络合物,可以下式表示:

$$M + Q \longrightarrow MQ$$

络合物的形成常数 K 为

$$K = [MQ]/\{[M][Q]\} \tag{8-8}$$

荧光强度和猝灭剂浓度之间的关系,可以推导如下:

$$[M]_0 = [M] + [MQ]$$
$$(F_0 - F)/F = ([M]_0 - [M])/[M] = [MQ]/[M] = K[Q]$$

即

$$F_0/F = 1 + K[Q] \tag{8-9}$$

$[M]_0$ 为发光分子的总浓度,F_0 与 F 分别为猝灭剂加入前后所测得的发光强度。

上述静态猝灭 F_0/F 与[Q]的关系式与动态猝灭所获得的关系式相似,只是在静态猝灭的情况下用络合物的形成常数代替了猝灭常数。然而应当指出,只有荧光物质与猝灭剂之间形成 1:1 的络合物的情况下,静态荧光猝灭才符合上述关系式。

通过观察猝灭现象与荧光寿命、温度和黏度的关系,以及吸收光谱的变化情况,可以判断猝灭现象是属于动态猝灭还是静态猝灭。区分静态猝灭与动态猝

灭最准确的方法是荧光寿命的测量。在静态猝灭的情况下,猝灭剂的存在并没有改变发光分子激发态的寿命,即 $\tau_0/\tau=1$;而在动态猝灭的情况下,猝灭剂的存在使发光的寿命缩短,$\tau_0/\tau=F_0/F$。

动态猝灭由于与扩散有关,而温度升高时溶液的黏度下降,同时分子的运动加速,其结果将使分子的扩散系数增大,从而增大双分子猝灭常数。所以,温度升高将使动态猝灭加剧;反之,温度升高可能引起络合物的稳定度下降,从而减小静态猝灭的程度。

此外,由于动态猝灭是发生于发光分子的激发态,因而并不改变发光分子的吸收光谱。相反,静态猝灭是猝灭剂与发光物质的基态分子形成络合物而引起的,故往往会引起发光分子的吸收光谱发生变化。

在有些情况下,发光体与猝灭剂会同时发生动态的和静态的猝灭现象。这种情况下实验所获得的 Stern-Volmer 图不是一条直线,而是一条弯向 y 轴的上升曲线。

8.2.1.5　激发光谱和发射光谱

由于分子对光的选择性吸收,不同波长的入射光具有不同的激发效率。如果固定荧光(或磷光)的发射波长(即测定波长)而不断改变激发光(即入射光)的波长,并记录相应的荧光(或磷光)强度,所得到的发光强度对激发波长的谱图称为荧光(或磷光)的激发光谱。如果固定激发的波长和强度而不断改变荧光(或磷光)的测定波长(即发射波长),并记录相应的荧光(或磷光)强度,所得到的发光强度对发射波长的谱图则为荧光(或磷光)的发射光谱。激发光谱和发射光谱可作为发光物质的鉴别手段,并可用于定量测定时作为选择合适的激发波长和测定波长的依据。

由于光源的能量分布、单色器的透射率以及检测器的敏感度都随波长而改变,因而一般情况下测得的激发光谱和发射光谱,皆为表观的光谱。不同测量仪器上所测得的表观光谱,彼此间往往有所差异。只有对上述仪器特性的波长因素加以校正之后,所获得的校正光谱(或称真实光谱)才可能是彼此一致的。

通常情况下,溶液的荧光(或磷光)光谱的发射波长总是大于激发波长,这一现象称为 Stokes(斯托克斯)位移。如前所述,激发态分子在发光之前,很快经历了振动弛豫或/和内转化的过程而损失部分激发能,这是产生 Stokes 位移的主要原因。由于 T_1 态的布居是经由 S_1 态的系间窜越,T_1 态的能量低于 S_1 态,因而磷光比荧光具有更大的 Stokes 位移。Stokes 位移大有利于在测量发光强度时减小激发光的瑞利散射所引起的干扰。

荧光光谱通常只含有一个发射带。绝大多数情况下,即使分子被激发到 S_2 电子态以上的不同振动能级,由于内转化和振动弛豫的速率是那样的快,以致激发态在发射荧光之前便很快地丧失多余的能量而衰变到 S_1 态的最低振动能级,因而其荧光光谱通常只含一个发射带,且发射光谱的形状与激发波长无关。至于磷光,也是只含有一个发射带,且磷光光谱与激发波长无关。

荧光发射光谱与吸收光谱呈镜像关系。图 8-3 表示芘的苯溶液的吸收光谱和荧光发射光谱,可以看出,它的荧光发射光谱与它的吸收光谱之间存在着"镜像对称"关系。

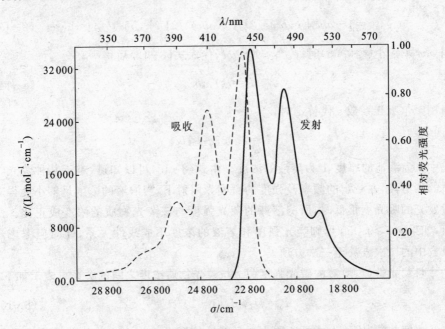

图 8-3 芘的苯溶液的吸收光谱和荧光发射光谱

应用镜像对称规则,可以帮助判别某个吸收带究竟是属于第一吸收带中的另一振动带,还是更高电子态的吸收带。根据镜像对称规则,如不是吸收光谱镜像对称的荧光峰出现,表示有散射光或杂质荧光存在。

诚然,也存在少数偏离镜像对称规则的现象,究其原因,或是由于激发态时核的几何构型与基态时不同,或是由于在激发态时发生了质子转移反应或形成激发态二聚体(或激发态复合物)等原因而引起的。

8.2.1.6 荧光(磷光)强度与溶液浓度的关系

溶液的荧光强度(I_f)与溶液吸收的光强度(I_a)及荧光量子产率(φ_f)有如下关系:

$$I_f = \varphi_f I_a \tag{8-10}$$

而吸收的光强度等于入射的光强度(I_0)减去透射的光强度(I_t),于是

$$I_f = \varphi_f(I_0 - I_t) = \varphi_f I_0(1 - I_t/I_0) \tag{8-11}$$

从 Lambert-Beer 定律可知 $I_t/I_0 = e^{-abc}$，因此

$$I_f = \varphi_f I_0(1 - e^{-abc}) \tag{8-12}$$

而 e^{-abc} 可以表示如下：

$$e^{-abc} = 1 - abc + (abc)^2/2! - (abc)^3/3! + (abc)^4/4! + \cdots \tag{8-13}$$

当 abc 非常小（$\ll 0.05$ 时），$e^{-abc} \approx 1 - abc$，代入式（8-12）后得

$$I_f = \varphi_f I_0 abc \tag{8-14}$$

当用摩尔吸光系数 ε 代替 a 时，

$$I_f = 2.303\varphi_f I_0 \varepsilon bc \tag{8-15}$$

式中 b 为液池的厚度，c 为溶液的浓度。由式（8-15）可以知道，对于某种荧光物质的稀溶液，在一定的频率及强度的激发光照射下，当溶液的浓度足够小使得对激发光的吸光度很低时，所测溶液的荧光强度与该荧光物质的浓度成正比。然而，如果 $\varepsilon bc \geqslant 0.05$ 时，则荧光强度和溶液的浓度不成线性关系，此时应考虑幂级数中的二次方甚至三次方项。

与荧光类似，溶液的磷光强度（I_p）与磷光物质浓度之间的关系可表示如下：

$$I_p = \phi_{ST}\phi_p I_0(1 - 10^{-\varepsilon bc}) \tag{8-16}$$

在低浓度的情况下，上式可还原为如下线性的形式：

$$I_p = 2.303\phi_{ST}\phi_p I_0 \varepsilon bc \tag{8-17}$$

式中 ϕ_{ST}，ϕ_p 和 I_0 分别表示 $S_1 \longrightarrow T_1$ 系间窜越的量子产率、磷光的量子产率和入射的光强度，ε 为摩尔吸光系数，b 和 c 分别表示液池的厚度和溶液的浓度。

随着溶液浓度的进一步增大，将会出现发光强度不仅不随溶液浓度线性增大、甚至出现随浓度的增大而下降的现象，导致这种现象的原因是浓度效应。浓度效应包括：

1. 内滤效应

浓度过高时，溶液中的杂质对入射光的吸收增大，从而降低了激发光的强度。此外，浓度过高时，入射光被液池前部的发光物质强烈吸收后，处于液池中、后部的发光物质，则因接收到的入射光减弱而使发光强度下降；而仪器的探测窗口通常是对准液池中部的，结果所检测到的荧光强度下降。

2. 发光分子形成基态或激发态的聚合物

高浓度时，发光分子之间可能发生聚集作用，形成基态分子间的聚合物，或

者激发态分子与其基态分子的二聚物（excimer），或者激发态分子与其他溶质分子的复合物（exciplex），从而导致荧光光谱的改变和/或荧光强度的下降。

3. 发光的再吸收

假如发光物质的发射光谱与其吸收光谱呈现重叠，便可能造成发射光被部分再吸收，导致发光强度下降。溶液的浓度增大时会促使再吸收的现象加剧。

8.2.2　荧光、磷光分析仪器

8.2.2.1　荧光分析仪器

一般荧光测定的仪器有荧光光度计和荧光分光光度计，它们一般由激发光源、单色器、试样池、光检测器及读数装置等部件所组成。仪器的构造简图如图8-4所示。

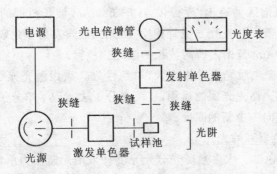

图 8-4　荧光分光光度计的构造简图

1. 光源

（1）弧光灯和白炽灯　高压氙灯是目前荧光分光光度计应用最广泛的一种光源，这种放电灯外套为石英，内充氙气，它在 400～800 nm 波长范围内提供连续的光输出，在 450 nm 附近和 800 nm 以上有许多锐线，在波长短于 280 nm 的光谱区，其输出强度迅速下降。

氙灯室温下其压力为 0.5 MPa，工作时压力为 2 MPa，这种高压状态下存在着爆裂的危险，安装和操作时应注意防护。工作时，氙灯灯光很强，其射线对眼睛有损害，应避免直视光源。氙灯使用寿命大约为 2 000 h，目前，长寿命的氙灯约为 4 000 h。氙灯启动时需要 20～40 kV 的高压脉冲，操作时应注意安全。

新近推出的闪烁式氙灯，特别适用于光敏性试样的测定。此外，结合相应的信号处理技术，可在试样暴露于日光的情况下测定荧光强度。

汞灯是利用汞蒸气放电发光的光源，分为低压汞灯和高压汞灯两种。低压汞灯发射非常敏锐的汞的线状光谱，能量主要集中在紫外光区，它主要用来校正仪器的波长读数。高压汞灯由于汞蒸气压力增大，汞蒸气放电的光谱由线状光谱转为略呈带状的光谱,其中 365.0 nm 线最强。滤光片式荧光计多采用它作为激发光源。

为了弥补氙灯和汞灯各自存在的缺陷,出现了高压汞－氙弧灯。这种灯在紫外光区的发射比氙灯强得多,氙气的存在又提供更宽的光谱输出,不过输出的平滑度远不如氙灯。

石英－钨卤灯这种白炽灯在光谱的可见光区和红外光区提供连续的输出。因为在 400 nm 以下的输出能量低,不能用以激发紫外吸收的荧光体,故在以往的荧光分析中没有使用。不过,随着红区及近红外荧光探针的应用日益增多,预计这类光源的应用也将日益增多。

(2) 固态光源　有些小型、简便的仪器以发光二极管或激光二极管作为光源。这类光源价廉,操作时只需要很小的能量,产生很小的热量。发光二极管只能提供一小段光谱区的输出,要提供 430～680 nm 波长范围的激发光,需要备有多个发光二极管。与发光二极管相反,激光二极管发射单色辐射,目前已有商品化 630～1 500 nm 范围内所需波长的激光二极管。

(3) 激光光源　激光光源强度大,单色性好。采用激光光源可大大提高荧光测定的灵敏度。激光光源的运用,使荧光分析法实现了单分子检测的目标,把荧光分析技术推向一个新的高度。

2. 光栅单色器和滤光片

(1) 光栅单色器　大多数荧光分光光度计采用光栅作为单色器。光栅有平面光栅和凹面光栅。平面光栅多采用机械刻制,凹面光栅常采用全息照相和光腐蚀而制成。机刻光栅不完善,杂散光较大,可能存在光栅的"鬼影"。

光栅对不同波长光子的通过效率不一致,是造成荧光的激发光谱和发射光谱变形的原因之一。光栅单色器的透射比为波长的函数,机刻光栅输出的最强光的波长称为闪耀波长,荧光分光光度计多选用闪耀波长落于紫外光区(例如 300 nm)的单色器为激发单色器。由于大多数荧光体的荧光位于 400～600 nm 光区,因而发射单色器常采用闪耀波长为 500 nm 左右的光栅。全息照相的光栅,线槽不完善程度小得多,它没有闪耀波长,对光的波峰的透射效率低于平面光栅,但效率分布的波长范围却较宽。

光栅单色器有两个主要性能指标,即色散能力和杂散光水平。对于荧光测量来说,单色器的杂散光水平是一个极关键的参数。荧光体的荧光一般都很弱,通过激发单色器的长波长的杂散光很容易干扰荧光的检测。特别是许多生物试样都有较大的浊度,导致入射的杂散光被试样散射而干扰荧光强度的测量。

对于发光测量来说,光栅的分辨率一般影响不大,由于发射光谱很少具有线宽小于 5 nm 的峰。狭缝宽度越大,所获得的信号强度越大,信噪比提高,然而分辨率下降。

值得指出的是,当记录某种溶液的发射光谱时,人们往往可能在双倍于激发波长的位置观察到一个发射峰,这是由激发单色器的二阶透射造成的。

(2) 滤光片 汞灯或白炽灯作光源的荧光光度计,采用两个滤光片,第一滤光片用来选择所需的激发光,第二滤光片用来滤去各种杂散光和杂质所发射的荧光。用滤光片作单色器时,以干涉滤光片的性能最好,它具有半宽度窄、透射比高、经得起强光源的长期照射等优点。对于荧光分光光度计,测量的主要误差是来自单色器的杂散光和试样溶液的散射光。为消除这些误差来源,往往可以通过附加滤光片以弥补单色器的不足。

3. 试样池

试样池通常是一只长、宽各为 1 cm 的柱型石英液池。当与流动注射分析技术联用时,则应配置石英微流通池。

4. 光检测器

(1) 光电倍增管(PMT) 目前几乎所有常规的荧光分光光度计都采用光电倍增管作为检测器。在一定的条件下,PMT 的电流量与入射光强度成正比。虽然 PMT 对各个光子有响应,然而通常测量的是众多光子脉冲响应的平均值。PMT 工作时,要求其高压电源很稳定,以保证它对入射的光强度有良好的线性响应。

PMT 的光谱响应取决于用作 PMT 的透明窗口和光阴极的材料。商品仪器中所配置的 PMT 大多数是蓝敏的,即对紫外光、蓝光和 300~500 nm 的光线比较敏感。需要测定波长在 600 nm 以上的荧光时,则需要采用具有不同光阴极材料的红敏 PMT。由于光栅单色器和 PMT 对不同波长的光并不具有同样的响应,因此,所测得的荧光的激发和发射光谱就会受到歪曲,需要加以校正才能获得真实的光谱。

(2) CCD 检测器 电荷耦合器件(charge-coupled device,CCD)是一种多通道检测器,具有光谱范围宽、灵敏度高、噪声低、线性动态范围宽和可获得三维图像的优点。CCD 有线阵和面阵两种形式,前者获取的信息量少,不能处理复杂的图像,但处理信息的速度快,后续电路简单;后者获取的信息量大,能处理复杂的图像。但处理信息速度慢,价格较昂贵。

采用 CCD 检测器检测时,发射单色器的出口狭缝可以取消。分析物的荧光从入口狭缝进入单色器经分光后,以一连续谱带照射到 CCD 光敏区,取阵列像素累加后的光致电荷输入计算机处理,即可得到分析物的荧光光谱。在低光强度的激发条件下,CCD 检测的灵敏度可比 PMT 提高数倍,因此特别有利于容易引起光漂白的生物试样的测定。CCD 检测器具有连续对荧光光谱多次采集并得到强度-波长-时间三维图谱的功能,很适合用于荧光反应动力学的研究。此外,CCD 已在荧光显微镜上得到广泛的应用。

5. 读数装置

以往荧光分光光度计的读数装置有数字电压表、记录仪和阴极示波器等几种。数字电压表用于例行的荧光强度测定，既准确、方便又便宜。记录仪多用于扫描激发和发射光谱。记录仪记录笔的响应时间一般为 0.1～0.5 s。阴极示波器显示的速度比记录仪快得多，可是质量好的阴极示波器其价格比记录仪高得多。

目前，性能较好的商品化荧光分光光度计都由微机控制，并配有相应的软件，可按指令进行波长的自动扫描，数据处理，并在屏幕上直接显示所要求的各种图谱。

8.2.2.2　磷光分析仪器

磷光分光光度计的基本部件与荧光分光光度计类似，因而，如果试样只发磷光，可在荧光分光光度计上直接加以测定。倘若试样也发荧光而干扰磷光的测定时，通常必须借助荧光与磷光寿命的差别，在荧光分光光度计上配上适当的附件(一种称为"磷光镜"的机械装置)将荧光隔开后，便可用于磷光的测定。比较先进的方法是采用脉冲光源和门控检测技术的时间分辨分光光度计。

低温磷光测定一般是在液氮温度下进行的，因而必须附加低温冷冻装置，整个试样池的构造也有所不同。为适应固体表面室温磷光分析，试样室也得作相应的改变。

1. 磷光镜

用于低温磷光分析的液池和磷光镜的构造简图如图 8-5 所示。其中，磷光镜是用来调制来自光源的入射光和来自试样所发射的磷光。当转动磷光镜时，这种调制是周期性和异相的，以致在第一相的期间内，散射光和试样的发光均被隔离而到达不了检测器；而在第二相的期间内，激发光被隔断，荧光因寿命极短而立即消失，此时唯有长寿命的磷光到达检测器而被测定。

图 8-5 所介绍的磷光镜是一个滚筒式的空心圆筒，在其圆周面上有两个以上的等距的狭缝，当电动机带动圆筒旋转时，入射光交替地照射到试样池，而由试样发射的光也交替(但与入射光异相)地到达发射单色器的入口狭缝。当磷光镜转动到既遮断入射光又使其狭缝对准发射单色器的入口狭缝的瞬间，随着入射光被遮断，散射光和荧光随即消失，

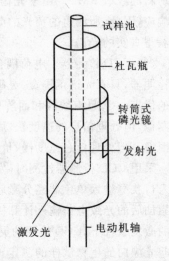

试样池

杜瓦瓶

转筒式磷光镜

发射光

激发光

电动机轴

图 8-5　低温磷光分析的液池和转筒式磷光镜构造简图

检测器上便只测量到磷光的信号。磷光镜虽然有多种形式,但其作用原理是一样的。

2. 试样池

在低温磷光分析中,通常将试液装入内径约 $1\sim3$ mm 的石英细管(液池)中,然后将液池插入盛有液氮的杜瓦瓶内(图 8-5)。

固体表面室温磷光分析,是基于测量室温下吸附于固体表面的分析物所发射的磷光。最常用的吸附载体是滤纸,将它裁剪成合适的大小并贴附在玻璃载片上,然后在滤纸中心的合适位置上滴加极小量的试液,适当烘干后再滴加所需要的试剂溶液,再经适当烘干,然后将载片放入试样室,使载片附有试样的一面与入射光的方向成 $45°$,并且滤纸上的试样点必须落在入射光的照射范围内。

8.2.3　荧光的常规测定方法

1. 直接测定法

只要分析物本身发荧光,便可通过测量其荧光强度而测定其浓度。荧光强度的测量通常是采用相对测量方法,最普通的方法是采用工作曲线法,即取已知量的分析物,经过与试样溶液一样的处理后,配成一系列的标准溶液,并测定它们的荧光强度,再以荧光强度对标准溶液浓度绘制工作曲线。然后由所测得的试样溶液的荧光强度对照工作曲线以求出试样溶液中分析物的浓度。为了使不同时间所测得的工作曲线先后一致,每次测绘工作曲线时最好能采用同一种稳定的荧光物质(如荧光塑料板或某种荧光基准物质如硫酸奎宁的溶液)来校准仪器的读数。

2. 间接测定法

有些分析物,或者本身不发荧光,或者因荧光量子产率太低而无法进行直接测定,便只能采用间接测定的办法。间接测定有如下几种方法可供选择:

(1) 荧光衍生法　荧光衍生法是运用某种手段将自身不发荧光的分析物,转变为一种发荧光的化合物,再通过测定该化合物的荧光强度,以间接测定分析物。

根据所采用的不同的衍生手段,荧光衍生法大致可分为化学衍生法、电化学衍生法和光化学衍生法,它们分别采用化学反应、电化学反应和光化学反应,使不发荧光的分析物转化为适合于测定的、发荧光的产物。其中,化学衍生法和光化学衍生法用得较多,尤以化学衍生法用得最多。例如许多无机金属离子的荧光测定方法,就是通过使它们与某些金属螯合剂(生荧试剂)反应生成具有荧光的螯合物之后加以测定的。

某些不发光的有机化合物,可以通过降解反应、氧化还原反应、偶联反应、缩合反应、酶催化反应或光化学反应等等办法,使它们转化为荧光物质。例如维生

素 B_1 本身不发荧光,但可在碱性溶液中用铁氰化钾等一些氧化剂将它氧化为发荧光的硫胺荧。又如利血平本身的荧光量子产率低,可通过化学衍生法使其转化为发绿黄色强荧光的氧化产物 3,4-二脱氢利血平(DDHR)后加以测定。也可采用光化学衍生法,在乙酸介质中于 254 nm 光照射下得到其光化学氧化产物 DDHR。基于光化学反应和荧光检测技术相结合的光化学荧光分析法,在 20 世纪 70 年代以后有了较大的发展,在药物分析方面的应用日益广泛。

(2)荧光猝灭法　有些分析物本身虽不发荧光,但却能使某种荧光试剂的荧光发生猝灭,且荧光猝灭的程度与分析物的浓度有着定量的关系,那么,通过测量该荧光试剂荧光强度的下降程度,便可间接地测定该分析物。例如,大多数过渡金属离子与具有荧光性质的芳族配位体络合后,往往使配位体的荧光猝灭,从而可间接测定这些金属离子。

在用荧光猝灭法进行测定时,要特别注意选择合适的荧光试剂的浓度。适当减低荧光试剂的浓度时,往往有利于提高测定的灵敏度,但却会导致测定的线性范围变窄,因而荧光试剂的合适浓度,要根据实际测定的需要加以优化选择。

(3)敏化荧光法　倘若分析物不发荧光,但可以通过选择合适的荧光试剂作为能量受体,在分析物受激发后,通过能量转移的过程,将激发能传递给能量受体,使能量受体分子被激发,再通过测定能量受体所发射的荧光强度,可以对分析物进行间接测定。

3. 多组分混合物的荧光分析

由于每种荧光化合物具有本身的荧光激发光谱和发射光谱,因而在测定时相应地有激发波长和发射波长两种参数可供选择,这在混合物的测定方面,有时可简单地通过选择合适的激发波长或发射波长,达到选择性地测定混合物中某种组分的目的。例如,当混合物中各个组分的荧光峰相距颇远、彼此干扰很小时,可分别在不同的发射波长测定各个组分的荧光强度。倘若混合物中各组分的荧光峰相近,彼此严重重叠,但它们的激发光谱却有显著的差别,这时可选择不同的激发波长进行测定。

目前,荧光分析在方法学和仪器方面都有了很大的发展,在选择激发波长和发射波长之后仍无法达到混合物中各组分的分别测定时,可以采用诸如同步荧光测定、导数荧光测定、时间分辨荧光测定、相分辨荧光测定等方法来达到分别测定或同时测定的目的。

8.2.4　磷光的测定方法

8.2.4.1　低温磷光分析

由于三重态寿命较长,为减小非辐射失活过程的影响,通常应在低温条件下测量磷光。液氮是最常用的冷却剂,因而要求所使用的溶剂在液氮温度下应具有足够的黏度并能形成明净的刚性玻璃体,且对分析物具有良好的溶解特性,在所研究的光谱区内没有很强的吸收和发射,并容易制备和提纯。

8.2.4.2　室温磷光分析(RTP)

1. 固体基质表面室温磷光分析(SS-RTP)

分析物通过物理吸附或某种化学作用力被束缚在固体基质表面,增大了刚性,减小了碰撞失活的概率,在严格干燥试样的情况下限制了氧的猝灭作用,从而显示了室温磷光。

可用的固体基质(载体)的种类颇多,其中最为方便和应用最为广泛的应属滤纸,它能吸附多种化合物使之诱发室温磷光。不同型号的滤纸,其吸附能力和背景的发光程度不同,需经实验加以选择。为了减小滤纸的背景发光,以及限制磷光分析物在基质上的移动和减小氧与湿气的渗透,有时滤纸应预先处理,在实际工作时可参考有关的文献资料。

2. 胶束稳定的室温磷光分析(MS-RTP)

在表面活性剂的胶束溶液中,磷光体进入胶束后,微环境和定向约束力发生变化,从而减小了内转化和碰撞能量损失等非辐射失活过程的概率,明显增大了三重态的稳定性,使磷光强度显著增大。利用这种胶束稳定的因素,在胶束溶液中,结合加入重原子微扰剂和通氮除氧的条件下,可以检测溶液的室温磷光。

环糊精是另一种常用于发光分析的有序介质。在有机的重原子微扰剂的存在下,可能形成环糊精-磷光体-重原子微扰剂的三元包合物,产生很强的室温磷光。这种方法称为环糊精诱导的室温磷光分析(CD-RTP),它具有一定的非流动性特点,对氧敏感性差。

3. 敏化室温磷光分析(S-RTP)

这种方法可以在没有表面活性剂存在的情况下获得溶液的室温磷光,用于测定一些本身不发荧光或磷光(或发光量子产率很低)、但 $S_1 \longrightarrow T_1$ 系间窜越效率高的物质。分析物在被激发后经由系间窜越过程衰变至最低电子激发三重态(T_1 态),当有某种合适的物质(能量受体)存在时,发生了由激发态分析物(能量供体)到能量受体的三重态-三重态能量转移,最后通过测量受体所发射的室温磷光而间接测定该分析物质。其能量转移的方式如下:

$$^*D(T_1) + A(S_0) \longrightarrow D(S_0) + {}^*A(T_1)$$

式中 D 和 A 分别表示能量供体(分析物)和能量受体。S_0 和 T_1 分别表示电子的基态和最低激发三重态。这种能量转移的模式如图 8-6 所示。

显然,敏化磷光的强度随着激发光强度、能量给体的浓度和摩尔吸光系数、吸收池的长度、能量给体的 $S_1 \longrightarrow T_1$ 系间窜越效率、给体与受体间的能量转移效率,以及受体的磷光效率等物理量的增大而增大。对于某一具体的分析物质(能量给体)来说,敏化磷光的强度与受体的选择关系很大。受体的选择必须考虑以下三个方面:(1) 在给体的激发波长下不会使受体发生激发,而且受体在给体的激发波长范围内摩尔吸光系数要低。(2) 受体三重态的能量应低于给体三重态的能量,假如给体三重态的能量比受体三重态的能量大 $21\ kJ \cdot mol^{-1}$,能量的逆转移反应可以忽略。(3) 在所使用的溶剂中受体的磷光效率要高。例如,常用的受体联乙酰,其敏化磷光的波长为 $515\sim520\ nm$,可以用来检测三重态能量高于 $1.87\times10^{3}\ cm^{-1}$ 的分析物质。除了利用敏化磷光进行检测之外,还可以在 420 nm 直接激发联乙酰,用于检测对其磷光有猝灭作用的分析物质。

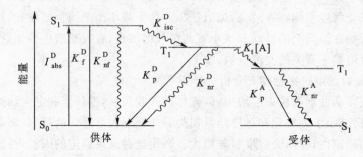

图 8-6　敏化磷光体系的能量转移

I_{abs}^{D} 表示光被给体吸收的速率;K_{f}^{D},K_{nf}^{D} 和 K_{isc}^{D} 分别表示给体经由荧光、内转化和系间窜越等过程的速率常数(s^{-1});K_{p}^{D} 和 K_{p}^{A} 分别表示给体和受体的磷光速率常数;K_{nr}^{D} 和 K_{nr}^{A} 分别表示给体和受体三重态的分子内及分子间的非辐射失活过程的总速率常数(s^{-1});$K_{t}[A]$ 表示能量转移反应的表观速率常数(s^{-1})。

近年来,除早已知道的 1,4-二溴萘和联乙酰等很少数物质之外,已经陆续发现丹磺酰氯和它的氨基酸衍生物以及一系列萘系衍生物,在无保护性介质存在的水溶液中,只要有重原子微扰剂存在和除氧的条件下,便可以观察到室温磷光。

此外,同步扫描和导数光谱技术,同样可以应用于磷光分析法。

8.2.5　荧光、磷光分析法的应用

由于荧光特性对于微环境的敏感性,荧光分析法已广泛作为一种表征技术,用于表征所研究体系的物理、化学性质及其变化情况。例如,在生命科学领域的研究中,人们经常利用荧光探针的手段,通过检测探针的某种荧光特性参数的变化情况来表征生物大分子在性质和构象上的变化。荧光分析法由于灵敏度高,取样量小,有多种特性参数可供选择测定,已经成为一种在生物医学、临床检验、基因测定、药物分析、环境监测、食品分析等方面广泛应用的分析方法。

目前,可以采用有机试剂以进行荧光分析的元素已近 70 种。其中,常用荧光法测定的有铍、铝、硼、镓、硒、镁、锌、镉以及某些稀土元素。在有机化合物方面,常用荧光法测定的有致癌物多环芳烃化合物、维生素、氨基酸、胺类和甾族化合物、核酸、蛋白质、酶和辅酶等生命物质,以及各种药物、毒物和农药等。

由于磷光具有 Stokes 位移大的优点,室温磷光分析法得到不断的发展,已成为一种与荧光分析法相互补充的重要分析技术,在生物医学、药物分析、临床检验、农药和植物生长激素的分析以及环境中多环芳烃的检测等方面得到了日益广泛的应用。

8.3 化学发光分析法

8.3.1 概论

化学发光是由化学反应提供的能量激发物质所产生的光辐射。生物发光是指产生于生物体系中的化学发光,如萤火虫和有些细菌、真菌、原生动物、蠕虫以及甲壳动物等所发射的光。基于这类发光现象的分析方法,称为化学发光(或生物发光)分析法。

这种方法具有以下优点:(1) 灵敏度很高。例如应用荧光素酶和磷酸三腺苷(ATP)的化学发光反应,可测定低至 2×10^{-17} mol·L^{-1} 的 ATP,即可检出一个细菌中的 ATP 含量;(2) 仪器设备简单,无需光源和单色器,因而也消除了散射光和杂散光的干扰;(3) 线性范围宽;(4) 分析速度快。此法的局限性是目前可供应用的发光体系尚有限,发光机理有待进一步研究,方法的选择性有待进一步提高。

8.3.2 基本原理

产生化学发光的反应,必须满足以下条件:第一,反应必须释放出足够高的能量,才能引起发光体的电子激发。通常只有那些反应速率相当快的放热反应,其 $-\Delta H$ 介于 $170 \sim 300$ kJ·mol^{-1} 之间,才能在可见光范围内观察到化学发光现象。许多氧化还原反应所提供的能量与此相当,因此大多数化学发光反应为氧化还原反应。第二,反应的历程应有利于激发态产物的形成而不至于将能量转化为热能。第三,产物的激发态分子能以辐射跃迁(即释放光子)的方式返回基态,而不是以热的形式消耗激发能。

化学发光效率 ϕ_{CL}、生成激发态产物的效率 ϕ_{CE} 和激发态产物的发光效率 ϕ_{EM} 分别定义如下:

$$\phi_{CE} = \frac{\text{生成激发态的分子数}}{\text{参加反应的分子数}}$$

$$\phi_{EM} = \frac{\text{发光的分子数}}{\text{生成激发态的分子数}}$$

所以

$$\phi_{CL} = \phi_{CE} \times \phi_{EM} = \frac{\text{发光的分子数}}{\text{参加反应的分子数}}$$

　　化学发光分析,通常是基于发光强度与被测物质的浓度成正比关系。化学发光反应的发光强度,以单位时间内发射的光子数表示,由以上定义可知,等于单位时间内起反应的被测物质的浓度变化 dc 与化学发光效率 ϕ_{CL} 的乘积。即

$$I_{CL}(t) = \phi_{CL} \times \frac{dc}{dt} \tag{8-18}$$

被测定物质的浓度与试剂相比通常要小得多,故试剂的浓度可视为一常数,发光反应可视为准一级反应,反应速率 $dc/dt = kc$,k 为反应速率常数。溶液的化学发光强度随时间的变化如图 8-7 所示。化学发光反应持续的时间随反应类型的不同而不同,短则小于 1 s,长则延续十几分钟。对于持续时间短的发光反应,通常是测定发光信号的峰高来计算被测物质的浓度;对于发光时间长而峰高不明显的反应,则可按式(8-18)积分,测定发光曲线下所包括的面积,以测定被测物质的浓度。

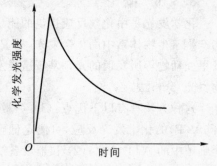

图 8-7　化学发光强度与时间的关系
曲线

$$S = \int_{t_1}^{t_2} I_{CL} \, dt = -\phi_{CL} \int_{t_1}^{t_2} dc \tag{8-19}$$

公式中 S 为积分面积,$t_2 - t_1$ 为反应时间,$c(t_2) - c(t_1)$ 则为在 $t_2 - t_1$ 的反应时间被测物的浓度变化。

8.3.3　化学发光的类型

8.3.3.1　气相化学发光

　　主要有 O_3,NO 和 S 的化学发光反应,可用于检测空气中的 O_3,NO,NO_2,H_2S,SO_2 和 CO 等气体。

　　1. 臭氧的化学发光反应

臭氧可与 40 余种有机化合物产生化学发光反应,其中以与罗丹明 B 的反应最灵敏,可用于测定大气中的微量臭氧。臭氧与罗丹明 B-没食子酸的乙醇溶液产生化学发光反应的过程可表示如下:

$$没食子酸 + O_3 \longrightarrow A^* + O_2$$
$$罗丹明 B + A^* \longrightarrow 罗丹明 B^* + B$$
$$罗丹明 B^* \longrightarrow 罗丹明 B + h\nu$$

反应式中 A^* 为没食子酸与臭氧反应所产生的受激中间体,B 为最终的氧化产物。发光的最大波长为 584 nm。

2. 氮氧化合物的化学发光反应

NO 与臭氧的气相化学发光反应灵敏度高,可达 1 ng·mL^{-1},测定范围为 $0.01 \sim 10\,000$ μg·mL^{-1}。其反应机理如下:

$$NO + O_3 \longrightarrow NO_2^* + O_2$$
$$NO_2^* \longrightarrow NO_2 + h\nu$$

测定空气中的 NO_2 时,可先将 NO_2 还原为 NO,测得 NO 的总量后,从总量中扣除试样中 NO 的含量,即为 NO_2 的含量。

3. 利用氧原子的化学发光反应

气相中的 SO_2,NO,NO_2 及 CO 等能与氧原子产生化学发光反应,如

$$SO_2 + O + O \longrightarrow SO_2^* + O_2$$
$$SO_2^* \longrightarrow SO_2 + h\nu$$

最大发射波长为 200 nm,测定灵敏度为 0.001 μg·mL^{-1}。

$$CO + O \longrightarrow CO_2^*$$
$$CO_2^* \longrightarrow CO_2 + h\nu$$

发射光谱范围为 $300 \sim 500$ nm,测定灵敏度为 1 ng·mL^{-1}。发光反应中所需要的氧原子源,一般是由 O_3 在 1 000 ℃ 的石英管中分解为 O 和 O_2 而获得的。

4. 火焰化学发光

(1) 一氧化氮　一氧化氮在富氢火焰中燃烧时产生很强的火焰化学发光反应,其机理为

$$H + NO \longrightarrow HNO^*$$
$$HNO^* \longrightarrow HNO + h\nu$$

光谱的波长范围为 $660 \sim 770$ nm,最大发射波长为 680 nm。

二氧化氮在富氢火焰中能迅速地被氢原子还原为一氧化氮。此法可用于测定空气中 NO_x 的总量,还可以与气相色谱联用,作为氮化合物的检测器。

（2）**挥发性硫化物**　当挥发性硫化物如 SO_2，H_2S，CH_3SH 及 CH_3SCH_3 等在富氢火焰中燃烧时,产生很强的蓝色化学发光。例如 SO_2,其化学发光反应机理如下：

$$SO_2 + 2H_2 \longrightarrow S + 2H_2O$$
$$S + S \longrightarrow S_2^*$$
$$S_2^* \longrightarrow S_2 + h\nu$$

发射光谱的波长范围为 $350 \sim 460$ nm,最大发射波长为 384 nm,灵敏度为 0.2 ng。因为反应是由两个硫原子结合成一个 S_2 分子,所以发射光的强度与硫化物的浓度的平方成正比。

8.3.3.2　液相化学发光

液相化学发光反应在痕量分析中十分重要。常用于化学发光分析的发光试剂有鲁米诺、光泽精、洛粉碱、没食子酸、过氧草酸盐等,其中最常用的是鲁米诺,它可以测定 Cl_2,$HOCl$,OCl^-,H_2O_2,O_2 和 NO_2,化学发光反应的量子产率为 $0.01 \sim 0.05$。

鲁米诺为 3-氨基苯二甲酸肼,在碱性溶液中与 H_2O_2 作用,氧化过程中产生的化学能使氧化产物氨基邻苯二甲酸根离子激发,当其价电子从第一电子激发单重态的最低振动能级返回基态时,伴随着最大发射波长为 425 nm 的光辐射。可用下式表示：

利用上述发光反应,可检测低至 10^{-8} mol·L^{-1} 的 H_2O_2。

鲁米诺与 H_2O_2 的化学反应,可以被一些痕量的过渡金属离子所催化,使发光强度大大增强。利用这一现象,可以测定 $Co(II)$,$Cu(II)$,$Ni(II)$,$Cr(III)$,$Fe(II、III)$,$Ag(I)$,$Au(III)$,$Mn(II)$,$Hg(II)$,$Os(III、IV、V)$,$Ru(IV)$,$V(IV)$,$Ir(IV)$ 等金属离子,检出限由 $0.01 \sim 40$ μg·mL^{-1} 不等。此外,利用某些金属离子对化学发光反应的抑制效应,可以间接测定这些离子,如 $Ce(IV)$,$Hf(IV)$ 等。

鲁米诺化学发光体系还可以用于许多生化反应研究。在这些反应中,通常都涉及产生 H_2O_2 或 H_2O_2 参与的反应。例如氨基酸的测定,首先它作为酶促反应的底物,在氨基酸氧化酶的作用下,产生 H_2O_2：

$$氨基酸 + O_2 \xrightarrow{\text{氨基酸氧化酶}} 酮酸 + NH_3 + H_2O_2$$

然后 H_2O_2 与鲁米诺产生化学发光反应：

$$鲁米诺 + H_2O_2 \longrightarrow 产物 + h\nu$$

通过测定发光强度，可求得氨基酸的含量。

当氨基酸的浓度一定时，上述反应又可以用于研究酶促反应动力学。

8.3.4　化学发光的测量仪器

气相化学发光反应主要用于某些气体的监测，目前已有各种专用的监测仪，本书不予讨论。下面主要讨论液相化学发光反应的检测。

在液相化学发光分析中，当试样与有关试剂混合后，化学发光反应立即发生，且发光信号很快消失。因此必须在试剂的混合过程中立即进行测定。这样一来，试样与试剂混合方式的重复性和测定时间的控制，就成为影响分析结果精密度的主要因素。目前，按照进样方式，可将发光分析仪分为分立取样式和流动注射式两类。

1. 分立取样式

分立取样式化学发光仪是一种在静态下测量化学发光信号的装置。操作时用移液管或注射器将试剂与试样加入反应器中，靠搅动或注射时的冲击作用使其混合均匀，然后根据所测量的发光峰高或发光面积的积分值来进行定量测定。

分立取样式的仪器具有设备简单、造价低、体积小和灵敏等优点，还可记录化学发光反应的全过程，故特别适用于反应动力学研究。但这类仪器存在两个严重缺点：一点是手工加样速度较慢，不利于分析过程的自动化，且每次测试完毕后要排除池中废液并仔细清洗反应池，否则产生记忆效应；另一点是加样的重复性不好控制，从而影响测定的精密度。

2. 流动注射式

流动注射式发光仪是流动注射分析在化学发光分析中的应用。化学发光分析中的许多间歇式操作，可通过流动注射手段而自动快速、准确地进行。流动注射化学发光分析系统的流程图如图 8-8 所示。A，B 反应液分别由流动泵 P_1 及 P_2 泵入流路中，在反应液 A 的载流管路中，经 I 注射阀将被测物注入，与 B 载流液在 N 点混合后进入反应管 M，最后经排出口 W 排出。反应产生的发光信号由光电倍增管检测，最后输入读数装置 R。被检测的光信号只是整个发光动力学曲线的一部分，以峰高来进行定量分析。

在发光分析中，要根据不同的反应速率，选择将试样与试剂准确注入反应管的时间，使其与发光峰值被检测器检测的时间恰好吻合。目前，用流动注射式进行化学发光分析，得到了比分立取样式发光测定更高的灵敏度和精密度。

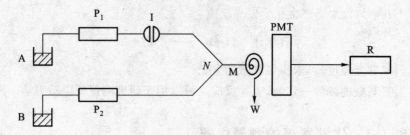

图 8-8 流动注射化学发光分析系统流程图

思考、练习题

8-1 解释下列名词:(1) 单重态;(2) 三重态;(3) 系间窜越;(4) 振动弛豫;(5) 荧光猝灭;(6) 荧光量子产率;(7) 重原子效应。

8-2 说明磷光与荧光在发射特性上的差别及其原因。

8-3 简要说明荧光发射光谱的形状通常与激发波长无关的原因。

8-4 与分光光度法比较,荧光分析法有哪些优点? 原因何在?

8-5 强荧光物质通常具备哪些主要的结构因素?

8-6 说明(n, π^*)和(π, π^*)激发态性质上的主要差别。

8-7 指明下列几组化合物的荧光量子产率顺序,并简要说明其原因:(1) 苯、萘、蒽;(2) 苯胺、苯、苯甲酸;(3) 酚酞、荧光素、四碘荧光素;(4) 8-羟基喹啉、5-羟基喹啉。

8-8 有哪些方法可用来区分动态猝灭和静态猝灭,道理何在?

8-9 说明荧光、磷光和化学发光的一般检测仪器的主要差别。

8-10 将等量的蒽分别溶解于苯或氯仿中制成相同浓度的溶液,试问在哪一种溶剂中能产生更强的磷光?

8-11 敏化磷光是由哪种类型的能量转移产生的? 说明选择能量受体的原则。

参考资料

[1] 陈国珍. 荧光分析法. 2 版. 北京:科学出版社,1990.

[2] Lakowicz J R. Principles of Fluorescence Spectroscopy. New York:Plenum Press,1983.

[3] Schulman S G. Fluorescence and Phosphorescence Spectroscopy:Physicochemical Principles and Practice. Oxford:Pergmon Press,1977.

[4] 武汉大学化学系. 仪器分析. 北京:高等教育出版社,2001.

第9章　紫外-可见吸收光谱法

基于物质对 200～800 nm 光谱区辐射的吸收特性建立起来的分析测定方法称为紫外-可见吸收光谱法或紫外-可见分光光度法。它具有如下特点：

(1) 灵敏度高。可以测定 10^{-7}～10^{-4} g·mL^{-1} 的微量组分。

(2) 准确度较高。其相对误差一般在 1%～5% 之内。

(3) 仪器价格较低，操作简便、快速。

(4) 应用范围广。既能进行定量分析，又可进行定性分析和结构分析；既可用于无机化合物的分析，也可用于有机化合物的分析；还可用于络合物组成、酸碱解离常数的测定等。

9.1　紫外-可见吸收光谱

紫外-可见吸收光谱包括紫外吸收光谱（200～400 nm）和可见吸收光谱（400～800 nm），两者都属电子光谱，其产生过程在《分析化学》（第五版）上册第 10 章中已有介绍，这里不再赘述。紫外-可见吸收光谱法的定量依据仍然是 Lamber-Beer 定律。摩尔吸光系数 ε 的单位为 L·mol^{-1}·cm^{-1}。

吸收光谱又称吸收曲线，它是以入射光的波长 λ 为横坐标，以吸光度 A 为纵坐标所绘制的 A-λ 曲线。典型的吸收曲线如图 9-1 所示。在图 9-1 中，吸收最大的峰称为最大吸收峰，它所对应的波长称为最大吸收波长（λ_{max}），相应的摩尔吸

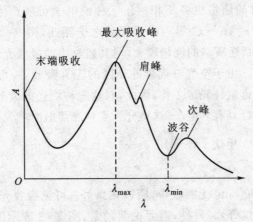

图 9-1　紫外-可见吸收光谱

光系数称为最大摩尔吸光系数，以 ε_{max} 表示，其单位亦为 $L \cdot mol^{-1} \cdot cm^{-1}$。吸收次于最大吸收峰的波峰称为次峰或第二峰；在吸收峰的旁边产生的一个曲折称为肩峰；相邻两峰之间的最低点称为波谷，最低波谷所对应的波长称为最小吸收波长（λ_{min}）；在吸收曲线短波端，呈现强吸收趋势但并未形成峰的部分称为末端吸收。

9.1.1　有机化合物的紫外－可见吸收光谱

　　紫外－可见吸收光谱是分子中价电子的跃迁产生的，因此，有机化合物的紫外－可见吸收光谱取决于分子中价电子分布和结合情况。有机化合物分子对紫外光或可见光的特征吸收，可以用最大吸收波长 λ_{max} 来表示。λ_{max} 决定于分子的激发态与基态之间的能量差。从化学键的性质来看，与紫外－可见吸收光谱有关的价电子主要有三种：形成单键的 σ 电子、形成不饱和键的 π 电子以及未参与成键的 n 电子（孤对电子）。这三种类型的价电子可以甲醛为例说明如下：

$$\begin{matrix} H \\ H \end{matrix} {\small\bullet\bullet} \ddot{C} \times\times \ddot{\ddot{O}}{\small\bullet\bullet}$$

其中，"•"代表 σ 电子，"×"代表 π 电子，"。"代表 n 电子。

　　根据分子轨道理论，分子中这三种电子的能级高低次序是：

$$(\sigma) < (\pi) < (n) < (\pi^*) < (\sigma^*)$$

σ，π 表示成键分子轨道；n 表示非键分子轨道；σ^*，π^* 表示反键分子轨道。σ 轨道和 σ^* 轨道是由原来属于原子的 s 电子和 p_x 电子所构成的；π 轨道和 π^* 轨道是由原来属于原子的 p_y 和 p_z 电子所构成的；n 轨道是由原子中未参与成键的 p 电子所构成的。当受到外来辐射的激发时，处在较低能级的电子就跃迁到较高的能级。由于各个分子轨道之间的能量差不同，因此要实现各种不同跃迁所需要吸收的外来辐射的能量也各不相同。三种价电子可能产生 $\sigma \to \sigma^*$，$\sigma \to \pi^*$，$\pi \to \sigma^*$，$\pi \to \pi^*$，$n \to \sigma^*$，$n \to \pi^*$ 等六种形式的电子跃迁（图 9-2）。其中 $\sigma \to \sigma^*$，$\sigma \to \pi^*$，$\pi \to \sigma^*$ 电子跃迁所需的能量较大，与其相对应的吸收光谱都处于 200 nm 以下的远紫外光区。由于空气对远紫外光区的光有吸收，一般的紫外－可见分光光度计还难以在远紫外光区工作，因此，对这三种跃迁的紫外－可见吸收光谱研究得较少。饱和烃具有 σ 电子，这类分子受到光照射时将发生 $\sigma \to \sigma^*$ 跃迁，如

甲烷　C—H　$\sigma \to \sigma^*$　$\lambda_{max} = 125$ nm

乙烷　C—C　$\sigma \to \sigma^*$　$\lambda_{max} = 135$ nm

由于它们在 200～800 nm 无吸收带，所以在紫外－可见吸收光谱分析中常用作溶剂（如己烷、环己烷等）。另外，需要说明的是，图 9-2 表示的是生色团（见下文）不发生共轭作用时的情况。

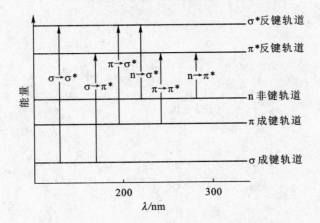

图 9-2 各种电子跃迁相应的吸收峰和能量示意图

在紫外－可见吸收光谱分析中,有机化合物的吸收光谱主要由 n→σ*, π→π*,n→π* 及电荷转移跃迁产生。

9.1.1.1 n→σ* 跃迁

某些含有氧、氮、硫、卤素等杂原子的基团(如 —NH$_2$, —OH , —SH , —X 等)的有机化合物可产生 n→σ* 跃迁。n→σ* 跃迁的吸收光谱出现在远紫外光区和近紫外光区,如 CH$_3$OH 和 CH$_3$NH$_2$ 的 n→σ* 跃迁光谱的 λ_{max} 分别为 183 nm 和 213 nm。n→σ* 跃迁的摩尔吸光系数较小。

9.1.1.2 π→π* 跃迁

含有 π 电子的基团,如 $\diagdown$C=C$\diagup$, —C≡C— , $\diagdown$C=O 等,会发生 π→π* 跃迁,其吸收峰一般处于近紫外光区,在 200 nm 左右,它的特征是摩尔吸光系数大,一般 $\varepsilon_{max} \geq 10^4$ L·mol^{-1}·cm^{-1},为强吸收带。

9.1.1.3 n→π* 跃迁

含有杂原子的不饱和基团,如 $\diagdown$C=O , $\diagdown$C=S , —N=N— , —N=O 等,会发生 n→π* 跃迁。实现这种跃迁所需要吸收的能量最小,因此其吸收峰一般都处在近紫外光区,甚至在可见光区。它的特点是谱带强度弱,摩尔吸光系数小,通常小于 100 L·mol^{-1}·cm^{-1}。

9.1.1.4 电荷转移跃迁

某些分子同时具有电子给予体和电子接受体,它们在外来辐射照射下会强烈吸收紫外光或可见光,使电子从给予体轨道向接受体轨道跃迁,这种跃迁称为电荷转移跃迁,其相应的吸收光谱称为电荷转移吸收光谱。因此,电荷转移跃迁实质上是一个内氧化还原过程。例如,某些取代芳烃可产生这种分子内电荷转移跃迁吸收带：

$$\text{（电子给予体，电子接受体）} \xrightarrow{h\nu} \text{（产物）}$$

电子给予体

电子接受体

$$\text{（电子接受体，电子给予体）} \xrightarrow{h\nu} \text{（产物）}$$

电子接受体

电子给予体

电荷转移吸收带的特点是谱带较宽、吸收强度大、ε_{max}可大于 $10^4 \text{ L·mol}^{-1}\text{·cm}^{-1}$。

9.1.2 无机化合物的紫外-可见吸收光谱

无机化合物的紫外-可见吸收光谱主要由电荷转移跃迁和配位场跃迁产生。

9.1.2.1 电荷转移跃迁

与某些有机化合物相似，许多无机络合物也有电荷转移跃迁产生的电荷转移吸收光谱。

若用 M 和 L 分别表示络合物的中心离子和配体，当一个电子由配体的轨道跃迁到与中心离子相关的轨道上时，可用下式表示这一过程：

$$M^{n+}\!-\!L^{b-} \xrightarrow{h\nu} M^{(n-1)+}\!-\!L^{(b-1)-}$$

上式中，中心离子为电子接受体，配体为电子给予体。一般来说，在络合物的电荷转移跃迁中，金属离子是电子的接受体，配体是电子的给予体。

不少过渡金属离子与含生色团的试剂反应所生成的络合物以及许多水合无机离子，均可产生电荷转移跃迁。例如：

$$Cl^-(H_2O)_n \xrightarrow{h\nu} Cl(H_2O)_n^-$$

电子给予体 电子接受体

$$[Fe^{3+}SCN^-]^{2+} \xrightarrow{h\nu} [Fe^{2+}SCN]^{2+}$$

电子接受体 电子给予体

$[FeSCN]^{2+}$ 的电荷转移吸收光谱示于图 9-3。此外，一些具有 d^{10} 电子结构的过渡元素形成的卤化物及硫化物，如 $AgBr$，PbI_2，HgS 等，也是由于这类跃迁而产生颜色。

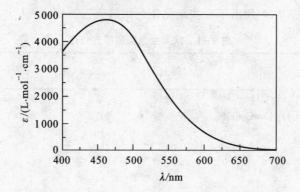

图 9-3 [FeSCN]²⁺ 的电荷转移吸收光谱

电荷转移吸收光谱出现的波长位置,取决于电子给予体和电子接受体相应电子轨道的能量差。若中心离子的氧化能力越强,或配体的还原能力越强(相反,若中心离子的还原能力越强,或配体的氧化能力越强),则发生电荷转移跃迁时所需能量越小,吸收光谱波长红移。

电荷转移吸收光谱谱带最大的特点是摩尔吸光系数较大,一般 $\varepsilon_{max} >$ $10^4 \, L \cdot mol^{-1} \cdot cm^{-1}$。因此应用这类谱带进行定量分析时,可以提高检测的灵敏度。

9.1.2.2 配位场跃迁

元素周期表中第 4、第 5 周期的过渡元素分别含有 3d 和 4d 轨道,镧系和锕系元素分别含有 4f 和 5f 轨道。这些轨道的能量通常是相等的(简并的)。但在络合物中,由于配体的影响,过渡元素 5 个能量相等的 d 轨道及镧系和锕系元素 7 个能量相等的 f 轨道分别分裂成几组能量不等的 d 轨道及 f 轨道。如果轨道是未充满的,当它们的离子吸收光能后,低能态的 d 电子或 f 电子可以分别跃迁到高能态的 d 或 f 轨道上去。这两类跃迁分别称为 d-d 跃迁和 f-f 跃迁。由于这两类跃迁必须在配体的配位场作用下才有可能产生,因此又称为配位场跃迁。

与电荷转移跃迁相比,由于选择规则的限制,配位场跃迁吸收谱带的摩尔吸光系数小,一般 $\varepsilon_{max} < 100 \, L \cdot mol^{-1} \cdot cm^{-1}$。这类光谱一般位于可见光区。虽然配位场跃迁并不像电荷转移跃迁在定量分析上那么重要,但它可用于络合物的结构及无机络合物键合理论研究。

9.1.3 常用术语

9.1.3.1 生色团

生色团是指分子中能吸收紫外或可见光的基团,它实际上是一些具有不饱和键和含有孤对电子的基团,如 C=C , —C≡C— , C=O , —N=N— ,

—N=O 等。表 9-1 列出了一些常见生色团的吸光特性。

表 9-1　常见生色团的吸光特性

生色团	示例	溶剂	λ_{max}/nm	$\dfrac{\varepsilon}{L \cdot mol^{-1} \cdot cm^{-1}}$	跃迁类型
烯	$C_9H_{13}CH=CH_2$	正庚烷	177	13 000	$\pi \to \pi^*$
炔	$C_5H_{11}C \equiv C-CH_3$	正庚烷	178	10 000	$\pi \to \pi^*$
			199	2 000	—
			225	190	—
羰基	$CH_3\overset{O}{\overset{\|}{C}}CH_3$	正己烷	189	1 000	$n \to \sigma^*$
	$CH_3\overset{O}{\overset{\|}{C}}H$		280	19	$n \to \pi^*$
		正己烷	180	大	$n \to \sigma^*$
			293	12	$n \to \pi^*$
羧基	$CH_3\overset{O}{\overset{\|}{C}}OH$	乙醇	204	41	$n \to \pi^*$
酰氨基	$CH_3\overset{O}{\overset{\|}{C}}NH_2$	水	214	90	$n \to \pi^*$
偶氮基	$CH_3N=NCH_3$	乙醇	339	5	$n \to \pi^*$
硝基	CH_3NO_2	异辛烷	280	22	$n \to \pi^*$
亚硝基	C_4H_9NO	乙醚	300	100	—
			995	20	$n \to \pi^*$
硝酸酯	$C_2H_5ONO_2$	二氧杂环己烷	270	12	$n \to \pi^*$

　　如果一个化合物的分子含有数个生色团,但它们并不发生共轭作用,那么该化合物的吸收光谱将包含有这些个别生色团原有的吸收带,这些吸收带的位置及强度相互影响不大。如果两个生色团彼此相邻形成了共轭体系,那么原来各自生色团的吸收带就会消失,同时会出现新的吸收带。新吸收带的位置一般比原来的吸收带处在较长的波长处,而且吸收强度也显著增加,这一现象称为生色团的共轭效应。

9.1.3.2　助色团

　　助色团是指本身不产生吸收峰,但与生色团相连时,能使生色团的吸收峰向长波方向移动,并且使其吸收强度增强的基团。例如 —OH , —OR , —NH_2 , —SH , —Cl , —Br , —I 等。

9.1.3.3　红移和蓝移

在有机化合物中,常常因取代基的变更或溶剂的改变,使其吸收带的最大吸收波长 λ_{max} 发生移动。λ_{max} 向长波方向移动称为红移,向短波方向移动称为蓝移。

9.1.3.4　增色效应和减色效应

最大吸收带的摩尔吸光系数 ε_{max} 增加时称为增色效应;最大吸收带的摩尔吸光系数 ε_{max} 减小时称为减色效应。

9.1.3.5　强带和弱带

最大摩尔吸光系数 $\varepsilon_{max} \geqslant 10^4$ L·mol^{-1}·cm^{-1} 的吸收带称为强带;$\varepsilon_{max} < 10^3$ L·mol^{-1}·cm^{-1} 的吸收带称为弱带。

9.1.3.6　R 带

R 带是由含杂原子的生色团(如 $\diagdown$C=O , —N=O , —N=N— 等)的 $n \to \pi^*$ 跃迁所产生的吸收带。它的特点是强度较弱,一般 $\varepsilon < 100$ L·mol^{-1}·cm^{-1},吸收峰通常位于 $200 \sim 400$ nm 之间。

9.1.3.7　K 带

K 带是由共轭体系的 $\pi \to \pi^*$ 跃迁所产生的吸收带。其特点是吸收强度大,一般 $\varepsilon > 10^4$ L·mol^{-1}·cm^{-1},吸收峰位置一般处于 $217 \sim 280$ nm 范围内。K 吸收带的波长及强度与共轭体系的数目、位置、取代基的种类等有关。其波长随共轭体系的加长而向长波方向移动,吸收强度也随之加强,据此可以判断共轭体系的存在情况。K 带是紫外-可见吸收光谱中应用最多的吸收带。

9.1.3.8　B 带

B 带是由芳香族化合物的 $\pi \to \pi^*$ 跃迁而产生的精细结构吸收带。苯的 B 带的摩尔吸光系数约为 200 L·mol^{-1}·cm^{-1},吸收峰出现在 $230 \sim 270$ nm 之间,中心在 259 nm(图 9-4)。B 带是芳香族化合物的特征吸收,但在极性溶剂中时精细结构消失或变得不明显。

9.1.3.9　E 带

E 带是由芳香族化合物的 $\pi \to \pi^*$ 跃迁所产生的吸收带,也是芳香族化合物的特征吸收,可分为 E_1 和 E_2 带。如苯的 E_1 带出现在 184 nm($\varepsilon = 90\ 000$ L·mol^{-1}·cm^{-1}),E_2 带出现在 204 nm($\varepsilon = 8\ 000$ L·mol^{-1}·cm^{-1})(图 9-4)。

9.1.4　影响紫外-可见吸收光谱的因素

紫外-可见吸收光谱主要取决于分子中价电子的能级跃迁,但分子的内部结构和外部环境都会对紫外-可见吸收光谱产生影响。

9.1.4.1　共轭效应

共轭效应使共轭体系形成大 π 键,结果使各能级间的能量差减小,从而跃迁

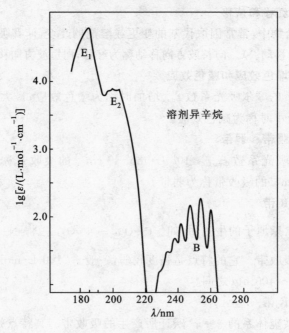

图 9-4　苯的紫外吸收光谱

所需能量也就相应减小,因此共轭效应使吸收波长产生红移。共轭不饱和键越多,红移越明显,同时吸收强度也随之加强(图 9-5)。

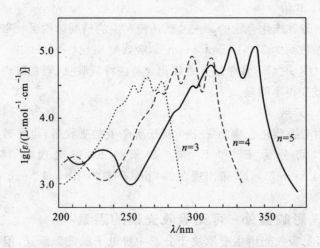

图 9-5　H—(CH=CH)$_n$—H 的紫外吸收光谱图

9.1.4.2　溶剂效应

溶剂效应是指溶剂极性对紫外-可见吸收光谱的影响。溶剂极性不仅影响吸收带的峰位,也影响吸收强度及精细结构。

1. 溶剂极性对光谱精细结构的影响

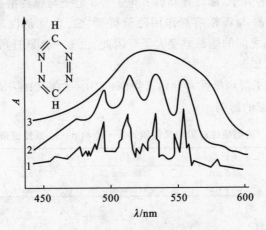

图 9-6　对称四嗪的吸收光谱
1. 蒸气状态;2. 环己烷中;3. 水中

当物质处于气态时,它的吸收光谱是由孤立的分子所给出的,因而可表现出振动光谱和转动光谱等精细结构。但是当物质溶解于某种溶剂中时,由于溶剂化作用,溶质分子并不是孤立存在着,而是被溶剂分子所包围。溶剂化限制了溶质分子的自由转动,因而使转动光谱表现不出来。此外,如果溶剂的极性越大,溶剂与溶质分子间产生的相互作用就越强,溶质分子的振动也越受到限制,因而由振动而引起的精细结构也损失越多。图 9-6 是对称四嗪在气态、非极性溶剂(环己烷)以及极性溶剂(水)中的吸收光谱。

2. 溶剂极性对 $\pi \rightarrow \pi^*$ 跃迁谱带的影响

当溶剂极性增大时,由 $\pi \rightarrow \pi^*$ 跃迁产生的吸收带发生红移。因为发生 $\pi \rightarrow \pi^*$ 跃迁的分子,其激发态的极性总比基态的极性大,因而激发态与极性溶剂之间发生相互作用从而降低能量的程度,比起极性较小的基态与极性溶剂作用而降低的能量大。也就是

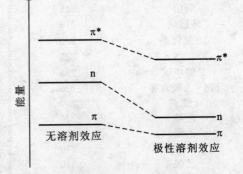

图 9-7　溶剂极性对 $\pi \rightarrow \pi^*$ 与 $n \rightarrow \pi^*$ 跃迁能量的影响

说,在极性溶剂作用下,基态与激发态之间的能量差变小了。所以,由 $\pi \rightarrow \pi^*$ 跃迁所产生的吸收谱带向长波方向移动(图9-7)。

3. 溶剂极性对 $n \rightarrow \pi^*$ 跃迁谱带的影响

当溶剂极性增大时,由 $n \rightarrow \pi^*$ 跃迁所产生的吸收谱带发生蓝移。原因如下:发生 $n \rightarrow \pi^*$ 跃迁的分子,都含有非键 n 电子。n 电子与极性溶剂形成氢键,其能量降低的程度比 π^* 与极性溶剂作用降低得要大。也就是说,在极性溶剂作用下,基态与激发态之间的能量差变大了。因此,由 $n \rightarrow \pi^*$ 跃迁所产生的吸收谱带向短波方向移动(图9-7)。

表9-2列出了溶剂极性对异丙叉丙酮($CH_3—CO—CH=C(CH_3)_2$)的 $\pi \rightarrow \pi^*$ 和 $n \rightarrow \pi^*$ 跃迁谱带的影响。

表9-2　溶剂极性对异丙叉丙酮的 $\pi \rightarrow \pi^*$ 和 $n \rightarrow \pi^*$ 跃迁谱带的影响

跃迁类型	正己烷	氯仿	甲醇	水
$\pi \rightarrow \pi^*$	230 nm	238 nm	237 nm	243 nm
$n \rightarrow \pi^*$	329 nm	315 nm	309 nm	305 nm

4. 溶剂的选择

在选择测定紫外－可见吸收光谱的溶剂时,应注意以下几点:(1) 尽量选用非极性溶剂或低极性溶剂;(2) 溶剂能很好地溶解被测物,且形成的溶液具有良好的化学和光化学稳定性;(3) 溶剂在试样的吸收光谱区无明显吸收。表9-3列出了紫外－可见吸收光谱测定中常用的溶剂,以供选择时参考。

表9-3　各种常用溶剂的使用最低波长极限

溶剂	最低波长极限 λ/nm	溶剂	最低波长极限 λ/nm
	200～250	异丙醇	215
乙腈	210	水	210
正丁醇	210		250～300
氯仿	245	苯	280
环己烷	210	四氯化碳	295
1-氢化萘	200	N,N-二甲基甲酰胺	270
1,1-二氯乙烷	235	甲酸甲酯	290
二氯甲烷	235	四氯乙烯	290
1,4-二氧六环	225	二甲苯	295
十二烷	200		300～350
乙醇	210	丙酮	330
乙醚	210	苯甲腈	300
庚烷	210	溴仿	335
己烷	210	吡啶	305
甲醇	215		350～400
甲基环己烷	210	硝基甲烷	380
异辛烷	210		

9.1.4.3　pH 的影响

如果化合物在不同的 pH 下存在的型体不同,则其吸收峰的位置会随 pH 的改变而改变。例如,苯胺在酸性介质中形成苯铵盐阳离子,其吸收峰从 230 nm 和 280 nm 蓝移到 203 nm 和 254 nm。

$$\text{（苯胺）}-NH_2 + H^+ \rightleftharpoons \text{（苯铵盐）}-NH_3^+$$

吸收峰　230 nm　　　　　　　　吸收峰　203 nm
　　　　280 nm　　　　　　　　　　　　254 nm

又如,苯酚在碱性介质中能形成苯酚阴离子,其吸收峰从 210.5 nm 和 270 nm 红移到 235 nm 和 287 nm。

$$\text{（苯酚）}OH \underset{H^+}{\overset{OH^-}{\rightleftharpoons}} \text{（苯酚阴离子）}O^-$$

吸收峰　210.5 nm　　　　　　　吸收峰　235 nm
　　　　270 nm　　　　　　　　　　　　287 nm

9.2　紫外-可见分光光度计

9.2.1　仪器的基本构造

紫外-可见分光光度计都是由光源、单色器、吸收池、检测器和信号指示系统五个部分构成。有关内容请参见本教材第 2 章及上册第 10 章。

9.2.2　仪器类型

紫外-可见分光光度计主要有以下几种类型:单光束分光光度计、双光束分光光度计、双波长分光光度计和多通道分光光度计。

9.2.2.1　单光束分光光度计

单光束分光光度计的测量示意图如图 9-8 所示。经单色器分光后的一束平行光,轮流通过参比溶液和试样溶液,以进行吸光度的测定。

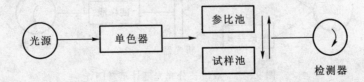

图 9-8　单光束分光光度计测量示意图

9.2.2.2　双光束分光光度计

双光束分光光度计的光路设计基本上与单光束的相似,不同的是在单色器与吸收池之间加了一个斩光器。斩光器把均匀的单色光变成一定频率、强度相同的交替光,一束通过参比溶液,另一束通过试样溶液,然后由检测系统测量即可得到试样溶液的吸光度,其测量示意图见图 9-9。

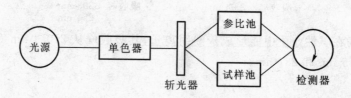

图 9-9　双光束分光光度计测量示意图

由于采用双光路方式,两光束同时分别通过参比池和试样池,使操作简单,同时也消除了因光源强度变化所引起的误差。

9.2.2.3　双波长分光光度计

双波长分光光度计的示意图如图 9-10 所示。由同一光源发出的光被分成两束,分别经过两个单色器,得到两束具有不同波长(λ_1 和 λ_2)的单色光,使两束光以一定的时间间隔交替照射装有试样溶液的吸收池(不需使用参比溶液)。经光电倍增管和电子控制系统,最后测得的是试样溶液在两个波长处的吸光度差值 ΔA,$\Delta A = A_{\lambda_1} - A_{\lambda_2}$,只要 λ_1 和 λ_2 选择适当,ΔA 就是扣除了背景吸收的吸光度差值,此时

$$\Delta A = A_{\lambda_1} - A_{\lambda_2} = (\varepsilon_{\lambda_1} - \varepsilon_{\lambda_2})bc$$

该式表明,ΔA 与试样中被测组分的浓度 c 成正比,这是双波长法定量测定的依据。

双波长分光光度计不仅可测定高浓度试样、多组分混合试样、混浊试样,而且还可以测得导数光谱。

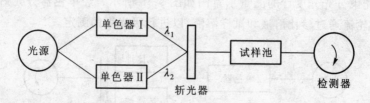

图 9-10　双波长分光光度计示意图

9.2.2.4 多通道分光光度计

多通道分光光度计于 20 世纪 80 年代初期问世,是一种利用光二极管阵列作检测器、由计算机控制的单光束紫外-可见分光光度计,其光路图如图 9-11 所示。由光源(钨灯或氙灯)发出的辐射聚焦到吸收池上,光通过吸收池到达光栅,经分光后照射到光二极管阵列检测器上。该检测器含有一个由几百个光二极管构成的线性阵列,可覆盖 190~900 nm 波长范围。由于全部波长同时被检测,而且光二极管的响应又很快,因此可在极短的时间内(≤1 s)给出整个光谱的全部信息。这种类型的分光光度计特别适于进行快速反应动力学研究及多组分混合物的分析,在环境及过程分析中也非常重要。近几年来被用作高效液相色谱仪和毛细管电泳仪的检测器。

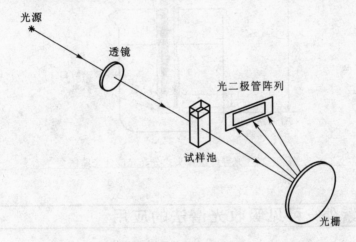

图 9-11　光二极管阵列多通道分光光度计光路图

9.2.2.5 光导纤维探头式分光光度计

图 9-12 是光导纤维探头式分光光度计的光路图。探头是由两根相互隔离的光导纤维组成。钨灯发射的光由其中一根光纤传导至试样溶液,再经镀铝反射镜反射后,由另一根光纤传导,通过干涉滤光片后,由光敏器件接收转变为电信号。探头在溶液中的有效路径可在 0.1~10 cm 范围内调节。此类仪器的特点是不需要吸收池,直接将探头插入试样溶液中,在原位进行测定,不受外界光线的影响。这种类型的光度计常用于环境和过程监测。

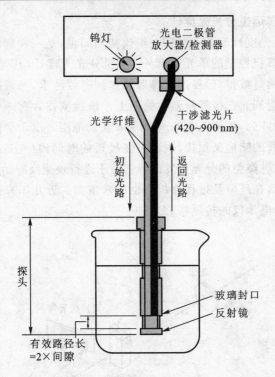

图 9-12　光导纤维探头式分光光度计光路图

9.3 紫外－可见吸收光谱法的应用

　　紫外－可见吸收光谱法的应用很广,不仅可以用来对物质进行定性分析及结构分析,而且可以进行定量分析及测定某些化合物的物理化学数据等,例如分子量、络合物的络合比与稳定常数以及酸碱解离常数等。有关络合物的络合比与稳定常数以及酸碱解离常数的测定等内容,请参阅本教材上册第 10 章,这里不再赘述。

9.3.1　定性分析

　　紫外－可见吸收光谱法对无机元素的定性分析应用较少,无机元素的定性分析可用原子发射光谱、X 射线荧光光谱、等离子体质谱或经典的化学分析方法。在有机化合物的定性鉴定和结构分析中,由于紫外－可见吸收光谱比较简单,特征性不强,并且大多数简单官能团在近紫外光区只有微弱吸收或者无吸收,因此,该法的应用也有一定的局限性。紫外－可见吸收光谱法主要适用于不饱和有机化合物,尤其是共轭体系的鉴定,以此推断未知物的骨架结构。在配合红外光谱、核磁共振谱、质谱等进行定性鉴定和结构分析中,它无疑是一个十分有用的辅助方法。

9.3.1.1 比较法

吸收光谱曲线的形状、吸收峰的数目以及最大吸收波长的位置和相应的摩尔吸光系数,是进行定性鉴定的依据。其中,最大吸收波长 λ_{max} 及相应的 ε_{max} 是定性鉴定的主要参数。所谓比较法,就是在相同的测定条件(仪器、溶剂、pH等)下,比较未知纯试样与已知标准物的吸收光谱曲线,如果它们的吸收光谱曲线完全等同,则可以认为待测试样与已知化合物有相同的生色团。进行这种对比法时,也可以借助于前人汇编的以实验结果为基础的各种有机化合物的紫外-可见光谱标准谱图,或有关电子光谱数据表。常用的标准图谱及电子光谱数据表有:

[1] Sadtler Standard Spectra(Ultraviolet). London:Heyden,1978.

萨特勒标准图谱共收集了 49 000 种化合物的紫外光谱。

[2] Friedel R A M Orchin M. Ultraviolet Spectra of Aromatic Compounds. NewYork:Wiley,1951.

本书收集了 579 种芳香化合物的紫外光谱。

[3] Kenzo Hirayma. Handbook of Ultraviolet and Visible Absorption Spectra of Organic Compounds. New York:Plenum,1967.

[4] Organic Electronic Spectral Data,John Wiley and Sons,1949—.

这是一套由许多作者共同编写的大型手册性丛书。所搜集的文献资料自1949 年开始,目前还在继续编写。

9.3.1.2 最大吸收波长计算法

当采用其他物理和化学方法判断某化合物有几种可能结构时,可用经验规则计算最大吸收波长 λ_{max},并与实测值进行比较,然后确认物质的结构。

1. Woodward-Fieser 经验规则

共轭二烯、三烯和四烯烃以及共轭烯酮类化合物 $\pi \rightarrow \pi^*$ 跃迁最大吸收波长 λ_{max},可用 Woodward-Fieser 经验规则来计算,见表 9-4 和表 9-5。计算时,首先从母体得到一个最大吸收的基数,然后对连接在母体 π 电子体系上的不同取代基以及其他结构因素加以修正。需要指出的是,Woodward-Fieser 经验规则不适于交叉共轭体系,如 ⬡—CH₂,也不适用于芳香族体系。

表 9-4 计算共轭二烯、三烯和四烯烃的最大吸收位置(在己烷溶剂中)

化合物	λ/nm
(1) 母体是异环的二烯烃或无环多烯烃类型,如:	

续表

化合物		λ/nm
	基数	214

（2）母体是同环的二烯烃或这种类型的多烯烃①，如：

		λ/nm
	基数	253
增加一个共轭双键		30
环外双键		5
每个取代烷基或环残基		5
每个极性基		
—OCOCH₃		0
—O—R		6
—S—R		30
—Cl ，—Br		5
—NR₂		90
溶剂校正值		0

注：① 当两种情形的二烯烃体系同时存在时，选择波长较长的为其母体系统，即选用基数为 253 nm。

表 9-5　计算不饱和羰基化合物 $\pi \to \pi^*$ 跃迁最大吸收位置（在乙醇溶剂中）

$$-\overset{\delta}{C}=\overset{\gamma}{C}-\overset{\beta}{C}=\overset{\alpha}{C}-\underset{\underset{X}{|}}{C}-O$$

	λ/nm
α,β–不饱和羰基化合物母体（无环、六元环或较大的环酮）	215
α,β 键在五元环内	-13
醛	-6
当 X 为 OH 或 OR 时	-22
每增加一个共轭双键	30
同环二烯化合物	39
环外双键	5
每个取代烷基或环残基　　　　　　　　　　　　　　　α	10

$-\overset{\delta}{C}-\overset{\gamma}{C}-\overset{\beta}{C}-\overset{\alpha}{C}-\underset{\underset{X}{\mid}}{C}=O$		λ/nm
每个取代烷基或环残基	β	12
	γ(或更高)	18
每个极性基		
—OH	α	35
	β	30
	γ(或更高)	50
—OCOCH$_3$	$\alpha,\beta,\gamma,\delta$(或更高)	6
—OR	α	35
	β	30
	γ	17
	δ(或更高)	31
—SR	β	85
—Cl	α	15
	β	12
—Br	α	25
	β	30
—NR$_2$	β	95
溶剂校正		
乙醇、甲醇		0
氯仿		1
二氧六环		5
乙醚		7
己烷、环己烷		11
水		−8

例 1

母体同环二烯		253 nm
增加两个共轭双键	30×2	60 nm

三个环外双键	5×3	15 nm
五个取代烷基	5×5	25 nm
酰氧取代基	0×1	0 nm

计算值(λ_{max})		353 nm
实测值(λ_{max})		355 nm

例 2

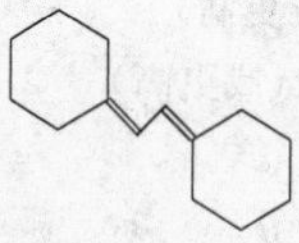

母体二烯		217 nm
四个取代烷基	5×4	20 nm
二个环外双键	5×2	10 nm

计算值(λ_{max})		247 nm
实测值(λ_{max})		247 nm

例 3

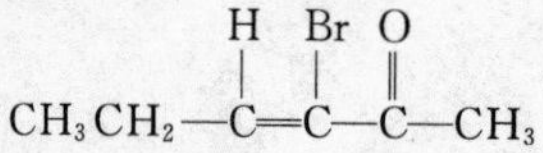

$$CH_3CH_2-\overset{H}{\underset{}{C}}=\overset{Br}{\underset{}{C}}-\overset{O}{\underset{}{C}}-CH_3$$

母体		215 nm
$\alpha-Br$	25×1	25 nm
$\beta-$烷基	12×1	12 nm

计算值(λ_{max})		252 nm
实测值(λ_{max})		252 nm

例 4

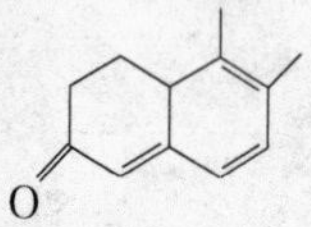

母体		215 nm
同环共轭双键	39×1	39 nm

增加两个共轭双键	30×2	60 nm
环外双键	5×1	5 nm
β-烷基	12×1	12 nm
δ 以上烷基	18×3	54 nm

计算值(λ_{max})	385 nm
实测值(λ_{max})	388 nm

2. Fieser-Kuhn 经验规则

如果一个多烯分子中含有四个以上的共轭双键,则其在己烷中的 λ_{max} 和 ε_{max} 值可按 Fieser-Kuhn 经验规则来计算:

$$\lambda_{max}=114+5\ M+n(48.0-1.7\ n)-19.5\ R_{环内}-10\ R_{环外}$$
$$\varepsilon_{max}=1.74\times10^4\times n\ \text{L·mol}^{-1}\text{·cm}^{-1}$$

式中 M 为取代烷基数,n 为共轭双键数,$R_{环内}$ 为有环内双键的环数,$R_{环外}$ 为有环外双键的环数。

例 5 全反式 β-胡萝卜素

$$\lambda_{max}=114+5\times10+11\times(48.0-1.7\times11)-19.5\times2-10\times0$$
$$=453.3\ (\text{nm})(实测值\ 452\ \text{nm})$$
$$\varepsilon_{max}=1.74\times10^4\times11\ \text{L·mol}^{-1}\text{·cm}^{-1}$$
$$=1.91\times10^5\ \text{L·mol}^{-1}\text{·cm}^{-1}(实测值\ 1.52\times10^5\ \text{L·mol}^{-1}\text{·cm}^{-1})$$

3. Scott 经验规则

芳香族羰基的衍生物在乙醇中的 λ_{max} 可用 Scott 经验规则来计算,见表 9-6 和表 9-7。

表 9-6　**PhCOR 衍生物 E_2 带 λ_{max} 的计算(在乙醇溶剂中)**

PhCOR 生色团母体	λ/nm
R=烷基或环残基(R)	249
R=氢(H)	250
R=羟基或烷氧基(OH 或 OR)	230

表 9-7 苯环上邻、间、对位被取代基取代的 λ 增值/nm

取代基	邻位	间位	对位
—R（烷基）	3	3	10
—OH ，—OR	7	7	25
—O⁻	11	20	78
—Cl	0	0	10
—Br	2	2	15
—NH₂	13	13	58
—NHAc	20	20	45
—NR₂	20	20	85

例 6

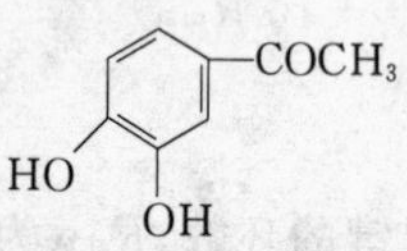

母体	249 nm
间位 —OH	7 nm
对位 —OH	25 nm
计算值（λ_{max}）	278 nm
实测值（λ_{max}）	279 nm

例 7

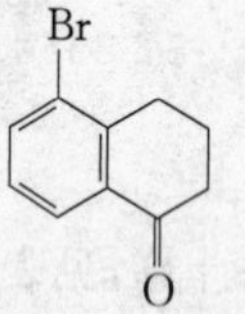

母体	249 nm
邻位 —R	3 nm
间位 —Br	2 nm
计算值（λ_{max}）	251 nm
实测值（λ_{max}）	248 nm

9.3.2 结构分析

采用紫外-可见吸收光谱,可以确定一些化合物的构型和构象。

9.3.2.1 顺反异构体的判别

一般来说,顺式异构体的 λ_{max} 比反式异构体的小,因此有可能用紫外-可见吸收光谱法区别顺反异构体。例如,在顺式肉桂酸和反式肉桂酸中,顺式空间位阻大,苯环与侧链双键共平面性差,不易产生共轭;反式空间位阻小,双键与苯环在同一平面上,容易产生共轭。因此,反式的 $\lambda_{max} = 295$ nm($\varepsilon_{max} = 27\,000$),而顺式的 $\lambda_{max} = 280$ nm($\varepsilon_{max} = 13\,500$)。

反式肉桂酸　　　　　　　顺式肉桂酸

9.3.2.2 互变异构体的测定

利用紫外-可见吸收光谱法,可以测定某些化合物的互变异构现象。例如,乙酰乙酸乙酯有酮式和烯醇式间的互变异构:

酮式　　　　　　　　　　烯醇式

在极性溶剂中,最大吸收波长 $\lambda_{max} = 272$ nm($\varepsilon_{max} = 16$ L·mol^{-1}·cm^{-1}),说明该峰由 $n \to \pi^*$ 跃迁引起,所以在极性溶剂中,该化合物应以酮式存在。相反,在非极性的正己烷中,出现 $\lambda_{max} = 243$ nm 的强峰,这说明在非极性溶剂中,形成了分子内氢键,所以是以烯醇式为主。形成氢键的情况如下:

酮式与水形成分子间氢键　　　　　　烯醇式形成分子内氢键

9.3.2.3 构象的判别

紫外-可见吸收光谱还可以用来确定构象。例如,α-卤代环己酮有两种构象:C—X 键可为直立键(Ⅰ),也可为平伏键(Ⅱ)。前者 C=O 上的 π 电子与 C—X 键的 σ 电子重叠较后者大,因此前者的 λ_{max} 比后者大。据此可以区别直立键和平伏键,从而确定待测物的构象。

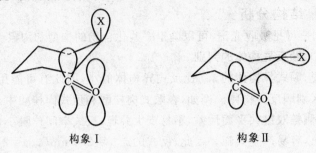

构象 I　　　　　　　　　　构象 II

9.3.3　定量分析

　　紫外−可见吸收光谱法定量分析的依据是 Lambert−Beer 定律,即在一定波长处被测定物质的吸光度与其浓度成线性关系。因此,通过测定溶液对一定波长入射光的吸光度,就可求出该被测物质在溶液中的浓度。下面介绍几种常用的测定方法(双波长法和示差分光光度法请见本教材上册第 10 章)。

9.3.3.1　单组分定量方法

　　标准曲线法是实际工作中用得最多的一种方法。首先配制一系列不同浓度的标准溶液,以不含被测组分的空白溶液为参比,测定标准溶液的吸光度,在符合 Lambert−Beer 定律的浓度范围内绘制吸光度−浓度曲线,得到标准曲线的线性回归方程。然后在相同条件下测定未知试样的吸光度,通过线性回归方程便可求得未知试样的浓度。

9.3.3.2　多组分定量方法

　　根据吸光度具有加和性的特点,在同一试样中可以测定两种或两种以上的组分。假设试样中含有 x 和 y 两种吸光组分。而 x 和 y 两组分各自的吸收光谱的重叠情况有三种,如图 9−13 所示。因此,对试样中 x 和 y 两组分的定量测定

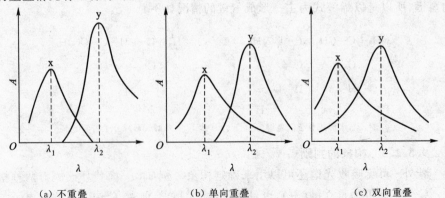

(a) 不重叠　　　　　　　(b) 单向重叠　　　　　　　(c) 双向重叠

图 9−13　组分 x 和组分 y 吸收光谱的重叠情况

也分三种情况分别讨论如下：

（1）x，y 吸收光谱不重叠。如图 9-13(a)所示，可按单组分的测定方法分别在 λ_1 和 λ_2 处测得组分 x 和 y 的浓度。

（2）x，y 吸收光谱单向重叠。如图 9-13(b)所示，在 λ_1 处测定组分 x，组分 y 没有干扰；在 λ_2 处测定组分 y，组分 x 有干扰。这时可先在 λ_1 处测量溶液的吸光度 A_{λ_1} 并求得 x 组分的浓度。然后再在 λ_2 处测量溶液的吸光度 $A_{\lambda_2}^{x+y}$ 和纯组分 x 及 y 的 $\varepsilon_{\lambda_2}^{x}$ 和 $\varepsilon_{\lambda_2}^{y}$，根据吸光度的加和性原则，可列出下式

$$A_{\lambda_2}^{x+y}=\varepsilon_{\lambda_2}^{x} bc_x+\varepsilon_{\lambda_2}^{y} bc_y \tag{9-1}$$

由式（9-1）即可求得组分 y 的浓度 c_y。

（3）x，y 吸收光谱双向重叠。如图 9-13(c)所示，这时首先在 λ_1 处测定混合物吸光度 $A_{\lambda_1}^{x+y}$ 和纯组分 x 及 y 的 $\varepsilon_{\lambda_1}^{x}$ 和 $\varepsilon_{\lambda_1}^{y}$。然后在 λ_2 处测定混合物吸光度 $A_{\lambda_2}^{x+y}$ 和纯组分的 $\varepsilon_{\lambda_2}^{x}$ 和 $\varepsilon_{\lambda_2}^{y}$。根据吸光度的加和性原则，可列出如下方程组

$$\begin{cases} A_{\lambda_1}^{x+y}=\varepsilon_{\lambda_1}^{x} bc_x+\varepsilon_{\lambda_1}^{y} bc_y \\ A_{\lambda_2}^{x+y}=\varepsilon_{\lambda_2}^{x} bc_x+\varepsilon_{\lambda_2}^{y} bc_y \end{cases} \tag{9-2}$$

通过解方程组（9-2），即可求得 c_x 和 c_y。

很明显，如果有 n 个组分相互重叠，就必须在 n 个波长处测定其吸光度的加和值，然后解 n 元一次方程组，才能分别求得各组分浓度。应该指出，随着测量组分的增多，实验结果的误差也将增大。

9.3.3.3 导数分光光度法

根据 Lambert–Beer 定律，吸光度是波长的函数

$$A=\varepsilon(\lambda)bc$$

将吸光度对波长进行 n 次求导，得

$$\frac{d^{(n)}A}{d\lambda^n}=\frac{d^{(n)}\varepsilon(\lambda)}{d\lambda^n}bc \tag{9-3}$$

由式（9-3）可知，吸光度的任一阶导数值都与吸光物质的浓度成正比，所以可用于定量分析，其灵敏度与 $d^{(n)}\varepsilon/d\lambda^n$ 有关。各阶导数光谱的形状如图 9-14 所示。

导数光谱能够分辨两个相互重叠的光谱，尤其是对被宽带淹没了的肩峰很敏感。

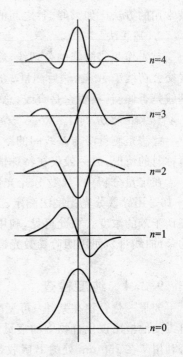

图 9-14 物质的吸收光谱及其 1~4 阶导数光谱

它能够消除胶体和悬浮物散射影响和背景吸收,提高光谱分辨率。

从导数光谱曲线上测量导数值的方法,常用的有以下三种(如图 9－15 所示):

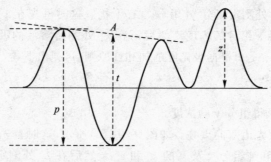

图 9－15　导数值的测量方法

p. 峰－谷法;*t.* 基线法;*z.* 峰－零法

1. 峰－谷法

如果基线平坦,可通过测量两个极值之间的距离 *p* 来进行定量分析。这是较常用的方法。如果峰、谷之间的波长差较小,即使基线稍有倾斜,仍可用此法。

2. 基线法

首先作相邻两峰的公切线,然后从两峰之间的谷画一条平行于纵坐标的直线交公切线于 *A* 点,然后测量 *t* 的大小[见图 9－15(*t*)]。当用此法测量时,不管基线是否倾斜,只要它是直线,总能测得较准确的数值。

3. 峰－零法

此法是测量峰与基线间的距离[见图9－15(*z*)]。但它只适用于导数光谱是对称时的情况,故一般仅在特殊情况下使用。

在定量分析中,导数分光光度法最大的优点是可提高检测的灵敏度。图 9－16是用导数分光光度法测定乙醇中微量苯的情况。*A* 与 *B* 之间的垂直距离正比于苯的浓度。由此可见,利用一般的吸收光谱法,只能检测约 10 $\mu g \cdot mL^{-1}$ 的苯(曲线Ⅲ),而用四阶导数光谱,可检测低于 1 $\mu g \cdot mL^{-1}$ 的苯。

9.3.4　纯度检查

如果一化合物在紫外－可见区没有吸收峰,而其中的杂质有较强的吸收,就可方便地检出该化合物中的痕量杂质。例如要检定甲醇或乙醇中的杂质苯等,可利用苯在 259 nm 处的 B 吸收带,而甲醇或乙醇在此波长处几乎没有吸收(见图9－17)。又如四氯化碳中有无二硫化碳杂质,只要观察在 318 nm 处有无二硫化碳的吸收峰即可。

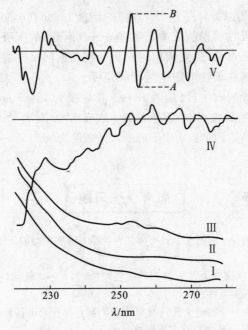

图 9-16 乙醇中微量苯的定量测定

Ⅰ．乙醇的吸收光谱；Ⅱ．含 1 μg·mL⁻¹苯的乙醇吸收光谱；Ⅲ．含 10 μg·mL⁻¹苯的乙醇吸收光谱；
Ⅳ．是Ⅱ的二阶导数光谱；Ⅴ．是Ⅱ的四阶导数光谱

如果一化合物在紫外-可见区有较强的吸收带,有时可用摩尔吸光系数来检查其纯度。例如菲的氯仿溶液在 299 nm 处有强吸收($\lg \varepsilon = 4.10$)。用某法精制的菲,熔点 100 ℃,沸点 340 ℃,似乎已很纯,但用紫外吸收光谱检查,测得的 $\lg \varepsilon$ 值比标准菲低 10%,实际含量只有 90%,其余很可能是蒽等杂质。

9.3.5 氢键强度的测定

从 9.1.4 节我们知道,n→π* 吸收带在极性溶剂中比在非极性溶剂中的波长短一些。在极性溶剂中,分子间形成了氢键,实现 n→π* 跃迁时,氢键也随之断裂;此时,物质吸收的光能,一部分用以实现 n→

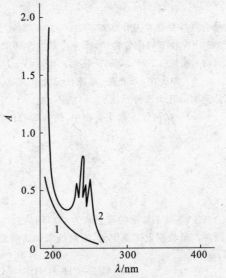

图 9-17 甲醇中杂质苯的检定

1. 纯甲醇；2. 被苯污染的甲醇

π^* 跃迁,另一部分用以破坏氢键(即氢键的键能)。而在非极性溶剂中,不可能形成分子间氢键,吸收的光能仅为了实现 $n \rightarrow \pi^*$ 跃迁,故所吸收的光波的能量较低,波长较长。由此可见,只要测定同一化合物在不同极性溶剂中的 $n \rightarrow \pi^*$ 跃迁吸收带,就能计算其在极性溶剂中氢键的强度。

例如,在极性溶剂水中,丙酮的 $n \rightarrow \pi^*$ 吸收带为 264.5 nm,其相应能量等于 452.99 kJ·mol^{-1};在非极性溶剂己烷中,该吸收带为 279 nm,其相应能量为 429.40 kJ·mol^{-1}。所以丙酮在水中形成的氢键强度为(452.99 - 429.40) kJ·mol^{-1} = 23.59 kJ·mol^{-1}。

思考、练习题

9-1　有机化合物分子的电子跃迁有哪几种类型? 哪些类型的跃迁能在紫外-可见吸收光谱中反映出来?

9-2　何谓溶剂效应? 为什么溶剂的极性增强时,$\pi \rightarrow \pi^*$ 跃迁的吸收峰发生红移,而 $n \rightarrow \pi^*$ 跃迁的吸收峰发生蓝移?

9-3　无机化合物分子的电子跃迁有哪几种类型? 为什么电荷转移跃迁常用于定量分析而配位场跃迁在定量分析中没有多大用处?

9-4　何谓生色团和助色团? 试举例说明。

9-5　采用什么方法,可以区别 $n \rightarrow \pi^*$ 和 $\pi \rightarrow \pi^*$ 跃迁类型?

9-6　某化合物在己烷中的 λ_{max} = 305 nm,在乙醇中的 λ_{max} = 307 nm。试问,该吸收是由 $n \rightarrow \pi^*$ 还是 $\pi \rightarrow \pi^*$ 跃迁引起的?

9-7　$(CH_3)_3N$ 能发生 $n \rightarrow \sigma^*$ 跃迁,其 λ_{max} 为 227 nm(ε = 900)。试问,若在酸中测定时,该峰会怎样变化? 为什么?

9-8　在下列化合物中,哪一个的摩尔吸光系数最大?

(1) 乙烯;(2) 1,3,5-己三烯;(3) 1,3-丁二烯

9-9　单光束、双光束、双波长分光光度计在光路设计上有什么不同? 这几种类型的仪器分别由哪几大部件组成?

9-10　试估计下列化合物中,何者吸收的光波最长? 何者最短? 为什么?

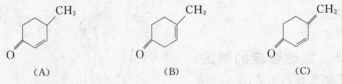

（A）　　　　　　　　　（B）　　　　　　　　　（C）

9-11　某未知物的分子式为 $C_{10}H_{14}$,在 298 nm 处有一强吸收峰,其可能的结构式有如下四种。请根据上述测定值,推测该未知物的结构式。

CH=CH—CH=CH$_2$　　　　　　　　CH=CH—CH=CH$_2$

（A）　　　　　　　　　　　　　　　　　（B）

(C)

(D)

9-12 全反式番茄红素的结构为

计算其 λ_{max} 和 ε_{max}。

9-13 计算下述化合物的 λ_{max}。

(A)

(B)

9-14 计算下述化合物的 λ_{max}。

(A)

(B)

9-15 $1.0 \times 10^{-3}\ mol \cdot L^{-1}$ 的 $K_2Cr_2O_7$ 溶液在波长 450 nm 和 530 nm 处的吸光度分别为 0.200 和 0.050。$1.0 \times 10^{-4}\ mol \cdot L^{-1}$ 的 $KMnO_4$ 溶液在 450 nm 处无吸收,在 530 nm 处的吸光度为 0.420。今测得某 $K_2Cr_2O_7$ 和 $KMnO_4$ 的混合液在 450 nm 和 530 nm 处吸光度分别为 0.380 和 0.710。试计算该混合溶液中 $K_2Cr_2O_7$ 和 $KMnO_4$ 的浓度。假设吸收池长为 1 cm。

9-16 已知亚异丙基丙酮 $(CH_3)_2C{=}CHCOCH_3$ 在各种溶剂中实现 $n \rightarrow \pi^*$ 跃迁的紫外光谱特征如下:

溶剂	环己烷	乙醇	甲醇	水
λ_{max}/nm	335	320	312	300
$\varepsilon_{max}/(L \cdot mol^{-1} \cdot cm^{-1})$	25	93	93	112

假定这些光谱的移动系全部由与溶剂分子生成氢键所产生,试计算在各种极性溶剂中氢键的强度($kJ \cdot mol^{-1}$)。

参考资料

[1] 陈国珍,黄贤智,刘文远,等.紫外-可见分光光度法(上册).北京:原子

能出版社,1983.

[2] 赵藻藩,周性尧,张悟铭,等.仪器分析.北京:高等教育出版社,1990.

[3] 李克安.分析化学教程.北京:北京大学出版社,2005.

[4] 方惠群,于俊生,史坚.仪器分析.北京:科学出版社,2002.

[5] 张正奇.分析化学.北京:科学出版社,2001.

[6] 刘约权.现代仪器分析.北京:高等教育出版社,2001.

[7] 高向阳.新编仪器分析.2 版.北京:科学出版社,2004.

[8] Skoog D A,Holler F J,Nieman T A. Principles of instrumental analy-sis,5th ed. USA:Harcourt Brace & Company,1998.

第10章 红外吸收光谱法

10.1 概论

红外吸收光谱法是利用物质分子对红外辐射的特征吸收,来鉴别分子结构或定量的方法。红外光谱属于分子振动光谱,由于分子振动能级跃迁伴随着转动能级跃迁,为带光谱。

虽然早在 1800 年 Herschel 就通过实验发现了红外光的存在,直到 1892 年,Julius 才用岩盐棱镜及测热辐射计,获得了 20 多种有机化合物的红外光谱。随后几十年间,量子力学和计算机科学等科学技术的发展使红外光谱的理论、技术及仪器全面而迅速地发展。1970 年以后傅里叶变换红外光谱仪出现并普及,计算机用于存储及检索光谱,其他红外测定技术如全反射红外、显微红外、光声光谱以及气相色谱-红外、液相色谱-红外联用技术等也不断发展和完善,使红外光谱法得到广泛应用。

红外光谱最重要的应用是中红外区有机化合物的结构鉴定。近年来红外光谱的定量分析应用也有不少报导,尤其是近红外、远红外区的定量分析。如色谱-傅里叶变换红外光谱联用;近红外区用于含有与 C,N,O 等原子相连基团化合物的定量;远红外区用于无机化合物研究等。

10.1.1 红外光区的划分及应用

红外光区位于 12 800~10 cm^{-1} 波数范围或 0.78~1 000 μm 波长范围之间。根据红外光谱的应用和使用仪器不同,可分为近红外光区、中红外光区和远红外光区,其大致范围及分析应用列于表 10-1。

表 10-1 红外光谱区的划分及分析应用

波段	波长 $\lambda/\mu m$	波数 σ/cm^{-1}	分析光谱	分析类型	分析对象
近红外光区	0.78~2.5	12 800~4 000	漫反射	定量	液体、固体混合物
			吸收	定量	气体、液体混合物
中红外光区	2.5~50	4 000~200	反射	定性	纯液体、固体化合物
常用区域	2.5~25	4 000~400			纯气体、液体、固体化合物

续表

波段	波长 λ/μm	波数 σ/cm⁻¹	分析光谱	分析类型	分析对象
				定量、GC–IR、 LC–IR	气体、液体、固体复 杂混合物
			发射	定量	气体混合物
远红外光区	50~1 000	200~10	吸收	定性	纯无机或金属有机 形态

10.1.1.1　近红外光区

该光区的吸收主要是由低能电子跃迁、含氢官能团(O—H,N—H,C—H,S—H 等)伸缩振动的倍频和合频吸收产生,谱带宽、重叠较严重,而且吸收信号弱,信息解析复杂,所以虽然该光谱区域发现较早,但分析价值一直未能得到足够的重视。近年来,由于超级计算机与化学计量学软件的发展,特别是化学计量学的深入研究和广泛应用,对该光区的研究日益引人注目。近红外光谱分析技术方便快速,无需对试样进行预处理,适于原位、无损、在线分析,因此在工业、农业、医药、环境、食品、化工、烟草等试样和过程控制中的例行定量分析与监测中发挥的作用越来越大,有些已取代繁琐费时的常规分析方法成为标准方法。分析对象包括水、醇、酚、胺、碳氢化合物、蛋白质和油脂等。所用溶剂有乙腈、苯、庚烷、二氯甲烷、四氯化碳、二硫化碳等,只有四氯化碳、二硫化碳在整个光区无吸收。

10.1.1.2　中红外光区

绝大多数有机化合物和无机离子的基频吸收出现在这一光区,由于基频吸收是红外光谱中吸收最强的振动,所以该区最适于进行结构和定性分析,通常人们所说的红外光谱即特指这一区域。中红外光谱技术最为成熟、简单,已积累了大量的数据资料,是红外光谱区应用最广的光谱方法,也是本章的介绍重点。随着该光区仪器和技术的发展,在用于结构和定性分析的同时,已扩展到定量分析、表面显微等。

10.1.1.3　远红外光区

许多小分子的纯转动光谱出现在此区,因而通常将远红外区称为分子转动区。但在考虑分子中键的振动时,如果参与振动的最小原子的相对原子质量大或键的力常数小时,则其振动也出现在远红外区,如无机化合物中重原子之间的振动、所有的金属氧化物、硫化物、氯化物、溴化物、碘化物,特别是金属络合物配位键的伸缩振动和弯曲振动都在远红外区有其特征吸收。该区域特别适合研究无机化合物和小分子气体。由于该光区能量较弱,早期对其研究较少,随着傅里叶变换光谱仪的出现,对远红外光谱的研究已逐渐增多。

10.1.2　红外吸收光谱的特点

红外光谱的研究对象是分子振动时伴随偶极矩变化的有机及无机化合物，而除了单原子分子及同核的双原子分子外，几乎所有的有机物都有红外吸收，因此应用广泛；除光学异构体、相对分子质量相差极小的化合物及某些高聚物外，化合物结构不同，其红外光谱不同，具有特征性；红外吸收只有振动–转动跃迁，能量低；不受试样的某些物理性质如相态（气、液、固相）、熔点、沸点及蒸气压的限制；可用于物质的定性、定量分析及化合物键力常数、键长、键角等物理常数的计算。试样用量少且可回收，属非破坏性分析，分析速度快；与其他近代结构分析仪器如质谱、核磁共振波谱等比较，红外光谱仪构造简单，操作方便，价格较低，更易普及。

但色散型红外光谱仪分辨率低、灵敏度不高，不适于弱辐射的研究。一般来说，红外光谱法不太适用于水溶液及含水物质的分析。复杂化合物的红外光谱极其复杂，据此难以作出准确的结构判断，还需结合其他波谱数据加以判定。

下面就红外吸收光谱与已介绍过的紫外–可见吸收光谱作一比较（表10–2）。

表10–2　红外吸收光谱与紫外–可见吸收光谱的比较

比较内容	红外吸收光谱	紫外–可见吸收光谱
光谱产生	分子的振动和转动能级的跃迁	价电子和分子轨道上的电子在电子能级间的跃迁
研究对象	在振动中伴随有偶极矩变化的化合物	不饱和有机化合物特别是具有共轭体系的有机化合物
分析功能	既可定性又可定量及结构分析，非破坏性分析	既可定性又可定量，有时是试样破坏性的

10.1.3　红外吸收光谱图的表示方法

记录物质红外光的百分透射比与波数或波长关系的曲线即 $T-\lambda$ 或 $T-\sigma$ 曲线，就是红外吸收光谱，典型的红外吸收光谱如图10–1所示。图中纵坐标为透射比 T，因此吸收峰的方向恰与以吸光度为纵坐标的紫外–可见吸收光谱相反，为倒峰。横坐标为波长 $\lambda(\mu m)$ 或波数 $\sigma(cm^{-1})$。由于中红外区的波数范围是 $4\,000\sim400\ cm^{-1}$，用波数描述吸收谱带的位置较为简单，且便于与 Raman 光谱比较。因此，红外光谱图一般采用波数等间隔分度的横坐标（称为线性波数标尺）表示。

与紫外–可见吸收光谱曲线相比，红外吸收光谱曲线具有如下特点：第一，

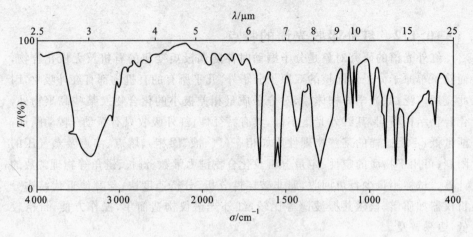

图 10-1　苯酚的红外光谱

峰出现的频率范围低,横坐标一般用微米或波数(cm^{-1})表示;第二,峰的方向相反;第三,吸收峰数目多,图形复杂;第四,吸收强度低。

10.2　基本原理

　　当试样受到频率连续变化的红外光照射时,试样分子选择性地吸收某些波数范围的辐射,引起偶极矩的变化,产生分子振动和转动能级从基态到激发态的跃迁,并使相应的透射光强度减弱。红外光谱中,吸收峰出现的频率位置由振动能级差决定,吸收峰的个数与分子振动自由度的数目有关,而吸收峰的强度则主要取决于振动过程中偶极矩的变化以及能级的跃迁概率。下面我们分别具体说明。

10.2.1　产生红外吸收的条件

　　与其他光谱一样,红外吸收光谱的产生首先必须使红外辐射光子的能量与分子振动能级跃迁所需能量相等,从而使分子吸收红外辐射能量产生振动能级的跃迁。即满足 $\Delta E_\nu = E_{\nu 2} - E_{\nu 1} = h\nu$,式中,$E_{\nu 2}$,$E_{\nu 1}$ 分别为高振动能级和低振动能级的能量,ΔE_ν 为其能量差,ν 为红外辐射的频率,h 为 Planck 常量。其次,分子的振动必须能与红外辐射产生偶合作用,即分子振动时必须伴随瞬时偶极矩的变化,这样的分子才具有红外活性。只有分子振动时偶极矩作周期性变化,才能产生交变的偶极场,并与其频率相匹配的红外辐射交变电磁场发生偶合作用,使分子吸收红外辐射的能量,从低的振动能级跃迁至高的振动能级,此时振动频率不变,而振幅变大。因此,具有红外活性的分子才能吸收红外辐射。

10.2.2 双原子分子的振动

由于振动能量变化是量子化的,分子中各基团之间、化学键之间会相互影响,即分子振动的波数与分子结构和所处的化学环境有关。因此,给出波数的精确计算式几乎是不可能的,需要对其进行近似处理。

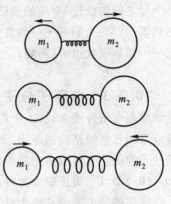

对于双原子分子的伸缩振动而言,可将其视为质量为 m_1 与 m_2 的两个小球,把连接它们的化学键看作质量可以忽略的弹簧,采用经典力学中的谐振子模型来研究(图 10−2)。分子的两个原子以其平衡点为中心,以很小的振幅(与核间距相比)作周期性"简谐"振动。量子力学证明,分子振动的总能量为

图 10−2 双原子分子的振动

$$E_\nu = (\nu + 1/2)h\nu \qquad (10-1)$$

式中 $\nu = 0, 1, 2, 3, \cdots$,ν 是振动频率。根据虎克定律,

$$\nu = \frac{1}{2\pi}\sqrt{\frac{k}{\mu}} \qquad 或 \qquad \sigma = \frac{1}{2\pi c}\sqrt{\frac{k}{\mu}} \qquad (10-2)$$

$$\mu = \frac{m_1 m_2}{m_1 + m_2} \qquad (10-3)$$

k 为化学键的力常数(单位为 N/cm),μ 为双原子折合质量。

原子质量相近时,力常数 k 大,化学键的振动波数高,如 $\sigma_{C≡C}$($2\,222\ cm^{-1}$)$>$ $\sigma_{C=C}$($1\,667\ cm^{-1}$)$>\sigma_{C-C}$($1\,429\ cm^{-1}$);而若力常数相近,原子质量 m 大,则化学键的振动波数低,如 σ_{C-C}($1\,430\ cm^{-1}$)$>\sigma_{C-N}$($1\,330\ cm^{-1}$)$>\sigma_{C-O}$($1\,280\ cm^{-1}$)。

如果知道了化学键力常数 k,就可以估算作简谐振动的双原子分子的伸缩振动频率。例如,H—Cl 的 k 为 $5.1\ N·cm^{-1}$。根据式(10−2)计算其基频吸收峰频率为 $2\,993\ cm^{-1}$,而红外光谱实测值为 $2\,885.9\ cm^{-1}$,基本吻合。反之,由振动光谱的振动频率也可求出化学键的力常数 k。一般来说,单键的键力常数的平均值约为 $5\ N·cm^{-1}$,而双键和三键的键力常数分别大约是此值的两倍和三倍。式(10−2)的另一个重要用途是用来测定同位素质量、鉴定同位素分子的存在及其相对含量。因为振动及转动与分子质量(折合质量)有关,同位素现象也就能够直接反映在其振−转光谱中。分子中的原子被它的同位素取代后,对原子间距离和化学键的力常数几乎没有影响。这样就可以通过两个同位素的振动频率与分子折合质量的关系,求出同位素的质量。

实际上,由于分子间以及分子内各原子间还有相互作用、相邻振动能级差不相等、振动能级跃迁还伴随着转动能级的跃迁等,因此真实分子的振动是非谐振动。在通常情况下,一般分子吸收红外光主要属于基态($v=0$)到第一激发态($v=1$)之间的跃迁,对应的谱带为基频吸收谱带或基本振动谱带(强峰)。从基态到第二、第三、第四……激发态之间的跃迁,其对应的谱带称为第一、第二、第三……倍频吸收谱带(弱峰)。

10.2.3　多原子分子的振动

对多原子分子来说,由于组成原子数目增多,且排布情况不同即组成分子的键或基团和空间结构的不同,其振动光谱比双原子分子更为复杂。但可将多原子分子的振动分解为多个简单的基本振动,即简正振动进行研究。

10.2.3.1　简正振动的特点

所谓的简正振动是整个分子质心保持不变,整体不转动,各原子在其平衡位置附近作简谐振动,并且其振动频率和相位都相同,即每个原子都在同一瞬间通过其平衡位置且同时达到其最大位移值。简正振动的运动状态可以用空间自由度(空间三维坐标)来表示,体系中的每一质点(原子)都具有三个空间自由度。此时,分子中的任何一个复杂振动均可视为这些简正振动的线性组合。

10.2.3.2　简正振动的基本形式

一般将振动形式分成两类:伸缩振动和变形振动。伸缩振动指原子间的距离沿键轴方向的周期性变化,一般出现在高波数区;弯曲振动指具有一个共有原子的两个化学键键角的变化,或与某一原子团内各原子间的相互运动无关的、原子团整体相对于分子内其他部分的运动。弯曲振动一般出现在低波数区。下面给予详细说明。

1. 伸缩振动

原子沿键轴方向伸缩、键长发生变化而键角不变的振动称为伸缩振动,用符号 ν 表示。伸缩振动可以分为对称伸缩振动(ν_s)和反对称伸缩振动(ν_{as})。当两个相同原子和一个中心原子相连时(如亚甲基　CH_2),如果两个相同原子(H)同时沿键轴离开或靠近中心原子(C),则为对称伸缩振动。如果一个原子移向中心原子,而另一个原子离开中心原子,则为反对称伸缩振动。对同一基团,反对称伸缩振动的频率要稍高于对称伸缩振动。

2. 变形振动(弯曲振动或变角振动)

基团键角发生周期变化而键长不变的振动称为变形振动,用符号 δ 表示。变形振动可以分为面内变形和面外变形振动。面内变形振动又分为剪式(以 δ_s 表示)和平面摇摆(以 ρ 表示)振动。面外变形振动又分为非平面摇摆(以 ω 表示)和扭曲(以 τ 表示)振动。仍以亚甲基($\diagdown$CH$_2$)为例,其各种变形振动形式如图 10-3 所示。变形振动对环境结构的变化较为敏感,因此同一振动可以在较宽的波数范围内出现。另外,由于变形振动的力常数比伸缩振动小,同一基团的变形振动都出现在其伸缩振动的低频端。

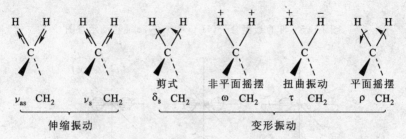

图 10-3 亚甲基的各种变形振动形式
"+"表示运动方向垂直纸面向里,"−"表示运动方向垂直纸面向外

10.2.3.3 简正振动的理论数

简正振动的数目称为振动自由度,每个振动自由度相当于红外光谱图中的一个基频吸收带。一个由 n 个原子组成的分子其运动自由度应该等于各原子运动自由度的和。确定一个原子相对于分子内其他原子的位置需要 x,y,z 三个空间坐标。则 n 个原子的分子需要 $3n$ 个坐标,即 $3n$ 个自由度,分别对应于 $3n$ 种运动状态,包括平动、转动和振动。分子重心的平移运动可沿 x,y,z 轴三个方向进行,故需要 3 个自由度(图 10-4)。转动自由度是由原子围绕着一个通过其重心的轴转动引起的。只有原子在空间的位置发生改变的转动,才能形成一个自由度。不能用平动和转动计算的其他所有的自由度,就是振动自由度。对于非直线型分子,分子绕其重心的转动用去 3 个自由度(图 10-5),因此剩余的 $3n-6$ 个自由度是分子的基本振动数。而对于直线型分子,沿其键轴方向的转动没有引起原子空间位置的变化,因此转动只形成 2 个自由度,如图 10-6 所示,其分子基本振动数为 $3n-5$。

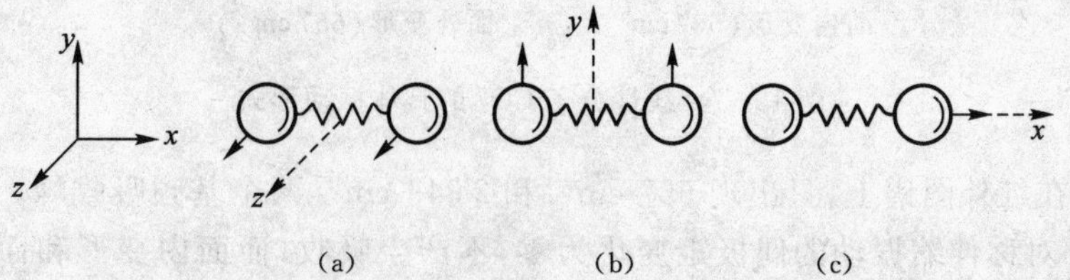

(a)　　　　　(b)　　　　　(c)

图 10-4 分子平动示意图

每种简正振动都有其特定的振动频率,似乎也应有相应的红外吸收带。但

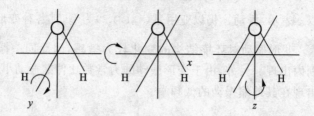

图 10-5　非直线型分子(H_2O)绕 x,y,z 轴转动示意图

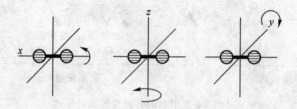

图 10-6　直线型分子绕 x,y,z 轴转动示意图

实际上,绝大多数化合物在红外光谱图上出现的峰数远小于理论计算的振动数,即一般观察到的振动数要少于简正振动数,其原因是:

(1) 偶极矩的变化 $\Delta\mu=0$ 的振动,不产生红外吸收;

(2) 能量相同的振动,其谱线发生简并;

(3) 仪器原因,由于仪器的分辨率、灵敏度或检测波长范围不够,有些谱峰观察不到。

例如,线性分子 CO_2,理论上计算其基本振动数为:$3n-5=4$。其具体振动形式如图 10-7 所示。

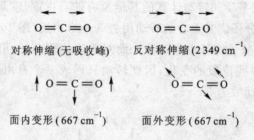

图 10-7　线性分子 CO_2 的具体振动形式

但在红外图谱上,只出现 667 cm^{-1} 和 2 349 cm^{-1} 两个基频吸收峰。这是因为 CO_2 对称伸缩振动的偶极矩变化为零,不产生吸收;而面内变形和面外变形振动的吸收频率完全一样,发生简并。

另一方面,由于真实的分子振动不是严格的简谐振动,光谱中观察到的情况还要复杂些。红外光谱的吸收峰除基频峰外,还有泛频峰。泛频峰由倍频和合

（组）频峰组成。倍频峰是由基态$(v=0)$跃迁到$v=2,3,4,\cdots$激发态产生的；合频峰是在两个以上基频峰波数之和或差处出现的吸收峰。尽管倍频峰和合频峰的吸收强度比基频峰弱，但使红外光谱的吸收峰数目增加。

10.2.4 基团频率和特征吸收峰

由于振动频率的数值对键的相互影响比原子间距和偶极矩更为灵敏，如果把分子的每一个振动频率归属于分子中一定的键或基团，就可按光谱实际出现的振动频率决定分子中各种不同的键或基团，从而确定其分子结构。不同键或基团的不同分子，其简正振动的数目和每个简正振动频率（基频）不同。相同的化学键或基团，在不同构型分子中，其振动频率改变不大。因此，物质的红外光谱是其分子结构的反映，谱图中的吸收峰与分子中各基团的振动形式相对应。

多原子分子的红外光谱与其结构的关系，一般是通过比较大量已知化合物的红外光谱，从中总结出各种基团的吸收规律而得到的。研究表明，组成分子的各种基团，如 O—H、N—H、C—H、C=C 、C=O 和 C≡C 等，都有自己的特定的红外吸收区域，分子的其他部分对其吸收位置影响较小。通常把这种能代表基团存在、并有较高强度的吸收谱带称为基团频率，通常是由基态$(v=0)$跃迁到第一振动激发态产生的，其所在的位置一般又称为特征吸收峰。

红外谱图有两个重要区域。$4\,000 \sim 1\,300\ \text{cm}^{-1}$ 的高波数段官能团区和 $1\,300\ \text{cm}^{-1}$ 以下的低波数段指纹区。

10.2.4.1 官能团区和指纹区

官能团区的峰是由伸缩振动产生的。基团的特征吸收峰一般位于该区域，且分布较稀疏，容易分辨。同时，它们的振动受分子中剩余部分的影响小，是基团鉴定的主要区域。含氢官能团（折合质量小）、含双键或叁键的官能团（键力常数大），如 OH，NH 以及 C=O 等重要官能团在该区有吸收。如果待测化合物在某些官能团应该出峰的位置无吸收，则说明该化合物不含有这些官能团。

指纹区包含了不含氢的单键伸缩振动、各键的弯曲振动及分子的骨架振动。该区域的吸收特点是振动频率相差不大，振动偶合作用较强，易受邻近基团的影响。因此，分子结构稍有不同，在该区的吸收就有细微的差异。同时，吸收峰数目较多，代表了有机分子的具体特征。大部分吸收峰都不能找到归属。因此，形象地称该区域为指纹区。指纹区的谱图解析不易，但对于区别结构类似的化合物很有帮助，而且可以作为化合物存在某种基团的旁证。

官能团区又可分为以下四个波段。

1. $4\,000 \sim 2\,500\ \text{cm}^{-1}$ 区为 X—H 伸缩振动，X 可以是 O，H，C，N 或 S 等原子

O—H 基的伸缩振动出现在 $3\,650 \sim 3\,200\ \text{cm}^{-1}$ 范围内，是判断醇类、酚类和有机酸类是否存在的重要依据。游离 O—H 基的伸缩振动吸收出现在 3 650～

3 580 cm⁻¹处,峰形尖锐,无其他峰干扰;形成氢键后键力常数减小,移向低波数,在 3 400~3 200⁻¹ cm 处产生宽而强的吸收。另外,若试样或用于压片的盐含有微量水分时,在 3 300 cm⁻¹附近会有水分子的吸收。

N—H 吸收出现在 3 500~3 300 cm⁻¹,为中等强度的尖峰。伯胺基因有两个 N—H 键,具有对称和反对称伸缩振动,所以有两个吸收峰;仲胺基有一个吸收峰;叔胺基无 N—H 吸收。

C—H 吸收出现在 3 000 cm⁻¹附近,分为饱和与不饱和两种。

饱和 C—H(三元环除外)出现在<3 000 cm⁻¹处,取代基对它们影响很小,位置变化在 10 cm⁻¹以内。—CH₃基的对称与反对称伸缩振动吸收峰分别出现在 2 876 cm⁻¹和 2 960 cm⁻¹附近;而—CH₂基分别在 2 850 cm⁻¹和 2 930 cm⁻¹附近;—CH 基的吸收峰出现在 2 890 cm⁻¹附近,强度很弱。

不饱和 C—H 在>3 000 cm⁻¹处出峰,据此可判别化合物中是否含有不饱和的 C—H 键。如双键 =C—H 的吸收出现在 3 010~3 040 cm⁻¹范围内,末端 =CH₂ 的吸收出现在 3 085 cm⁻¹附近。叁键 ≡CH 上的 C—H 伸缩振动出现在更高的区域(3 300 cm⁻¹)。苯环的 C—H 键伸缩振动出现在 3 030 cm⁻¹附近,谱带比较尖锐。

2. 2 500~2 000 cm⁻¹区为叁键和累积双键的伸缩振动区

主要包括 —C≡C , —C≡N 等叁键的伸缩振动,以及 —C=C=C , —C=C=O 等累积双键的反对称伸缩振动。对于炔烃类化合物,可以分成 R—C≡CH 和 R′—C≡C—R 两种类型,R—C≡CH 的伸缩振动出现在 2 100~2 140 cm⁻¹附近,R′—C≡C—R 出现在 2 190~2 260 cm⁻¹附近。如果是 R—C≡C—R ,因为分子对称,则为非红外活性。 —C≡N 基的伸缩振动在非共轭的情况下出现在 2 240~2 260 cm⁻¹附近。当与不饱和键或芳香核共轭时,该峰位移到 2 220~2 230 cm⁻¹附近。若分子中含有 C,H,N 原子, —C≡N 基吸收比较强而尖锐。若分子中含有 O 原子,且 O 原子离 —C≡N 基越近,—C≡N 基的吸收越弱,甚至观察不到。除此之外,CO₂ 的吸收在 2 300 cm⁻¹左右,S—H,Si—H,P—H,B—H 的伸缩振动也出现在这个区域。此区间的任何小的吸收峰都反映了分子的结构信息。

3. 2 000~1 500 cm⁻¹区为双键伸缩振动区

C=O 伸缩振动出现在 1 820~1 600 cm⁻¹,其波数大小顺序为酰卤>酸酐>酯>酮类、醛>酸>酰胺,是红外光谱中很特征的且往往是最强的吸收,据此很容易判断以上化合物。另外,酸酐的羰基吸收带由于振动偶合而呈现双峰。

C=C , C=N 和 N=O 伸缩振动位于 1 680~1 500 cm⁻¹。分子比较对称时,C=C 的伸缩振动吸收很弱。单核芳烃的 C=C 伸缩振动为位于 1 600 cm⁻¹和 1 500 cm⁻¹附近的两个峰,反映了芳环的骨架结构,用于确认有无芳核的存在。

苯衍生物的 C—H 面外和 C=C 面内变形振动的泛频吸收峰出现在 2 000~1 650 cm^{-1}，强度很弱，但可根据其吸收情况确定苯环的取代类型。

4. 1 500~1 300 cm^{-1} 区为 C—H 弯曲振动区

CH$_3$ 在 1 375 cm^{-1} 和 1 450 cm^{-1} 附近同时有吸收，分别对应于 CH$_3$ 的对称弯曲振动和反对称弯曲振动。前者当甲基与其他碳原子相连时吸收峰位置几乎不变，吸收强度大于 1 450 cm^{-1} 的反对称弯曲振动和 CH$_2$ 的剪式弯曲振动。CH$_2$ 的剪式弯曲振动出现在 1 465 cm^{-1}，吸收峰位置也几乎不变。CH$_3$ 的反对称弯曲振动峰一般与 CH$_2$ 的剪式弯曲振动峰重合。

两个甲基连在同一碳原子上的偕二甲基在 1 375 cm^{-1} 附近有特征分叉吸收峰，因为两个甲基同时连在同一碳原子上，会发生同相位和反相位的对称弯曲振动的相互偶合。如异丙基（CH$_3$）$_2$CH— 在 1 385~1 380 cm^{-1} 和 1 370~1 365 cm^{-1} 有两个同样强度的吸收峰（即原 1 375 cm^{-1} 的吸收峰分叉）。叔丁基在 1 395~1 385 cm^{-1} 和 1 370 cm^{-1} 附近均有两个吸收峰。

同样地，指纹区也可细分为以下两个波段。

1. 1 300~900 cm^{-1} 区为单键伸缩振动区

C—C，C—O，C—N，C—X，C—P，C—S，P—O，Si—O 等单键的伸缩振动和 C=S，S=O，P=O 等双键的伸缩振动吸收峰出现在该区域。

1 375 cm^{-1} 的谱带为甲基的 δ_{C-H} 对称弯曲振动，对识别甲基十分有用。C—O 的伸缩振动在 1 300~1 050 cm^{-1}，包括醇、酚、醚、羧酸、酯等，为该区最强吸收峰，较易识别。如醇在 1 100~1 050 cm^{-1} 处、酚在 1 250~1 100 cm^{-1} 处有强吸收；酯有两组吸收峰，分别位于 1 240~1 160 cm^{-1}（反对称）和 1 160~1 050 cm^{-1}（对称）。

2. 900~600 cm^{-1} 区

苯环面外弯曲振动出现在此区域。如果在此区间内无强吸收峰，一般表示无芳香族化合物。此区域的吸收峰常常与环的取代位置有关。与其他区间的吸收峰对照，可以确定苯环的取代类型。

该区的某些吸收峰可用来确认化合物的顺反构型。例如，烯烃的 =C—H 面外变形振动出现的位置，很大程度上决定于双键的取代情况。对于 RCH=CH$_2$ 结构，在 990 cm^{-1} 和 910 cm^{-1} 出现两个强峰；对 RC=CRH 而言，其顺、反构型分别在 690 cm^{-1} 和 970 cm^{-1} 出现吸收峰。

10.2.4.2 主要基团的特征吸收峰

理论上，每种红外活性的振动均对应红外光谱中的一个吸收峰，因此红外光谱的辨别与解析较为复杂。例如，C—OH 基团除在 3 700~3 600 cm^{-1} 处有 O—H 的伸缩振动吸收外，还应在 1 450~1 300 cm^{-1} 和 1 160~1 000 cm^{-1} 处分别有

O—H 的面内变形振动和 C—O 的伸缩振动。后面这两个峰的出现能进一步证明 C—OH 的存在。因此,用红外光谱来确定化合物是否存在某种官能团时,首先应该注意在官能团区它的特征峰是否存在,同时也应找到它们的相关峰作为旁证。表 10−3 给出了主要基团的特征振动频率的范围。

10.2.5　吸收谱带的强度

振动能级的跃迁概率和振动过程中偶极矩的变化是影响红外吸收峰强度的两个主要因素,基频吸收带一般较强,而倍频吸收带较弱。

基频振动过程中偶极矩的变化越大,其对应的峰强度也越大;振动的对称性越高(即化学键两端连接的原子的电负性相差越小),振动中分子偶极矩变化越小,谱带强度也就越弱。因而,一般来说极性较强的基团(如 C═O ,C—X 等)振动,吸收强度较大;极性较弱的基团(如 C═C ,C—C, N═N 等),振动吸收较弱。

另外,反对称伸缩振动的强度大于对称伸缩振动的强度,伸缩振动的强度大于变形振动的强度。在红外光谱中吸收峰的强度与紫外−可见吸收光谱类似,有以下四种表示方式:透射比($T = I/I_0 \cdot 100\%$);吸收率($100\% - T$);吸光度(A);摩尔吸光系数(ε)。

由于红外光能量较弱及试样制备技术难以标准化,因此在红外光谱中只有少数吸收较强的官能团才能用表观摩尔吸光系数值来表示峰的强弱,而大多数峰的吸收强度一般定性地用很强(vs,$\varepsilon > 100$ L·mol^{-1}·cm^{-1})、强(s,20 L·mol^{-1}·cm^{-1} $< \varepsilon <$ 100 L·mol^{-1}·cm^{-1})、中(m,10 L·mol^{-1}·cm^{-1} $< \varepsilon <$ 20 L·mol^{-1}·cm^{-1})、弱(w,1 L·mol^{-1}·cm^{-1} $< \varepsilon <$ 10 L·mol^{-1}·cm^{-1})和很弱(vw)等表示。

10.2.6　影响基团频率的因素

如前所述,基团频率主要由基团中原子的质量和原子间的键力常数决定。但分子内部结构和外部环境对它也有影响,同样的基团在不同的分子和不同的外界环境中,基团频率可能会出现在一个较大的范围。因此了解影响基团频率的因素,对解析红外光谱和推断分子结构是非常有用的。

10.2.6.1　分子内部结构因素

1. 电子效应

包括诱导效应、共轭效应和中介效应。

(1)诱导效应　由于取代基具有不同的电负性,通过静电诱导作用,引起分子中电子分布的变化,从而改变了键力常数,使基团的特征频率发生位移(表 10−4)。元素的电负性越强,诱导效应越强,吸收峰越向高波数方向移动。以羰基为例,若有一电负性大的基团(或原子)和羰基的碳原子相连,诱导效应将使电子云由氧原子转向双键的中间,增加了 C═O 键的力常数,使 C═O 的振

表 10-3 主要基团的红外特征吸收峰

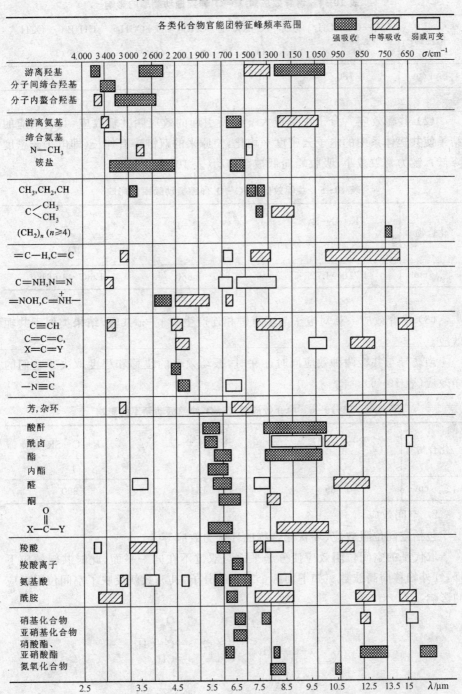

动频率升高,吸收峰向高波数移动。

表 10-4　诱导效应对 C＝O 伸缩振动频率的影响

化合物	CF₃—C—OCH₃ ‖ O	CCl₃—C—OCH₃ ‖ O	CHCl₂—C—OCH₃ ‖ O	CH₂BrC—OCH₃ ‖ O
$\nu_{C=O}$ /cm⁻¹	1 780	1 768	1 755	1 740

（2）共轭效应　分子中形成大 π 键所引起的效应叫共轭效应,共轭效应的结果使共轭体系中的电子云密度平均化,使原来的双键略有伸长（即电子云密度降低）,键力常数减小,吸收峰向低波数移动（表 10-5）。

表 10-5　共轭效应对 C＝O 伸缩振动频率的影响

化合物	R—C—R ‖ O	〇—C—R ‖ O	〇—C—〇 ‖ O
$\nu_{C=O}$ /cm⁻¹	1 710～1 725	1 695～1 680	1 667～1 661

（3）中介效应　孤对电子与多重键相连产生的 p-π 共轭,结果类似于共轭效应。

当诱导与共轭两种效应同时存在时,振动频率的位移和程度取决于它们的净效应（表 10-6）。

表 10-6　中介效应对 C＝O 伸缩振动频率的影响

化合物	R—C—OR ‖ O	R—C—R ‖ O	R—C—SR ‖ O
$\nu_{C=O}$ /cm⁻¹	1 735	1 715	1 690

2. 空间效应

包括空间位阻效应、环状化合物的环张力效应等。

取代基的空间位阻效应使分子平面与双键不在同一平面,此时共轭效应下降,红外峰移向高波数。如下面两个结构的分子,其波数就反映了空间位阻效应的影响。

$\nu_{C=O}=1\ 663\ \text{cm}^{-1}$　　　　　$\nu_{C=O}=1\ 686\ \text{cm}^{-1}$

对于环状化合物,环内双键随环张力的增加而削弱,其伸缩振动频率降低,而 C—H 伸缩振动峰却向高波数方向移动;相反,环外双键随环张力的增加而增强,其波数也相应增加,峰强度随之增加。

3. 氢键

氢键的形成使电子云密度平均化(缔合态),使体系能量下降,X—H 伸缩振动频率降低,吸收谱带强度增大、变宽;变形振动频率移向较高波数处,但其变化没有伸缩振动显著。形成分子内氢键时,X—H 伸缩振动谱带的位置、强度和形状的改变均较分子间氢键小。同时,分子内氢键的影响不随浓度变化而改变,分子间氢键的影响则随浓度变化而变化。

4. 互变异构

分子有互变异构现象存在时,各异构体的吸收均能从其红外吸收光谱中反映出来。

5. 振动偶合

当两个振动频率相同或相近的基团相邻并具有一公共原子时,两个键的振动将通过公共原子发生相互作用,产生“微扰”。其结果是使振动频率发生变化,一个向高频移动,另一个向低频移动。振动偶合常出现在一些二羰基化合物中,如,羧酸酐分裂为 ν_{as} 1 820,ν_s 1 760 cm^{-1}。

6. Fermi 共振

当弱的泛频峰与强的基频峰位置接近时,其吸收峰强度增加或发生谱峰分裂,这种泛频与基频之间的振动偶合现象称为 Fermi 共振。例如:

$$\text{⬡—COCl}$$

发生 Fermi 共振,$\nu_{C-O(as)}$ =1 774 cm^{-1} 的峰裂分为 1 773 cm^{-1} 和 1 736 cm^{-1}。

10.2.6.2 外界环境因素

1. 试样状态

试样状态不同,其吸收谱带的频率、强度和形状也不同。分子在气态时,分子间的作用力极小,可以观察到伴随振动光谱的转动精细结构且峰形较窄。液态时峰形变宽,如果液态分子间出现缔合或氢键时,其吸收峰的频率、数目和强度都可能发生较大变化。丙酮在气态时的为 1 742 cm^{-1},而在液态时移至 1 718~1 728 cm^{-1} 处。固态红外光谱的吸收峰比液态的尖且多,用于定性是最可靠的。但化合物的晶形对其红外光谱也有影响。对结晶型固态物质,由于分子取向是一定的,限制了分子的转动,会使一些谱带从光谱中消失,而在另外一些情况下,则可能出现新谱带。如长直链脂肪酸的结晶体光谱中出现一群主要由次甲基的全反式排列所产生的谱带,可用以确定直链的长度或不饱和脂肪酸的双键位置。

因此,在谱图上应对试样的状态加以说明。

2. 溶剂效应

在极性溶剂中,溶质分子中的极性基团(如 NH,OH, C=O , —N=O 等)的伸缩振动频率通常随溶剂的极性增加而降低,强度亦增大,而变形振动频率将向高波数移动。如果溶剂能引起溶质的互变异构,并伴随有氢键形成时,则吸收谱带的频率和强度有较大的变化。另外,溶质浓度也可引起光谱变化。因此,在测定溶液的红外吸收光谱时,应尽可能在非极性稀溶液中测定。

10.3　红外光谱仪

红外光谱仪的发展历经了三个阶段。1947 年,世界上第一台双光束自动记录红外分光光度计在美国投入使用,这是第一代红外光谱的商品化仪器,使用的是棱镜分光;20 世纪 60 年代,采用光栅作单色器,比起棱镜单色器有了很大的提高,但它仍是色散型的仪器,分辨率、灵敏度还不够高,扫描速率慢。这是第二代仪器;20 世纪 70 年代开始,不需单色器的干涉型的傅里叶变换红外光谱仪逐渐取代了色散型仪器,使仪器性能得到极大的提高,成为第三代仪器。下面就色散型红外分光光度计和傅里叶变换红外光谱仪分别加以说明。

10.3.1　色散型红外分光光度计

色散型红外光谱仪的基本结构如图 10-8 所示。自光源发出的光束对称地分为两束,一束透过试样池,一束透过参比池,两束光经扇形镜调制后进入单色器,再交替到达检测器,产生与光强差成正比的交流电压信号。

一般来说,色散型红外分光光度计的光学设计与双光束紫外-可见分光光度计没有很大的区别。除对每一个组成部分来说,它的结构,所用材料及性能等与紫外-可见分光光度计不同外,它们最基本的一个区别是:色散型红外分光光度计的参比和试样室总是放在光源和单色器之间,而紫外-可见分光光度计则是放在单色器的后面。这是因为红外辐射没有足够的能量引起试样的光化学分解,同时可使来自试样和吸收池的杂散辐射减至最低。

10.3.1.1　光源

红外光源是能够发射高强度连续红外辐射的物体,常用的有 Nernst(能斯特)灯和硅碳棒。

1. Nernst 灯

Nernst 灯是用氧化锆、氧化钇和氧化钍烧结而成的中空棒或实心棒。工作温度约为 1 200~2 200 K,在此高温下导电并发射红外线。由于在室温下是非导体,需预热。使用范围为 400~5 000 cm^{-1}。它的特点是在高波数区有更强的

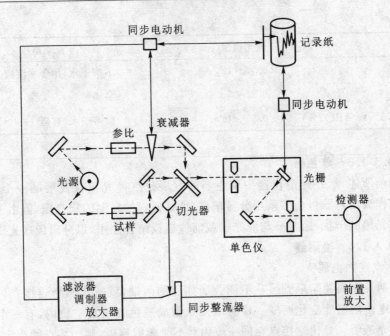

图 10-8   色散型红外光谱仪结构示意图

发射,稳定性好,使用寿命长,机械强度差,价格较贵。

2. 硅碳棒

硅碳棒是由碳化硅烧结而成,一般为两端粗、中间细的实心棒。工作温度在 1 300~1 500 K 左右,适用波数范围为 400~5 000 cm^{-1}。与 Nernst 灯相比,其辐射能量接近,但在低波数区光强较大,发光面积大,坚固耐用,操作方便。

3. 白炽线圈

用镍铬丝螺旋线圈或铑线做成。工作温度约 1 100 K。其辐射能量略低于前两种光源,但寿命长。

10.3.1.2   吸收池

由于玻璃和石英对中红外光有强烈吸收,红外吸收池须使用可透过红外光的 NaCl,KBr,CsI,KRS-5(TlI 58%,TlBr 42%)等材料制成窗片。在实际操作中,须保持恒湿,且试样干燥,以免盐窗吸潮模糊。

试样状态(固、液、气态)不同,试样池也不同。固体试样常与晶体盐混合压片后直接测定。常见盐片的红外透明范围及使用说明如表 10-7 所示。

表 10-7   常见盐片的红外透明范围及注意事项

材料	透光范围/μm	注意事项
NaCl	0.2~25	易潮解,相对湿度低于 40%
KBr	0.25~40	易潮解,相对湿度低于 35%

续表

材料	透光范围/μm	注意事项
CaF_2	0.13～12	不溶于水,用于水溶液
CsBr	0.2～55	易潮解
TlBr(58%)＋TlI(42%)	0.55～40	微溶于水,有毒

10.3.1.3　单色器

如前所述,红外光谱仪器中单色器的发展是红外光谱仪发展的一个缩影。用光栅作为单色器目前多采用分辨率高、价格便宜的复制闪耀光栅,但由于其存在级次光谱的干扰,通常要与滤光器或前置棱镜结合使用,以分离级次光谱。

10.3.1.4　检测器

1. 真空热电偶

将两片金属铋熔融到另一不同金属如锑的两端,就有了两个连接点。两接触点的电位随温度变化而变。检测端接点做成黑色置于真空舱内,有一个窗口对红外光透明。参比端接点在同一舱内并不受辐射照射,则两接点间产生温差。热电偶可检测 10^{-6} K 的温度变化。

2. 热释电检测器

利用硫酸三甘肽的单晶片作为检测元件。硫酸三甘肽(TGS)是热电材料,在一定温度下,能发生极化,其极化强度与温度有关。温度升高,极化强度降低。将 TGS 薄片正面真空镀铬(半透明),背面镀金,形成两电极。当红外光照射到薄片上时,引起温度升高,TGS 极化度改变,表面电荷减少,相当于"释放"了部分电荷,经放大,转变成电压或电流方式进行测量。

3. 碲镉汞检测器(MCT 检测器)

是由宽频带的半导体碲化镉和半金属化合物碲化汞混合形成薄膜,其组成为 $Hg_{1-x}Cd_xTe$，$x \approx 0.2$,改变 x 值,可获得测量波段不同、灵敏度各异的多种 MCT 检测器。将其置于不导电的玻璃表面密闭于真空舱内。吸收辐射后非导电性的价电子跃迁至高能量的导电带,从而降低半导体的电阻,产生信号。

表 10-8 中简要列出了各红外检测器的原理、构成与特点。

表 10-8　红外检测器的原理、构成与特点

红外检测器	原理	构成	特点
热电偶	温差热电效应	涂黑金箔(接受面)连接金属(热接点)与导线(冷接端)形成温差	光谱响应宽且一致性好、灵敏度高、受热噪声影响大

续表

红外检测器	原理	构成	特点
热释电检测器(TGS)	半导体热电效应	硫酸三甘肽(TGS)单晶片受热,温度上升,表面电荷减少,即 TGS 释放了部分电荷,该电荷经放大并记录	响应极快,可进行高速扫描,中红外区只需 1 s,适于 FTIR
碲镉汞检测器(MCT)	光电导和光伏效应	混合物 $Hg_{1-x}Cd_xTe$ 对光的响应	灵敏度高、响应快、可进行高速扫描、在 FTIR 及 GC/FTIR 中应用广泛

10.3.2 傅里叶变换红外光谱仪

傅里叶变换红外光谱仪(Fourier transform infrared spectrometer,FTIR)是 20 世纪 70 年代问世的,被称为第三代红外光谱仪。傅里叶变换红外光谱仪是由红外光源、干涉仪、试样插入装置、检测器、计算机和记录仪等部分构成,如图 10-9 所示。

图 10-9 傅里叶变换红外光谱仪示意图

光源为硅碳棒和高压汞灯,与色散型红外分光光度计所用光源是相同的。检测器为 TGS 和 PbSe。其与色散型分光光度计的主要区别在于用 Michelson(迈克耳孙)干涉仪取代了单色器,以获得光源的干涉图,再通过计算机对干涉图进行快速傅里叶变换,从而得到以波长或波数为函数的光谱图。

Michelson 干涉仪工作原理示意图如图 10-10 所示,主要由相互垂直的固定反射镜 FM 和动镜 MM′ 及与两反射镜成 45°角的分束器 BS 组成。Michelson 干涉仪将光源发出的光分为两束后,以不同的光程差重新组合,发生干涉现象。Michelson 干涉仪按其动镜移动速度不同,可分为快扫描和慢扫描型。慢扫描型 Michelson 干涉仪主要用于高分辨光谱的测定,一般的傅里叶红外光谱仪均采用快扫描型的 Michelson 干涉仪。计算机的主要作用是:控制仪器的操作;从检测器截取干涉谱数据;累加平均扫描信号;对干涉谱进行相位校正和傅里叶变换计算;处理光谱数据等。

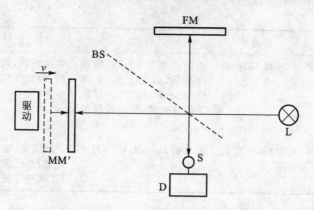

图 10-10　Michelson 干涉仪工作原理示意图

傅里叶变换红外光谱仪具有以下优点：

灵敏度高。FTIR 仪所用的光学元件少，无狭缝和单色器，加之反射镜面大，故减少了能量损失，使到达检测器的辐射强度增大，信噪比提高。

扫描速度快。FTIR 仪可在 1 s 左右同时测定所有频率的信息。而色散型仪器在任一瞬间只能观测一个很窄的频率范围，一次完整的扫描需数分钟。

分辨率高。通常 FTIR 仪分辨率可达 $0.1 \sim 0.005 \ cm^{-1}$，而一般棱镜型的仪器分辨率在 $1\ 000 \ cm^{-1}$ 处有 $3 \ cm^{-1}$，光栅型红外光谱仪也只有 $0.2 \ cm^{-1}$。

测量光谱范围宽（$1\ 000 \sim 10 \ cm^{-1}$），精度高（$\pm 0.01 \ cm^{-1}$），重现性好（0.1%）。

除此之外，还有杂散光干扰小、试样不受因红外聚焦而产生的热效应的影响等。

由于傅里叶变换红外光谱仪的突出优点，目前已经逐渐取代色散型红外光谱仪，尤其适合与色谱联用或研究化学反应机理及测定不稳定物质等。但是傅里叶变换红外光谱仪结构复杂，价格较贵。

10.4　红外光谱法中的试样制备

红外光谱分析中试样的制备比较麻烦，红外光谱吸收与试样的状态密切相关，是影响分析结果的重要环节。

10.4.1　对试样的要求

红外光谱的试样可以是液体、固体或气体，一般应要求：

（1）试样应是纯度＞98％的"纯物质"，以便与纯物质的标准光谱进行对照。多组分试样应在测定前进行提纯，否则各组分光谱相互重叠，难以判断。对于

GC-FTIR 和 HPLC-FTIR 则无此要求。

（2）试样中不应含有水。因为水本身有红外吸收，并会侵蚀吸收池的盐窗。

（3）试样的浓度和测试厚度应适当，以使光谱图中大多数吸收峰的透射比在 $10\%\sim80\%$ 之间。

10.4.2　制样的方法

10.4.2.1　固体试样

1. 压片法

固体试样常用压片法，它也是固体试样红外测定的标准方法。将 $1\sim2$ mg 试样与 200 mg 纯 KBr 经干燥处理后研细，使粒度均匀并小于 $2~\mu m$，在压片机上压成均匀透明的薄片，即可直接测定。

2. 调糊法

将干燥处理后的试样研细，与液体石蜡或全氟代烃混合，调成糊状，夹在盐片中测定。石蜡为高碳数饱和烷烃，因此该法不适于研究饱和烷烃。

3. 薄膜法

主要用于高分子化合物的测定。可将它们直接加热熔融后涂制或压制成膜。也可将试样溶解在低沸点、易挥发溶剂中，涂渍于盐片，待溶剂挥发后成膜测定。

10.4.2.2　液体和溶液试样

1. 液膜法

该法适用于沸点较高（>80 ℃）的液体或黏稠溶液。将 $1\sim2$ 滴试样直接滴在两片 KBr 或 NaCl 盐片之间，形成液膜。用螺丝固定后放入试样室测量。若测定碳氢类吸收较低的化合物时，可在中间放入夹片（约 $0.05\sim0.1$ mm 厚）以增加膜厚。对于一些吸收很强的液体，当用调整厚度的方法仍然得不到满意的谱图时，可用适当的溶剂配成稀溶液进行测定。一些固体也可以溶液的形式进行测定。

2. 液体池法

适用于挥发性、低沸点液体试样的测定。将试样溶于 CS_2，CCl_4，$CHCl_3$ 等溶剂中配成 10%（质量分数）左右的溶液，用注射器注入固定液池中（液层厚度一般为 $0.01\sim1$ mm）进行测定。

常用的红外光谱溶剂应易于溶解试样，在所测光谱区内没有强烈吸收或不与试样吸收重合，不侵蚀盐窗，对试样没有强烈的溶剂化效应等。

10.4.2.3　气体试样

气体试样可在玻璃气槽内（图 10-11）进行测定，它的两端粘有红外透光的 NaCl 或 KBr 窗片，窗板间隔为 $2.5\sim10$ cm。先将气槽抽真空，再将试样注入。

气体池还可用于挥发性很强的液体试样的测定。

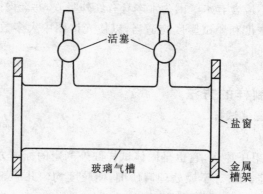

图 10-11　红外玻璃气槽

　　当试样量特别少或试样面积特别小时,可采用光束聚光器并配微量池,结合全反射系统或用带有卤化碱透镜的反射系统进行测量。

10.5　红外光谱法的应用

10.5.1　定性分析

10.5.1.1　已知物的鉴定

　　将试样的红外谱图与标准谱图或者文献上的谱图进行对照。考察比较试样与标样的吸收峰位置、形状和峰的相对强度。如果三者相同,即可判定试样即为该种标样。如果两张谱图不一样或峰位不一致,则说明两者不为同一化合物或试样有杂质。如用计算机谱图检索,则采用相似度来判别。

　　使用文献上的谱图,应当注意试样的物态、结晶状态、溶剂、测定条件以及所用仪器类型均应与标准谱图相同。

10.5.1.2　未知物结构的测定

　　测定未知物结构,是红外光谱法定性分析的一个重要用途,它涉及光谱解析。如果未知物不是新化合物,可以通过两种方式利用标准谱图进行查对:

　　(1) 查阅标准谱图的谱带索引,与寻找试样光谱吸收带相同的标准谱图;

　　(2) 进行光谱解析,判断试样的可能结构,然后再由化学分类索引查找标准谱图对照核实。具体步骤如下:

　　① 尽可能收集试样的相关资料和数据,了解试样的来源,推测可能的化合物类别;测定试样的物理常数,如熔点、沸点、溶解度、折射率、旋光率等,作为定性分析的旁证;根据元素分析及相对摩尔质量的测定求出化学式并计算化合物

的不饱和度(Ω):

$$\Omega = 1 + n_4 + (n_3 - n_1)/2 \qquad (10-4)$$

式中 n_4, n_3, n_1 分别为分子中所含的四价、三价和一价元素原子的数目。

$\Omega = 0$,表示分子是饱和的,应为链状烃或不含双键的衍生物;

$\Omega = 1$,表示分子中可能有一个双键或一个脂环;

$\Omega = 2$,表示分子中可能有一个叁键或两个双键或两个脂环;

$\Omega = 4$,表示分子中可能有一个苯环。

需要指出的是,二价原子如氧、硫等不参加计算。

② 图谱解析 图谱解析一般先从基团频率区的最强谱带开始,推测未知物可能含有的基团,判断不可能含有的基团。再从指纹区的谱带进一步验证,找出可能含有基团的相关峰,用一组相关峰确认一个基团的存在;如果是芳香族化合物,应定出苯环取代位置。根据官能团及化学合理性,拼凑可能的结构,然后查对标准谱图核实。

在解析红外光谱时,要同时注意吸收峰的位置、强度和峰形。以羰基为例。羰基的吸收一般为最强峰或次强峰。如果在 $1\,680 \sim 1\,780 \text{ cm}^{-1}$ 有吸收峰,但其强度低,这表明该化合物并不存在羰基,而是该试样中存在少量的羰基化合物,它以杂质形式存在。吸收峰的形状也决定于官能团的种类,从峰形可以辅助判断官能团。以缔合羟基、缔合伯胺基及炔氢为例,它们的吸收峰位只略有差别,但主要差别在于峰形:缔合羟基峰宽、圆滑而钝;缔合伯胺基吸收峰有一个小小的分叉;炔氢则显示尖锐的峰形。

同一基团的几种振动相关峰应同时存在。任一官能团由于存在伸缩振动(某些官能团同时存在对称和反对称伸缩振动)和多种弯曲振动,因此,会在红外谱图的不同区域显示出几个相关吸收峰。所以,只有当几处应该出现吸收峰的地方都显示吸收峰时,方能得出该官能团存在的结论。以甲基为例,在 $2\,960$, $2\,870, 1\,460, 1\,380 \text{ cm}^{-1}$ 处都应有 C—H 的吸收峰出现。以长链 CH_2 为例, $2\,920, 2\,850, 1\,470, 720 \text{ cm}^{-1}$ 处都应出现吸收峰。

值得说明的是,完全依靠红外光谱来进行化合物的最后确认相当困难,往往需要结合其他谱图信息,如核磁共振、质谱、紫外光谱等加以确定。

下面举例简要说明解析图谱的一般方法。

例 1 某化合物分子式为 C_8H_{14},常温下为液体,测得其红外光谱如图 10-12 所示,试推测其结构。

解:

(1) 计算不饱和度

$$\Omega = 1 + 8 + \frac{0 - 14}{2} = 2 \qquad \text{不饱和度为 2}$$

(2) 图谱解析。

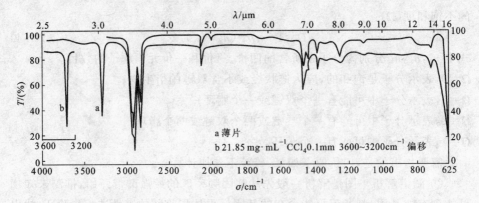

图 10-12 分子式为 C_8H_{14} 化合物的红外光谱图

首先,该化合物分子式为 C_8H_{14},不含氮和氧,因此在 3 300 cm^{-1} 处的强吸收,不是 O—H 或 N—H 基引起的,应为 C—H 伸缩振动。而 C—H 伸缩振动吸收大于 3 000 cm^{-1},表明分子中有不饱和碳原子存在。其次,由于 1 650 cm^{-1} 处没有强而清晰的吸收带,排除了双键存在的可能。基于以上分析,可初步推测有满足不饱和度为 2 的 C≡C 键存在,且 C≡C 为端基,即存在 —C≡C—H 基。而 2 100 cm^{-1} 和 625 cm^{-1} 的吸收带,是由 C≡C 伸缩振动和 C≡C—H 的面外变形振动吸收引起的,进一步确证了 C≡C—H 的存在。

由于 3 000 cm^{-1} 附近,还有小于 3 000 cm^{-1} 的 C—H 伸缩振动吸收存在,表明分子中有饱和 C—H 存在。1 370 cm^{-1} 的吸收峰是—CH₃引起的,且该峰未发生分裂,说明无异丙基或叔丁基存在。1 470 cm^{-1} 的吸收带是亚甲基的特征峰,结合 720 cm^{-1} 处的吸收,表明有多个亚甲基存在,且至少有 4 个亚甲基相连。

综上所述,该化合物可能是 1-辛炔。

10.5.1.3　几种标准谱图

(1) Sadtler(萨特勒)标准红外光谱图

(2) Aldrich 红外谱图库

(3) Sigma Fourier 红外光谱图库

10.5.2　定量分析

由于红外光谱的谱带较多,选择余地大,所以能方便地对单一组分或多组分进行定量分析。此外,该法不受试样状态的限制,能定量测定气体、液体和固体试样。但红外光谱法的灵敏度较低,尚不适于微量组分测定。

红外光谱法定量分析的依据与紫外-可见光谱法一样,也是基于 Lambert-Beer 定律,通过对特征吸收谱带强度的测量来求出组分含量。但与紫外-可见光谱法相比,红外光谱法在定量方面较弱。这是因为:红外谱图复杂,相邻峰重叠多,难以找到合适的检测峰;红外谱图峰形窄,光源强度低,检测器灵敏度低,测定时必须使用较宽的狭缝,从而导致对 Lambert-Beer 定律的偏离;红外测定时吸收池厚度不易确定,利用参比难以消除吸收池、溶剂的影响。

下面介绍利用红外光谱进行定量的方法。

10.5.2.1 吸收带的选择

由于红外光谱的谱带较多,谱图复杂,且相邻峰重叠多,因此用于定量的吸收带选择十分重要,在一定程度上决定了方法的灵敏度与选择性。具体要求如下:

(1) 必须是被测物质的特征吸收带。例如分析酸、酯、醛、酮时,必须选择 $\diagdown$C=O 基团的振动有关的特征吸收带。

(2) 所选择的吸收带的吸收强度应与被测物质的浓度有线性关系。

(3) 所选择的吸收带应有较大的吸收系数且周围尽可能没有其他吸收带存在,以免干扰。

10.5.2.2 吸光度的测定

1. 基线法

如图 10-13 所示,通过谱带两边透射比最大点作光谱吸收的切线,作为该谱线的基线,分析波数处的垂线与基线的交点与最高吸收峰顶点的距离为峰高,该值即为透射比,再由公式 $A = \lg(1/T)$ 计算吸光度,而 A 与吸收谱带强度的关系为 $A = \lg(I_0/I)$。

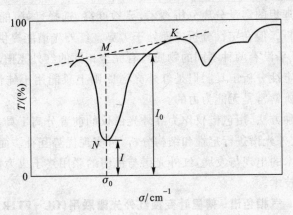

图 10-13 基线法示意图

2. 一点法

该法不考虑背景吸收,直接从谱图中分析波数处读取谱图纵坐标的透射比,再由公式 $A = \lg(1/T)$ 计算吸光度。实际上这种背景可以忽略的情况较少,因此多用基线法。

10.5.2.3 用标准曲线法、求解联立方程法等方法进行定量分析

1. 吸收强度比法

组分 1 $A_1 = a_1 b_1 c_1$

组分 2 $A_2 = a_2 b_2 c_2$

由于吸光度 A_1 和 A_2 由同一薄膜或压片测得,所以虽然不知其实际厚度,但是 $b_1 = b_2$。若令 $R = A_1/A_2$,则 $R = A_1/A_2 = a_1/a_2 \cdot c_1/c_2 = K \cdot c_1/c_2$。式中 $K = a_1/a_2$,是两组分在各自特征吸收峰处的吸收系数之比。

由于在二元组分中,$c_1 + c_2 = 1$,所以可用下式分别求组分 1 和 2 的质量分数或摩尔分数:

$$c_1 = R/(K+R)$$
$$c_2 = K/(K+R)$$

同理,可定量测定三元或三元以上组分的混合物,但组分越多,计算越麻烦,实际意义不大。

2. 补偿法(差示法)

补偿法是在双光束分光光度计的参比光路中,加入混合物中的某些组分,以抵消混合物中这些组分的吸收。

10.5.3 与色谱的联用

色谱是较理想的定量分离分析技术,灵敏度高、选择性好,能对复杂的混合物进行分离分析。但在定性分析方面处于劣势。红外光谱能提供极其丰富的分子结构信息,几乎没有两种不同的物质具有完全相同的红外光谱,所以红外光谱是一种较好的定性分析工具。但是红外光谱原则上只能用于纯化合物,对于混合物的定性分析常常是无能为力的。

联合这两种方法,用色谱仪作为红外光谱仪的前置分离工具,将混合物进行分离后,再用红外光谱进行定性和结构分析,可实现优势互补。而随着傅里叶变换红外光谱技术的出现与发展,红外光谱与色谱的联用终于成为可能,而联用的关键在于接口技术。

10.5.3.1 气相色谱-傅里叶变换红外光谱联用(GC-FTIR)

气相色谱是分离易挥发、低沸点小分子化合物的重要工具,由于普通 IR 仪扫描速率慢,灵敏度低,难以发挥联用技术的优势。直到傅里叶红外光谱仪出现以后,GC-IR 联用技术才得到较大发展,接口主要有光管接口和冷阱接口,现已有商品化的仪器,其原理示意图如图 10-14 所示。

光管接口是目前最常用的,图 10-15 给出了其结构示意图。对光管的设计一般应考虑以下几个方面:光管的体积、光管的长度与直径的比例、光管的材料及光管对红外辐射的反射及透射性能的好坏等。目前普遍采用的是 Azarraga

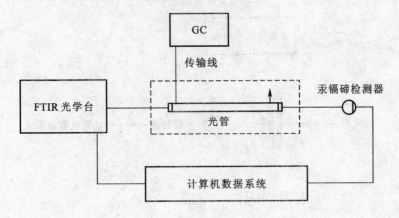

图 10-14　GC-FTIR 原理示意图

式的光管,内部光滑表面镀一层金。光管的材料一般为硼硅酸耐热玻璃或者为石英管。由于很多化合物在高温下不稳定,故光管内壁必须镀金以保持化学惰性。当红外光线聚焦在光管的一端时,经镀金壁的多次反射,从另一窗口射出到达检测器。

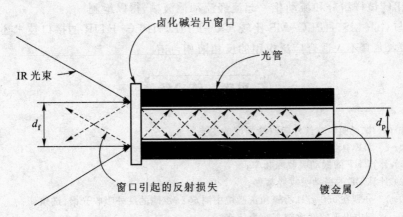

图 10-15　光管结构示意图

d_p. 光管的内径;d_f. 红外光束焦点直径

10.5.3.2　高效液相色谱-傅里叶变换红外光谱联用(HPLC-FTIR)

高效液相色谱适用于热不稳定试样、难挥发高沸点试样及大分子试样。但构成液相色谱流动相的有机溶剂在中红外区有强吸收,背景干扰严重,在一定程度上限制了其应用。流动池技术与喷雾集样技术是目前研究较多的接口技术,并在某些试样分析中得到了应用,HPLC-FTIR 流程示意图如图 10-16 所示。

在 HPLC-FTIR 中,流动池是其定型接口,结构简单,采用较为广泛。由于

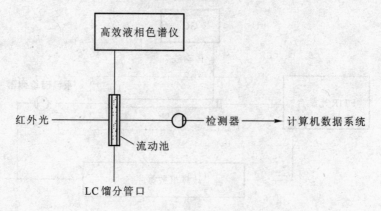

图 10-16 HPLC-FTIR 原理示意图

作为流动相的有机溶剂具有相当强的红外吸收,流动池的光程必须短,小于
1 mm,体积在几至几十微升之间。流动池采用 KBr 或 NaCl 为窗片。若以水作
溶剂,则选用 Zn-Se 作窗片。流动池大都做成可拆卸式,以便在确保流动相有
较低吸收的情况下,选取最大厚度的间隔片来提高光谱的检出限。从液相色谱
柱流出的试样组分和流动相一起流经流动池液槽,得以检测。

　　与 GC-MS,HPLC-MS 比较,GC-FTIR,HPLC-FTIR 的接口技术还不十
分成熟,尤其不太适合广泛应用的反相液相色谱。

思考、练习题

10-1　试说明影响红外吸收峰强度的主要因素。

10-2　HF 中键的力常数约为 9 N/cm。

(1) 计算 HF 的振动吸收峰频率;

(2) 计算 DF 的振动吸收峰频率。

10-3　分别在 950 g/L 乙醇和正己烷中测定 2-戊酮的红外吸收光谱,试预计 $\nu_{C=O}$ 吸收
带在哪一溶剂中出现的频率较高? 为什么?

10-4　分子在振动过程中,有偶极矩的改变才有红外吸收。有红外吸收的称为红外活
性;相反,称为非红外活性。指出下列振动是否有红外活性。

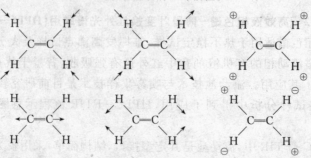

10－5　CS_2 是线性分子,试画出它的基本振动类型,并指出哪些振动是红外活性的?

10－6　某化合物分子式为 C_5H_8O,有下面的红外吸收带:$3\,020\ cm^{-1}$,$2\,900\ cm^{-1}$,$1\,690\ cm^{-1}$ 和 $1\,620\ cm^{-1}$;在紫外区,它的吸收在 227 nm($\varepsilon=10^{-4}\ L\cdot mol^{-1}\cdot cm^{-1}$),试提出一结构,并且说明它是否是唯一可能的结构。

10－7　什么是基频、倍频、合频、泛频峰?

10－8　不考虑其他因素条件影响,在酸、醛、酯、酰卤和酰胺类化合物中,出现 C＝O 伸缩振动频率的大小顺序应是怎样?

10－9　色散型红外分光光度计的参比和试样室总放在单色器的后面,为什么?

10－10　试从原理、仪器构造和应用方面比较红外吸收光谱法和紫外－可见光谱法的异同。

10－11　有一种晶体物质,据信不是羟乙基代氨腈(A)就是亚胺噁唑烷(B):

A：N≡C—NH^{2+}—CH—CH$_2$OH

$$O$$
B：HN＝CH—NH—C—CH$_2$—

在 $3\,330\ cm^{-1}$($3.0\ \mu m$)和 $1\,600\ cm^{-1}$($6.25\ \mu m$)处有锐陡带,但在 $2\,300\ cm^{-1}$($4.35\ \mu m$)或 $3\,600\ cm^{-1}$($2.78\ \mu m$)处没有吸收带。问上列两种结构中哪一种和此红外数据吻合?

10－12　从以下红外数据鉴定特定的二甲苯:

化合物 A:吸收带在 $767\ cm^{-1}$ 和 $629\ cm^{-1}$ 处;

化合物 B:吸收带在 $792\ cm^{-1}$ 处;

化合物 C:吸收带在 $724\ cm^{-1}$ 处。

10－13　一种溴甲苯 C_7H_7Br 在 $801\ cm^{-1}$ 处有一个单吸收带,它的正确结构是什么?

10－14　一种氯苯在 $900\ cm^{-1}$ 和 $690\ cm^{-1}$ 间无吸收带,它的可能结构是什么?

10－15　下面两个化合物的红外光谱有何不同?

10－16　下列基团的 ν_{C-H} 出现在什么位置?

—CH$_3$,　　—CH$_2$＝CH$_2$,　　—C≡CH,　　—C—H
(A)　　　　(B)　　　　(C)　　　　(D)

10－17　下面两个化合物中,哪一个化合物 $\nu_{C=O}$ 吸收带出现在较高频率?为什么?

(A)　　　　　　(B)

10－18　顺式－1,2－环戊二醇的 CCl_4 稀溶液,在 $3\,620\ cm^{-1}$ 及 $3\,455\ cm^{-1}$ 处出现两个吸

收峰,为什么?

参考资料

[1] 钟海庆.红外光谱法入门.北京:化学工业出版社,1984.

[2] 谢晶曦,常俊标,王绪明.红外光谱在有机化学和药物化学中的应用.北京:科学出版社,2001.

[3] 武汉大学化学系.仪器分析.北京:高等教育出版社,2001.

[4] 方惠群,于俊生,史坚.仪器分析.北京:科学出版社,2002.

[5] 北京大学化学系仪器分析教学组.仪器分析教程.北京:北京大学出版社,1997.

[6] 刘密新,罗国安,张新荣,等.仪器分析.北京:清华大学出版社,2002.

第11章　激光 Raman 光谱法

11.1　概论

Raman 光谱(Raman spectrum)是建立在 Raman 散射效应基础上的光谱分析方法。Raman 散射现象由印度的物理学家 Raman C V 于 1928 年首先发现并提出其光谱分析方法,因此获得 1930 年的诺贝尔物理学奖。

当光通过透明溶液时,有一部分光被散射,其频率与入射光不同,并且与发生散射的分子结构有关,这种散射即为 Raman 散射。Raman 光谱与红外光谱一样,源于分子的振动和转动能级跃迁,属分子振动-转动光谱,可以获得分子结构的直接信息。但相比红外吸收光谱法,Raman 光谱法的发展一直较为缓慢。直到 1960 年以来,Raman 光谱法才有了较大的发展,这归功于激光光源的采用与激光 Raman 光谱法(Laser Raman spectrometry, LRS)的提出及近红外激光光源的使用。前者使 Raman 光谱的获得变得很容易,而后者在很大程度上克服了试样或杂质的荧光干扰。目前,Raman 光谱技术逐渐在生物学、材料、地质、考古、医药、食品、珠宝和化学化工等领域得到了越来越重要的应用。

Raman 光谱法分辨率高,重现性好,简单快速。试样可直接通过光纤探头或通过玻璃、石英、蓝宝石窗和光纤进行测量。可以进行无损、原位测定以及时间分辨测定。同时,Raman 光谱法还有以下特点:

(1) 由于水的 Raman 散射极弱,Raman 光谱法适合水体系的研究,尤其对生物试样和无机物的研究远较红外吸收光谱方便。

(2) Raman 光谱测定一次可同时覆盖 $50\sim4\,000\ \mathrm{cm}^{-1}$ 波数的区间,若用红外光谱则必须改变光栅、光束分离器、滤波器和检测器分别测定。

(3) Raman 光谱谱峰清晰尖锐,更适合定量研究。尤其是共振 Raman 光谱,灵敏度高,检出限可到 $10^{-6}\sim10^{-8}\ \mathrm{mol\cdot L^{-1}}$。

(4) Raman 光谱所需试样量少,$\mu\mathrm{g}$ 级即可。

(5) 由于共振 Raman 光谱中谱线的增强是选择性的,因此可用于研究发色基团的局部结构特征。

11.2 　基本原理

11.2.1 　Raman 散射与 Raman 位移

当频率为 ν_0 的位于可见或近红外光区的强激光照射试样时,有 0.1% 的入射光子与试样分子发生弹性碰撞(即不发生能量交换的碰撞方式),此时,光子以相同的频率向四面八方散射。这种散射光频率与入射光频率相同,而方向发生改变的散射,称为 Rayleigh 散射。

与此同时,入射光与试样分子之间还存在着概率更小的非弹性碰撞(仅为总碰撞数的十万分之一),此时,光子与分子间发生了能量交换,使光子的方向和频率均发生变化。这种散射光频率与入射光频率不同,且方向改变的散射为 Raman 散射,对应的谱线称为 Raman 散射线(Raman 线)。与入射光频率 ν_0 相比,频率降低的为 Stokes 线,频率升高的则为反 Stokes 线。Stokes 线或反 Stokes 线与入射光的频率差为 Raman 位移。

图11-1 粗略描述了 Raman 散射和 Rayleigh 散射的产生过程,粗线表示出现的概率大,细线表示出现的概率小。显然,Rayleigh 散射的强度远大于Raman散射。

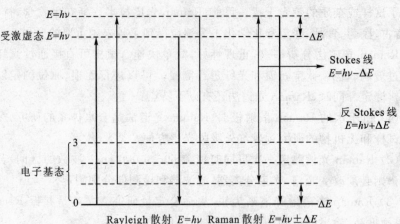

图 11-1 　Raman 散射和 Rayleigh 散射的产生

处于基态电子能级某一振动能级的分子,接受入射光子的能量 $h\nu_0$ 后,跃迁到不稳定的受激虚态[①],再由受激虚态迅速(10^{-8} s)返回原来所在的振动能级,

----

① 受激虚态即指光子对分子电子构型微扰或变形而产生的一种新的能态,介于基态电子能级与第一激发电子能级之间。

并以光子的形式释放出吸收的能量 $h\nu_0$，产生 Rayleigh 散射。

如果受激分子不返回原来所在的振动能级，而是返回其他振动能级，如从基态电子能级的基态振动能级跃迁到受激虚态的分子不返回基态，而返回至电子基态的第一振动激发态能级，此时散射光子的能量为 $h\nu_0-\Delta E$，ΔE 对应于基态电子能级第一振动激发态的能量，由此产生的 Raman 线称为 Stokes 线，其频率低于入射光频率，位于 Rayleigh 线左侧。若处于基态电子能级第一振动激发态的分子跃迁到受激虚态后，再返回到基态振动能级，此时散射光子的能量为 $h\nu_0+\Delta E$，所产生的 Raman 线称为反 Stokes 线，其频率高于入射光频率，位于 Rayleigh 线右侧。由 Boltzmann（玻耳兹曼）分布可知，常温下处于基态的分子占绝大多数，因此 Stokes 线远强于反 Stokes 线。另外，随着温度的升高，Stokes 线的强度将降低，而反 Stokes 线的强度将升高。

由上可知，Raman 位移 $\Delta\nu=\nu_R-\nu_0$，ν_R 为 Raman 线频率。Raman 位移与入射光频率即激发波长无关，只与分子振动能级跃迁有关。不同物质的分子具有不同的振动能级，因此 Raman 位移是特征的，是研究分子结构的重要依据。

为了更好地理解以上内容，可结合下面给出的四氯化碳 Raman 光谱进行比对（图 11-2）。

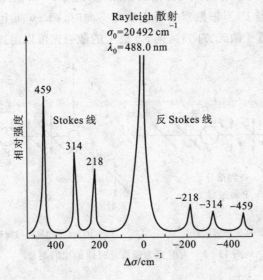

图 11-2 四氯化碳的 Raman 光谱

激光激发波长为 488.0 nm

11.2.2 Raman 光谱图与 Raman 光强度

图 11-2 为典型的四氯化碳的 Raman 光谱。Raman 光谱图通常以 Raman 位移（以波数为单位）为横坐标，Raman 线强度为纵坐标。由于 Stokes 线远强于

反 Stokes 线,因此 Raman 光谱仪记录的通常为前者。若将入射光的波数视作零
($\Delta\sigma=0$),定位在横坐标右端,忽略反 Stokes 线,即可得到物质的 Raman 光谱图。

如前所述,对同一物质使用波长不同的激光光源,所得各 Raman 线的中心
频率不同,但其形状及各 Raman 线之间的相对位置即 Raman 位移不变。

Raman 散射光强度取决于分子的极化率、光源的强度、活性基团的浓度等
多种因素。极化率越高,分子中电子云相对于骨架的移动越大,Raman 散射越
强。在不考虑吸收的情况下,其强度与入射光频率的 4 次方成正比。

由于 Raman 散射光强度与活性成分的浓度成比例,因此 Raman 光谱与荧
光光谱更相似,而不同于吸收光谱,在吸收光谱中强度与浓度成对数关系。据
此,可利用 Raman 光谱进行定量分析。

11.2.3　退偏比

在 Raman 光谱中,除 Raman 位移与强度外,还有一个反映分子对称性的参
数,即退偏比 ρ_P。

Raman 光谱的光源为激光光源,激光属于偏振光。当入射激光沿 x 轴方向
与分子 O 作用时,可散射出不同方向的偏振光,如图 11-3 所示。若在 y 轴方向
上放置一个偏振器 P,当偏振器平行于激光方向时,则 zy 面上的散射光可以通
过。当偏振器垂直于激光方向时,则 xy 面上的散射光可以通过。

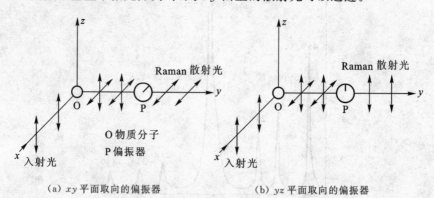

(a) xy 平面取向的偏振器　　　　　(b) yz 平面取向的偏振器

图 11-3　入射光为偏振光时退偏比的测量

若偏振器平行、垂直于激光方向时,散射光的强度分别为 $I_\parallel$, $I_\perp$,则两者之
比称为退偏比,即 $\rho_P=I_\perp/I_\parallel$。

退偏比与分子的极化率有关,若令 $\bar{\alpha}$ 为分子极化率中各向同性部分,$\bar{\beta}$ 为各
向异性部分,则

$$\rho_P=\frac{3(\bar{\beta})_\perp^2}{45(\bar{\alpha})^2+4(\bar{\beta})^2}$$

对于球形对称振动来说，ρ_P 为零，所产生的 Raman 散射光为完全偏振光。对非对称振动而言，极化率是各向异性的，ρ_P 为 3/4。ρ_P 越小，分子的对称性越高。通过测定 Raman 线的退偏比，可以确定分子的对称性。

11.2.4 Raman 光谱与红外吸收光谱的比较

通常人们将 Raman 光谱与红外吸收光谱比作姐妹光谱，这在某种程度上反映了两种光谱间的相似与互补关系。图 11-4 给出了 1,3,5-三甲基苯和茚的 Raman 和红外光谱，形象地反映了这种相似与互补关系。对同一物质，有些峰的红外吸收与 Raman 散射完全对应，但也有许多峰有 Raman 散射却无红外吸收，或有红外吸收却无 Raman 散射。

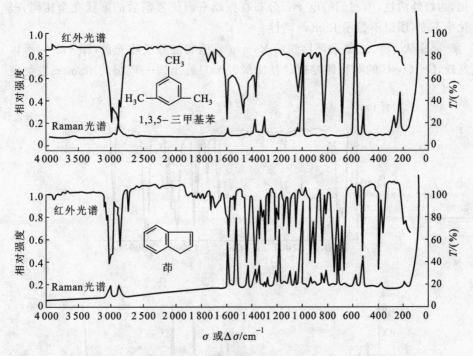

图 11-4 1,3,5-三甲基苯和茚的 Raman 和红外光谱

Raman 光谱与红外吸收光谱产生的机理虽有本质的差别，如 Raman 光谱是由分子对入射光的散射引起的，而红外吸收光谱则是分子对红外光的吸收而产生的；红外光谱的入射光及检测光均位于红外光区，而 Raman 光谱的入射光大多为可见光，相应的散射光也为可见光等。但对于一个给定的化学键，其红外吸收频率与 Raman 位移应相等，均对应于第一振动能级与基态之间的跃迁。因此，对某一给定的化合物，某些峰的红外吸收波数与 Raman 位移完全相同，均在

红外光区,并反映出分子的结构信息。

另一方面,红外吸收光谱法研究的是会引起偶极矩变化的极性基团和非对称性振动,而 Raman 光谱法则以会引起分子极化率变化的非极性基团和对称性振动为研究对象。因此,红外吸收光谱适于研究不同原子构成的极性键振动,如 —OH,—C=O,—C—X 等的振动。而 Raman 光谱适于研究由相同原子构成的非极性键,如 C—C,N—N,S—S 等的振动,以及对称分子,如 CO_2,CS_2 的骨架振动。

CS_2 分子的对称伸缩振动显然属于非红外活性,但是电子云形状在振动平衡位置前后起了很大变化,即极化率改变很多,因此对称伸缩振动方式是 Raman 活性的。而 CS_2 分子的不对称伸缩振动和弯曲振动,虽然都引起了偶极矩变化,为红外活性,但它们的电子云分布在振动平衡位置前后的形状完全相同,极化率不变,所以不显示 Raman 活性。

同样从 1,4-二氧杂环己烷的 Raman 光谱和红外吸收光谱(图 11-5)可以发现,C—O—C 的对称伸缩振动使 1 220 cm^{-1} 处出现一较强的 Raman 散射信

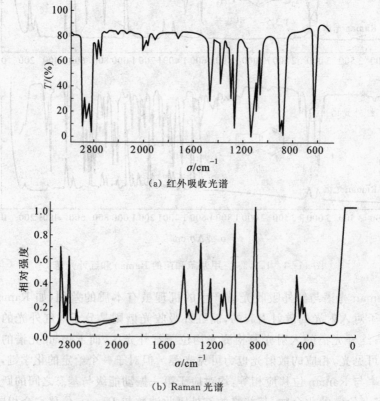

(a) 红外吸收光谱

(b) Raman 光谱

图 11-5 1,4-二氧杂环己烷的 Raman 光谱和红外吸收光谱

号,但没有红外吸收信号;而 C—O—C 的不对称伸缩振动在 $620\ cm^{-1}$ 处产生的只有红外吸收峰,却没有 Raman 信号。

通常,部分红外光谱和 Raman 光谱是互补的,在一个分子中与不同的振动方式相对应。有些振动方式既有红外活性又有 Raman 活性。如 SO_2 分子的所有振动方式同时具有红外与 Raman 活性,并相应产生红外和 Raman 峰,体现了其相似性。

11.3 激光 Raman 光谱仪

11.3.1 色散型 Raman 光谱仪

Raman 光谱仪主要由光源、试样池、单色器及检测器组成,如图 11-6 所示:

图 11-6　Raman 光谱仪示意图

11.3.1.1　光源

由于 Raman 散射很弱,现代 Raman 光谱仪的光源多采用高强度的激光光源。

激光光源包括连续波激光器和脉冲激光器。常用激光器按波长大小顺序有 Ar^+ 激光器(488.0 和 514.5 nm)、Kr^+ 激光器(568.2 nm)、He-Ne 激光器(632.8 nm)、红宝石激光器(694.0 nm)、二极管激光器(782 和 830 nm)和 Nd/YAG激光器(1 064 nm)。前两种激光器功率大,能提高 Raman 线的强度。后几种属于近红外辐射,其优点在于辐射能量低,不易使试样分解,同时不足以激发试样分子外层电子的跃迁而产生较大的荧光干扰。

由于高强度激光光源易使试样分解,尤其是对生物大分子、聚合物等,因此一般采用旋转技术加以克服。

11.3.1.2　试样池

由于 Raman 光谱法用玻璃作窗口,而不是红外光谱中的卤化物晶体,试样的制备方法较红外光谱简单,可直接用单晶和固体粉末测试,也可配制成溶液,尤其是水溶液测试;不稳定的、贵重的试样可在原封装的安瓿瓶内直接测试;还可进行高温和低温试样的测定,有色试样和整体试样的测试。

从前面的讲述中可知,Raman 散射的强度较弱。在放置试样时应根据试样的状态与多少选择不同的方式。

气体试样通常放在多重反射气槽或激光器的共振腔内。

液体试样采用常规试样池,若为微量,则用毛细管试样池。对于易挥发试样,应封盖。

透明的棒状、块状和片状固体试样可置于特制的试样架上直接进行测定。粉末试样可放入玻璃试样管或压片测定。

试样池或试样架置于能在三维空间可调的试样平台上。

11.3.1.3　单色器

由于 Raman 位移较小,杂散光较强,为了提高分辨率,对 Raman 光谱仪的单色性要求较高。

为此,色散型 Raman 光谱仪采用多单色器系统,如双单色器、三单色器。最好的是带有全息光栅的双单色器,能有效消除杂散光,使与激光波长非常接近的弱 Raman 线得到检测。

在傅里叶变换 Raman 光谱仪中,以 Michelson 干涉仪代替色散元件,光源利用率高,可采用红外激光光源,以避免分析物或杂质的荧光干扰。

11.3.1.4　检测器

Raman 光谱仪的检测器一般采用光电倍增管。为了减少荧光的干扰,在色散型仪器中可用电荷耦合阵列(CCD)检测器。最常用的检测器为 Ga-As 光阴极光电倍增管,其优点是光谱响应范围宽,量子效率高,而且在可见光区内的响应稳定。而在傅里叶变换型仪器中多选用液氮冷却锗光电阻作为检测器。

11.3.2　傅里叶变换 Raman 光谱仪

11.3.2.1　仪器结构

傅里叶变换 Raman 光谱仪的光路设计与傅里叶变换红外光谱仪非常相似,只是干涉仪与试样池排列次序不同。图 11-7 是傅里叶变换 Raman 光谱仪的光路示意图。它由激光光源、试样池、干涉仪、滤光片组、检测器及控制的计算机等组成。

激光光源为 Nd/YAG 激光器,属近红外激光光源,其发射波长为 $1.064\ \mu m$。由于它的能量较低,可以避免大部分荧光对 Raman 光谱的干扰。从激光器发射出的光被试样散射后,经过干涉仪,得到散射光的干涉图,再经过计算机进行快速的傅里叶变换后,就得到正常的 Raman 线强度随 Raman 位移而变化的光谱图。

仪器还采用一组特殊的滤光片组,它由几个介电干涉滤光片组成,用来滤去比 Raman 散射光强 10^4 倍以上的 Rayleigh 散射光。

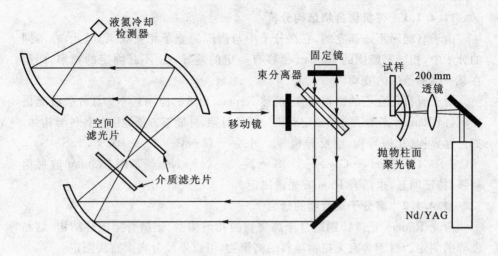

图 11-7　傅里叶变换 Raman 光谱仪的光路示意图

Raman散射线的检测器常采用置于液氮冷却下的 Ge-Si 检测器或 In-Ga-As 检测器。

11. 3. 2. 2　特点

傅里叶变换 Raman 光谱仪光源发射波长位于近红外区,能量较低,既可以消除荧光干扰,还可以避免某些试样受激光照射而分解,非常有利于有机化合物、高分子及生物大分子等的研究。但对一般分子的研究,其 Raman 散射信号比常规激光 Raman 散射信号要弱。

同时,该仪器与傅里叶变换红外光谱仪一样,还具有扫描速度快、分辨率高、波数精度及重现性好等特点。

11.4　激光 Raman 光谱法的应用

11. 4. 1　定性分析

Raman 位移 $\Delta\nu$ 表征了分子中不同基团振动的特性,因此,可以通过测定 $\Delta\nu$ 对分子进行定性和结构分析。另外,还可通过退偏比 ρ_P 的测定确定分子的对称性。

目前,激光 Raman 光谱已应用于无机、有机、高分子等化合物的定性分析;生物大分子的构象变化及相互作用研究;各种材料(包括纳米材料、生物材料、金刚石)和膜(包括半导体薄膜、生物膜)的 Raman 分析;矿物组成分析;宝石、文物、公安试样的无损鉴定等方面。

11.4.1.1　有机化合物结构分析

由于官能团不是孤立的,它在分子中与周围的原子相互联系,因此,在不同的分子中,相同官能团的 Raman 位移有一定的差异,$\Delta \nu$ 不是固定的频率,而是在某一频率范围内变动。

对于有机化合物的结构研究,虽然 Raman 光谱的应用远不如红外吸收光谱广泛,但 Raman 光谱适合于测定有机分子的骨架,并能够方便地区分各种异构体,如位置异构、几何异构、顺反异构等。另外,—C＝C—,—C≡C—,—S—S—,—C＝S—,—S—H,—C—N—,—S＝N—,—N＝N—等基团,Raman 散射信号强,特征明显,也适合 Raman 光谱测定。

11.4.1.2　高分子聚合物的研究

激光 Raman 光谱特别适合于高聚物的几何构型、碳链骨架或环结构、结晶度等的测定。对于含有无机物填料的高聚物,可以不经分离而直接测定。

11.4.1.3　生物大分子的研究

激光 Raman 光谱是研究生物大分子的有效手段。现已用于测定蛋白质、氨基酸、糖、生物酶、激素等生化物质的结构。

另外,可以在接近自然状态的极稀浓度下来研究生物分子的组成、构象和分子间的相互作用。对于眼球晶体、皮肤及癌组织等生物组织切片,可以不经处理而直接进行测定。因此 Raman 光谱法在生物学和医学研究中得到较广泛的应用。

11.4.2　定量分析

由于 Raman 信号弱,仪器价格较贵,激光 Raman 光谱法在定量分析中不占太大优势,直到共振 Raman 光谱法和表面增强 Raman 光谱法出现。

与荧光光谱类似,Raman 散射光强度与活性成分的浓度成正比。据此,可利用 Raman 光谱进行定量分析。

11.4.3　其他 Raman 光谱法

11.4.3.1　共振 Raman 光谱

由于 Raman 散射是个非常弱的过程,所以 Raman 信号也很弱,其光强一般仅为入射光强的 $10^{-7} \sim 10^{-8}$。1953 年,Shorygin 发现当入射激光波长与待测分子的某个电子吸收峰接近或重合时,Raman 跃迁的概率大大增加,使这一分子的某个或几个特征 Raman 谱带强度可达到正常 Raman 谱带的 $10^4 \sim 10^6$ 倍,这种现象称为共振 Raman 效应。基于共振 Raman 效应建立的 Raman 光谱法称共振 Raman 光谱法。其特点如下:共振 Raman 光谱基频的强度可以达到 Rayleigh 线的强度;泛频和合频的强度有时大于或等于基频的强度;由于共振

Raman光谱中谱线的增强是选择性的,既可用于研究发色基团的局部结构特征,也可选择性测定试样中的某一种物质;和普通 Raman 光谱相比,其散射时间短,一般为 $10^{-12} \sim 10^{-5}$ s。由此可见,共振 Raman 光谱有利于低浓度和微量试样的检测,最低检出浓度范围约为 $10^{-6} \sim 10^{-8}$ mol·L^{-1}。

11.4.3.2 表面增强 Raman 光谱

将试样吸附在金、银、铜等金属的粗糙表面或胶粒上可大大增强其 Raman 光谱信号,基于这种具有表面选择性的增强效应而建立的方法为表面增强 Raman 光谱法。该法可使某些 Raman 线的增强因子达 $10^4 \sim 10^8$。由于表面增强 Raman 光谱法灵敏度高,它已成为表面科学、催化、电化学等领域的重要研究手段。其定量分析检出限可达纳克或亚纳克级。若它与电化学方法联用,可以研究许多生物物质,如氧合血红蛋白、肌红蛋白、腺苷、多肽、核酸等。

将表面增强 Raman 光谱和共振 Raman 光谱技术联用时,其检出限可达 $10^{-9} \sim 10^{-12}$ mol·L^{-1}。

思考、练习题

11-1 解释下列名词:

(1) Raman 效应;　　(2) Raman 位移;　　(3) 受激虚态;　　(4) Stokes 线

11-2 试比较 Raman 光谱法与红外吸收光谱法的异同。

11-3 为什么反 Stokes 线的比例随试样温度的升高而增加?

11-4 指出以下分子的振动方式哪些具有红外活性,哪些具有 Raman 活性,或两者均是?

(1) O_2 的对称伸缩振动;　　　　　　(2) CO_2 的不对称伸缩振动;

(3) H_2O 的弯曲振动;　　　　　　　(4) C_2H_4 的弯曲振动

11-5 在什么条件下 He-Ne 激光器比 Ar^+ 激光器更适合作 Raman 光源?

11-6 当偏振器平行和垂直于光源时,测量 $CHCl_3$ 的 Raman 数据如下,试计算它们退偏比,并指出哪些 Raman 峰是被极化的?

序列	相对强度		
	σ/cm^{-1}	$I_{\parallel}$	$I_{\perp}$
a	720	0.60	0.46
b	660	8.4	0.1
c	357	7.9	0.6
d	258	4.2	3.2

11-7 指出紫外-可见吸收光谱法、红外吸收光谱法和激光 Raman 光谱法分别适合下列哪些试样的分析?

(1) 气体;　　(2) 纯液体;　　(3) 水溶液;　　(4) 粉末;　　(5) 表面组成

11-8　针对下列试样,试分析用哪种 Raman 光谱法分析比较合适?

(1) 高分子试样;　(2) 无机物;　(3) 催化剂;　(4) 荧光染料;　(5) 生物试样

参考资料

[1] 武汉大学化学系.仪器分析.北京:高等教育出版社,2001.

[2] 方惠群,于俊生,史坚.仪器分析.北京:科学出版社,2002.

[3] 刘密新,罗国安,张新荣,等.仪器分析.北京:清华大学出版社,2002.

第12章 核磁共振波谱法

核磁共振(nuclear magnetic resonance，NMR)是在强磁场下电磁波与原子核自旋相互作用的一种基本物理现象。NMR波谱学的研究是以原子核自旋为探针，详尽反映原子核周围化学环境的变化。自NMR现象发现至今，该领域的重要贡献者已五次获得诺贝尔奖。1944年，美国科学家Rabi I I因建立用分子束实验测量原子核磁性质的共振方法荣获诺贝尔物理学奖；1952年，美国科学家Bloch F和Purcell E M因发现宏观物质的NMR现象荣获诺贝尔物理学奖；1991年，瑞士科学家Ernst R R因对二维NMR及傅里叶变换NMR的突出贡献荣获诺贝尔化学奖；2002年，瑞士科学家Wüthrich因其在发展NMR波谱学测定溶液中生物大分子三维结构方面的开创性贡献分享了诺贝尔化学奖；2003年，美国科学家Lauterbur和英国科学家Mansfield因其在磁共振成像(magnetic resonance imaging，MRI)领域的突出贡献荣获诺贝尔生理学或医学奖。后三次诺贝尔奖标志着NMR研究领域已从早期的物理学进入到化学和生命科学的广阔天地。NMR波谱学不仅可用来对各种有机物和无机物的结构、成分进行定性分析，而且还可用于定量研究。与紫外-可见光谱法和红外光谱法类似，NMR波谱也属于吸收光谱。与其他谱学分析方法，如质谱、红外光谱等相比，NMR波谱灵敏度相对较低，但它提供原子水平上的结构信息量是其他方法所无法比拟的。在已发现的利用共振现象的谱学中，NMR波谱学具有最高的频率分辨率。目前，NMR波谱技术已成为化学、物理、生物、医药等领域中最重要的仪器分析手段之一。

12.1　核磁共振基本原理

12.1.1　原子核的自旋和磁矩

原子核的自旋是NMR理论中一个最基本的概念。它同质量和电荷一样，是原子核的自然属性，由自旋量子数I表征。根据量子力学原理，不同原子核的I值只能取整数或半整数。具有自旋的原子核会产生自旋角动量。若用P来表示原子核的自旋角动量，其绝对值可表示为

$$|P| = \frac{h}{2\pi}\sqrt{I(I+I)} = \hbar\sqrt{I(I+I)} \tag{12-1}$$

式中 h 是 Planck 常量，$\hbar = \dfrac{h}{2\pi}$ 为约化 Planck 常量。

　　原子核由中子和质子所组成，有相应的质量数和电荷数。带电荷的原子核绕一定的转轴转动[图 12-1(a)]，其效果与通电螺线管的环路电流相似[图 12-1(b)]。因此，可将这类原子核看成如图 12-1(c)所示的小磁体。

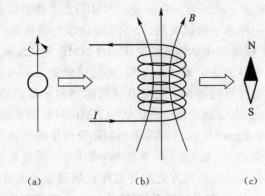

(a)　　　　　　　　(b)　　　　　　　　(c)

图 12-1　核磁矩的形成

　　核自旋量子数 I 不为零的原子核具有磁矩。通常用 μ 表示核磁矩，它与核自旋角动量 P 有如下的关系：

$$\mu = \gamma P \tag{12-2}$$

式中 γ 称为核的磁旋比。不同的原子核具有不同的磁旋比，因而 γ 是原子核的特征常数。

　　把一个可自由转动的核磁矩放在外磁场 B_0 中，如果 μ 的方向与磁场的方向不平行，磁矩将受到一个力矩 L 的作用，L 大小为：$L = \mu B_0 \sin\theta$，θ 是 μ 和 B_0 的夹角，用矢量式表示可写成：$L = \mu \times B_0$。磁场的力矩导致核磁矩绕磁场方向转动，形成如图 12-2 所示的进动轨道。

　　核磁矩在外场作用下以一定的角速度产生进动，进动角速度一般用 ω_0 表示：

$$\omega_0 = \gamma B_0 = 2\pi\nu_0 \tag{12-3}$$

式中 ν_0 为原子核的进动频率，单位为 Hz。由于核磁矩在与磁场方向平行时能量最低，经过一定时间，θ 减小到 0，即核磁矩定向排列。此时自旋核不再受到力矩作用，进动停止。若再加一个垂直于磁场方向的射频场，核磁矩便离开平衡位置，进动重新开始。

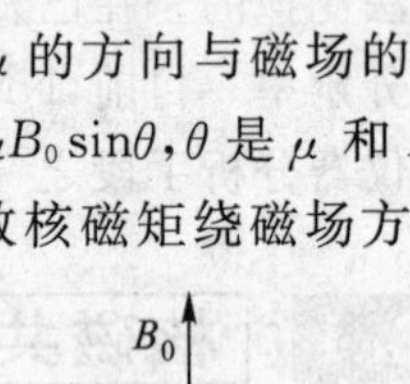

图 12-2　核磁矩绕磁场的进动轨道

原子核的磁矩与自旋量子数 I 密切相关，I 的取值是由原子核的质子数和中子数决定的，具体可分以下三种情况：

（1）质子数和中子数都为偶数的原子核，其自旋量子数为零，如 ^{12}C, ^{16}O, ^{32}S 等。这类核不能利用 NMR 进行研究。

（2）质子数与中子数一个为奇数，一个为偶数，其自旋量子数为半整数，即 $I=1/2,3/2,5/2,\cdots$。如 ^1H, ^{13}C, ^{19}F, ^{31}P 等核的 $I=1/2$；^{11}B, ^{33}S, ^{35}Cl 等核的 $I=3/2$；^{17}O 核的 $I=5/2$。利用 NMR 可对这类核进行研究。

（3）质子数和中子数都是奇数，其自旋量子数为正整数，如 ^2H 和 ^{14}N 等核的 $I=1$。利用 NMR 也可对这类核进行研究。

由上可见，并不是所有的原子核都有磁矩。具有磁矩的原子核称为磁性核，只有磁性核才是 NMR 的研究对象。

12.1.2　核磁矩的空间量子化

根据量子力学原理，核磁矩在外磁场的空间取向是量子化的，只能取一些特定的方向。若外磁场沿 z 方向，自旋量子数为 I 的核磁矩在 z 轴上的投影为：$\mu_z=\gamma m\hbar$，其中 m 称为磁量子数，其可能的取值为 $-I,-I+1,\cdots,I-1,I$，对应于 $2I+1$ 个空间取向。例如，对于自旋 $I=1$ 的核，可有 $m=1,0,-1$ 三个取向；对于自旋 $I=1/2$ 的核，只有 $m=1/2$ 和 $-1/2$ 两种空间取向。

从能量的角度来看，磁矩 μ 与外磁场 B_0 的相互作用能为

$$E=-\mu B_0=-\mu_z B_0=-\gamma m\hbar B_0 \tag{12-4}$$

该能量也称为核自旋的 Zeeman 相互作用能。量子力学的选择定则只允许 $\Delta m=\pm 1$ 的跃迁，这样相邻能级之间发生跃迁所对应的能量差为

$$\Delta E=\hbar\gamma B_0 \tag{12-5}$$

图 12-3 为 $I=3/2$ 原子核的磁矩在外磁场作用下的空间取向及其相互作用能级图。

12.1.3　核磁共振的条件

在外磁场 B_0 中，磁性核相邻两能级的能量差为：$\Delta E=\gamma\hbar B_0$。当用频率等于核自旋进动频率 ν_0 的射频场照射试样时，处于低能态的核自旋便吸收射频能量，从低能态跃迁到高能态，这就是 NMR 吸收。强弱不同的吸收信号与频率的关系即为 NMR 谱。

假设射频的频率为 ν，则其能量为

$$E_\nu=h\nu=\hbar\omega \tag{12-6}$$

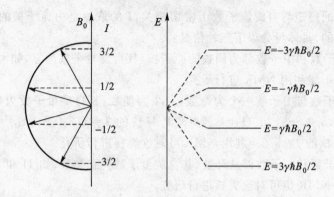

图 12-3　$I=3/2$ 原子核磁矩在磁场中的空间取向及相互作用能级图

发生共振时,射频场的能量等于核能级跃迁的能量差。即 $E_\nu = \Delta E$,因此 $\omega = \gamma B_0 = 2\pi\nu$,此即 NMR 的基本方程。结合式(12-3),得到产生 NMR 的基本条件为:$\omega = \omega_0 = \gamma B_0$。"核磁共振"定义就是:处于静磁场中的核自旋不为零的体系,受到一个频率等于核自旋进动频率的射频场激励,所发生的吸收射频场能量的现象。核自旋体系、静磁场与射频场是产生核磁共振不可缺少的三个要素。

12.2　化学位移

12.2.1　屏蔽常数

1. 屏蔽的成因

假设一孤立原子,核外电子云分布是球形对称的。当它处于外磁场 B_0 中时,由于电子云被极化,核外电子在磁场方向上绕核运动,相当于一个环形电流,如图 12-4 所示。根据楞次定律,电子环流产生一个方向与 B_0 相反、大小正比于 B_0 的感应磁场或称次级磁场 B'。这个磁场 $B' = -\sigma B_0$,使原子核实际感受到的磁场变成 $B = (1-\sigma)B_0$,这里 σ 称为屏蔽常数。σ 与外加磁场无关,只与原子核所处的化学环境有关。实际的物质由许多原子构成,这些原子的核外电子运动都会产生类似的屏蔽效应。

2. 影响屏蔽常数的因素

屏蔽常数主要由原子屏蔽 σ_A、分子内屏蔽 σ_M 和分子间屏蔽 σ' 三部分构成,即 $\sigma = \sigma_A + \sigma_M + \sigma'$。

(1) 原子屏蔽 σ_A　原子屏蔽可指孤立原子的屏蔽,也可指分子中原子的电

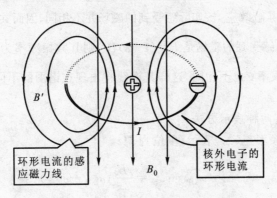

图 12-4　核外电子的运动产生环形电流

子壳层的局部屏蔽,称为近程屏蔽效应。分子中原子的屏蔽包括两项:

$$\sigma_A = \sigma_A^D + \sigma_A^P \tag{12-7}$$

式中 σ_A^D 为抗磁项,起增强屏蔽作用;σ_A^P 为与温度无关的顺磁项,起减弱屏蔽作用。不同轨道的电子对这两项的贡献不同。s 轨道的电子主要是对 σ_A^D 贡献,这是由于其电子云分布大体上是球形对称的,其感应磁场总是与外磁场方向相反,因此它表现出抗磁性。p 轨道的电子主要是对顺磁项 σ_A^P 贡献,这是由于 p 电子具有方向性,在外磁场的作用下,电子只能绕其对称轴旋转,因而自身有了磁矩而产生进动,经过一定时间后磁矩与外磁场的取向趋于一致,因此表现出一定的顺磁性。原子序数 Z 越大,σ_A 越大,其关系可近似表达为 $\sigma_A = 3.12 \times 10^{-5} Z^{4/3}$。

　　(2) 分子内屏蔽 σ_M　分子内屏蔽是指分子中其他原子或原子团对所要研究原子核的磁屏蔽作用。若所要研究的原子核附近有一个或几个吸电子的基团存在,则它周围的电子云密度降低,屏蔽效应减弱,去屏蔽作用增强。若所要研究的原子核附近有一个或几个给电子的基团存在,则它周围的电子云密度增加,屏蔽效应增强。影响分子内屏蔽的主要因素有诱导效应、共轭效应和磁各向异性效应等。

　　(3) 分子间屏蔽 σ'　分子间屏蔽指试样中其他分子对所要研究的分子中核的屏蔽作用。影响这一部分的主要因素有溶剂效应、介质磁化率效应、氢键效应等。

12.2.2　化学位移的定义

　　根据 NMR 条件 $\nu = \dfrac{\gamma B_0}{2\pi}$,在同一外磁场 B_0 中,核的共振频率只取决于核的磁旋比 γ。虽然同种核的 γ 相同,但当其所处的化学环境不同时,尽管在相同外磁场中,由于磁屏蔽效应,核实际感受到的磁场并不相同,因而共振频率也不尽相同。假定核实际感受到的磁场是 $B=(1-\sigma)B_0$,则其共振频率为 $\nu=\dfrac{\gamma B_0}{2\pi}(1-\sigma)$。$\sigma$ 值不同,共振频率 ν 也不相同,这样其谱线将出现在谱图的不同位置,这种现象称为化学位移。

化学位移有两种表示方法:

1. 用共振频率差($\Delta\nu$)表示,单位为 Hz

$$\Delta\nu = \nu_{试样} - \nu_{标准} = \frac{\gamma B_0}{2\pi}(\sigma_{标准} - \sigma_{试样}) \tag{12-8}$$

由于 σ 是个常数,因此共振频率差 $\Delta\nu$ 与外磁场的磁感应强度 B_0 成正比。这样同一磁性核,用不同磁场强度的仪器测得的共振频率差是不同的。所以用这种方法表示化学位移时,需注明外磁场的磁感应强度 B_0。

2. 用 δ 值表示

在连续波(CW)NMR 中有两种实现 NMR 的方法,即扫频法(固定外磁场 B_0,改变频率)和扫场法(固定发射机的射频频率 ν_0,改变磁感应强度)。若用 $\Delta\nu$ 表示化学位移,在扫场法中化学位移的表示就会出现困难。此外,用 $\Delta\nu$ 表示的化学位移的差值很小,就质子而言,约为 1×10^{-5}。对于 60 MHz 的仪器,化学位移的差值约在 600 Hz 以内,要精确测出其绝对值比较困难。因此考虑以相对数值表示,且乘 10^6 以方便使用。这样处理使得化学位移相对容易测量,而且提高了精确度。

对于扫频法,外磁场是固定的,因此试样 S 和参比物 R 的共振频率分别为

$$\nu_S = \frac{\gamma B_0}{2\pi}(1-\sigma_S), \quad \nu_R = \frac{\gamma B_0}{2\pi}(1-\sigma_R) \tag{12-9}$$

化学位移 δ 定义为

$$\delta = \frac{\nu_S - \nu_R}{\nu_R} \times 10^6 = \frac{\sigma_R - \sigma_S}{1-\sigma_R} \times 10^6 \tag{12-10}$$

该表达式也适用于脉冲 NMR 法。

对于扫场法,固定的是发射机的射频频率 ν_0,因此试样 S 和参比物 R 的共振频率满足:

$$\nu_0 = \frac{\gamma B_S}{2\pi}(1-\sigma_S), \quad \nu_0 = \frac{\gamma B_R}{2\pi}(1-\sigma_R), \tag{12-11}$$

此时定义化学位移 δ 为

$$\delta=\frac{B_R-B_S}{B_R}\times10^6=\frac{\sigma_R-\sigma_S}{1-\sigma_S}\times10^6 \qquad (12-12)$$

由于屏蔽常数 σ 值很小,对于氢核约为 10^{-5},其他核一般小于 10^{-3},因此式(12-10)和式(12-12)均可以表示为

$$\delta\approx(\sigma_R-\sigma_S)\times10^6 \qquad (12-13)$$

此时化学位移与实现 NMR 的方法无关。从上述定义可知:如果 $\sigma_R>\sigma_S$,则化学位移 $\delta>0$。为了尽量使多数的 δ 为正值,通常选择屏蔽常数大的化合物作为参考物。^1H 和 ^{13}C NMR 实验最常用的标准物是四甲基硅烷,简称 TMS。对于试样 S 来说,δ 越大就越往低场(或高频)偏移。

这两种化学位移表示方法可通过图 12-5 进一步了解。高频对应于低场,即图的左边;低频对应于高场,即图的右边。

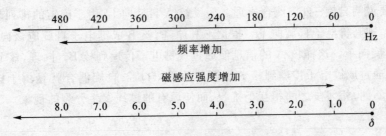

图 12-5　60 MHz 谱仪的两种 NMR 化学位移表示方法

12.3 自旋-自旋偶合

12.3.1　自旋-自旋偶合和偶合常数 J

1. 自旋-自旋偶合及产生机制

NMR 谱中常常看到一些多重峰,产生这些多重峰的原因是核自旋之间的偶合。核自旋之间的偶合有两种形式:一种为直接偶合,它是 A 核的核磁矩和 B 核的核磁矩产生直接的偶极相互作用,称为空间偶合。另一种为间接偶合,它是通过化学键中的成键电子传递的间接相互作用,称为自旋-自旋偶合,也叫标量偶合或 J 偶合。例如在—CH_2CH_3 中,有两类不同的氢。在低分辨 NMR 谱中只在两个不同的位置出现吸收峰,如图 12-6 的上图所示。在高分辨 NMR 谱中,—CH_2—和—CH_3 的质子峰产生分裂,前者呈四重峰,后者呈三重峰,如图12-6 的下图所示,这种分裂就是自旋-自旋偶合的结果。

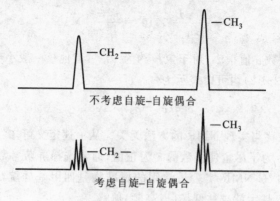

图 12-6　乙基的 ^{1}H NMR 谱

　　下面我们以图 12-7 所示的 A,B 两原子通过一化学键相连组成的分子为例,简要说明自旋-自旋偶合机理。假设核 A 自旋向上,由于磁矩的排列趋向于反平行,则其价电子自旋向下。根据泡利原理,核 B 成键电子自旋应该向上,即核 B 自旋向下。这样核 A 的信息便通过成键电子传递到核 B。同理,核 B 的信息也能通过成键电子传递到核 A。简单地说,自旋-自旋偶合就是由于核的自旋取向不同,相邻核之间相互干扰,从而使原有的谱线发生分裂的现象。

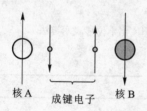

图 12-7　核自旋通过成键电子相互作用示意图

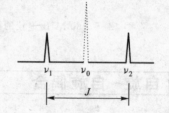

图 12-8　自旋-自旋偶合裂分

2. 自旋偶合常数

　　自旋-自旋偶合所产生的谱线分裂称为自旋-自旋分裂,如图 12-8 所示。处于 ν_0 位置的峰分裂成 ν_1 和 ν_2 位置的两个峰,分裂后峰高减半。其中 J 表示裂距,称为自旋偶合常数,单位为 Hz。偶合常数一般用 $^nJ_{A-B}$ 表示,A 和 B 为相互偶合的核,n 为 A 与 B 之间相隔化学键的数目。例如,$^2J_{H-H}$ 表示相隔两个化学键的两个质子之间的偶合常数。在 ^{1}H NMR 中,隔三个以内化学键的 J 偶合一般较强,超过三个化学键的 J 偶合一般较弱。偶合常数有正有负,一般说来,相隔偶数键的 $^2J_{H-H}$,$^4J_{H-H}$,… 为负,相隔奇数键的 $^3J_{H-H}$,$^5J_{H-H}$,… 为正。通常在高级图谱解析时,才考虑 J 值的正负,平常只要看 J 的绝对值即可。

12.3.2 自旋−自旋偶合分裂的规律

由于邻近核的偶合作用,NMR谱线发生分裂。在一级近似下,谱线分裂的数目 N 与邻近核的自旋量子数 I 和核的数目 n 有如下关系:

$$N=2nI+1 \tag{12-14}$$

当 $I=1/2$ 时, $N=n+1$,称为"$n+1$ 规律"。谱线强度之比遵循二项式 $(a+b)^n$ 展开式的系数比, n 为引起偶合分裂的核数。下面以"—CH_2CH_3"基团的 ${}^1H$ NMR谱线分裂情况为例进行说明。

先看—CH_3 基团,其邻近的 $>CH_2$ 基团有两个 ${}^1H$(即 $n=2$),由于 ${}^1H$ 的核自旋 $I=1/2$,每个 ${}^1H$ 核自旋在磁场中有两种可能的取向。当自旋取向与外磁场磁感应强度 B_0 一致时, $m=1/2$,用 α 态表示;当自旋取向与外磁场磁感应强度 B_0 相反时, $m=-1/2$,用 β 态表示。这两种自旋取向有三种不同的排列组合方式,如表12−1所列。

表 12−1　二核体系核自旋取向的排列组合方式

组合方式	$\sum m$	概率比值	—CH_3 感受到的磁场变化
$\alpha\alpha$	+1	1	增强
$\alpha\beta$　$\beta\alpha$	0	2	不变
$\beta\beta$	−1	1	减弱

从表中可以看出, $>CH_2$ 基团核自旋取向的三种组合方式相应于 $\sum m=$ $+1,0,-1$,每种方式出现的概率比值为 $1:2:1$。第一种方式,两个 ${}^1H$ 核自旋取向与 B_0 相同,因而在—CH_3 处产生的局部磁场与 B_0 方向相同,—CH_3 感受到略有增强的磁场,从而使—CH_3 的共振峰向低场方向移动;第二种方式,两个 ${}^1H$ 核自旋取向相反,在—CH_3 处产生的局部磁场为零,—CH_3 共振峰位置不变;第三种方式的情形与第一种方式相反,—CH_3 共振峰向高场方向移动。这样一来,—CH_3 谱线不再是一条,而是分裂为三条,每条谱线的相对强度与每种方式出现的概率成正比,即 $1:2:1$。

下面讨论 $>CH_2$ 谱线的分裂情况。其邻近的—CH_3 基团($n=3$)三个 ${}^1H$ 核自旋取向的排列组合方式列于表12−2。由表12−2可见,三个 ${}^1H$ 核自旋取向共有四种排列组合方式,相应于 $\sum m=+3/2,+1/2,-1/2,-3/2$,每种方式出现的概率比值为 $1:3:3:1$,因此谱线分裂为四条,强度之比为 $1:3:3:1$。以此类推,可以得到表12−3。

表 12-2　三核体系核自旋取向的排列组合方式

组合方式			$\sum m$	概率比值	—CH₃ 处磁场变化
	ααα		+3/2	1	增强多
ααβ	αβα	βαα	+1/2	3	增强少
αββ	βαβ	ββα	−1/2	3	减弱少
	βββ		−3/2	1	减弱多

表 12-3　$I=1/2$ 核偶合分裂谱线的相对强度

n	谱线相对强度						
0				1			
1			1		1		
2			1	2	1		
3		1	3		3	1	
4		1	4	6	4	1	
5	1	5	10		10	5	1
6	1	6	15	20	15	6	1
…							

12.3.3　偶合常数与分子结构的关系

自旋偶合常数的大小主要由原子核的磁性和分子结构决定。由偶合的产生机制可知,偶合常数与原子核磁性有关,磁性越大,偶合常数也越大。分子结构对偶合常数的影响可概括为两个基本因素:电子结构和几何构型。电子结构包括核周围电子密度和化学键的电子云分布两个因素,这两个因素又与原子或基团的电负性、成键电子的离域性等因素有关。几何构型包括键长和键角两个因素。

1. 电子结构对偶合常数的影响

电子结构包括核周围电子密度与化学键的电子云分布。

(1) 核周围电子密度对偶合常数的影响　一般地,随着核周围电子密度的增加,传递偶合的能力增强,偶合常数增大。原子序数增加,核周围电子密度也增加,因此偶合常数也增大。

(2) 化学键对偶合常数的影响

① 随着相隔化学键数目的增加,核间距相应增大,彼此偶合的核在对方产生的局部场逐渐减弱,因此相隔化学键数目越多,原子核之间的偶合越弱,偶合常数越小。

② 多重键传递偶合的能力比单键强,因而偶合常数值也较大。如 C＝C 双

键比 C—C 单键偶合能力强得多,因而其偶合常数也较大,但当 C=C 双键被 C—C 单键隔开后,其传递偶合的能力迅速减弱,偶合常数也较小,如烯烃的 J 约 $0.6\sim1.8$ Hz。当两个 C=C 双键相连时,传递偶合的能力特别强,比单个 C=C 双键还强,因而偶合常数变得很大,如丙二烯 $H_2C=C=CH_2$ 的 J 高达 7 Hz。

③ 相隔超过三个化学键的远程偶合一般较小,可以忽略不计。

2. 几何结构对偶合常数的影响

几何结构包括键长和键角。一般地,键长越长,偶合越弱,而键角对偶合常数的影响可用下式表示:

$$^nJ = K(1.30|\cos\phi|+0.13) \tag{12-15}$$

其中 ^nJ 表示通过 n 个化学键相连的两个核之间的偶合常数,K 值取决于相互偶合核的种类和偶合途径中化学键的长度和性质,当这些因素固定时,K 为常数。对于烃类分子,ϕ 为两个 C—H 键的夹角。由式(12-15)可见,$^nJ_{H-H}$ 只与两个 C—H 键的相对取向有关,与碳链的取向及弯曲情况无关。

对刚性的饱和分子如乙烷,Karplus 曾提出一个关系式来描述的 $^3J_{H-H}$ 与键角的关系为

$$^3J_{H-H} = A + B\cos\phi + C\cos 2\phi \tag{12-16}$$

这就是著名的 Karplus 关系式,式中 ϕ 为两个 C—C—H 平面的夹角即二面角,A,B,C 为与分子结构有关的常数。当 C—C 键长等于 0.154 nm 时,$A=4.12,B=-0.5,C=4.5$ Hz。此时若 $\phi=180°$,$^3J_{H-H}$ 值最大;若 $\phi=90°$,$^3J_{H-H}$ 值最小。图 12-9 给出了 $^3J_{H-H}$ 与夹角 ϕ 的关系曲线示意图。

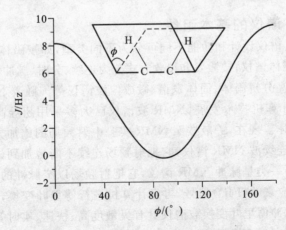

图 12-9　$^3J_{H-H}$ 与二面角 ϕ 的关系

12.4　核磁共振谱仪

　　NMR 是指处在某个静磁场中的物质的原子核系统受到相应频率的电磁波作用时,在它们的磁能级之间发生的共振跃迁现象。NMR 谱仪正是用来检测这些固定能级状态之间电磁跃迁的设备。世界上第一台商品化 NMR 谱仪(静磁感应强度 0.7 T,^{1}H 共振频率 30 MHz)于 1953 年由美国瓦里安公司研制成功。1964 年瓦里安公司率先研制出世界上第一台超导磁场的 NMR 谱仪(静磁场磁感应强度 4.7 T,^{1}H 共振频率 200 MHz)。1971 年日本电子(JEOL)公司生产出世界上第一台脉冲傅里叶变换(FT)NMR 谱仪(静磁感应强度 2.35 T,^{1}H 共振频率 100 MHz)。1994 年德国布鲁克公司推出全数字化 NMR 谱仪。2005 年瓦里安公司推出了数字化、智能化程度更高的 Varian NMR System,布鲁克公司推出了具有第二代数字接收机的 AVANCE Ⅱ 新系列。这两种型号的谱仪能够提供高精度和高稳定性的数字信号处理,提高了灵敏度、动态范围和系统稳定性,其谱图干净、基线平整。我国于 1960 年开始研制 NMR 谱仪。1974 年国内首台高分辨 NMR 谱仪(静磁感应强度 1.4 T)在北京分析仪器厂研制成功。1983 年,中国科学院长春应用化学研究所研制成功我国第一台傅里叶变换 NMR 谱仪(静磁感应强度 2.35 T)。1987 年,中国科学院武汉物理与数学研究所研制成功我国第一台超导 NMR 谱仪(静磁感应强度 8.42 T)。总的说来,我国在 NMR 谱仪研制方面与先进国家相比仍有很大差距,目前国内使用的研究型超导 NMR 谱仪绝大多数仍依赖进口。为了改变这种状况,2006 年我国启动了研制具有自主知识产权的高性能 NMR 谱仪的科技支撑计划。

12.4.1　谱仪的基本组件

　　根据 NMR 谱仪设计和功能不同可分为不同类型,如按磁体性质可分为永磁、电磁、超导磁体谱仪;按激发和接收方式分为连续、分时、脉冲谱仪;按功能分为高分辨液体、高分辨固体、固体宽谱、微成像波谱仪等。随着 NMR 实验技术及电子、超导、计算机技术发展,NMR 波谱仪已大多采用超导高磁场,且集多核、多功能于一体。现在,一般按照 NMR 实验中射频场的施加方式,将其分为两大类:一类是连续波 NMR 谱仪,它把射频场连续不断地加到试样上,得到频率谱(波谱)。另一类是脉冲 NMR 谱仪,它把射频场以窄脉冲的方式加到试样上,得到自由感应衰减(FID)信号,再经计算机进行傅里叶变换,得到可观察的频率谱。由于脉冲傅里叶变换波谱仪具有灵敏度高、快速、实时等优点,并可采用各种脉冲序列实现不同目的,且容易用数学方法完成滤波过程,因而得到了广泛的应用,成为当代主要的 NMR 谱仪。

NMR 谱仪的基本组件有：

(1) 磁体　产生强的静磁场,该磁场使置于其中的核自旋体系的能级发生分裂,以满足产生 NMR 的要求。

(2) 射频源　用来激发核磁能级之间的跃迁。

(3) 探头　位于磁体中心的圆柱形探头作为 NMR 信号检测器,是 NMR 谱仪的核心部件。试样管放置于探头内的检测线圈中。

(4) 接收机　用于接收微弱的 NMR 信号,并放大变成直流的电信号。

(5) 匀场线圈　用来调整所加静磁场的均匀性,提高谱仪的分辨率。

(6) 计算机系统　用来控制谱仪,并进行数据显示和处理。最近推出的 NMR 谱仪探头还常常配有产生梯度脉冲的装置,其可用于抑制溶剂峰和梯度场自动匀场。此外,当试样量足够时,脉冲梯度场还可用于快速选择特定的信号,从而大大缩短二维 NMR 谱的实验时间;自动匀场。

下面我们介绍连续波和脉冲 NMR 谱仪的工作原理及结构。

12.4.2　连续波 NMR 谱仪

把射频场连续不断地施加到试样上,也就是用连续波激发自旋系统。由于时域里的连续波,经 FT 后在频域内是单一频率,因此连续波激发是用单一射频频率激发自旋系统,只有那些进动频率等于激发频率的核才发生共振,得到一条共振谱线。为了得到一张图谱,一种方法是通过扫描磁感应强度(扫场)来改变核的进动频率。当核进动频率正好等于激发频率时,得到一条谱线。磁场从低到高扫描一次获得一张图谱。另一种方法是改变激发频率(扫频)。每当激发频率与自旋系统中某些核的进动频率相同时,得到一条谱线。激发频率从高到低扫描一遍获得一张图谱。扫场法和扫频法得到的谱图是相同的。

连续波高分辨 NMR 谱仪包含以下三大部分,图 12-10 为其结构示意图。

(1) NMR 信号观测系统　包括射频激发单元、探头、接收系统等。射频激发单元能够产生频率与磁场强度相适应的射频激发,并有一个程控放大器调节加到发射线圈上的射频功率。探头是包括交叉线圈或射频电桥的 NMR 信号检测器。试样管放在检测线圈中。接收系统包括射频前级放大器、外差式接收机、基线稳定器和累加器。

信号观测系统工作原理:射频振荡器经衰减器调节产生的射频场加到探头中的试样线圈上,当磁场强度满足 NMR 条件时,产生一个磁共振信号,这个信号负载到射频频率和声频频率上。把探头的输出信号送到射频前级放大器进行放大,再送到外差式接收机进行混频、中放和检波,得到一个负载有 NMR 信号的声频频率。将这个信号进行放大和相敏检波,就可得到一个 NMR 信号,这是一个缓慢变化的直流信号,可把它送到示波器上进行观察,也可把它送到记录器

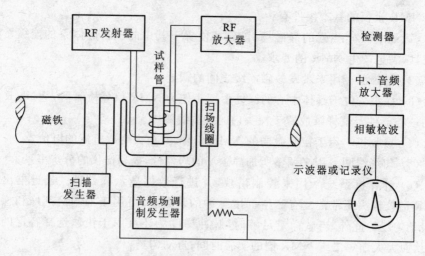

图 12-10　连续波核磁共振谱仪（CW-NMR）

进行记录。如果把它送到积分器以后再记录就可记录下谱线的积分。用扫场或扫频方法,扫过整个谱宽,就得到一张频率谱。

（2）稳定磁场系统　包括电源、稳场系统等,用来提高磁场强度的稳定性,从而提高谱线的重复性。

（3）磁场均匀化系统　包括匀场系统、试样旋转系统等,主要用来提高仪器的分辨率。匀场系统包括匀场电源、匀场调节器和多组匀场线圈,用来提高静磁场的均匀性。试样旋转系统包括一个气泵和探头中的一个转子,压缩空气吹动转子带动试样旋转,以平均磁场分布的不均匀性。

此外,NMR 谱仪还常常配备有双共振系统和变温系统等。这类仪器随 PFT NMR 谱仪发展其应用逐步减少,但由于结构简单、易于操作、成本低,仍不失为 ^1H,^{19}F,^{31}P 等丰核 NMR 谱的常规分析仪器。

12.4.3　脉冲傅里叶变换 NMR 谱仪

在连续波谱仪上加脉冲发生器和计算机数据采集处理系统,就构成了 PFT NMR 谱仪。脉冲傅里叶变换（PFT）NMR 谱仪基本框架如图 12-11 所示。PFT NMR 谱仪的工作原理如下:射频激发单元产生一定频率的射频脉冲,再经过射频放大器放大,变成强而短的射频脉冲加到探头中的发射线圈上。当发生共振时,接收线圈中感应出一个被 FID 信号所调制的射频振荡信号。信号经射频放大后加到相敏检波器上进行检波,去掉射频就得到随时间变化的 FID 信号,再经 FT 便可得到所需要的频率谱。

PFT NMR 谱仪包含以下三大部分:

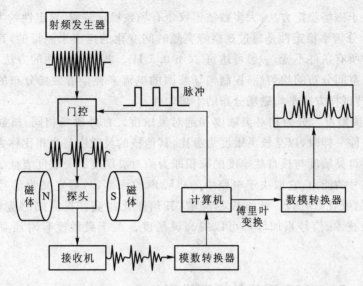

图 12-11 PFT NMR 谱仪结构的基本框图

(1) NMR 信号观测系统　包括脉冲发生器、射频系统、探头、接收系统、计算机控制和数据处理系统。脉冲发生器能稳定地给出实验所需宽度的射频脉冲以及各种时间间隔的脉冲序列,用这些脉冲来控制发射门、接收门及计算机的工作。这类"软件"型发生器有很大的灵活性,被普遍应用于高分辨 PFT 波谱仪上。射频系统包括射频振荡器、发射门和脉冲功率放大器,它能够产生强而短的射频脉冲。探头是一个射频发射和接收系统。通过探头的发射线圈把射频功率有效地加到试样上。当射频脉冲结束后,接收电路迅速接收自由感应衰减信号。接收系统包括接收门、射频放大器、射频相敏检波器、音频放大器和滤波器。计算机控制和数据处理系统用来控制 NMR 谱仪,完成数据采样、累加、傅里叶变换和数据处理等功能。新的 NMR 谱仪的操作系统可选用 UNIX 或 WINDOWS 系统。

(2) 稳定磁场系统　与连续波 NMR 谱仪基本一样。

(3) 磁场均匀化系统　与连续波 NMR 谱仪基本一样。

12.4.4　波谱仪的三大技术指标

(1) 分辨率　有相对和绝对分辨率,表征波谱仪辨别两个相邻共振信号的能力,即能够观察到两个相邻信号 ν_1 和 ν_2 各自独立谱峰的能力,以最小频率间隔 $|\nu_1 - \nu_2|$ 表示。

(2) 稳定性　包括频率稳定性和分辨率稳定性。频率稳定性与谱图重复性有关,衡量办法是连续记录相隔一定时间的两次扫描,测量其偏差。频率稳定性主要取决于磁场稳定方法,大多数波谱仪带有场频稳定装置,稳定性约为每小时 0.1 Hz。分辨率稳定性是通过观察峰宽随时间变化的速率来测量的,其间保持波谱仪的所有条件不变,一般可达每 24 h 0.5 Hz。提高稳定性的方法有:提高磁场本身空间分布的均匀性,控制匀场线圈的电流来补偿静磁场分布的不均匀性,用旋转试样方法平均磁场分布的不均匀性。

(3)灵敏度 分为相对灵敏度和绝对灵敏度。在外磁场相同、核数目相同及其他条件一样时,以某核灵敏度为参比,其他核的灵敏度与之相比称为相对灵敏度。相对灵敏度与核自然丰度的乘积即为绝对灵敏度。灵敏度表征了波谱仪检测弱信号的能力,它取决于电路中随机噪声的涨落,一般定义为信号对噪声之比,即信噪比(S/N)。波谱仪越灵敏,其信噪比越高。提高磁感应强度、应用双共振技术、信号累加等都可以提高灵敏度。关于灵敏度有时还有更严格的定义。

12.4.5 NMR 谱仪的近期进展

1. 超导 NMR 谱仪向高磁场方向发展

由于高磁场超导 NMR 谱仪能大大提高谱图的分辨率和灵敏度,因此近年来高磁场谱仪发展迅速。1987 年推出了 ^{1}H 共振频率为 600 MHz 的 NMR 谱仪,1991 年推出了 700 MHz NMR 谱仪,2001 年推出了 900 MHz NMR 谱仪。专家预测 2010 年之前高于 1 000 MHz 的高性能 NMR 谱仪将实现商品化。

2. 探头的改进

探头线圈材料的改进提高了测试试样的灵敏度,如反式 ^{1}H - X 多核探头。十几年前 ^{1}H 的信噪比为 450 : 1,而现在信噪比可达 850 : 1 以上,几乎提高了一倍。近几年 Nano 探头和超低温探头发展迅速。

魔角旋转微量检测技术是近几年前才问世的一种微量试样检测新方法。目前使用的 Nano 超微量探头可以将很小体积的试样(不超过 40 μL)全部集中于探头内接收线圈的有效范围内,并且运用转速为 1.5～3.0 kHz 的魔角旋转技术消除由试样磁化率不匹配引起的谱线加宽,确保小体积试样保持均匀的磁化率和高的填充因子,以得到最高的灵敏度和最佳的线形。Nano 探头的灵敏度比一般探头高 2 倍以上。

利用高温超导薄膜材料可制成超低温探头。当试样温度由温控单元维持时,采用闭环或开环制冷系统使超导线圈温度降到 25 K,可消除谱图的电噪声,提高检测灵敏度。相对于常规 5 mm 探头,其灵敏度可以提高 8～10 倍。采用超低温探头在 ^{1}H 共振频率为 500 MHz 的谱仪上信噪比可达 3 200 : 1,可与采用常规探头在 ^{1}H 共振频率为 800 MHz 的谱仪上的信噪比相媲美。

3. 场频联锁技术

磁场稳定性对 NMR 谱的影响归根结底是磁场强度变化导致 NMR 谱线共振频率变化,使其相对于激发射频场的频率产生偏离,谱线发生移动。现代 NMR 谱仪采用场频联锁技术提高稳定性,择某一 NMR 信号作为标准,称为锁信号。以相应频率的射频场连续激发这个 NMR 信号,当磁场强度恰好满足共振条件时,其色散信号幅度值为零。磁场强度一旦偏离共振值,色散信号呈现与偏离值对应的正或负,经放大后以适当大小和方向的电流送入励磁圈(电磁铁)或场偏置线圈(永久磁体或超导磁体),从而使磁场强度偏离得到补偿,保证 $\omega = \gamma B_0$ 这一共振条件;反之,若磁场强度稳定而射频场频率偶尔变化也可迫使磁场变化以保持共振条件。即场强和频率互相制约,称为场频联锁。实际上,现代电子技术易于获得高稳定度射频频率(10^{-9} 或更高),所以场频联锁主要是利用频率的高稳定度提高磁场稳定性。场频联锁需要一套独立完整的 NMR 信号激发及检测系统,包括产生锁信号的发射机、探头、接收机,合称为锁通道。

4. LC-NMR 联用技术

混合物的结构测定通常需要预先将混合物分离成较纯的各组分,然后再测试每个组分的 NMR 谱学数据。这就可能遇到诸多问题,例如试样处理时间太长、分离得到的试样量太少以及普通制备用的分离手段达不到分离要求或分离过程中某些成分不稳定,使 NMR 的应用受到一定的限制。高效液相色谱(HPLC)是分离复杂混合物最有效的工具。因此,如果把 HPLC 和 NMR 联用,将 HPLC 的分离能力和 NMR 提供最大量结构信息的能力结合起来,则有望为复杂混合物成分分析及其结构鉴定提供新的快速有效的方法。这是 LC-NMR 近几年得到快速发展的原因之一。LC-NMR 技术已在许多领域得到应用。随着技术的不断发展,高场谱仪的应用,LC-NMR 的硬件和软件已商品化,技术日臻完善,其在药物化学、药物代谢、组合化学、天然产物化学、中草药等领域有广泛的应用前景。

5. 微成像和医用谱仪

NMR 应用于临床医学,导致 NMR 成像(NMR imaging)技术的诞生。人体和动物组织含有大量的水和碳氢化合物。由于 ^{1}H NMR 灵敏度高、信号强,因此人们首选 ^{1}H 作为人体和动物的成像元素。人体不同组织之间、正常组织与病变组织之间的氢核密度、弛豫时间 T_1 和 T_2 等参数的差异,是 MRI 用于临床诊断最主要的物理基础。水平式的宽腔 MRI 谱仪不仅能提供动物或人的肢体和全身的清晰扫描图像,还能提供与某些部位有关的生化信息,从而可把活体内的病理现象和生化动态变化更直接地联系起来。与 1901 年获得诺贝尔物理学奖的普通 X 射线和 1979 年获得诺贝尔医学奖的计算机 X 射线断层照相术(CT)相比,MRI 作为临床诊断方法的最大优点是它对人体没有任何伤害,而且快速、准确。现在全球每年至少有 7 000 万病例利用 MRI 技术进行诊断。

为了适应生物医学研究的需要,MRI 还发展了小体积试样的微成像(micro-imaging),也称为 NMR 显微学(NMR microscopy)。NMR 微成像具有灵敏度和空间分辨率高的特点,在材料和动植物等方面的应用取得了丰硕成果,受到了广泛的重视。微成像系统主要包括主控计算机、选择激发单元、梯度场放大器(具有三路独立的梯度场输出)和微成像探头等部分。目前科学家正致力于开发高性能的用于动物和人体实验与医学诊断的微成像和医用谱仪。

12.5 一维核磁共振氢谱

12.5.1 核磁共振氢谱的特点

核磁共振氢谱(^{1}H NMR)是发展最早、研究最多、应用最广泛的 NMR 谱。在较长一段时间内 NMR 氢谱几乎是 NMR 谱的代名词,究其原因,一是质子的磁旋比 γ 较大,天然丰度为 99.98%,其 NMR 信号的绝对灵敏度是所有磁性核中最大的;二是质子是有机化合物中最常见的原子核,^{1}H NMR 谱在有机化合物结构解析中最常用。^{1}H NMR 谱图中,化学位移 δ 数值反映质子的化学环境,是 NMR 谱提供的一个重要信息。谱峰强度的精确测量依据谱线的积分面积。在 ^{1}H NMR 中,谱峰面积与其代表的质子数目成正比,这是 ^{1}H NMR 谱提供的另一个重要信息。谱图中有些谱峰还会呈现出多重峰形,这是自旋-自旋偶合引起的谱峰分裂,是 ^{1}H NMR 谱提供的第三个重要信息。化学位移、偶合常数和积分面积这三个重要信息是化合物定性和定量分析的主要依据。

以丙二酸二乙酯为例,其化学式为 $CH_2(COOCH_2CH_3)_2$,^{1}H NMR 谱图如图 12-12 所示。从低场到高场共有三组峰:$\delta 4.2$ 的四重峰是亚甲基的共振信号,$\delta 3.3$ 的单峰是与羧基相连的碳原子上氢的共振信号,$\delta 1.2$ 的三重峰则是甲基的共振信号。它们之间峰面积之比(即积分曲线高度之比)为 2:1:3,等于相应三个基团的质子数之比。

12.5.2 氢谱中影响化学位移的主要因素

化合物中,质子不是孤立存在,其周围还连接着其他的原子或基团,它们彼此之间的相互作用影响质子周围的电子云密度,从而使吸收峰向低场或高场移动。影响质子化学位移的因素主要有:诱导效应、共轭效应、磁各向异性效应、范德华效应、溶剂效应和氢键效应等。其中诱导效应、共轭效应、磁各向异性效应和范德华效应为分子内作用,溶剂效应为分子间作用,氢键效应则在分子内和分

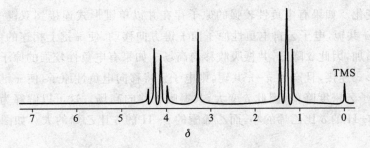

图 12-12 丙二酸二乙酯的 ^{1}H NMR 谱图

子间都会产生。下面分别对这些影响进行简单介绍。

1. 诱导效应与共轭效应

由于屏蔽常数主要由分子中电子云密度分布决定,因此化学位移明显地受取代基的影响。取代基通过诱导效应和共轭效应具体地影响电子云的分布。如果被研究的 ^{1}H 核,受一个或几个电负性较强原子或基团的拉电子作用,则此 ^{1}H 核周围的电子云密度降低,屏蔽效应降低,化学位移值增大,吸收峰左移。相反,若 ^{1}H 核与一个或几个给电子基团连接,则其周围的电子云密度增加,屏蔽效应增加,化学位移值减小,吸收峰右移。

以甲烷取代衍生物为例(表 12-4),随着取代基 X 的电负性增大,质子的化学位移移向低场,化学位移值增大。

表 12-4 CH_3X 中 ^{1}H 的化学位移 δ

X	Li	Si(CH$_3$)$_3$	H	CH$_3$	CH$_3$CH$_2$	SCH$_3$	NH$_2$	Cl	OH	F
δ	-1.94	0.00	0.23	0.86	0.91	2.09	2.47	3.06	3.39	4.27

此外,诱导效应还与取代基的数目以及取代基与观测核的距离大小有关,例如,由表 12-5 可以看到,由于氢的电负性比碳大,CH_4 上 ^{1}H 的化学位移值随取代烷基数目的增大而增大,而—CH_3 的 ^{1}H 化学位移值则随着与氯间隔距离的增大而减小。

表 12-5 CH_4 上 ^{1}H 在不同取代基下的化学位移值 δ

	CH$_4$	CH$_3$CH$_3$	(CH$_3$)$_2$CH$_2$	(CH$_3$)$_3$CH
δ	0.23	0.86	1.33	1.68
	CH$_3$Cl	CH$_3$CH$_2$Cl	CH$_3$CH$_2$CH$_2$Cl	CH$_3$CH$_2$CH$_2$CH$_2$Cl
δ	3.06	1.42	1.04	0.96

共轭效应与诱导效应一样,也会改变磁性核周围的电子云密度,使其化学位

移发生变化。如果有电负性较强的原子存在并以单键形式连接到双键上,由于发生 p-π 共轭,电子云自电负性原子向 π 键方向移动,使 π 键上相连的 ${}^1H$ 电子云密度增加,因此 δ 降低,共振吸收移向高场。如果有电负性较强的原子以不饱和键的形式连接,且产生 π-π 共轭,则电子云将移向电负性原子,使 π 键上连接的 ${}^1H$ 电子云密度降低,因此 δ 变大,共振吸收移向高场。这可以解释为什么乙烯醚的 β-H 的 δ 比乙烯的小,而乙烯酮的 β-H 的 δ 比乙烯的大。如图 12-13 所示。

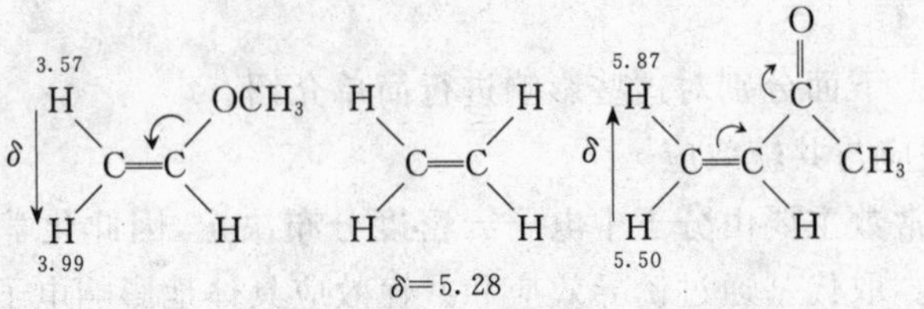

图 12-13　几种化合物的化学位移比较

2. 磁各向异性效应

如果分子具有多重键或共轭多重键,在外磁场作用下,π 电子会沿着分子的某一方向流动,它对邻近的质子附加一个各向异性的磁场,使某些位置的质子处于该基团的屏蔽区,δ 值移向高场,而另一些位置的质子处于该基团的去屏蔽区,δ 值移向低场,这种现象称为磁各向异性效应。诱导效应通过化学键传递,而磁各向异性效应则通过空间相互作用。例如,当被观测的核邻近有磁化的各向异性基团如羰基、双键、叁键或芳环时磁各向异性效应突出。对一些单键,当其不能自由旋转时,也表现出磁各向异性效应。

3. 范德华效应

当两个原子相互靠近时,由于受到范德华力作用,电子云相互排斥,导致原子核周围电子云密度降低,屏蔽减小,谱线向低场移动,这种效应称为范德华效应。这种效应与相互影响的两个原子之间的距离密切相关,当两个原子相隔 0.17 nm(即两个原子范德华半径之和)时,该作用对化学位移的影响约为 δ0.5,距离 0.20 nm 时影响约为 δ0.2,距离大于 0.25 nm 时范德华效应可以不予考虑。

4. 氢键

氢的化学位移对氢键很敏感。当分子形成氢键后,由于静电场的作用,使氢外围电子云密度降低而去屏蔽,δ 值增加,也就是说,无论是分子内还是分子间氢键的形成都使氢受到去屏蔽作用。分子间氢键形成的程度与试样浓度、温度以及溶剂的类型有关,例如,OH,SH 和 NH 基团中质子的共振信号没有确切的范围,它们的共振频率随着测定条件的改变在很大范围内变化。由于 OH 质子的共振比 SH 和 NH 对外界影响更敏感,因此 OH 的信号可出现在谱图的任何位置,而 SH 和 NH 的共振信号通常出现在较窄的范围之内。氢键形成对质子化学位移的影响规律大致如下:

(1) 氢键缔合是一个放热过程,温度升高不利于氢键形成。因此在较高的温度下测定会使这一类质子峰向高场移动,化学位移变小。

(2) 在非极性溶剂中,浓度越稀,越不利于氢键的形成。因此随着浓度逐渐减小,能形成氢键的质子共振向高场移动,但分子内氢键的生成与浓度无关。

5. 溶剂效应

同一化合物在不同溶剂中的化学位移会有所差别,这种由于溶质分子受到不同溶剂影响而引起的化学位移变化称为溶剂效应。溶剂效应主要是因溶剂的各向异性效应或溶剂与溶质之间形成氢键而产生的。

由于存在溶剂效应,在查阅或报道化合物的 NMR 数据时应表明测试所使用的溶剂。如果使用的是混合溶剂,还应说明两种溶剂的比例。

12.5.3 氢谱中偶合常数的特点

关于偶合常数的定义和基本知识前面已经介绍过,这里不再赘述。偶合常数和化学位移一样,也是测定和鉴定有机化合物分子结构的一个重要数据。偶合常数由于起源于自旋核之间的相互干扰,其大小与外加磁场无关。由于自旋核之间的 J 偶合是通过成键电子传递的,因此偶合常数的大小主要与它们之间相隔键的数目有关。此外,分子结构也起着重要作用。由于偶合常数的大小受到与偶合有关的原子轨道杂化作用、键长、键角、扭转角和取代基效应等因素影响,因此确定偶合常数的大小有助于判断化合物的分子结构。下面具体讨论分子结构如何影响偶合常数的大小。

1. 同碳偶合常数

连接在同一碳原子上的两个磁不等价质子之间的偶合常数称为同碳偶合常数。通常用 ^2J 或 $^2J_{H-H}$($J_{同}$)来表示,^2J 一般为负值,变化范围较大。sp^3 杂化体系中由于单键能自由旋转,同碳上的质子磁等价,一般观测不到 ^2J。 $>CH_2$ 基团在两个质子磁不等价的情况下,例如 $>CH_2$ 基团形成局部的刚性分子或两个质子非对映异构,则可观测到同碳偶合。在 sp^2 杂化体系中双键不能自由旋转,同碳质子偶合也是常见的。

影响 ^2J 的因素主要有:

(1) 取代基效应。取代基的电负性使 ^2J 的绝对值减小,即向正的方向变化。例如,CH_4 的 $^2J=-12.4$ Hz,CH_3OH 的 $^2J=-10.8$ Hz,CH_2Cl_2 的 $^2J=-7.5$ Hz。邻位 π 键使 ^2J 的绝对值增加,即向负的方向变化。例如,

CH_3COCH_3 的 $^2J = -4.3$ Hz, CH_3CN 的 $^2J = -14.9$ Hz, $CH_2(CN)_2$ 的 $^2J = -20.4$ Hz。

（2）对脂环化合物,环上同碳质子的 ^2J 值随键角的增加而减少,即向负的方向变化。例如,环己烷的 $^2J = -12.6$ Hz,环丙烷的 $^2J = -4.3$ Hz。

（3）烯类化合物末端双键质子的 ^2J 一般在 +3 与 -3 之间,邻位电负性取代基使 ^2J 向负的方向变化。例如 $CH_2 = CH_2$ 的 $^2J = +2.3$ Hz, $CH_2 = CHCl$ 的 $^2J = -1.4$ Hz, $CH_2 = CHNO_2$ 的 $^2J = -2.0$ Hz, $CH_2 = CHF$ 的 $^2J = -3.2$ Hz 等。

2. 邻碳偶合常数

邻碳偶合是相邻碳上质子通过 3 个化学键的偶合,其偶合常数用 ^3J 或 $J_邻$ 表示。^3J 一般为正值,大小通常在 0~16 Hz 之间。邻碳偶合常数比同碳偶合常数更重要,下面按照化合物结构进行讨论。

（1）饱和型邻碳偶合常数　在饱和化合物中,通过 3 个单键（H—C—C—H）的偶合叫饱和型邻碳偶合。开链化合物 ^3J 值约为 7 Hz（由于 σ 键自由旋转的平均化）,如乙醇中甲基与亚甲基之间的偶合常数为 7.9 Hz。^3J 的大小与两个 C—H 平面的夹角（简称二面角）、取代基电负性等因素有关。如 12.3.3 所述,刚性的饱和分子如乙烷中,^3J 与二面角 ϕ 的关系可用 Karplus 公式表示。

（2）烯型邻碳偶合常数　烯氢的邻碳偶合是通过 2 个单键和 1 个双键（H—C=C—H）发生作用的。由于双键的存在,反式结构的二面角为 180°,顺式结构的二面角为 0°,因此 $J_反$ 大于 $J_顺$。例如,苯乙烯的 $J_反 = 17.6$ Hz, $J_顺 = 10.9$ Hz。原则上测量邻碳偶合常数是推断双键构型的简便、快速和明确的方法,但如果两个偶合的质子是等价的,那么这种方法就不能用。

3. 芳环及芳环上氢的偶合

苯及苯的衍生物中邻、间、对位氢的偶合常数是不同的。邻位偶合常数比较大,一般 6~10 Hz（3 键）,间位 1~3 Hz（4 键）,对位偶合很小,在 0~1 Hz（5 键）。若苯环氢被取代,特别是强吸电子或给电子基团的取代,则苯环电子云分布发生变化,其中邻位质子受取代基的影响最大,对位次之,间位最小。因此,从 $J_邻 > J_间 > J_对$ 的关系,结合其他特性,可以推断取代模式,解析谱图。

4. 远程偶合

经由 3 个以上化学键的核间偶合称为远程偶合。一般情况下,饱和化合物中远程偶合常数很小（<1 Hz）,可以忽略。然而,特殊情况下能呈现明显的偶合。

经由 4 个化学键的偶合在烯烃、炔烃和芳香烃等不饱和化合物中比较普遍。由于 π 电子的流动性大,因此其偶合作用可以传递到较远的质子。下面介绍几种常见的远程偶合。

（1）芳环和杂芳环上质子的偶合　苯环上邻位质子的偶合是 3 键偶合，间位和对位质子的偶合是跨越 4 键和 5 键的远程偶合。如前所述，它们的偶合常数按邻、间、对位的顺序减小。

（2）折线型偶合　在共轭体系中，当 5 个键构成一个延伸的"折线"时，往往有一定的远程偶合，偶合常数约为 0.4～2 Hz。

5．氢和其他核的偶合

质子和其他磁性核如 ^{13}C，^{12}F，^{31}P 的偶合常会遇到。

（1）^{13}C 对 ^{1}H 的偶合　由于 ^{13}C 的天然丰度低（1.07%），对 ^{1}H 的偶合一般观察不到，可以不予考虑。但是在使用非氘代溶剂时，常会在溶剂峰的两旁看到 $^{13}C—^{1}H$ 偶合产生的对称的 ^{13}C 卫星峰。

（2）^{12}F 对 ^{1}H 的偶合　^{12}F 与 ^{1}H 之间相隔 2～5 个键的偶合都能被观测到，偶合常数随相隔化学键数目的增加而减小。取代基的类型及 H 与 F 的相对位置也会影响偶合常数的大小。^{12}F 的自旋量子数为 1/2，它与 ^{1}H 的偶合峰符合 $n+1$ 规律。

（3）^{31}P 对 ^{1}H 的偶合　总体来说 ^{31}P 比 ^{12}F 对 ^{1}H 的偶合弱，相隔同样数目化学键时 $^{31}P—^{1}H$ 的偶合常数较小。^{31}P 的自旋量子数为 1/2，它与 ^{1}H 的偶合峰也符合 $n+1$ 规律。

12.5.4　氢谱的解析

^{1}H NMR 图谱提供了化学位移、偶合裂分及偶合常数和积分面积等信息，解析图谱就是合理地分析这些信息，正确地推导出与图谱相关的化合物的结构。

简单的 ^{1}H NMR 谱也称一级 NMR 谱，其相互偶合的两组（或 n 组）质子的化学位移之差 $\Delta\delta$ 相对于其偶合常数 J 较大（至少大于 3）。相同 δ 值的几个核对任一另外的核有相同的偶合常数。一级 ^{1}H NMR 谱具有以下特征信息：

（1）吸收峰的组数，代表分子中处于不同化学环境的质子种类。

（2）从谱图中可直接得到 J 和 δ 值。各组峰中心为该组质子的化学位移 δ，其数值说明分子中基团的情况；各峰之间的裂距（相等）为偶合常数 J，其数值与化学结构密切相关。

（3）各组峰的分裂符合 $n+1$ 规律，分裂数目说明各基团的连接关系，分裂后各组峰强度比符合 $(a+b)^n$ 展开式系数比。

（4）吸收峰的面积与产生该吸收峰的质子数成正比。

综上所述，分析图谱的一般步骤为：

（1）检查谱图是否符合规则：TMS 的信号应在零点，基线平直，峰形尖锐对称（有些基团峰形较宽），积分曲线在没有信号的地方应平直。

（2）标识杂质峰、溶剂峰、旋转边带等非待测试样的信号。杂质含量较低，其峰面积较试样峰小得多,试样和杂质峰面积之间一般无简单的整数比关系。据此可将杂质峰区别出来。在使用氘代溶剂时,常会有未完全氘代的残余氢信号。确认旋转边带,可以通过改变试样管旋转速度的方法,使旋转边带的位置改变。

(3) 计算不饱和度。不饱和度即环加双键数。当不饱和度大于等于 4 时,应考虑该化合物可能存在一个苯环(或吡啶环)。

(4) 从积分曲线算出各组信号的相对面积简单整数比,再参考分子式中氢原子的数目,确定各组峰代表的质子数。也可用可靠的甲基信号或孤立的次甲基信号为标准计算各组峰代表的质子数。

(5) 从各组峰的化学位移、偶合常数及峰形,判断它们与化学结构的关系,推出可能的结构单元。可以先解析一些特征的强峰、单峰,再考虑其他偶合峰,推导出基团的相互关系。

(6) 识别谱中的一级裂分谱,读出 J 值,验证 J 值是否合理。

(7) 解析高级谱,必要时可用位移试剂、双共振等使谱图简化。

(8) 结合其他分析方法和化学分析的数据推导化合物的结构。

(9) 仔细核对各组信号的化学位移和偶合常数与推导的结构是否相符,每个官能团均应在谱图上找到相应的峰组,峰组的 δ 值及偶合裂分(峰形和 J 值大小)都应和结构式相符。必要时找出类似化合物的共振谱进行比较,进而确定化合物的结构式。

12.6　一维核磁共振碳谱(^{13}C NMR)

碳是有机化学和生物化学中的主要元素,大多数有机化合物分子骨架由碳原子组成,因此利用 ^{13}C NMR 研究有机化合物分子的结构信息是十分重要的。而且化学位移的范围在 δ 200 左右,在这样宽范围内不同化学环境中碳原子的化学位移各不相同,且谱线清晰,为谱图解析提供了更加丰富的信息。然而,从 1957 年观测到 ^{13}C NMR 信号后直到 20 世纪 70 年代,^{13}C NMR 谱才得以开始直接应用于研究有机化合物,其原因在于 ^{13}C 同位素的天然丰度太低,只有 1.07%,而且其磁旋比 γ 仅是 ^{1}H 的 1/4,相对灵敏度也比 ^{1}H 低。因此,用简单的连续波法难以观察到 ^{13}C NMR 信号,必须发展新的更灵敏的 ^{13}C NMR 检测方法。

自从 20 世纪 60 年代后期将宽带去偶和脉冲傅里叶变换技术引入核磁共振谱仪后,^{13}C NMR 的检测灵敏度得到显著提高,使 ^{13}C NMR 的检测变得简单易行。目前 ^{13}C 谱在实际应用中与 ^{1}H 谱相辅相成,成为有机化合物结构分析的常规方法,广泛应用于有机化学的各个领域。在结构测定、构象分析、动态过程、活性中间体及反应机理研究、聚合物立体规整性和序列分布的定量分析等方面都显示出巨大的威力,成为化学、生物、医药等领域不可缺少的测试方法。

12.6.1 ^{13}C NMR 的特点

1. 化学位移范围宽

^{1}H NMR 常见的化学位移值范围为 $\delta 0\sim 10$;^{13}C NMR 常见的范围为 $\delta 0\sim 120$(正碳离子可达 $\delta 330$),约是 ^{1}H NMR 的 20 倍。这极大地消除了不同化学环境的碳原子的谱线重叠,使 ^{13}C NMR 谱的分辨能力远高于 ^{1}H NMR 谱。一般情况下在结构不对称的化合物中,每种化学环境不同的碳原子都可以给出特征谱线。

2. 可检测不与氢相连的碳的共振吸收峰

CR_4,$RC=CR$,$R_2C=O$,$RC\equiv CR$,$RC\equiv N$ 等基团中的碳不与氢直接相连,在 ^{1}H NMR 谱中没有相关信号,只能靠分子式及其对相邻基团 ^{1}H 化学位移的影响来判断;而在 ^{13}C NMR 谱中,它们均能给出各自的特征吸收峰。

3. 灵敏度低,偶合复杂

由于 NMR 的灵敏度与 γ^3 成正比,因此在相同的磁场条件下,^{13}C NMR 的灵敏度仅相当于 ^{1}H NMR 灵敏度的 1/5 800。由于 ^{13}C 与 ^{1}H 之间存在着偶合($^1J\sim^4J$),使得 ^{13}C NMR 谱峰的裂峰相互重叠,难分难解,并且信号强度大大减弱,有时谱峰淹没于噪声之中,给谱图解析带来了许多困难。

4. ^{13}C 核的自旋–晶格弛豫时间 T_1 较长

^{13}C 核的 T_1 明显大于质子的 T_1。通常质子的 T_1 在 $0.1\sim 1$ s 之间,而 ^{13}C 核的 T_1 常在 $0.1\sim 100$ s 之间,且与 ^{13}C 核所处的化学环境密切相关。因此,通过对 ^{13}C 核的 T_1 进行测定分析,可得到其在分子内的结构环境信息。

5. 谱峰强度不与碳原子数成正比

体系只有处在平衡状态,即符合 Boltzmann 分布时,NMR 峰的强度才与产生该峰的共振核数目成正比。由于 ^{13}C 核的弛豫时间 T_1 较长,共振峰通常都是在非平衡条件下观测得到,加上不同基团上的碳原子弛豫时间不同,因此 ^{13}C NMR 的谱峰强度常常不与产生该峰的碳核数目成正比。

12.6.2 碳谱中影响化学位移的主要因素

^{13}C NMR 的化学位移 δ_C 是一个重要参数,它能充分反映有机化合物结构的特征。碳核周围电子分布及其对碳核磁屏蔽的影响可由 ^{13}C NMR 的化学位移直接反映,其中包括有关分子构型和构象等多方面的信息。这些信息一方面可用于分析鉴定或测定分子结构,另一方面与某些化学反应过程密切相关,可为了解这些过程提供有益的线索或判据。因此,准确测定 ^{13}C 化学位移对研究和应用 ^{13}C NMR 具有重要意义。

为了准确测定^{13}C 的化学位移,需选定参比物,目前常用 TMS 作标准,此时,$\delta_C = 0$。也有用某些溶剂作标准的,它们的 δ_C 值见表 12-6。

表 12-6　一些常用核磁溶剂的^{13}C 化学位移

溶剂	δ_C	
	质子化合物	氘代化合物
CH_3CN	1.7(CH_3)	1.3(CD_3)
C_6H_{12}	27.5	26.1
CH_3COCH_3	30.4(CH_3)	29.2(CD_3)
CH_3SOCH_3	40.5	39.6
CH_3OH	49.9	49.0
CH_2Cl_2	54.0	53.6
$C_4H_8O_2$	67.6	66.5
$CHCl_3$	77.2	76.9
CCl_4	96.0	
C_6H_6	128.5	128.0
	124.5(C_4)	123.5(C_4)
C_5H_5N	136.5(C_3)	135.5(C_3)
	150.6(C_2)	149.9(C_2)
CH_3COOH	178.3(COOH)	

^{13}C 的化学位移受各种因素的影响,会发生一些改变。下面我们对^{13}C 化学位移的主要影响因素进行具体的讨论,重点讨论分子内屏蔽效应,外界因素只作简单说明。

1. 碳的轨道杂化

杂化是影响化学位移的重要因素,碳原子的轨道杂化(sp^3,sp^2,sp)在很大程度上决定着^{13}C 化学位移的范围。杂化不同,σ_N^{para} 也不同。δ_C 值受碳原子杂化的影响,其次序与 δ_H 平行,一般情况下,屏蔽常数 $\sigma(sp^3) > \sigma(sp) > \sigma(sp^2)$。以 TMS 为基准物,$sp^3$ 杂化碳的化学位移值在 $\delta 0 \sim 60$ 范围,sp^2 杂化碳的化学位移值在 $\delta 100 \sim 200$ 范围,炔碳为 sp 杂化,由于其多重键的贡献为 0,顺磁屏蔽降低,比 sp^2 杂化碳处于较高场,化学位移值在 $\delta 60 \sim 90$ 范围。

2. 诱导效应

所谓诱导效应是指一些与碳连接的电负性取代基、杂原子以及烷基,能使^{13}C 信号向低场位移,且随着电负性的增加位移程度随之增加的效应。随着取代基电负性增加,从碳原子轨道上拉电子的能力增强,去屏蔽能力增加,所以取代基电负性愈大,δ 值向低场的位移愈大,如表 12-7 所示。

表 12-7　CH_4 在各种取代基下的^{13}C 化学位移

化合物	CH_3I	CH_4	CH_3Br	CH_3Cl	CH_3F
δ_C	−20.7	−2.6	20.0	24.9	80

续表

化合物	CH_4	CH_3Cl	CH_2Cl_2	$CHCl_3$	CCl_4
δ_C	-2.6	24.9	52	77	96

CH_3I 的 δ 较 CH_4 位于更高场,这是由于 I 原子核外有丰富的电子,I 的引入对与其相连的碳核产生磁屏蔽作用,又称重原子效应。同一碳原子上,I 取代数目增多,屏蔽作用增强。如 CI_4 的 δ 为 -292.5。

诱导效应是通过成键电子沿键轴方向传递的,随着与取代基距离的增大,该效应迅速减弱。诱导效应对 α 碳影响较大,β 和 γ 碳的诱导位移随电负性取代基的变化不明显。

3. 空间效应

^{13}C 化学位移对分子的几何形状非常敏感,分子的空间构型对其影响很大。相隔几个键的碳,如果它们的空间距离非常近,将互相发生强烈的影响。这种短程的非成键的相互作用称为空间效应。由于空间上互相靠近的原子之间存在着范德华引力作用,使得 ^{13}C 化学位移向高场移动。例如 C—H 键受到立体作用后,氢核"裸露",成键电子偏向碳核一边,δ 向高场位移。另外,空间上互相靠近的原子之间也存在着排斥力,它引起电子分布和分子几何形状的变化,从而也影响了屏蔽常数。

4. 共轭效应

在芳香系统和其他不饱和系统中,^{13}C 化学位移的变化可以用共振结构的贡献(即共轭效应)来解释。例如:

$R = OH, NH_2$ 等

$R = NO_2, CN$ 等

当苯环氢被给电子基团 NH_2 取代后,NH_2 上的孤对电子将离域到苯环 π 电子系统,从而增加邻位和对位碳的电荷密度,屏蔽增加。当苯环氢被吸电子基团 CN 取代后,苯环上的 π 电子将离域到 CN 上,从而邻位和对位碳的电荷密度减少,屏蔽减小。

具有孤电子对取代基的羰基系统中,碳原子受到的屏蔽作用增大,使羰基碳共振向高场位移。

共轭多烯中,由于多重键的离域,中心碳原子受到屏蔽,使其向高场位移。

重氮甲烷和乙烯酮的亚甲基碳在高场出现也是由共轭效应所致。

5. 电场效应

电场效应是带电基团引起的屏蔽作用,如解离后的羧基 COO^-、质子化的氨基—NH_3^+ 等。它是短距离和中距离非键相互作用而产生的屏蔽效应。一般说来,基团质子化后,其 α 和 β 碳向高场位移约 $\delta 0.15 \sim 4$,而 γ 和 δ 碳的位移小于 $\delta 1$。例如,在—C_γ—C_β—C_α—$COOH + H_2O \longleftrightarrow$ —C_γ—C_β—C_α—$COO^- + H_3O^+$ 反应中,随着质子的解离,在解离基上负电荷密度增加。根据负电荷密度的计算或者考虑到诱导效应,质子的解离应当引起 ^{13}C 核按照 $C_\alpha > C_\beta > C_\gamma > \cdots$ 的顺序屏蔽增加。但是事实正好相反,其原因是电场效应在起作用。在氨基酸中,氨基质子化后,所有碳的信号向高场位移,其中 C_β 受到的影响最大,C_α 受到的影响反而最小,这主要是由于电场效应是"通过空间"而不是"通过键"在起作用。

6. 重原子效应

电负性取代基对被取代的脂肪碳的屏蔽影响主要为诱导效应。但是,在重原子碘、溴取代烷中,随着碘或溴取代的增加,碳的化学位移反而显著减少,称为重原子效应。这是由于碘等重原子的核外电子较多,原子半径较大,从而使它们的供电子效应比诱导效应更强所致。

7. 同位素效应

分子中的质子被其重同位素氘(^2H)取代后,由于平均电子激发能的增加,导致相连碳的化学位移值减小,称为同位素效应。同位素效应有时可用来帮助进行结构解析。

8. 分子内氢键

在邻羟基苯甲醛和邻羟基苯乙酮中,由于分子内氢键使得羰基碳产生较强的正碳化,产生去屏蔽作用。

9. 介质效应

溶剂、浓度、pH 的变化对^{13}C 化学位移的影响比较明显,特别是含极性基团的化合物受影响更大,主要分为稀释位移、溶剂位移和 pH 位移等。

12.6.3 碳谱中的偶合现象

在^{13}C NMR 的研究过程中不可避免地要遇到^{13}C 和^{1}H 之间的相互偶合作用。由于^{13}C 的天然丰度仅为 1.07%,在观察^{1}H 谱时,^{13}C 对^{1}H 信号的偶合卫星峰强度只有 0.555%,不会造成干扰,可以忽略不计。反之,观察^{13}C 谱,结果完全不同,因为所有^{13}C 信号都受到^{1}H 偶合的干扰。

^{1}H 对^{13}C 的偶合使^{13}C 的 NMR 峰产生分裂。与^{1}H 谱类似,^{13}C 谱线分裂的数目也取决于邻近磁性核的数目和自旋量子数,即

$$N = 2nI + 1$$

式中 N 是谱线分裂的数目,n 是邻近磁性核的数目,I 是邻近磁性核的自旋量子数。当 $I = 1/2$ 时的"$n+1$"规律同样适用于^{13}C 核。

一方面,^{13}C 核本身灵敏度很低;另一方面,^{13}C-^{1}H 之间的偶合作用又使^{13}C 谱线分裂为多重峰。这不仅降低了谱线的强度,而且多重分裂的结果使谱线彼此交叉重叠,给谱图解析带来不少困难。因此,在测^{13}C NMR 谱时需要消除偶合。消除偶合的过程称为去偶,这是进行^{13}C NMR 实验的基本要求。

12.6.4 碳谱的解析

1. ^{13}C NMR 谱解析的一般程序

(1) 由分子式计算出不饱和度。

(2) 分析^{13}C NMR 的质子宽带去偶谱,识别杂质峰,排除其干扰。

(3) 由各峰的 δ 值分析 sp^3,sp^2,sp 杂化的碳各有几种,此判断应与不饱和度相符。若苯环碳或烯碳低场位移较大,说明该碳与电负性大的氧或氮原子相连。由 C=O 的 δ 值判断为醛、酮类羰基还是酸、酯、酰类羰基。

(4) 由偏共振谱分析与每种化学环境不同的碳直接相连的氢原子的数目,识别伯、仲、叔、季碳,结合 δ 值,推导出可能的基团及与其相连的可能基团。若与碳直接相连的氢原子数目之和与分子中氢数目相吻合,则化合物不含—OH,—COOH,—NH$_2$,—NH 等,因这些基团的氢是不与碳直接相连的活泼氢。若推断的氢原子数目之和小于分子中的氢原子,则可能有上述基团存在。在 sp^2 杂化碳的共振吸收峰区,由苯环碳吸收峰的数目和季碳数目,判断苯环的取代情况。

(5) 综合以上分析,推导出可能的结构,进行必要的经验计算以进一步验证结构。如有必要,进行偏共振谱的偶合分析及含氟、磷化合物宽带去偶谱的偶合

分析。

　　(6) 化合物结构复杂时,需其他谱(MS,¹HNMR,IR,UV)配合解析,或合成模拟物进行分析,或采用¹³C NMR 的某些特殊实验方法。

　　(7) 化合物不含氟或磷,而谱峰的数目又大于分子式中碳原子的数目,可能有以下情况存在:

　　① 异构体　异构体的存在,会使谱峰数目增加。

　　② 溶剂峰　在进行试样提纯等处理过程中用到的溶剂,如果没有消除干净,那么在¹³C NMR 中会产生干扰峰。

　　③ 杂质峰　试样纯度不够,有其他杂质干扰。

　　2. 碳谱解析实例

　　例 1　分子式为 $C_8H_8O_2$ 的某化合物,其质子宽带去偶的¹³C NMR 谱如图 12-14 所示,试推测其结构式。

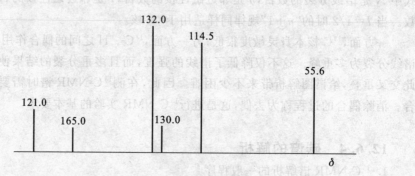

图 12-14　未知化合物 $C_8H_8O_2$ 的质子宽带去偶¹³C NMR 谱

　　解: 不饱和度 $\Omega = 1/2 \times (2 \times 8 + 2 - 8) = 5$,说明可能含有苯环。

　　谱中共有 6 个峰,而分子式中有 8 个碳,说明分子结构中可能含有两对对称碳原子。

　　$\delta 110 \sim 165$ 间有四条峰,由峰的强度可以推测这些峰是对称二取代苯环的碳共振峰。

　　$\delta 55.6$ 的共振峰,根据化学位移和谱峰强度可知是—OCH_3。

　　$\delta 121$ 相对较弱的峰来自—CHO。

　　由此可得两种可能的分子结构:

$$H_3CO \overset{5}{\underset{3}{\overset{6}{\underset{2}{\bigcirc}}}} \overset{1}{\underset{}{}} CHO \qquad H_3CO \overset{3}{\underset{1}{\overset{4}{\underset{6}{\bigcirc}}}} \overset{5}{\underset{OHC}{}}$$

　　　　　　　　(A)　　　　　　　　　　　(B)

　　对这两种苯环碳的化学位移进行理论计算,得到下面结果:

结构(A):C_1　　C_2　　C_3　　C_4　　C_5　　C_6

　　δ_C:128.9　130.7　114.6　165.7　114.6　130.7

结构(B)：C_1 C_2 C_3 C_4 C_5 C_6

     δ_C：112.3   161.1   114.6   135.3   121.2   130.7

比较可知结构(A)符合谱图，因此该化合物的分子结构为 H_3CO—⟨苯环⟩—CHO 。

12.7 二维核磁共振波谱简介

12.7.1 二维 NMR 波谱概况

二维核磁共振(2D NMR)方法的出现和发展，是 NMR 波谱学发展史上一座重要的里程碑。一维谱的信号是一个频率的函数，记为 $S(\omega)$，共振峰分布在一条频率轴上。二维谱的信号是两个独立频率变量的函数，可记为 $S(\omega_1, \omega_2)$，共振峰分布在两个频率轴组成的平面上。磁共振谱由一维扩展到二维，大大降低了谱线的拥挤和重叠程度，并提供了核自旋之间相互关系的新信息，对分析诸如生物大分子等复杂体系特别有用，因此 2D NMR 谱一经提出便获得迅速发展。

1. 二维核磁共振谱的形成

原则上，二维谱可以由三类概念上不同的实验获得，如图 12-15 所示。其中方法(1)和(2)并不常用，这里只作简单介绍。

(1) 频率域实验　在这类实验中，信号直接为两个频率的函数。这类实验主要用在通常的双共振实验中，用强射频 ω_2 扰动自旋系统，用弱射频 ω_1 探测频率响应，得到的信号是 $S_{\omega_2}(\omega_1)$。系统地改变这两个频率即可获得 2D NMR 谱。

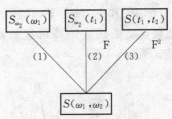

图 12-15　2D NMR 的三种获取方式

(2) 混合时域、频率域实验　在这类实验中，自旋体系受到射频 ω_2 的扰动，而测量的是脉冲响应时域信号 $S_{\omega_2}(t_1)$。只要系统地改变 ω_2，就可得到一系列对应不同 ω_2 的时域信号，再对 t_1 进行傅里叶变换就得到二维谱。

(3) 二维时域实验　它是获得 2D NMR 的主要方法。通过两个独立的时间变量进行一系列实验，得到 $S(t_1, t_2)$，经过两次傅里叶变换得到二维谱 $S(\omega_1, \omega_2)$。一般的 2D NMR 均指这种时域实验。通常我们把时间作为一维连续变量，如何才能得到两个彼此独立的时间变量，是二维时域实验最关键的问题。这个问题可以通过"分割时间轴"的方法来解决，即把整个时间轴按其物理意义上的不同分割成四个区间，如图 12-16 所示。

图 12-16　二维实验中时间轴的一般分割

① 预备期(t_0)　通常由较长的延迟时间和激发脉冲组成,目的是使自旋体系能恢复到平衡状态。

② 演化期(t_1)　在此期间自旋体系处于非平衡状态,核自旋可以自由演化。通过改变 t_1 对横向磁化矢量进行频率或相位标识,以便在检测期检测信号。

③ 混合期(τ_m)　由一组固定长度的脉冲和延迟时间组成,在此期间通过相干或极化的传递,建立信号检测的条件。混合期并不是必不可少的,它视 2D NMR 谱的种类而定。

④ 检测期(t_2)　在此期间检测作为 t_2 函数的各种横向磁化矢量的 FID 信号,它的初始相位及幅度受到 t_1 的调制。

2. 二维核磁共振谱的表现形式

(1) 堆积图,是一种准三维立体图,如图 12-17(a)所示,两个频率变量表示二维,信号强度为第三维。堆积图的优点是直观,有立体感;缺点是难以定出吸收峰的频率,还可能遮盖掉复杂谱图中大峰旁的小峰。一般较少使用。

(2) 等高线图,类似于等高线地形图,如图 12-17(b)所示,它是把堆积图用平行于 F_1 和 F_2 轴的平面进行平切后所得。这种图的优点是易于找出峰的频率;缺点是低强度的峰可能被漏画。一般 2D NMR 谱都用等高线图的形式表示。

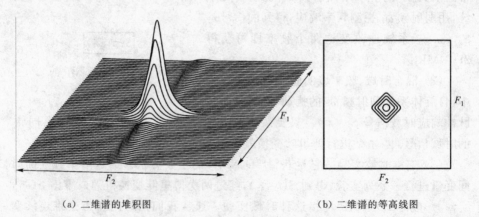

(a) 二维谱的堆积图　　　　　　　　　　　　　　(b) 二维谱的等高线图

图 12-17　二维谱的堆积图和等高线图

以上两种图是二维谱的总体表现形式,对局部谱图还可以通过作剖面图或投影图来表现。

12.7.2 二维核磁共振波谱的分类

2D NMR 波谱大致可分为三大类:J 分解谱、化学位移相关谱、多量子相干谱。以下分别介绍这几种二维谱。

1. 二维 J 分解谱

在演化期 t_1 和检测期 t_2 之间,若不存在混合期和混合脉冲,那么由于自旋体系在 t_1 和 t_2 期间受到的作用不同,获得的信息也不同。这种实验得到的二维谱称为二维 J 分解谱,它把化学位移和自旋偶合的作用分离开来。二维 J 分解谱可分为同核二维 J 分解谱和异核二维 J 分解谱两种。

2. 二维相关谱

在混合期,核的磁化之间有转移的二维谱称为二维相关谱。根据混合期相关转移作用的不同可分为以下三种:

(1) 核之间的磁化转移由 J 偶合作用传递,这种二维谱称为二维化学位移相关谱。它又可分为同核位移相关谱和异核位移相关谱。

(2) 核之间的磁化转移由不同核的纵向磁化之间的交叉弛豫(偶极相互作用)传递,这种二维相关谱称为二维 NOE 谱。二维 NOE 谱也分为异核 NOE 谱和同核 NOE 谱。

(3) 核之间的磁化转移由不同核的纵向磁化之间的化学交换传递,这种二维相关谱称为二维交换谱。

以下简要介绍几种常用的二维相关谱。

(1) 二维化学位移相关谱

① 同核位移相关谱 同核位移相关谱是最重要、最常用的一类二维核磁共振谱。最常用的同核位移相关谱称为 COSY(correlated spectroscopy),一般指的是 $^1H-^1H$ COSY。图 12-18 为 COSY 示意图,谱图一般为正方形。图的上方有一氢谱与之对应,侧面也可能有一氢谱与之对应。COSY 中 $\omega_1 = \omega_2$ 的对角线上有若干峰组,它们和一维氢谱的峰组一一对应。这些峰称为对角线峰或自动相关峰。对角线外的峰组称为交叉峰或相关峰,它反映两峰组之间的 J 偶合关系。交叉峰沿对角线对称分布,因而只要分析对角线的一侧即可。通过任一交叉峰组作 F_1 的垂线,会与对角线上的

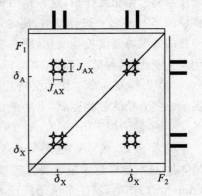

图 12-18 AX 偶合体系的
COSY 示意图

一个峰组相交,此峰组是参与偶合的一个峰组。再通过该交叉峰作 F_1 的平行线,会与对角线上的另一峰组相交,此峰组是参与偶合的另一个峰组。因此从任一交叉峰即可确定相应的两峰组之间的 J 偶合关系。

^1H–^1H COSY 主要反映相距三个键的氢(邻碳氢)的偶合关系,跨越两个键的氢(同碳氢)或偶合常数较大的长程偶合也可能被反映出来,而 ^1H–^{13}C COSY 可确定直接键连的 C—H 间的偶合关系。因此,利用 ^1H–^{13}C COSY 可以知道未知物中所含的碳氢基团(—CH₃,—CH₂—, —CH 等)及它们在何处出峰,再结合 ^1H–^1H COSY 就可以确定分子中碳原子的连接关系,这是目前推导有机化合物结构应用最多的一种方法。

② 异核位移相关谱　异核位移相关谱把氢核和与其直接相连的其他核关联起来。有机化合物以碳原子为骨架,因此异核位移相关谱主要是 ^1H–^{13}C COSY。一般的 ^1H–^{13}C COSY 去偶谱呈矩形。水平方向标度为碳谱的化学位移,化合物的碳谱置于矩形的上方;垂直方向标度为氢谱的化学位移,化合物的氢谱置于矩形的左侧。矩形中出现的峰称为相关峰或交叉峰。每个相关峰把直接键连的碳与氢的谱线关联起来。季碳原子因其上不连氢核而没有相关峰。如果一个碳原子上连有两个化学位移值不等的氢核,则该碳谱线对应两个相关峰。这样的碳一定是—CH₂—。一般情况下,由 ^1H–^{13}C COSY 结合氢谱的积分值即可确定碳原子的种类(—CH₃,—CH₂, —CH)。另外,由于碳谱的分辨率高,即使有几个氢峰组化学位移值相近,有一定的重叠,它们在 ^1H–^{13}C COSY 中亦可分开,这对 ^1H–^1H COSY 的分析大有裨益。

(2) 二维 NOE 谱　由于磁性核具有磁矩,在一定的距离内,磁矩(偶极)会通过空间产生相互作用,这种作用称为偶极偶合。对分子内空间距离很近的两核(<0.5 nm)之一进行辐射,使之达到跃迁的饱和状态,此时由于偶极偶合,另一核的共振峰强度发生变化,即一核纵向磁化的变化导致另一相邻核的纵向磁化发生变化,这种效应即为 NOE。

(3) 二维交换谱　化学交换就是核之间互相交换位置。EXSY 谱图通常能揭示一些分子的独特性质,可用来定量测量化学交换的速率。

3. 多量子相干谱

随着多维 NMR 的发展,多量子相干(multiple-quantum coherences,MQCs)技术显得越来越重要。通常我们所测定的核磁共振谱线由单量子跃迁($\Delta m = \pm 1$)产生,发生多量子跃迁时 Δm 为大于 1 的整数。如果预备期不是建立单量子相干,而是建立多量子相干,这种实验得到的二维相关谱称为二维多量子相干谱。多量子 NMR 技术通过检测"禁阻"跃迁来简化复杂的一维和二维谱图,其在 MRS 和 MRI 中的应用发展迅速,已被广泛应用于多维高分辨 NMR 谱的谱图编辑和信号增强。这种技术不仅适用于像质子这种核自旋量子数 $I=1/2$ 的自旋体系,也适用于其他核自旋量子数大于 1/2 的体系。

12.8 核磁共振应用简介

12.8.1 核磁共振在有机化学中的应用

核磁共振波谱是有机化学结构研究中最有用的工具之一。在有机化学领域中,核磁共振可以解决许多方面问题。比如结构的测定和确证;异构体的区分和测定;立体化学;互变现象的研究以及反应历程和机理的探讨。除了阐明结构以外,NMR 波谱对考察各种瞬时过程,如化学交换、分子内重排也是特别有效。

12.8.2 核磁共振在聚合物研究中的应用

自 20 世纪 60 年代以来,核磁共振波谱已广泛应用于聚合物的分析。高分辨 NMR 技术已成为一种分析聚合物的微观化学结构,构象和弛豫现象等非常有效的手段。例如,大分子结构的不规整性、链单元分布、支化度、等规度和几何异构,聚合过程机理和动力学参数等测定方面的应用。而宽谱线的 NMR 却利用谱线的宽度、形状等来获取有关链结构、立体规整性以及相转变、结晶度、取向变化和其他交联过程中的化学变化等有关信息。

12.8.3 核磁共振在石油化学中的应用

核磁共振在石油和燃料工业中的应用开始于 20 世纪 50 年代。并且这种应用日趋广泛和重要。NMR 能够提供原油和精炼产品中化合物的化学组成及结构信息。在 NMR 获得应用的初期就是能够鉴定烷基汽油中两种类型氢和催化裂解中得到的环状物和沥青中三种类型氢的分析。进一步的应用是研究原油的馏分,包括高沸点原油的组成和低沸点原油中润滑油结构的分析,以及沥青芳香度,取代百分比和平均碳骨架的组成分析。而且在钻井及石油勘测中,NMR 技术越来越受到重视。

12.8.4 核磁共振在生命化学中的应用

生命现象复杂多变,生物大分子在溶液态的多变结构与生命活动紧密相关。NMR 新技术的发展,特别是二维 NMR 技术的迅速、全面发展,开辟了解析高分子量蛋白质、核酸、糖类等生命物质的新天地。

思考、练习题

12-1　下列原子核的自旋量子数分别为多少？哪些核不是磁性核？

$^1H, ^2H, ^6Li, ^7Li, ^9Be, ^{11}B, ^{12}C, ^{13}C, ^{14}N, ^{15}N, ^{16}O, ^{17}O, ^{32}S, ^{33}S$

（自旋量子数分别是：$1/2,1,1,3/2,3/2,3/2,0,1/2,1,1/2,0,5/2,0,3/2$。$^{12}C$ 和 ^{32}S
不是磁性核）

12-2　自旋量子数为 3/2 的核有几种空间取向？

（$3/2,1/2,-1/2,-3/2$ 四种空间取向）

12-3　什么是核磁共振？核磁共振定性和定量分析的依据是什么？

12-4　什么是化学位移？

12-5　^{13}C NMR 的化学位移和 ^1H NMR 有何差别？在解析谱图时有什么优越性？

12-6　测定化合物结构一般需要用到哪些二维谱？它们各自有什么作用？

12-7　H_2O 在 100 MHz 核磁共振谱仪上 ^1H NMR 化学位移 δ 为 4.80，请问用 500 MHz
仪器时化学位移是多少？

（4.80）

12-8　指出下列化合物中各质子峰的裂分数。

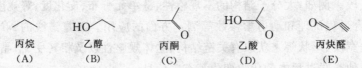

丙烷　　　乙醇　　　丙酮　　　乙酸　　　丙炔醛
（A）　　　（B）　　　（C）　　　（D）　　　（E）

[（A）3,16,3；（B）4,3；（C）2,4；（D）1；（E）2,6,2]

12-9　某化合物的分子式 $C_4H_8Br_2$，其 ^1H NMR 谱图如图 12-19，试推断其结构。

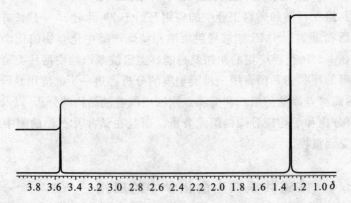

图 12-19　分子式为 $C_4H_8Br_2$ 的化合物的 ^1H NMR 谱图

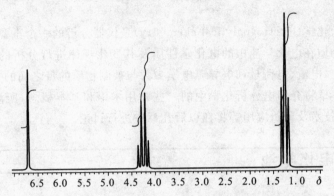

12-10 某化合物的分子式 $C_8H_{12}O_4$，其 ^1H NMR 谱图如图 12-20 所示，试推断其结构。

图 12-20 分子式为 $C_8H_{12}O_4$ 的化合物的 ^1H NMR 谱图

参考资料

[1] 梁晓天. 核磁共振高分辨氢谱的解析和应用. 北京:科学出版社，1982.

[2] 沈其丰. 一维核磁共振碳谱. 北京:北京大学出版社，1988.

[3] 严宝珍. 核磁共振在分析化学中的应用. 北京:化学工业出版社，1995.

[4] Ernst R R. 一维和二维共振原理. 毛希安，译. 北京:科学出版社，1997.

[5] Terence N. Mitchell, Burkhard Costisella. NMR——from spectra to structures: an experimental approach. Berlin, New York: Springer, 2004.

第13章 电分析化学导论

电分析化学(electroanalytical chemistry)是仪器分析的一个重要组成部分。它是基于物质在电化学池中的电化学性质及其变化规律进行分析的一种方法，通常以电位、电流、电荷量和电导等电学参数与被测物质的量之间的关系作为计量基础。本章将介绍电分析化学中的一些常用术语和基本概念，所涉及的方法原理、测试技术及分析应用等将在以后几章中进行讨论。

13.1 电化学池

电化学池(electrochemical cells)通常简称为电池，它是指两个电极被至少一个电解质相所隔开的体系。考察单个界面上发生的电化学现象在实验上是困难的，实际上，必须研究电化学池的多个界面集合体的性质。就电化学体系而言，电极上的电荷转移是通过电子(或空穴)运动实现，在电解液相中电荷迁移是通过离子运动进行的，这就涉及一些基本概念。

13.1.1 电化学池的类型

有 Faraday(法拉第)电流流过的电化学池通常分为原电池(或自发电池，galvanic cell)和电解池(electrolytic cell)。它们是属于两种相反的能量转换装置，原电池中电极上的反应是自发地进行，利用电池反应产生的化学能转变为电能，如常见的一次电池(不可充电的电池，如 $Zn-MnO_2$ 电池)、二次电池(可充电的电池，如 $Pb-PbO_2$ 蓄电极)和燃料电池(H_2-O_2 电池)。电解池是由外加电源强制发生电池反应，以外部供给的电能转变为电池反应产物的化学能，如电镀、电解和铅酸蓄电极的充电过程等。

图 13-1(a)和(b)所示的铜锌电池是典型的自发电池。将锌片与铜片浸入 $CuSO_4$ 和 $ZnSO_4$ 的混合溶液中，构成一种无液体接界的自发电池[图 13-1(a)]；而将锌片与铜片分别浸入 $ZnSO_4$ 与 $CuSO_4$ 溶液中，两溶液用盐桥(氯化钾-琼脂凝胶)连接，便构成了有液体接界的自发电池[图 13-1(b)]。两电极之间用金属导线连通，在电流计上就有电流通过。电流是由于自发电池中的化学反应而产生的，两电极上的化学反应如下：

$$Zn \longrightarrow Zn^{2+} + 2e^-$$

$$Cu^{2+} + 2e^- \Longrightarrow Cu$$

电池的总反应为

$$Zn + Cu^{2+} \Longrightarrow Zn^{2+} + Cu$$

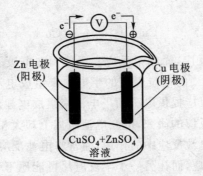

（a）无盐桥原电池

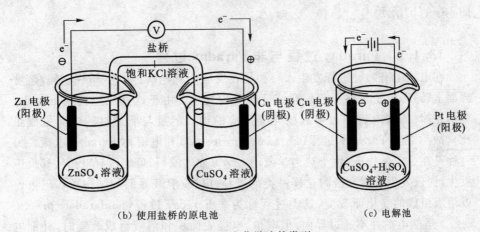

（b）使用盐桥的原电池　　　　　　　　（c）电解池

图 13-1　电化学池的类型

可见,自发电池是利用氧化还原反应来产生电流的装置。它由两个电极组成,在一个电极上发生氧化反应,称作阳极;另一个电极上发生还原反应,称作阴极。电子是从阳极通过外电路流向阴极,所以阳极作为负极,阴极作为正极。习惯上又人为地规定电流的方向与电子流动的方向相反,即电流是从正极通过外电路流向负极。

若电池与一外加电源相连,当外加电源的电动势大于电池的电动势,电池接受电能而充电,电池就成为电解池,如图 13-1(c)所示。这时阳极作为正极,阴极作为负极。

任何自发电池都有一定值的电动势。电池电动势的产生是由于两个不同的相界处具有电位差。两个电极各与其溶液界面之间存在的电位差,称为电极电位。而溶液与溶液面之间存在的电位差则称为液体接界电位,简称液接电位。液体接界电位的数值很小,使用盐桥可以消除或忽略液接电位。

从图 13-1 可以发现,在原电池和电解池的阴极上都存在一个共同的电极反应:

$$Cu^{2+} + 2e^- \longrightarrow Cu$$

上述反应称为半电池反应,简称半反应。要使铜在电极表面沉积,对原电池来说,需要一个比 Cu/Cu²⁺ 的电位更负的半电池来组成电池。而对电解池来说,需要一个能为上述半反应提供电子的半电池来组成电池。虽然,原电池和电解池都可以用于同一半反应的研究,但在电池组成上却大相径庭。为了研究半反应的性质及其在整个电池反应中的作用,通常将电池反应分成单个过程加以考虑,即先研究一个半反应,而让另一个半反应尽可能地不引起干扰。为此,一般需要将两个半反应隔离开,即用盐桥将两个半反应连接起来以构成电流回路,如图 13-1(b) 所示。

13.1.2　Faraday 过程与非 Faraday 过程

在电极上有两种过程发生。一种是在反应中有电荷(如电子)在金属/溶液界面上转移,电子转移引起氧化或还原反应发生。由于这些反应遵循 Faraday 电解定律(即因电流通过引起的化学反应的物质的量与所通过的电荷量成正比),故称之为 Faraday 过程(Faradaic processes),其电流称 Faraday 电流。另一种是在一定条件下,由于热力学或动力学方面的原因,可能没有电荷转移反应发生,而仅发生吸附和脱附这样一类的过程,电极/溶液界面的结构可以随电位或溶液组成的变化而改变,这类过程称为非 Faraday 过程(nonfaradaic processes)。虽然电荷并不通过界面,但电位、电极表面积和溶液组成改变时,外部电流也可以通过(至少瞬间地)。电极反应发生时,Faraday 和非 Faraday 过程通常都会发生。虽然在研究某个电极反应时,一般考虑的是 Faraday 过程,但有时也需考虑非 Faraday 过程的影响。

13.2　电极/溶液界面双电层

将电极插入电解质溶液,在电极和溶液之间会有一个界面。无论是原电池还是电解池,各种电化学反应都是发生在这一极薄的界面层内。因此,要研究这些反应,首先要了解电极和溶液间的界面层的结构和性质。

13.2.1 双电层的结构及性质

对于电极和溶液界面,若金属电极带正电荷,这些正电荷都会排布在金属相的表面上。在界面另一侧(与金属电极相邻的电解质溶液层),受静电力的作用,液相中带负电荷的离子会趋于紧靠电极表面,而带正电荷的离子受排斥而远离电极表面。这样,在电极和溶液界面,各自带上数量相等、符号相反的过剩电荷,形成了类似于电容器的所谓双电层结构,如图 13-2 所示。双电层中两荷电层之间的距离非常小,所涉及的电位差约在 $0.1\sim1$ V 之间,因而产生的电场强度非常大。对于一个电极反应来说,它涉及电荷在相间的转移,在大的电场强度作用下,其电极反应的速率必将受到很大的影响。基于此,实验中通过控制电极电位可以有效地改变电极反应的速率和方向。不难理解,通过改变电极材料的物理性质和化学组成,也会改变双电层的结构和性质,从而影响电极反应。

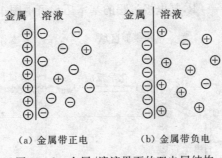

(a) 金属带正电　　　　(b) 金属带负电

图 13-2　金属/溶液界面的双电层结构

13.2.2 充电电流

要想考察电化学体系的一些现象,或者要想获得某些物质氧化还原的信息,通常的办法是向体系施加电扰动(即改变电极的电位)并观测由此引起的体系特性的变化。这种电扰动方法包括电位阶跃、线性电位扫描及脉冲技术等,参见第 15 章。

前面已提及,电极表面双电层类似一个电容器,当向体系施加电扰动的时候,双电层所负载的电荷会发生相应改变,从而导致电流的产生,这一部分电流称为充电电流。如果溶液中存在可氧化还原的物质,而且这种电扰动又足够引起其氧化还原反应,显然,这时流经电回路中的电流包括两种成分,即 Faraday 电流与充电电流,后者属于非 Faraday 电流。可见,外电路中的电子在到达电极表面后,可以参加氧化还原反应形成 Faraday 电流,同时也因界面双电层充电而形成非 Faraday 电流。

电化学测定体系犹如一个 RC 电路,假设线路电阻和电解池电阻的总和为 R,电极/溶液界面双电层电容为 C,向体系施加的电位阶跃的值为 E,根据电子

学知识,这时所引起的充电电流 i_c 为

$$i_c = \frac{E}{R} e^{-t/(RC)} \tag{13-1}$$

由上式可见,施加一个电位阶跃,充电电流随时间成指数衰减,其时间常数为 RC。若体系中电阻 $R=1\ \Omega$,电容 $C=20\ \mu F$,在 $t=20\ \mu s$ 时,电流将衰减至初始值的 37%;而在 $t=60\ \mu s$ 时,电流衰减至初始值的 5%。正是基于充电电流随时间迅速衰减的特征,脉冲技术才得以发展。

13.3 电极过程的基本历程

电极过程是指电极和溶液界面上发生的一系列变化的总和。因此,电极过程并不是简单的化学反应,而是一些性质不同的单元步骤串联组成的复杂过程。对于电极反应 $O + ne^- \rightleftharpoons R$,其电极过程的基本历程可由图 13-3 表示,它包括:

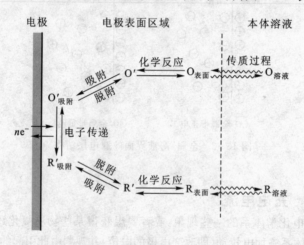

图 13-3 电极过程的反应途径

(1)反应物通过扩散、对流和电迁移等传质方式向电极表面传递。这一步骤称为液相物质传递步骤。

(2)反应物在电极表面层中进行某些转化,如吸附或其他化学变化。这类过程通常没有电子参与反应。这一步骤称为前置的表面转化步骤。

(3)反应物在电极和溶液界面进行电子交换,生成反应产物。这一步骤称为电子传递步骤。

(4)反应产物在电极表面层中进行某些转化,如脱附、反应产物的复合和分解等化学变化。这一步骤称为随后的表面转化步骤。

(5)反应产物生成新相,例如结晶、生成气体等。或者,反应产物是可溶性

的,产物粒子从电极表面向溶液中或液态电极内部传递。这一过程也称为物质传递步骤。

任何一个电极过程都包括上述 1、3、5 三个步骤。而许多实际电极过程除上述五个步骤外,还可能更复杂,除了串联进行的单元步骤外,有可能包含平行进行的单元步骤。很明显,其中速率最慢的一步控制着整个电极过程的速率,这就形成了所谓的物质传递控制或电子传递控制的电极过程。

13.4 电化学池的图解表达式

13.4.1 电位符号

IUPAC 推荐电极的电位符号的表示方法如下:

(1) 反应写成还原过程:

$$O + ne^- \rightleftharpoons R$$

(2) 规定电极的电极电位符号相当于该电极与标准氢电极组成的电池时,该电极所带的静电荷的符号。如 Cu 与 Cu^{2+} 组成电极并和标准氢电极组成电池时,金属 Cu 带正电荷,则其电极电位为正值;Zn 与 Zn^{2+} 组成电极并和标准氢电极组成电池时,金属 Zn 带负电荷,则其电极电位为负值。

13.4.2 电池的图解表达式

上述铜锌电池的图解表达式为

$$Zn \mid ZnSO_4(0.1 \text{ mol} \cdot L^{-1}) \parallel CuSO_4(0.1 \text{ mol} \cdot L^{-1}) \mid Cu$$

电池图解表达式的规定如下:

(1) 规定左边的电极上进行氧化反应,右边的电极上进行还原反应。

(2) 电极的两相界面和不混溶的两种溶液之间的界面,都用"|"表示。当两种溶液通过盐桥连接已消除液接电位时,则用双虚线"┊"表示。当同一溶液中同时存在多种组分时,用逗号","隔开。

(3) 电解质位于两电极之间。

(4) 气体或均相的电极反应,反应物质本身不能直接用作电极,要用惰性材料(如铂、金或碳等)作电极,以传导电流。

(5) 电池中的溶液应标明浓(活)度。如有气体,则应标明压力、温度。如不注明,系指 25 ℃ 及 100 kPa(标准状态)。例如:

$$Zn \mid Zn^{2+}(0.1 \text{ mol} \cdot L^{-1}) \parallel H^+(0.1 \text{ mol} \cdot L^{-1}) \mid H_2(100 \text{ kPa}), Pt$$

　　根据电极反应的性质来区分阳极和阴极,凡是起氧化反应的电极为阳极,起还原反应的电极为阴极。另外,根据电极电位的正负程度来区分正极和负极,即比较两个电极的实际电位,凡是电位较正的电极为正极,电位较负的电极为负极。

　　电池电动势的符号取决于电流的流向。如上述铜锌电池短路时,在电池内部的电流流向是从左向右(即电流从右边阴极流向左边阳极),电池反应为

$$Zn + Cu^{2+} \Longrightarrow Zn^{2+} + Cu$$

反应能自发进行,这是原电池,电动势为正值。

　　反之,如果电池改写为

$$Cu \mid Cu^{2+}(0.1 \text{ mol} \cdot L^{-1}) \mid\mid Zn^{2+}(0.1 \text{ mol} \cdot L^{-1}) \mid Zn$$

电池反应则为

$$Zn^{2+} + Cu \Longrightarrow Zn + Cu^{2+}$$

该电极不能自发进行,必须外加能量,这是电解池,电动势为负值。

　　电池电动势规定为右边电极的电位减去左边电极的电位,即

$$E_{电池} = E_右 - E_左$$

13.5　电极电位

13.5.1　电极电位的测定

　　电池都是由至少两个电极组成的,根据它们的电极电位,可以计算出电池的电动势。但是目前还无法测量单个电极的电位绝对值,而只能使另一个电极标准化,通过测量电池的电动势来获得其相对值。例如,下列饱和甘汞电极的电位值

$$Hg \mid Hg_2Cl_2 \mid KCl(饱和水溶液)$$

就是这样测得的。国际上承认并推荐的是以标准氢电极(standard hydrogen electrode,SHE)作为标准,即人为地规定下列电极的电位为零:

$$Pt \mid H_2(p=100 \text{ kPa}) \mid H^+(\alpha=1)$$

将它与饱和甘汞电极组成电池,所测得的电池电动势即为饱和甘汞电极的电极电位。可见,目前通用的标准电极电位值都是相对值,并非绝对值。

　　应该注意的是,当测量的电流较大或溶液电阻较高时,一般测量值中常包含

有溶液的电阻所引起的电压降 iR，所以应当加以校正。

各种电极的标准电极电位，都可以用上述方法测定。但还有许多电极的标准电极电位不便用此法测定，此时可以根据化学热力学的原理，从有关反应自由能的变化中进行计算求得。

13.5.2 标准电极电位与条件电位

对于可逆电极反应 $O + ne^- \rightleftharpoons R$，用 Nernst 公式表示电极电位与反应物活度之间的关系为

$$E = E^{\ominus} + \frac{RT}{nF} \ln \frac{a_O}{a_R} \qquad (13-2)$$

若氧化态活度和还原态活度均等于 1，此时的电极电位即为标准电极电位（$E^{\ominus}$）。25 ℃时，上式可写成

$$E = E^{\ominus} + \frac{59.2}{n} \lg \frac{a_O}{a_R} \ (\text{mV}) \qquad (13-3)$$

活度是活度系数与浓度的乘积，则式(13-3)变为

$$E = E^{\ominus} + \frac{RT}{nF} \ln \frac{\gamma_O}{\gamma_R} + \frac{RT}{nF} \ln \frac{[O]}{[R]} \qquad (13-4)$$

前两项以 $E^{\ominus\prime}$ 表示，即

$$E^{\ominus\prime} = E^{\ominus} + \frac{RT}{nF} \ln \frac{\gamma_O}{\gamma_R} \qquad (13-5)$$

故

$$E = E^{\ominus\prime} + \frac{RT}{nF} \ln \frac{[O]}{[R]} \qquad (13-6)$$

$E^{\ominus\prime}$ 是氧化态与还原态的浓度均等于 1 时的电极电位，称为条件电位。

显然，条件电位随反应物质的活度系数不同而不同，它受离子强度、络合效应、水解效应和 pH 等条件的影响。所以，条件电位是与溶液中各电解质成分有关的、以浓度表示的实际电位值。在分析化学中，溶液中除了待测离子以外，一般尚有其他物质存在，它们虽不直接参加电极反应，但常常显著地影响电极电位，因此使用条件电位比标准电极电位更具实际应用价值。

13.5.3 电极电位与电极反应的关系

对于一个已知的电化学反应，在某些电位区间没有电流，而在另一些电位区

间产生不同程度的电流。可见,电化学反应的一个显著特点是反应能否进行与电极电位有关,因此,通过改变电极电位就能影响或改变电极反应。

改变电极电位是如何影响电极反应的呢？假如在惰性金属电极上发生如下电极反应:

$$O + ne^- \rightleftharpoons R$$

它与电极电位有关。若 O/R 电对相对应的能量为 $E_{O/R}$,当改变电极电位时,相当于改变金属电极内电子的能量,即影响电极上最高的电子占有能级,这个能级可用 E_F 表示,电子总是从这一能级移出或转入,图 13-4 表示了电极电位变化与电极/溶液界面电子传递的关系。体系中氧化还原反应的能级 $E_{O/R}$ 是固定的,改变电极电位将使电极上的 E_F 发生改变,也就改变了电子的能量。当电极电位向更负方向移动,即 E_F 向上移动,电子的能量升高,高至一定程度时(高于 $E_{O/R}$),就使得电极为氧化态 O 提供电子,发生还原反应,如图 13-4(a)所示。同理,当电极电位向正方向移动,即 E_F 向下移动,电子的能量降低,低至一定程度时(低于 $E_{O/R}$),电解液相溶质的电子将处于比电极上更高的能极,就使得电极从还原态 R 得到电子,发生氧化反应,如图 13-4(b)所示。由此可见,电极电位的变化会改变电极反应的方向。值得指出的是,电极电位也将影响电极反应的速率或速率常数。

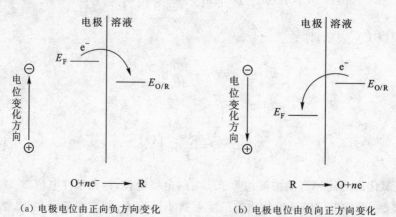

(a) 电极电位由正向负方向变化　　　　(b) 电极电位由负向正方向变化

图 13-4　电极电位对界面电子传递的影响示意图

13.6　电极的极化

处在热力学平衡状态的电极体系,氧化与还原方向的反应速率相等,总的反应速率等于零,相应的平衡电位可用 Nernst 公式计算。当有电流通过电极时,总的反应速率不等于零,即原有的热力学平衡被破坏,致使电极电位偏离平衡电位,这种现象叫做极化现象。一般来说,极化现象有两类,即电化学极化和浓差极化。所谓电化学极化是电子交换欲以一定速率进行,反应物必须获得相应量的活化能,电极电位需作相应的改变以提供这个活化能。浓差极化是电流通过时,由于电子交换反应,电极表面附近溶液层的反应物浓度低于无电流通过时的浓度(本体溶液浓度),按照 Nernst 方程,这时的电极电位会偏离平衡电位。

电流通过时,电极电位偏离平衡电位越大,极化程度就越大。如果一个电极通过无限小的电流,便引起电极电位发生很大的变化,这样的电极称作理想极化电极。若某物质(如 Pb^{2+})能在电极上发生氧化或还原反应,使电极电位维持在其平衡电位值附近,这样的物质称作去极剂。而通过电流时电极电位不随电流的变化而变化的电极称作理想的不极化电极或去极化电极,例如,具有大面积汞层的饱和甘汞电极,在通过电流较小时,就是一种理想的去极化电极。

通常,用过电位(η)表示极化程度,即某一电流密度下电极电位(E)偏离平衡电位(E_{eq})的大小:

$$\eta = E - E_{eq} \tag{13-7}$$

对于阴极反应,称为阴极过电位;对于阳极反应,称为阳极过电位。

13.7 电化学电池中的电极系统

所谓电化学电池中的电极系统,是指电分析化学实验中通常用到的两电极或三电极的测试体系,这里有必要先了解各种电极的名称及其用途。

13.7.1 工作电极、参比电极、辅助电极与对电极

1. 工作电极(working electrode)或指示电极(indicator electrode)

这类电极是实验中要研究或考察的电极,它在电化学池中能发生所期待的电化学反应,或者对激励信号能作出响应的电极。在电分析中,电极上所出现的电学量(如电流、电位)的改变能反映待测物浓度(或活度)。一般来说,将用于平衡体系,或在测量过程中本体浓度不发生可觉察变化体系的电极称为指示电极,如离子选择电极。如果有较大的电流通过电池,本体浓度发生显著改变,则相应的研究电极称为工作电极。

2. 参比电极(reference electrode)

在测量过程中其电极电位几乎不发生变化的电极。为了方便地研究工作电极,就要使电池的另一半标准化,通常是使用由一个组分恒定的相构成参比电极,这样,测量时电池电动势的变化就直接反映出工作电极或指示电极的电极电

位的变化。

3. 辅助电极(auxiliary electrode),又称对电极(counter electrode)

辅助电极又常称对电极,它是提供电子传导的场所,与工作电极、参比电极组成三个电极系统的电池,并与工作电极形成电流通路。辅助电极面积一般较大,通过降低电极上的电流密度,使其在测量过程中基本上不被极化。

13.7.2　二电极与三电极系统

二电极和三电极系统的电路如图 13-5 所示。当通过电池的电流很小时,一般直接由工作电极和参比电极组成电池(即二电极系统),如直流极谱(见第12 章)。但是,当通过的电流较大时,参比电极将不能负荷,其电极电位不再稳定,或体系(如电解质溶液)的 iR 降变得很大,难以克服。此时除工作电极、参比电极外,另用一个辅助电极(或称对电极)来构成所谓的三电极系统。辅助电极一般为铂丝电极。电流通过工作电极和辅助电极组成的回路。而由工作电极与参比电极组成另一个电位监测回路,此回路中的阻抗甚高,所以实际上没有明显的电流通过。这样,就可以实时地显示电解过程中工作电极的电位。同时,监测回路还可以通过反馈给外加电路的信息来调整外加电压,使工作电极的电位按一定方式变化,如随时间线性地变化等,使测量或控制工作电极的电位易于实现。

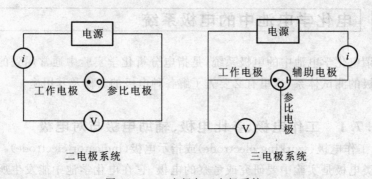

图 13-5　二电极与三电极系统

13.8　电流的性质和符号

IUPAC 将阳极电流和阴极电流分别定义为在工作电极上起纯氧化和纯还原反应所产生的电流。规定阳极电流为正值,阴极电流为负值,这与传统的习惯相反,过去前者定义为负值,后者为正值。但是,国内外相关文献均未接受这一推荐,因此本书仍按过去习惯,即阴极电流为正值,阳极电流为负值。

13.9 电分析化学方法概述

电分析化学近年发展非常迅速,各类新的电分析化学方法与技术不断出现,为此,新近的教科书通常将电分析化学方法分为表面电分析化学技术与极谱法两大类,表面电分析化学技术主要包括静态法和动态法,其主要测试方法如图13-6所示。而传统上,人们习惯根据测定电学参量的不同对电分析化学方法分类。我们在这里将分别进行讨论。

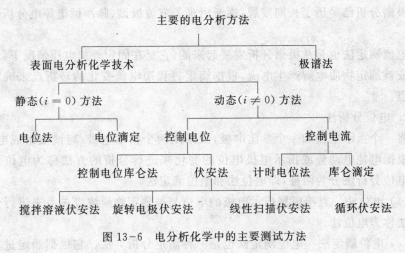

图 13-6 电分析化学中的主要测试方法

13.9.1 静态和动态测试方法

由图13-6可以看出,静态法和动态法是电分析化学中最重要的两种测试方法:

(1)静态方法,即平衡态或非极化条件下的测量方法。在电分析化学测量过程中,体系没有电流通过,如电位法和电位滴定法。或者即使有电流通过,但电流很小。

(2)动态方法,即有电流通过或极化条件下的测量方法。当电流刚开始通过,电极体系的参量(如浓度分布、电流和电极电位等)均在不断变化时所实现的测量方法。在电分析化学中,为了实现快速分析,动态测量方法得到了广泛的应用,如伏安法、计时电位法等。

13.9.2 电分析化学方法的分类

前面已提及,电分析化学是以电位、电流、电荷量和电导等电学参数与被测物质之间的关系作为计量的基础。根据所测量的电学量的不同,传统上将电分析化学方法分为以下几类。

1. 伏安法(voltammetry)和极谱法(polarography)

所谓伏安法,是指用电极电解被测物质溶液,根据所得到的电流－电压曲线来进行分析的方法。

这类方法根据工作电极的不同可以分为两种:一种是用滴汞电极作为工作电极,其表面作周期性的更新,称为极谱法,它是最早的电分析化学方法。另一类是用表面积固定或者用固态电极作为工作电极,如悬汞滴电极、玻璃碳电极、铂电极等,称为伏安法。可以认为极谱法是一种特殊的伏安法。

极谱分析已经历了长期发展,逐渐出现了方波极谱、脉冲极谱等电分析化学方法。

电流滴定法也是从极谱分析发展起来的,它是在固定外加电压情况下,使滴定剂或被滴定物质电解产生电流,根据滴定过程中电流变化的转折点来确定滴定终点。

2. 电位分析法

将一个指示电极和一个参比电极,或采用两个指示电极,与试液组成电池,然后根据电池电动势或指示电极电位的变化来进行分析的方法称为电位分析法。电位分析法分为两种,即电位法和电位滴定法。

(1) 电位法　直接根据指示电极的电位与被测定物质浓度关系来进行分析的方法称为电位法。

(2) 电位滴定法　电位滴定法也是一种滴定分析方法。它根据滴定过程中指示电极电位的变化来确定终点。滴定时,在化学计量点附近,由于被测物质的浓度产生突变,使指示电极电位发生突跃,从而确定滴定终点。

3. 电解和库仑分析法

使用外加电源电解试液,电解完成后直接称量电极上析出的被测物质的质量来进行分析的方法称为电重量法。如果将电解的方法用于物质的分离,则称为电解分离法。如果是根据电解过程中所消耗的电荷量来进行分析,则称为库仑分析法。库仑分析法分为两种:控制电流库仑分析法和控制电位库仑分析法。

库仑分析的基础是 Faraday 电解定律,要求以 100％的电流效率电解试液,产生某一试剂与被测物质进行定量的化学反应,或直接电解被测物质。库仑滴定时的化学计量点可借助于指示剂或电分析化学方法来确定,这样根据化学计量点时电解过程所消耗的电荷量,可求得被测物质的含量。如果电解过程中保持电流恒定,则称为库仑滴定法;若控制工作电极的电位恒定,则称为恒电位库仑分析法。

4. 电导分析法

根据溶液的电导性质来进行分析的方法称为电导分析法。电导分析法包括电导法和电导滴定法。

(1) 电导法 直接根据溶液的电导(或电阻)与被测离子浓度的关系进行分析的方法称为电导法。电导(G)是电阻的倒数,其单位是 S(西[门子])。摩尔电导(Λ_m)是含有 1 mol 电解质的溶液在距离为 1 m 的两电极间所具有的电导,单位为 $S \cdot m^2 \cdot mol^{-1}$。

$$\Lambda_m = \frac{A}{l}\kappa = \kappa V_m = \frac{\kappa}{c} \tag{13-8}$$

κ 为电导率($S \cdot m^{-1}$),l 为导体的长度,A 是其截面积。如在一对表面积为 $A(m^2)$,相距 $l(m)$ 的电极上进行测定($\theta = l/A$,称为电导池常数),则电导为

$$G = \frac{A}{l}\kappa = \frac{A_m c}{\theta} \tag{13-9}$$

当溶液无限稀释时,摩尔电导达到一极限值 Λ_m^∞,Λ_m^∞ 称为无限稀释摩尔电导或极限摩尔电导。在一定温度及一定溶剂中是一个定值,与溶液中共存的其他离子无关。故

$$\Lambda_m^\infty = \sum \Lambda_{m_i}^\infty \tag{13-10}$$

$$G = \frac{1}{\theta}\sum c_i \Lambda_{m_i} \tag{13-11}$$

式中 c_i 为离子 i 的物质的量浓度,Λ_{m_i} 为其摩尔电导。

电导法主要应用于水质纯度的鉴定以及生产中某些中间流程的控制及自动分析。如水质纯度的鉴定时,由于纯水中的主要杂质是一些可溶性的无机盐类,所以电导率常作为水质纯度的指标。普通蒸馏水的电导率约为 2×10^{-4} $S \cdot m^{-1}$(电阻率约为 5 $k\Omega \cdot m$),离子交换水的电导率小于 5×10^{-5} $S \cdot m^{-1}$(电阻率大于 20 $k\Omega \cdot m$)。

(2) 电导滴定法 电导滴定法是一种滴定分析方法。它根据溶液电导的变化确定滴定终点。滴定时,滴定剂与溶液中被测离子生成水、沉淀或其他难解离的化合物,从而使溶液的电导发生变化,利用化学计量点时出现的转折来指示滴定终点。

13.9.3 电分析化学方法的特点

电分析化学是分析化学领域中发展迅速、应用日益广泛的学科分支。与其他的分析方法相比,电分析化学法具有许多显著的特点,主要有:

(1) 分析速度快,如伏安或极谱分析法可以一次同时测定多种被分析物。

(2) 灵敏度高,可用于痕量甚至超痕量组分的分析,如脉冲极谱、溶出伏安等方法都具有非常高的灵敏度,可测定浓度低至 10^{-11} $mol \cdot L^{-1}$、含量为 10^{-9} 量级的组分。

（3）所需试样的量较少，试样的预处理手续一般也比较简单。所使用的仪器简单、经济，且易于实现自动控制。

（4）由于电分析化学法测量所得到的值是物质的活度而非浓度，从而在生理、医学上有较为广泛的应用。电分析化学法适用于进行微量操作，如微型电极，可直接刺入生物体内，测定细胞内原生质的组成，适用于活体分析和监测。

（5）电分析化学法可用于各种化学平衡常数的测定以及化学反应机理的研究。

思考、练习题

13-1　为什么不能测定电极的绝对电位？我们通常使用的电极电位是如何得到的？

13-2　能否通过测定电池电动势求得弱酸或弱碱的电离常数、水的离子积、溶度积和络合物的稳定常数？试举例说明。

13-3　电化学中的氧化还原反应与非电化学的氧化还原反应有何区别？

13-4　充电电流是如何形成的？它与时间的关系有何特征？能否通过降低或消除充电电流来发展灵敏的电分析方法。

13-5　写出下列电池的半电池反应及电池反应，计算其电动势，并标明电极的正负。

(1) $Zn|ZnSO_4(0.100 \text{ mol·L}^{-1}) \| AgNO_3(0.010 \text{ mol·L}^{-1})|Ag$

$E_{Zn^{2+},Zn}^{\ominus}=-0.762 \text{ V}, E_{Ag^+,Ag}^{\ominus}=+0.80 \text{ V}$

(1.474 V)

(2) $Pt\left|\begin{matrix} VO_2^+ (0.001 \text{ mol·L}^{-1}) \\ VO^{2+}(0.010 \text{ mol·L}^{-1}) \end{matrix}, HClO_4(0.100 \text{ mol·L}^{-1}) \right\| HClO_4(0.100 \text{ mol·L}^{-1}),$

$\begin{matrix} Fe^{3+}(0.020 \text{ mol·L}^{-1}) \\ Fe^{2+}(0.002 \text{ mol·L}^{-1}) \end{matrix}\left|Pt\right.$

$E_{VO_2^+,VO^{2+}}^{\ominus}=+1.00 \text{ V}, E_{Fe^{3+},Fe^{2+}}^{\ominus}=+0.77 \text{ V}$

(0.006 V)

(3) $Pt, H_2(20265 \text{ Pa})|HCl(0.100 \text{ mol·L}^{-1}) \| HCl(0.100 \text{ mol·L}^{-1})|$
$Cl_2(50663 \text{ Pa}), Pt$

$E_{H^+,H_2}^{\ominus}=0 \text{ V}, E_{Cl^-,Cl_2}^{\ominus}=+1.359 \text{ V}$

(1.447 V)

(4) $Pb|PbSO_4(固), K_2SO_4(0.200 \text{ mol·L}^{-1}) \| Pb(NO_3)_2(0.100 \text{ mol·L}^{-1})|Pb$

$E_{Pb^{2+},Pb}^{\ominus}=-0.126 \text{ V}, K_{sp}(PbSO_4)=2.0\times10^{-8}$

(0.177 V)

(5) $Zn|ZnO_2^{2-}(0.010 \text{ mol·L}^{-1}), NaOH(0.500 \text{ mol·L}^{-1})|HgO(固)|Hg$

$E_{ZnO_2^{2-},Zn}^{\ominus}=-1.216 \text{ V}, E_{HgO,Hg}^{\ominus}=+0.0984 \text{ V}$

(1.355 V)

13-6　已知下列半电池反应及其标准电极电位为

$IO_3^- +6H^+ +5e^- === 1/2 \ I_2+3H_2O \qquad E^{\ominus}=+1.195 \text{ V}$

$ICl_2^- +e^- === 1/2 \ I_2+2Cl^- \qquad E^{\ominus}=+1.06 \text{ V}$

计算半电池反应：

$$IO_3^- + 6H^+ + 2Cl^- + 4e^- \rightleftharpoons ICl_2^- + 3H_2O$$

的 $E^\ominus$ 值。

(1.23 V)

13-7 已知下列半电池反应及其标准电极电位为

$Sb + 3H^+ + 3e^- \rightleftharpoons SbH_3$ $E^\ominus = -0.51$ V

计算半电池反应：

$Sb + 3H_2O + 3e^- \rightleftharpoons SbH_3 + 3OH^-$

在 25 ℃时的 $E^\ominus$ 值。

(−1.34 V)

13-8 $Hg | Hg_2Cl_2, Cl^-$(饱和)$⫴ M^{n+} | M$

上述电池为一自发电池，在 25 ℃时其电动势为 0.100 V；当 M^{n+} 的浓度稀释至原来的 1/50 时，电池电动势为 0.500 V。试求右边半电池的 n 值。

($n=2$)

13-9 试通过计算说明下列半电池的标准电极电位是相同的。

$H^+ + e^- \rightleftharpoons 1/2\ H_2$

$2H^+ + 2e^- \rightleftharpoons H_2$

13-10 已知下列半反应及其标准电极电位为

$Cu^{2+} + I^- + e^- \rightleftharpoons CuI$ $E^\ominus = +0.86$ V

$Cu^{2+} + e^- \rightleftharpoons Cu^+$ $E^\ominus = +0.159$ V

试计算 CuI 的溶度积常数。

(1.4×10^{-12})

13-11 已知 25 ℃时饱和甘汞电极的电位 $E_{SCE} = +0.244\ 4$ V，银/氯化银的电极电位 $E_{AgCl,Ag} = +0.222\ 3$ V（$[Cl^-] = 1.0$ mol·L^{-1}），当用 100 Ω 的纯电阻连接下列电池时，记录到 2.0×10^{-4} A 的起始电流，则此电池的内阻，即溶液的电阻是多少？

$Ag | AgCl | Cl^-$(1.0 mol·L^{-1})$⫴$ SCE

(13.5 Ω)

13-12 已知下列半电池反应及其标准电极电位为

$Sn^{2+} + 2e^- \rightleftharpoons Sn$ $E^\ominus = -0.136$ V

$SnCl_4^{2-} + 2e^- \rightleftharpoons Sn^{2+} + 4Cl^-$ $E^\ominus = -0.19$ V

计算络合物平衡反应：

$$SnCl_4^{2-} \rightleftharpoons Sn^{2+} + 4Cl^-$$

的不稳定常数。（25 ℃）

(1.49×10^{-2})

13-13 已知下列半电池反应及其标准电极电位为

$HgY^{2-} + 2e^- \rightleftharpoons Hg + Y^{4-}$ $E^\ominus = +0.21$ V

$Hg^{2+} + 2e^- \rightleftharpoons Hg$ $E^\ominus = +0.845$ V

计算络合物生成反应：

$$Hg^{2+} + Y^{4-} \rightleftharpoons HgY^{2-}$$

的稳定常数的 $\lg K$ 值（25 ℃）。

(21.5)

13-14　已知下列电池中溶液的电阻为 2.24 Ω，如不计极化，试计算要得到 0.030 A 的电流时所需施加的外加电源的起始电压是多少？

Pt $|$ V（OH）$_4^+$（1.04×10^{-4} mol·L^{-1}），VO^{2+}（7.15×10^{-3} mol·L^{-1}），H$^+$（2.75×10^{-3} mol·L^{-1}）$\|$ Cu^{2+}（5.00×10^{-2} mol·L^{-1}）$|$Cu

$E^{\ominus}_{\text{VO}_2^+,\text{VO}^{2+}} = +1.00$ V，$E^{\ominus}_{\text{Cu}^{2+},\text{Cu}} = +0.337$ V

(-1.95 V，-1.82 V)

13-15　已知电池

Pt$|$Fe(CN)$_6^{4-}$（3.60×10^{-2} mol·L^{-1}），Fe(CN)$_6^{3-}$（2.70×10^{-3} mol·L^{-1}）$\|$ Ag$^+$（1.65×10^{-2} mol·L^{-1}）$|$Ag

内阻为 4.10 Ω，计算 0.010 6 A 电流流过时所连接的外接电源的起始电压是多少？

$E^{\ominus}_{\text{Fe(CN)}_6^{3-},\text{Fe(CN)}_6^{4-}} = +0.36$ V，$E^{\ominus}_{\text{Ag}^+,\text{Ag}} = +0.80$ V

(0.44 V，0.36 V)

13-16　已知 Hg$_2$Cl$_2$ 的溶度积为 2.0×10^{-18}，KCl 的溶解度为 330 g·L^{-1} 溶液，$E^{\ominus}_{\text{Hg}^{2+},\text{Hg}} = +0.8$ V，试计算饱和甘汞电极的电极电位。

(0.240 V)

13-17　电导池内有两个面积为 1.25 cm^2 的平行电极，它们之间的距离为 1.50 cm，在贮满某电解质溶液后，测得电阻为 1.09 Ω，计算该溶液的电导率。

(0.110 S·m^{-1})

13-18　在 25 ℃时，用面积为 1.11 cm^2，相距 1.00 cm 的两个平行的铂黑电极来测定纯水的电阻，其理论值为多少欧姆？已知 $\Lambda^{\infty}_{\text{m,OH}^-} = 1.976 \times 10^{-2}$ S·m^2·mol^{-1} $\Lambda^{\infty}_{\text{m,H}^+} = 3.498\ 2 \times 10^{-2}$ S·m^2·mol^{-1}。

(16.4 MΩ)

参考资料

[1] 阿伦巴德 J. 电化学方法原理和应用. 邵元华，译. 北京：化学工业出版社，2005.

[2] 查全性. 电极过程动力学导论. 3 版. 北京：科学出版社，2002.

[3] 高小霞. 电分析化学导论. 北京：科学出版社，1986.

[4] IUPAC. Classification and Nomenclature of Electroanalytical Techniques(1975). Pure Appl Chem. ，1976，83(2)：45.

[5] IUPAC. Recommendations for sign Convensions and Plotting of Electrochemical Data. Pure Appl Chem. ，1976，45(2)：131.

第14章 电位分析法

14.1 概论

电位分析法(potentiometric analysis),按 IUPAC 建议是通过化学电池的电流为零的一类方法。电位分析法又分为两种,即电位法(potentiometry)和电位滴定法(potentiometric titration)。

电位法一般使用专用的指示电极,如离子选择电极,把被测离子的活(浓)度通过毫伏电位计显示为电位(或电动势)读数,由 Nernst 方程求算其活(浓)度。也可以把电位计设计为有专用的控制挡,能直接显示出活度相关值,如 pH。而电位滴定法相似于化学滴定分析法,仅是利用电极电位在化学计量点附近的突变来代替指示剂的颜色变化确定滴定终点。被测物质含量的求得方法与化学滴定法完全相同。

无论是电位法,还是电位滴定法,测量体系都需要有两个电极与测量溶液直接接触,其相连导线又与电位计连接构成一个化学电池通路。电位分析法测量装置如图 14-1 所示。其中一支电极称为指示电极,响应被测物质活度,其结果能在毫伏电位计上读得。另一支电极称为参比电极,其电极电位值恒定,不随被测溶液中物质活度变化而变化。

理想的指示电极具有能够快速、稳定、有选择性地响应被测离子,并且有好的重现性和长的寿命。电位分析法指示电极种类繁多,但可大致分为两大类:即,在电极上能发生电子交换的和不发生电子交换的。前者一般系指金属基指示电极(metallic indicator electrode),后者为离子选择电极(ion-selective electrode,ISE)。

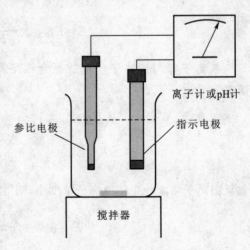

图 14-1 电位分析法测量装置示意图

14. 2 电位分析法指示电极的分类

电位分析法通常使用的指示电极,可以划分为如下类型:

14. 2. 1 第一类电极

指金属电极与其金属离子溶液组成的体系,其电极电位决定于该金属离子的活度。

$$M^{n+} + ne^- \rightleftharpoons M$$

$$E = E^{\ominus}_{M^{n+}/M} + \frac{0.059\,2}{n} \lg a_{M^{n+}} \tag{14-1}$$

这类金属电极主要有 Ag,Cu,Zn,Cd,Pb,Hg 等。对这类电极的要求是在溶液里不能被介质氧化放出氢气。一般说条件电位大于零者,都可作电极使用。

14. 2. 2 第二类电极

系指金属及其难溶盐(或络离子)所组成的电极体系。它能间接反映与该金属离子生成难溶盐(或络离子)的阴离子的活度。例如银-氯化银电极可指示氯离子的活度。

$$AgCl + e^- \rightleftharpoons Ag + Cl^-$$

$$E = E^{\ominus}_{AgCl/Ag} - \frac{RT}{F} \ln a_{Cl^-} \tag{14-2}$$

氰离子能与银离子生成二氰合银络离子,因此,银电极可指示氰离子的活度。

$$Ag(CN)_2^- + e^- \rightleftharpoons Ag + 2CN^-$$

$$E = E^{\ominus}_{Ag(CN)_2^-/Ag} + \frac{RT}{F} \ln \frac{a_{Ag(CN)_2^-}}{a_{CN^-}^2} \tag{14-3}$$

如果银离子浓度一定较氰离子浓度小,则可视二氰合络离子的活度为常数,于是

$$E = 常数 - \frac{RT}{2F} \ln a_{CN^-} \tag{14-4}$$

这类电极,像银-氯化银电极和甘汞(Hg/Hg_2Cl_2)电极,通常制作成参比电极。因为制作简单,使用方便,符合参比电极的性能要求,已代替了标准氢电极广泛使用。

14.2.3 第三类电极

是指金属与两种具有共同阴离子的难溶盐或难解离的络离子组成的电极体系,典型例子是草酸根离子与银离子和钙离子生成难溶盐,如果两种盐的溶液是过饱和的,游离的钙离子可用银电极测定。电极图解式为

$$Ag \mid Ag_2C_2O_4, CaC_2O_4 \quad Ca^{2+}$$

由难溶盐的溶度积,可推得

$$a_{Ag^+} = \left[\frac{K_{sp(1)}}{a_{c_2o_4^{2-}}} \right]^{\frac{1}{2}}$$

$$a_{c_2o_4^{2-}} = \frac{K_{sp(2)}}{a_{Ca^{2+}}}$$

$$a_{Ag^+} = \left[\frac{K_{sp(1)}}{K_{sp(2)}} a_{Ca^{2+}} \right]^{\frac{1}{2}}$$

代入银电极的 Nernst 方程,$E = E_{Ag^+/Ag}^{\ominus} + 0.0592 \lg a_{Ag^+}$,可得

$$E = E_{Ag^+/Ag}^{\ominus} + \frac{0.0592}{2} \lg \frac{K_{sp(1)}}{K_{sp(2)}} + \frac{0.0592}{2} \lg a_{Ca^{2+}}$$

$$E = 常数 - \frac{RT}{2F} \ln a_{Ca^{2+}} \tag{14-5}$$

在电位滴定中,金属离子与 EDTA 滴定反应,常用 Hg/Hg-EDTA 电极(pM)来作指示电极。电极反应可表示为

$$Hg \mid HgY^{2-}, MY^{2-}, M^{n+}$$

$$E = E_{Hg^{2+}/Hg}^{\ominus} + \frac{0.0592}{n} \lg \frac{K_M}{K_{Hg}} + \frac{0.0592}{n} \lg \frac{a_{HgY}}{a_{MY}} + \frac{0.0592}{n} \lg a_{M^{n+}}$$

在滴定终点附近,[HgY]/[MY]维持不变,所以

$$E = 常数 + \frac{0.0592}{n} \lg a_{M^{n+}} \tag{14-6}$$

14.2.4 零类电极

系指惰性金属电极,Pt,Au,C 等。它能指示同时存在于溶液中的氧化-还原态活度的比值,也可用于有气体参与的电极反应。这类电极本身不参与电极反应,仅作为氧化-还原电对在其上交换电子的媒介,又同时起传导电流的作用。

例如:

$$Pt \mid Fe^{3+}, Fe^{2+}$$

$$E = E_{Fe^{3+}/Fe^{2+}}^{\ominus} + \frac{RT}{F} \ln \frac{a_{Fe^{3+}}}{a_{Fe^{2+}}} \tag{14-7}$$

14.2.5　膜电极

这一类的电极主要指的是离子选择电极。由于品种比较多,在电极膜/液界上所产生的电位差机理比较复杂,无简单统一理论解释。其统一的性质是组成电极的响应膜/液界上不发生电子交换反应,其膜电位方程可表示为

$$E = 常数 \pm \frac{RT}{nF} \ln a_{离子} \tag{14-8}$$

式中+对正离子,-对负离子;n 在这里为离子的电荷数。

14.3　参比电极与盐桥

14.3.1　参比电极

对于参比电极的要求要有三个基本性质,即(1)可逆性:有电流流过(微安量级)时,反转变号时,电位基本上保持不变。(2)重现性:溶液的浓度和温度改变时,按 Nernst 方程响应,无滞后现象。(3)稳定性:测量中电位保持恒定,并具有长的使用寿命。主要有以下几种参比电极供通常使用。

14.3.1.1　标准氢电极

标准氢电极(standard hydrogen electrode,SHE)是确定电极电位的基准(一级标准)电极,即所谓的理想参比电极。氢电极的结构如图 14-2 所示。

规定在任何温度下,其电极电位值为零。电极反应可表示为

$$H^+(aq, a=1.0 \text{ mol} \cdot L^{-1}) + e^- \rightleftharpoons \frac{1}{2} H_2(100 \text{ kPa})$$

氢电极的电极图解式和电位方程分别为

$$Pt, H_2(p) \mid H^+(aq, a=1.0 \text{ mol} \cdot L^{-1})$$

$$E_{H^+/H} = E_{H^+/H}^{\ominus} + \frac{RT}{F} \ln \frac{a_{H^+}}{\sqrt{p}} \tag{14-9}$$

在通常工作中,一般不使用氢标准电极作参比电

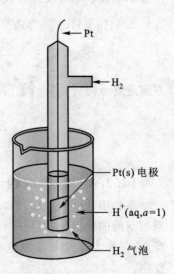

图 14-2　标准氢电极

极,原因是操作手续繁琐,且花费又贵。

14.3.1.2　甘汞电极和银-氯化银电极

甘汞电极和银-氯化银电极是应用最广的两种参比电极,都属于二级标准。甘汞电极和银-氯化银电极的结构如图 14-3 所示。在玻璃管中将铂丝浸汞与氯化亚汞的糊状物中,并以氯化亚汞的氯化钾溶液作内充液即成甘汞电极,如图 14-3(a)所示,而将银丝镀上一层氯化银沉淀,浸入用氯化银饱和的一定浓度的氯化钾溶液中即构成了银-氯化银电极,如图 14-3(b)。甘汞电极的半电池图解式为

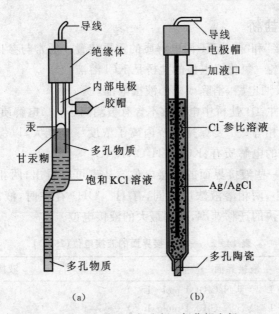

（a）　　　　　（b）

图 14-3　甘汞电极和银-氯化银电极

$$Hg(l), Hg_2Cl_2(s) \mid KCl(x\,mol \cdot L^{-1})$$

电极反应是

$$Hg_2Cl_2(s) + 2e^- \rightleftharpoons 2Hg(l) + 2Cl^-$$

因为 $Hg_2Cl_2(s)$ 和 $Hg(l)$ 的活度都等于 1,则电极电位 25 ℃时,

$$E_{Hg_2Cl_2/Hg} = E^{\ominus}_{Hg_2Cl_2/Hg} - 0.059\,2\lg a_{Cl^-} \tag{14-10}$$

而银-氯化银电极的电极电位同样可推得

$$E_{AgCl/Ag} = E^{\ominus}_{AgCl/Ag} - 0.059\,2\lg a_{Cl^-} \tag{14-11}$$

常温 25 ℃,不同的氯离子浓度,上述两种电极的电极电位见表 14-1。

表 14-1　甘汞电极和银-氯化银的电极电位(25 ℃)

电极	KCl 浓度	电极电位(vs. SHE)/V
0.1 mol·L^{-1}甘汞电极	0.1 mol·L^{-1}	+0.336 5
标准甘汞电极(NCE)	1.0 mol·L^{-1}	+0.282 8
饱和甘汞电极(SCE)	饱和 KCl	+0.243 8
0.1 mol·L^{-1}Ag/AgCl 电极	0.1 mol·L^{-1}	+0.288 0
标准 Ag/AgCl 电极	1.0 mol·L^{-1}	+0.222 3
饱和 Ag/AgCl 电极	饱和 KCl	+0.200 0

14.3.2　盐桥

盐桥是"连接"和"隔离"不同电解质的重要装置。通常与参比电极组合在一起。甘汞电极和银-氯化银电极的盐桥是 KCl 溶液。

(1) 作用,接通电路,消除或减小液接电位。

(2) 使用条件:① 盐桥中电解质不含有被测离子;② 电解质的正、负离子的迁移率应该基本相等;③ 要保持盐桥内离子浓度尽可能大,以保证减小液接电位。常用作盐桥的电解质有:KCl,NH$_4$Cl,KNO$_3$ 等。

表 14-2 是一些液接界面的液接电位。从表可以看出,两相溶液浓度差越大,液接电位越小,两相溶液浓度相同,有 H$^+$,OH$^-$ 存在时,液接电位最大,这是因为二者有最快的迁移速率,引起最大的液接电位。

表 14-2　一些液接界面的液接电位(25 ℃)

液接界面	液接电位 E_j/mV
KCl(0.1 mol·L^{-1}) ┆┆ NaCl(0.1 mol·L^{-1})	+6.4
KCl(3.5 mol·L^{-1}) ┆┆ NaCl(0.1 mol·L^{-1})	+0.2
KCl(3.5 mol·L^{-1}) ┆┆ NaCl(1 mol·L^{-1})	+1.9
KCl(0.01 mol·L^{-1}) ┆┆ HCl(0.01 mol·L^{-1})	−26
KCl(0.1 mol·L^{-1}) ┆┆ HCl(0.1 mol·L^{-1})	−27
KCl(3.5 mol·L^{-1}) ┆┆ HCl(0.1 mol·L^{-1})	+3.1
KCl(0.1 mol·L^{-1}) ┆┆ NaOH(0.1 mol·L^{-1})	+18.9
KCl(3.5 mol·L^{-1}) ┆┆ NaOH(0.1 mol·L^{-1})	+2.1
KCl(3.5 mol·L^{-1}) ┆┆ NaOH(1 mol·L^{-1})	+10.5

14.4　离子选择电极

离子选择电极被 IUPAC 定义为一类电化学传感器。1929 年 Mcinnes D A 等制成了有使用价值的玻璃膜氢离子选择电极。1966 年 Frant M S 和 Ross J

W 做成了 LaF_3 单晶氟离子选择电极。现已有 30 多种商品化离子选择电极广泛地应用于各个领域。

14.4.1　膜电位及其产生

离子选择电极膜电位是膜内扩散电位和膜与电解质溶液形成的内外界面的界面电位的代数和。

14.4.1.1　扩散电位

在两种不同离子或离子相同而活度不同的液/液界面或固体内部,由于离子扩散速度的不同造成的电位差,称为扩散电位。其中,液/液界面上的也称为液接电位。这类扩散是自由扩散,正、负离子可自由通过界面,没有强制性和选择性。在离子选择电极中,扩散电位是膜电位的组成部分,它存在于膜相内部。扩散电位可表示为

$$E_d = \frac{RT}{F} \int_1^2 \sum \frac{t_i}{n_i} \ln a_i \tag{14-12}$$

式中 n_i, t_i 分别为离子的电荷数和迁移数。在最简单情况下,$n_+ = n_- = 1$, $a_+ = a_- = a$ 时,方程可简化为

$$E_d = \frac{RT}{F}(t_+ - t_-) \ln \frac{a_{i(2)}}{a_{i(1)}} \tag{14-13}$$

可见,当正、负离子的迁移数相等时,扩散电位等于 0。这就是在盐桥中选用正、负离子的迁移数相等,消除液接电位的根据。

14.4.1.2　界面电位

离子选择性电极发展至今已有多种类型,被测离子在电极界面上的响应机理并不能用一个简单统一的理论模型来解释。尽管如此,对被测正、负离子从溶液到电极界面所造成的两相界面电位差,仍可表示为

$$E_D = k \pm \frac{RT}{nF} \ln \frac{a_{相1}}{a_{相2}} \tag{14-14}$$

通常所使用的离子选择电极,都有两个相界面,所以应包含有两项界面电位差,如图 14-4 所示。

14.4.1.3　膜电位

膜电位的方程可表示为

$$E_膜 = E_D^外 + E_d + E_D^内 \tag{14-15}$$

图 14-4 示意出离子选择电极的膜电位分布情况。因为可认为在一个电极膜中，$a_外^m$，$a_内^m$，E_d 保持恒定不变，所以，膜电位方程可表示为

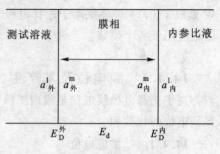

图 14-4　膜电位示意图

$$E_膜 = k' \pm \frac{RT}{nF} \ln \frac{a_外^l}{a_内^l} \quad (14-16)$$

该式中，$a_内^l$ 也已被固定，所以上式即可重排改变成式（14-8）的形式。

14.4.2　离子选择电极电位及其电池电动势的测量

离子选择电极电位为内参比电极电位与膜电位之和，即

$$E_{ISE} = E_{内参比} + E_膜 \quad\quad\quad (14-17)$$

$E_{内参比}$ 通常为一常数，所以，选择电极电位表示为

$$E_{ISE} = 常数' \pm \frac{RT}{nF} \ln a_外^l \quad\quad\quad (14-18)$$

测量电池的图解式可表示为

ISE（离子选择电极）│ 试液（$x\text{mol} \cdot \text{L}^{-1}$）┊┊ SCE（饱和甘汞电极）

电池电动势是

$$E_{电池} = E_{SCE} - E_{ISE} \quad\quad\quad (14-19)$$

E_{SCE} 是常数，在上式中代入式（14-18），则有

$$E_{电池} = E_{SCE} - 常数' \mp \frac{RT}{nF} \ln a_外^l$$

$$= K \mp \frac{RT}{nF} \ln a_外^l \quad\quad\quad (14-20)$$

上式中，一对正离子，＋对负离子。例如，氟离子选择测定 F^- 时，随 F^- 的浓度增大，电位计上读数向正变大，就符合式（14-20）的关系。

14.4.3　离子选择电极的类型及其响应机理

14.4.3.1　玻璃电极

玻璃电极除了对 H^+ 响应的 pH 玻璃电极之外，尚有对 Li^+，K^+，Na^+，Ag^+ 响应的玻璃电极。这些玻璃电极的结构同样由电极腔体（玻璃管）、内参比溶液、内参比电极及敏感玻璃膜组成，而关键部分为敏感玻璃膜。玻璃电极的结构如

图 14-5 所示。分单玻璃电极(a)和复合电极(b)两种,后者集指示电极和外参比电极于一体,使用起来甚为方便和牢靠。

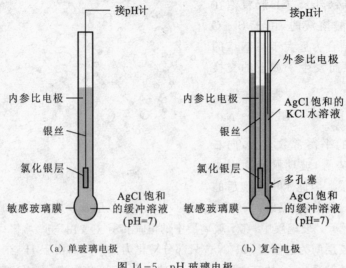

（a）单玻璃电极　　　　　　（b）复合电极

图 14-5　pH 玻璃电极

玻璃电极依据玻璃球膜材料的特定配方不同,可以做成对不同离子响应的电极。如常用的以考宁 015 玻璃做成的 pH 玻璃电极,其配方为:Na_2O 21.4%,CaO 6.4%,SiO_2 72.2%(摩尔分数),其 pH 测量范围为 pH1～10,若加入一定比例的 Li_2O,可以扩大测量范围。改变玻璃的某些成分,如加入一定量的 Al_2O_3,可以做成某些阳离子电极,如表 14-3 所示。

表 14-3　阳离子玻璃电极

主要响应离子	玻璃膜组成[摩尔分数/(%)]			电位选择性系数
	Na_2O	Al_2O_3	SiO_2	
Na^+	11	18	71	K^+ $3.3×10^{-3}$(pH7),$3.6×10^{-4}$(pH11)Ag^+ 500
K^+	27	5	68	Na^+ $5×10^{-2}$
Ag^+	11	18	71	Na^+ $1×10^{-3}$
	28.8	19.1	52.1	H^+ $1×10^{-5}$
Li^+	Li_2O 15	25	60	Na^+ 0.3 K^+ $<1×10^{-3}$

硅酸盐玻璃中有金属离子、氧、硅三种元素,Si—O 键在空间中构成固定的带负电荷的三维网络骨架,金属离子与氧原子以离子键的形式结合,存在并活动

于网络之中承担着电荷的传导,这主要是由一价的阳离子完成。其结构如图 14-6所示。

当玻璃(glass,Gl)膜浸泡在纯水或稀酸溶液时,由于 Si—O 与 H^+ 的结合力远大于与 Na^+ 的结合力,因而发生了如下的交换反应:

$$Gl^- Na^+ + H^+ \rightleftharpoons Gl^- H^+ + Na^+$$

反应的平衡常数很大,向右反应的趋势大,玻璃膜表面形成了水化胶层。因此水中浸泡后的

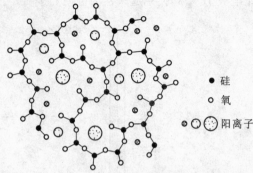

● 硅
○ 氧
◎ ◯ 阳离子

图 14-6 玻璃膜的结构

玻璃膜由三部分组成:膜内、外两表面的两个水化胶层及膜中间的干玻璃层,如图 14-7 所示。玻璃膜中,在干玻璃层中的电荷传导主要由 Na^+ 承担;在干玻璃层和水化胶层间为过渡层,$Gl^- Na^+$ 只部分转化为 $Gl^- H^+$,由于 H^+ 在未水化的玻璃中的扩散系数小,故其电阻率比干玻璃层高 1000 倍左右;在水化胶层中,表面 $\equiv SiO^- H^+$ 的解离平衡是决定界面电位的主要因素。

$$\equiv SiO^- H^+ + H_2O \rightleftharpoons \equiv SiO^- + H_3O^+$$
表面   溶液   表面   溶液

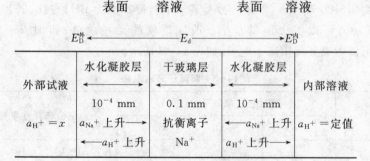

	水化凝胶层	干玻璃层	水化凝胶层	
外部试液	10^{-4} mm	0.1 mm	10^{-4} mm	内部溶液
$a_{H^+} = x$	a_{Na^+} 上升→ 　←a_{H^+} 上升	抗衡离子 Na^+	←a_{Na^+} 上升 a_{H^+} 上升→	a_{H^+} =定值

图 14-7 水化敏感玻璃膜的组成

H_3O^+ 在溶液与水化胶层表面界面上进行扩散,从而在内、外两相界面上形成双电层结构,产生两个相间电位差。在内、外两水化胶层与干玻璃之间形成两个扩散电位,若玻璃膜两侧的水化胶层性质完全相同,则其内部形成的两个扩散电位大小相等但符号相反,结果相互抵消。如果不相等,就称为不对称电位,其大小与玻璃膜的工艺质量有关。因此,玻璃膜的膜电位决定于内、外两个水化胶层与溶液界面上的相间电位和不对称电位。膜电位与溶液中氢离子活度的关系为

$$E_M = 常数 + \frac{RT}{nF} \ln a_{H^+_外} \tag{14-21}$$

在 25 ℃时,pH 玻璃电极电位与 pH 的关系是

$$E_H = 常数' - 0.059\,2\ pH \qquad (14-22)$$

其中常数项中包括内参比电极电位以及不对称电位等。

14.4.3.2 晶体膜电极

晶体膜电极分为均相、非均相晶膜电极。均相晶膜由一种化合物的单晶或几种化合物混合均匀的多晶压片而成。非均相膜由多晶中掺惰性物质经热压制成。几种常用晶体膜电极结构如图 14-8 所示。

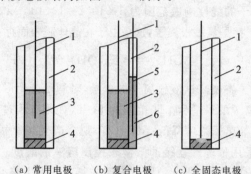

(a) 常用电极　　(b) 复合电极　　(c) 全固态电极

图 14-8　离子选择晶体膜电极的基本结构

1. 内参比电极;2. 电极腔体;3. 内参比溶液;4. 敏感膜;5. 复合电极外参比电极;
6. 复合电极的外参比溶液

1. 氟离子单晶膜电极

氟电极的敏感膜为 LaF_3 的单晶薄片。为了提高膜的电导率,尚在其中掺杂了 Eu^{2+} 和 Ca^{2+}。二价离子的引入,导致氟化镧晶格缺陷增多,增强了膜的导电性,所以这种敏感膜的电阻一般小于 $2\ M\Omega$。常用的电极结构如图 14-9 所示。

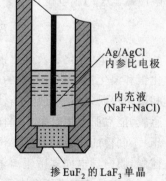

图 14-9　氟离子选择电极

由于溶液中的氟离子能扩散进入膜相的缺陷空穴,而膜相中的氟离子也能进入溶液中,因而在两相界面上建立双电层结构而产生膜电位。又因为缺陷空穴的大小、形状和电荷分布,只能容纳特定的可移动的晶格离子,其他离子不能进入空穴,因此敏感膜具有选择性。当氟电极插入测量溶液与甘汞电极组成电池,其电池图解式为

$$Ag, AgCl \left| \binom{10^{-3}\,mol \cdot L^{-1}\,NaF}{10^{-1}\,mol \cdot L^{-1}\,NaCl} \right| LaF_3 \ \left| \ 含\ F^-\ 试液 \ \vdots \ KCl(饱和), Hg_2Cl_2 \ \right| \ Hg$$

电池电动势为

$$E_{电池} = E_{SCE} - E_{ISE_{F^-}} \qquad (14-23)$$

根据式(14-18),式(14-20)可推得

$$E_{电池} = E_{SCE} - 常数' + \frac{RT}{F}\ln a_{F^-} \qquad (14-24)$$

对 25 ℃时,电动势可表示为

$$E_{电池} = K + 0.059\,2\lg a_{F^-} \qquad (14-25)$$

氟电极对氟离子的线性响应范围为 $5\times10^{-7}\sim1\times10^{-1}$ mol·L^{-1},电极的选择性很高,唯一的干扰是氢氧根离子,这是由于在晶体膜表面存在下列化学反应:

$$LaF_3(固) + 3OH^- \Longleftrightarrow La(OH)_3(固) + 3F^-$$

所释放出来的氟离子将增高试液氟离子的含量,对测量产生影响。

通常,测定氟离子的最适宜 pH 范围为 5~6,如果 pH 过低,则会形成 HF 或 HF$_2^-$,而使游离氟离子浓度降低;pH 过高,则会产生氢氧根离子的干扰。在实际工作中,通常采用柠檬酸盐缓冲溶液来控制溶液的酸度。柠檬酸盐不但能与铁、铝等离子形成络合物,借此消除它们因与氟离子发生络合反应而产生的干扰,而且同时可控制溶液的离子强度。

2. 硫、卤素离子电极

硫离子敏感膜是用硫化银粉末在 10^8 Pa 以上的高压下压制而成。它同时也能测定银离子。硫化银是低电阻的离子导体,其中可移动的导电离子是银离子。由于硫化银的溶度积很小,所以电极具有很好的选择性和灵敏度。该电极响应硫离子的膜电位为

$$E_{M_{S^{2-}}} = 常数' - \frac{RT}{2F}\ln a_{S^{2-}} \qquad (14-26)$$

氯化银、溴化银及碘化银能分别作为氯电极、溴电极及碘电极的敏感膜。氯化银和溴化银均具有较高的电阻,并有较强的光敏性。把氯化银或溴化银晶体和硫化银研匀后一起压制,使氯化银或溴化银分散在硫化银的骨架中,制成的敏感膜,能克服上述缺陷。同样,铜、铅或镉等重金属离子的硫化物与硫化银混匀压片,制得的电极对这些二价阳离子有敏感响应。响应过程受溶度积平衡关系控制,膜内导电同样由银离子来承担。

由于晶体表面不存在类似于玻璃电极的离子交换平衡,所以电极在使用前不需要浸泡活化。对晶体膜电极的干扰,主要不是由于共存离子进入膜相参与响应,而是来自晶体表面的化学反应,即共存离子与晶格离子形成难溶盐或络合物,从而改变了膜表面的性质。所以,电极的选择性与构成膜的物质的溶度积及共存离子和晶格离子形成难溶物的溶度积的相对大小等因素有关,电极的检出

限取决于膜物质的溶解度。表 14-4 列出了一些常用晶体膜电极的品种和性能参数。

表 14-4 晶体膜电极的品种和性能

电极	膜材料	线性响应范围 mol·L^{-1}	pH 适用范围	主要干扰离子
F$^-$	LaF$_3$+Eu^{2+}	$5\times10^{-7}\sim1\times10^{-1}$	$5\sim6.5$	OH$^-$
Cl$^-$	AgCl+Ag$_2$S	$5\times10^{-5}\sim1\times10^{-1}$	$2\sim12$	Br$^-$,S$_2$O$_3^{2-}$,I$^-$,CN$^-$,S^{2-}
Br$^-$	AgBr+Ag$_2$S	$5\times10^{-6}\sim1\times10^{-1}$	$2\sim12$	S$_2$O$_3^{2-}$,I$^-$,CN$^-$,S^{2-}
I$^-$	AgI+Ag$_2$S	$1\times10^{-7}\sim1\times10^{-1}$	$2\sim11$	S^{2-}
CN$^-$	AgI	$1\times10^{-6}\sim1\times10^{-2}$	>10	I$^-$
Ag$^+$,S^{2-}	Ag$_2$S	$1\times10^{-7}\sim1\times10^{-1}$	$2\sim12$	Hg^{2+}
Cu^{2+}	CuS+Ag$_2$S	$5\times10^{-7}\sim1\times10^{-1}$	$2\sim10$	Ag$^+$,Hg^{2+},Fe^{3+},Cl$^-$
Pb^{2+}	PbS+Ag$_2$S	$5\times10^{-7}\sim1\times10^{-1}$	$3\sim6$	Cd^{2+},Ag$^+$,Hg^{2+},Cu^{2+},Fe^{3+},Cl$^-$
Cd^{2+}	CdS+Ag$_2$S	$5\times10^{-7}\sim1\times10^{-1}$	$3\sim10$	Pb^{2+},Ag$^+$,Hg^{2+},Cu^{2+},Fe^{3+}

14.4.3.3 流动载体电极

流动载体电极亦称为液膜电极,与玻璃电极不同,其中可以与被测离子发生作用的活性物质即载体可在膜相中流动。若载体带有电荷,称为带电荷的流动载体电极;若载体不带电荷,则称为中性载体电极。

这类电极用浸有载体(一般溶在有机溶剂中,常用的有机溶剂有二羧酸的二元酯、磷酸酯、硝基芳香族化合物等)的惰性微孔支持体作为敏感膜。膜经疏水处理,电极的部件构造如图 14-10 所示。惰性微孔膜用垂熔玻璃、素烧陶瓷或高分子材料(聚四氟乙烯、聚偏氟乙烯)制成,膜上分布直径小于 1 μm 的微孔,孔与孔之间彼此连通。为了克服液膜稳定性差等缺点,常用 PVC 膜取代有机溶剂。

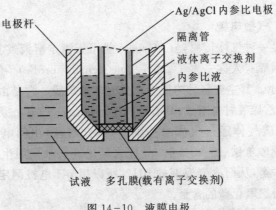

图 14-10 液膜电极

常用的钙离子电极就是一种带负电荷的流动载体电极。它用二癸基磷酸根 $(RO)_2PO_2^-$ 作为载体。此试剂与钙离子作用生成二癸基磷酸钙 $[(RO)_2POO]_2Ca$。当其溶于癸醇或苯基膦酸二辛酯等有机溶剂中,即得离子缔合型的液态活性物质,以此可制得对钙离子有响应的液态敏感膜。液膜电极的响应符合 Nernst 方程,对钙离子电极膜方程可表示为

$$E_{Ca^{2+}} = 常数' + \frac{RT}{2F}\ln a_{Ca^{2+}} \tag{14-27}$$

对带电荷的流动载体电极来说,载体与响应离子生成的缔合物越稳定,响应离子在有机溶剂中的淌度越大,选择性就越好。至于电极的灵敏度,则取决于活性物质在有机相和水相中的分配系数,分配系数越大,灵敏度越高。

中性载体是一种电中性的、具有空腔结构的大分子化合物。只对具有适当电荷和原子半径(大小与空腔适合)的离子进行配合,络合物能溶于有机相形成液膜,使之成为待测离子能够相迁移的通道。只要选择的载体合适,制作工艺精湛,可使电极具有很高的选择性。如颉氨霉素可作为钾离子的中性载体,能在 1 万倍 Na^+ 存在下测定 K^+。抗生素、杯芳烃衍生物、冠醚等都可以作为中性载体。其共同特征是具有稳定构型,有吸引阳离子的极性键位(空腔),并被亲脂性的外壳环绕。可将离子载体掺入 PVC 制成电极膜。一个典型的例子是二甲基二苯并 30-冠醚-10 与 K^+ 的络合物中性载体钾电极,其络合物化学结构式如图 14-11 所示。

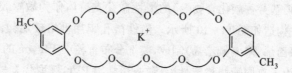

图 14-11　二甲基二苯并 30-冠醚-10-K^+

14.4.3.4　气敏电极

气敏电极是一种气体传感器(sensor),能用于测定溶液或其他介质中某种气体的含量。因而有人称之为气敏探针(gas-sensing probe)。气敏电极的构造如图 14-12 所示。其主要部件为微多孔性气体渗透膜。它是由醋酸纤维、聚四氟乙烯、聚偏氟乙烯等材料组成,具有疏水性,但能透过气体。例如,当测定二氧化碳时,二氧化碳气体通过气体渗透膜,与中介溶液(中间电解质溶液)—— 0.01 mol·L^{-1} 碳酸氢钠——相接触,于是二氧化碳与水作用生成碳酸,影响碳酸氢钠的电离平衡,从而改变溶液的 pH。所以用 pH 电极测定 pH 的改变值,就可以间接测得二氧化碳的含量。

常用的气敏电极能分别对 CO_2、NH_3、NO_2、SO_2、H_2S、HCN、HF、HAc 和

Cl_2 进行测量。气敏电极还可用于测定试液中的有关离子,如 NH_4^+,CO_3^{2-} 等。此时,借助于改变试液的酸碱性使它们以 NH_3,CO_2 的形式逸出,然后进行测定。

14.4.3.5 生物电极

生物电极(bioelectrode)是一种将生物化学与电化学分析原理结合而制作成的电极。自从1962 年,Clark L C 提出酶电极之后,经过 40 多年来的不断发展,电极类型大大增多,已成为一个庞大体系。这里仅简单介绍酶电极(enzyme electrode)、离子敏感场效应晶体管(ion selective field-effect transistor,ISFET)电极和组织电极。

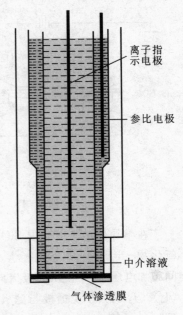

图 14-12 气敏电极

1. 酶电极

将生物酶涂布在电极的敏感膜上,通过酶催化作用,使待测物质产生能在该电极上响应的离子或其他物质,来间接测定该物质的方法称为酶电极法。

例如,葡萄糖氧化酶能催化葡萄糖的氧化反应:

$$C_6H_{12}O_6 + O_2 + H_2O \xrightarrow{GOD} C_6H_{12}O_7 + 2H_2O_2$$

采用氧电极检测试液中氧含量的变化,间接测定葡萄糖的含量。也可以将反应产物 H_2O_2 与定量的 I^- 在 Mo(Ⅵ) 的催化下反应:

$$H_2O_2 + 2I^- + 2H^+ \xrightarrow{Mo(Ⅵ)} I_2 + 2H_2O$$

用碘离子电极监测碘离子的变化量,推算出葡萄糖的含量。

由于酶的作用具有很高的选择性,所以酶电极的选择性是相当高的。如一些酶电极能分别对葡萄糖、脲、胆固醇、L-谷氨酸以及 L-赖氨酸等生物分子进行检测。

2. 离子敏感场效应晶体管

场效应晶体管电极是一种微电子敏感元件及制造技术与离子选择电极制作及测量方法相结合的高技术电分析方法。它既具有离子选择电极对敏感离子响应的特性,又保留场效应晶体管的性能。是一种有发展潜力电极方法。图 14-13是金属-氧化物-半导体场效应晶体管(metal-oxide semiconductor field-effect transistor,MOSFET)的剖示结构图 14-13(a),以及用其制作的 ISFET 装置示意图 14-13(b)。

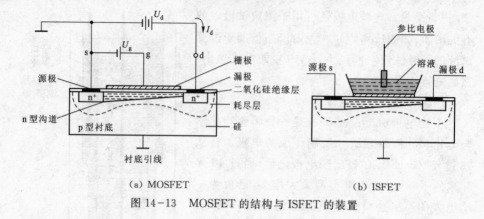

（a）MOSFET　　　　　　　　　　　　　　　（b）ISFET

图 14-13　MOSFET 的结构与 ISFET 的装置

　　在半导体硅上有一层 SiO_2 栅绝缘层，绝缘层上则为金属栅极，构成金属 - 氧化物 - 半导体（MOS）组合层。它具有高阻抗转换的特性。如在源极和漏极之间施加电压，电子便从源极流向漏极，即有电流通过沟道。此电流称为漏电流（I_d）。I_d 的大小受栅极与源极间电压（U_g）控制，并为栅压和源极与漏洞电压（U_d）的函数。

　　如将 MOSFET 的金属栅极去掉而代之以离子选择电极的敏感膜，即成为对离子响应的 ISFET。当它与试液接触并与参比电极组成测量体系时，由于膜与溶液的界面产生膜电位，叠加在栅压上，将引起 MOSFET 漏电流的变化。I_d 与响应离子活度之间具有相似于 Nernst 公式关系，这就是 ISFET 定量分析的基础。

　　使用时，可以采用保持 U_g，U_d 恒定的方法，测量 I_d 与离子活度的关系，此方法较为简单。也可采用保持 I_d，U_d 恒定的方法，观察 U_g 随离子活度的变化情况，它们之间同样具有 Nernst 公式的关系，此法结果较为精确。

　　许多用于离子选择电极的敏感膜材料，如各种晶体膜、PVC 膜和酶膜等，都可以作为制作 ISFET 膜的借鉴。固定化在栅极上制成各种离子的响应器件。

　　ISFET 是全固态器件，体积小，易于微型化和多功能化。它本身具有高阻抗转换和放大功能，集敏感器件与电子元件于一体，因而简化了测试仪表的电路。但其制作工艺比较复杂。应该指出，整个器件除敏感层外，必须绝缘密封，以防止漏电。这类敏感器件响应较快，适用于自勘测和流程分析等体系。

　　ISFET 已有 pH 电极商品化，称为非玻璃膜 pH 电极，如图 14-14。这种全集成型，只需少量试液滴在敏感膜部分覆盖即可测定。

图 14-14　pH-ISFET 电极

3. 组织电极

以动植物组织薄片材料作为敏感膜固定化在电极上的器件称为组织电极。此系酶电极的衍生型电极。利用了动植物组织中的天然酶作反应的催化剂,与酶电极比较,组织电极具有如下优点:(1) 酶活性较离析酶高;(2) 酶的稳定性增大;(3) 材料易于获得。表 14-5 列出了一些组织电极膜材料和被测物质的对应关系。

表 14-5　组织电极膜材料和被测定物质一览表

组织酶源	测定对象	组织酶源	测定对象
香蕉	草酸、儿茶酚	烟草	儿茶酚
菠菜	儿茶酚类	番茄种子	醇类
甜菜	醋氨酸	燕麦种子	精胺
土豆	儿茶酚、磷酸盐	猪肝	丝氨酸
花椰菜	L-抗坏血酸	猪肾	L-谷氨酰胺
莴苣种子	H_2O_2	鼠脑	嘌呤、儿茶酚胺
玉米脐	丙酮酸	牛肝	O_2
生姜	L-抗坏血酸	鱼鳞	儿茶酚胺
葡萄	H_2O_2	红细胞	H_2O_2
黄瓜叶	半胱氨酸	鱼肝	尿酸
卵形植物	儿茶酚	鸡肾	L-赖氨酸

14.5　离子选择电极的性能参数

14.5.1　Nernst 响应斜率、线性范围与检出限

以离子选择电极的电位或电池的电动势对响应离子活度的对数作图,如图 14-15 所示,所得曲线称为校准曲线。若这种响应变化服从于 Nernst 方程,则称它为 Nernst 响应。此校准曲线的直线部分所对应的离子活度范围称为离子选择电极响应的线性范围($C—D$)。该直线的斜率为电极的实际响应斜率 S,理论斜率为 $59.2/n(\text{mV})$, S 也称级差。当活度很低时,曲线就逐渐弯曲,图中 CD 和 FG 延长线的交点 A 向横坐标轴引垂线相交值为活度 a_i,即为检出限。

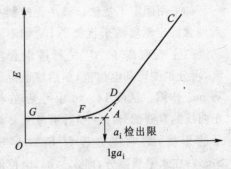

图 14-15　电极校准曲线

14.5.2　电位选择性系数

在同一敏感膜上，可以有多种离子同时进行不同程度的响应，因此膜电极的响应并没有绝对的专一性，而只有相对的选择性。电极对各种离子的选择性，可用电位选择性系数来表示。

当有共存离子时，膜电位与响应离子 A^{z+} 及共存离子 B^{z+} 的活度之间的关系，由 Nicolsky（尼柯尔斯）方程表示：

$$E_M = 常数 + \frac{RT}{nF} \ln(a_A + K_{A,B}^{pot} a_B^{z_A/z_B}) \qquad (14-28)$$

式中 $K_{A,B}^{pot}$ 即为电位选择性系数，它表征了共存离子对响应离子的干扰程度。当有多种干扰离子 B^{z+}，C^{z+}，…存在时，上式可写为

$$E_M = 常数 + \frac{RT}{nF} \ln(a_A + K_{A,B}^{pot} a_B^{z_A/z_B} + K_{A,C}^{pot} a_C^{z_A/z_C} + \cdots) \qquad (14-29)$$

从式中可以看出，电位选择性系数越小，则电极对 A^{z+} 的选择性越高。如果 $K_{A,B}^{pot}$ 为 10^{-2}，表示电极对 A^{z+} 的敏感性为 B^{z+} 的 100 倍。由干扰引起的误差计算公式为

$$误差\% = K_{A,B}^{pot} a_B^{z_A/z_B}/a_A \times 100\% \qquad (14-30)$$

必须指出，电位选择性系数仅表示某一离子选择电极对各种不同离子的响应能力，它随被测离子活度及溶液条件的不同而异，并不是一个热力学常数，其数值可从手册里查到，也可用 IUPAC 建议的试验方法测定。

混合溶液法测定离子选择性系数是 IUPAC 建议的方法，是在对被测离子与干扰离子共存时，求出选择性系数。它包括固定干扰法和固定主响应离子法。

如采用固定干扰法。该法先配制一系列含固定活度的干扰离子 B^{z+} 和不同活度的主响应离子 A^{z+} 的标准混合溶液，再分别测定其电位值，然后将电位值对 pa_A 作图。从图 14-16 中可见，在校正曲线的直线部分（$a_A > a_B$，不考虑 B 离子的干扰）的响应方程为 $E_1 = k^A + Slga_A$；在水平线部分，即 $a_A < a_B$，电位值完全由干扰离子决定，则 $E_2 = k^B +$

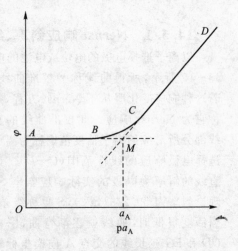

图 14-16　固定干扰法

$S' \lg K_{A,B}^{pot} a_B$,假定 $k^A = k^B$;$S = S'$ 在两直线交点的 M 处,$E_1 = E_2$,假定 A^{z+},B^{z+} 都为一价离子,由上两式则得

$$K_{A,B}^{pot} = \frac{a_A}{a_B} \qquad (14-31)$$

式中 a_A 的活度为交点 M 处对应的活度,对不同价态的离子,$K_{A,B}^{pot}$ 的通式为

$$K_{A,B}^{pot} = \frac{a_A}{a^{z_A/z_B}} \qquad (14-32)$$

如采用固定主响应离子法,先配制一系列含固定活度的主响离子 A^{z+} 和不同活度的干扰离子 B^{z+} 的标准混合溶液,再分别测定电位值。然后将电位值 E 对 $\lg a_B$ 作图。从图中求得 a_B,同样可算出 $K_{A,B}^{pot}$。这种方法可确定离子选择电极的适合的 pH 范围。

14.5.3 响应时间

膜电位的产生是由于响应离子在敏感膜表面扩散及建立双电层的结果。电极达到这一平衡的速度,可用响应时间来表示,它取决于敏感膜的结构性质。一般说来,晶体膜的响应时间短,而流动载体膜的响应则涉及表面的化学反应过程而达到平衡慢。此外,响应时间尚与响应离子的扩散速率、浓度、共存离子的种类、溶液温度等因素有关。很明显,扩散速率快,则响应时间短;响应离子浓度低,达到平衡就慢;溶液温度高,响应速率也就加快。响应时间快者以毫秒为单位,慢者甚至需数十分钟。在实际工作中,通常采用搅拌试液的方法来加快扩散速率,缩短响应时间。

IUPAC 将响应时间定义为静态响应时间:从离子选择电极与参比电极一起与试液接触时算起,直至电池电动势达到稳定值(变化在 1 mV 以内)时为止,在此期间所经过的时间,称之为实际响应时间。

14.6 定量分析方法

14.6.1 pH 的实用定义及其测量

14.6.1.1 pH 的实用定义

当使用玻璃 pH 电极测量 pH 时,与饱和甘汞参比电极组成电池。电池图解式为

$$Ag, AgCl \mid 内参比液 \mid 玻璃膜 \mid 试液 \vdots KCl(饱和) \mid Hg_2Cl_2, Hg$$

$$\varepsilon_6 \qquad\qquad \varepsilon_5 \qquad\quad \varepsilon_4 \qquad\quad \varepsilon_3 \qquad\qquad \varepsilon_2 \qquad\qquad \varepsilon_1$$

电动势 $E_{电}$ 由六项 5 个电位差组成的代数和,可表示为

$$E_{SCE} = \varepsilon_1 - \varepsilon_2 ; E_{液接} = \varepsilon_2 - \varepsilon_3 ; E_{AgCl/Ag} = \varepsilon_6 - \varepsilon_5 ; E_{外} = \varepsilon_4 - \varepsilon_3 ;$$

$$E_{内} = \varepsilon_4 - \varepsilon_5 ; E_{膜} = E_{外} - E_{内} ; E_{ISE} = E_{膜} + E_{AgCl/Ag}（内参比）$$

$$E_{电池} = E_{SCE} - E_{ISE}$$

在测量时 E_{SCE}, $E_{AgCl/Ag}$, $E_{液接}$, $E_{内}$ 都为常数,这时

$$E_{电池} = K - \frac{RT}{F} \ln a_{H} \qquad (14-33)$$

室温下,

$$E_{电池} = K' + 0.059\ 2 \mathrm{pH} (25\ ℃) \qquad (14-34)$$

常数项 K 内包括内参比电极电位、膜内相间电位和不对称电位,测量时还包括外参比电极电位与液接电位。这些物理量中有些无法准确测量,并经常发生变化。此外,溶液中存在的所有电解质都会影响被测离子的活度。因此,通常不能由测量到的电动势直接计算溶液的 pH,而必须与标准溶液同时进行测量相比较才能得到结果。

当用该电池测量 pH 标准溶液和未知溶液时,将两电动势方程相减,则有

$$\mathrm{pH}_x = \mathrm{pH}_s + \frac{(E_x - E_s)F}{RT \ln 10} \qquad (14-35)$$

式中 x 表示未知溶液,s 表示标准溶液。该式称为 pH 的实用定义。

1. pH 标准溶液的制定

方程(14-35)中的 pH_s 是已知的,那它又是怎样确定的呢? IUPAC1988 年建议用一标准法。即采用 BSI(英国)标准,规定 0.05 mol·kg^{-1} 邻苯二甲酸氢钾水溶液在 15 ℃ 的 pH = 4.000。而在不同温度(t)时的 pH,按下式计算:

$$\mathrm{pH}_s = 4.000 + \frac{1}{2}\left(\frac{t-15}{100}\right)^2 \qquad 0 < t < 55\ ℃ \qquad (14-36)$$

$$\mathrm{pH}_s = 4.000 + \frac{1}{2}\left(\frac{t-15}{100}\right)^2 - (t-55)/100 \qquad 55 < t < 95\ ℃ \qquad (14-37)$$

这一标准一些国家接受使用,另一些国家仍然使用多标准法。我国制定的七种 pH 基准缓冲溶液见表 14-6。

制定 pH 标准溶液的方法严谨,又需大的工作量。可按下述步骤进行:

(1) 建立无液接电池测量有关数据

表 14-6　中国建立的七种 pH 基准缓冲溶液的 pHs

七种标准溶液的 pHs

温度/℃	0.05 mol·kg⁻¹ 四草酸氢钾	25 ℃饱和 酒石酸氢钾	0.05 mol·kg⁻¹ 邻苯二甲酸氢钾	0.025 mol·kg⁻¹ 混合磷酸盐	0.008 695 mol·kg⁻¹ 磷酸二氢钾 / 0.030 43 mol·kg⁻¹ 磷酸二氢钠	0.01 mol·kg⁻¹ 硼砂	25 ℃饱和 氢氧化钙
0	1.668		4.006	6.981	7.515	9.458	13.416
5	1.669		3.999	6.949	7.490	9.391	13.210
10	1.671		3.996	6.921	7.467	9.330	13.011
15	1.673		3.996	6.898	7.445	9.276	12.820
20	1.676		3.998	6.879	7.426	9.226	12.637
25	1.680	3.559	4.003	6.864	7.409	9.182	12.460
30	1.684	3.551	4.010	6.852	7.395	9.142	12.292
35	1.688	3.547	4.019	6.844	7.386	9.105	12.130
37				6.839	7.383		
40	1.694	3.547	4.029	6.838	7.380	9.072	11.975
45	1.700	3.550	4.042	6.834	7.379	9.042	11.828
50	1.706	3.555	4.055	6.833	7.383	9.015	11.697

$$Pt \mid H_2(气), pH 标准缓冲溶液(mol \cdot kg^{-1})Cl^-(mol \cdot kg^{-1}) \mid AgCl, Ag$$

电池电动势为

$$E_{电} = \left(E_{AgCl/Ag}^{\ominus} - \frac{2.303RT}{F}\lg a_{Cl}\right) - \left[E_{H^+/H_2}^{\ominus} - \frac{2.303RT}{F}\lg \frac{(p_H)^{1/2}}{a_H}\right]$$

$$= E_{AgCl/Ag}^{\ominus} - E_{H^+/H_2}^{\ominus} - \frac{2.303RT}{F}\lg \frac{a_H a_{Cl}}{(p_H)^{1/2}} \tag{14-38}$$

电池反应

$$AgCl + \frac{1}{2}H_2 \rightleftharpoons Ag + Cl^- + H^+$$

$p_H = 1$ Pa 时,

$$E_{电} = E_{AgCl/Ag}^{\ominus} - \frac{2.303RT}{F}\lg a_H a_{Cl} \tag{14-39}$$

重排方程:

$$-\lg(a_H\gamma_{Cl}) = \frac{(E_{电} - E_{AgCl/Ag}^{\ominus})F}{2.303RT} + \lg m_{Cl} \tag{14-40}$$

式(14-40)中,γ_{Cl},m_{Cl} 分别为氯离子活度系数和质量摩尔浓度。配制一系列氯离子 m_{Cl} 测定,可得一系列相对应的 $-\lg(a_H\gamma_{Cl})$。

（2）最小二乘法外推计算　用最小二乘法处理上述试验得到的数据,外推在 $m_{Cl} = 0$ 时的 $-\lg(a_H\gamma_{Cl})^0$,则有:

$$pH_s = -\lg a_H = -\lg(a_H\gamma_{Cl})^0 + \lg\gamma_{Cl}^0 \tag{14-41}$$

上式中,γ_{Cl}^0 无法用试验测定,只有用德拜-休克尔公式计算该活度系数。

（3）理论公式计算 γ_{Cl}^0　德拜-休克尔公式为:$\lg\gamma = -\dfrac{A\sqrt{I}}{1+Ba\sqrt{I}}$,因为 $A, B,$ a 都是常数,γ_{Cl}^0 与溶液此时的离子强度有关,可计算得到。代入式(14-41),可求出 pH_s。

2. Nernst 响应斜率

从表观上看,Nernst 响应斜率仅是温度的函数,温度恒定即为常数。问题是实际工作中,电极的实际响应斜率与理论 Nernst 响应斜率无固定对应关系,上述 pH 实用定义式(14-35)并未考虑涉及的这一问题。仪器的响应斜率是按理论值设计的,如果电极的实际响应斜率与测量仪器的有差别,测量的 pH 就会产生误差。例如,仪器设计斜率 60 mV,电极斜率 55 mV,用 $pH_s = 3$ 标准溶液定位,测量 pH=5 的溶液,测得 pH=4.83,误差是 0.17 pH 单位。解决这一问题要用双 pH_s 标准校准仪器斜率与电极的相同,即可克服由此引起的误差。

3. 常数 K 的问题

推导实用定义式(14−35)时,我们设 K 为常数而消除掉,不出现在公式中。实际上,K 中包括的液接电位 E_j 随测量条件变化,不易控制。K 仅是相对的常数。一些液/液界面所产生的液接电位可参阅表 14−2。通常液接电位 E_j 引起的误差大约在 $0.01\sim0.02$ 个 pH 单位。碱性的试液可达 0.05 个 pH 单位。

14.6.1.2 钠差和酸差

1. 钠差

当测量 pH 较高,尤其 Na^+ 浓度较大的溶液时,测得的 pH 偏低,称为钠差或碱差。每一支 pH 玻璃电极都有一个测定 pH 高限,超出此高限时,钠差就显现了。一些金属离子引起的钠差如图 14−17 所示。其原因是,在被测溶液中氢离子活度很低时,电极膜水化层的质子与膜外液层里 Na^+ 交换,Na^+ 可进入膜内,这时的膜电位部分依赖于 Na^+(外液)$/Na^+$(水化层)的比,响应像个钠电极。当然,质子活度越低,影响就越显著。从图 14−17 可见,钠离子影响最大,同一离子,浓度越高,影响越大。

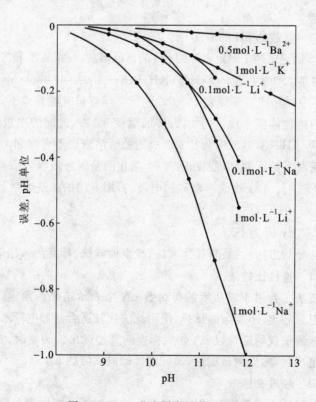

图 14−17 一些金属离子产生的钠差

2. 酸差

当测量 pH 小于 1 的强酸或无机盐浓度大的水溶液,测得的 pH 偏高时,称为酸差。引起酸差的原因是:当测定酸度大的溶液时,水的活度变得小于 1,不是常数了。图 14-18 表明的是强酸引起的酸差与 pH 的关系图。如果是高盐溶液或加一点乙醇之类的非水溶剂,将造成一样的结果。

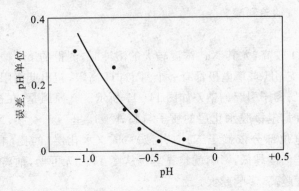

图 14-18　强酸介质的酸差

14.6.1.3　血液的 pH 的测定

美国 NBS 制定了两个测定血液的 pH 的标准溶液,一级标准和二级标准的各一个。一级的是 $0.008\ 695\ \text{mol·kg}^{-1}\ \text{KH}_2\text{PO}_4 + 0.030\ 43\ \text{mol·kg}^{-1}\ \text{Na}_2\text{HPO}_4$ 的缓冲溶液。它的 pH 可参阅表 14-6。进行实际测量时注意以下几点:(1) 保持测量条件与生物体温一致。例如,人体的温度 37 ℃,此时的电极响应理论斜率是 61.5 mV/pH。室温下饱和甘汞电极的盐桥溶液已不再饱和。要弄清测量体系与通常情况下的区别,以便校正。(2) 防止测量时血液吸入或逸出 CO_2,要在隔离空气下进行。(3) 血液容易黏污电极,需用专门的清洗方法。

14.6.2　分析方法

电位法的分析方法包括:直接比较法、校准曲线法、标准加入法等。

14.6.2.1　直接比较法

直接比较法主要用于以活度的负对数 pA 来表示结果的测定,像 pH 的测定。对试液组分稳定,不复杂的试样,使用此法比较适合。如电厂水汽中钠离子浓度的检测。测量仪器通常以 pA 作为标度而直接读出。测量时,先用一、两个标准溶液校正仪器,然后测量试液,即可直接读取试液的 pA。

14.6.2.2　校准曲线法

校准曲线法适用于成批量试样的分析。测量时需要在标准系列溶液和试液中加入总离子强度调节缓冲液(TISAB)或离子强度调节液(ISA)。它们有三个方面的作用：首先，保持试液与标准溶液有相同的总离子强度及活度系数；其次，缓冲剂可以控制溶液的 pH；最后，含有配合剂，可以掩蔽干扰离子。测量时，先配制一系列含被测组分的标准溶液，分别测出电位值，绘制出与被测组分对数浓度的关系曲线。再测出未知试样的电位值，从曲线上查出对数浓度，算得浓度。

14.6.2.3　标准加入法

标准加入法又称为添加法或增量法，由于加入前后试液的性质（组成、活度系数、pH、干扰离子、温度……）基本不变，所以准确度较高。标准加入法比较适合用于组成较复杂以及非成批试样的分析。

1. 一次标准加入法

所谓的一次标准加入法是指向被测溶液中只加一次标准溶液。采用此法时，先测定体积为 V_x，浓度为 c_x 的试样溶液的电位值 E_x；然后再向此已测过的试样溶液中加入体积为 V_s，浓度为 c_s 的被测离子的标准溶液，测得电位值 E_1。对一价阳离子，若离子强度一定，按响应方程关系，E_1 与 E_x 的差可表示为

$$E_x = K + S\lg c_x \tag{14-42}$$

$$E_1 = K + S\lg \frac{c_s V_s + c_x V_x}{V_s + V_x} \tag{14-43}$$

$$\Delta E = E_1 - E_x = S\lg \frac{V_x c_x + V_s c_s}{c_x(V_x + V_s)} \tag{14-44}$$

取反对数

$$10^{\Delta E/S} = \frac{V_x c_x + V_s c_s}{c_x(V_x + V_s)} \tag{14-45}$$

重排，则

$$c_x = \frac{V_s c_s}{(V_x + V_s)10^{\Delta E/S} - V_x}$$

若 $V_x \gg V_s$

$$c_x = \frac{V_s c_s}{V_x(10^{\Delta E/S} - 1)} = \Delta c(10^{\Delta E/S} - 1)^{-1} \tag{14-46}$$

此为一次加入标准法公式。式中，$\Delta c = \dfrac{V_s c_s}{V_x}$。

如果，采用试样加入法，即向一定体积已知浓度的标准溶液中加入一次一定体积的试样溶液，同样可推得公式如下：

$$c_x = c_s \frac{V_s + V_x}{V_x}\left(10^{\Delta E/S} - \frac{V_s}{V_x + V_s}\right) \tag{14-47}$$

上述式(14-42)、式(14-44)中,S 为电极的实际响应斜率,可从标准曲线的斜率求出,也可使用最小二乘法算出。再是做这样一个试验,即用空白溶液稀释已测得 E_x 的试样溶液恰好一倍,然后测出 $E_稀$,按 Nernst 方程可算得:$S = \dfrac{|E_稀 - E_x|}{\lg 2} = \dfrac{|\Delta E|}{0.30}$,如果 S 在 55~60 之间,ΔE 应在 16.5 到 18。

例1　用钙离子电极测定血清中的 Ca^{2+},测得试样的 $E_x = -217.6$ mV,在此 2.00 mL 试样中,加入浓度为 2 000 $\mu g \cdot mL^{-1}$ 的钙标准溶液 100 μL,测得 $E_1 = -226.8$ mV。设电极的实际响应斜率 $S = 59.2/2$,计算试样中钙离子的含量。

解:对钙离子电极,$E_{Ca^{2+}} = K + 29.61\lg[Ca^{2+}]$

试样加入标准后,　　　　$\Delta c = 2\,000\ \mu g \cdot mL^{-1} \times 0.100\ mL/2.1\ mL = 95.2\ \mu g \cdot mL^{-1}$

试样测定 E_x:　　　　　$-217.6\ mV = K - 29.61\lg c_x$

加标后测定 E_1:　　　　$-226.8\ mV = K - 29.61\lg(c_x + 95.2)$

$E_1 - E_x$　　　　　　　$-9.2\ mV = -29.61\lg(c_x + 95.2) + 29.61\lg c_x$

重排计算,

$$\lg[c_x/(c_x + 95.2)] = -9.2/29.6 = -0.31$$

则有:

$$\frac{c_x}{c_x + 95.2} = 10^{-0.31} = 0.489\,8$$

$$c_x = 0.489\,8 \times 95.2/0.502\ \mu g \cdot mL^{-1} = 91.07\ \mu g \cdot mL^{-1}$$

如果用一次加入标准公式,则

$$c_x = 95.2 \times (10^{9.2/29.6} - 1)^{-1}\ \mu g \cdot mL^{-1}$$
$$= 95.2 \times (2.05 - 1)^{-1}\ \mu g \cdot mL^{-1} = 90.07\ \mu g \cdot mL^{-1}$$

二者产生的相对误差是

$$相对误差 = -1.0/90.07 \times 100\% = -1.11\%$$

2. 连续标准加入法

在测量过程中连续多次向一杯测量溶液中加入标准溶液,根据一系列的 E 值对相应的 V_s 值作图来求得结果的方法。该法的准确度较一次标准加入法高。

基本原理:将式(14-43)重排,得到

$$(V_x + V_s)10^{E/S} = (c_s V_s + c_x V_x)10^{k/S} \qquad (14-48)$$

以 E 对 V_s 作图得一直线,如图 14-19 所示,直线与横坐标相交时,即有$(V_x + V_s)10^{E/S} = 0$,方程的另一边是:$c_s V_s + c_x V_x = 0$。由此式试样中的被测物含量为

$$c_x = -\frac{c_s V_s}{V_x} \qquad (14-49)$$

式(14-49)中的 c_s 可从图中直线与横坐标交点处得到,是一个负值。依据这一原理在计算机上用 Excel 等工具软件可方便制图和计算。

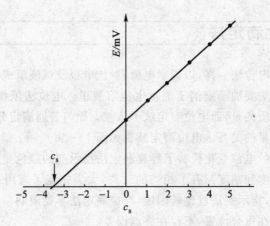

图 14-19 连续标准加入法

14.6.3 电位法的方法误差

在电位法中,由电池电动势的测量引起的误差,可计算如下:

$$E_{电池} = K + \frac{RT}{zF}\ln a = K' + \frac{RT}{zF}\ln c \tag{14-50}$$

微分上式得

$$\mathrm{d}E_{电池} = \frac{RT}{nF}\frac{\mathrm{d}c}{c}$$

也可表示为

$$\Delta E = \frac{RT}{nF}\Delta c / c$$

对 25 ℃,

$$\frac{\Delta c}{c} = \frac{nF}{RT}\Delta E \approx 3\,900n\Delta E\%$$

由此可知,仪器的电位误差与电极电位测量的误差和离子价数有关,与测定体积和被测离子浓度无关。对一价离子,$\Delta E = \pm 1$ mV,则浓度相对误差可达$\pm 4\%$,对二价离子,则高达$\pm 8\%$。如果 $\Delta E = \pm 0.1$ mV,一价离子误差$\pm 0.4\%$;二价离子$\pm 0.8\%$。也就是说,仪器的电位读数精度越高、稳定性越好,才能保证有好的测量结果。

14.7   电位滴定法

　　电位滴定与电位法一样,以指示电极、参比电极及试液组成测量电池。所不同的是电位滴定法要加滴定剂于测量电池溶液里。电位法依赖于 Nernst 方程来确定被测定物质的量,而电位滴定法不依赖。而与普通滴定分析却相同,依赖于物质相互反应量的关系。电位滴定装置如图 14-20 所示。

　　电位滴定法的电位变化代替了经典滴定法指示剂的颜色变化确定终点。这使其测量的准确度和精度都有了相当的改善,大大拓宽了应用范围。如有色和混浊溶液的分析,指示剂法就比较困难,电位滴定法不受限制。电位滴定法化学计量点和终点选在重合位置,不存在终点误差。

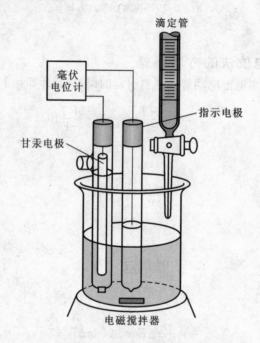

图 14-20　电位滴定池装置

14.7.1　滴定终点的确定

　　滴定反应发生时,在化学计量点附近,由于被滴定物质的浓度发生突变,指示电极的电位随之产生突跃。由此即可确定滴定终点。测得的电池电动势 $E_{电池}$(或指示电极的电位 E)对滴定剂体积 V 作图,即得图 14-21(a)的滴定曲线。一般来说,曲线突跃范围的中点,即为化学计量点。如果突跃范围太小,变化不明显,可作一级微分滴定。图 14-21(b)即 $\Delta E/\Delta V$ 对 V 的曲线,其上的极大值对应滴定终点。也可作二级微分，即绘 $\Delta^2 E/\Delta V^2$ 对 V 的曲线图，如图 14-21(c)所示。图中 $\Delta^2 E/\Delta V^2$ 等于零的点即滴定终点。

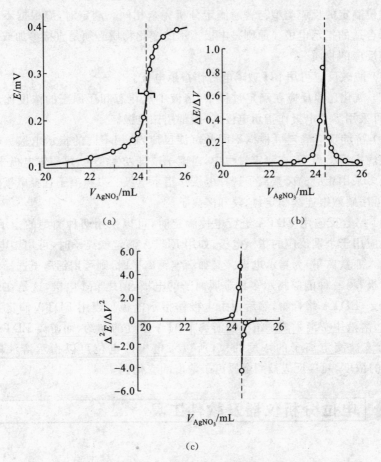

(a)

(b)

(c)

图 14-21 用 $0.100\,0\ \text{mol}\cdot\text{L}^{-1}\,\text{AgNO}_3$ 滴定 $2.433\ \text{mmol}\cdot\text{L}^{-1}\,\text{Cl}^-$
的电位滴定曲线

　　自动电位滴定法的滴定终点是根据预设的终点电动势值来确定终点。依据是事先滴定标准溶液，从其滴定曲线的化学计量点电动势值设定被测未知试样终点电动势值。

　　一台现代自动电位滴定仪至少可做：(1) 自动控制滴定终点，当到达终点时，即自动关闭滴定装置，显示滴定剂用量，给出测定结果；(2) 能自动记录滴定曲线，经自动运算后显示终点滴定剂的体积及结果，并能存储滴定曲线数据供调用；(3) 记录的数据有通用性，容易传递到普通计算机用软件工具处理。

14.7.2　滴定反应类型及指示电极的选择

电位滴定的反应类型与普通滴定分析完全相同。滴定时,应根据不同的反应选择合适的指示电极。原则是电极指示的变化物质必须是直接参加或间接参加滴定反应的物质。

(1) 酸碱反应可用 pH 玻璃电极作指示电极。

(2) 氧化还原反应在滴定过程中,溶液中氧化态和还原态的浓度比值发生变化,可采用零类电极作指示电极,一般都用铂电极。

(3) 沉淀反应滴定可根据不同的沉淀反应,选用不同的指示电极。例如用硝酸银滴定卤素离子,在滴定过程中,卤离子浓度发生变化,可用银电极来指示。目前更多采用相应的卤素离子选择电极作指示电极。以碘离子选择电极作指示电极,可用硝酸银连续滴定氯、溴和碘离子。

(4) 络合反应用 EDTA 进行电位滴定时,可以采用两种类型的指示电极。一种是应用于个别反应的指示电极,如用 EDTA 滴定铁离子时,可用铂电极(体系中加入亚铁离子)为指示电极。又如滴定钙离子时,则可用钙离子选择电极作指示电极;另一种能够指示多种金属离子的电极,谓之 pM 电极,这是在试液中加入 Hg-EDTA 络合物,然后用汞电极作指示电极。当用 EDTA 滴定某金属离子时,溶液中游离汞离子浓度受游离 EDTA 浓度的制约,而游离 EDTA 的浓度又受该被滴定离子的浓度约束,所以汞电极的电位可以指示溶液中游离 EDTA 的浓度,间接反应被测金属离子浓度的变化。

14.8　电位分析仪器及软件工具

14.8.1　电位计(酸度计)的类型

由于现代电子数字技术的飞速发展,各种各样的电位计琳琅满目。主要有三种类型:笔式、袖珍式和台式,如图 14-22 所示。图中袖珍式连接的 pH 电极是敏感场效应晶体管。只要少量试样滴在敏感膜上覆盖就可测定。

14.8.2　电位计的读数精度和输入阻抗

图 14-22 的三种电位计(酸度计)使用的场地不同,达到的读数精度也不一样。图中笔式、袖珍式精度为 0.01 pH 单位,台式为 0.001 pH 单位。对 mV 档的精度,一般仪器为 0.1 mV,精密的为 0.01 mV。

输入阻抗是电位计(酸度计)最重要的参数,要求应不小于 10^{12} Ω。因为高输入阻抗的仪器才能与高电阻的电极相匹配。玻璃膜的电阻高达 10^8 Ω,如果

图 14-22 笔式、袖珍式和台式电位(酸度)计

要测量误差小于 1‰,仪器输入阻抗要大于 10^{11} Ω。测量误差可按下式估算:

$$测量误差 = \frac{R_{电极}}{R_{电极} + R_{输入}} \times 100\% \qquad (14-51)$$

如果 $R_{电极} = 10^8$ Ω,要得到误差≤1‰,可算得 $R_{输入} \geq 10^{11}$ Ω。假如有一台精密电位计,输入阻抗为 10^{12} Ω,当测量电压为 1.000 0 V 时,流过电池回路的电流小至 1 pA。也就是说,输入阻抗越高,流过测量电池回路的电流就越小。趋于等于零,就达到了测量零电流的原则。

14.8.3 自动电位滴定仪

图 14-23 为智能触摸屏控制电位滴定仪(瑞典)。主要功能及特点如下:

触摸屏控制,高分辨率大屏幕彩色 LCD 显示,直观清晰实时显示滴定曲线,激活在线帮助。快捷键迅速启用各项功能。可直接与内部网、因特网相连。Quick Access 快捷键迅速直接调用参数。模板和计算公式可有利使用开发新的分析方法。Titrando 上的数据存储与管理功能,能使数据(包括方法和测定结果)通过屏或电脑存储于 PCMCIA 卡,便于之后调用、查询或进一步处理。通过

图 14-23 自动电位滴定仪

PCMCIA 卡,Titrando 也可实现与电脑数据共享。

滴定模式齐全,可用离子选择电极直接测量并计算溶液的浓度。智能数据芯片 EEPROM 存储交换单元等的信息。Titrando 是整个滴定系统的核心部件,具有控制、协调系统输液单元、搅拌器和各辅助部件,能实现仪器全自动化测量功能。

14.8.4   Excel 工具软件应用介绍

Excel 是微软公司办公软件 Office 的重要部分。公认为世界上功能最强大、技术最先进、使用最方便的电子表格软件。现有多个版本,从 2000 版本之后,其核心内容变化不大。几乎分析化学的所有计算、图表都可使用该软件工具完成。

Excel 电子表格软件具有崭新的外观、可用性强。能进行数据管理、数据分析、图形图表处理编程性。其外观的菜单栏和工具栏基本同 Word 一致,具有较多鼠标拖曳功能,使编辑更为方便。工作簿文件由多工作表组成(最多 255 个),工作簿窗口底部有一行页面标签,每一页都用一个标签来标记,用鼠标单击页面标签即可实现工作表之间的切换。Excel 还具有较强的图表功能,编辑和定制图表的过程是只需拖曳鼠标就可以实现的。Excel 的函数库很大,能进行较复杂的计算,尤其在统计计算上较为方便。

Excel 是一个包含了 Visual Basic For Application(VBA)的应用程序,后者是 Microsoft 新一代的交叉应用程序宏语言。由于配备有 VBA,因而 Excel 包含了一个新的对话框编译器,一个新的菜单编辑器和一个新的调试程序。使 VBA 构造基于 Excel 的宏驱动应用程序更容易。

Excel 具有强大的函数库,包括数学函数、工程函数、逻辑函数等,可进行某一工作表内单元格及单元格区域的计算,也可进行工作表之间相互引用(绝对引用、相对引用)计算,还可进行工作表之间的三维计算。充分利用这强大的计算功能,即可对所建立的工作簿文件中的工作表建立计算公式。

分析仪器使用 Excel 有联机和脱机两种方式。联机方式要求分析仪器的接口与通用计算机匹配,数据格式计算机可接受使用或经转换使用。这种方式比较适合大批量的测量数据计算处理。脱机方式对分析仪器无特殊要求,经人工读取数据,再输入计算机处理。这种方式比较适合少量数据计算处理。这里举两个简单例子:连续标准加入法数据的处理和电位滴定曲线图的绘制。

1. 连续标准加入法数据的处理

标准加入法公式(14-44)重排得

$$(V_x + V_s)10^{\Delta E/S} = \frac{c_s V_s}{c_x} + V_x \tag{14-52}$$

现令 $(V_x+V_s)10^{\Delta E/S}=y$；$V_s=x$；$\dfrac{c_s}{c_x}=a$，$V_x=b$，式(14-52)变为

$$y=ax+b \tag{14-53}$$

式为最简单的线性方程。如果 S 已知，用 Excel 求 a 是容易的，最少加 2 次标准溶液，就可拟合出线性方程的 a 和 b，从 a 求 c_x。这里为了清楚起见，如此介绍。实际上，我们在 Excel 的单元格中，直接输入式(14-52)的各项，并使它们相互关联，运行需要的数学函数就可以了。

电极响应斜率 S 在试验上用工作曲线法和稀释法可求。使用 Excel 时，可用数学方法算出：一种是给出一个初始值(理论值)，迭代，V_x 的方差最小时，S 就达到电极的实际响应斜率值；另一种是以 V_x 为试探观测标准，人工试代也可确定 S，简单又实用(见表 14-7 和图 14-24)。

表 14-7   Excel 处理的氟离子电极测量数据

E/mV	-210	-192.6	-182.7	-175.6	-170.0	-166.0
V_s/mL	0	1.0	2.0	3.0	4.0	5.0

	ΔE	V_s	V_x+V_s	$\Delta E/S$	y
	17.4	1.0	101	0.3	201.5
	27.3	2.0	102	0.470 6	301.5
$S=58$	34.4	3.0	103	0.593 1	403.5
$V_x=100$	40.0	4.0	104	0.689 6	508.9
$c_s=0.01\ \mathrm{mol/L}$	44.0	5.0	105	0.758 6	602.2

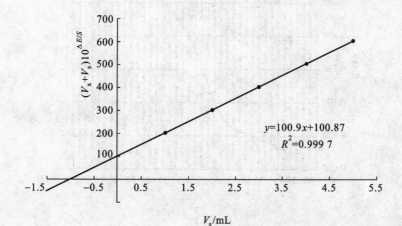

图 14-24   连续标准加入法计算图

拟合方程为 $y=100.9x+100.87, a=100.9, c_x=9.9\times10^{-5}$ mol·L^{-1}，直线交与 x 等 1.0 处，同样可算出一样的结果。

当 $S=57$ 时，$V_x=98.75, c_x=9.5\times10^{-5}$ mol·L^{-1}；$S=59$ 时，$V_x=102.7$，$c_x=1.03\times10^{-4}$ mol·L^{-1}。$S\pm1, c_x$ 相对误差 $\pm4\%$。也就是说，电极的响应斜率偏差 1 mV 时，将引入大约 4% 的误差。

2. 电位滴定曲线图的绘制

以下举的是氧化-还原滴定的例子，采用还原剂滴定法。摘取了终点附近的一些数据，用 Excel 绘图，结果已表明在表 14-8 和图 14-25 中。

表 14-8   电位滴定法——微分滴定数据表

滴定剂 (V/mL)	E/V	一次微分					二次微分		
		V_1	ΔE	ΔV_1	$\Delta E/\Delta V$	V_2	$\Delta(\Delta E/\Delta V)$	ΔV_2	$\Delta^2 E/\Delta V^2$
35.45	0.630								
35.50	0.650	35.475	0.020	0.05	0.400				
35.55	0.680	35.525	0.030	0.05	0.600	35.500	0.20	0.050	4.00
35.60	0.800	35.575	0.120	0.05	2.400	35.550	1.80	0.050	36.00
35.65	0.860	35.625	0.060	0.05	1.200	35.600	−1.20	0.050	−24.00
35.70	0.890	35.675	0.030	0.05	0.600	35.650	−0.60	0.050	−12.00
35.75	0.910	35.725	0.020	0.05	0.400	35.700	−0.20	0.050	−4.00

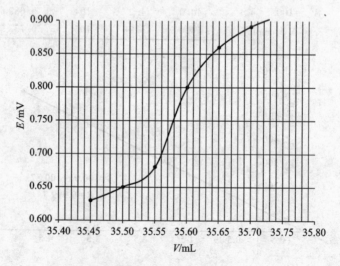

(a)

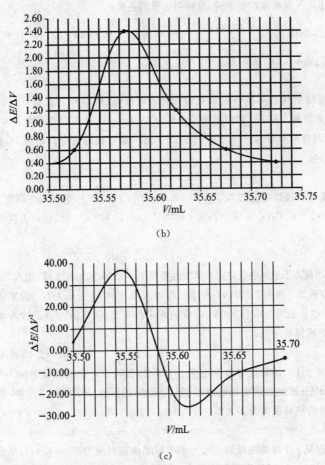

(b)

(c)

图 14-25　电位滴定终点突跃曲线图

常规滴定曲线中[图(a)]，终点判别困难；一次微分和二次微分都能清楚判明[图(b)：一次微分，图(c)：二次微分]。

思考、练习题

14-1　电位分析法可以分成哪两种类型？依据的定量原理是否一样？它们各有何特点？

14-2　画出氟离子选择电极的基本结构图，并指出各部分的名称。

14-3　为什么说 ISFET 电极具有大的发展潜力？

14-4　何谓 pH 玻璃电极的实用定义？如何精确测量 pH？

14-5　何谓 ISE 的电位选择系数？写出有干扰离子存在下的 Nernst 方程表达式。

14-6　电位滴定的终点确定有哪几种方法？

14-7　计算下列电池的电动势,并标明电极的正负:

$$Ag,AgCl \left| \begin{smallmatrix} 0.100 \text{ mol} \cdot L^{-1} \text{ NaCl} \\ 1.00 \times 10^{-3} \text{ mol} \cdot L^{-1} \text{ NaF} \end{smallmatrix} \right| LaF_3 \text{ 单晶膜} | 0.100 \text{ mol} \cdot L^{-1} \text{ KF} \; \| \; SCE$$

已知:$E_{AgCl/Ag} = 0.288\,0$ V,$E_{SCE} = 0.244$ V。

(0.082 V)

14-8　冠醚中性载体膜钾电极和饱和甘汞电极(以醋酸锂为盐桥)组成测量电池为:
K^+-ISE | 测量溶液 | SCE。当测量溶液分别为 0.01 mol·L^{-1} KCl 溶液和 0.010 0 mol·L^{-1}
NaCl 溶液时,测得电动势为 -88.8 mV 和 58.2 mV,若电极的响应斜率为 58.0 mV/pK 时,
计算 $K^{pot}_{K^+,Na^+}$。

(2.92×10^{-3})

14-9　氯离子选择电极的 $K^{pot}_{Cl^-,CrO_4^{2-}} = 2.0 \times 10^{-3}$ mol·L^{-1},当它用于测定 pH 为 6.0 且
含有 0.01 mol·L^{-1} K$_2$CrO$_4$ 溶液中的 5.0×10^{-4} mol·L^{-1} 的 Cl$^-$ 时,估计方法的相对误差有
多大?

(20%)

14-10　用氟离子选择电极测定水样中的氟离子。取 25.00 mL 水样,加入 25.00 mLTISAB
溶液,测得电位值为 $-0.137\,2$ V(vs·SCE);再加入 1.00×10^{-3} mol·L^{-1} 的氟离子标准溶液
1.00 mL,测得电位值为 $-0.117\,0$ V,电位的响应斜率为 58.0 mV/pF。计算水样中的氟离
子浓度(需考虑稀释效应)。

(2.38×10^{-5} mol·L^{-1})

14-11　某 pH 计的标度每改变一个 pH 单位,相当于电位的改变为 60 mV。今欲用响
应斜率为 50 mV/pH 的玻璃电极来测定 pH 为 5.00 的溶液,采用 pH 为 2.00 的标准溶液来
标定,测定结果的绝对误差为多大?

(−0.5 pH)

14-12　设某 pH 玻璃电极的内阻为 100 MΩ,响应斜率为 59 mV/pH,测量时通过电池
回路的电流为 10^{-11} A,试计算因压降所产生的测量误差相当于多少 pH 单位?

(0.017 pH)

14-13　为了测定 Cu(Ⅱ)-EDTA(CuY^{2-})络合物的稳定常数 $K_{稳}$,组装了下列电池:
Cu | CuY^{2-}(1.00×10^{-4} mol·L^{-1}),Y^{4-}(1.00×10^{-2} mol·L^{-1}) $\|$ SHE。测得该电池的电动
势为 0.277 V,请计算络合物的 $K_{稳}$。

(7.6×10^{18})

14-14　今有 4.00 g 牙膏试样,用 50 mL 柠檬酸缓冲溶液(同时还含有 NaCl)煮沸以得
到游离态的氟离子,冷却后稀释至 100 mL。取 25 mL,用氟离子选择电极测得电池电动势为
$-0.182\,3$ V,加入 1.07×10^{-3} mg·L^{-1} 的氟离子标准溶液 5.0 mL 后电位值为 $-0.244\,6$ V,
请问牙膏试样中氟离子的质量分数是多少?

(4.26×10^{-8}%)

14-15　将一钠离子选择电极和一饱和甘汞电极组成电池,测量活度为 0.100 mol·L^{-1}
的 NaCl 溶液时,得到电动势 67.0 mV;当测量相同活度的 KCl 溶液时,得到电动势为
113.0 mV。

(1) 试求选择性系数;

(2) 若将电极浸在含 NaCl($a=1.00\times10^{-3}$ mol·L^{-1})和 KCl($a=1.00\times10^{-2}$ mol·L^{-1})的混合溶液中,测得的电动势将为何值?

(0.167,0.160 V)

14-16 在下列组成的电池形式中:I$^-$ 选择电极│测量电极┆┆SCE,用 0.1 mol·L^{-1} 的 AgNO$_3$ 溶液滴定 5.00×10^{-3} mol·L^{-1} 的 KI 溶液。已知,碘电极的响应斜率为 60.0 mV/pI。请计算滴定开始和终点时的电动势。

(0.258 V,−0.085 V)

14-17 用 pH 玻璃电极作指示电极,以 0.2 mol·L^{-1} 氢氧化钠溶液电位滴定 0.02 mol·L^{-1} 苯甲酸溶液。从滴定曲线上求得终点时溶液的 pH 为 8.22。二分之一终点时溶液的 pH 为 4.18,试计算苯甲酸的解离常数。

(6.6×10^{-5})

14-18 用 0.1 mol·L^{-1} 硝酸银溶液电位滴定 0.005 mol·L^{-1} 碘化钾溶液,以全固态晶体膜碘电极为指示电极,饱和甘汞电极为参比电极。如果碘电极的响应斜率为 60.0 mV,计算滴定开始时和计量点时的电池电动势。并指出碘电极的正负。

($E^{\ominus}_{AgI/Ag}=-0.152$ V,$K_{sp/AgI}=9.3\times10^{-17}$)

14-19 采用下列反应进行电位滴定时,应选用什么指示电极?并写出滴定方程式。

(1) Ag$^+$ S^{2-} $\Longrightarrow$ (2) Ag$^+$＋CN$^-$ $\Longrightarrow$

(3) NaOH＋H$_2$C$_2$O$_4$ $\Longrightarrow$ (4) Fe(CN)$_6^{3-}$＋Co(NH$_3$)$_6^{2+}$ $\Longrightarrow$

(5) Al^{3+}＋F$^-$ $\Longrightarrow$ (6) H$^+$＋ ⟨N⟩ $\Longrightarrow$

(7) K$_4$Fe(CN)$_6$＋Zn^{2+} $\Longrightarrow$ (8) H$_2$Y^{2-}＋Co^{2+} $\Longrightarrow$

参考资料

[1] 高小霞. 电分析化学导论. 北京:科学出版社,1986.

[2] Christian G D. Analytical Chemistry,6th ed. New York:Jonhn Wiley & Sons,2003.

[3] Rubinson K A,Rubinson J F. Contemporary Instrumental Analysis. 北京:科学出版社,2003.

[4] Band A J,Faulkner L R. 电化学方法——原理和应用. 邵元华,朱果逸,董献堆,等,译. 北京:化学工业出版社,2005.

第15章 伏安法与极谱法

伏安法(voltammetry)与极谱法(polarography)是一种特殊形式的电解分析方法。它以小面积的工作电极与参比电极组成电解池,电解被分析物质的稀溶液,根据所得到的电流-电位曲线来进行分析。两者的差别主要是工作电极的不同,传统上极谱法的工作电极为滴汞电极(dropping mercury electrode, DME);而伏安法使用固态或表面静止电极作工作电极。近年来,由于各类固态电极的发展,滴汞电极不仅受到了很大限制,而且在技术上,滴汞电极表面积也已变得可控(如静汞滴电极)。因此,伏安法已成为最主要的电分析方法。但值得指出的是,伏安法的发展与经典极谱法的基本理论密切相关。

伏安分析法不同于近乎零电流下的电位分析法,也不同于溶液组成发生很大改变的电解分析法,由于其工作电极表面积小,虽有电流通过,但电流很小,溶液的组成基本不变。它的实际应用相当广泛,凡能在电极上发生还原或氧化反应的无机、有机物质或生物分子,一般都可用伏安法测定。在基础理论研究方面,伏安法常用来研究电化学反应动力学及其机理,测定络合物的组成及化学平衡常数等。

15.1 液相传质过程

15.1.1 液相传质方式

溶液中的物质传递通常称为液相传质。在电极/溶液界面,液相传质是通过扩散、电迁移和对流来完成。

1. 对流

对流是指溶液中的粒子随着液体的流动而一起运动。它有自然对流和强制对流之分。液体各部分之间因浓度差或温度差而形成的对流称自然对流,这是自然发生的。强制对流则是因外力搅拌溶液而引起的对流。无论哪种对流形式,都可引起电极表面附近溶液的浓度变化。

2. 电迁移

电迁移是带电粒子在电场力作用下发生的移动。在电极表面附近,电活性物质通常由扩散和电迁移两种方式传递。为了简化电化学体系的数学处理,往往仅考虑扩散这一种传递形式,这时需要通过加入大量电解质(称为支持电解质)来消除电迁移。

3. 扩散

扩散是指溶液中粒子在浓度梯度作用下,自高浓度向低浓度方向发生的移动。即使溶液在静止状态,也会发生这种传递现象。

应当指出,三种传质方式中往往只有一种或两种起主导作用。在电极表面附近,电活性物质通常由扩散和迁移两种方式传递,对流速率很小。因此在电极表面区域,扩散和迁移的流量控制着电极反应的速率以及由此引起的外电路流过的 Faraday 电流。显然,所获得的电流包括扩散电流($i_{扩}$)和迁移电流($i_{迁}$),即

$$i = i_{扩} + i_{迁} \tag{15-1}$$

$i_{扩}$ 和 $i_{迁}$ 的方向可能相同也可能相反,这取决于电场的方向以及电活性物质所带的电荷。对于带正电荷、带负电荷和不带电荷三种不同反应物在带负电荷电极上的还原,由图 15-1 可见,其电流大小不同。在极谱分析中,迁移电流被认为是一种干扰电流,将在 15.3.4 节讨论。通常在溶液中加入大量的支持电解质如 KCl,借助其降低被分析物的迁移份额,以消除迁移电流。在许多仅考虑扩散的体系中,通常采取这种方法。

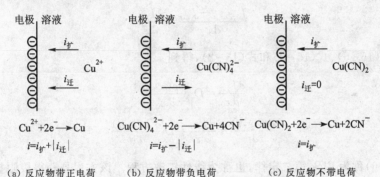

（a）反应物带正电荷　　（b）反应物带负电荷　　（c）反应物不带电荷

图 15-1　不同反应物在带负电荷电极上还原时迁移电流的贡献

15.1.2　线性扩散传质

对于一个电化学反应,随反应的进行,反应粒子会不断地消耗,反应产物则不断地生成。这样,在电极表面附近的液层中会形成浓度梯度,导致粒子的扩散。这种扩散对电化学反应产生非常重要的影响,常常决定电化学反应的速率和电流的大小。

如果只考虑平面电极上 x 方向的一维(线性)扩散传质,如图 15-2 所示。反

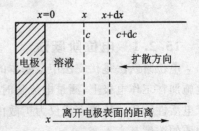

图 15-2　平面电极上的一维扩散示意图

应物在 x 方向的扩散流量由 Fick(菲克)第一定律给出：

$$J_{x,t} = -D \frac{\mathrm{d}c}{\mathrm{d}x} \tag{15-2}$$

式中 $\frac{\mathrm{d}c}{\mathrm{d}x}$ 为溶液中反应物的浓度随电极表面距离的变化率，称为浓度梯度，D 为反应物的扩散系数($\mathrm{cm^2 \cdot s^{-1}}$)，即单位浓度梯度作用下反应物的扩散传质速率。负号表示扩散传质方向与浓度增大的方向是相反的。

当进一步考虑反应物在 x 处和 $x+\mathrm{d}x$ 处的扩散流量，从图 15-2 可以看出，在无限短时间 $\mathrm{d}t$ 内，其浓度的变化等于其流量的改变与 $\mathrm{d}x$ 之比，即

$$\frac{\partial c(x,t)}{\partial t} = -\frac{J_{x+\mathrm{d}x,t} - J_{x,t}}{\mathrm{d}x} \tag{15-3}$$

在 $x+\mathrm{d}x$ 处的流量可以按 x 处的流量公式表示为

$$J_{x+\mathrm{d}x,t} = J_{x,t} + \frac{\partial J_{x,t}}{\partial x}\mathrm{d}x \tag{15-4}$$

上式整理为

$$\frac{J_{x+\mathrm{d}x,t} - J_{x,t}}{\mathrm{d}x} = \frac{\partial J_{x,t}}{\partial x} \tag{15-5}$$

结合式(15-5)、式(15-3)和式(15-2)，得到

$$\frac{\partial J_{x,t}}{\partial x} = D\frac{\partial^2 c(x,t)}{\partial x^2}$$

$$\frac{\partial c(x,t)}{\partial t} = \frac{\partial J_{x,t}}{\partial x} = D\frac{\partial^2 c(x,t)}{\partial x^2} \tag{15-6}$$

式(15-6)称为 Fick 第二定律，也称为线性扩散方程。该方程是获得极限扩散电流的基本关系式，下节将讨论到。

15.2　扩散电流理论

15.2.1　电位阶跃法

电位阶跃法是伏安法中最基本的电化学测试技术。它是将电极电位强制性地施加在工作电极上，测量电流随时间或电位的变化规律。这类技术通常适用于电活性物质的传递方式仅为扩散传递过程，而且假定在电化学反应中，电活性物质的浓度基本不变。

电位阶跃实验装置主要由三电极系统和一个控制电位阶跃的恒电位器组

成。电位阶跃的选择通常是从电化学反应发生前的某一电位改变到电化学反应发生后的另一电位,观察由此引起的电流随时间变化的规律。由于该方法获得的是 $i-t$ 关系曲线,因此通常称为计时电流法或计时安培法。

设电极表面发生下列电化学反应

$$O + ne^- \Longrightarrow R \qquad\qquad (15-7)$$

对于上式所表示的电活性物质的还原反应,当施加在工作电极上的电位从不发生电极反应的 E_1,向更负的方向阶跃达到极限扩散电流的电位 E_2,其单电位阶跃波形如图 15-3(a) 所示。这样,使得还原反应的速率足够快,以至于电极表面上的反应物 O 立即转化为 R,即电极表面 O 的浓度 c_o^s 趋近于零。显然,这种电位阶跃会引起电极表面上浓度分布与电流发生变化。

在电位 E_1 时,由于没有电极反应发生,反应物 O 在溶液中和在电极表面的浓度是相同的。当电位从 E_1 阶跃到 E_2,反应物 O 迅速还原,并造成了电极表面和溶液间的浓度梯度。反应物 O 因此不断地向电极表面扩散,扩散到电极表面的反应物又立即被还原。前面已叙及,扩散电流正比于电极表面的浓度梯度。随着电极反应的进行,反应物不断地向电极表面扩散,使得电极表面和溶液间的浓度梯度会向本体溶液方向发展,其浓度分布随时间的变化曲线如图 15-3(b) 所示。随着时间的延长,电流会衰减,呈现出如图 15-3(c) 所示的变化曲线。

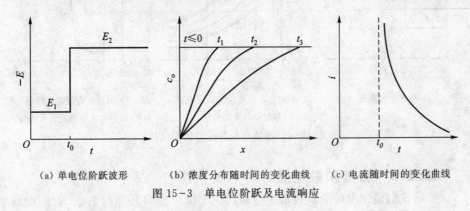

(a) 单电位阶跃波形　　(b) 浓度分布随时间的变化曲线　　(c) 电流随时间的变化曲线

图 15-3　单电位阶跃及电流响应

15.2.2　伏安曲线

上述仅是阶跃到较负电位的单电位阶跃,因而电极表面的反应物浓差很快就衰减到一个接近于零的值。如果将上述单电位阶跃分为多次阶跃来完成,即在电化学反应的不同阶段进行一系列的电位阶跃,如图 15-4(a) 所示,这时的情况如何呢?

在每个单电位阶跃实验之间,都保持相同的初始条件。E_1 是阶跃前的初始电位,选定在无还原反应发生的区域;E_2 是阶跃到反应物刚开始还原的电位;E_3 和 E_4 是阶跃到已还原但不足以使电极表面反应物浓度为零的电位,E_5 和 E_6 是阶跃到反应物传递控制区域内的电位。不难得到,在 E_2 有极少 Faraday 电流,而在 E_5 和 E_6 电位处的电流行为与上述单电位阶跃情形相同,反应物表面浓度 c_0^s 降到了零,即达到了完全浓差极化,这时本体溶液中的反应物将尽可能快地向电极表面扩散,电流的大小完全受此扩散速率所控制。在这种极限扩散条件下,电位再增加也不会影响电流的大小,即扩散电流达到了一个极限值,称为极限扩散电流。电位 E_3 和 E_4 则处在还原不够充分的区域,电极表面反应物的浓度还不为零,与 E_5 和 E_6 电位处物质传递极限情况相比,浓差较小,相应的反应电流也较小。

假若在每次阶跃后的某一相同时刻 τ 记录电流,如图 15-4(b)所示。将这些电流与对应的阶跃电位作图,得到如图 15-4(c)所示的电流-电位关系曲线,称作伏安曲线。

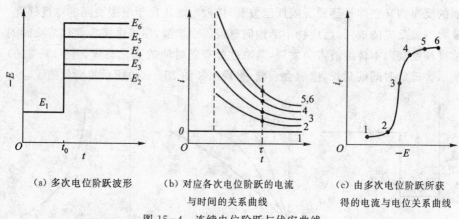

(a) 多次电位阶跃波形　　(b) 对应各次电位阶跃的电流　　(c) 由多次电位阶跃所获
　　　　　　　　　　　　　与时间的关系曲线　　　　　得的电流与电位关系曲线

图 15-4　连续电位阶跃与伏安曲线

15.2.3　极限扩散电流

上面我们借助电位阶跃技术定性地讨论了反应物 O 还原的电流-时间曲线及其特征。本节将对平面电极上的扩散控制电流作定量分析。

对于式(15-7)描述的一般电化学反应,要获得其极限扩散电流,需要对线性扩散方程式(15-6)

$$\frac{\partial c(x,t)}{\partial t} = D \frac{\partial^2 c(x,t)}{\partial x^2}$$

求解,这时必须确定初始条件和边界条件。

初始条件:在电位阶跃前,反应物的浓度是已知的,且处处相同。即

$$t=0, c_o = c_o^b$$

c_o^b 为反应物的本体浓度,作为初始浓度。

边界条件:电位阶跃后,电极反应快速进行,反应物一到达电极表面($x=0$)立刻被消耗,即电极表面反应物 O 的浓度 c_o^s 为零;同时假设,距电极表面远处($x=\infty$),反应物 O 的浓度在电极反应过程中不发生变化,即

$$t>0, x=0, c_o^s=0$$
$$t\geqslant 0, x=\infty, c_o=c_o^b$$

在给定的初始和边界条件下,解式(15-6)偏微分方程,得到电极表面浓度梯度的表达式

$$\left(\frac{\partial c_o}{\partial x}\right)_{x=0} = \frac{c_o^b - c_o^s}{\sqrt{\pi D_o t}} \tag{15-8}$$

根据 Faraday 电解定律,电解电流可表示为

$$i = nFA\frac{dN_o}{dt} \tag{15-9}$$

式中 n 为电极反应电子数,F 为法拉第常数,A 为电极表面积。由于单位时间扩散到电极表面反应物的物质的量($\frac{dN_o}{dt}$)与电极表面的浓度梯度即浓差($\frac{\partial c_o}{\partial x}$)成正比

$$\frac{dN_o}{dt} = D_o\left(\frac{\partial c_o}{\partial x}\right)_{x=0} \tag{15-10}$$

以式(15-10)代入式(15-9),得到

$$i = nFAD_o\left(\frac{\partial c_o}{\partial x}\right)_{x=0} \tag{15-11}$$

将式(15-8)代入式(15-11),得到任一时刻 t 的扩散电流为

$$i = nFAD_o\frac{c_o^b - c_o^s}{\sqrt{\pi D_o t}} \tag{15-12}$$

若电极表面反应物 O 的浓度 c_o^s 趋近于零,即完全浓差极化,扩散电流将趋近于最大值,此时得到极限扩散电流(i_d),于是式(15-12)变为

$$i_d = nFAD_o^{1/2}\frac{c_o^b}{\sqrt{\pi t}} \tag{15-13}$$

上式称为 Cottrell(柯泰尔)方程。可见极限扩散电流与本体溶液中反应物的浓度成正比,且随时间的增加而衰减。

15.2.4　扩散层厚度

从上述讨论可以看出,在一定的实验条件下,扩散电流的大小由$\sqrt{\pi D_o t}$控制。这里有必要弄清$\sqrt{\pi D_o t}$的意义。根据式(15-8),电极表面扩散层中反应物浓度的分布可用图 15-5 表示,图中切线的斜率为

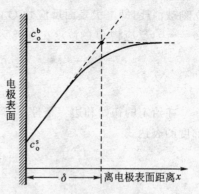

$$\left(\frac{\partial c_o}{\partial x}\right)_{x=0}=\frac{c_o^b-c_o^s}{\delta} \qquad (15-14)$$

式中 δ 称为扩散层厚度,其对应的电极表面附近溶液层称为扩散层。比较式(15-8)和式(15-14),可得到线性扩散的扩散层厚度为

图 15-5　电极表面扩散层中反应物浓度的分布

$$\delta=\sqrt{\pi D_o t} \qquad (15-15)$$

由式(15-15)和式(15-13)可知,扩散层厚度 δ 随 $t^{1/2}$ 的增加而增大,扩散电流随 $t^{1/2}$ 的增加而减小。如果已知反应物的扩散系数,由上式可计算出平面电极上扩散层厚度随时间的变化曲线,如图 15-6 所示。然而,在扩散层 δ 之外的本体溶液中,若有对流传质,则会阻碍扩散层变厚,保持扩散层稳定,维持电流不变。后面讨论的旋转圆盘电极正是利用了这一特性。

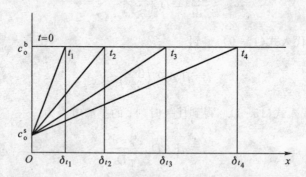

图 15-6　扩散层厚度随时间的变化曲线

15.3　直流极谱法

极谱法通常是各类极谱分析方法的总称,它包括早期的极谱法和以后发展起来的方波极谱和脉冲极谱法等。早期的极谱法称为直流极谱(direct polarography)或经典极谱法,由 Heyrovsky 于 1922 年创立,其基本理论经历了较长时期的发展,是现代伏安分析法的基础。

15.3.1 直流极谱的装置

早期的极谱采用两电极系统,即以滴汞电极(DME)为工作电极,饱和甘汞电极(saturated calomel electrode, SCE)为参比电极组成电解池。滴汞电极的结构很独特,如图 15-7 所示。电极的上部为储汞瓶,下端为一毛细管(毛细管内径约 0.05 mm),中间用一硅橡胶管连接。汞自储汞瓶经毛细管流出,并作周期性地滴落。控制汞柱的高度,使滴下时间约为 3~5 s。实验中记录的电流-电位曲线称极谱图(polarogram)或伏安图(voltammogram)。在极谱分析中,滴汞电极称为极化电极,参比电极为去极化电极。极谱波的产生是由于在极化电极即滴汞电极上出现浓差极化而引起的。

图 15-7 滴汞电极

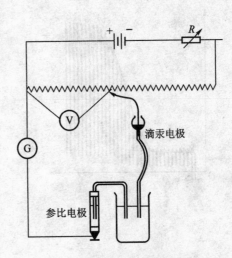

图 15-8 直流极谱的基本装置

直流极谱的基本装置如图 15-8 所示,它主要由电子线路组成的极谱仪和电解池两部分组成。通过极谱仪的控制,在电解池的滴汞电极和参比电极上施加一个连续变化的电压,用串联在电路中的检流计 G 来测量电流,用伏特表 V 来检测外加电压,最后记录滴汞电极上电流随电位变化的曲线。极谱法就是根据电解中得到的这种电流-电位曲线,即极谱图进行分析。

在极谱分析中,外加电压 $U_{外}$ 与两个电极的电位 $E_{工作}$ 和 $E_{参比}$ 有如下关系:

$$U_{外} = E_{工作} - E_{参比} + iR \tag{15-16}$$

式中 R 为回路中的电阻,i 为回路中的电流。由于极谱分析中的电流很小,所以

iR 一项可以忽略,得到

$$U_外=E_{工作}-E_{参比}$$

由于参比电极的电位稳定不变,故滴汞电极电位在数值上与外加电压一致,这样
应用起来就方便多了。

15.3.2　极谱波的形成

　　极谱图记录滴汞电极上电流大小随电极电位的变化曲线。直流极谱分析
中,工作电极上的电位以缓慢的线性扫描速率(150 mV/min 左右)变化,这样,
在相对短的滴汞周期内,电位基本不变,故称为"直流"。如果在连续电位扫描过
程中记录电流信号,电流随着汞滴的生长和滴落会出现振荡式的变化,如图
15-9(a)所示。经整流后的极谱图如图 15-9(b)所示,呈阶梯形伏安图常称为
极谱波(polarographic wave)。

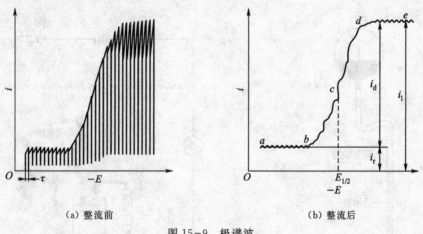

　　　　　(a) 整流前　　　　　　　　　　　　(b) 整流后

图 15-9　极谱波

　　图15-9(b)表明,极谱波明显地由 ab,bcd 和 de 三部分线段组成。ab 段,其
对应的电流为 i_r,称为残余电流。这时,外加电压还没有达到被测物的还原电
位,理论上无电流通过电解池,但这时仍可观察到极微小的电流,故为残余电流。
de 段对应的电流为 i_1,称为极限电流。bcd 段,其对应的扩散电流在不断上升阶
段,这时,反应物不断地扩散,使滴汞电极表面扩散层的浓度梯度逐步加大,从前
面的讨论可知,扩散电流正比于电极表面的浓度梯度,故扩散电流不断增大。极
限电流减去残余电流,$i_d=i_1-i_r$,称为极限扩散电流,它与物质的浓度成正比,这
是极谱定量分析的基础。c 点所对应的电位是处在扩散电流为极限扩散电流一
半时的电极电位,称为半波电位,用 $E_{1/2}$ 表示。当溶液的组分和温度一定时,每
一种电活性物质的半波电位是一定的,不随其浓度的变化而改变,是极谱定性分

析的依据。表 15-1 中列出了一些常见无机离子的极谱波的半波电位。

滴汞电极作为工作电极具有以下特点：

（1）由于滴汞的表面在不断更新，故分析结果的重现性很高；

（2）汞能与许多金属生成汞齐，从而降低了它们的析出电位，使得氧化还原电位很负的金属离子也能用极谱分析；

（3）氢在汞电极上的过电位很高，在中性介质中滴汞电极电位正于 -1.5 V（vs. SCE）不会产生氢离子还原的干扰；

（4）当用滴汞作为阳极时，电位一般不能正于 $+0.4$ V（vs. SCE），否则滴汞电极自身会被氧化。

表 15-1 25 ℃下常见无机离子的极谱半波电位（vs. SCE）

物质	底液条件	价态变化	$E_{1/2}/V$
Al^{3+}	0.2 mol·L^{-1} LiSO$_4$，5×10^{-3} mol·L^{-1} H$_2$SO$_4$	3→0	-1.64
As(Ⅲ)	1 mol·L^{-1} HCl	3→0 0→(−3)	-0.43 -0.60
Bi(Ⅲ)	1 mol·L^{-1} 酒石酸钠，0.8 mol·L^{-1} NaOH 1 mol·L^{-1} HCl 0.1 mol·L^{-1} NaOH	3→5 3→0 3→0	-0.31 -0.09 -1.00
Ba^{2+}	四乙基碘化铵	2→0	-1.94
$[CdCl_x]^{(2-x)}$	3 mol·L^{-1} HCl	2→0	-0.70
$[Co(NH_3)_6]^{3+}$	2.5 mol·L^{-1} NH$_3$，0.1 mol·L^{-1} NH$_4$Cl	3→2	-0.53
$[Co(NH_3)_5H_2O]^{2+}$	1 mol·L^{-1} NH$_3$，1 mol·L^{-1} NH$_4$Cl	2→0	-1.32
Co^{2+}	1 mol·L^{-1} KCl	2→0	-1.30
Cr^{3+}	1 mol·L^{-1} K$_2$SO$_4$	3→2	-1.03
$[Cr(NH_3)_x]^{3+}$	1 mol·L^{-1} NH$_3$，1 mol·L^{-1} NH$_4$Cl	3→2 2→0	-1.42 -1.70
$[Cu(NH_3)_2]^+$	1 mol·L^{-1} NH$_3$，1 mol·L^{-1} NH$_4$Cl	1→2 1→0	-0.25 -0.54
Cu^{2+}	0.5 mol·L^{-1} H$_2$SO$_4$	2→0	0.00
Fe^{3+}	1 mol·L^{-1} (NH$_4$)$_2$CO$_3$	3→2 2→0	-0.44 -1.52
Fe^{2+}	1 mol·L^{-1} KCl	2→0	-1.30
H^+	0.1 mol·L^{-1} KCl	1→0	-1.58
Hg_2Cl_2	0.1 mol·L^{-1} Na$_2$SO$_4$，5×10^{-3} mol·L^{-1} H$_2$SO$_4$，1×10^{-3} mol·L^{-1} Cl$^-$	1→0 0→1	$+0.25$ $+0.27$

续表

物质	底液条件	价态变化	$E_{1/2}/V$
$[InCl_x]^{(3-x)}$	$1\ mol\cdot L^{-1}\ HCl$	$3\rightarrow 0$	-0.60
K^+	$0.1\ mol\cdot L^{-1}$ 四甲基氯化铵	$1\rightarrow 0$	-2.13
Mg^{2+}	$0.1\ mol\cdot L^{-1}$ 四甲基氯化铵	$2\rightarrow 0$	-2.20
Mn^{2+}	$0.1\ mol\cdot L^{-1}\ KCl$	$2\rightarrow 0$	-1.50
$Mo(VI)$	$0.5\ mol\cdot L^{-1}\ H_2SO_4$	$6\rightarrow 5$ $5\rightarrow 3$	-0.29 -0.84
Na^+	$0.1\ mol\cdot L^{-1}$ 四甲基氯化铵	$1\rightarrow 0$	-2.10
Ni^{2+}	$0.1\ mol\cdot L^{-1}\ KCNS$	$2\rightarrow 0$	-0.69
$[Ni(NH_3)_6]^{2+}$	$1\ mol\cdot L^{-1}\ NH_3, 0.2\ mol\cdot L^{-1}\ NH_4Cl$	$2\rightarrow 0$	-1.06
$[Ni(吡啶)_6]^{2+}$	$1\ mol\cdot L^{-1}\ KCl, 0.5\ mol\cdot L^{-1}$ 吡啶	$2\rightarrow 0$	-0.78
O_2	pH1～10 缓冲溶液	$0\rightarrow -1$ $-1\rightarrow -2$	-0.05 -0.94
$[PbCl_x]^{(2-x)}$	$1\ mol\cdot L^{-1}\ HCl$	$2\rightarrow 0$	-0.44
Pb-柠檬酸	$1\ mol\cdot L^{-1}$ 柠檬酸钠, $0.1\ mol\cdot L^{-1}\ NaOH$	$2\rightarrow 0$	-0.78
S^{2-}	$0.1\ mol\cdot L^{-1}\ KOH$	$\rightarrow HgS$	-0.76
$Sb(III)$	$1\ mol\cdot L^{-1}\ HCl$	$3\rightarrow 0$	-0.15
Sn^{4+}	$1\ mol\cdot L^{-1}\ HCl, 4\ mol\cdot L^{-1}\ NH_4Cl$	$4\rightarrow 0$ $2\rightarrow 0$	-0.25 -0.52
Ti^{4+}	$0.2\ mol\cdot L^{-1}$ 酒石酸	$4\rightarrow 3$	-0.38
Tl^+	$0.02\ mol\cdot L^{-1}\ KCl$	$1\rightarrow 0$	-0.45
UO_2^{2+}	$0.1\ mol\cdot L^{-1}\ HCl$	$6\rightarrow 5$ $5\rightarrow 3$	-0.18 -0.94
Zn^{2+}	$1\ mol\cdot L^{-1}\ KCl$ $1\ mol\cdot L^{-1}\ NH_3, 1\ mol\cdot L^{-1}\ NH_4Cl$	$2\rightarrow 0$ $2\rightarrow 0$	-1.02 -1.35

15.3.3　扩散电流方程

　　15.2 节讨论了平面电极上的线性扩散电流。本节将介绍滴汞电极上的扩散电流。与平面电极相比,滴汞电极上的表面积随时间而变化。汞滴向溶液方向生长运动,会使扩散层厚度变薄,它大约是线性扩散层厚度的 $\sqrt{\dfrac{3}{7}}$。这样,根据式(15-13)可得到某一时刻的极限扩散电流

$$i_d = nFAD^{1/2} \frac{c^b}{\sqrt{\frac{3}{7}\pi t}} \qquad (15-17)$$

A 为汞滴的表面积。假设汞滴为圆球形,则可求得某一时刻汞滴的表面积为

$$A = 8.49 \times 10^{-3} m^{\frac{2}{3}} t^{\frac{2}{3}} \quad (cm^2)$$

式中 m 为滴汞流量($mg \cdot s^{-1}$),t 为时间(s)。将上述 A 值代入式(15-17),得某一时刻的扩散电流

$$i_d = 708n D^{\frac{1}{2}} m^{\frac{2}{3}} t^{\frac{1}{6}} c \qquad (15-18)$$

上式为瞬时扩散电流公式。式中 D 为被测组分的扩散系数($cm^2 \cdot s^{-1}$);c 为被测物质的浓度($mmol \cdot L^{-1}$)。可见扩散电流与时间有关,当时间 t 达到最大 τ 时(即汞滴从开始生长到滴下所需时间,称滴下时间或汞滴生长周期),i_d 达最大值:

$$i_\tau = 708n D^{\frac{1}{2}} m^{\frac{2}{3}} \tau^{\frac{1}{6}} c \qquad (15-19)$$

由于极谱分析记录汞滴生长过程的平均电流,因此平均极限扩散电流为

$$i_d = \frac{1}{\tau} \int_0^\tau i_t \, dt \qquad (15-20)$$

可得到

$$i_d = 607n D^{\frac{1}{2}} m^{\frac{2}{3}} \tau^{\frac{1}{6}} c \qquad (15-21)$$

式(15-21)为扩散电流方程,即 Ilkovič(伊尔科维奇)方程式。关于扩散电流方程式的适用性,只要电流受扩散控制,无论是水溶液、非水溶液还是熔盐介质,也无论是温度低至 $-30\ ℃$ 还是高至 $200\ ℃$ 的体系,扩散电流方程式都适用。

扩散电流方程中,$607n D^{\frac{1}{2}}$ 称为扩散电流常数,与毛细管特征值无关,它是电活性物质和介质的常数。而 m 与 τ 均为毛细管的特性,所以 $m^{2/3} \tau^{1/6}$ 被称为毛细管常数,它们与汞柱高度有关。所以,在极谱分析中不仅要用同一支毛细管,而且要保证汞柱高度不变。方程式中其他项如扩散系数 D 常受温度和溶液组分的影响,故实验中要求标准溶液的温度和组分与试样溶液保持一致。

15.3.4 极谱定量分析

15.3.4.1 定量分析方法

极谱图上的波高代表扩散电流,正确地测量波高可以减少分析误差。波高测量一般采用三切线法,如图 15-10 所示。在伏安图上作出 AB,CD 及 EF 三

条切线,相交于 O 和 P 点,通过 O 与 P 作平行于横轴的平行线,此两平行线间的垂直距离即为波高。

常用的定量分析方法有校准曲线法和标准加入法。

校准曲线法　当分析同一类的批量试样时,常用此方法。其方法是配制一系列标准溶液,在相同实验条件下分别测量其波高,绘制波高-浓度关系曲线,该曲线通常是一通过原点的直线。同样条件下测量被测物溶液的波高,从曲线上获得其相应的浓度。

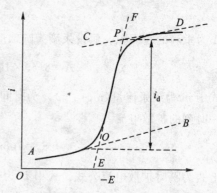

图 15-10　三切线法测量波高

标准加入法　标准加入法通过分别测量加入标准溶液前后的波高(i_d),即可求得被测物的浓度。例如,加标准溶液前测得波高为 h,加标准溶液后测得波高为 H,那么有

$$h = kc_x$$

$$H = k\left(\frac{V_x c_x + V_s c_s}{V_x + V_s}\right)$$

求得被测物的浓度为

$$c_x = \frac{c_s V_s h}{H(V_x + V_s) - h V_x} \qquad (15-22)$$

如试液的体积为 10 mL,加入标准溶液的量以 $0.5 \sim 1.0$ mL 为宜,并使加入后的波高增加约 $0.5 \sim 1$ 倍。由于加入标准溶液前后试液的组成基本保持一致,通常可消除由底液不同所引起的误差。标准加入法一般适用于单个试样的分析。

15.3.4.2　干扰电流及其消除方法

所谓的干扰电流,是指与被测物质浓度之间无定量关系的电流。它通常影响极谱定量分析,因此必须设法消除。常见的干扰电流有:

1. 残余电流

残余电流来源于微量杂质(溶液中的重金属离子或有机化合物等)的氧化还原所产生的电流,以及电极/溶液界面双层充电电流 i_c。在滴汞电极上,i_c 约为 10^{-7}A,对测定微量物质($<10^{-5}$ mol·L^{-1})会产生干扰。直流极谱无法有效地克服充电电流,一般采用作图法加以扣除(如图 15-10 所示)。在这方面,新的极谱分析技术如脉冲极谱应运而生。

2. 迁移电流

由 15.1.1 节的讨论可知,加入大量支持电解质可以消除迁移电流。支持电解质是一些能导电但在该条件下不发生电极反应的所谓惰性电解质,如氯化钾、盐酸、硫酸等。一般支持电解质的浓度要比被测物质浓度大 $50\sim100$ 倍。

3. 极谱极大

在电流-电位曲线上出现的比扩散电流要大得多的突发的电流峰,称为极谱极大。其原因是汞滴在生长过程中产生了对流效应,使汞滴表面各部分(如上部和下部)的电流密度分布不均匀,引起表面张力不同。极谱极大通常采用加入表面活性剂来抑制,由于表面活性剂在汞滴表面的吸附,使汞滴表面各部分的表面张力均匀,从而消除极谱极大。常用的表面活性剂有明胶、聚乙烯醇、曲拉通 X-100 及某些有机染料等。

4. 氧电流

空气饱和的溶液中,氧的浓度约为 $0.25\ mmol\cdot L^{-1}$。当进行电解时,氧在电极上被还原,产生两个极谱波:

第一个波:$O_2 + 2H^+ + 2e^- \longrightarrow H_2O_2$ (酸性溶液)

$O_2 + 2H_2O + 2e^- \longrightarrow H_2O_2 + 2OH^-$ (中性或碱性溶液)

第二个波:$H_2O_2 + 2H^+ + 2e^- \longrightarrow 2H_2O$ (酸性溶液)

$H_2O_2 + 2e^- \longrightarrow 2OH^-$ (中性或碱性溶液)

其 $E_{1/2}$ 分别为 -0.2 和 $-0.8\ V$ 左右,通常与被测物质的极谱波重叠,产生干扰。一般采用通入惰性气体,或在中性或碱性溶液中加入 Na_2SO_3,强酸中加入 Na_2CO_3 或 Fe 粉,从而消除氧的电流干扰。

除了上述的四种主要干扰电流外,还有一些其他干扰电流,如叠波、前波和氢离子还原波等。

15.4 极谱波的类型与极谱波方程

通过上述讨论,我们对极谱波有了一定的了解。实际上,极谱波只是一个总称,根据形成极谱波的体系不同,通常有不同的类型。不同类型的极谱波,又有着各自特征的电流-电位曲线,通常将这类曲线称为极化曲线;而将极谱电流与滴汞电极电位之间关系的数学表达式称为极谱波方程。

15.4.1 极谱波的类型

15.4.1.1 可逆波与不可逆波

可逆波与不可逆波是按电极反应的可逆性来划分的。其根本区别在于电极反应是否存在明显的过电位,即是否表现出电化学极化。由图 15-11 可见,曲线 1 是可逆波。曲线 2 相对于曲线 1 来说表现出明显的过电位,是不可逆波。可逆与不可逆极谱波的半波电位之差,表示不可逆电极过程所需的过电位(η)。

对于可逆极谱波,极谱波上任何一点的电流都是受扩散速度所控制。对于不可逆极谱波,当电位不够负时(图 15-11 极谱波的底部 AB 段),电极反应的速度很慢,没有明显的电流通过。电位逐渐向更负的方向增加时,过电位逐渐被克服,电极反应的速度增加,电流亦随之而增加,如波的 BC 段。电极电位足够负时,过电位完全被克服,电极反应的速度变得很快,形成完全的浓差极

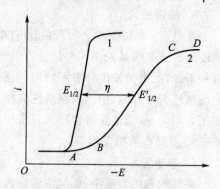

图 15-11　可逆波与不可逆波

化,到达极限电流(波的 CD 段)。一般情况在波的底部,电流完全受电极反应的速度所控制,波的中部,电流既受电极反应速度控制也受扩散速度控制;达到极限电流时,完全受扩散速度控制。

电极过程可逆性的区分并不是绝对的。一般认为,电极反应速率常数 k_s 大于 $2\times10^{-2}\,\text{cm}\cdot\text{s}^{-1}$ 为可逆,小于 $3\times10^{-5}\,\text{cm}\cdot\text{s}^{-1}$ 为不可逆,而介于两者之间为准可逆或部分可逆。

15.4.1.2　还原波(阴极波)和氧化波(阳极波)

按电极反应的氧化或还原过程极谱波可分为还原波(阴极波)和氧化波(阳极波)。还原波即溶液中的氧化态物质在电极上还原时所得到的极谱波,如图 15-12 曲线 1。氧化波即溶液中的还原态物质在电极上氧化时所得到的极谱波,如图15-12曲线 2。当同时存在氧化态物质的还原和还原态物质的氧化时,得到如图15-12曲线 3 所示的极谱波,称为综合波或阴-阳极连波。

对可逆波来讲,同一物质在相同的底液条件下,其还原波与氧化波的半波电位相同(如图15-12 曲线 1 和 2 所示)。但对不可逆波来讲,由于还原过程的过电位为负值,氧化过程的过电位为正值,其还原波与氧化波的半波电位就不同。例如电极反应 $Ti^{4+}+e^-\rightleftharpoons Ti^{3+}$,在饱和酒石酸介质中是可逆波,其还原与氧化波半波电位都是 $-0.42\,\text{V}$;而在盐酸介质中是不可逆波,其还原与氧化波半波电位分别是 $-0.81\,\text{V}$ 和 $-0.14\,\text{V}$。

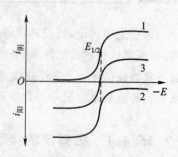

图 15-12　阴极波、阳极波与
阴-阳极连波

15.4.1.3 简单离子极谱波、络合物极谱波和有机化合物极谱波

按进行电极反应的物质划分,通常有简单金属离子极谱波,络合物极谱波和有机化合物极谱波。

1. 简单金属离子的极谱波

简单金属离子(即水合离子)的还原波,通常有三种形式:

(1) 在滴汞电极上生成汞齐:

$$M^{n+} + ne^- + Hg \Longrightarrow M(Hg)$$

如

$$Pb^{2+} + 2e^- + Hg \Longrightarrow Pb(Hg)$$

(2) 以金属状态沉积在滴汞电极上:

$$M^{n+} + ne^- \Longrightarrow M$$

如

$$Ni^{2+} + 2e^- \Longrightarrow Ni$$

(3) 均相氧化-还原反应:

$$M^{n+} + \alpha e^- \Longrightarrow M^{(n-\alpha)+}$$

如

$$Fe^{3+} + e^- \Longrightarrow Fe^{2+}$$

2. 络合物的极谱波

当金属离子形成较稳定的络离子时,其络合物的电极反应可表示为

$$MX_p^{(n-pb)+} + ne^- + Hg \Longrightarrow M(Hg) + pX^{b-}$$

如

$$HPbO_2^{2-} + e^- + H_2O + Hg \Longrightarrow Pb(Hg) + 3OH^-$$

3. 有机化合物的极谱波

许多有机物都具有电活性,如卤代化合物、羰基化合物、有机酸以及含氮和含氧有机化合物等,它们在滴汞电极上氧化还原产生极谱波。有机物的电极反应通常都有氢离子参与。极谱波的特点是大多数为不可逆波。值得一提的是,许多有机化合物不溶于水,要在有机溶剂(或与水的混合液)中进行测定,这时需要加入无机盐类(如锂盐、季铵盐等)作为支持电解质来传导电流。有机化合物的电极反应可表示为

$$R + nH^+ + ne^- \Longrightarrow RH_n$$

如

$$C_6H_5N = NC_6H_5 + 2H^+ + 2e^- \Longrightarrow C_6H_5NH - NHC_6H_5$$

15.4.2 极谱波方程

极谱波是电流与电位的关系曲线,不同反应类型的极谱波具有不同的极谱波方程。

15. 4. 2. 1　简单金属离子的极谱波方程

金属水合离子发生下列可逆的电极反应

$$M^{n+} + ne^- + Hg \Longrightarrow M(Hg) \tag{15-23}$$

其可逆极谱波方程为

$$E_{de} = E^\ominus - \frac{RT}{nF} \ln \frac{D_s^{1/2}}{D_h^{1/2}} - \frac{RT}{nF} \ln \frac{i}{i_d - i} \tag{15-24}$$

式中 D_s 为金属离子在溶液中的扩散系数,D_h 为金属在汞齐中的扩散系数。以滴汞电极电位 E_{de} 对 $\ln \dfrac{i}{i_d - i}$ 作图,根据所得直线的斜率,可求得电极反应的电子转移数,并可用来判断极谱波的可逆性。

15. 4. 2. 2　络合物的极谱波方程

对于络合物在滴汞电极上的还原:

$$MX_p^{(n-pb)+} + ne^- + Hg \Longrightarrow M(Hg) + pX^{b-} \tag{15-25}$$

其极谱波方程为

$$E_{de} = E^\ominus + \frac{RT}{nF} \ln K_c - \frac{RT}{nF} \ln \frac{D_{MX_p}^{1/2}}{D_h^{1/2}} - p\frac{RT}{nF} \ln c_x - \frac{RT}{nF} \ln \frac{i}{i_d - i} \tag{15-26}$$

式中 $E^\ominus$ 为式(15-23)的标准电极电位,K_c 为络合物的不稳定常数,D_{MX_p} 为络离子在溶液中的扩散系数,c_x 为络合剂的浓度(其浓度远大于 M^{n+} 的浓度,可视为一恒定值),p 是配位数。

当 $i = i_d/2$ 时,络合物还原的极谱波半波电位为

$$(E_{1/2})_c = E^\ominus + \frac{RT}{nF} \ln K_c - \frac{RT}{nF} \ln \frac{D_{MX_p}^{1/2}}{D_h^{1/2}} - p\frac{RT}{nF} \ln c_x \tag{15-27}$$

则

$$E_{de} = (E_{1/2})_c - \frac{RT}{nF} \ln \frac{i}{i_d - i} \tag{15-28}$$

在一定的实验条件下,从上述络合物极谱波方程式可求得 p,n 或 K_c。

从式(15-27)可以看出,络离子的半波电位比简单金属离子的要负;络离子愈稳定(K_c 愈小),或络合物浓度愈大,则半波电位愈负。所以,在极谱分析中,常常用络合的方法来使半波电位发生移动,以消除干扰。

15. 4. 3　偶联化学反应的极谱波

偶联化学反应的极谱波是指在电极反应过程中伴随有化学反应发生,其电

流大小不是由扩散控制,而是由电极表面液层中化学反应的速率所控制。习惯上称这类极谱波为动力波。根据化学反应的偶联特征,可以将其分为三种类型:

(1) 化学反应先行于电极反应:

$$A \xrightarrow{k} B \qquad C(化学反应)$$

$$B + ne^- \longrightarrow C \qquad E(电极反应)$$

(2) 化学反应后行于电极反应:

$$A + ne^- \longrightarrow B \qquad E(电极反应)$$

$$B \xrightarrow{k} C \qquad C(化学反应)$$

(3) 化学反应平行于电极反应:

$$A + ne^- \longrightarrow B \qquad E(电极反应)$$

$$B + C \xrightarrow{k} A \qquad C(化学反应)$$

上述三类反应又分别称为 CE 过程、EC 过程和 EC' 过程。后一种类型所产生的极谱波通常称为催化波或平行催化波,它在电化学分析中有着广泛的应用。对于这类催化波,可以认为物质 A(称为催化剂)在电极上的浓度没有发生变化,消耗的是物质 C。物质 C 是这样一种物质,它能在电极上还原,但具有很高的过电位,在物质 A 还原时,它不能在电极上被还原。同时,它具有相当强的氧化性,能迅速地氧化物质 B 而再生出物质 A,从而形成循环。常用的物质 C 有过氧化氢、硝酸盐、亚硝酸盐、高氯酸及其盐、氯酸盐和羟胺等。

正是这种 EC' 的循环过程,使得电极上消耗的 A 及时得到补充,极谱波的极限电流增大,故称"催化"波。其灵敏度一般达 $10^{-6} \sim 10^{-8}$ mol·L^{-1},有时可达 10^{-10} mol·L^{-1}。催化电流的公式为

$$i_{ca} = 0.51 n F D^{1/2} m^{2/3} t^{2/3} k^{1/2} c_C^{1/2} c_A \qquad (15-29)$$

式中 c_A 及 c_C 分别为被测物 A 及氧化剂 C 在溶液中的浓度,k 为化学反应速率常数。由式(15-29)可见,催化电流由偶联的化学反应速率常数所控制。而且,当 C 的浓度一定时,催化电流大小与被测物 A 的浓度成正比,这是物质定量的依据。

CE 过程和 EC 过程常用于电化学反应机理研究,一般专著中会有详细的讨论。

15.5 脉冲极谱

在 15.3.4.2 节已述及,充电电流是一种干扰电流,直流极谱无法从技术上克服这类电流的干扰,为此,提出了脉冲极谱法。这里主要讨论常规脉冲极谱、示差脉冲极谱和方波极谱法。

15.5.1 方波极谱法

方波极谱(square wave polarography,SWP)是将一个电压振幅小于 30 mV、频率 225 Hz 的方波,叠加在线性变化的电位上,如图 15-13(a)所示。由于方波电压加于滴汞电极上,电极/溶液界面双电层立即充电,并产生充电电流。当方波脉冲变化至另一半周时,双电层会立即放电,产生反向的放电电流,如图 15-13(b)所示。但它们都会随时间迅速衰减。

当溶液中有可还原的金属离子存在时,因方波的加入,除了充电电流,同时会产生金属离子还原的 Faraday 电流。随着时间的变化,电极表面附近的金属离子愈来愈少,而溶液中的金属离子又来不及补充至电极表面,Faraday 电流会

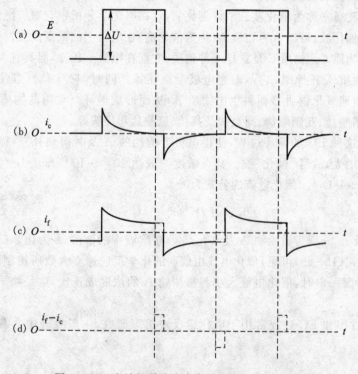

图 15-13　方波极谱消除或降低充电电流的原理图

随之按 $i_f \propto t^{-1/2}$ 的规律衰减,如图 15-13(c)所示。但衰减的速率要比充电电流慢得多,这可从 $i_c \propto e^{-t}$[式(13-1)]的比较中看出。事实上,在方波半周后期的充电电流已非常小,这时进行电流采样,则主要为 Faraday 电流,如图 15-13(d)所示。所得到的电流-电位曲线呈峰形。对于可逆的电极反应,其峰电流为

$$i_p = k \frac{n^2 F^2}{RT} \Delta U A D^{1/2} c \qquad (15-30)$$

式中 k 是与方波频率及采样时间有关的常数,ΔU 为方波电压的振幅。

15.5.2 常规脉冲极谱法

从上节的讨论可知,方波极谱有效地改善了极谱法的灵敏度和分辨率。但是,由于方波脉冲的频率很高,在脉冲电压半周的短时间内充电电流不能充分衰减,这限制了灵敏度的进一步提高。为此,又发展起了常规脉冲和示差脉冲极谱法。

常规脉冲极谱法(normal pulse polarography,NPP)是在汞滴生长后期施加一个矩形的脉冲,脉冲持续 40~60 ms 后再跃回到起始电位 E_i 处,脉冲跃回与汞滴击落保持同步,其电位与时间的关系如图 15-14(a)所示。在脉冲结束前某一固定时刻,用电子积分电路采集电流,随之汞被强制敲落。下一滴汞产生,另一个振幅稍高的脉冲被加入,再采集电流。这样周而复始地循环采样,就得到了如图 15-14(b)所示的常规脉冲极谱图。

对于可逆极谱波,常规脉冲极谱的极限电流方程式为

$$i_1 = nFAD^{1/2}(\pi t_m)^{-1/2} c \qquad (15-31)$$

式中 t_m 为每个周期内从开始施加脉冲到进行电流采样所经历的时间,其他各项意义同前。

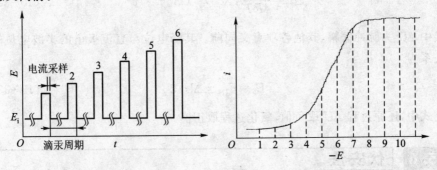

　　(a) 常规脉冲极谱电位随时间变化与
　　　　电流取样示意图

　　(b) 常规脉冲极谱图

图 15-14　常规脉冲极谱

15.5.3 示差脉冲极谱法

示差脉冲极谱(differential pulse polarography)也称微分脉冲极谱,它与常规脉冲极谱有某些类似,但示差脉冲极谱施加的脉冲和电流取样的方式不同。示差脉冲极谱法是在一个线性变化电位上,叠加等振幅的脉冲(阶梯脉冲电压),脉冲高度保持恒定($10\sim100$ mV 之间),它是在每滴汞的生长周期内对电流采样两次,即脉冲加入前 20 ms 和脉冲消失(或汞滴击落)前 20 ms,如图 15-15(a)所示。以每滴汞上两次采样电流之差 Δi 对电位作图即得到示差脉冲极谱图,如图 15-15(b)所示。由图可见,示差脉冲极谱图不同于常规脉冲极谱图,它在极谱波 $E_{1/2}$ 处电流最大,呈现对称的峰状。对于可逆极谱波,示差脉冲极谱峰电流可表示为

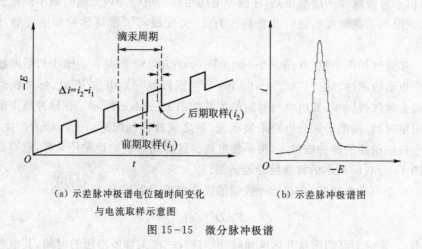

（a）示差脉冲极谱电位随时间变化
与电流取样示意图

（b）示差脉冲极谱图

图 15-15 微分脉冲极谱

$$\Delta i_{\mathrm{p}} = \frac{n^2 F^2}{4RT} A\,\Delta U D^{1/2} (\pi t_{\mathrm{m}})^{-1/2} c \qquad (15-32)$$

式中 ΔU 为脉冲振幅,其他各项意义同前。其峰电位与直流极谱的半波电位的关系为

$$E_{\mathrm{p}} = E_{1/2} \pm \Delta U/2 \qquad (15-33)$$

上式中,还原过程 ΔU 取负值,氧化过程取正值。

15.6 伏安法

伏安法是一种根据电流-电位曲线来进行分析的方法,其类型比较多,下面就几种常用的伏安方法作一些讨论。

15.6.1　线性扫描伏安法

线性扫描伏安法(linear sweep voltammetry, LSV)也称线性电位扫描计时电流法。其工作电极上的电位随扫描速率线性增加,如图 15-16 所示,测量不同电位时相应的极化电流,根据记录的电流-电位曲线来进行分析。直流极谱施加的也是线性扫描电位,但速率很慢,线性扫描伏安法电位变化速率很快,而且使用的是固体电极或表面积不变的悬汞滴电极。电极电位与扫描速率和时间的关系表示为

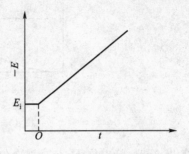

图 15-16　线性电位扫描曲线

$$E = E_i - vt \qquad (15-34)$$

式中 v 为电位扫描速率($V \cdot s^{-1}$),E_i 为起始扫描的电位(V),t 为扫描时间(s)。

15.6.1.1　线性扫描伏安图的基本特征

线性扫描伏安图是一种峰状的曲线,如图 15-17 所示。伏安图的形成可从 15.2 节的讨论得知。当电位较正时,不足以使被测物质在电极上还原,电流没有变化,即电极表面和本体溶液中物质的浓度是相同的,无浓差极化。当电位变负,达到被测物质的还原电位时,物质在电极上很快地还原,电极表面物质的浓度迅速下降,电流急速上升。若电位变负的速率很快,可还原物质会急剧地还原,其在电极表面附近的浓度迅速地降低并趋近于零,此时电流达最大值。电位继续变负,溶液中的可还原物质要从更远处向电极表面扩散,扩散层因此变厚,电流随时间的变化按式(15-13)的规律缓慢衰减,于是形成了一种峰状的电流-电位曲线。

描述线性扫描伏安图的主要参数有 i_p(峰电流),E_p(峰电位)和 $E_{p/2}$(半峰电位,即电流为 $i_{p/2}$ 处的电位),如图 15-17 所示。对于可逆电极反应,电流的定量表达式为

$$i_p = 2.69 \times 10^5 n^{3/2} D^{1/2} v^{1/2} A c \qquad (15-35)$$

式中 i_p 为峰电流(A),n 为电子转移数,D 为扩散系数($cm^2 \cdot s^{-1}$),v 为电位扫描速率($V \cdot s^{-1}$),A 为电极表面积(cm^2),c 为被测物质的浓度($mol \cdot L^{-1}$)。上式又称为 Randles-Sevcik(兰德莱斯-塞夫契克)方程。可见,峰电流与被测物质的浓度成正比且与扫描速率等因素有关。

由 Nernst 方程可以导出 E_p 和 $E_{p/2}$ 与直流极谱的半波电位 $E_{1/2}$ 的关系为

$$E_p - E_{1/2} = E_{1/2} - E_{p/2} = -1.109 \frac{RT}{nF} \qquad (15-36)$$

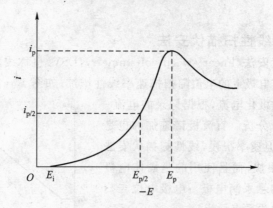

图 15-17　线性扫描伏安图

在 25 ℃时,峰电位 E_p 与半波电位 $E_{1/2}$ 相差约 28.5 mV/n。

对于受扩散控制的可逆电极反应,其线性扫描伏安图一般具有下列特征:i_p 与 $v^{1/2}$ 成正比;E_p 与 v 无关;由 $E_p - E_{1/2}$ 的实验值可求得 n 值。如果在 25 ℃时 $E_p - E_{p/2}$ 大于 57 mV/n,则可能是准可逆或不可逆波电极反应。

15.6.1.2　单扫描极谱法

单扫描极谱法(single sweep polarography)也称示波极谱法,可以认为它是线性扫描伏安法的一种特殊类型,其特点为:

(1) 在汞滴的生长后期施加线性扫描电压,且扫描速度快;

(2) 用阴极射线示波器记录电流-电位曲线;

(3) 在一滴汞生长周期内完成一个极谱波的测定。

图 15-18 是单扫描极谱法的原理图,图中(a)和(b)分别表示汞滴表面积和电极电位随时间变化的曲线。由图可见,滴汞生长周期与电极电位的变化是同步控制的,即汞滴生长周期为 7 s,前 5 s 为休止期,到后 2 s 才加上一个变化速率极快 (250 mV·s^{-1}) 的线性扫描电位,这时汞滴表面积改变很慢,而扫描速率又是如此之快,因此,可以认为极化过程中汞滴表面积是不变的。图中(c)是记录的电流-电位曲线,即单扫描极谱图。

与线性扫描伏安图一样,单扫描极谱图也是一种峰状的电流-电位曲线。线性

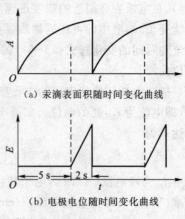

(a) 汞滴表面积随时间变化曲线

(b) 电极电位随时间变化曲线

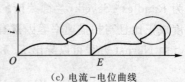

(c) 电流-电位曲线

图 15-18　单扫描极谱原理图

扫描伏安法的峰电流方程式(15-35),以及峰电位与直流极谱半波电位的关系式(15-36)都适用于单扫描极谱法。

单扫描极谱法是应用非常广泛的一类电分析方法,这不仅是因为仪器简单,而且它具有许多自身优点,例如,分析速度快,灵敏度高,分辨率好等。但是,单扫描极谱法的这种极快电位扫描速度,很难适用于电极反应完全不可逆的物质的测定,如溶液中氧的还原,从这点上来说,氧的干扰可忽略。

15.6.2 循环伏安法

循环伏安法(cyclic voltammetry)的电位扫描曲线是从起始电位 E_i 开始,线性扫描到终止电位 E_τ 后,再回过头来扫描到起始电位。其电位-时间曲线如同一个三角形,故又称三角波电位扫描,如图 15-19 所示。

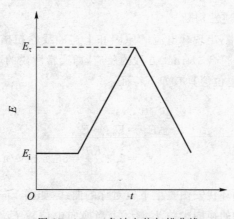

图 15-19 三角波电位扫描曲线

对于可逆的电化学反应,当电位从正向负方向线性扫描时,溶液中的氧化态物质 O 在电极上还原生成还原态物质 R:

$$O + ne^- \longrightarrow R$$

当电位逆向扫描时,R 则在电极上氧化为 O:

$$R \longrightarrow O + ne^-$$

其电流-电位曲线如图 15-20 所示。图中曲线呈现出一个还原氧化全过程,是一个循环曲线,故称为循环伏安图。图的上半部是还原波,称为阴极支,其电流和电位分别称为阴极峰电流($i_{p,c}$)和阴极峰电位($E_{p,c}$);下半部为氧化波,称为阳极支,其电流和电位分别称为阳极峰电流($i_{p,a}$)和阳极峰电位($E_{p,a}$)。

循环伏安法是最基本的电化学研究方法,在研究电化学反应的性质、机理和电极过程动力参数等方面有着广泛的应用,下面从两方面进行讨论。

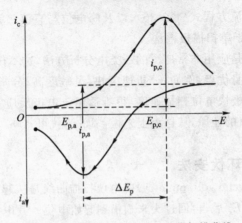

图 15-20　循环伏安法电流-电位扫描曲线

1. 电极过程可逆性判断

在循环伏安图中,出现峰电流的原因和上述的线性扫描伏安法一样。对于电极反应速率很快,符合 Nernst 方程的反应,即通常所说的可逆过程,其循环伏安图的峰电流和峰电位值具有如下特征:

$$i_{p,a}/i_{p,c} \approx 1 \tag{15-37}$$

$$\Delta E_p = E_{p,a} - E_{p,c}$$
$$= 2.2 \frac{RT}{nF} = 56.5 \text{ mV}/n \tag{15-38}$$

可见,可逆过程的循环伏安图是上下较对称的曲线,如图 15-21 曲线 1。但在实验中,ΔE_p 值与环扫的换向电位 E_r 有关,当换向电位较 $E_{p,c}$ 负 100 mV/n 以上时,ΔE_p 为 59 mV/n。一般说来,其数值在 55 mV/n 至 65 mV/n 之间。对于电极反应速率很慢,不符合 Nernst 方程的反应,即不可逆过程,其情形就大不一样,反扫时不出现阳极峰,且电位扫描速率增加时,$E_{p,c}$ 明显变负,如图15-21曲线 3。图 15-21 曲线 2 为准可逆过程,其极化曲线形状与可逆程度有关,一般来说,峰电位随电位扫描速率的增加而变化,阴极峰电位变负,阳极峰电位变正,ΔE_p 增大($>$59 mV/n);此外,$i_{p,a}/i_{p,c}$ 可大于、等于或小于 1,但均与 $v^{1/2}$ 成正比,因为峰电流仍是由

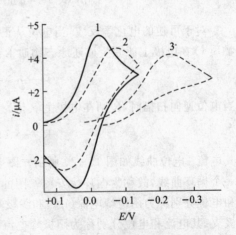

图 15-21　不同电极过程的循环伏安图
1. 可逆过程;2. 准可逆过程;3. 不可逆过程

扩散速率所控制。

2. 电极反应机理判断

以 15.4.3 一节所描述的偶联化学反应的极谱波为例,用循环伏安法对其机理作一些讨论。

图 15-22 为对氨基苯酚的循环伏安图。扫描先从图上的 S 点电位出发,电位向正方向进行扫描,得到阳极峰 1;然后再作反向(负电位方向)扫描,得到两个阴极峰 2 和 3。当再一次阳极化扫描时,则先后得到两个阳极峰 4 和 5(图中的虚线),且峰 5 与峰 1 的峰电位相同。

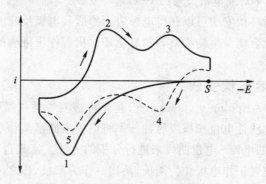

图 15-22 对氨基苯酚的循环伏安图

根据对氨基苯酚的循环伏安图,我们可以得到下列信息。在第一次阳极化扫描时,峰 1 是对氨基苯酚的氧化峰。电极反应为

$$\text{(15-39)}$$

所得到的电极反应产物对亚氨基苯醌在电极表面会发生如下的化学反应:

$$\text{(15-40)}$$

部分对亚氨基苯醌转化为苯醌,而对亚氨基苯醌和苯醌均可在电极上还原。因此,在进行阴极化扫描时,对亚氨基苯醌被还原为对氨基苯酚,形成还原峰 2;而苯醌则在较负的电位被还原为对苯二酚,产生还原峰 3,其电极反应为

$$+2H^+ +2e^- \xrightarrow{\hspace{3cm}} \hspace{3cm} \tag{15-41}$$

当再一次阳极扫描时,对苯二酚又氧化为苯醌,形成峰 4。峰 5 与峰 1 相同,仍为对氨基苯酚的氧化峰,但由于反应(15-39)和(15-40)的进行,对氨基苯酚的浓度逐渐减小,故峰 5 低于峰 1。由此可以得出,峰 1,5,2 对应电极反应(15-39),而峰 3,4 对应电极反应(15-41)。

可见,利用循环伏安法可以获得电极表面物质及电极反应的有关信息,可以对有机物、金属化合物及生物物质等的氧化还原机理作出准确的判断。

15.6.3　溶出伏安法

溶出伏安法(stripping voltammetry)是先将被测物质以某种方式富集在电极表面,而后借助线性电位扫描或脉冲技术将电极表面富集物质溶出(解脱),根据溶出过程得到的电流-电位曲线来进行分析的方法。富集过程往往通过电解来实现,电解富集时工作电极作为阴极,溶出时作为阳极,称之为阳极溶出法;相反,工作电极作为阳极来电解富集,而作为阴极进行溶出,则称为阴极溶出法。如果富集过程是通过吸附作用完成的,则称为吸附溶出伏安法。溶出伏安法具有很高的灵敏度,对某些金属离子及有机化合物的测定,可达 $10^{-10} \sim 10^{-15}$ mol·L^{-1},因此,其应用非常广泛。

15.6.3.1　阳极溶出伏安法

图 15-23 为阳极溶出伏安法(anodic stripping voltammetry)的电流-电位曲线,它包括电解富集和溶出两个过程。富集时工作电极的电位选择在被测物质的极限电流区域(图 15-23 虚线处),金属离子在汞电极表面还原形成金属汞齐,因电极表面积很小,经较长时间富集后电极表面汞齐中金属的浓度相当大(浓缩作用)。溶出时,是以快速的阳极化电位扫描方式,汞齐中的金属迅速地被氧化,从而产生尖峰状的溶出电流曲线。

例如,在 1.5 mol·L^{-1} 盐酸介质中在悬汞电极上测定痕量铜、铅、镉,先将悬汞电极电位控制在 -0.8 V。电解一段时间后,溶液中的一部分 Cu^{2+},Pb^{2+} 和 Cd^{2+} 在电极上被还原,生成汞齐。电解完毕后,将悬汞电极的电位线性地由负向正快速变化,这时先后得到镉、铅和铜的溶出峰电流,如图 15-24 所示。

对于线性扫描溶出过程,溶出峰电流与被测物质浓度的关系可简单地表示为

$$i_p = -Kc_0 \tag{15-42}$$

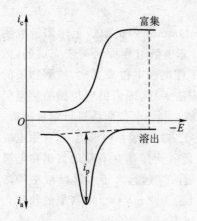

图 15-23　阳极溶出伏安法的
富集和溶出过程

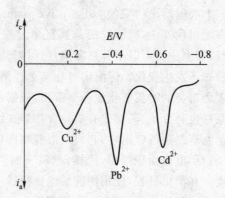

图 15-24　盐酸介质中的铜、铅、镉
离子的溶出伏安图

这就是溶出伏安法的定量分析基础。

15.6.3.2　阴极溶出伏安法

溶出伏安法除用于测定金属离子以外,还可以测定一些阴离子如氯、溴、碘、硫等,这称为阴极溶出伏安法(cathodic stripping voltammetry)。阴极溶出伏安法虽然也包含电解富集和溶出两个过程,但在原理上恰恰相反,即富集过程是被测物质的氧化沉积,溶出过程是沉积物的还原。阴极溶出伏安法的富集过程通常有两种情况。

一是被测阴离子与阳离子(电极材料被氧化的产物)生成难溶化合物而富集。

如阴离子(X^-)在汞或银电极上的阴极溶出伏安法:

富集:　　　　　　　$Hg \longrightarrow Hg^{2+} + 2e^-$

　　　　　　　　　$Hg^{2+} + 2X^- \longrightarrow HgX_2 \downarrow$

溶出:　　　　　$HgX_2 \downarrow + 2e^- \longrightarrow Hg + 2X^-$

二是被测离子在电极上氧化后与溶液中某种试剂在电极表面生成难溶化合物而富集。

如 Tl^+ 在 pH8.5 的介质中和石墨碳电极上的阴极溶出伏安法:

富集:　　　　　　　$Tl^+ \longrightarrow Tl^{3+} + 2e^-$

　　　　　　　　　$Tl^{3+} + 3OH^- \longrightarrow Tl(OH)_3 \downarrow$

溶出:　　　　　$Tl(OH)_3 \downarrow + 2e^- \longrightarrow Tl^+ + 3OH^-$

许多生物物质或药物,如嘧啶类衍生物等,能够与 Hg^{2+} 生成难溶化合物,因此能用阴极溶出伏安法测定,而且具有很高的灵敏度。

15.6.3.3　吸附溶出伏安法

吸附溶出伏安法（adsorptive stripping voltammetry）类似于上述阳极或阴极溶出伏安法，所不同的是其富集过程是通过非电解过程即吸附来完成的，而且，被测物质可以是开路富集，也可以是控制工作电极电位来富集，被测物质的价态不发生变化。但溶出过程与上述溶出伏安法一样，即借助电位扫描使电极表面富集的物质氧化或还原溶出，根据其溶出峰电流－电位曲线进行定量分析。某些生物分子、药物或有机化合物如血红素、多巴胺、尿酸和柯卡因等，在汞电极上具有强烈的吸附性，它们从溶液相向电极表面吸附传递并不断地富集在电极上。因电极面积很小，这样，电极表面被测物质浓度远远大于本体溶液中的浓度。在溶出过程，使用快速的电位扫描速率（大于 100 mV·s^{-1}），富集的物质会迅速地氧化或还原溶出，故能获得大的溶出电流而提高灵敏度。

对于析出电位很正或很负的一些金属离子，如镁、钙、铝和稀土离子等，伏安法一般难以直接测定，但是它们能跟某些配位体形成吸附性很强的络合物而在汞电极上吸附富集。在溶出过程中，通过配位体的还原而间接地测定这些离子。例如，以铬黑 T 为配位体，可用于镁、钙离子的吸附溶出伏安法测定。这类方法灵敏度很高，可达 $10^{-7}\sim10^{-9}$ mol·L^{-1}，应用十分广泛。

值得指出的是，在非电解富集过程可以通过吸附，也可借助其他方法来完成。常见的是利用被测物质与电极表面之间的各种反应（如共价、离子交换等）来进行富集。不过，常规电极（汞、金、碳电极等）受到限制，这时需要使用一些新技术，如化学修饰电极（参见第 17 章），使具有络合、离子交换性质的化合物连接到常规电极表面。例如，将 EDTA 掺入石墨粉中制备的所谓化学修饰碳糊电极，就是利用了电极表面的 EDTA 与 Ag$^+$ 的反应来进行富集，可测定低至 10^{-11} mol·L^{-1} 的 Ag$^+$。

15.6.4　伏安法常用的工作电极

伏安法常用工作电极主要包括汞电极、碳电极、金属电极和化学修饰电极等，现分别介绍如下。

1. 汞电极

汞电极有悬汞电极和汞膜电极两种。悬汞电极是让一滴汞悬挂在电极的表面，测定过程中表面积基本恒定。传统上，使用的是机械挤压式悬汞电极，或者是用铂丝沾汞滴的办法。现在的悬汞电极完全废弃了传统的或手工制备的电极，取而代之的是一类自动控制汞滴大小的汞电极系统，如美国 Perkimer 公司的 M303 静汞电极装置。而汞膜电极是以玻璃状碳电极作为基质，在其表面镀上一层汞。由于汞膜很薄，被富集生成汞齐的金属原子不会向内部扩散，因此能经较长时间的电解富集而不会影响结果。

2. 碳电极

碳电极分为石墨电极、糊状碳电极、玻璃状碳电极(简称玻碳电极)等。碳电极具有电位窗口宽、耐腐蚀、使用方便等特点。

玻碳电极是使用最广泛的电极。它具有导电性高、稳定性好、氢过电位和溶解氧的还原过电位小、可反复更新和使用等特点。

石墨电极可以分为两类,一是多孔性石墨电极,另一种是用热分解的致密性石墨电极。多孔性石墨电极使用时会因浸入电解液或杂质而影响测定,应进行浸石蜡预处理后方可使用。这种石墨电极有较大的残余电流但却有相当宽的使用电位窗口。热分解石墨电极使用的是高温减压(使碳水化合物热分解)形成的结晶石墨材料,结构致密,液体和气体难以进入,残余电流较小。

碳糊电极是在石墨粉中掺入石蜡油调成糊状压制而成的电极。它具有制作简单、使用方便、阳极极化的残余电流小等优点。与铂电极比较,其在阳极区具有较宽的电位窗口。此外,由于材料本身较软,所以容易更新电极表面。但是,在非水溶液中,有的载体会溶解。

还有一种是碳纤维,它是制作微电极的首选材料。近年来,掺杂金刚石和碳纳米管材料已用于新型电极的制备,有着良好的应用前景。

3. 金属电极

金和铂是经常使用的电极材料。金电极在 pH 为 4~10 的范围内氢过电位为 0.4~0.5 V。也就是说,在阴极区域电位窗口比较宽是其特征之一。而铂电极具有化学性质稳定、氢过电位小,容易进行加工等特点。

Pd,Os,Ir 等贵金属也可作电极材料,特别是 Pd 的氢过电位和 Pt 一样小,且具有多孔性。此外,Ni,Fe,Pb,Zn,Cu 等也可作为电极材料。

4. 化学修饰电极

化学修饰电极是现代化学与生物传感器的基础,是电分析化学的一种新方法。参见第 17 章。

15.7 强制对流技术

电化学理论和实践证实,常规工作电极上的电流分布是不均匀的,这会引起电极表面反应产物的不均匀分布。同时水溶液中的传质速率比较小,影响电解的速率。因此,在伏安分析中往往采用强制对流技术,搅拌溶液是常见的一种方式,而使用旋转电极是一种极为理想的搅拌方式。旋转电极可分为旋转圆盘电极和旋转环–圆盘电极,下面分别进行讨论。

1. 旋转圆盘电极(rotating disc electrode,RDE)

对于常用的圆盘电极,如果用一个电动机带动其旋转,就得到旋转圆盘电极,如图 15-25 所示。实际使用的电极面积是电极中间部分的圆盘,其周围是绝缘体,电极是围绕垂直于盘面的轴转动。因为电极是在强制对流下工作,所以传质速率更快,得到的扩散电流也就更大,从而提高了测量灵敏度。由于定量理论推导所涉及的数学和流体动力学概念超出了本书的范畴,我们仅作一些简单的介绍。

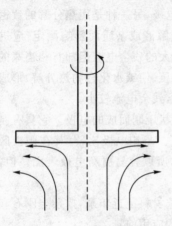

图 15-25　旋转圆盘电极

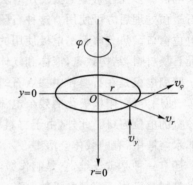

图 15-26　旋转电极圆柱坐标系统

当电极旋转时,会强制电极附近的溶液产生流动,液体流动可分解为三个方向,如图 15-26 所示,由于离心力的作用液体在径向(r 方向)以一定流速向外流动;电极带动液体以切向(φ 方向)流速甩向圆盘边缘;因圆盘电极中心区的液体压力降低,离电极远处的液体在轴向(y 方向)以一定流速向中心区流动。若以 ω 表示电极旋转的角速率,它由上述三个方向的流速来决定。

假若旋转圆盘电极上发生电极反应 $O+ne^{-} \longrightarrow R$,当 ω 一定时,电位阶跃至极限电流区域,这时得到完全浓差极化时的极限扩散电流为

$$i=0.62nFAD_o^{2/3}\omega^{1/2}\nu^{-1/6}c_o。\quad(15-43)$$

上式 ν 为动力黏度,其他符号的意义与以前讨论的相同。无论电极反应的可逆性如何,对简单的电极过程上式都适用。

2. 旋转环-圆盘电极(rotating ring-disc electrode,RRDE)

旋转环-圆盘电极的构造如图 15-27 所示。即在圆盘电极的外围还有一个同心的环电极,两电极之间用绝缘材料隔开,构成了环-圆盘电极。

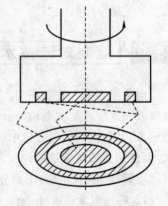

图 15-27　旋转环-圆盘电极

旋转环-圆盘电极常用来研究某些电化学反应的机理。氧的电化学还原是比较复杂的,它可以经历不同的反应途径,为此人们通常用旋转环-圆盘电极来进行研究,其环、盘电极上的电流-电位曲线如图 15-28 所示。实验时,在盘电极加上能使 O_2 还原的电位,同时在环电极上施加某一恒定的正电位使 H_2O_2 氧化为 O_2。若在 O_2 还原的过程中生成了 H_2O_2(曲线 $1ab$ 段),则电极旋转时盘电极上的中间产物 H_2O_2 被带到环电极上并氧化为 O_2(曲线 $2cd$ 段)。当盘电极上中间产物 H_2O_2 被全部还原后(曲线 $1ef$ 段),再无 H_2O_2 在环电极上反应,此时环电流便下降至零。由此可见,根据环电极和盘电极上的电流关系,不仅可检测中间产物过氧化氢是否存在,还可以了解其电化学反应机理,测定相应的动力学参数。

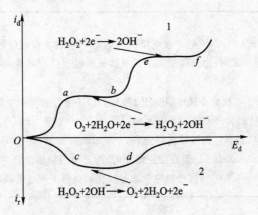

图 15-28 氧在旋转圆盘电极上的 i-E 曲线
1. 盘电极上的电流-电位曲线;2. 环电极上的电流对盘电极电位曲线

思考、练习题

15-1 在直流极谱中,当达到极限扩散电流区域后,继续增加外加电压,是否还引起滴汞电极电流的改变及参加电解反应的物质在电极表面浓度的变化?在线性扫描伏安法中,当电流达到峰电流后,继续增加外加电压,是否还引起电极电流的改变及参加电极反应物质在电极表面浓度的变化?

15-2 对于可逆极谱波,极谱波上每一点都受扩散速度所控制,而对于不可逆极谱波呢?

15-3 根据 Cottrell 方程式来测量扩散系数 D。如果在极谱中测得 2×10^{-4} mol·L^{-1} 的某物质的极限扩散电流为 0.520 μA,汞滴的生长周期为 2 s,汞滴落下时的体积为 0.5 mm^3,电子转移数为 2,试计算该物质的扩散系数。

$(1.67 \times 10^{-6}$ cm$^2 \cdot$ s$^{-1})$

15-4　某两价阳离子在滴汞电极上还原为金属并生成汞齐,产生可逆极谱波。滴汞流速为 1.54 mg·s^{-1},滴下时间为 3.87 s,该离子的扩散系数为 8×10^{-6} cm^2·s^{-1},其浓度为 4×10^{-3} mol·L^{-1},试计算极限扩散电流及扩散电流常数。

$(23.0\ \mu A, 3.43)$

15-5　在同一试液中,从三个不同的滴汞电极得到下表所列数据。试估算电极 A 和 C 的 i_d/c 值。

	A	B	C
滴汞流量 $q_m/(\text{mg·s}^{-1})$	0.982	3.92	6.96
滴下时间 t/s	6.53	2.36	1.37
i_d/c		4.86	

$(A:2.29; C:6.51)$

15-6　在酸性介质中,Cu^{2+} 的半波电位约为 0 V,Pb^{2+} 的半波电位约为 -0.4 V,Al^{3+} 的半波电位在氢波之后。试问:用极谱法测定铜中微量的铅和铝中微量的铅时,何者较易?为什么?

15-7　在 3 mol·L^{-1} 盐酸介质中,Pb(Ⅱ)和 In(Ⅲ)还原为金属产生极谱波。它们的扩散系数相同,半波电位分别为 -0.46 V 和 -0.66 V。当 1.00×10^{-3} mol·L^{-1} 的 Pb(Ⅱ)与未知浓度的 In(Ⅲ)共存时,测得它们极谱波高分别为 30 mm 和 45 mm。计算 In(Ⅲ)的浓度。

15-8　Pb(Ⅱ)在 3 mol·L^{-1} 盐酸介质中还原时,所产生的极谱波的半波电位为 -0.46 V。今在滴汞电极电位为 -0.70 V 时(已经完全浓差极化),测得下列各溶液的电流值为

溶液	电流 $i/\mu A$
(1) 6 mol·L^{-1} HCl 25 mL,稀释至 50 mL	0.15
(2) 6 mol·L^{-1} HCl 25 mL,加试样溶液 10.00 mL,稀释至 50 mL	1.23
(3) 6 mol·L^{-1} HCl 25 mL,加 1×10^{-3} mol·L^{-1} Pb^{2+} 标准溶液 5.00 mL,稀释至 50 mL	0.94

(1) 计算试样溶液中的铅的质量浓度(以 mg·mL^{-1} 计);

(2) 在本实验中,除采用通惰性气体除氧外,尚可用什么方法除氧?

$(0.14\ \text{mg·mL}^{-1})$

15-9　采用加入标准溶液法测定某试样中的微量镉。取试样 1.000 g 溶解后,加入 NH$_3$-NH$_4$Cl 底液,稀释至 50 mL。取试液 10.00 mL,测得极谱波高为 10 格。加入标准溶液(含镉 1 mg·mL^{-1})0.50 mL 后,波高则为 20 格。计算试样中镉的质量分数。

(0.23%)

15-10　用极谱法测定某溶液中的微量铅。取试液 5 mL,加 1 g·L^{-1} 明胶 5 mL,用水稀释至 50 mL。倒出部分溶液于电解杯中,通氮气 10 min,然后在 $-0.2 \sim -0.6$ V 间记录极谱图,得波高 50 格。另取 5 mL 试液,加标准铅溶液(0.50 mg·mL^{-1})1.00 mL,然后照上述分析步骤同样处理,得波高 80 格。

(1) 解释操作规程中各步骤的作用;

(2) 计算试样中 Pb^{2+} 的含量(以 $g \cdot L^{-1}$ 计);

(3) 能不能用加铁粉、亚硫酸钠或通二氧化碳除氧?

$$(0.167 \ g \cdot L^{-1})$$

15-11 在 $0.1 \ mol \cdot L^{-1} KCl$ 溶液中,$Co(NH_3)_6^{3+}$ 在滴汞电极上进行下列的电极反应而产生极谱波。

$$Co(NH_3)_6^{3+} + e^- \Longrightarrow Co(NH_3)_6^{2+} \qquad E_{1/2} = -0.25 \ V$$

$$Co(NH_3)_6^{3+} + 2e^- \Longrightarrow Co^+ + 6NH_3 \qquad E_{1/2} = -1.20 \ V$$

(1) 绘出它们的极谱曲线;

(2) 两个波中哪个波较高,为什么?

15-12 在强酸性溶液中,锑(Ⅲ)在滴汞电极上进行下列电极反应而产生极谱波。

$$Sb^{3+} + 3e^- + Hg \Longrightarrow Sb(Hg) \qquad E_{1/2} = -0.30 \ V$$

在强碱性溶液中,锑(Ⅲ)在滴汞电极上进行下列电极反应而出现极谱波。

$$Sb(OH)_4^- + 2OH^- \Longrightarrow Sb(OH)_6^- + 2e^- \qquad E_{1/2} = 0.40 \ V$$

(1) 分别绘出它们的极谱图;(2) 滴汞电极在这里是正极还是负极?是阳极还是阴极?(3) 极化池在这里是自发电池还是电解电池?(4) 酸度变化时,极谱波的半波电位有没有发生变化? 如有变化,则指明变化方向。

15-13 $Fe(CN)_6^{3-}$ 在 $0.1 \ mol \cdot L^{-1}$ 硫酸介质中,在滴汞电极上进行下列电极反应而出现极谱波。

$$Fe(CN)_6^{3-} + e^- \Longrightarrow Fe(CN)_6^{4-} \qquad E_{1/2} = 0.24 \ V$$

氯化物在 $0.1 \ mol \cdot L^{-1}$ 的硫酸介质中,在滴汞电极上进行下列电极反应而出现极谱波:

$$2Hg + 2Cl^- \Longrightarrow Hg_2Cl_2 + 2e^- \qquad E_{1/2} = 0.25 \ V$$

(1) 分别绘出它们的极谱图;(2) 滴汞电极在这里是正极还是负极?是阳极还是阴极?(3) 极化池在这里是自发电池还是电解电池?

15-14 在 25 ℃时,测得某可逆还原波在不同电位时的扩散电流值如下:

E/V(vs. SCE)	-0.395	-0.406	-0.415	-0.422	-0.431	-0.445
$i/\mu A$	0.48	0.97	1.46	1.94	2.43	2.92

极限扩散电流为 $3.24 \ \mu A$。试计算电极反应中的电子转移数及半波电位。

15-15 推导苯醌在滴汞电极上还原为对苯二酚的可逆极谱波方程式,其电极反应如下:

$$E^{\ominus} = +0.699 \ V(vs. SCE)$$

若假定苯醌及对苯二酚的扩散电流比例常数及活度系数均相等,则半波电位 $E_{1/2}$ 与 $E^{\ominus}$ 及 pH 有何关系?并计算 pH=7.0 时极谱波的半波电位(vs. SCE)。

(0.041 V)

15-16　在 1 mol·L^{-1} 硝酸钾溶液中,铅离子还原为铅汞齐的半波电位为 -0.405 V。1 mol·L^{-1} 硝酸介质中,当 1×10^{-4} mol·L^{-1} Pb^{2+} 与 1×10^{-2} mol·L^{-1} EDTA 发生络合反应时,其络合物还原波的半波电位为多少?PbY^{2-} 的 $K_{稳}$=1.1×10^{18}。

(-0.879 V)

15-17　In^{3+} 在 0.1 mol·L^{-1} 高氯酸钠溶液中还原为 In(Hg) 的可逆波半波电位为 -0.55 V。当有 0.1 mol·L^{-1} 乙二胺(en)同时存在时,形成的络离子 In(en)$_3^{3+}$ 的半波电位向负方向位移 0.52 V。计算此络合物的稳定常数。

(2.5×10^{29})

15-18　在 0.1 mol·L^{-1} 硝酸介质中 1×10^{-4} mol·L^{-1} Cd^{2+} 与不同浓度的 X$^-$ 所形成的可逆极谱波的半波电位值如下:

X$^-$ 浓度/(mol·L^{-1})	0.00	1.00×10^{-3}	3.00×10^{-3}	1.00×10^{-2}	3.00×10^{-2}
$E_{1/2}$/V(vs. SCE)	−0.586	−0.719	−0.743	−0.778	−0.805

电极反应系二价镉还原为镉汞齐,试求该络合物的化学式及稳定常数。

(CdX$_2$,3.1×10^{10})

15-19　在 pH=5 的醋酸-醋酸盐缓冲溶液中,IO$_3^-$ 还原为 I$^-$ 的极谱波的半波电位为 -0.50 V(vs. SCE),试根据 Nernst 公式判断极谱波的可逆性。

15-20　在 0.1 mol·L^{-1} 氢氧化钠介质中,用阴极溶出伏安测定 S^{2-}。以悬汞电极为工作电极,在 -0.40 V 时电解富集,然后溶出。

(1)写出富集和溶出时的电极反应式;

(2)画出它的溶出伏安示意图。

参 考 资 料

[1] 阿伦 J 巴德.电化学方法原理和应用.2 版.邵元华,译.北京:化学工业出版社,2005.

[2] 查全性.电极过程动力学导论.3 版.北京:科学出版社,2002.

[3] 汪尔康.21 世纪的分析化学.北京:科学出版社,1999.

[4] 高鸿.极谱电流理论.北京:科学出版社,1986.

第16章 电解和库仑法

16.1 概论

电解分析(electrolytic analysis)包括两种方法:一是利用外电源将被测溶液进行电解,使欲测物质能在电极上析出,然后称量析出物的质量,计算出该物质在试样中的含量,这种方法称为电重量法(electrogavimetry);二是使电解的物质由此得以分离,而称为电分离法(electrolytic separation)。

库仑法(coulometry)是在电解分析法的基础上发展起来的一种分析方法。它不是通过称量电解析出物的质量,而是通过测量被测物质在 100% 电流效率下电解所消耗的电荷量来进行定量分析的方法,定量依据是 Faraday 定律。

电重量法比较适合高含量物质测定,而库仑法即使用于痕量物质的分析,仍然具有很高的准确度。库仑法,与大多数其他仪器分析方法不同,在定量分析时不需要基准物质和标准溶液,是电荷量对化学量的绝对分析方法。

16.2 电解分析的基本原理

16.2.1 电解

在一杯酸性的硫酸铜溶液中,插入两支铂片电极,再将一可调压直流电源的正、负极分别与两铂电极连接,调节可变电阻,使溶液中有电流通过(图 16-1)。可以观察到,在正极上有气泡逸出,负极慢慢变色。这实质是在电极上发生了化学反应。这一过程称之为电解,而电解的装置叫电解池。对于硫酸铜溶液,发生在正铂电极的反应是氧化反应,即

$$2H_2O \longrightarrow 4H^+ + O_2 \uparrow + 4e^-$$

发生在负铂电极的反应是还原反应,即

$$Cu^{2+} + 2e^- \longrightarrow Cu$$

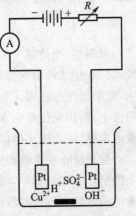

图 16-1 电解装置示意图

　　IUPAC 定义,发生氧化反应的电极为阳极,而发生还原反应的电极为阴极。也就是说,电解池的正极为阳极,它与外电源的正极相连,电解时阳极上发生氧化反应;电解池的负极为阴极,它与外电源的负极相连,电解时阴极上发生还原反应。

16.2.2　分解电压和析出电位

　　当一直流电通过电解溶液时,水溶液中除了电解质的离子外,还有由水解离出来的氢离子和氢氧根离子。换句话说,水溶液中存在着两种或两种以上的阳离子和阴离子。究竟哪一种离子先发生电极反应,不仅与其在电动序中的相对位置有关,也与其在溶液中的浓度有关,在某些情况下还与构成电极的材料有关。

　　在铂电极上电解硫酸铜溶液,当外加电压较小时,不能引起电极反应,几乎没有电流或只有很小电流通过电解池。如继续增大外加电压,电流略微增加,直到外加电压增加至某一数值后,通过电解池的电流明显变大。这时电极上发生明显的电解现象。如果以外加电压 $U_{外}$ 为横坐标,通过电解池的电流 i 为纵坐标作图,可得如图 16-2 所示的 $i-U_{外}$ 曲线。图中 1 线对应的电压为引起电解质电解的最低外加电压,称为该电解质的"分解电压"。分解电压是对电解池而言,如果只考虑单个电极,就是"析出电位"。分解电压($U_{分}$)与析出电位($E_{析}$)的关系是

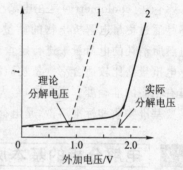

图 16-2　电解 Cu^{2+} 的电流-电压曲线
1. 理论曲线;2. 实测曲线

$$U_{分} = E_{阳析} - E_{阴析} \tag{16-1}$$

　　很明显,要使某一物质在阴极上析出,产生迅速的、连续不断的电极反应,阴极电位必须比析出电位更负(即使是很微小的数值)。同样,如在阳极上氧化析出,则阳极电位必须比析出电位更正。在阴极上,析出电位愈正者,愈易还原;在阳极上,析出电位愈负者,愈易氧化。通常,在电解分析中只需考虑某一工作电极的情况,因此析出电位比分解电压更具有实用意义。

　　如果将正在电解的电解池的电源切断,这时外加电压虽已经除去,但电压表上的指针并不回到零,而向相反的方向偏转,这表示在两电极间仍保持一定的电位差。这是由于在电解作用发生时,阴极上镀上了金属铜,另一电极则逸出氧。金属铜和溶液中的 Cu^{2+} 组成一电对,另一电极则成了 O_2 电极。当把这两电极

连接时,形成一个原电池,此原电池的反应方向是由两电极上反应物质的电极电位大小决定的。该电池上发生的反应是

$$负极:\quad Cu-2e^- \longrightarrow Cu^{2+}$$
$$正极:\quad O_2+4H^++4e^- \longrightarrow 2H_2O$$

反应方向刚好与电解反应的相反。可见,电解时产生了一个极性与电解池相反的原电池,其电动势称为"反电动势"($E_{反}$)。因此,要使电解顺利进行,首先要克服这个反电动势。至少要使

$$U_分=E_反 \tag{16-2}$$

才能使电解发生。而

$$E_反=E_{阳平}-E_{阴平} \tag{16-3}$$

可见,分解电压等于电解池的反电动势,而反电动势则等于阳极平衡电位与阴极平衡电位之差。所以对可逆电极过程来说,分解电压与电池的电动势对应,析出电位与电极的平衡电位对应,它们可以根据 Nernst 公式进行计算。

16.2.3　过电压和过电位

对于电解 $1.0\ mol \cdot L^{-1}\ CuSO_4$ 溶液,其 $U_分$ 不是 $0.89\ V$,而是 $1.49\ V$。这个 $1.49\ V$ 是实际分解电压 $U'_分$(见图 16-2 中 2 线切线交点处)。这个 $U'_分$ 比 $U_分$ 大,有两个原因造成,一是由于电解质溶液有一定的电阻,欲使电流通过,必须用一部分电压克服 iR(i 为电解电流,R 为电解回路总电阻)降,一般这是很小的;二是主要用于克服电极极化产生的阳极反应和阴极反应的过电位($\eta_{阳}$ 和 $\eta_{阴}$)。可见,$U'_分$ 为

$$U'_分=U_分+\eta_{阳}-\eta_{阴}+iR \tag{16-4}$$

如果忽略 iR 降,代入平衡电位,上式即可表示为

$$\begin{aligned} U'_分 &= (E_{阳平}+\eta_{阳})-(E_{阴平}+\eta_{阴}) \\ &= (E_{阳平}-E_{阴平})+(\eta_{阳}-\eta_{阴}) \end{aligned} \tag{16-5}$$

此方程式称为电解方程。

因此,电解 $1\ mol \cdot L^{-1}\ CuSO_4$ 溶液时,需要外加电压 $U_分=1.49\ V$,而不是 $U_分=0.89\ V$,多加的 $0.60\ V$,就是用于克服 iR 电位降和由于极化产生的阳极反应和阴极反应的过电位。

过电位可分为浓差过电位和电化学过电位两类,前者是由浓差极化产生的,后者是由电化学极化产生的。电化学极化是由电化学反应本身的迟缓性所引起

的。一个电化学过程实际上由许多分步过程所组成,其中最慢一步对整个电极过程的速率起决定性的作用。在许多情况下,电极反应这一步的速率很慢,需要较大的活化能。因此,电解时为使反应能顺利进行,对阴极反应而言,必须使阴极电位比其平衡电位更负一些;对阳极反应而言,则必须使阳极电位比其平衡电位更正一些。这种由于电极反应引起的电极电位偏离平衡电位的现象,称为电化学极化。电化学极化伴随产生过电位。表 16-1 是一些物质的过电位。

表 16-1　在各种电极上形成氢和氧的过电位 $\eta(25\ ℃)$

电极组成	η/V 电流密度 0.001 A·cm^{-2}		η/V 电流密度 0.01 A·cm^{-2}		η/V 电流密度 0.1 A·cm^{-2}	
	H$_2$	O$_2$	H$_2$	O$_2$	H$_2$	O$_2$
光 Pt	0.024	0.721	0.068	0.85	0.676	1.49
镀 Pt	0.015	0.348	0.030	0.521	0.048	0.76
Au	0.241	0.673	0.391	0.963	0.798	1.63
Cu	0.479	0.422	0.584	0.580	1.269	0.793
Ni	0.563	0.353	0.747	0.519	1.241	0.853
Hg	0.9[①]		1.1[②]		1.1[③]	
Zn	0.716		0.746		1.229	
Sn	0.856		1.077		1.231	
Pb	0.52		1.090		1.262	
Bi	0.78		1.05		1.23	

注:① 在 0.000 077 A·cm^{-2} 时为 0.556 V,在 0.001 54 A·cm^{-2} 时为 0.929 V。

② 在 0.007 69 A·cm^{-2} 时为 1.063 V。

③ 在 1.153 A·cm^{-2} 时为 1.126 V。

过电位的大小与许多因素有关,但主要有以下几方面:

1. 电极材料和电极表面状态

过电位的大小与电极材料有极大关系。例如,在不同材料的电极上,氢析出的超电位差别很大。它在 25 ℃,电流密度为 10 mA/cm^2 时,铅电极上氢的过电位为 1.09 V,汞电极上为 1.14 V,锌和镍电极上为 0.747 V,而铜电极上为 0.584 V。过电位的大小也与电极表面状态有关。例如,在上述条件,氢的过电位在光亮铂片上为 0.068 V,而镀铂黑电极上为 0.030 V。正是利用了氢在汞电极上有较大的过电位,使一些比氢还原性更强的金属先于氢在电极上析出,因而消除氢离子的干扰。这也是汞作极谱电极的优势之一。

2. 析出物质的形态

一般说来,电极表面析出金属的过电位很小的,大约几十毫伏。在电流密度不太大时,大部分金属析出的过电位基本上与理论电位一致,例如,银、镉、锌等。

但铁、钴、镍较特殊,当其以显著的速度析出时,过电位往往达到几百毫伏。

如析出物是气体,特别是氢气和氧气,过电位是相当大的。例如,在酸性介质中,在光亮铂阳极上,电流密度为 20 mA/cm² 时,氧的过电位比较小,而在碱性介质中则高达 1.4 V。可见介质也有很大的影响。

3. 电流密度

一般说,电流密度越大,过电位也越大。见表 16−1。

4. 温度

通常过电位随温度升高而降低。例如,每升高温度 10 ℃,氢的过电位降低 20～30 mV。

16.2.4 电解析出离子的次序及完全程度

用电解法分离某些物质时,必须首先考虑的是各种物质析出电位的差别。如果两种离子的析出电位差越大,被分离的可能性就越大。在不考虑过电位的情况下,往往先用它们的标准电位值作为判别的依据。如电解 Ag^+ 和 Cu^{2+} 的混合溶液,它们的标准电位分别是 $E^{\ominus}_{Ag^+/Ag} = 0.799$ V 和 $E^{\ominus}_{Cu^{2+}/Cu} = 0.337$ V,差别比较大,故可认为能将它们分离。而铅和锡,$E^{\ominus}_{Pb^{2+}/Pb} = -0.126$ V 和 $E^{\ominus}_{Sn^{2+}/Sn} = -0.136$ V,不易分离。

例 1 今有含 2.0 mol·L⁻¹ 铜离子和 0.01 mol·L⁻¹ 银离子的混合溶液,若采用铂电极进行电解,在阴极上哪个离子先析出? 这两种离子是否可以完全分离?

解: 铜初始析出电位是

$$E_{Cu^{2+}/Cu} = E^{\ominus}_{Cu^{2+}/Cu} + \frac{0.059\,2}{2}\lg 2$$
$$= (0.337 + 0.008\,9)\text{V} = 0.346 \text{ V}$$

银初始析出电位是

$$E_{Ag^+/Ag} = E^{\ominus}_{Ag^+/Ag} + \frac{0.059\,2}{1}\lg 0.01$$
$$= (0.799 - 0.118)\text{V} = 0.681 \text{ V}$$

因为银的析出电位较铜的为正,故银先在阴极上还原析出。

随着电解的进行,银离子浓度逐渐降低,阴极电位亦将随之变化,改变的数值可计算如下。假如银离子的浓度降至原浓度的 0.01% 时,可认为银离子已析出完全,此时的电极电位为

$$E_{Ag^+/Ag} = E^{\ominus}_{Ag^+/Ag} + \frac{0.059\,2}{1}\lg 10^{-6}$$
$$= 0.444 \text{ V}$$

可见,此时 Ag^+ 的电极电位仍较 Cu^{2+} 的电极电位要正,即 Ag^+ 电解阴极析出完全时,Cu^{2+} 尚未电解析出。故可认为 Ag^+、Cu^{2+} 能完全分离。

通常,对于分离两种共存的一价离子,它们的析出电位相差在 0.30 V 以上

时,可认为能完全分离;两种共存的二价离子,它们的析出电位相差在 0.15 V 以上时,即达到分离的目的。这只是相对的,如果要求高,析出电位差就要加大。

在电解分析中,有时利用所谓"电位缓冲"的方法来分离各种金属离子。这种方法就是在溶液中加入各种去极化剂。由于他们的存在,限制阴极(或阳极)的电位变化,使电极电位稳定于某值不变。这种去极化剂在电极上的氧化或还原反应并不影响沉积物的性质,但可以防止电极上发生其他的反应。

例如,在铜电解时,阴极若有氢气析出,会使铜的淀积不好。但是若有 NO_3^- 存在,就可以防止 H^+ 的还原。由于阴极电位变负时,NO_3^- 比 H^+ 先在电极上还原产生 NH_4^+,而 NH_4^+ 因不会在阴极上淀积,也不会影响铜镀层的性质。因此,铜的电解应在硝酸介质中进行。另外,若溶液中还存在有 Ni^{2+} 及 Cd^{2+},它们亦不会在阴极上还原析出,因为大量的 NO_3^- 存在,使得在一定的时间内,电极电位稳定于 NO_3^- 的还原反应的电位。NO_3^- 在阴极上的还原反应为

$$NO_3^- + 10H^+ + 8e^- \longrightarrow NH_4^+ + 3H_2O$$

这个 NO_3^- 就是所谓的电位缓冲剂。

16.3 电解分析方法及其应用

16.3.1 控制电流电解法

控制电流电解法一般是指恒电流电解法,它是在恒定的电流条件下进行电解,然后直接称量电极上析出物质的质量来进行分析。这种方法也可用于分离。

控制电流电解法的基本装置如图 16-3 所示。用直流电源作为电解电源。加于电解池的电压,可用可变电阻器 R_1 加以调节,并由电压表 V 指示。通过电解池的电流则可从电流表 A 读出。电解池中,一般用铂网作阴极,螺旋形铂丝作阳极并兼作搅拌之用。

电解时,由于 R_1 足够大,使得其他电阻相比较而言可以忽略不计,所以通过电解池的电流是恒定的。一般说来,电流越小,析出的镀层越均匀,但所需时间就越长。在实际工作中,一般控制电流为 0.5~2 A。恒电流电解法仪器装置简单,准确度高,方法的相对误差小于 0.1%,但选择性不高。本法可以分离电动序中氢以上与氢以下的金属离子。电解时,氢以下的金属先在阴极上析出,继续电解,就析出氢气。所以,在酸性溶液中,氢以上的金属就不能析出,而应在碱性溶液中进行。

恒电流电重量法可以测定的金属元素有:锌、铜、镍、锡、铅、铜、铋、锑、汞及银等,其中有的元素须在碱性介质中或络合剂存在的条件下进行电解。目前该

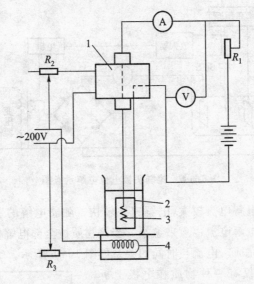

图 16-3　恒电流电解装置

1. 搅拌电机；2. 铂网(阴极)；3. 铂螺旋丝(阳极)；4. 加热器；A. 电流表；

V. 电压表；R_1. 电解电流控制；R_2. 搅拌速度控制；R_3. 温度控制

方法主要用于精铜产品的鉴定和仲裁分析。

16. 3. 2　控制电位电解法

控制电位电解法是在控制阴极或阳极电位为一恒定值的条件下进行电解的
方法。如果溶液中有 A，B 两种金属离子
存在，它们电解时的电流与阴极电位的关
系曲线如图 16-4 所示。图中 a，b 两点分
别代表 A，B 离子的阴极析出电位。若控
制阴极电位电解时，使其负于 a 而正于 b，
如图中 d 点的电位，则 A 离子能在阴极上
还原析出而 B 离子则不能，从而达到分离
B 的目的。

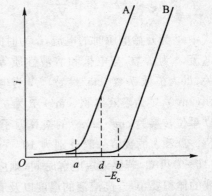

图 16-4　控制电位与析出电位的关系

控制阴极电位电解装置的示意图如
图 16-5 所示。它与恒电流电解装置的不
同之处，在于它具有测量及控制阴极电位
的设备。在电解过程中，阴极电位可用通过 R 上产生的 iR 降变化自动来调节
加于电解池的电压，使阴极电位保持在特定数值或一定范围内。

在控制电位电解过程中，被电解的只有一种物质。由于电解开始时该物质

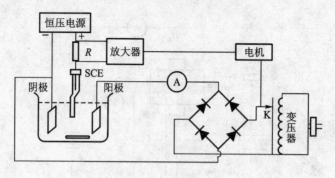

图 16-5 控制阴极电位电解示意图

的浓度较高,所以电解电流较大,电解速率较快。随着电解的进行,该物质的浓度愈来愈小,因此电解电流也愈来愈小。当该物质被全部电解析出后,电流就趋近于零,说明电解完成。电流与时间的关系如图 16-6 所示。

电解时,如果仅有一种物质在电极上析出,且电流效率 100%,则:

$$i_t = nAFD \frac{c_t}{\delta} \qquad (16-6)$$

$$dQ_t = nFVdc_t \qquad (16-7)$$

又因为 $i_t = dQ_t/dt$,所以

$$i_t = i_0 10^{-kt} \qquad (16-8)$$

$$k = 26.1 \frac{DA}{V\delta} \qquad (16-9)$$

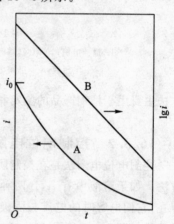

图 16-6 电流与时间关系
A. $i-t$; B. $\lg i-t$

式中 i_0 为开始电解时的电流,i_t 为时间 t 时的电流,k 为常数,与电极和溶液性质等因素有关,D 为扩散系数($cm^2 \cdot s^{-1}$),A 为电极表面积(cm^2),V 为溶液体积(cm^3),δ 为扩散层的厚度(cm),常数 26.1 中已包括将 D 单位转换为 $cm^2 \cdot min^{-1}$ 的换算因子 60 在内,式(16-8)中的 t 则以 min 为单位。D 和 δ 的数值一般分别为 $10^{-5} cm^2 \cdot s^{-1}$ 和 $2 \times 10^{-3} cm$。由式(16-8)和式(16-9)可知,若要缩短电解时间,则应增大 k 值,这就要求电极表面积要大,溶液的体积要小,升高溶液的温度以及有效的搅拌可以提高扩散系数和降低扩散层厚度。

控制电位电解法的主要特点是选择性高,可用于分离并测定银(与铜分离)、铜(与铋、铅、银、镍等分离)、铋(与铅、锡、锑等分离)、镉(与锌分离)等。

16.4 | 库仑法

根据电解过程中所消耗的电荷量来求得被测物质含量的方法,称为库仑法。库仑法也可以分为控制电位库仑法与控制电流库仑法两种。

16.4.1　Faraday 电解定律

Faraday 电解定律是指在电解过程中电极上所析出的物质的量与通过电解池的电荷量的关系,可用数学式表示如下:

$$m=\frac{M}{nF}Q \tag{16-10}$$

式中 m 为物质在电极上析出的质量(g),M 为物质的摩尔质量,n 为电极反应的电子转移数,F 为 Faraday 常数($9.64853 \times 10^4 C/mol$),$Q$ 为电荷量($1C=1$ A·s)。如通过电解池的电流是恒定的,则

$$Q=it \tag{16-11}$$

代入式(16-10),得

$$m=\frac{M}{nF}it \tag{16-12}$$

如电流不恒定,而随时向不断变化,则

$$Q=\int_0^\infty i\mathrm{d}t \tag{16-13}$$

Faraday 定律是自然科学中最严格的定律之一,它的正确性已被许多实验所证明。它不仅可应用于溶液和熔融电解质,也可应用于固体电解质导体。

Faraday 定律的误差主要来源于其他物质也参加了初级反应或发生了次级反应。这两种情况均消耗了电荷量。例如,在电解含硫酸的硫酸锌溶液时,消耗 1F 电荷量,在阴极上析出锌的量往往比理论计算量少。这是因为在锌离子还原的同时,氢离子也在阴极上发生还原反应,结果电解产物中除了锌外,还有氢气。又例如,电解碱金属氯化物时,在阳极上产生的氯气往往比按 Faraday 定律计算出来的少,这是由于在电解过程中有一部分氯溶解于溶液中,并发生了次级反应。

根据 Faraday 定律,可用重量法、气体体积法或其他方法测得电极上析出的物质的量,再求算出通过电解池的电荷量;相反,如测得通过电解的电荷量,则可求算出电极上析出的物质的量。前者是测量电荷量的依据;后者是库仑分析的基础。

16.4.2　电流效率

在一定的外加电压条件下，通过电解池的总电流 i_T，实际上是所有在电极上进行反应的电流的总和。它包括：(1) 被测物质电极反应所产生的电解电流 i_e；(2) 溶剂及其离子电解所产生的电流 i_s；(3) 溶液中参加电极反应的杂质所产生的电流 i_{imp}。电流效率 η_e 为

$$\eta_e = i_e / (i_e + i_s + i_{imp}) \times 100\% = i_e / i_T \times 100\%$$

从上式可见，要提高电流效率，则 i_e 应尽可能大，i_s 和 i_{imp} 尽可能小。电重量法不要求电流效率 100%，但要求副反应产物不沉积在电极上，影响沉积物的纯度。库仑法则要求电流效率 100%，即电极反应按化学计量进行，无副反应。然而实际上很难达到。在常规分析中，电流效率不低于 99.9% 是允许的。

16.4.3　控制电位库仑法

16.4.3.1　原理

控制电位库仑法装置与控制电位电重量法基本相似。所不同的是在电解电路中串入一个能精确测量电荷量的库仑计（如图 16-7 所示）。电解时，用恒电位装置控制阴极电位，以 100% 的电流效率进行电解，当电流趋于零时，电解即完成。由库仑计测得电荷量，根据 Faraday 定律求出被测物质的含量。

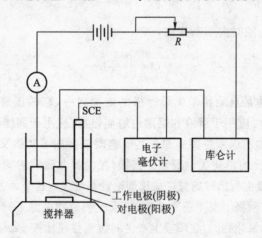

图 16-7　控制电位库仑法的基本装置

这种方法除具有控制电位电重量分析法的优点外，由于其基于测量电解过程中所消耗的电荷量，而不是析出物的质量，因此，可不受称量产物状态的限制，既可用于物理性质很差的沉积体系，也可用于不形成固体产物的反应。

库仑计是控制电位库仑分析装置中的一个重要组成部分。库仑计有多种，如氢氧库仑计就是一种最经典的库仑计，串联在电解电路中，以得到的氢、氧气体多少换算成被测物质的电解电荷量，这种库仑计现在几乎已不再使用。现代库仑计都是数字式的装置，Q 值自动记录，直接读取。按照 Faraday 原理（式 16-13）计算：

$$Q = \frac{i_0}{2.303k}(1 - 10^{-kt}) \tag{16-14}$$

当 $kt \to \infty$，

$$Q = \frac{i_0}{2.303k} \tag{16-15}$$

用作图法求 i_0 与 k 的关系，即

$$\lg i_t = \lg i_0 + (-kt) \tag{16-16}$$

求出 i_0 和 k，代入 $Q = \dfrac{i_0}{2.303k}$ 即可算出 Q。这一过程通常是采用人工计算方法。若采用计算机软计算法，可将式（16-13）表示为 $Q = \sum i_t \Delta t$，然后将测量采集到的电流与时间相关的一系列数据输入计算机计算，只要 Δt 选的足够小，Q 就足够准确。Q 值可用作图法示意，图 16-8 中 i-t 曲线下的面积即为 Q 值。

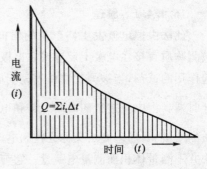

图 16-8 i-t 积分图

16.4.3.2 应用

控制电位库仑分析法具有准确、灵敏、选择性高等优点，特别适用于混合物质的测定，因而得到了广泛的应用。可用于五十多种元素及其化合物的测定。其中包括氢、氧、卤素等非金属，钾、钠、钙、镁、铜、银、金、铂族等金属以及稀土和镧系元素等。

在有机和生化物质的合成和分析方面的应用也很广泛，涉及的有机化合物类型也很多。例如，三氯乙酸的测定，血清中尿酸的测定，以及在多肽合成和加氢二聚作用等的应用。

控制电位库仑法也是研究电极过程、反应机理等方面的有效方法。测定电极反应的电子数不需事先知道电极面积和扩散系数。例如，在 100 mL 0.1 mol·L^{-1} HCl 中，以银为阳极，汞池为阴极，-0.65 V（vs. SCE）时电解 0.039 9 mol·L^{-1} 苦味酸，得电荷量为 65.7 C，求出电极反应电子数 $n = 17.07$，证明了苦味酸的还原反应为

$$2 \quad \underset{\underset{NO_2}{}}{\overset{OH}{\underset{NO_2}{\bigcirc}}} NO_2 \quad +34e^- +34H^+ \longrightarrow HO \underset{H_2N}{\overset{H_2N}{\bigcirc}} \underset{H}{\overset{H}{N}} \underset{NH_2}{\overset{NH_2}{\bigcirc}} OH \ + \ 12H_2O$$

由于控制电位库仑法对副反应产生的电活性物质反应灵敏,所以,用该法测定有机化合物的电子数 n 时,可能有时与其他方法测定的值不尽相同,一定要谨慎对待。

16.4.4 控制电流库仑分析法

16.4.4.1 原理

此法由恒电流发生器产生的恒电流通过电解池,用计时器记录电解时间。被测物质直接在电极上反应或在电极附近由于电极反应产生一种能与被测物质起作用的试剂,当被测物质作用完毕后,由指示终点的仪器发出信号,立即关掉计时器。由电解进行的时间 $t(s)$ 和电流 $i(A)$,可按式:$m = \dfrac{M}{nF} it$,求算出被测物质的质量 $m(g)$。此法又称为控制电流库仑滴定法,简称为库仑滴定法。这种方法并不测量体积而测量电荷量。它与普通滴定分析法不同点在于滴定剂不是由滴定管向被测溶液中滴加,而是通过恒电流电解在溶液内部产生,电生滴定剂的量又与电解所消耗的电荷量成正比。因此,可以说库仑滴定是一种以电子作滴定剂的容量分析。

图 16-9 是通用的库仑滴定装置示意图。图中的工作电极系统,由滴定剂发生电极 4 和它的对电极 5 组成,为了防止 5 上的电极反应产生的干扰,放在了

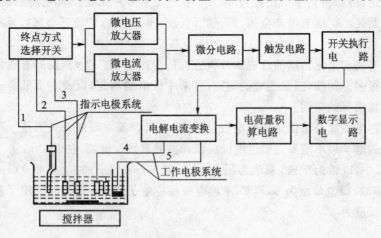

图 16-9 恒电流库仑法装置示意图

一个隔离装置里。指示电极系统,由参比电极 1 和小的 Pt 片电极 2,3 组成。指示方法有三种供选择:(1) 电位法,这时 2 或 3 都可作指示电极,1 为参比电极;(2) 单电极电流指示法,2 或 3 可作指示电极,1 为参比电极;(3) 双电极电流指示法,2 和 3 作指示电极,不需参比电极。

16.4.4.2 滴定终点的确定方法

库仑滴定法的终点确定方法有多种:指示剂法、光度法、电流法、电位法等。这里介绍几个常用方法。

1. 化学指示剂法

这是指示终点的最简单的方法。此法可省去库仑滴定装置中的指示系统,比较简单。最常用的是以淀粉作指示剂,用恒电流电解 KI 溶液产生的滴定剂碘来测定 As(Ⅲ)时,淀粉是很好化学指示剂。指示剂方法,灵敏度较低,对于常量的库仑滴定能得到满意的测定结果。选择指示剂应注意:(1) 所选的指示剂不能在电极上同时发生反应;(2) 指示剂与电生滴定剂的反应,必须在被测物质与电生滴定剂的反应之后,即前者反应速率要比后者慢。

2. 电流法

这种方法的基本原理为被测物质或滴定剂在指示电极上进行反应所产生的电流与电活性物质的浓度成比例,终点可从指示电流的变化来确定。电流法可分为单指示电极电流法和双指示电极电流法。前者常称为极谱滴定法,后者又称为永停终点法。

(1) 单指示电极电流法 此法外加电压的选择取决于被测物质和滴定剂的电流-电位曲线。如图 16-10(左)所示。外加电压可选在 A,B 之间,其相应的滴定曲线如图 16-10(右)。如果滴定剂在指示电极上不反应,而被测物质指示电极上反应,i-E 和 i-t 见图 16-10 中(a)。如滴定剂在电极上反应,被测物质在电极上不反应,i-E 和 i-t 见图 16-10 中(b)。如被测物质和滴定剂均在电极上反应,则 i-E 和 i-t 见图 16-10 中(c)所示。如被测物质在电极上氧化,而滴定剂在电极上还原,则电流-电位曲线和滴定曲线,如图 16-10 中(d)所示,化学计量点时电流为零。

(2) 双指示电极电流法 通常采用两个相同的电极,并加一个很小的外加电压(0~200 mV),从指示电流的变化率大小来确定终点。现以库仑滴定法测定 As(Ⅲ)为例,说明双指示电极电流法确定终点的原理。

指示电极为两个相同的铂片,加于其上的电压约为 200 mV。在偏碱性的碳酸氢钠介质中,以 0.35 mol·L^{-1} KI 发生电解质,电生的 I$_2$ 测定 As(Ⅲ)。在滴定过程中,工作阳极上的反应为

$$2I^- \longrightarrow I_2 + 2e^-$$

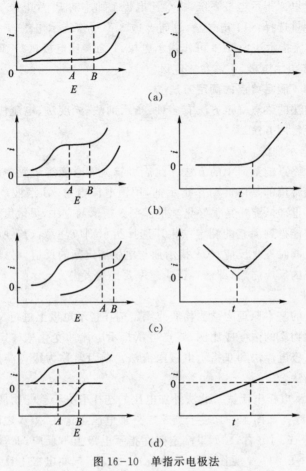

图 16-10   单指示电极法
i-E(左)和 i-t(右)曲线

电生 I_2 立刻与溶液中的 As(Ⅲ) 进行反应,这时溶液中的 I_2(或说 I_3^-)浓度非常稀,无法与 I^- 构成可逆电对,在指示电极反应产生电流。所以,在计量点之前,指示系统基本上没有电流通过。如要使指示系统有电流通过,则两个指示电极必须发生如下反应:

$$阴极   \qquad I_2 + 2e^- \longrightarrow 2I^-$$

$$阳极   \qquad 2I^- \longrightarrow I_2 + 2e^-$$

但当溶液中没有足够的 I_2 的情况下,而要使上述反应发生,指示电极系统的外加电压需远大于 200 mV。实际上所加的外加电压不大于 200 mV,因此,不会发生上述反应,也不会有电流通过指示电极系统。当 As(Ⅲ) 被反应完时、过量的 I_2 与同时存在的 I^- 组成可逆电对,两个指示电极上发生上述反应,指示电极上的电流迅速增加,表示终点已到达。仪器正是判断到这个大的 Δi,强制滴定停止。

如果滴定剂和被测物质都是可逆电对,能同时在指示电极上发生反应,得到的滴定曲线如图 16-11(图中 a 滴定分数)所示。现以 Ce^{4+} 滴定 Fe^{2+} 为例说明滴定过程。滴定开始后,滴入的 Ce^{4+} 与 Fe^{2+} 反应,生成了 Fe^{3+},Fe^{3+} 与 Fe^{2+} 组成可逆电对在指示电极上反应,随着 Fe^{3+} 浓度的增大,电流上升,直到与 Fe^{2+} 浓度相等,电流达到最大。随着滴定剂的加入,Fe^{2+} 越来越少,指示电极上的电流也越来越小,到化学计量点时,电流最小。终点之后,加入的 Ce^{4+} 过量,与滴定反应生成的 Ce^{3+} 组成可逆电对开始在指示电极上反应产生电流,使电流上升。加入的 Ce^{4+} 越多,电流就越大。

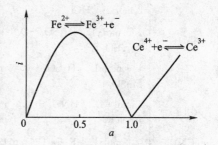

图 16-11　双指示电极库仑滴定曲线
Ce^{4+} 滴定 Fe^{2+} 的反应过程

这些指示终点的方法,常用于氧化还原反应滴定体系,也用于沉淀反应滴定中。此法装置简单、快速、灵敏,准确度又较高,应用范围较广。

(3) 电位法　用电位法指示终点的原理与普通电位滴定法相似。在库仑滴定过程中,每隔一定时间停止通电,记下电位读数和电生滴定剂的时间,作其关系图,从图上找出化学计量点。也用平衡电位法指示终点,即将电位计的电位固定在化学计量点上。滴定开始后,通过检流计的指示电流不断下降。当指示电流降至零时,表示终点已到达。这种方法简便、快速,灵敏度和准确度也比较高。

此外,也有用分光光度法、电导法等方法指示滴定终点。

16.4.4.3　库仑滴定的特点及应用

(1) 由于库仑滴定法所用的滴定剂是由电解产生的,边产生边滴定,所以可以使用不稳定的滴定剂,如 Cl_2,Br_2,Cu 等。这就扩大了适用范围。

(2) 能用于常量组分及微量组分的分析,方法的相对误差约为 0.5%。如采用精密库仑滴定法,由计算机程序确定滴定终点,准确度可达 0.01% 以下,能用作标准方法。

(3) 控制电位的方法也能用于库仑滴定,以提高选择性、扩大适用范围。

(4) 库仑滴定法可以采用酸碱中和、氧化-还原、沉淀及络合等各类反应进行滴定。一些重要应用见表 16-2。

表 16-2　库仑滴定产生的滴定剂及应用

电生滴定剂	介质	工作电极	测定的物质
Br_2	$0.1 \ mol \cdot L^{-1} \ H_2SO_4 + 0.2 \ mol \cdot L^{-1}$ NaBr	Pt	Sb(III),I^-,Tl(I),U(IV),有机化合物
I_2	$0.1 \ mol \cdot L^{-1}$磷酸盐缓冲溶液 pH8 $+$ $0.1 \ mol \cdot L^{-1}$KI	Pt	As(III),Sb(III),$S_2O_3^{2-}$,S^{2-}

电生滴定剂	介质	工作电极	测定的物质
Cl_2	$2\ mol\cdot L^{-1}\ HCl$	Pt	As(Ⅲ),I$^-$,脂肪酸
Ce(Ⅳ)	$1.5\ mol\cdot L^{-1}\ H_2SO_4+0.1\ mol\cdot L^{-1}$ $Ce_2(SO_4)_3$	Pt	Fe(Ⅱ),Fe(CN)$_6^{4-}$
Mn(Ⅲ)	$1.8\ mol\cdot L^{-1}\ H_2SO_4+0.45\ mol\cdot L^{-1}$ $MnSO_4$	Pt	草酸,Fe(Ⅱ),As(Ⅲ)
Ag(Ⅱ)	$5\ mol\cdot L^{-1}\ HNO_3+0.1\ mol\cdot L^{-1}$ $AgNO_3$	Au	As(Ⅲ),V(Ⅳ),Ce(Ⅲ), 草酸
Fe(CN)$_6^{4-}$	$0.2\ mol\cdot L^{-1}\ K_3Fe(CN)_6\ pH2$	Pt	Zn(Ⅱ)
Cu(Ⅰ)	$0.02\ mol\cdot L^{-1}\ CuSO_4$	Pt	Cr(Ⅵ),V(Ⅴ),IO$_3^-$
Fe(Ⅱ)	$2\ mol\cdot L^{-1}\ H_2SO_4+0.6\ mol\cdot L^{-1}$铁铵矾	Pt	Cr(Ⅵ),V(Ⅴ),MnO$_4^-$
Ag(Ⅰ)	$0.5\ mol\cdot L^{-1}\ HClO_4$	Ag	Cl$^-$,Br$^-$,I$^-$
EDTA (Y^{4-})	$0.02\ mol\cdot L^{-1}\ HgNH_4Y^{2-}+0.1\ mol\cdot L^{-1}\ NH_4NO_3\ pH8$ 除 O_2	Hg	Ca(Ⅱ),Zn(Ⅱ),Pb(Ⅱ) 等
H$^+$ 或 OH$^-$	$0..1\ mol\cdot L^{-1}\ Na_2SO_4$ 或 KCl	Pt	OH$^-$ 或 H$^+$,有机酸或碱

16.4.5　微库仑分析法

　　微库仑(microcoulometry)分析法与库仑滴定法相似,也是由电生的滴定剂来滴定被测物质的浓度,不同之处在于输入电流的大小是随被测物质含量的大小而变化的,所以又称为动态库仑滴定。它是在预先含有滴定剂的滴定池中加入一定量的被滴定物质后,由仪器自动完成从开始滴定到滴定完毕的整个过程。其工作原理如图 16-12 所示。在滴定池有两对电极,一对工作电极(发生电极和辅助电极)和另一对指示电极(指示电极和参比电极)。为了减小体积和防止干扰,参比电极和辅助电极被隔离放置在较远处。

　　在滴定开始之前,指示电极和参比电极所组成的监测系统的输出电压 $U_{指}$ 为平衡值,调节 $U_{偏}$ 使 $\Delta U_{平}$ 为零,经过放大器放大后的输出电压 $\Delta U_{工}$ 也为零,所以发生电极上无滴定剂生成。当有能与滴定剂发生反应的被滴定物质进入滴定池后,由于被滴定物质与滴定剂发生反应浓度变化而使指示电极的电位将产生偏离,这时的 $\Delta U_{平}\neq0$,经放大后的 $\Delta U_{工}$ 也不为零,则 $\Delta U_{工}$ 驱使发生电极上开始进行电解,生成滴定剂。随着电解的进行,滴定渐趋完成,滴定剂的浓度又逐渐回到滴定开始前的浓度值,使得 $\Delta U_{平}$ 也渐渐回到零;同时,$\Delta U_{工}$ 也越来越小,产生滴定剂的电解速度也越来越慢。当达到滴定终点时,体系又回复到滴定开始前的状态,$\Delta U_{平}=0$,$\Delta U_{工}$ 也为零,滴定即告完成。滴定曲线如图 16-13 所

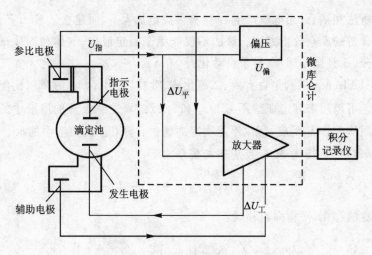

图 16-12　微库仑分析法示意图

示。在滴定过程中,采用积分仪直接记录滴定所需电荷量,据此可计算出进入滴定池中的物质的浓度来。

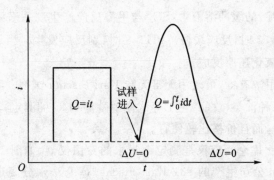

图 16-13　微库仑法的电流-时间曲线

在微库仑滴定中,靠近滴定终点时,$\Delta U_\text{工}$ 变得越来越小,则电解产生滴定剂的速度也变得越来越慢,直到终点。所以该法确定终点较为容易,准确度较高,应用较为广泛。

16.4.6　其他库仑分析方法

16.4.6.1　Karl Fischer 滴定法

Karl Fischer(卡尔·费歇尔)首先提出测定水分含量的特效滴定分析法,称为 Karl Fischer 法。它以 Karl Fischer 试剂作为滴定剂来滴定试样中的水分,相当于滴定分析中的碘量法。后来,Meyer 和 Bogd 等将 Karl Fischer 滴定法与库仑分析法相结合,用电解产生 I_2 代替了滴定加入 I_2,而建立了 Karl Fischer 测定水分含量的库仑分析方法。该法不仅能用于测定液体、气体和固体试样中的微量水分,而且操作简单,易于自动化。

Karl Fischer 试剂是含有碘、二氧化硫、吡啶以 1∶3∶10 的摩尔比配成的甲醇溶液。可以用来滴定那些不与 SO_2 和 I_2 或二者之一反应的溶液中的水。因为醛和酮能与 SO_2 反应,所以不能滴定那些含有醛和酮的溶液中的水。

在水存在下,SO_2 和 I_2 反应平衡关系如下:

$$SO_2 + I_2 + 2H_2O \rightleftharpoons SO_4^{2-} + 2I^- + 4H^+$$

由于吡啶的存在,平衡向右移动:

在含碱(吡啶)的缓冲溶液中,SO_2 与甲醇反应产生烷基磺酸盐,其最佳 pH 约为 5~8。pH<3 时,反应缓慢。pH>8 时,副反应发生。当 H_2O 存在时,若加入 I_2,则发生氧化还原反应。

由于吡啶、甲醇有毒,可改用无毒无味 Karl Fischer 试剂。我国生产的无吡啶试剂能用于各种油类、食品、化工等试样中微量 H_2O 的测定,其性能可与国外同类产品相媲美,而且价格比较便宜。

Karl Fischer 库仑滴定仪是测定微量水的专用仪器,如图 16-14 所示。这是瑞士 Metrohm 公司生产的 831 Karl Fischer 库仑法水分滴定仪,有两个 RS 232C 接口,可连接电脑、打印机,功能多样,使用方便。

16.4.6.2　库仑阵列电极

库仑电极(coulometric electrode)是一种用于高效液相色谱分析(HPLC)的专用电极,它采用穿透式多孔石墨碳电极。定量依据是 Faraday 定律,所以称为库仑电极。这种电极对化学结构的细微变化有很高的灵敏度,能依据被测物质的氧化还原性质差异进行检测。它可使被测物质在电极上实现 100% 的氧化或还原效率,没有信号丢失。库仑池装有保护电极和双工作电极,在保护电极上施加适当的电压可以使流动相中的杂质先行反应,以降低背景电流,使基线平稳。双工作电极同时施加不同大小的分析电压,以使响应峰值不再彼此覆盖,从而为检测提供可信的分析结果。图16-15是库仑电极系统的示意图。它像一个反应过滤器,通过它的 A 物质 100% 变成了 B 物质,达到 100% 效率。

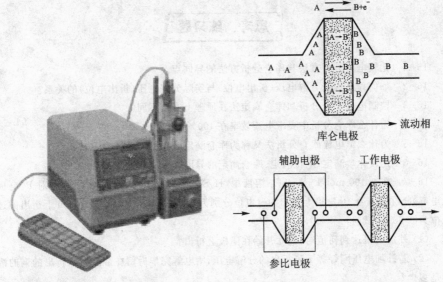

图 16-14　库仑法水分滴定仪　　　图 16-15　库仑电极系统

　　如果用多个电极相串联使用,就组成了所谓的库仑阵列电极(CoulArray)。当与高效液相色谱联用时,可得到时间、电流和电位的三维图谱(图16-16)。这种新型电极具有广泛的应用前景。例如,在生命科学领域中的诊断学、临床药理学、中药现代化研究、抗衰老研究、天然产物及食品科学、化妆品分析等方面有潜力成为强有力的测试工具。

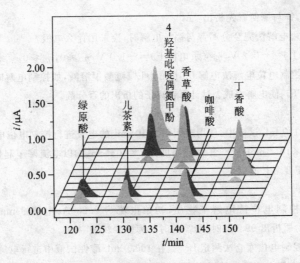

图 16-16　库仑阵列电极检测谱图

思考、练习题

16-1   比较电解分析方法与库仑分析方法的异同点。

16-2   如何理解理论分解电压(析出电位)与实际分解电压(析出电位)的关系?

16-3   控制电位库仑分析和库仑滴定法在原理上有何不同?

16-4   为什么库仑分析中要求电流效率在100%下进行电解?

16-5   为什么恒电流库仑分析法又称为库仑滴定法?

16-6   比较化学滴定、电位滴定、库仑滴定的异同。

16-7   在 $0.100 \ mol \cdot L^{-1} \ CuSO_4$ 溶液中,H_2SO_4 浓度为 $1.00 \ mol \cdot L^{-1}$,在一对 Pt 电极上电解,O_2 在 Cu 及 Pt 电极上析出的过电位分别为 $0.85 \ V$ 及 $0.40 \ V$,H_2 在 Cu 上析出的过电位为 $0.60 \ V$,试问:

(1) 外加电压达到何值时,铜才开始在阴极上析出?

(2) 若外加电压刚好等于氢析出的分解电压,则电解完毕后留在溶液中未析出的铜的浓度是多少?

16-8   在 $1.0 \ mol \cdot L^{-1}$ 硝酸介质中,电解 $0.1 \ mol \cdot L^{-1} \ Pb^{2+}$ 以 PbO_2 析出时,如以电解至尚留下 0.01% 视为已电解完全,此时工作电极电位的变化值为多大?

$(+0.128 \ V)$

16-9   用汞阴极恒电流电解 pH 为 1 的 Zn^{2+} 溶液,在汞电极上 $\eta_{H_2} = -1.0 \ V$,试计算在氢析出前,试液中残留的 Zn^{2+} 浓度。

$(9.6 \times 10^{-11} \ mol \cdot L^{-1})$

16-10   在 $1.0 \ mol \cdot L^{-1}$ 硫酸介质中,电解 $1.0 \ mol \cdot L^{-1}$ 硫酸锌与 $1 \ mol \cdot L^{-1}$ 硫酸镉混合溶液。试问:

(1) 电解时,锌与镉何者先析出?

(2) 能不能用电解法完全分离锌与镉? 电解时,应采用什么电极?

η_{H_2}(铂电极上)$= -0.2 \ V$,η_{H_2}(汞电极上)$= -1.0 \ V$,$\eta_{Cd} \approx 0$,$\eta_{Zn} \approx 0$

16-11   用控制电位电解法电解 $0.10 \ mol \cdot L^{-1}$ 硫酸铜溶液,如控制电解时的阴极电位为 $-0.10 \ V$(vs. SCE),使电解完成。试计算铜离子的析出的百分数。

(99.9998%)

16-12   在 100 mL 试液中,使用表面积为 $10 \ cm^2$ 的电极进行控制电位电解。被测物质的扩散系数为 $5 \times 10^{-3} \ mol \cdot L^{-1}$,扩散层厚度为 $2 \times 10^{-3} cm$,如以电流降至起始值的 0.1% 时视作电解完全,需要多长时间?

$(46.0min)$

16-13   用控制电位法电解某物质,初始电流为 2.20 A,电解 8 min 后,电流降至 0.29 A,估计该物质析出 99.9% 时,所需的时间为多少?

16-14   用控制电位库仑法测定 Br^-。在 100.0 mL 酸性试液中进行电解,Br^- 在铂阳极上氧化为 Br_2,当电解电流降至接近于零时,测得所消耗的电荷量为 105.5 C。试计算试液中 Br^- 的浓度。

$$(1.09 \times 10^{-2} \text{ mol} \cdot \text{L}^{-1})$$

16-15 某含砷试样 5.000 g,经处理溶解后,将试液中的砷用肼还原为三价砷,除去过量还原剂,加碳酸氢钠缓冲液,置电解池中,在 120 mA 的恒定电流下,用电解产生的 I_2 来进行库仑滴定 $HAsO_3^{2-}$,经 9 min 20s 到达滴定终点。试计算试样中 As_2O_3 的质量分数。

$$(0.689\%)$$

16-16 取 20.00 mL 2.5×10^{-3} mol·L^{-1} Pb^{2+} 的标准溶液在极谱仪上测量。假设电解过程中扩散电流(i_d)的大小不变。已知滴汞电极毛细管常数 $K = 1.10$ mg·s,溶液 Pb^{2+} 的扩散系数 $D = 1.60 \times 10^{-5}$ cm^2/s。若电解 1 h 后,试计算被测离子 Pb^{2+} 浓度变化的百分数。从计算结果来说明极谱法特点,并与库仑法相比较。

参考资料

[1] 严辉宇. 库仑分析. 北京:新时代出版社,1985.

[2] Band A J, Faulkner L R. 电化学方法——原理和应用. 邵元华,朱果逸,董献堆,等,译. 北京:化学工业出版社,2005.

第17章 电分析化学新方法

随着电分析化学的发展,一些新的方法和技术不断出现,如化学修饰电极、电化学生物传感器、微电极、纳米电分析化学等。同时,电分析化学方法与其他测试技术相结合,又发展了光谱-电化学、色谱-电化学等联用检测方法。本章就这方面的内容作一简要介绍。

17.1 化学修饰电极

在电分析化学中,通常使用的工作电极是以金属(Pt,Au,Ag,Cu,Ge 等)、金属氧化物(SnO_2,TiO_2,RuO_2,PbO_2 等)和碳(裂解石墨、玻璃碳、碳纤维等)等材料制作,应用上有很大的局限性。对于电化学反应的研究,常常要考虑反应分子从溶液到电极表面的传质过程,如果将反应分子一开始就连接到电极表面上,这样就能控制电极表面的分子结构并设计需要的电化学反应。所谓化学修饰电极是将化学修饰剂(单分子、多分子、离子或聚合物等)固定在电极表面,通过电子传递反应而使其呈现出某些电化学性质的一类电极。

17.1.1 化学修饰电极的类型

化学修饰电极按照修饰或制备方法的不同,它可以分为吸附、共价键合、聚合物和复合型等几种主要类型。

1. 吸附型

用吸附方法制备单分子层或多分子层化学修饰电极,其主要的途径有:

(1)静电吸附,即带电荷的离子型修饰剂在电极表面发生静电吸引而集聚,形成多分子层。这类吸附在热力学上是不可逆的。

(2)基于修饰剂分子上的 π 电子与电极表面发生交叠、共享吸附。例如,含苯环等共轭双键结构的分子在电极上的吸附;醇类、胺类、酮类及羧酸类化合物的疏水吸附等。

(3)分子自组装,即分子通过化学键相互作用在电极表面自然地形成高度有序的单分子层薄膜。

2. 共价键合型

电极预处理(如研磨、氧化还原等)后其表面具有许多可供键合的基团,如羟基、羧基等含氧基团,氨基,卤基等,利用这些基团与化学修饰剂之间的共价键合反应,在电极表面修饰上一层化合物,这样获得的电极称为共价键合型修饰电极。例如卤化硅烷化学修饰电极的制备,首先将铂或金电极经氧化还原处理,使其表面产生羟基,然后加入卤化硅烷试剂,使电极表面的羟基与卤化硅烷发生反应,分子上的 R 通过硅氧键接到电极表面,键合修饰过程如图 17-1 所示。

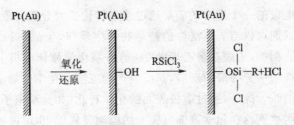

图 17-1　卤化硅烷化学修饰电极制备过程

3. 聚合物型

利用聚合物或聚合反应在电极表面形成修饰膜的电极称为聚合物型修饰电极。制备的方法主要有:

(1) 滴涂、旋转涂覆及溶剂挥发法　将聚合物溶液滴加在基体电极表面,在自然或电极旋转过程中让溶剂挥发,制得聚合物膜。

(2) 电化学沉积或氧化还原沉积法　聚合物的溶解度通常取决于其氧化或离子化的状态,当聚合物被氧化或还原到其难溶状态时,则沉积为膜。例如,在铂电极上,聚乙烯二茂铁被氧化成难溶的正离子状态而沉积成膜。

(3) 电化学聚合法　单体被氧化或还原为一种活性状态(正、负离子或自由基),然后再聚合成膜。常用的单体有含羟基、氨基和乙烯基的芳香化合物,杂环、稠环化合物及冠醚等。该法还可制备导电聚合物薄膜电极,如聚吡咯、聚苯胺、聚噻吩修饰电极等。

4. 复合型

所谓复合型化学修饰电极是将两种或两种以上的材料,如粉末状电极基体材料与修饰剂,按一定比例混合后压制成的电极。常用的是将碳粉、石蜡油和化学修饰剂调和,制备化学修饰碳糊电极。修饰剂有多种选择,通常有黏土、离子交换剂、络合剂等。

17.1.2　化学修饰电极的功能

为什么要对电极表面进行修饰? 这是因为电极经过修饰以后,其表面具有了某些新的功能,这对于提高电极的灵敏度和选择性、改善电极的稳定性和重现性以及开展表面电化学研究都是有利的。归结起来,化学修饰电极的主要功能有:

1. 富集作用

在合适的修饰电极上,稀溶液中的待测物能富集在电极表面。这种富集作用,不仅可用来改善可检测性,提高分析灵敏度,而且利用电极表面修饰剂对待测物的选择性富集,可用来作为一种分离步骤,从而改善分析的选择性。化学修饰电极上的富集过程,通常伴随着共价和非共价键的形成。

2. 化学转化

化学修饰电极的一个重要功能是通过化学转化扩大分析对象。化学修饰电极表面涂覆的试剂可以与非电活性的被测物发生反应,生成一种期待的电活性产物而被测定。例如,伯胺在聚乙烯吡啶-芳香醛化学修饰电极上的测定,它是利用伯胺与修饰层中芳香醛的反应,其反应产物亚胺在化学修饰电极上被氧化,据此间接测定伯胺。此外,通过电极表面的化学转化(如金属离子形成表面络合物),可提高某些被测物在化学修饰电极上的检测灵敏度,也可改善选择性。

3. 电催化

这类电催化通常是修饰电极和溶液中底物之间的电子转移反应。它通过修饰的电荷介体或催化剂的作用促进和加速待测物的异相电子传递。由图17-2可见,修饰剂的还原态与溶液中待测物的氧化态反应后再生出修饰剂的氧化态,即修饰剂催化了溶液中物质的氧化还原。例如,二茂铁化合物是一种常用的电荷介体和修饰剂,它对许多被测物质都呈现出电催化活性。在电分析化学中,一般认为化学修饰电极上的电催化是用来放大检测信号,其催化电流往往与被测物浓度成正比。

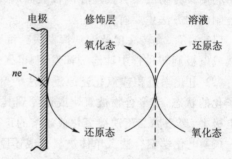

图 17-2　化学修饰电极上的电催化示意图

4. 渗透性

化学修饰电极的渗透性是指修饰层对被测物和干扰物通过该层膜到达电极表面的控制能力。其传输机理主要是基于被分析物和干扰物质的性质差别,如电荷、尺寸、形状、极性或手性等。例如,电极表面修饰的阳离子交换聚合物膜(如全氟磺酸交换树脂 Nafion),它阻碍溶液中的阴离子到达电极表面,而让阳离子自由地穿透。像这类涂覆在电极表面的渗透性膜,它使被分析物进出膜层,而排斥或阻碍干扰物质到达电极表面,因此显著地改善了电极的选择性。

17.1.3　化学修饰电极表面的传质与电子传递过程

图 17-3 是修饰电极的一般模型。在这个模型中,具有电对 A/B 的媒介体(修饰剂)被均匀地固定在电极表面上厚度为 L 的薄层中。一方面,在修饰电

外层,介体 B 与溶液中的底物 Y 反应,生成产物 Z 和介体 A。反应可表示为

$$B+Y \longrightarrow A+Z$$

另一方面,介体 A 在电极表面被氧化(或还原)生成介体 B。从这个模型中,我们还将看到一系列动力学过程,正是这些动力学过程的特征速率常数决定了修饰电极的电化学行为。

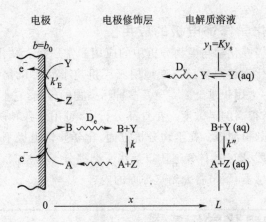

图 17-3 修饰电极上传质与电子传递过程的一般模型

此模型描述了四种过程:电极表面反应(k'_E);底物从溶液
向修饰层内的渗透(K);修饰层内的媒介反应(k)
和修饰层表面媒介反应(k'')

　　图 17-3 还给出了修饰电极整个电化学过程中的每一速率过程。假如在氧化还原中心之间产生电子跳跃,那么,电子通过修饰层的扩散可以用一个扩散系数 D_e 来描述。对于发生在修饰层内的反应,底物必须渗透到修饰层内并在其中发生扩散。底物在修饰层中的行为可用分配系数 K 和扩散系数 D_y 来描述。利用这些参数,我们就区分了底物的三种可能反应,并用它们的速率常数表征这些反应。第一种情况是介体在修饰层外侧发生反应,其速率常数为 k'';第二种情况是介体在修饰层内部发生反应,其速率常数为 k;第三种情况是底物直接在电极表面发生反应,其速率常数为 k'_E。其中,前两种情况之间存在的差别是因为在修饰层的表面和内部,媒介体和底物的溶剂化环境不同。在这一模型中,一般假设介体 A/B 与电极之间的电子转移速率很快,因此介体形态 B 的表面浓度(b_0)在一定的电极电位下是保持不变的。

　　在修饰层中还存在两种截然不同的传递过程,即电子传递和底物传质过程。来源于电极(图 17-3 左侧),并使介体形态 A 转变为 B 的电子是通过跳跃的形式穿越修饰层的,而底物 Y 则是从溶液中渗透到修饰层内(图 17-3 右侧),并通

过扩散方式穿越修饰层。当从修饰层两边传递过来的电子和底物在修饰层中相遇时,就发生了介体导致的底物向产物的转变,这个区域称为反应区。该反应区域的位置和它的厚度由两种形态在修饰层相对传递速率以及介体反应速率来决定。因此,当修饰层中电子的传递速率远快于底物的扩散速率时,修饰层中反应将会在靠近修饰层/溶液的界面位置发生;而当修饰层中底物的扩散速率远快于电子的传递速率时,修饰层中反应将会在靠近电极/修饰层的界面位置发生。

17.1.4　化学修饰电极的应用

化学修饰电极在化学与生物分析中的应用非常广泛。在化学分析方面,化学修饰电极作为化学传感器已广泛地用于无机离子及有机化合物的测定。例如,在环境分析中常用于重金属离子及多种污染物的检测,它不仅能同时测定多种离子,而且具有很高的灵敏度。在食品分析中,可用于各种防腐剂、添加剂及亚硝酸盐等物质的检测等。在生物分析方面,化学修饰电极不仅直接用于多种生物物质如蛋白质、DNA、神经递质以及代谢调控分子的检测,而且可以构建各类生物电化学传感器,下节将介绍这方面的内容。

17.2　生物电化学传感器

生物电化学传感器是一种将生物化学反应能转换为电信号的装置。通常将生物成分,如酶、抗原/抗体、植物或动物组织等连接到电极表面,起到生物分子识别或生物化学受体的作用。生物电化学传感器种类很多,如酶传感器、免疫传感器、微生物传感器和动植物组织传感器等,其中酶传感器和免疫传感器应用较为广泛。

17.2.1　酶传感器

根据检测信号的不同,酶传感器有电位与电流型之分,前者是以 Nernst 方程作为定量的基础,后者则是基于伏安或电流检测技术,目前电流型酶电极是发展的主流。考虑到第 14 章已介绍过电位型酶传感器,这里仅讨论电流型酶传感器。

17.2.1.1　以氧作为电子受体的酶传感器

这类酶传感器是由一种称为 Clark 型氧电极来制备的,用透气膜将酶包裹固定在氧电极表面。葡萄糖传感器通常使用葡萄糖氧化酶(glucose oxidase,GOD),该传感器对葡萄糖具有选择性响应,其检测原理为:

(1)当含有氧饱和的葡萄糖待测溶液和酶电极接触时,将发生以下酶反应:

$$葡萄糖 + O_2 + H_2O \xrightarrow{GOD} 葡萄糖酸 + H_2O_2$$

氧被催化还原为过氧化氢,葡萄糖被转化为葡萄糖酸。

(2) 由于酶附近的氧被消耗,到达氧电极上的氧的量减少了,最后导致还原电流降低。氧还原电流降低的量与待测溶液中的葡萄糖的浓度成正比。

与以上的检测方式类似,也可以通过测定酶反应所生成的过氧化氢来对葡萄糖定量分析。这种酶传感器是在铂电极表面涂覆上 GOD 制成,测定时,溶液中的葡萄糖在含有酶的膜表面被氧化,生成的过氧化氢往膜内渗透扩散,到达铂阳极上发生电化学氧化反应:

$$H_2O_2 = 2H^+ + O_2 + 2e^-$$

其响应电流与溶液中葡萄糖浓度成正比。这种检测原理适用于制备各种以氧为辅助底物的酶传感器。

17.2.1.2 介体型酶传感器

上述酶传感器是通过氧的消耗或者过氧化氢的生成来检测底物,这在分析上存在一些问题,如溶液中氧的浓度波动会引起分析误差,而且在溶液缺氧的环境下响应电流会显著下降,并因此影响检出限。为此,引用一种介体来取代氧/过氧化氢反应电对。所谓介体是一种具有良好电化学活性的相对分子质量小的化合物,它担负从酶的氧化还原中心到电极表面传递电子的作用。在催化还原过程中,介体首先与还原型的酶反应,然后扩散到电极表面并进行快速的电子交换。以葡萄糖氧化酶为例,酶首先与底物进行氧化还原反应,然后被介体重新氧化,即

$$葡萄糖 + GOD/FAD + H_2O \longrightarrow 葡萄糖酸 + GOD/FADH_2$$
$$GOD/FADH_2 + 2M_{OX} \longrightarrow GOD/FAD + 2M_{Red} + 2H^+$$

最后,介体在电极上被氧化

$$2M_{Red} \longrightarrow 2M_{OX} + 2e^-$$

上述反应中,FAD(flavin adenine dinucleotide)代表在葡萄糖氧化酶分子上的黄素氧化还原中心。M_{OX}/M_{Red} 表示伴随电子转移的介体的氧化还原电对。图 17-4 是介体型酶传感器电流检测示意图。

在介体型酶传感器中,介体的选择非常重要,它需满足以下几个条件:

(1) 能够快速地与还原型的酶反应;

(2) 具有可逆的异相反应动力学行为;

(3) 生成氧化型介体的过电位低而且与 pH 无关;

(4) 它的氧化或还原形态都是稳定的;

(5) 还原型介体不与氧发生反应;

(6) 在应用中无毒化作用。

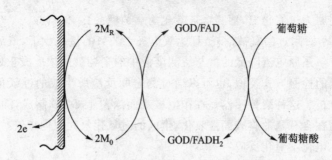

图 17-4   介体型酶传感器电流检测示意图

常用介体有氧化还原染料、铁氰化物、二茂铁及其衍生物、导电有机盐类、醌及其衍生物等。

17.2.1.3   直接电子传递型酶传感器

无论是以氧为电子受体还是介体型酶电极都是一种间接测定方法。人们感兴趣的仍然是酶的直接电化学方法,即酶/电极之间直接电子传递型酶传感器。如对于下述生物催化反应:

$$葡萄糖 + GOD/FAD + H_2O \longrightarrow 葡萄糖酸 + GOD/FADH_2$$

产物 GOD/FADH$_2$ 直接在电极上氧化:

$$GOD/FADH_2 \longrightarrow GOD/FAD + 2H^+ + 2e^-$$

要想实现酶的直接电子传递,理论上说是比较困难的,因为与一般的氧化还原物质相比,酶的相对分子质量大,它所具有的复杂结构往往将其氧化还原中心紧紧地包裹起来,使其很难与电极表面相接触,因此酶与电极之间的电子传递变得困难。现在还没有获得制备这类电极的普遍方法,但是这类酶传感器在不断地被发现。例如,以锇-联吡啶络合物为电子中继体(electron relay),将酶固定在锇氧化还原聚合物膜中(图 17-5),酶氧化还原中心可以通过电子中继体与电极表面进行电子交换,即酶被电化学激活,从而实现酶的直接电子传递。

目前已获得酶的直接电子传递的方法主要有:

(1) 使用电子转移促进剂,如某些带正电荷的多胺和氨基苷类化合物;

(2) 使用电子中继体的酶电活化技术;

(3) 酶在表面活性剂膜中的直接电子传递。

17.2.2   电化学免疫传感器

免疫法是利用抗体与抗原或半抗原之间的高选择性反应而建立起来的分析方法,它具有很高的选择性和低的检出限。电化学免疫传感器是基于抗原与抗

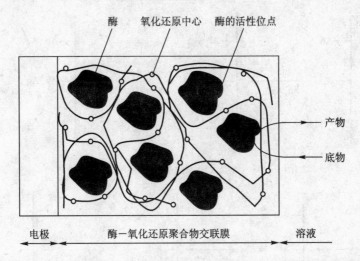

图 17-5 以锇氧化还原中心为电子中继体的酶电极表面结构示意图

体反应而进行特异性的定量或半定量分析的集成器件,其中抗原和抗体是分子识别单元,它们与电化学换能单元相连接,并通过换能器将被测物质的浓度信息转变为相应的电信号,可以应用于多种抗原、半抗原或抗体的检测。电化学免疫传感器可分为电流型和电位型两种主要类型。

17.2.2.1 电流型免疫传感器

电流型免疫传感器通常是利用标记物,例如酶,将免疫反应的信号放大以后,间接测定抗原或抗体。这种传感器的制备首先是通过吸附或共价键合将抗体(Ab)固定在透气或聚合物膜上,并将其与基底电极相连接。然后将此电极浸入含酶标记的抗原(Ag^*)和抗原试样(Ag)的溶液中,这样 Ag^* 和 Ag 会与膜表面上有限的 Ab 进行竞争反应。待一定时间后,洗去游离的抗原。这时,由于竞争反应的结果,与膜表面上 Ab 相结合的 Ag^* 量与试样中的 Ag 量成反比。然后加入底物 S,这时 Ag^* 上的酶会催化底物反应,得到电活性产物 P,最后 P 在基底电极上被检测,从而间接测定抗原。这一过程可用图 17-6 表示。这种方法已应用于强心药地高辛、免疫球蛋白及糖蛋白等的测定。

另一种电流型免疫传感器是在膜电极表面形成一种夹心式化合物的方法。在这种方法中,将固定了一定量抗体的膜电极浸入抗原试样中,让抗体与抗原进行反应得到 Ab-Ag 复合物。达到平衡后,洗去游离的抗原。然后加入另一种酶标记的抗体(Ab^*),使其与抗原再反应,形成夹心式化合物 $Ab-Ag-Ab^*$。洗去过量的酶标记抗体,再加入适当的底物 S。这时,在酶的催化作用下,底物 S 转变为具有电活性的 P,从而在电极上被检测。在这种情况下,电流大小与被测抗原量成正比,其过程可用图 17-7 表示。这种方法已应用于免疫球蛋白等的测定。

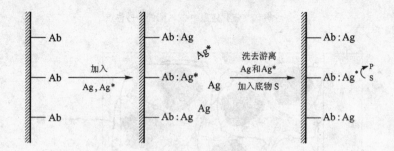

图 17-6　竞争反应型免疫传感器响应原理图

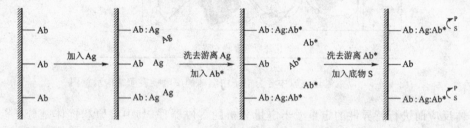

图 17-7　夹心式免疫传感器响应原理图

上述酶标记的免疫传感器虽然制备较复杂,但具有灵敏度高的特点,尤其是该方法能将试样中的干扰物如蛋白质等分离,提高了方法的实用性。

17.2.2.2　电位型免疫传感器

电位型免疫传感器是根据免疫反应过程中某种离子电位的变化来实现抗原或抗体的检测。例如,利用碘离子选择性电极作为基底电极可制备出测定乙型肝炎抗原的传感器。制作这种传感器时,需要将乙型肝炎抗体固定在碘离子选择性电极表面的蛋白质膜上。测定时,将此传感器插入含有乙型肝炎抗原的溶液中,使抗体与抗原结合,再用过氧化物酶标记的免疫球蛋白抗体处理,这时就形成了抗体/抗原/抗体夹心式的结构。将此传感器插入过氧化氢和碘化物的溶液中,在过氧化物酶标记的免疫球蛋白的催化作用下,过氧化氢在过氧化物酶催化下被还原,而碘化物因被氧化而消耗,碘离子选择性电极上测定的碘离子浓度减少量与乙型肝炎抗原的量成正比,由此可以推算乙型肝炎抗原的浓度。

17.2.3　生物成分的表面固定化方法

酶电极的制备都需要将生物成分固定在电极表面,因此有必要了解电极表面生物成分(酶、抗体、抗原等)的固定方法,常用的方法有:

1. 夹心法

把生物成分放置在双层透气膜之间,形成夹心结构,再将其固定在电极表面。例如,将葡萄糖氧化酶固定在两片透气膜中间,然后用圆形橡皮筋固定在氧电极表面,这就制成了葡萄糖传感器,也是最早的酶电极。

2. 交联法

通过双(多)功能团试剂让酶分子与凝胶/聚合物交联形成网状结构而使酶固定。最常用的交联剂是戊二醛,它能在温和条件下与酶蛋白上的—NH₂残基反应。惰性蛋白(如牛血清白蛋白)常用来形成酶膜,因它含有丰富的赖氨基残基,易于和戊二醛作用形成非水溶性的聚合物膜,其形成的交联网状结构如图17-8 所示。这类膜为酶分子提供了合适的微环境,最大限度地保持酶的活性。

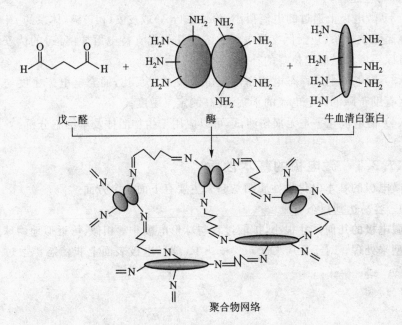

图 17-8　酶与戊二醛、牛血清白蛋白交联形成聚合物网络

3. 包埋法

该技术是将生物成分包埋在双层透气膜、溶胶-凝胶、电化学聚合物膜、碳糊等材料中而实现固定。如在溶胶-凝胶中,酶与硅酸酯形成氢键,使之构象不易变化,同时又与硅酸酯中的甲基等疏水基团相互作用,既能保持生物成分的活性,又能防止其从凝胶膜内泄漏。

4. 共价键合法

生物成分与电极表面通过共价键结合而固定的方法。

5. 吸附法

通过物理吸附(基于离子的、极性的、亲油性等)或化学吸附将酶固定在电极表面。

17.3 微电极

微电极是电分析化学的一门新技术。微电极也称超微电极,通常是指其一维尺寸小于 $100~\mu m$,或者小于扩散层厚度的电极。实验表明,当电极的尺寸从毫米级降至微米或纳米级时,它呈现出许多不同于常规电极的特点,如:

(1) 电极表面的液相传质速率加快,以致建立稳态所需时间大为缩短,提高了测量响应速度;

(2) 微电极上通过的电流很小,为纳安(nA)或皮安(pA)级,体系的 iR 降很小,在高阻抗体系(包括低支持电解质浓度甚至无支持电解质溶液)的伏安测量中,可以不考虑欧姆电位降的补偿;

(3) 微电极上的稳态电流密度与电极尺寸成反比,而充电电流密度与其无关,这有助于降低充电电流的干扰,提高测定灵敏度;

(4) 微电极几乎是无损伤测试,可以应用于生物活体及单细胞分析。

17.3.1 微电极的基本性质

微电极的基本电化学性质归纳起来主要有下面几个方面。

1. 容易达到稳态电流

微电极的几何尺寸很小,扩散过程与球形电极非常相似,可近似地用球形电极模型来处理。对于反应 $O+ne^- \longrightarrow R$,球形电极表面上非稳态扩散过程的电流为

$$i = 4\pi nFDc_\circ \left[r_\circ + \frac{r_\circ^2}{(\pi Dt)^{1/2}} \right] \tag{17-1}$$

式中 $c_\circ$ 为氧化态物质在溶液中的浓度,$r_\circ$ 为球形电极半径,$D=D_O=D_R$ 为扩散系数。

从上式可见,扩散电流 i 为时间 t 的函数。i 随 $t^{1/2}$ 的增加而减小,当 $t \to \infty$ 时才达到稳态值。对于微电极,由于其尺寸($r_\circ$)很小,很容易满足 $(\pi Dt)^{1/2} \gg r_\circ$ 这一关系式,式(17-1)括号中的第二项因此可忽略不计,则得

$$i = 4\pi nFDc_\circ r_\circ \tag{17-2}$$

这时电流与时间 t 无关,表明易于达到稳态电流。

2. 微电极的时间常数很小

因为电容 $C \propto r_\circ^2$,而溶液阻抗 $R \propto 1/r_\circ$,所以时间常数 $RC \propto r_\circ$。可用于快速的暂态研究,能检测出一般电化学方法难以检测的一些半衰期短的中间产物或自由基。

3. 适用高阻抗溶液体系

微电极的表面积很小，电极的有关参数的绝对值也很小，因此，电解池的 iR 降常小至可以忽略不计。这样，就可以将其应用于高电阻的溶液，如某些有机溶剂不加支持电解质的溶液甚至纯水溶液等。这时可用简单的二电极替代三电极体系。

17.3.2　微电极的应用

微电极的一维尺寸很小，所以电极的形状各异，不仅有盘、柱、针形，还有带形、交指状、阵列微电极（包括芯片）及粉末微电极等。制作微电极的材料常有碳纤维、铂丝、石墨粉、金、铜、银等。经化学或生物成分修饰的微电极，既可作化学传感器，又可作生物传感器。图 17-9 是用于活体 NO 检测的针形 NO 化学修饰微电极结构。该微电极由圆柱绝缘外层、基底电极和涂覆在圆锥体上的修饰层（如 Nafion/邻苯二胺）所组成。

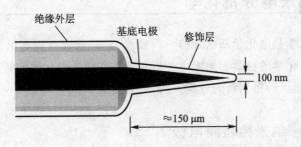

图 17-9　NO 化学修饰微电极结构图

微电极已用于动物活体分析，通过注射药物或刺激鼠的神经通道，研究和分析脑脊髓中神经递质多巴胺代谢产物的动态变化。近些年又将微电极用于细胞的电化学分析，例如将牛肾上腺细胞暴露于尼古丁介质中，细胞中的囊泡与细胞壁会发生融合并将囊泡中的儿茶酚胺挤压出细胞外，此时用微电极即可检测到细胞所分泌的儿茶酚胺。化学修饰电极在生物分析中的另一方面应用是作为酶电极，至今它已构建大量的各类酶电极。以葡萄糖传感器为例，自从 Clark 于 1962 年提出第一支酶电极以来，化学修饰微电极在葡萄糖传感器中的应用日益完善。同时，传感器的灵敏度、选择性及实用性得到了很大提高，图 17-10 是化学修饰葡萄糖氧化酶电极对血液中葡萄糖的伏安检测图。

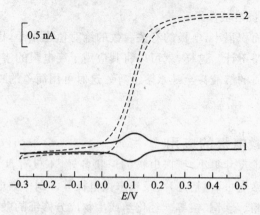

图 17-10　氧化还原聚合物/葡萄糖氧化酶修饰碳纤维微电极的循环伏安图
1. 生理盐水溶液中的响应；2. 血液中的葡萄糖检测

17.4 纳米电分析化学

　　纳米电化学是电化学新出现的一门技术,它是研究材料在纳米尺寸时所呈现出特异的电化学的性质。纳米电分析化学是在纳米电化学的基础上发展起来的,它已建立起了一系列新的分析方法,可概括如下。

17.4.1　纳米微粒膜电极

　　纳米微粒膜电极是指将微粒嵌于薄膜中所制成的薄膜电极。通常选用两种组分制成溶液,让其在电极表面自然干燥形成薄膜,改变膜材中的组分或组分的比例,可以很方便地改变膜中微粒的列阵、分布及形态,从而控制膜电极的特性。制备时先将纳米微粒材料分散在化学试剂中,得到一种分散均匀的悬浊液,再按化学修饰电极的方法制备纳米微粒膜电极。例如,将碳纳米管溶解或分散在浓硫酸、丙酮、N,N-二甲基甲酰胺(DMF)或双十六烷基磷酸等溶液中,制备出不同功能的碳纳米管膜电极,它们分别对辅酶 I(NADH)、一氧化氮、肾上腺素、抗坏血酸、吲哚乙酸等物质具有选择性响应。将纳米金或纳米金与其他纳米复合材料修饰在电极表面,这类膜电极可有效地利用纳米金的放大作用,制备出高灵敏度的纳米化学与生物传感器。

17.4.2　功能化纳米结构电极

　　纳米材料表面经化学、物理处理,可组装为功能化的纳米结构电极。由于功能化分子千差万别,这类电极通常呈现出千变万化的结构和性质。以碳纳米管为例,在其表面修饰上一层 Nafion(一种全氟化阳离子交换剂)溶液,制备出一种新型膜电极。由于 Nafion 分子上有磺酸基团,使得碳纳米管膜表面带负电,它会排斥带负电的物质而吸附带正电荷的物质,因此可用于含多巴胺、抗坏血酸、尿酸的生物试样中多巴胺的测定。若在碳纳米管表面进行分子自组装,可以在其表面连接上酶、抗体或抗原等生物成分,从而制备出纳米生物传感器。如果在碳纳米管内部充填各种修饰剂,如疏水化合物、无机纳米材料以及有机功能纳米材料等,可为化学家提供进行纳米化学反应的最细的试管和研究毛细现象机理的最细的毛细管。

17.4.3 纳米阵列电极

纳米阵列电极的制备通常采用模板法,其中最普遍是以多孔氧化铝作为模板。它首先是将铝箔经阳极氧化为氧化铝,这种氧化铝模板具有大面积且规则排列的纳米孔洞阵列,然后将纳米电极材料填充入孔洞内,最后将氧化铝模板溶解于碱性溶液中,得到具有高密度、尺寸均一、排列有序的纳米阵列电极。图 17-11表示纳米阵列金电极的制备。这种方法的优点是适用性广,可使用溶液注入或电化学聚合生长等方法。除了上述称为硬模板的氧化铝模板法外,还有一种软性模板法,采用表面活性剂分子的界面自组装原理,当其自组装成一定形状时,便如同阳极处理的氧化铝模板一样。该方法具有低成本、制备简单的特点。

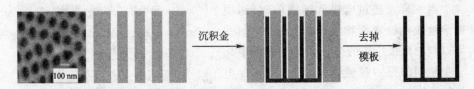

(a) 氧化铝模板扫描电镜图　(b) 氧化铝模板剖面图　(c) 纳米孔洞内沉积金　(d) 纳米阵列电极

图 17-11　氧化铝模板法制备纳米阵列电极示意图

17.4.4 应用

纳米电分析化学在化学与生物传感器的制备以及低浓度物质的检测方法上起着重要作用。在信息技术领域,科学家利用纳米技术使芯片体积更小、速度更快。在疾病诊断和治疗等医学领域,纳米电化学传感器在实验室已经能够实现对前列腺癌、直肠癌等多种癌症类型的早期诊断。例如,将人的血液滴在用纳米材料做成的传感器上,当传感器中预置的某种癌细胞抗体遇到相应的抗原时,传感器中的氧化还原电流会发生变化,通过这种电流变化可以判断血液中癌细胞的种类和浓度。

17.5　电分析化学联用技术

　　将电分析化学方法与其他分析方法如流动注射、光谱、毛细管电泳、色谱以及石英晶体微天平等相结合就构成了各类电分析化学联用技术，它主要包括下列一些类型。

17.5.1　流动注射-电催化检测

　　许多物质在常规电极上反应速率慢、过电位大、可逆性差，一般很难检测。利用化学修饰电极的电催化特性不仅加快了被测物的反应速率，同时降低了被测物的过电位，这样有利于减少共存物的干扰和降低背景电流，这种电催化特性非常适用于流动注射的电化学检测。例如，聚甲苯胺蓝修饰电极对抗坏血酸具有良好的催化作用，利用流动注射-化学修饰电极检测方法，灵敏度可提高数十倍。纳米 PbO_2 修饰电极用作流动注射分析中的安培检测器，可快速测定水体中的化学需氧量，检出限可达 $20\ \mathrm{mg\cdot L^{-1}}$。

17.5.2　光谱电化学

　　光谱电化学是在电化学和电分析化学的基础上发展起来的。它使用的是一种特殊的电解池，其光透电解池及光谱电化学检测原理如图 17-12 所示。

　　当一束光透过电极和溶液的时候，根据溶液或电极表面物质吸收光谱的变化，可以判断电极反应的分子信息。光谱电化学中使用的是一种光透电极，它是将导电材料涂到玻璃、石英或由金属丝编织的网栅电极上。对这类光透电极进行化学修饰可以改变电极的表面特性。例如，蛋白质很难在常规电极上直接氧化还原，但是在金网栅电极表面修饰一层紫精聚合物可以催化肌红蛋白的还原。

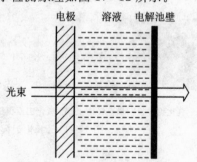

图 17-12　光透电解池与
光谱电化学检测

　　紫外、红外和拉曼光谱都可以与电化学联用。例如，聚四氨基钴酞菁修饰玻碳电极对甲巯咪唑催化氧化的紫外光谱电化学研究及应用；抗坏血酸在六氰合亚铁酸钴铜修饰铂电极上的现场红外光谱电化学研究；普鲁士蓝膜修饰铂电极的拉曼光谱电化学表征等。

　　化学修饰电极也可以在原子吸收光谱中的应用。采用光谱技术来检测体系对电化学激发信号的响应，能同时获得多种信息。如将化学修饰电极的富集性能与石墨炉原子吸收法的高灵敏度检测结合,是一种选择性、灵敏度都很好的方法。它不仅用于金属离子测定(如三辛基氧化膦化学修饰电极预富集——石墨炉原子吸收法可测定水中痕量锑),还可用于非金属离子、有机物或药物的间接测定。

17.5.3　毛细管电泳或色谱-电化学

毛细管电泳-电化学(CE-EC)检测法具有灵敏度高、选择性好、检出限低、线性范围宽及仪器简单等优点。电化学反应直接在电极表面发生,其电流借用微电流放大器放大,检出限不受毛细管电泳微小体积的限制,可用于微芯片、单细胞的 CE-EC 检测。

高效液相色谱-电化学(HPLC-EC)检测法将 HPLC 的高效分离和 EC 的高灵敏度检测结合到一起,是一种痕量、超痕量的分析方法。随着各种化学修饰电极和生物传感器的研制,它在生命科学、食品科学、环境科学等领域得到了广泛的应用。化学修饰电极作为 HPLC 的检测器具有许多优点:灵敏度高,比其他检测器高 1~2 个数量级;选择性好,只对电活性物及在一定电位窗有效;死体积小,可作 pL(皮升)级检测池,是微柱(<1 mm)HPLC 的良好检测器;响应速度快,线性范围宽,可连续检测等。如用聚苯胺修饰铂电极作为 HPLC 的电流检测器,对维生素 C 进行检测,不仅稳定可靠,而且排除了复杂基体的干扰。

图 17-13 是以碳纳米管/Nafion 修饰电极作为高效液相色谱的检测器,测定大米样中含 α-羟基-4-硝基苯基二甲基磷酸酯(1)、α-羟基-4-硝基苯基二乙基磷酸酯(2)、杀螟松(3)、甲基对硫磷(4)和对硫磷(5)的色谱图。由图可知,五种有机磷化合物都达到了基线分离,实现了复杂组分中对硫磷的检测。

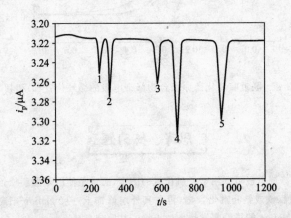

图 17-13　碳纳米管/Nafion 化学修饰电极作为 HPLC 检测器的色谱图

17.5.4　电化学石英晶体微天平

电化学石英晶体微天平(EQCM)是在压电石英晶体微天平基础上发展起来的高灵敏电化学质量传感器。它可同时检测电极表面电活性物质沉积的质量、电流和电荷量随电位的变化情况,与 Faraday 定律相结合可以定量计算反应每一 Faraday 电荷量所引起的电极表面物质的质量变化,为判断电极反应机理提供了新的信息。图 17-14 是锇-联吡啶氧化还原聚合物修饰电极的电化学石英晶体微天平响应图。从图 17-14a 可以看出聚合物膜中 Os^{2+}/Os^{3+} 电对的循环伏安图表现出典型的可逆伏安响应,峰电位分别为 280 mV 和 300 mV。从电位扫描的频率曲线(图 17-14b)可以看出,对应 Os^{2+}/Os^{3+} 电对的氧化还原过程,石英晶体频率变化出现相应的下降和上升,且氧化过程中的下降量和还原时的上升值基本一致,说明 Os^{2+} 氧化为 Os^{3+} 时发生的膜内质量的增加,在 Os^{3+} 还原为 Os^{2+} 时得以恢复。根据循环伏安扫描曲线的积分电荷量和频率变化可以求出氧化还原过程中每一 Faraday 电荷量导致膜内质量的变化,从而对化学修饰电极的表面膜进行表征。

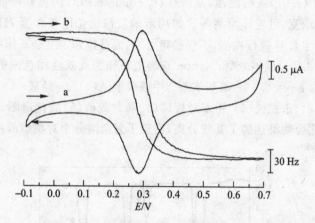

图 17-14　锇-联吡啶氧化还原聚合物修饰电极的循环伏安(a)和频率(b)响应

思考、练习题

17-1　化学修饰电极可以用于一氧化氮的测定,通常是使用双层膜修饰,即在玻碳电极表面先修饰一层镍、铁或钴卟啉化合物,再在其外层修饰上一层 Nafion 阳离子交换剂,以排除干扰。试解释 Nafion 能排除哪类物质的干扰? 其原理是什么?

17-2　试设计一种化学修饰电极,利用修饰剂对重金属离子铅、镉和铜的富集作用,实现对该三种离子的高灵敏度测定。

17-3 多巴胺带正电荷,抗坏血酸带负电荷,它们在玻碳电极上的氧化电位相近,通常相互干扰。对于含多巴胺和抗坏血酸的混合试样,使用何类化学修饰电极有可能选择性地测定抗坏血酸,而多巴胺不产生干扰?

17-4 用葡萄糖氧化酶制作的葡萄糖传感器,一般通过氧的检测来间接测定葡萄糖。能否通过其他物质的检测来间接测定葡萄糖?试说明其检测原理。

17-5 试设计一种电流型和一种电位型生物电化学传感器,使它能满足黄嘌呤或次黄嘌呤的检测。

17-6 对于微电极,可以使用工作电极和参比电极的二电极体系取代传统的三电极体系,试解释其理由。这样的二电极体系在应用上有哪些优点?

17-7 氮氧自由基或超氧阴离子自由基都是一些半衰期很短的物质,电化学传感器能否实现对这类物质的测定?使用何类方法或技术有可能实现对这类物质的测定?

17-8 电分析化学与其他技术联用方法有哪些主要的优点?根据你所学的知识,设计一种可能实现电分析化学联用检测的方法。

参考资料

[1] Murray R W. Chemically Modified Electrodes. New York:Marcel Dekker Inc,1984.

[2] 董绍俊. 化学修饰电极. 2版. 北京:科学出版社,2002.

[3] Gold V,Loening K L, McNaught A D,et al. Compendium of Chemical Terminology. Oxford:Blackwell Scientific Publications,1987.

[4] Durst R A,Baumner A J, Murray R W, et al. Chemically Modified Electrodes:Recommended Terminology and Definitions, IUPAC Recommendations 1997,Pure & Appl Chem,1997,69(6):1317-1323.

[5] Thevenot D R,Buck R P,Cammann K,et al. Electrochemical Biosensors:Proposed Definitions and Classification,IPUAC Report,Pure & Appl Chem,1999,71(12):2333-2348.

[6] 汪尔康,陈义. 生命分析化学. 北京:科学出版社,2006.

[7] 汪尔康. 分析化学新进展. 北京:科学出版社,2003.

第18章 色谱法导论

18.1 概论

18.1.1 分离科学的形成

化学的基础是各种分离过程。"化学"一词的荷兰语意(schekude)是"分离技艺"。分离与化学及相关学科的产生、发展密切相关,从古代炼金术到 18 世纪冶金工业与化学和相分离技术的产生、发展同步。古代炼丹术、炼金术和酿造中应用了蒸馏,中国在一千多年前的宋代已出现蒸馏器,16 世纪在欧洲已发展较完善的蒸馏设备,从酿酒通过蒸馏制取酒精,这可能是近代分离技术的起源。18世纪中,从天然产物提取各种有机酸、生物碱、香料。19 世纪中叶,相继从羊毛、明胶等天然产物水解液中提取、分离各种氨基酸。20 世纪初,德国化学家 Wallach O经大量萃取、蒸馏从植物中分离芳香油主要成分的萜烯类化合物,并测定其结构。18 世纪到 20 世纪,大多数化学元素的发现、确认,广泛采用沉淀、结晶、电解等分离技术。19 世纪上半叶发展起来的金属硫化物系统沉淀分组分离,对金属元素分离、分析鉴定起了重要作用。沉淀分离与光谱测定相结合成为发现新元素的主要技术途径之一。1898—1902 年,Curie M 和 Curie P 夫妇曾从 8 t 沥青铀矿渣中反复萃取、沉淀分离得到 100 mg 氯化镭,1910 年通过电解得到金属镭。1860 年,Solvay E 法工业化生产碳酸钠,结晶或沉淀分离成为早期无机化工分离的核心,至今仍是无机化工主要分离技术。上世纪 30 到 40 年代,从主要含铀 238(含量 99.275%)天然铀中分离、浓缩仅含 0.725% 的铀 235,开发研究并实现工业规模的气体扩散、离心、离子交换等分离技术,导致原子能时代的到来。

20 世纪 50 到 60 年代,通过精馏、区域熔炼等分离纯化技术,制备超纯硅、锗半导体材料,导致晶体管、集成电路、微型计算机产生、发展和信息时代的到来。同年代,实现海水淡化的膜分离工业应用,是分离科学技术发展的一次突跃,给人类生产、生活已经并将继续产生重大影响。萃取、精馏、结晶等分离技术在有机化学产生、发展中起了极其重要作用。精馏分离是当代石油工业的技术基础。

1903—1906 年,俄国植物学家 Tswett(Цвет M C,茨维特)利用吸附原理分离植物色素而发明色谱法(chromatography)，这是分离科学技术发展中的重要里程碑。他把菊根粉或碳酸钙等吸附剂填充在玻璃管中，将植物叶子的石油醚提取液倒入管中，然后加入石油醚自上而下淋洗。随着连续淋洗，试样中各种色素在吸附剂上吸附力大小不同，向下移动速率不同，逐渐形成一圈圈的连续色带，它们分别是胡萝卜素，叶黄素，叶绿素 A、B。这种连续色带称为色层或色谱，色谱法由此而得名。色谱分离过程中所使用的玻璃管称为色谱柱(chromatographic column)，管内的碳酸钙等填充材料称为固定相(stationary phase)，石油醚淋洗液称为流动相(mobile phase)或淋洗剂(eluent)。色谱法不断发展，广泛用于分离无色化合物，并不显示有色谱带，但色谱法的名称一直沿用下来。Tswett 发明的经典液相柱色谱法，由于分离速度慢，分离效率低，长时间内未引起人们重视。1925 年，瑞典生物化学家 Tiselius A W K 从事蛋白质电泳分离，自制超速离心机并研究蛋白质分子大小和形状，1940 年成功地采用电泳分离血清中的白蛋白，α、β 和 γ 球蛋白。1931—1933 年德国化学家 Kuhn R 采用柱层析，将 100 年来公认为单一成分的胡萝卜素分离出 α、β 异构体并发现多种类胡萝卜素。20 世纪 40 年代出现以滤纸为固定相的纸色谱(paper chromatography，PC)，50 年代出现了简便的薄层色谱(thin layer chromatography，TLC)。50 年代前后，Sanger F 经长期研究，采用色谱、电泳分离，2,4-二硝基氟苯测定氨基酸，测出胰岛素中全部氨基酸序列。其后 Sanger 将类似分离技术用于 DNA 一级结构研究。在色谱技术发展过程中，最重要的贡献是 1941 年 Martin A J P 和 Synge R L M 发明液液分配色谱、提出色谱塔板理论和预见采用气体流动相的优点，为此获得 1952 年诺贝尔化学奖。1952 年，Martin 和 James A T 发明气相色谱(gas chromatography，GC)，并迅速成为石油化工、环境检测的主要分离分析方法，使色谱法发展成为分析化学的重要分支学科。70 年代发展起来的高效液相色谱(high-performance liquid chromatography，HPLC)成为生物医学、药学、食品等的重要分离分析技术。80 年代，Jorgenson J W 等的研究工作推动高效毛细管电泳(high-performance capillary electrophoresis，HPCE)高速发展。近 100 年来，石油化工、生物化学、分子生物学、环境科学的产生、发展与色谱、电泳、超速离心、膜分离等产生、发展密切相关。各种分离技术相互渗透，形成多种新的分离方法，如电色谱、生物膜色谱、分子蒸馏等，并迅速从实验室向工业生产发展，使以精馏为代表的传统分离技术发生巨大变化。形成了以色谱分析为代表的各种现代分离分析方法。

在历史发展较长时期内，各种分离技术、方法及有关基础理论，分散在分析化学、有机化学、生物化学和技术、药学、化学工程、环境科学和工程、石油、冶金等多个基础、应用及技术工程学科，是被工业和教育界所忽视的领域。20 世纪 70 年代前后，学术界提出"色谱理论———一种统一的研究方法"，从分子水平研究分离的平衡原理、热力学基础、动力学过程的统一研究方法,形成了不仅对色谱,而且对各种分离技术都适用的统一研究方法、分离理论。色谱学是现代分离科学(separation science)的基础,正是由于色谱学的发展,色谱理论的形成,导致分离技术发展成分离科学。分离通常是通过物理方法实现,虽然有些分离过程可能包含化学反应。分离基本特征是混合物组分迁移并在空间上重新分布以实现分离目标。从科学含义上讲,分离是研究物质分离、富(浓)集和纯化的一门科学,研究分离过程混合物分离组分在空间迁移,微观分子相互作用、分布、宏观浓度变化规律的科学。我们在学习色谱法基本知识和原理时,了解一点分离科学和技术的基本概念及发展背景,以扩大知识面,并有助于理解色谱法的基本原理、地位及与相邻学科的关系。

18.1.2　分离与色谱法

"分离"的大概含义多数人是熟悉的,但给出一个准确、综合的定义却十分困难。分离方法、混合物类型、分离目的、处理物料数量是如此多种多样,其共同特征很难全部包罗,只能从基本分离属性进行说明。让我们先看一个最简单的例子。凡进入与化学相关实验室从事实验,人们常接触作为溶剂或试剂的纯水,一般是通过自来水蒸馏分离获得,按水的沸点在接收瓶里收集,常称为"蒸馏水",矿物等杂质不能蒸出留在蒸馏瓶内被除去。现在,通过离子交换、膜分离均可获得纯水。其分离操作通过质量迁移将混合物各成分分别置于不同容器中。一个混合物的完全分离可用下式表示:

$$(a+b+c+d+\cdots) \longrightarrow (a)+(b)+(c)+(d)+\cdots \tag{18-1}$$

这里括号表示不同容器或不同区域空间。字母 $a,b,c,d,\cdots$ 表示不同的成分,按其表达式,原在一个容器中的混合物各组分,分离后进入不同容器。Rony 曾提出这样定义:"分离(separation)是一种假定的(hypothetical)状态,在这种状态下,物质完全被分开(isolation),就是说,含有 n 种化学组分的混合物被分成 n 种纯的形式,并把它们置于 n 个独立容器中。所谓假定,从理论上讲,把混合物各组分完全分离是不可能的,分离只是一个分离程度的记录。"就如上面讲的蒸馏水,可能含有沸点相近或可被水蒸气蒸出的微量杂质,而不可能是"绝对纯"的水。只是水的相对含量比蒸馏前提高了。因此,分离是提高原来混合物一个(或多个)组分相对(其他组分的)浓度或分子分数,这是分离的另一种表述方式。

分离的目标是将被分离各组分从混合物中分出,提高相对浓度,而其困难是阻碍分离的两个相关过程。其一是被分离组分在分离过程中再混合:

$$(a)+(b)+(c)+(d) \xrightarrow{\text{等体积混合}} (a+b+c+d) \tag{18-2}$$

其二是被分离组分的浓度稀释或分子离散：

$$(a) \xrightarrow{\text{稀释}} (a) \qquad\qquad (18-3)$$

即 a 占据的空间增大，所有被分离组分亦存在类似情况。根据热力学第二定律，混合是一个熵增加的自发过程，稀释或分子离散也是熵增加的自发过程。而分离和浓缩都是逆着大自然的非自发熵减过程，熵减过程必须有外加能量，必须做功才能完成，这是分离的热力学限制。例如，聚乙烯生产过程中，乙烯分离纯化耗能占整个生产过程总能耗的 94%，而醋酸生产中分离提纯占生产能耗的 98%。

色谱是一种最重要的物理化学分离方法，亦称为层析法，它能分离性质相近多组分的复杂混合物，而这是其他分离方法无法实现的。色谱分离是基于混合物各组分在两相中分布系数的差异，当两相作相对移动时，被分离物质在两相间进行连续、多次分配，组分分配系数微小差异导致迁移速率差异，实现组分分离。

早期的经典柱色谱主要作为一种分离技术，现代高效色谱柱技术和高灵敏度色谱检测技术发展，分离与检测相结合，色谱已成为高效、高灵敏、应用最广的分离分析方法。分离是色谱分析的主体或核心，检测技术是色谱分析不可分割的组成部分。气相色谱(GC)、高效液相色谱(HPLC)、高效毛细管电泳(HPCE)是现代色谱分析或分离分析的典型代表。色谱分析所需试样量少，试样量通常为 mg，μg 乃至更少；可测定混合物中含量极低的痕量成分。分析分离常在极微小体系内完成，如毛细管、芯片式的微通道。分离分析的微型化，即微分离(microseparation)技术是当前的发展趋势之一。色谱分析亦可测定组分的某些物理化学常数，还可获得分离过程中分子间相互作用、二级平衡、分子迁移动态过程等信息，成为研究物理化学、有机化学、环境化学、生物医药学、分离机理、发展分离理论、分离方法、优化分离操作条件等的重要手段。工业生产中的在线色谱等分离分析亦是生产自动化控制技术。

色谱亦是高效制备分离方法。与分析分离相比，制备分离处理的试样或物料量要大得多，其目的也不尽相同。按分离目的和处理物料量可分为小规模实验室制备分离和大规模工业制备分离。为进行化合物的化学、物理性质或结构、生物活性测定，欲分离纯化混合物中某一成分，一般采用实验室制备分离，处理试样量大多在 mg 至 g 级范围。经典柱色谱、实验室制备色谱及萃取、精馏、结晶一般用于这类分离。工业生产中大规模制备分离，即分离工程，是燃料、石油化工、药物、食品、环境、资源利用、冶金、生物技术等生产过程的重要组成部分。分离工程是混合物分离、提纯的工程学科，是化学、生物与工程学的交叉学科。精馏、萃取、吸附、吸收、膜分离等是分离工程的典型代表，分离物料量以吨计。色谱分离大型化、工业化，属发展中的高效工业分离单元操作，其理论、设备、技术、成本是开发研究中的分离工程课题。

18.1.3 分离方法分类

分离方法有许多分类方式,每种分类基于分离方法某个或多个特性或特征——有表观的,也有深入分离迁移的某些本质方面——表述分离方法之间的共性和差异,但其中有些分类是不严格的。由于分离过程的复杂性,影响分离因素的多样性,分离的科学分类是分类学上仍需继续研究的课题。其目标是从分子水平上描述各种分离方法的共同基础和差异。这里有选择地介绍几种分类方法。

18.1.3.1 按相的类型分类

大多数分离方法包含有两相。表 18-1 列出分离方法按两相状态分类。包括气气、气液、液液等不同类型分离。

表 18-1 按相的类型分类的分离方法

气气	气液	气固	液液	液固
热扩散	蒸馏	升华	液液萃取	液固色谱
	气液色谱	气固色谱	液液色谱	沉淀
			渗析	结晶
			超滤	浸取
				区域精炼
				电沉积

18.1.3.2 按分离机理分类

按分离过程或操作的物理、物理化学、化学机理等类型分类,如表 18-2 所示。

表 18-2 按分离过程机理的分离方法分类

物理、机械	物理化学	化学
筛分和排除:	分配:	状态变化:
渗析	气液色谱	沉淀
排阻色谱	液液色谱	结晶
包结物形成	气固色谱	电沉积
过滤,超滤	液液萃取	
离心(密度)	区带电泳	
	泡沫分离	
	状态变化:	掩蔽(似分离)
	蒸馏	
	升华	
	结晶	
	区域精炼	离子交换

18.1.3.3　按分离过程推动力分类

King C J 把均相混合物分离过程分为两大类,即平衡过程和速率控制过程。趋向或达到平衡可作为分离的一种热力学"推动力"。色谱的高效在于平衡倾向或趋向平衡推动的连续过程。液液萃取是实现平衡过程,达到动态平衡需要相当长时间,若非连续过程,则分离效率和速度受到限制。速率过程是一种动力学的推动力,在某种推动力(浓度差、压力差、温度差、电位差等)作用下,溶质迁移速率差异实现分离。平衡过程又称为稳态过程,速率过程则称为非稳态或瞬变过程。表 18-3 列出这种分类,它主要考察分离过程的主要推动力,只具有相对意义。就色谱而言,决定分离选择性的基础是热力学平衡,而速率过程对色谱分离亦有重要影响。电色谱则是平衡和速率两种推动力的结合,带电粒子在电、磁场作用下按质荷比分离的质谱,具有质量分离能力,从理论上讲属电、磁分离技术。但一般未归入分离技术,而作为质量测定技术。

表 18-3　按推动力类型的分离方法分类

平衡过程	速率过程
色谱	电泳
蒸馏	渗析
萃取	扩散、热扩散
离子交换	离心
吸附	质谱
升华	膜分离
沉淀	
区域精炼	

18.1.4　色谱法分类

色谱法包括多种分离和仪器类型、分离机理、理论处理方法、检测和操作技术等,色谱基于不同因素有多种分类方法。因而有时一种色谱方法可能有几种不同名称。

18.1.4.1　按固定相的形态分类

固定相装在色谱柱内称为柱色谱。根据柱管的大小、结构和制备方法不同,又分为填充柱、整体柱、毛细管或开管柱。气相色谱、高效液相色谱均为柱色谱。

固定相呈平面状称为平面色谱,它包括固定相以均匀薄层涂敷在玻璃或塑料板上的薄层色谱和以滤纸作固定相或固定相载体的纸色谱。

18.1.4.2　按色谱动力学过程分类

1. 淋洗色谱法

又称为洗提法,以与固定相作用力比分离组分弱的流体为流动相,各组分按与固定相作用力、吸附力或溶解力等,从弱到强先后洗出,形成连续、区域宽度逐步展宽的 Gaussian 曲线色谱峰。淋洗色谱是使用最广泛的色谱分析方法,本章主要介绍这种色谱模式。

2. 置换色谱法

也称为排代法、顶替法,用含与固定相作用力较被分离组分强的物质流体为流动相,依次将组分从固定相上置换出来,与固定相作用力弱的组分先被置换洗出。

3. 迎头色谱法

也称为前沿法,以试样混合物为流动相,与固定相作用力弱的组分最先以纯物质状态流出,其后,吸附或溶解力较强的第二个组分与第一个组分的混合物流出色谱柱,余类推。此方法只适用于少数几个组分混合物的分离、纯化。化学类实验室或工业上采用活性炭等吸附剂对试样或物料脱色一般属这种色谱类型。

三种色谱分离过程的相应流出曲线如图 18-1 所示。

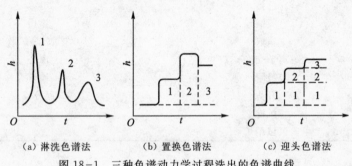

(a) 淋洗色谱法　　　　(b) 置换色谱法　　　　(c) 迎头色谱法

图 18-1　三种色谱动力学过程洗出的色谱曲线

18.1.4.3　按两相的物理形态、分离机理等分类

色谱最基本的分类方法是基于两相的物理形态、固定相性质和结构、分离组分或溶质在色谱体系迁移中两相间的平衡类型或作用机理。一般按流动相为液态、气态、超临界流体分为液相色谱、气相色谱、超临界流体色谱。进一步根据固定相性质可分为各种色谱方法。表 18-4 给出柱色谱法的基本类型。

表 18-4　柱色谱法分类

一般分类	固定相	色谱方法	平衡类型
液相色谱法(LC)	涂渍在固体上的液体	液液分配色谱	分配
(流动相:液态)	固体表面键合有机物	键合(液)相色谱	分配(疏水)
	固体	液固吸附色谱	吸附
	离子交换剂	离子交换色谱	离子交换

一般分类	固定相	色谱方法	平衡类型
	多孔固体凝胶	体积排阻色谱	分配(筛分)
气相色谱(GC)	涂渍在固体上的液体	气液色谱	分配
(流动相:气态)	固体表面键合有机物	键合(气)相色谱	分配
	固体	气固吸附色谱	吸附
超临界流体色谱(SFC)	固体表面键合有机物		分配
(流动相:超临界流体)			

各种气相、液相柱色谱是典型和应用最广泛的色谱方法。本章关于色谱基本概念、理论讨论,以这两类色谱为代表。在此基础上,参阅有关专业书籍、文献,自学掌握其他色谱方法不会困难。

18.1.5　色谱法与其他分离、分析方法比较

18.1.5.1　与精馏、萃取分离比较

(1) 色谱、精馏与萃取同属平衡分离方法,精馏、萃取存在真正气液、液液分布平衡,而色谱法只存在趋向平衡过程。

(2) 色谱法与精馏、萃取分离比较具有速度快、效率和选择性高的特点。精馏、萃取是色谱法未出现前广泛应用的分离方法,分离速度慢、效率低。石油化学家采用精馏法鉴别出原油中 200 多种组分,为此花费了 20 多年时间,而采用毛细管气相色谱-质谱联用方法只需几小时便可完成。

(3) 精馏不能分离沸点相同的组分,萃取不能分离在溶剂中溶解度相同的组分;色谱法可分离沸点、溶解度相同的组分,可分离物理、化学性质相近,其他分离方法不能或难以分离的组分。

(4) 精馏、萃取可分离物理化学性质差别较大的组分,如低分子与高分子化合物、无机物与有机物等,一般用于实际试样的初步分离,适用于色谱法试样的前处理,具有每次试样处理量大的优点;仪器分析色谱法每次处理试样量小。作为分析分离所需试样量小是其优点,但作为制备分离处理试样量小是其弱点。

(5) 精馏过程和单次萃取不存在被分离组分被稀释;多级萃取和色谱法相似,分离过程中分离组分被稀释。

18.1.5.2　与化学分析方法比较

(1) 化学分析是基于物质的独特化学性质对元素、某个或某类化合物进行测定,而色谱分析不受化学性质限制,是一种分离分析方法,可分离测定化学性质相同的同系物各组分、光学对映体等,这是化学分析难以解决的。

(2) 化学分析本身不具备分离功能,它适用于测定某类相同化学性质的物

质总量,如水、油脂等的总酸度,气体中的总含硫量,复合肥料中的总含氮、总含磷量等,这些常常是天然或合成产物的重要质量指标,化学分析简单、快速。

(3) 化学分析一般不适用于分析多组分的混合物,需采用沉淀、萃取预分离或掩蔽等消除干扰测定物质,如水溶液中多种阴离子的测定,是化学分析长期未能解决的难题,而离子色谱法适用于这种混合成分分离测定。

(4) 化学分析根据消耗的化学试剂量可直接计算出测定物质的量,定量方法简易;色谱法与其他仪器分析方法一样,在进行定量分析时,必须要用各纯物质测定定量校正因子,定量测定较复杂。

18.1.5.3 与光谱、质谱分析方法比较

(1) 光谱、质谱主要是物质定性鉴定分析方法,它提供物质的各种结构信息,包括所含官能团、相对分子质量,乃至某个化合物,既可鉴定已知物,也可鉴定未知的新化合物;而色谱法本质上不具备定性分析功能,提供的分子结构信息有限,必须用已知物对照才能根据保留值定性,这是色谱法最大的弱点。

(2) 色谱法最主要的特点是适用于多组分复杂混合物分离分析;这是光谱、质谱法分子分析所不及的。通过解联立方程,光谱法也只能分析二元、三元等简单混合物,而分析方法就比较复杂。采用数学方法和计算机技术,光谱、质谱法的发展有可能实现多组分混合物分析,但困难在于未知组分的干扰,如果有大量未知组分存在,光谱、质谱对多组分分析难以实现。

(3) 色谱仪器的价格相对比分子光谱、质谱仪器低得多,适用范围和领域更广。

(4) 一般来说色谱检测器比分子光谱法灵敏度更高,比质谱灵敏度低。色谱高分离能力与光谱、质谱的结构、定性鉴定相结合,色谱作为光谱、质谱进样系统,或光谱、质谱作为色谱检测器,即色谱与光谱、质谱联用是当今仪器分析广泛的应用技术和最重要发展方向之一。

18.2 色谱法基础知识、基本概念和术语

18.2.1 色谱分离和相应基础理论范畴

所有色谱分离体系都由两相组成,即固定不动的固定相和在外力作用下带着试样通过固定相的流动相。淋洗色谱过程流动相以一定速率连续流经色谱柱,被分离试样注入色谱柱柱头,试样各组分在流动相和固定相之间进行连续多次分配,由于组分与固定相和流动相作用力的差别,在两相中分布常数不同。在固定相上溶解、吸着或吸附力大,即分布常数大的组分迁移速率慢,保留时间长;

在固定相上溶解、吸着或吸附力小,即分布常数小的组分迁移速率快。结果是试样各组分同时进入色谱柱,而以不同速率在色谱柱内迁移,导致各组分在不同时间从色谱柱洗出,实现组分分离。图 18-2 是混合物两组分色谱分离示意图。

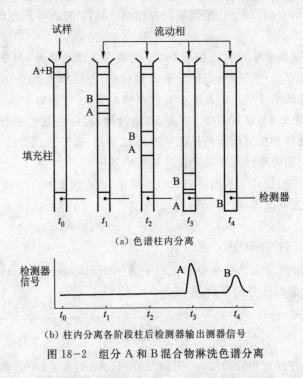

(a) 色谱柱内分离

(b) 柱内分离各阶段柱后检测器输出测器信号

图 18-2　组分 A 和 B 混合物淋洗色谱分离

图 18-2 说明,试样组分在色谱体系或柱内运行有两个基本特点:一是混合物中不同组分的迁移速率不同,即差速迁移;二是同种组分分子在迁移过程中分布空间扩展,即分子分布离散。色谱基础理论是从微观分子运动和宏观分布平衡探讨最大限度提高分离迁移和降低离散迁移的科学原理,包括色谱热力学、色谱动力学和色谱分离理论。

不同组分的差速迁移或保留值的大小不同主要取决于组分或溶质(在色谱学中溶质一般均指被分离物质)与固定相作用力差异,与组分在两相中分布常数有关。分布常数大小源于组分或溶质、固定相、流动相分子结构及作用力的差别。研究分子结构与色谱保留值的关系及溶质在各种色谱条件下保留值的变化规律是色谱热力学研究的主要课题;它是发展高选择性色谱体系,特别是研发色谱固定相,探讨色谱分离机理、评价色谱固定相、流动相,建立色谱定性方法的理论基础。分子间作用类型和作用力大小与各种聚集态的微观分子状态密切相关,因此各种色谱类型,其色谱热力学的理论,如保留值方程等差别较大,一般将结合具体色谱方法讨论。

　　色谱过程的分子离散是同一化合物分子沿色谱柱迁移过程发生分子分布区域扩展,同种分子迁移速率差异来源于分子运动的速率差异,即在连续多次分配过程中流体分子扩散、传质等导致分布区带展宽。色谱过程流体分子运动规律是色谱动力学研究的课题,它是发展高效色谱柱材料、柱技术和色谱方法的理论基础。

　　色谱分离既要求组分保留值差别大,也要求色谱区带窄;改变色谱操作条件,两者均可发生变化。解决多组分混合物分离,不仅要求组分分离,还要求分离速度快、分离的组分多。这是一个与色谱热力学、色谱动力学有关的分离理论研究课题。它是研究、设计高效、高速、高选择性、高峰容量色谱分离材料或介质,色谱体系选择和色谱操作条件优化的理论基础;也是色谱方法选择、操作条件优化、色谱数据处理计算机程序设计的理论基础。

　　各种色谱方法具有基本相同的动力学理论,也有相似的分离理论规律,下两节将分别介绍这方面内容。

18. 2. 2　分布平衡

　　色谱过程涉及溶质在两相中的分布平衡(distribution equilibrium),平衡常数 K 称为分布系数或分配系数,定义为

$$K = \frac{c_s}{c_m} \tag{18-4}$$

式中 c_s 是溶质在固定相的浓度,c_m 是溶质在流动相的浓度,K 是溶质在两相中分布平衡性质的度量,反映溶质与固定相、流动相作用力差别,决定溶质与固定相、流动相的分子结构。对淋洗色谱,主要决定溶质与固定相的分子结构。

　　热力学是描述平衡的最普遍方法,由此可导出平衡常数 K 与热力学参数之间的关系。溶质在两相间分布达到平衡,自由能不再变化:

$$(\Delta G)_{T,p} = 0 \tag{18-5}$$

即溶质在两相中的化学势相等。溶质在固定相的化学势 μ_s 和在流动相中的化学势 μ_m 分别为

$$\mu_s = \mu_s^{\ominus} + RT \ln a_s \tag{18-6}$$

$$\mu_m = \mu_m^{\ominus} + RT \ln a_m \tag{18-7}$$

式中 a 是溶质活度,$\mu^{\ominus}$ 是溶质标准化学势,脚标 s,m 分别表示流动相和固定相,$a = 1$ 时,$\mu = \mu^{\ominus}$。平衡状态下:

$$\mu_s^{\ominus} + RT \ln a_s = \mu_m^{\ominus} + RT \ln a_m \tag{18-8}$$

由于化学势和自由能的绝对值无法测定,活度也不总是已知。色谱体系中溶质量很小,可作稀溶液处理,活度 a 可用浓度 c 代替:

$$RT\ln\left(\frac{c_s}{c_m}\right) = -(\mu_s^\ominus - \mu_m^\ominus) \tag{18-9}$$

可导出平衡常数:

$$K = \frac{c_s}{c_m} = \exp\left(\frac{\Delta\mu^\ominus}{RT}\right) \tag{18-10}$$

式(18-10)表述分布平衡常数与有关状态函数之间关系,与其他平衡分离过程的分配系数的物理化学含义是一致的。在温度恒定时,$\Delta\mu^\ominus$ 是常数,K 亦为常数。

18.2.3 分布等温线

分布系数与溶质浓度无关或随溶质浓度变化而改变。在恒定温度下,将 c_s 对 c_m 作图所得组分或溶质在两相中的浓度关系曲线,称为分布等温线。一般来说,色谱中存在如图 18-3 所示三种类型分布等温线。一类为线性,其分布系数与溶质浓度无关的常数,能获得对称的色谱峰,分配色谱大多属这种类型。另两类呈非线性,分配系数随溶质浓度增大而变化。若等温线呈凸形,洗出不对称拖尾色谱峰,吸附色谱一般属这种类型。若等温线呈凹形,洗出前伸色谱峰。

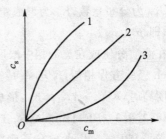

图 18-3 分布等温线类型
1. 凸形;2. 线性;3. 凹形

18.2.4 分布等温线方程

描述吸附等温线的数学方程称为等温线方程。由于固体对气体或溶液的吸附现象十分复杂,等温线形状多种多样,有些还无合适方程来描述,在色谱领域常用的等温线方程主要有三种。

18.2.4.1 Freundlich 方程

Freundlich H M F(弗罗因德利希)从许多等温线总结出一个包含 K 的经验公式:

$$\frac{X}{m} = K p^{\frac{1}{n}} \tag{18-11}$$

式中 n 为常数，X 为吸附溶质的量，m 为固体吸附剂的量，p 为溶质的气体平衡分压。$\dfrac{X}{m}$ 和分压 p 可用溶质在固定相和流动相的浓度表示。

$$c_{\mathrm{s}} = K c_{\mathrm{m}}^{\frac{1}{n}} \tag{18-12}$$

取对数：

$$\lg c_{\mathrm{s}} = \lg K + \frac{1}{n} \lg c_{\mathrm{m}} \tag{18-13}$$

若 $\dfrac{1}{n}=1$，为线性等温线；$\dfrac{1}{n}<1$，呈凸形等温线；$\dfrac{1}{n}>1$，呈凹形等温线。

18.2.4.2　Langmuir 方程

Langmuir I（朗缪尔）假设吸附剂表面均匀，被吸附溶质分子间无作用力；形成单分子吸附层，在一定条件下吸附与脱附平衡，提出单分子层吸附等温线方程。

$$\frac{X}{m} = c_{\mathrm{s}} = \frac{K_1 K_2 p}{1 + K_1 p} \tag{18-14}$$

式中 K_1 为分布系数，K_2 为形成单分子吸附层的饱和吸附量。其他符号与上式相同，即 p 为 c_{m}。

在溶质分压或在流动相中浓度低时，$K_1 c_{\mathrm{m}} \ll 1$，则 $c_{\mathrm{s}} \approx K_1 K_2 c_{\mathrm{m}}$，与上述 Freundlich 经验方程相似，$c_{\mathrm{s}}$ 与 c_{m} 成正比，等温线呈线性。在溶质分压或在流动相中浓度高时，$K_1 c_{\mathrm{m}} \gg 1$，$c_{\mathrm{s}} \approx K_2$，形成饱和单分子吸附层，$c_{\mathrm{s}}$ 接近常数。

18.2.4.3　BET(Bnunaure-Emmett-Teller)方程

它是在 Freundlich 单分子吸附层理论基础上发展起来的多分子层吸附理论，溶质在固体表面上吸附基于范德华力，吸附溶质分子间也存在范德华力，在单层吸附上还可能发生第二、第三层，即多层吸附，吸附量用下式表示：

$$\frac{X}{m} = c_{\mathrm{s}} = \frac{K_2 C p}{(p_0 - p)\left[1 + (C-1)\,p/p_0\right]} \tag{18-15}$$

式中 p_0 为实验温度下溶质饱和蒸气压，C 是与吸附热有关的常数，其他字符含义与上两式相同。上式可改写为

$$\frac{p}{c_{\mathrm{s}}(p_0 - p)} = \frac{1}{CK_2} + \frac{(C-1)\,p}{K_2 C p_0} \tag{18-16}$$

这是一个直线方程，以 $p/c_{\mathrm{s}}(p_0 - p)$ 对 p/p_0 作图得到一直线，其斜率为 $(C-1)/(CK_2)$，截距是 $1/(CK_2)$，由这两个数据可求出固体表面单分子吸附层的饱和吸附量 K_2。当被吸附分子的截面积已知，即可求出固体吸附剂的表面积。

根据上述 BET 几个等温线方程，可用吸附法测定各种吸附剂、色谱固定相

填料的表面微孔结构、孔径、孔容、表面积。等温线方程亦用于研究固定相、色谱改性剂在固定相基质上的分布和物理形态及对色谱保留的影响；探讨色谱保留机理和动力学过程。因此，分布等温线方程在色谱基础研究、分离介质制备和表征、色谱方法设计、分离条件选择和优化等具重要应用价值。

18.2.5　色谱流动相流速

气相色谱的流动相为气体，常称为载气。液相色谱流动相常称为淋洗液或洗脱液。稳定的流动相流速是色谱系统正常运行的基本条件。流动相流速影响色谱柱效、分离度、分离速度和溶质保留体积等，是色谱分离优化的重要操作条件，也是计算保留体积等的基本参数。流动相的流速通常有两种度量方式。

1. 体积流量

以 F_c 表示，为单位时间流过色谱柱的平均体积表示，单位一般为 mL·min^{-1}。液相色谱流动相的 F_c 采用校正过的容器收集柱后一定时间内流出流动相的体积测定。液体的压缩性很小，体积和密度随柱前压力或反压变化可以忽略，因而柱内平均体积流量与柱后测定流速基本一致。气体可压缩，其体积随压力、温度变化。气相色谱柱内各段压力呈梯度下降，柱温一般与室温不同，沿色谱柱的载气密度、体积流速亦不相同。欲测定平均体积流量，需测定柱内平均压力。一般用皂膜流速计测定气相色谱柱后大气压和室温下的体积流量，根据色谱柱前压和柱后压力比求出气体压缩性系数，经气体压缩性和柱温校正，可求出柱内室温、大气压下平均体积流速。

2. 线速度

以 u 表示，定义为单位时间内流动相流经色谱柱的长度，也可称为速率，单位是 cm·min^{-1}，mm·min^{-1} 或 mm·s^{-1}。实际应用中，一般根据柱长（L）和死时间（t_M）求出。

$$u = \frac{L}{t_M} \tag{18-17}$$

18.2.6　色谱图

色谱柱内分离的试样各组分依次进入柱后检测器产生检测信号，其响应信号大小对时间或流动相流出体积的关系曲线称为色谱图。它显示分离组分从色谱柱洗出浓度随时间的变化，反映组分在柱出口流动相中分布情况，与组分在柱内迁移和两相中分布密切相关。色谱图的横坐标是时间或（流动相）体积；纵坐标是组分在流动相中浓度或检测器响应信号大小，以检测器响应单位或电压、电流等单位表示。

　　色谱图是色谱分析的主要技术资料,色谱仪器的数据采集系统,包括平板记录仪、积分仪、色谱工作站或色谱计算机系统等可显示、记录色谱图及所包含的各种色谱信息,主要有:① 说明试样是否是单一纯化合物。在正常色谱条件下,若色谱图有一个以上色谱峰,表明试样中有一个以上组分,色谱图能提供试样中的最低组分数。② 说明色谱柱效和分离情况,可定量计算出表征色谱柱效的理论塔板数、评价相邻物质对分离优劣的分离度等。③ 提供各组分保留时间等色谱定性资料和数据。④ 给出各组分色谱峰高、峰面积等定量依据或按不同定量方法计算出的定量数据。

　　图 18-4 是两组分混合物的典型色谱图。其中一个组分是不与固定相作用,在柱内无保留的溶质。现根据该图说明有关术语。

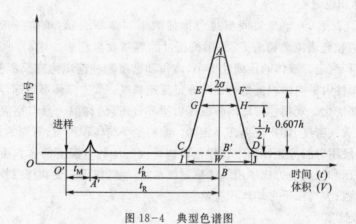

图 18-4　典型色谱图

　　(1) 基线　当色谱体系只有流动相通过,没有试样组分随流动相进入检测器,检测器输出恒定不变响应信号,稳定的基线是平行于横坐标的水平直线,图 18-4 中无色谱峰的水平直线。

　　(2) 色谱峰高　组分洗出最大浓度时检测器输出的响应值,图中从色谱峰顶至基线垂直距离 AB',以 h 表示。

　　(3) 色谱峰区域宽度　色谱峰的区域宽度是色谱流出曲线的一个重要参数,通常有三种表示方式:

　　标准差 σ:色谱峰是对称的 Gaussian 曲线,在数理统计中用 σ 度量曲线区域宽度,是峰高 0.607 处峰宽度的一半,即图中 EF 的一半。

　　半峰高宽度:是峰高一半处的宽度,图中 GH,其单位分别为记录纸上宽度,可由色谱流出曲线方程导出,以 $2\Delta X_{1/2}$(mm 或 cm)、时间 $2\Delta t_{1/2}$(min 或 s)或流动相体积($2\Delta V_{1/2}$,mL)表示。

$$2\Delta X_{1/2}=2.354\sigma \tag{18-18}$$

色谱文献上亦用 $W_{1/2}$ 表示半峰高宽度,简便,但科学性欠佳。峰高一半处的宽度并非色谱峰底宽一半。

色谱峰底宽:由色谱峰两边的拐点作切线,与基线交点间的距离,图中 IJ,以 W 表示。

$$W=4\sigma \tag{18-19}$$

(4) 色谱峰面积　色谱曲线与基线间包围的面积,即图中 ACD 内的面积。

18.2.7　保留值

保留值(retention)是试样各组分,即溶质在色谱柱或色谱体系中保留行为的度量,反映溶质与色谱固定相作用力类型和大小,与两者分子结构有关,是重要的色谱热力学参数和色谱定性依据。

18.2.7.1　比移值

定义为溶质通过色谱柱的平均线速度 u 与流动相平均线速度 u_x 之比,以 R_f 表示。色谱过程中,流动相不与固定相作用或作用力最小,以比溶质快的线速度 u 通过色谱体系。溶质与固定相作用,会在固定相上停留,溶质迁移速度 u_x 是流动相迁移速度 u 的一个分量。溶质分子不是在流动相就在固定相,溶质只有在流动相才发生迁移。从统计角度分析,溶质分子在流动相中平均消耗的时间分数应等于溶质分子在流动相中分布的分子分数。可得下式:

$$R_f=\frac{u_x}{u}=\frac{n_m}{n_m+n_s} \tag{18-20}$$

式中 n_m, n_s 分别为溶质在流动相和固定相的分子数或物质的量。R_f 是平面色谱常使用的保留值参数。溶质在流动相中消耗时间越多,u_x 越大,R_f 也越大。若溶质在流动相中消耗时间分数为 1,即溶质一直在流动相与流动相相同线速度迁移,未在固定相停留,则 $u_x=u$,$R_f=1$。若溶质一直停留在固定相,谱带不随流动相迁移,则 $u_x=0$,$R_f=0$。因此,$0<R_f<1$。除凝胶色谱外,溶质不可能比流动相或溶剂迁移速度更快。

18.2.7.2　保留时间

1. 死时间

流动相流经色谱柱的平均时间定义为死时间,以 t_M 表示,如图 18-4 所示。

$$t_M=L/u \tag{18-21}$$

式中 L 为柱长(cm,mm),u 为流动相平均线速度(cm·s^{-1},mm·s^{-1})。

实际应用中,一般采用与流动相性质相近、不与固定相发生作用的物质检测响应测定,气相色谱一般为空气;液相色谱为流动相性质相近的溶剂,如正相色谱用烷烃;反相色谱用甲醇、乙醇、硝酸盐水溶液等。

2. 保留时间

定义为溶质通过色谱柱的时间,即从进样到柱后洗出最大浓度的时间,以 t_R 表示。

$$t_R = L/u_x \tag{18-22}$$

式中 u_x 为溶质通过色谱柱的平均线速度。

3. 调整保留时间

溶质在固定相上滞留的时间,即保留时间减去死时间,以 t'_R 表示。

$$t'_R = t_R - t_M \tag{18-23}$$

18.2.7.3　保留体积

死时间内流经色谱柱的流动相的体积称为死体积 V_M,即等于色谱柱内流动相体积。

$$V_M = t_M F_c \tag{18-24}$$

保留时间内流经色谱柱的流动相体积,称为保留体积,以 V_R 表示。此外,还有调整保留时间内流经色谱柱的流动相体积,称为调整保留体积 V'_R。

$$V_R = t_R \cdot F_c \tag{18-25}$$

$$V'_R = t'_R \cdot F_c = (t_R - t_M) \cdot F_c = V_R - V_M \tag{18-26}$$

式中 F_c 为流动相平均体积流量。

18.2.7.4　保留因子

保留因子(retention factor)定义为溶质分布在固定相和流动相的分子数或物质的量之比,以 k(或 k')表示(量纲为一),老的文献一般称为容量因子或分配比。

$$k = \frac{n_s}{n_m} = \frac{c_S V_S}{c_M V_M} = K \frac{V_S}{V_M} \tag{18-27}$$

式中 n_m, n_s 含义同式(18-20),V_S, V_M 分别为色谱柱或色谱系统固定相、流动相体积,两者比值(V_S/V_M)称为相比,以 β 表示。

根据式(18-21),式(18-22)可导出 $t_R = t_M(u/u_x) = t_M(1+k)$ 得

$$k = \frac{t_R}{t_M} - 1 = \frac{t_R - t_M}{t_M} = \frac{t'_R}{t_M} \tag{18-28}$$

它反映色谱保留值与物理化学常数 K 的关系,是连接溶质色谱保留行为与物理

化学性质的桥梁,结合方程(18-10),成为利用各种物理化学性质、参数研究色谱过程分子间作用或保留机理和色谱法研究各种物理化学性质的理论基础。k 是使用最广泛的保留值参数,可从色谱图直接求出。由式(18-21)、式(18-22) 可导出上述几种保留值与 k 的关系。

$$R_f = \frac{1}{1+k} \qquad (18-29)$$

$$t_R = \frac{ut_M}{u_x} = t_M(1+k) = t_M\left(1 + K\frac{V_S}{V_M}\right) \qquad (18-30)$$

$$V_R = V_M(1+k) = V_M + KV_S = V_M + V'_R \qquad (18-31)$$

18.2.7.5 相对保留值

上述几种保留值都是表征一个组分保留行为。定义相对保留值 α 以表述两组分或组分间保留差异,亦称为选择性因子(selectivity factor),它反映不同溶质与固定相作用力的差异。任何两组分 1,2 的 α 为两者 K, k 或 t' 之比:

$$\alpha = \frac{K_2}{K_1} = \frac{k_2}{k_1} = \frac{t'_2}{t'_1} \qquad (18-32)$$

式中脚标代表组分 1,2,组分 2 的保留值或 K 一般大于组分 1,α 总是大于 1,亦可直接从色谱图求出。α 可作为固定相或色谱柱对组分分离选择性指标,亦可用作组分的色谱定性依据。

18.2.7.6 保留指数

用作色谱定性数据,相对保留值随标准物不同而变化,其应用受到限制。基于色谱保留值与分子结构关系,Kovats E 提出以正构烷烃系列 $H(CH_2)_nH$ 作为测定相对保留值的统一标准,并定义正构烷烃的保留指数为 $100n$,如正辛烷保留指数为 800,则欲测定某化合物(x)的保留指数以适当碳数正构烷烃的保留值表示。根据同系物保留值对数与碳原子数成线性关系,选择两个正构烷烃 $H(CH_2)_{n+1}H$ 和 $H(CH_2)_nH$,其保留值分别大于和小于 x 的调整保留时间,即 $t'_{R(n+1)} > t'_x > t'_{R(n)}$,则有 $\lg t'_{R(n+1)} = a(n+1)+b$,$\lg t'_{R(X)} = aX+b$,$\lg t'_{R(n)} = an+b$,式中 a, b 为常数;$n+1, n$ 为正构烷烃碳原子数。消去 a, b 得到:

$$X = n + \frac{\lg t'_{R(X)} - \lg' t_{R(n)}}{\lg t'_{R(n+1)} - \lg t'_{R(n)}} \qquad (18-33)$$

X 是被测化合物具有相同调整保留时间假想的正构烷烃碳数,$n+1 > X > n$,X 为小数,为了方便,定义 $100X$ 为该物质保留指数,以 I_R 表示:

$$I_R = 100X = 100\left[n + \frac{\lg t'_{R(X)} - \lg t'_{R(n)}}{\lg t'_{R(n+1)} - \lg'_{R(n)}}\right] = 100\left[n + \frac{\lg \alpha_{(X,n)}}{\lg \alpha_{(n+1,n)}}\right] \qquad (18-34)$$

式中 $\alpha_{(X,n)}$ 为组分 x 与 n 碳正构烷烃相对保留值，$\alpha_{(n+1,n)}$ 为 $n+1$ 碳与 n 碳正构烷烃相对保留值。I_R 也可按 V'_R, k 等保留值求出，标准物亦可选用相差 n 个碳的两正构烷烃或两正构烷烃衍生物 $C(CH_2)_n Z, Z$ 为羟基、羧基、芳烃等。I_R 的通用计算公式为

$$I_R = 100 \left[N + n \left(\frac{\lg R_{(X)} - \lg R_{(N)}}{\lg R_{(N+n)} - \lg R_{(N)}} \right) \right] = 100 \left[N + n \left(\frac{\lg \alpha_{(X,n)}}{\lg \alpha_{(N+n,N)}} \right) \right]$$

$$(18-35)$$

式中 R 为 t'_R 等保留值，$N, N+n$ 为标准物正构烷烃部分的碳原子数，α 含义与上式相似。

I_R 在气相色谱领域亦称为 Kovats 指数，在石油化工等领域应用较多，并已推广到高效液相色谱，这时采用正构烷基苯为标准物。保留指数实质上是以正构烷烃系列或相应衍生物作为度量各种溶质相对保留值的标尺，对研究分子结构与保留行为关系、色谱分离作用力类型或保留机理具有理论和应用价值。

18.2.8 色谱柱结构特性参数

评价色谱柱的优劣一般根据两类指标：一是色谱柱性能指标，主要有单位柱长的理论塔板数、特定两组分或物质对的选择性因子等，下面将进一步介绍；另一类是色谱柱结构特性参数，主要是色谱柱的总孔隙度、渗透性等，这直接关系到色谱仪器操作的流动相柱前压、分析速度等。

18.2.8.1 色谱柱总孔隙度

定义为柱横截面上流动相所占的分数，即色谱柱内流动相体积与柱总体积之比，以 ε_T 表示：

$$\varepsilon_T = \frac{V_i + V_p}{V_c} = \frac{V_M}{V_c} = \frac{F_c t_M}{\frac{\pi}{4} d_c^2 L} = \frac{4 F_c}{\pi d_c^2 u}$$

$$(18-36)$$

式中 $V_c = \frac{\pi}{4} d_c^2 L$ 为色谱柱总体积，d_c, L 分别为柱内径、柱长，V_M 为柱内流动相体积，即死体积，V_i 为柱内填料间空隙体积，V_p 为填料内部孔隙体积。此外，V_i / V_c 为填料间空隙占柱床总体积分数，称为柱的孔隙度，以 ε_i 表示。

根据流动相的体积流量 F_c 和线速度 u 可求出 ε_T，其值决定于填料类型和填充密度。一般多孔填料，如多孔硅胶为基质的填料，ε_T 为 0.85 左右；实心填料 ε_T 为 0.42～0.45。

18.2.8.2 渗透率与阻抗因子

柱的渗透率 K_f 定义为

$$K_f = K_0 \varepsilon_T = \frac{u\eta L \varepsilon_T}{\Delta p} \cdot \frac{F_c t_M}{V_c} = \frac{\eta F_c L}{\frac{\pi}{4} d_c^2 \Delta p} \qquad (18-37)$$

式中 η 为流动相黏度,Δp 为柱前与柱后压力差,即柱压降,柱后一般为大气压,Δp 与柱前压基本等值,K_0 称为渗透率常数,亦是填料粒径 d_p 的函数,$K_0 = \frac{u\eta L}{\Delta p} = \frac{d_p^2}{\phi}$,$\phi$ 定义为柱阻抗因子或阻力系数:

$$\phi = \frac{d_p^2}{K_0} = \frac{\Delta p d_p^2}{u\eta L} = \frac{\Delta p d_p^2 t_M}{\eta L^2} \qquad (18-38)$$

K_f,ϕ 是柱结构的重要特性参数,与柱长、柱内径、填料粒径及填充技术等有关。一般填充柱的 ϕ 值为 $500 \sim 1000$,填充毛细管柱为 $125 \sim 500$。根据上述几个关系式可导出色谱重要操作条件柱前压或柱压降 Δp、流动相线速度 u 的决定因素。

$$\Delta p = \frac{\phi \eta u L}{d_p^2} = \frac{\eta F_c L}{\frac{\pi}{4} d_c^2 K_f} \qquad (18-39)$$

$$u = \frac{\Delta p d_p^2}{\phi \eta L} \qquad (18-40)$$

Δp 与柱阻抗因子、柱长和流动相黏度成正比,而与渗透率、填料粒径平方、柱内径平方成反比,填料粒径越小,达到一定线速所需柱前压越高。u 与填料粒径平方、Δp 成正比,与阻抗因子、柱长和流动相黏度成反比。液体黏度比气体约高 100 倍,欲达到相同流动相线速度色谱操作条件,高效液相色谱柱压降比气相色谱高 $1 \sim 2$ 数量级。

18.3 溶质分布谱带展宽——色谱动力学基础理论

色谱动力学理论是根据流体分子运动规律研究色谱过程分子迁移,严格的数学处理其方程求解相当复杂,只得采用较为简化的假设和适当的近似处理。

18.3.1 色谱过程的理论处理类型

色谱过程的理论处理方法可根据分布等温线成线性或非线性;色谱过程是理想或非理想状态分为不同类型。所谓理想色谱过程指溶质在两相间物质交换在热力学上可逆,传质速率很高,平衡瞬间实现,分子扩散可以忽略;非理想色谱这些假设都不成立。这样,可分为四种色谱过程或类型及相应的理论处理方法或模型。

1. 线性理想色谱

溶质在两相分布呈线性,溶质在色谱柱内迁移为理想状态,各谱带溶质浓度分布可以简单理论模型和数学方法求出。这种色谱理论模型与各种实际色谱过程有一定差距,然而,对色谱过程溶质迁移理论分析和色谱理论发展具有重要价值。

2. 线性非理想色谱

溶质在两相中呈线性分布,且存在传质阻力、分子扩散,溶质通过色谱柱谱带对称展宽,呈 Gaussian 曲线。在低进样量条件下,可很好说明大部分分配色谱,如气液、液液等分配色谱过程溶质迁移、分布。

3. 非线性理想色谱

溶质呈非线性分布,而分子扩散可以忽略,谱带不对称,通常呈高浓度前沿和后部拖尾,液固吸附色谱近似于这种类型。

4. 非线性非理想色谱

气固吸附色谱接近这种色谱类型。

18.3.2　塔板理论

18.3.2.1　基本假设

色谱与精馏分离有共同的物理化学基础,即被分离组分在两相中分布常数的差别。塔板理论将色谱柱内混合物分离过程与精馏塔的精馏分离类比,基本假设是:

(1) 色谱柱由柱内径一致、填充均匀,由称为塔板的若干小段组成,其高度均相等,以 H 表示,称为塔板高。

(2) 溶质在每个塔板上的分布常数或分配系数不变,在两相间瞬间达成分布或分配平衡,纵向分子扩散可以忽略,即属于线性理想色谱。

(3) 流动相流经色谱柱不是连续的,而是脉冲式的间歇过程,每次进入和从上一个塔板向下一个塔板转移的流动相体积相等,为一个塔板的流动相体积 ΔV_m。

18.3.2.2　溶质在色谱柱内分布平衡和迁移过程

现选择一个最简单的例子,考察单一溶质在色谱柱内迁移并通过分配平衡的分布情况。假设色谱柱的流动相和固定相体积相等,溶质的分布系数、保留因子 $K=k=1$。设向色谱柱头零号塔板上引入溶质为 100 个单位量(质量或物质的量等),并按 $k=1$ 在两相分配,流动相和固定相中分布各 50 份溶质。当第一个 ΔV_m 流动相进入零号塔板,则将零号塔板上的流动相及其中 50 份溶质推向一号塔板,然后留在零号塔板固定相的 50 份溶质又按 $k=1$ 在两相分配,各为

25份;进入一号塔板流动相中50份溶质亦按$k=1$在两相分配,各为25份。随后,第二个ΔV_m流动相进入零号塔板,推动一号塔板ΔV_m流动相进入第二塔板,各板上溶质又进行分布平衡。这一平衡—流动相前移—平衡过程重复进行,直至将溶质洗出色谱柱。表18-5列出随流动相进入色谱柱溶质在各塔板上的分布情况。

表18-5说明当有5个板体积流动相进入色谱柱时,溶质从具有5块塔板的柱内随流动相开始洗出,最大浓度在流动相体积n为8和9时出现。图18-5是柱后洗出溶质量随流动相体积变化曲线。溶质趋向正态分布,但不对称,这是由于柱塔板数很低,因而分配平衡次数太少。

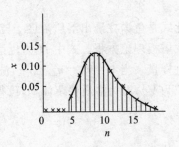

图18-5 溶质从$N=5$的色谱柱内洗出在流动相分布曲线图

表18-5 单一溶质($k=1$)量为100(份)随流动相体积在柱内各板($N=5$)上的分布

流动相体积	塔板号数					
($n\Delta V_m$ 数)	0	1	2	3	4	柱出口
0	100(50)					
1	50	50(25)				
2	25	50	25(12.5)			
3	12.5	37.5	37.5	12.5(6.3)		
4	6.3	25	37.5	25	6.3(3.2)	
5	3.2	18.7	31.3	31.3	18.7(7.9)	3.2
6	1.6	9.5	23.5	31.3	23.5(11.8)	7.9
7	0.8	5.6	16.4	27.5	27.5(13.8)	11.8
8	0.4	2.3	9.8	21.9	27.5(13.8)	13.8
9	0.2	1.8	6.5	18.3	24.2(12.1)	13.8
10	0.1	1.0	4.1	10.9	19.8(9.9)	12.1
11		0.5	2.5	7.5	18.4(7.7)	9.9
12		0.3	1.6	4.6	10.5(5.3)	7.7
13		0.2	1.0	3.3	7.7(3.8)	5.3
18		0.1	0.4	1.7	5.3(2.6)	3.8
18		0.2	0.8	3.6(1.8)	2.6	

注:(1) 溶质量为任一单位;(2) 表左边第一行为以ΔV_m为单位计的流动相体积;(3) 括号中的数值为流动相中分布的溶质量。

18.3.2.3 色谱流出曲线方程

实际色谱柱N值很大,为$10^3 \sim 10^6$,因而洗出曲线一般趋近正态分布,可近

似地用正态分布函数描述溶质分布,除以流动相体积,即可导出浓度变化方程:

$$c = \left(\frac{N}{2\pi}\right)^{\frac{1}{2}} e^{-\frac{N}{2}\left(\frac{V_R - V}{V_R}\right)^2} \frac{M}{V_R} \tag{18-41}$$

此式是色谱柱洗出溶质浓度 c 与流动相体积 V 关系的方程,称为流出曲线方程或塔板理论方程。式中 N 为色谱柱塔板数,$V = n\Delta V_m$ 为任意流动相体积,M 为进样量。当 $V = V_R = n_{max}\Delta V_m$,洗出色谱峰,此时溶质最大浓度 c_{max},其流动相体积为 V_R,即为溶质保留体积,可得

$$c_{max} = \left(\frac{N}{2\pi}\right)^{\frac{1}{2}} \frac{M}{V_R} \tag{18-42}$$

$$c = c_{max} e^{-\frac{N}{2}\left(\frac{V_R - V}{V_R}\right)^2} \tag{18-43}$$

若将 c 与流动相体积 V 的关系改为与洗出时间 t 关系,则

$$c = c_{max} e^{-\frac{N}{2}\left(\frac{t_R - t}{t_R}\right)^2} \tag{18-44}$$

式中 t_R 是溶质的保留时间。

式(18-42)说明,c_{max} 与进样量和理论塔板数的平方根成正比,与溶质的保留值成反比。实际色谱洗出曲线与此描述一致,理论塔板数越高的色谱柱洗出色谱峰窄而高;保留值越大的色谱峰扁平,最大浓度低;色谱峰的区域宽度与保留时间存在近似的线性关系。

18.3.2.4　理论塔板的计算公式

令 $V_R - V = \Delta V$,当洗出溶质浓度 c 为最大浓度 c_{max} 一半,即 $c_{max}/c = 2$ 时,ΔV 用 $\Delta V_{1/2}$ 表示,如图 18-6 所示。代入式(18-44),得

$$\frac{c_{max}}{c} = 2 = e^{\frac{N}{2}\left(\frac{\Delta V_{1/2}}{V_R}\right)^2} \tag{18-45}$$

$$N = 8\ln 2 \left(\frac{V_R}{2\Delta V_{1/2}}\right)^2 = 5.54 \left(\frac{V_R}{2\Delta V_{1/2}}\right)^2 = 5.54 \left(\frac{t_R}{2\Delta t_{1/2}}\right)^2 \tag{18-46}$$

式中 N 为理论塔板数,$2\Delta V_{1/2}$,$2\Delta t_{1/2}$ 分别以体积、时间为单位的色谱峰半高宽度。基于色谱峰底宽与半高宽度关系,亦可导出以色谱峰底宽计算理论塔板数的另一种计算式如下。

$$N = 16 \left(\frac{t_R}{W}\right)^2 \tag{18-47}$$

色谱柱长为 L,求出理论塔板高度 H

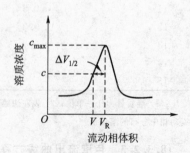

图 18-6　$\Delta V_{1/2}$ 示意图

(cm 或 mm)为

$$H=\frac{L}{N} \qquad (18-48)$$

上述公式说明,色谱峰区域宽度越小,理论塔板数高,理论塔板高度小,色谱柱效越高。单位柱长(m)的理论塔板数 N 或板高 H 常用作色谱柱效的指标。通常填充气相色谱柱 N 为 $3\times10^3/m$ 以上,H 为 0.3 mm 左右;一般高效液相色谱柱 N 在 $(2\sim8)\times10^4/m$,H 约为 0.02 mm 或更小。但有时 N 或 H 不能很好反映实际柱效,这是由于上述计算采用 t_R,它包括不参与溶质与固定相作用的死时间,为了扣除死时间的影响,引入以调整保留时间 t'_R 计算的有效理论塔板数 N_{eff} 和有效理论塔板高 H_{eff} 作为柱效指标。

$$N_{eff}=5.54\left(\frac{t_R-t_M}{2\Delta t_{1/2}}\right)^2=5.54\left(\frac{t'_R}{2\Delta t_{1/2}}\right)^2=16\left(\frac{t'_R}{W}\right)^2 \qquad (18-49)$$

$$H_{eff}=\frac{L}{N_{eff}} \qquad (18-50)$$

根据式(18-46),式(18-48)可导出:

$$N=\left(\frac{1+k}{k}\right)^2 N_{eff} \qquad (18-51)$$

$$H=\left(\frac{k}{1+k}\right)^2 H_{eff} \qquad (18-52)$$

当 k 很小时,N 与 N_{eff},H 与 H_{eff} 差别很大;当 k 很大,N 与 N_{eff},H 与 H_{eff} 趋于一致。当用 N 或 H 度量比较柱效时,应说明选用溶质的 k 值。

18.3.2.5 塔板理论的成就和局限

塔板理论导出的流出曲线方程、影响溶质洗出最大浓度的因素和理论塔板数计算公式等,部分反映了色谱过程分子迁移规律,是计算理论塔板数和计算机模拟色谱流出曲线的理论基础。其理论塔板数反映色谱过程中溶质趋于分布平衡的次数和分离迁移与离散迁移的比值;板高是实现一次分布平衡的最小柱长,两者在评价色谱柱效中具有重要实用价值。然而,色谱是一个动态过程,区别于萃取、精馏等分级过程,不可能实现溶质在两相间真正分布平衡;忽略扩散、传质、瞬间实现平衡的假设也不符合色谱过程分子运动规律。因此,塔板理论不能说明为何理论塔板数随流动相流速变化;色谱过程中溶质分子分布离散的原因;也未能深入探讨色谱柱结构、操作条件等对理论塔板数或塔板高度的影响,因而对色谱柱制备、操作条件优化等色谱实践的指导作用有限,而这正是色谱理论进一步发展的内在推动力。

18.3.3　速率理论

18.3.3.1　塔板高度的统计意义

近 50 多年来,无数的理论研究和实验探索致力于建立色谱过程中溶质分子分布离散、理论塔板高度与各种色谱参数,如流动相流速、分子扩散系数、色谱柱填料形状和粒径等的定量关系式。Martin 指出,色谱过程溶质分子扩散是引起色谱区带扩张的重要因素。荷兰化学工程师 van Deemter J J 研究扩散、传质等与色谱过程物料或质量平衡的关系,考察溶质通过色谱体系总的浓度分布变化。Giddings J C 等认为色谱过程分子迁移是无规则随机运动过程,导致分子呈 Gaussian 分布。以标准差 σ^2 作为分子在色谱柱内离散的度量,总的分子离散度应为单位柱长离散度之和,且与柱长成正比,即 $\sigma^2 = HL$。比例因子 $H = \sigma^2/L$,等于各独立分子离散因素之和:

$$H = \frac{\sigma_1^2}{L} + \frac{\sigma_2^2}{L} + \frac{\sigma_3^2}{L} + \cdots + \frac{\sigma_i^2}{L} = H_1 + H_2 + H_3 + \cdots + H_i = \sum_{i=1}^{n} H_i$$

$$(18-53)$$

18.3.3.2　速率理论方程

1956 年 van Deemter 概括分子离散,即色谱峰扩张的各种基本因素,导出速率理论方程或板高方程,亦称为 van Deemter 方程。该方程包括引起色谱峰扩张、板高增大的三项基本因素:涡流扩散、纵向分子扩散、传质项,包括流动相和固定相传质。速率理论方程的数学表达式如下:

$$H = A + B/u + Cu = A + B/u + (C_s + C_m)u \qquad (18-54)$$

式中 u 为流动相平均线速度或速率,A 为涡流扩散因素,B/u 为分子扩散因素,Cu 为传质因素,C_s,C_m 分别为流动相和固定相传质项系数。H 亦称为塔板高,其含义区别于塔板理论,是单位柱长统计意义的分子离散度。它是阐明多种色谱区带或色谱峰扩张因素的综合参数,亦作为色谱柱效指标。H 越小,柱效越高。

Giddings 发现,板高方程中影响板高的各项因素不是独立的,涡流扩散和流动相传质互相影响,产生新的耦合项,提出速率理论耦合方程,称为 Giddings 方程:

$$H = B/u + C_s u + \left(\frac{1}{A} + \frac{1}{C_m u} \right) \qquad (18-55)$$

若耦合项以 A' 表示,则:

$$H = B/u + C_s u + A' \qquad (18-56)$$

$$A' = \frac{1}{\dfrac{1}{A} + \dfrac{1}{C_m}u}$$ (18-57)

对 Giddings 方程曾有过争议,但后来许多学者证明它是正确的,在流动相高流速条件下,Giddings 方程的板高－线速度关系更接近实验结果。van Deemter 和 Giddings 方程通式在气相和液相色谱中得到广泛应用,但不同色谱类型,决定方程各项系数(A,B,C)的色谱参数不完全相同,因而形成不同类型的色谱速率理论方程。

18.3.3.3 气相色谱速率理论方程

van Deemter 等人首先研究了决定方程各项系数的色谱参数,导出气相色谱速率理论方程。

1. 涡流扩散项(A)

亦称多径项。色谱区带扩张来源于溶质分子通过填充柱内长短不同的多种迁移路径。由于柱填料粒径大小不同及填充不均匀,形成宽窄、弯曲度不同的路径,如图 18-7 所示。流动相携带溶质分子沿柱内各路径形成紊乱的涡流运动,有些分子沿较窄而直的路径以较快的速度通过色谱柱,发生分子运动超前;而另一些分子沿较宽或弯曲的路径以较慢的速度通过色谱柱,发生分子运动滞后,导致色谱区带展宽,可以下式表示:

$$A = 2\lambda d_p$$ (18-58)

式中 λ 称为柱填充不均匀性因子,λ 小表明填充均匀。一般大粒径填料比小粒径易获得均匀填充柱床。d_p 为填料粒径(cm),小的 d_p 有利于降低 A。开管柱无多径项,即 $A=0$。

2. 纵向扩散项(B/u)

亦称为分子扩散。浓差扩散是分子自发运动过程。色谱柱内溶质在流动相和固定相都存在分子扩散。然而,固定相静止不动,且扩散系数一般小于气体流

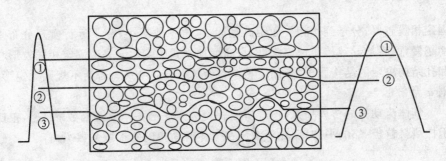

图 18-7 多径项示意图

动相,因此固定相中纵向扩散可以忽略。流动相中溶质从浓度中心向流动相流动方向相同和相反的区域扩散,形成溶质分子超前和滞后,导致色谱区带展宽,塔板高度增加的分量为

$$B/u = 2\gamma D_{\mathrm{m}}/u \tag{18-59}$$

纵向扩散正比于扩散系数 $D_{\mathrm{m}}(\mathrm{cm^2 \cdot s^{-1}})$ 和阻碍因子 γ。γ 反映溶质在柱内运动路径弯曲阻碍分子扩散。对填充柱 γ 一般在 $0.5 \sim 0.7$;开管柱不存在路径弯曲,$\gamma = 1$。纵向扩散反比于流动相流速,这是由于扩散正比于溶质停留时间。

3. 传质项(Cu)

色谱分离过程溶质在流动相和固定相之间进行质量传递。色谱过程处于连续流动状态,由于溶质分子与固定相、流动相分子间存在相互作用,有限传质速率导致溶质分子不可能在两相中瞬间建立吸附(或吸着)−解吸分布平衡,而总是处于非平衡状态。有些溶质分子未能进入固定相就随流动相前进,发生分子超前;而有些溶质分子在固定相未能分布平衡并解吸进入流动相,发生分子滞后。图 18−8 描述有限传质速

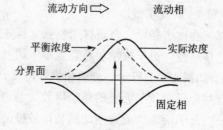

图 18−8　传质导致色谱峰扩张示意图

率导致非平衡过程引起色谱峰的扩张。纵向扩散的分子离散和传质分子离散两者均决定于分子扩散速率,但区带离散、展宽方向不同。前者与流动相流动方向平行,后者与之垂直。流动相流速越快,提供给平衡的时间越少,不平衡和离散越严重。因而传质对板高影响与流动相流速成正比。

固定相传质项系数 C_{s} 是保留因子 k 的一个复杂函数 $f_{\mathrm{s}}(k)$,与载体上的固定液膜厚度 d_{f} 平方成正比,与溶质在固定相内的扩散系数 D_{s} 成反比。

$$C_{\mathrm{s}} = \frac{f_{\mathrm{s}}(k')d_{\mathrm{f}}^2}{D_{\mathrm{s}}} = q\frac{k}{(1+k)^2} \cdot \frac{d_{\mathrm{f}}^2}{D_{\mathrm{s}}} \tag{18-60}$$

固定相膜越厚,分子到达相界面距离越远;扩散系数越小,分子运行实现分布平衡越慢,两者均导致传质速率降低,板高增加。式中参数 q 是由固定相颗粒形状和孔结构决定的结构因子,若固定相填料为球形,q 为 $8/\pi^2$;若为不规则无定形,则 q 为 $2/3$。

气体流动相的传质项系数 C_{m} 亦是保留因子 k 的一个复杂函数 $f_{\mathrm{m}}(k)$,正比于柱填料粒径 d_{p} 的平方,反比于溶质在气体流动相内的扩散系数 D_{m}。

$$C_{\mathrm{m}} = \frac{f_{\mathrm{m}}(k)d_{\mathrm{p}}^2}{D_{\mathrm{m}}} = 0.01\frac{k^2}{(1+k)^2} \cdot \frac{d_{\mathrm{p}}^2}{D_{\mathrm{m}}} \tag{18-61}$$

将式(18-58),式(18-59),式(18-60)和式(18-61)代入式(18-54)得球形填料气相色谱 van Deemter 方程:

$$H = 2\lambda d_{\mathrm{p}} + \frac{2\gamma D_{\mathrm{m}}}{u} + 0.01 \frac{k^2}{(1+k)^2} \frac{d_{\mathrm{p}}^2}{D_{\mathrm{m}}} u + \frac{8}{\pi^2} \frac{k}{(1+k)^2} \frac{d_{\mathrm{f}}^2}{D_{\mathrm{s}}} u \qquad (18-62)$$

18.3.3.4 液相色谱速率理论方程

高效液相色谱与气相色谱速率理论方程的主要区别要归因于液体与气体性质差异。溶质在液体中的扩散系数比在气体中小 10^5 倍左右;液体黏度比气体大 10^2 倍;液体表面张力比气体约大 10^4 倍;液体密度比气体约大 10^3 倍;气体可压缩,具有高压缩性系数,液体压缩性可以忽略。这些差异对液体中扩散和传质影响很大。液相色谱传质过程对板高影响尤为显著。由 Giddings、Snyde 等人提出的液相色谱速率理论方程如下:

$$H = H_{\mathrm{e}} + H_{\mathrm{d}} + H_{\mathrm{m}} + H_{\mathrm{s}} + H_{\mathrm{sm}} = A + \frac{B}{u} + C_{\mathrm{m}}u + C_{\mathrm{s}}u + C_{\mathrm{sm}}u$$

$$= 2\lambda d_{\mathrm{p}} + \frac{2\gamma D_{\mathrm{m}}}{u} + \omega \frac{d_{\mathrm{p}}^2}{D_{\mathrm{m}}} \cdot u + q \frac{k}{(1+k)^2} \cdot \frac{d_{\mathrm{f}}^2}{D_{\mathrm{s}}} \cdot u + \frac{(1-\varepsilon_{\mathrm{i}}+k)^2}{30(1-\varepsilon_{\mathrm{i}})(1+k)^2} \cdot \frac{d_{\mathrm{p}}^2}{\gamma D_{\mathrm{m}}} \cdot u$$

$$(18-63)$$

与气相色谱速率理论方程不同的有:除了气相色谱类似的流动相、固定相传质项外,增加了固定相孔结构内滞留流动相的传质项 H_{sm},即方程中最后一项,式中 ε_{i} 是固定相的孔隙度,其他字符含义与气相色谱速率理论方程相同。此外,流动相传质项系数 $\omega d_{\mathrm{p}}^2/D_{\mathrm{m}}$ 与 k 无关,ω 与柱内径、形状、填料性质有关的量纲为一的常数。图 18-9 描述液相色谱中三种类型的传质过程。

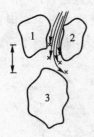 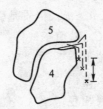 

　(a) 流动相传质　　　(b) 固定相孔隙内流动相传质　　　(c) 固定相传质

图 18-9　液相色谱的三种传质过程

18.3.3.5 影响柱效的变量

根据速率理论方程可进一步探讨影响柱效,即色谱峰区带扩张的各种因素或变量。

1. 流动相流速(u)

图 18-10 给出一个典型的气相色谱 van Deemter 方程 H 随 u 变化曲线,即 H-u 关系曲线。A 与流动相流速无关,对 H 影响不随流速变化。曲线有一最低点,此时纵向扩散和传质对色谱峰区带扩展柱影响最小,柱效最高,H 最小,以 H_{min} 表示。对应的流动相流速称最佳流速,以 u_{opt} 表示。对式(18-54)求导数:$dH/du = -B/u^2 + (C_m + C_s) = 0$,得

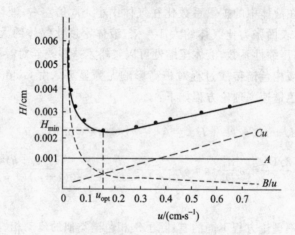

图 18-10   van Deemter 方程 H 随 u 变化曲线

$$u_{opt} = \sqrt{B/(C_m + C_s)} \tag{18-64}$$

$$H_{min} = A + 2\sqrt{B(C_m + C_s)} \tag{18-65}$$

当 $u < u_{opt}$ 时,分子扩散是色谱峰扩张主要因素,传质可以忽略,$H = A + B/u$,气相色谱可观察到这种情况。当 $u > u_{opt}$,传质是引起色谱峰扩张主要因素,分子扩散可以忽略,$H = A + (C_m + C_s)u$,由于气体扩散系数大,传质速率高,H 随 u 升高速率较慢,曲线上升斜率较小。

图 18-11 是典型的液相色谱 H-u 图。与图 18-10 比较,液相色谱由于溶质在液体中扩散系数很小,B/u 实际上趋近于零或可忽略,$H = A + (C_m + C_s)u$;u_{opt} 趋近于零,一般难以观察到最低板高对应的最佳流速,流速降低,H 总是降低。当 $u > u_{opt}$,传质引起色谱峰扩张比气相色谱显著,与 GC 比较,H 随 u 升高速

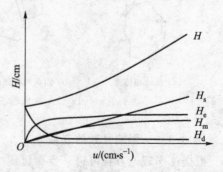

图 18-11   高效液相色谱 H-u 曲线

率较快,曲线上升斜率较大。对于液相色谱,采用低黏度溶剂为流动相,提高扩散系数改善传质以提高柱效。

2. 填料粒径(d_p)

涡流扩散 A 随 d_p 线性下降。流动相传质与 d_p^2 成正比。一般来说填料粒度降低,柱效提高,高效液相色谱广泛采用 $3\sim10\ \mu m$ 填料。图 18-12 表述填料粒径对板高的影响。但 d_p 越小,填充均匀的技术越难,柱的渗透性亦下降,分离速度下降。因此采用小颗粒填料要兼顾分析速度,改进柱填充技术。

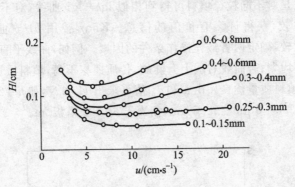

图 18-12　固定相粒径对板高的影响

3. 色谱柱温

温度影响扩散系数 D_s 和 D_m,从而影响分子扩散和传质速率。柱温升高,D_m、D_s 升高,分子扩散导致柱效降低;而改善传质导致柱效升高。因此温度变化对色谱过程分子扩散和传质的影响是矛盾的。根据色谱系统性质,判断引起色谱峰扩张的主要因素是分子扩散或传质,以选择合适温度。

18.3.3.6　折合参数板高方程

在色谱领域,特别是高效液相色谱,常用折合参数板高方程指导操作条件优化。高效液相色谱发展过程中,柱填料粒径从 $20\sim40\ \mu m$ 下降到 $1\sim10\ \mu m$,随着填料粒径的下降,柱效升高,柱填料粒径成为决定柱效的关键因素。为了在同一基础上比较不同填料粒径、不同色谱方法柱性能和解释分离条件对柱效影响,Giddings 首先提出用填料粒径(d_p)为单位,作为归一化度量板高(H)、流动相线速(u)、柱长(L)等量纲为一的折合色谱参数。定义折合板高 $h=H/d_p$,折合流速 $v=ud_p/D_m$,折合柱长 $l=L/d_p$。其中折合流速是流动相流经一颗填料的线速度与扩散速率之比。

Knox J H 根据折合参数导出一个类似 van Deemter 方程,描述 HPLC 色谱区带扩张与流动相线速度关系的半经验折合参数板高方程,称为 Knox 方程。

该方程包含引起色谱峰扩张的各种因素：

$$h = h_a + h_b + h_c = Av^{1/3} + B/v + Cv \tag{18-66}$$

式中 A, B, C 为常数，其含义与 van Deemter 方程类似，由实验的经验关系导出。A 取决于柱填充均匀性，其值为 $0.5 \sim 2$；B 与分子扩散有关，为 $1.5 \sim 2$；C 取决于传质速率，与填料性质有关，一般在 $0.02 \sim 0.2$。

图 18-13 为 Knox 方程对数图。在低折合流速下，B 项为主；高 v 条件下，C 项为主；在 v 中间范围，A 为主。当 $v = 3$ 时，h 最小，约为 2.5。折合参数板高方程的重要特点是对不同粒径填料可得到相似 $\lg h - \lg v$ 曲线，对不同色谱方法和柱性能进行比较，获得许多有价值的信息。Knox 曾用 $h - v$ 曲线，对 GC 和 HPLC 进行比较，确定两者最佳操作条件的因素。例如，曲线平直，最低点过高，表明柱填充不均匀；若曲线右端上升陡峭，传质速率不高，填料质量欠佳；若曲线右端平直，则填料质量优良。由 h 和 d_p 值可求出 H 和 N，如 $h = 2.5$，填料 d_p 为 5 μm，则 $H = 2.5 \times 5$ μm $= 12.5$ μm，相当于 80 000 塔板/m。

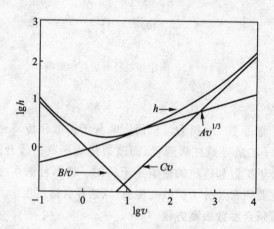

图 18-13　Knox 方程对数图

利用已建立的 $h - v$ 关系，可指导最佳色谱参数选择。如 $v = 3$ 能获得最小 h 值。由 $3 = ud_p/D_m = ld_p^2/(D_m t_M)$，可导出最佳填料粒径关系式：

$$d_p = \sqrt{3D_m t_M/l} \tag{18-67}$$

表明最佳 d_p 与流动相性质、淋洗时间和柱长或柱前压有关。理论分析，柱前压 70×10^5 Pa，以水为流动相，采用 2 μm 填料对应 h 低，分离速度最快，但对进样技术、检测器等要求极高，以降低柱外效应。因而，具实用价值的填料粒径一般为 $3 \sim 10$ μm。

18.3.4 柱外谱带展宽效应

上述几节讨论的是色谱柱内溶质迁移过程谱带展宽,色谱仪器系统还存在各种柱外的色谱区带扩张因素,均可以标准偏差或方差 σ^2 表示。这主要包括:进样操作和进样系统死体积 σ^2_{in}、进样系统与色谱柱及色谱柱与检测器之间连接管 σ^2_{tu}、色谱柱头 σ^2_{cf}、检测器形状与体积 σ^2_{de} 及其他因素 σ^2_{or} 等引起谱带展宽,即柱外谱带展宽 σ^2_{EX} 为

$$\sigma^2_{EX} = \sigma^2_{in} + \sigma^2_{tu} + \sigma^2_{cf} + \sigma^2_{de} + \sigma^2_{or} \qquad (18-68)$$

现代色谱仪器设计、制造工艺日臻完善,进样器、检测器等死体积很小,引起的谱带展宽有限。进样速度应尽可能快,色谱柱头连接紧密及筛板与填充柱床间不得有空隙等,均可降低柱外效应。连接管有时是柱外效应重要因素,理论计算可预测其连接管谱带展宽,尽可能采用内径细而短的连接管以降低连接管内谱带展宽。

18.4 组分分离——基本分离方程

18.4.1 分离度

上一节讨论的是单个组分迁移过程的分子离散,而色谱分离与两个组分的迁移和分子离散相关。分离度(resolution)定义为相邻两组分色谱峰保留值 t_{R_2},t_{R_1} 之差与两峰底 W_2,W_1 平均宽度之比,以 R 表示,如图 18-14 所示。

$$R = \frac{t_{R_2} - t_{R_1}}{1/2(W_2 + W_1)} = \frac{2(t_{R_2} + t_{R_1})}{(W_2 + W_1)} \qquad (18-69)$$

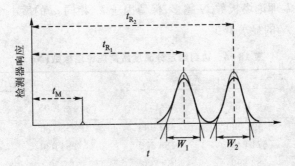

图 18-14 色谱分离度(R)定义

当 $R=1$，两色谱峰交叠约 4%，可称为基本分离。当 $R=1.5$，两色谱峰交叠约 0.3%，可视为完全分离。

18.4.2 分离方程

对分离度的要求由定量分析误差、相邻两组分，亦称为"物质对"的峰高比等因素确定。

当相邻峰保留值相近时，近似地 $W_1=W_2=W$，并按 $W=\dfrac{4\sqrt{N}}{t_R}$，可得

$$R=\frac{t_{R_2}-t_{R_1}}{W}=\frac{\sqrt{N}}{4}\frac{t_{R_2}-t_{R_1}}{t_{R_2}}=\frac{\sqrt{N}}{4}\frac{k_2-k_1}{1+k_2} \tag{18-70}$$

根据式(18-32)消去保留因子 k_1，引进选择性因子 α，可导出决定分离度各种因素的分离度方程或分离方程。

$$R=\frac{\sqrt{N}}{4}\left(\frac{\alpha-1}{\alpha}\right)\left(\frac{k_2}{1+k_2}\right) \tag{18-71}$$

式(18-71)表明，影响分离度的因素包括三部分，第一项与区带扩张的色谱动力学因素 N 或 H 有关。第二和第三项与分离选择因子、保留因子等色谱热力学因素有关。

分离度与理论塔板数 N 的平方根成正比。由式(18-69)可导出分离某"物质对"达到一定分离度需要的理论塔板数和柱长。

$$N=16R^2\left(\frac{\alpha}{\alpha-1}\right)^2\left(\frac{k_2+1}{k_2}\right)^2 \tag{18-72}$$

若要求获得基本分离：$R=1$，或完全分离：$R=1.5$，则上述方程的 $16R^2$ 系数分别为 16 和 36。

表 18-6 列出 R 与 α，k_2 和 N 的关系。α 相同，保留因子 k_2 越小，欲达到一定的分离度所需理论塔板数 N 越多；保留因子 k_2 相同，α 的微小增加，将导致所需理论塔板数 N 的显著减少。

表 18-6　达到给定分离度所需理论塔板数(N)

保留因子 k_2	$R=1.5$		$R=1.0$	
	$\alpha=1.05$	$\alpha=1.10$	$\alpha=1.05$	$\alpha=1.10$
0.1	1 921 000	527 080	853 780	234 260
0.2	571 840	186 820	254 020	69 700
0.5	182 890	39 200	63 500	17 420
1.0	63 500	17 420	28 220	7 740

保留因子 k_2	$R=1.5$		$R=1.0$	
	$\alpha=1.05$	$\alpha=1.10$	$\alpha=1.05$	$\alpha=1.10$
1.5	44 100	12 100	19 600	5 380
2.0	35 720	9 800	18 880	4 360
5.0	22 860	6 273	10 160	2 790
10.0	19 210	5 270	8 540	2 340
20.0	17 500	4 800	7 780	2 130
∞	18 880	4 360	7 060	1 940

18.4.3　分离速度及影响因素

在考虑组分分离时,另一个密切相关的因素是实现分离所需时间,既分离速度。完成分离所需时间决定于迁移速率较慢的组分,即组分 2 的迁移线速度 u_2。根据保留因子推导中 $t_R=t_M(u/u_x)=t_M(1+k)$,得 $u_2=u/1+k_2=L/t_{R_2}=NH/t_{R_2}$,$t_{R_2}=NH(1+k_2)/u$,将式(18-72)代入,可获得分离时间,即分离速度方程。

$$t_{R_2}=16R^2\left(\frac{\alpha}{\alpha-1}\right)^2\frac{(k_2+1)^3}{k_2^2}\frac{H}{u} \qquad (18-73)$$

式中 t_{R_2} 是保留值较高的组分 2 的洗出时间,代表完成分离所需时间;u 是流动相线速度。

式(18-73)表明,分离时间是要达到分离度、相邻组分选择性因子、最后洗出组分的保留因子、柱效和流动相流速的函数。在其他变量保持恒定时,分离度增加一倍,分离时间增加四倍。方程亦表明,流动相流速增加一倍或板高 H 减小一倍,分离时间减少将近一倍。

18.4.4　色谱柱峰容量

峰容量定义为一定色谱操作条件下,色谱柱在一定时间能容纳达到一定分离度($R\geqslant1$)色谱峰的数量。峰容量与试样容量有一定差别,后者指正常色谱条件下溶质在两相间有效分配洗出对称色谱峰容许的最大试样量,即 K 处在线性范围,超过此进样量将导致柱超负荷,溶质不能在两相间有效分配平衡而出现色谱峰严重拖尾等畸变。色谱柱的峰容量越大,分离能力越强。

色谱文献中常出现"分离效能"一词,这是一个含义不太准确的术语。多数人大致表述或理解为:对一个试样,在相似分离速度、分离度、相同进样量条件下,色谱分离系统或色谱柱洗出色谱峰越多,其分离效能越高。因此,它是与柱效等多个因素相关、比较分离优劣的一个粗略用语。

18.5 色谱方法选择和分离操作条件优化

根据上两节色谱基础理论和影响分离的各种色谱参数讨论,按分离度和分离时间或速度两个主要指标将进一步简要说明分离操作条件优化的基本技术措施。方程(18-71)和方程(18-73)表明影响分离度和分离时间的各种色谱参数,包括以 N 或 H 为指标,导致色谱峰扩张的各种动力学因素;与组分保留值有关的热力学因素 k 和 α,其相对大小与固定相、流动相性质及其体积比,溶质性质及在两相的分布常数等有关。方程的重要性在于可指导多组分混合物的分离操作条件优化。人们总是企图在最短时间内获得尽可能多组分间的高分离度,即分离出尽可能多的组分。但两者在同一条件下很难同时实现,只能兼顾分离度和分析速度。

对多组分混合物的分离,通常以最难分离物质对的分离度或洗出组分数的多少及分离时间作为分离优劣的指标。分离时间决定于最后洗出组分的保留因子。但随色谱条件变化,组分洗出顺序可能变化,最难分离物质对和最后洗出组分也可能改变。通过色谱分离方程分析、初步实验数据估算,从易至难,采取各种技术手段,实现色谱分离操作条件优化。

需要指出的是现代色谱仪器大多配置具有处理色谱数据、控制色谱仪功能、分离操作条件优化的计算机及相应软件,即色谱工作站或计算机系统。基于色谱理论、色谱分离模式、色谱参数相互关系,在大量实验数据分析基础上研发的各种色谱智能化软件可指导操作条件优化,减少实验工作量。

18.5.1 色谱方法选择

根据试样物理、化学性质和分析要求选择色谱方法。各种气体、沸点 500 ℃以下挥发性、热稳定的试样,一般采用气相色谱分析。非挥发性试样,包括有机物、无机物、高分子化合物、可解离化合物等均可采用高效液相色谱分析。薄层色谱通常为非仪器分析方法,操作简便,可作为高效液相色谱流动相、固定相选择的辅助手段。非挥发性试样通过衍生成为挥发性试样,亦可采用气相色谱分析。既可用气相色谱,亦可采用高效液相色谱分析的试样,通常首选气相色谱法,因为前者分析成本相对低些。总体来看,高效液相色谱比气相色谱适用的试样类型、范围或应用领域要广得多。

18.5.2 分离操作条件优化

18.5.2.1 提高理论塔板数

1. 适当增加柱长

根据式(18-72),如果板高 H 已知,可求出获得一定分离度所需柱长。

$$L = 16HR^2\left(\frac{\alpha}{\alpha-1}\right)^2\left(\frac{k_2+1}{k_2}\right)^2 \tag{18-74}$$

增加柱长是提高理论塔板数最直接的方法。实际色谱分离条件优化过程中,一般根据试分离条件下的 R_1,N_1 或 L_1,按 $R_1/R_2 = N_1^{1/2}/N_2^{1/2}$,在板高一定时,可估算达到更高或所需分离度 R_2 要求的理论塔板数 N_2 或柱长 L_2。

$$N_2 = (R_2/R_1)^2 N_1 \tag{18-75}$$

$$L_2 = (R_2/R_1)^2 L_1 \tag{18-76}$$

采用增加柱长提高理论塔板数,其操作较为简单。但分离时间随柱长增加而增加;柱系统渗透性随柱长增加而下降,特别是填充柱。欲保持一定流动相流速,需提高柱前压,对色谱仪器耐压性能提出更高要求。因而填充柱柱长变化范围有限;高渗透性开管柱柱长具有较宽可变范围,增加柱长更具实用价值。如开管柱气相色谱柱长可在 $10\sim300$ m 范围变化。

2. 提高柱效

柱效通常指单位柱长的理论塔板数 N。据根板高方程,H 随流动相流速 u 变化。对高效液相色谱,在分离速度允许下,尽可能降低流动相流速,以改善传质,提高柱效。对气相色谱,为兼顾分离速度,总是选择流动相流速大于最佳流速 u_{opt}。

降低固定相填料粒径 d_{p}、固定相液膜或键合层厚度 d_{f};采用低相对分子质量、低黏度流动相及适当提高柱温以改善传质等均有利于提高柱效。

18.5.2.2 调节、控制保留因子

常用调控保留因子改进分离。一般 k_2 增大可提高分离度,但分离时间会增长。方程(18-71)和方程(18-73)可方便地将分离度、分离时间改写成 k 的函数:

$$R = \frac{Qk_2}{1+k_2} \tag{18-77}$$

和

$$t_{\mathrm{R}_2} = \frac{Q'(1+k_2)^3}{k_2^2} \tag{18-78}$$

式中 Q 和 Q' 分别为方程(18-71)和方程(18-73)中的其他部分。图 18-15 说明

在 Q, Q' 保持大致恒定条件下，$R-Q, t_{R_2}-Q'$ 与 k 的关系图。它清楚表明，$k > 10$
以上是不可取的，这时 R 很小的增大会导致分离时间显著增加。k 为 2 左右分离时间最短，兼顾分离度和分离时间，k 最佳值在 $2 \sim 10$ 之间。

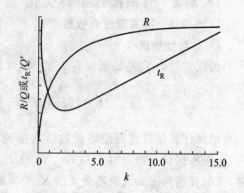

图 18-15　保留因子 k 对分离度 R 和分离时间 t_R 的影响

通常气相色谱采取改变柱温；气液色谱亦可改变固定液的量，即改变相比等调节保留因子。高效液相色谱在色谱柱或分离模式确定后，主要以改变流动相溶剂组成调控保留因子 k。图 18-16 是高效液相色谱流动相溶剂组成变化对分离显著影响的典型色谱图。图中(c)是在最小分离时间获得一定分离度的最佳条件。

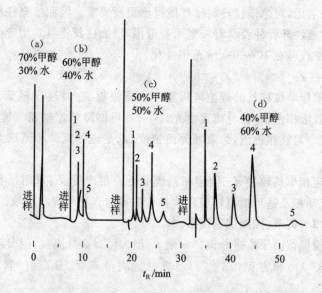

图 18-16　高效液相色谱流动相溶剂组成变化对分离影响的典型色谱图

分离组分：1. 9,10-蒽醌；2. 2-甲基-9,10-蒽醌；3. 2-乙基-9,10-蒽醌；

4. 1,4-二甲基-9,10-蒽醌；5. 2-t-丁基-9,10-蒽醌

18.5.2.3　提高选择性因子

根据分离度方程(18-71)，R 正比于 $(\alpha-1)/\alpha$。若 $\alpha=1$，$R=0$，两组分不可

能分离;α 略大于 1,两组分才可能分离;$\alpha > 2 \sim 5$,分离比较容易实现。α 从 1.01 增大到 5,$(\alpha-1)/\alpha$ 增加近 100 倍。相比之下,k 从 1 增大到 50,$k/(1+k)$ 从 0.5 变化至接近于 1,只增大一倍。显然,α 是影响 R 最敏感的因素。从分离速度方程(18-73)说明,分离时间与 $[\alpha/(\alpha-1)]^2$ 成正比。α 对 t_R 的影响非常显著,例如,α 从 1.05 增加到 1.10,分离时间缩短至四分之一。此外,以提高 k 增加分离度,需以分析时间增长为代价;而提高 α 增加分离度,可缩短分析时间。因此,提高选择性因子是提高分离度和分离速度最有效的手段。

保持 k 在 $1 \sim 10$ 的范围内,欲提高 α 值可依次采取下述技术措施。

1. 改变流动相组成

改变二元或多流动相组成,导致各组分间相对保留值变化。如果被分离组分包含有可解离的酸或碱亦可改变流动相 pH,以提高分离度和分离速度。各种流动相添加剂,如离子对试剂可提高离子性溶质分离选择性。这些主要适用于以高效液相色谱为代表的各种液相色谱方法。

2. 改变柱温

方程(18-71)和方程(18-73)中没有温度参数,然而柱温既影响色谱动力学因素,亦影响热力学因素,是优化分离的重要操作条件,特别是对气相色谱。绝大多数选择性因子 α 与柱温成反比,柱温降低,α 升高。适当降低柱温,有利于提高分离度。然而不同色谱方法,柱温对 α 影响大小不完全等效,气液色谱、反相高效液相色谱、离子交换色谱等影响较显著。

3. 改变固定相

这是提高选择性因子的有效方法,特别是气液色谱,尽管操作较费时一些。多数实验室一般都保存几种不同固定相的色谱柱供交换使用。某些试样只有选用适当固定相才可能分离。如对映体类试样主要采用各种手性色谱固定相分离。

18.6 色谱定性分析

色谱定性是鉴定试样中各组分,即每个色谱峰是何种化合物。基于色谱分离的主要定性依据是保留值,包括保留时间、保留体积、相对保留值,即选择性因子和保留指数等。亦可基于检测器给出选择性响应信号及与其他结构分析仪器联用定性。

18.6.1 保留值定性

18.6.1.1 与已知物对照定性

色谱保留值与分子结构有关,但缺乏典型的分子结构特征,因而只能鉴定已知物,而不可能鉴定未知的新化合物。根据保留时间等保留值定性需用已知化合物为标样,且要严格控制色谱条件。在同样色谱条件下,用已知化合物与试样中色谱峰对照定性;或将已知化合物加入试样中导致某色谱峰增高定性,这是色谱基本定性方法。在一定色谱条件下,每个化合物具有一定保留值,但不同化合物可能具有相同保留值。按保留值确定试样中不存在某个化合物一般是可靠的,而较准确鉴定一个色谱峰是某个化合物,常需改变色谱条件,主要是改变固定相或色谱流动相组成,即在两种色谱系统上定性,称为双柱或双色谱体系定性。两种色谱系统上不同化合物具有相同的保留值的概率降低,可提高定性的可靠性。

18.6.1.2　其他定性方法

主要有按保留值经验规律定性。例如,同系物或结构相似化合物保留值的对数与分子中碳原子数成正比的碳数(n)规律,根据同系物两个或两个以上组分的保留值可作出 $\lg k - n$ 等关系图,从而获得各同系物保留值作为定性依据。亦可参考文献保留数据定性。文献报道各种化合物在一定色谱条件下的保留值数据,部分已汇集成色谱数据手册可供利用,应用较多的是相对保留值及衍生的各种相对色谱保留数据,如保留指数等。

18.6.2　选择性检测响应定性

色谱仪器一般配置通用型和选择性检测器,前者对所有化合物均有响应,后者只对某些类型化合物有响应。如气相色谱仪的热导检测器(TCD)属通用型检测器;氢火焰离子化检测器(FID)只对有机化合物有响应。高效液相色谱仪的示差折光检测器(RI)属通用型检测器;紫外检测器(UV)只对含芳环、共轭结构的化合物有响应。根据 FID 和 TCD 有无响应,可鉴别试样中有机物和无机物。根据 UV 和 RI 有无响应,可鉴别试样中芳香族和脂肪族化合物。根据 UV 响应强弱还可进一步推测为稠环芳烃类、共轭烯烃、p-π 共轭结构化合物等。一般检测器响应差异可作为色谱定性的辅助手段。

18.6.3　色谱-结构分析仪器联用

结构分析仪器提供分子结构信息,可对化合物直接定性。色谱-结构分析仪器联用,将结构分析仪器作为色谱检测器,色谱的高分离能力与结构分析仪器的成分鉴定能力相结合,使各种色谱联用技术成为当今最有效的复杂混合物成分分离、鉴定技术。不仅可对混合物成分定性,也可定量测定。其中发展最早、应用最广泛的是色谱-质谱(MS)联用仪器。GC-MS、HPLC-MS 已成为有关化学、生物医药学等实验室常规分析仪器设备。此外,色谱-傅里叶变换红外光谱(FTIR)、色谱-核磁共振波谱(NMR)、色谱-发射光谱(EM)联用仪等均已商品化。色谱与其他多种分析仪器联用技术在不断发展,是当今仪器分析的前沿研究领域。参见第 23 章等。

18.7 色谱定量分析

18.7.1 定量依据

色谱定量分析是根据检测响应信号大小,测定试样中各组分的相对含量。定量分析的依据是每个组分的量(质量或体积)与色谱检测器的响应值成正比,一般与峰高或峰面积响应成正比。每个色谱峰高(h)可从色谱图直接测定。色谱峰面积(A)以峰高与半峰高宽($2\Delta X_{1/2}$)相乘求出。

$$A = h \times 2\Delta X_{1/2} \tag{18-79}$$

通常色谱峰高反比于色谱峰宽度,峰宽度正比于保留时间。在试样和标样平行分析时,必须严格控制柱温、流动相流速、进样速度等色谱操作条件以不改变峰宽,才能获得准确的峰高测定结果。操作条件对峰面积的影响比峰高小。一般保留值小、峰宽窄且难以准确测量的组分,可按峰高定量。多数情况下按峰面积定量为宜。

色谱仪器配置的数字积分仪或色谱工作站可直接提供色谱峰高、峰面积等定量数字化信息并可按下述不同定量方法给出各组分定量数据,其准确度一般高于手工测量。

18.7.2 定量方法

18.7.2.1 标准校正法或外标法

最直接的定量方法是配制一系列组成与试样相近的标准溶液。按标准溶液色谱图,可求出每个组分浓度或量与相应峰面积或峰高校准曲线。按相同色谱条件下试样色谱图相应组分峰面积或峰高,根据校准曲线可求出其浓度或量,是应用最广、易于操作、计算简单的定量方法。

这是一个绝对定量校正法,标样与测定组分为同一化合物,分离、检测条件的稳定性对定量结果影响很大。为获得高定量准确性,定量校准曲线经常重复校正是必须的。在实际分析中,可采用单点校正。只需配制一个与测定组分浓度相近的标样,根据物质含量与峰面积成线性关系,当测定试样与标样体积相等时:

$$m_i = \frac{m_s}{A_s} A_i = f_i A_i \tag{18-80}$$

式中 m_i, m_s 为试样和标样中测定化合物的质量, A_i, A_s 为相应峰面积。单位峰面积相应化合物量的比例系数 f_i 称为组分 i 的定量校正因子。单点校正操作上要求定量进样或已知进样体积;标样和测定试样在同一色谱分离、检测条件下分析;测定成分与试样中其他组分分离且有检测响应,对于不要求定量测定的组分可不作此要求。

18.7.2.2　内标法

选择一个一般不存在试样中的合适内标化合物。要求内标物是高纯化合物;与试样中各组分很好分离,且不与组分发生化学反应;分子结构、保留值与检测响应最好与待测组分相近。

内标法是一个相对定量校正法,分离、检测条件对定量结果影响不如外标法敏感。首先需测定待测组分、内标物对某一标准物的相对定量校正因子。组分 i 的相对定量校正因子 f_i' 定义为组分定量校正因子与标准物定量校正因子之比。

$$f_i' = \frac{m_i/A_i}{m_s/A_s} \tag{18-81}$$

式中 m_i, m_s 为组分 i 和标准物 s 的质量, A_i, A_s 为相应峰面积。类似地,内标物的相对定量校正因子 f_{is}' 为

$$f_{is}' = \frac{m_{is}/A_{is}}{m_s/A_s} \tag{18-82}$$

式中 m_{is}, A_{is} 为内标物质量和峰面积。

合并式(18-80)、式(18-81)得

$$m_i = \frac{A_i f_i'}{A_{is} f_{is}'} m_{is} \tag{18-83}$$

当称取试样质量为 m, 加入内标物质量为 m_{is}, 测定组分的含量 w_i 为

$$w_i = \frac{m_i}{m} \times 100\% = \frac{A_i f_i'}{A_{is} f_{is}'} \times \frac{m_{is}}{m} \times 100\% \tag{18-84}$$

若测定相对定量校正因子的标准物与内标物为同一化合物,则 $f_{is}' = 1$, 得

$$w_i = \frac{m_i}{m} \times 100\% = \frac{A_i f_i'}{A_{is}} \times \frac{m_{is}}{m} \times 100\% \tag{18-85}$$

内标法可获得高定量准确度,因为不需定量进样,可避免定量进样带来的某些不确定因素。特别适用于测定含量差别很大的各组分,及除待测组分外有些组分未能洗出或有些组分在检测器上没有响应的试样。

18.7.2.3 峰面积归一化法

试样中所有组分全部洗出,在检测器上产生相应的色谱峰响应,同时已知其相对定量校正因子,可用归一化法测定各组分含量。

$$w_i = \frac{m_i}{m_1 + m_2 + \cdots + m_i + \cdots + m_n} = \frac{A_i f'_i}{\sum A_i f_i} \times 100\% \qquad (18-86)$$

归一化法不必称样和定量进样,可避免由此引起的不确定因素。分离条件在一定范围内对定量准确度影响较小,适用于多组分同时定量测定。但在合理时间内全部组分洗出,并已知定量校正因子,其实际应用受一定限制。若组分相对定量因子相近,如气相色谱氢火焰离子化检测器测定烃类化合物;高效液相色谱紫外检测器测定苯的单取代衍生物或摩尔吸光系数和相对分子质量相近的化合物,未校正的峰面积归一化法测定各组分的相对近似含量,亦有一定实用价值。

思考、练习题

18-1 试说明分离的含义及热力学限制、分析分离与制备分离的区别与联系。

18-2 什么是色谱分离? 色谱过程中试样各组分的差速迁移和同组分分子离散分别取决于何种因素?

18-3 色谱热力学、色谱动力学研究的对象是什么? 它们有什么区别与联系? 在色谱条件选择上有何实用价值?

18-4 假如一个溶质的保留因子为 0.1,在色谱柱的流相中的百分数是多少? (91%)

18-5 在某色谱条件下,组分 A 的保留时间为 18.0 min,组分 B 保留时间为 25.0 min,其死时间为 2 min,试计算:(1) 组分 B 对 A 的相对保留值。(2) 组分 A,B 的保留因子。(3) 组分 B 通过色谱柱在流动相、固定相停留的时间是多少? 各占保留时间分数为多少?

18-6 试说明塔板理论基本原理,它在色谱实践中有哪些应用?

18-7 在长为 2 m 的气相色谱柱上,死时间为 1 min,某组分的保留时间 18 min,色谱峰半高宽度为 0.5 min,计算:(1) 此色谱柱的理论塔板数 N,有效理论塔板数 N_{eff}。(2) 每米柱长的理论塔板数。(3) 色谱柱的理论塔板高 H,有效理论塔板高 H_{eff}。(4 986,4 343,2 493,2 172,0.4 mm,0.46 mm)

18-8 什么是速率理论? 它与塔板理论有何区别与联系? 对色谱条件优化有何实际应用?

18-9 试列出影响色谱峰区域扩张的各种因素。

18-10 设气相色谱柱的柱温为 180 ℃时,求得 van Deemter 方程中的 $A = 0.08$ cm、$B = 0.18$ cm²/s,$C = 0.03$ s,试计算该色谱柱的最佳流速 u_{opt}(cm/s)和对应的最小板高 H_{min}(cm)值。

18-11 在 200 cm 长的气相色谱填充柱上以氮为载气,改变流动相流速,用甲烷测定死

时间 t_M 为 100 s,50 s,25 s,以苯为溶质测定柱效分别为 1 098,591,306,试计算:(1) van Deemter 方程中的 A(cm),B(cm²/s),C(s)值。(2) 最佳流速 u_{opt}(cm/s)和最小板高 H_{min}(cm)。(3) 欲保持柱效为最小板高时的 70%～90%,载气流速应控制在多少范围?

    18-12   在气相色谱分析中,使用同一色谱柱,分别采用相对分子质量和扩散系数不同的 N_2 和 H_2 作载气,比较两者 $H-u$ 曲线图(图 18-17),试说明为什么:(1) 用 N_2 作载气比用 H_2 作载气最佳 u_{opt} 流速较小?(P 比 P' 更靠近零点)(2) 用 N_2 作载气比用 H_2 作载气最小板高 H_{min} 较低?(P 对应的 H_{min} 较小)(3) 当载气流速大于 u_{opt} 时,N_2 作载气比用 H_2 作载气板高上升较快,且板高较高。(4) 当载气流速小于 u_{opt} 时,N_2 作载气比用 H_2 作载气板高上升较慢,且板高较低。(5) 根据上述现象,哪种载气较适用于快速分析?

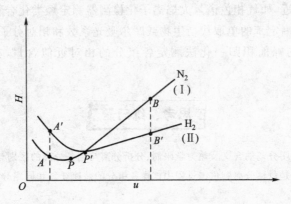

图 18-17   氮和氢作载气的 $H-u$ 比较

    18-13   在其他相同色谱条件下,若色谱柱的理论塔板数增加一倍,对两相邻色谱的分离度将增加多少倍?   ($\sqrt{2}$)

    18-14   在柱长为 18 cm 的高效液相色谱柱上分离组分 A 和 B,其保留时间分别为 16.40 min 和 17.63 min;色谱峰底宽分别为 1.11 min 和 1.21 min,死时间为 1.30 min。试计算:(1) 色谱柱的平均理论塔板数 N;(2) 平均理论塔板高 H;(3) 两组分的分离度 R 和分离所需时间;(4) 欲实现完全分离,即分离度 $R=1.5$,需柱长和分离时间各多少?

    18-15   采用 100 cm 长的色谱柱分离某多组分混合物,流动相流速为 90 cm/min,色谱柱的理论塔板数为 1 600,混合物最后洗出组分的 $k'=5$,最难分离物质对的 $\alpha=1.10$,试估算:(1) 若要求最难分离物质对的分离度 $R=1$ 和 1.5,其分离时间各为多少?(2) 优化色谱条件,最难分离物质对的 α 上升为 1.25,实现上述分离度的分离时间为多少?(3) 其他条件不变,降低流动相流速至 60 cm/min,其柱效增加到 3 000 理论塔板,实现上述分离度的分离时间为多少?

    18-16   从分布平衡研究中,测定溶质 M 和 N 在水和正己烷之间的分布平衡常数($K=$ $[M]_{H_2O}/[N]_{hex}$)分别为 6.01 和 6.20。采用吸附水的硅胶填充柱,以正己烷为流动相分离两组分,已知填充柱的 V_S/V_M 为 0.442,试计算:(1) 各组分保留因子。(2) 两组分间的选择因子。(3) 实现两组分间分离度为 1.5 需多少理论塔板数?(4) 若填充柱的板高 H 为 2.2×

10^{-3} cm,需多长色谱柱？(5) 如流动相流速为 7.10 cm/min,洗出两组分需多少时间？

18-17 设 $K_M = 5.81$, $K_N = 6.20$,重复计算 18-16 中各问题。

18-18 根据色谱保留值为什么难以对未知结构的新化合物进行定性鉴定？

18-19 色谱定量分析为什么要用引入定量校正因子或已知标样校正？常用定量校正因子有哪几种表示方式？如何测定？

18-20 用归一化法测定石油 C_8 芳烃馏分中各组分含量。进样分析洗出各组分色谱峰面积和已测定的定量校正因子如下,试计算各组分含量。

组分	乙苯	对二甲苯	间二甲苯	邻二甲苯
峰面积/mm²	180	92	170	110
f'	0.97	1.00	0.96	0.98

18-21 已知某试样共含有四个组分,洗出峰面积积分值、已知其定量校正因子如下,计算各组分含量。

组分	1	2	3	4
峰面积(积分值)	17 312	35 731	28 453	11 174
f'	1.731	4.188	2.418	1.186

18-22 采用内标法测定天然产物中某两成分 A、B 的含量,选用化合物 S 为内标和测定相对定量校正因子标准物。(1) 称取 S 和纯 A,B 各 180.4 mg,188.6 mg,234.8 mg,用溶剂在 25 mL 容量瓶中配制三元标样混合物,进样 20 μL,洗出 S,A,B 相应色谱峰面积积分值为 48 964,40 784,42 784,计算 A,B 对 S 的相对定量校正因子 f'。(2) 称取测定试样 622.6 mg,内标物(S)34.00 mg,与(1)相同溶剂、容量瓶、进样量,洗出 S,A,B 峰面积为 32 246,46 196,65 300,计算组分 A,B 的含量。

(f':1.506,1.78,11.86%,19.83%)

参考资料

[1] Giddings J C. Unified Separation Science. New York：John Wiley & Sons,1991.

[2] Karger B L, Snyder L S, Horvath C C. An Introduction to Separation Science. New York：John Wiley & Sons,1973.

[3] Miller J M. 化学分析中的分离方法. 叶明吕,俞誉福,唐静娟,译. 上海：上海科学技术出版社,1981.

[4] 王应玮,梁树权. 分析化学中的分离方法. 北京:科学出版社,1988.

[5] Miller J M. Chromatography：Concepts and Contrasts. New York：John Wiley & Sons,1988.

[6] Scott R P W. Techniques and Practice of Chromatography. New York：Marcel Dekker,1995.

［7］Robards K,Haddad P R,Jackson P E. Principles and Practice of Modern Chromatographic Methods. New York:Academic Press,1994.

［8］达世禄. 色谱学导论. 2 版. 武汉:武汉大学出版社,1999.

［9］卢佩章,戴朝政,张祥民. 色谱理论基础. 2 版. 北京:科学出版社,1997.

［10］Skoog D A,Holler F J,Nieman T A. Principles of Instrumental Analysis. 5 th ed. Philadephia:Harcourt Brace & Company,1998.

［11］Kellner R,Mermet J－M,Otto M,et al. Analytical Chemistry. Weinheim:Wiley-VCH,1998.

第19章 气相色谱法

19.1　概论

　　气相色谱法(gas chromatography，GC)是英国生物学家 Martin 和 James 在研究色谱理论基础上创建以气体为流动相的色谱分离技术。用气体作流动相，亦称为载气的主要优点是：由于气体的黏度小，因而在色谱柱内流动的阻力小；同时，气体的扩散系数大，组分在两相间的传质速率快，有利于高效快速分离。

　　气相色谱分离中气体流动相所起作用较小，主要基于溶质与固定相作用。根据所用固定相状态不同，气相色谱可分为两类：一类为气固吸附色谱，固定相为多孔性固体吸附剂，其分离主要基于溶质与固体吸附能力等差异；另一类为气液分配色谱，用高沸点的有机化合物固定在惰性载体上形成的液膜作为固定相，其分离基于溶质在固定相的溶解能力等不同导致分配系数差异。

　　目前，由于高选择性的色谱柱的研制、高灵敏度检测器及微处理机的广泛应用，气相色谱具有分离选择性好、柱效高、速度快、检测灵敏度高、试样用量少、应用范围广等许多特点，成为当代最有力的多组分混合物分离分析方法之一。已广泛应用于石油化工、环境科学、医学、农业、生物化学、食品科学、生物工程等领域。

　　气相色谱也有一定的局限：在没有纯标样条件下，对试样中未知物的定性和定量较为困难，往往需要与红外光谱、质谱等结构分析仪器联用；沸点高、热稳定性差、腐蚀性和反应活性较强的物质，气相色谱分析比较困难。

19.2　气相色谱仪

　　气相色谱分离分析在气相中进行，其仪器设备是气相色谱仪。由于仪器结构、功能或用途不同，气相色谱仪有多种类型，其设计基本原理相同，结构大同小异。现代气相色谱仪结构主要包括气路系统、进样系统、色谱柱系统、检测器、温控系统及数据处理和计算机控制系统。商品化有填充柱、毛细管柱和制备气相色谱仪等三种。需要说明的是，先进的气相色谱仪往往兼具填充柱、毛细管柱，分析、制备等多种功能。

19.2.1　填充柱气相色谱仪

1. 气路系统

气相色谱仪的气路是一个载气连续运行管路高气密性系统,气路流程主要有单柱单气路和双柱双气路两种形式。单柱流程如图 19-1 所示。单柱单气路适用于恒温分离分析;双柱双气路由于能补偿升温过程中固定液的流失,使基线稳定,所以适用于程序升温分离分析。

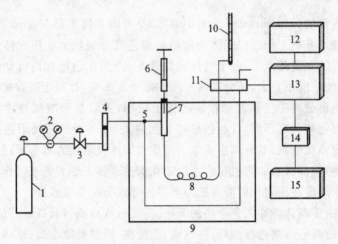

图 19-1　热导检测器气相色谱仪流程图

1. 载气瓶;2. 减压阀;3. 稳流阀;4. 流量计;5. 分流阀;6. 注射器;7. 进样器;
8. 色谱柱;9. 色谱炉(箱);10. 皂膜流量计;11. 检测器;12. 记录仪;
13. 静电计或电桥;14. 模数转换器;15. 数据系统

气相色谱中常用的载气有高纯氢气、氮气、氦气和氩气,这些气体一般由高压钢瓶供给,氢气、氮气也可由气体发生器供给。载气通常都要经过净化装置除去载气中的水分、氧及烃类杂质。载气的纯度、流速和稳定影响色谱柱效、检测器灵敏度及仪器整机稳定性,是获得可靠色谱定性、定量分析结果的重要条件。一般采用减压阀、稳流阀串联组合实现载气流速的调节和稳定。现代气相色谱仪,常采用电子压力控制器或电子流量控制器,提高仪器稳定性及定性、定量结果的准确性。

2. 进样系统

进样系统将气体、液体或固体溶液试样引入色谱柱前瞬间气化、快速定量转入色谱柱的装置。它包括进样器和气化室两部分。常用的进样器有微量注射器和六通阀。旋转式六通阀进样结构如图 19-2 所示,其中图(a)为取样位置,图(b)为进样装置。为了使试样能瞬间气化而不分解,要求气化室热容量大,无催化效应;为了降低进样柱外效应,气化室死体积应尽可能小。

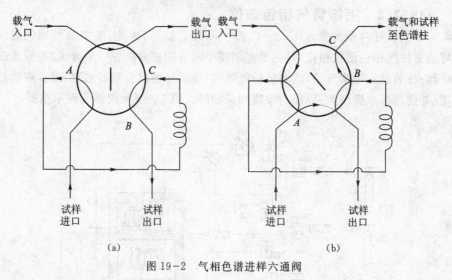

图 19-2　气相色谱进样六通阀

3. 分离系统

分离系统或色谱柱是气相色谱仪的心脏,安装在控温的柱箱或室内,填充柱由不锈钢或玻璃材料制成,内装填固定相,一般内径为 2~4 mm,长 1~3 m,有 U 形和螺旋形两种。

4. 温控系统

温度是气相色谱分析的重要操作参数,它直接影响色谱柱的选择性、柱效、检测器的灵敏度和稳定性。温控系统由热敏元件、温度控制器和指示器等组成,用于控制和指示气化室、色谱柱、检测器的温度。根据试样沸程范围,色谱柱的温度控制方式有恒温和程序升温两种。所谓程序升温气相色谱,是指在一分析周期内,柱温呈线性或非线性增加,一些宽沸程的混合物,其低沸点组分,由于柱温太高而使色谱峰变窄、互相重叠;而其高沸点组分又因柱温太低、洗出峰很慢、峰形宽且平。采用程序升温分离分析,它使混合物中沸点不相同的组分能在最佳的温度下洗出色谱柱,以改善分离效果,缩短分析时间。

所有的检测器都对温度的变化敏感。因此必须精密控制检测器的温度,一般要求控制在±0.1 ℃以内。

5. 数据处理及计算机系统

色谱数据系统是采集数据、显示色谱图,直至给出定性定量结果。包括记录仪、数字积分仪、色谱工作站等。现代色谱工作站是色谱仪专用计算机系统,还具有色谱操作条件选择、控制、优化乃至智能化等多种功能。

19.2.2 毛细管气相色谱仪

毛细管柱内径大多为 0.32～0.25 cm，柱容量小，因此，毛细管气相色谱仪与填充柱气相色谱仪相比，其主要差别在于前者的柱前装置一个分流/不分流进样器；柱后装有尾吹气路，增加辅助尾吹气，使试样通过检测器加速，减少峰的扩宽；并使局部浓度增大，以提高检测的灵敏度。图 19-3 为仪器流程示意图。

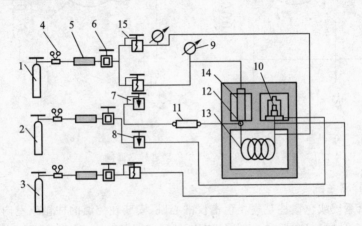

图 19-3　氢火焰离子化检测器毛细管气相色谱仪

1. 载气瓶；2. 空气瓶；3. 氢气瓶；4. 减压阀；5. 净化管；6. 稳压阀；7. 负压稳压阀；

8. 针形阀；9. 压力表；10. FID；11. 干燥管；12. 分流器；13. 毛细管柱；

14. 净化室；15. 稳流阀

毛细管柱进样谱带展宽的柱外效应对柱效和定量的精确性影响很大。试样引入色谱柱过程的组分组成失真导致定量误差。因此，进样系统是毛细管色谱仪的关键部件之一。已研发出多种进样器，并不断改进进样技术。目前常见的进样方式分别如图 19-4 所示。

（1）分流进样（split injection）　如图 19-4(a) 所示，试样在气化室内气化后，蒸气大部分经分流管道放空，极小一部分被载气带入色谱柱。这两部分的气流比称为分流比。分流是为适应微量进样，避免试样量过大导致毛细管柱超负荷。

（2）不分流进样（splitless injection）　如图 19-4(b) 所示，进样时试样没有分流，当大部分试样进入柱子后，打开分流阀对进样进行吹扫，让几乎所有的试样都进入柱子，这种方式特别适用于痕量分析。

（3）直接进样　如图 19-4(c) 所示，直接进样与无分流进样相似，没有分流系统。适用于大口径（≥0.53 mm）毛细管柱。

（4）冷柱头进样　如图 19-4(d) 所示，直接把液体试样冷注射到毛细管柱

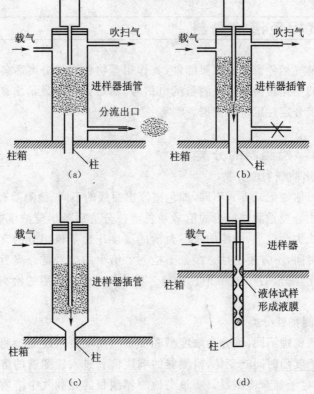

图 19-4　毛细管色谱仪几种不同的进样方式

头上,在柱内气化,适用于沸程宽和热不稳定的化合物。

（5）程序升温气化进样（programmed temperature vaporizer,PTV）　PTV 使用密封隔膜和普通注射器进行"冷"进样,以弹道式程序升温方式使试样气化。PTV 进样综合了分流与不分流以及冷柱头进样的优点,是目前最理想的一种进样技术。

19.2.3　制备型气相色谱仪

制备纯组分的填充柱气相色谱仪,适用于较大试样量制备分离纯组分。需要进样量大,进样装置中装有载气预热管与单向止逆阀。色谱柱内径和长度一般大于填充型分离分析柱,内径≥10 mm 左右,柱长在 3～10 m 之间。色谱柱后装有分流阀,除少量分离组分进入检测器外,绝大部分组分进入收集系统冷冻收集。

19.3　气相色谱检测器

检测器是气相色谱仪的重要部件,其作用是将色谱柱分离后各组分在载气中浓度或量的变化转换成易于测量的电信号,然后记录并显示出来。其信号及大小为被测组分定性定量的依据。

19.3.1　检测器的分类

1. 按流出曲线类型分类

根据输出信号记录方式不同,即色谱流出曲线的不同,检测器有积分型和微分型两种。积分型检测器给出的信号是色谱柱分离后各组分浓度叠加的总和,色谱流出曲线为台阶形,曲线的每一台阶的高度正比于该组分的含量。但因不能显示保留时间,不方便定性。微分型检测器给出的信号是分离后各组分浓度随时间的变化,洗出 Gaussian 形色谱峰。目前气相色谱使用的检测器主要是后一类型。

2. 按检测特性分类

根据检测机理不同,可分为浓度型和质量型两类。浓度型检测器测量的是载气中溶质浓度随时间的变化,检测器的响应值和进入检测器的溶质浓度成正比,如热导和电子捕获检测器。质量型检测器测量的是载气中溶质进入检测器速率的变化,即检测器的响应信号和单位时间内进入检测器的溶质量成正比,如氢火焰离子化、氮磷和火焰光度检测器等。

3. 按选择性分类

根据检测器对各类物质响应的差别,分为通用型和选择型两种。通用型检测器对所有的物质均有响应,如热导检测器。而选择型检测器只对某些物质有响应,如电子捕获、火焰光度及氮磷检测器。

此外,还可根据组分在检测时是否被破坏而分为破坏型与非破坏型检测器。氢火焰离子化检测器、氮磷检测器、火焰光度检测器属于前者,而热导与电子捕获检测器则属于后者。

19.3.2　检测器的主要性能指标

对气相色谱检测器的性能要求为:灵敏度高、检出限低、响应线性范围宽、稳定性好、响应速度快、通用性强,一般用以下几个参数进行评价:

1. 灵敏度

气相色谱检测器灵敏度(S)定义为:响应信号变化(ΔR)与通过检测器物质量变化(ΔQ)之比,如图 19−5 所示。

$$S = \frac{\Delta R}{\Delta Q} \qquad (19-1)$$

式中 ΔR 为记录仪信号变化率,ΔQ 为通过检测器溶质量(浓度或质量)变化率。灵敏度的单位随检测器类型不同而变化。

浓度型检测器的灵敏度(S_c)定义为:每毫升载气中单位量(mL 或 mg)组分所产生的信号(mV),计算式为

$$S_c = \frac{A C_1 F_0}{C_2 m} \qquad (19-2)$$

式中 C_1 为记录仪的灵敏度(mV·cm^{-1}),C_2 为记录仪纸速(cm·min^{-1}),A 为峰面积(cm^2),F_0 为色谱柱出口处载气的流速(mL·min^{-1}),m 为进样量(mg 或 mL),S_c 为灵敏度,对液体、固体试样单位为:mV·mL·mg^{-1},对气体试样单位为:mV·mL·mL^{-1}。

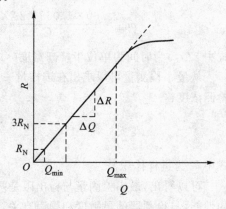

图 19-5 检测器响应曲线

质量型检测器灵敏度定义为:每秒有 1 g 物质通过检测器时所产生的信号(mV)。计算公式为

$$S_m = \frac{60 C_1 A}{C_2 m} \qquad (19-3)$$

式中灵敏度 S_m(mV·s·g^{-1}),它与载气流速无关。

2. 检出限

检出限又称敏感度。其定义为:检测器产生能检定的信号时,即检测信号为检测器噪声 3 倍时,单位体积载气中所含物质量(浓度型)或单位时间内进入检测器的物质量(质量型)。

$$D = \frac{3 R_N}{S} \qquad (19-4)$$

式中 D 为检出限,R_N 为噪声信号(mV),S 为灵敏度。

由上式可见,检出限与灵敏度成反比,与噪声信号成正比。检出限越低说明检测器性能越好,有利于痕量组分的分析。

3. 最小检测量和最小检测浓度

最小检测量为产生 3 倍噪声信号时进入检测器的物质量或浓度。对浓度型检测器最小检测量为

$$m_{\min} = \frac{1.065}{C_2} F_0 \times D \times 2\Delta X_{\frac{1}{2}} \tag{19-5}$$

式中 $m_{\min}$ 为最小检测量，$2\Delta X_{1/2}$ 为长度单位半峰高宽度，其他符号同上。

质量型检测器的最小检测量为

$$m_{\min} = \frac{60 \times 1.065 \times 2\Delta X_{\frac{1}{2}}}{C_2} D = 1.065 \times 2\Delta t_{\frac{1}{2}} \times D \tag{19-6}$$

式中 $2\Delta t_{1/2}$ 为时间为单位半峰高宽度(s)。

从最小检测量可以求出在进样量一定时组分能被检测出的最低浓度即最小检测浓度：

$$c_{\min} = \frac{m_{\min}}{V} \tag{19-7}$$

式中 V 为进样体积。

可以看出，最小检测量与检出限是两个不同的概念，检出限用来衡量检测器的性能，与检测器的灵敏度和噪声有关，而最小检测量不仅与检测器性能有关，还与色谱柱效及操作条件有关。

4. 线性范围

不同检测器的线性范围有很大的差别，例如，热导 s 检测器的线性范围为 1.0×10^5，而氢火焰离子化检测器的线性范围为 1.0×10^7。对于同一个检测器，不同的组分也有不同的线性范围。五种检测器的性能指标见表 19-1。

表 19-1　气相色谱常用的五种检测器的性能指标。

检测器	类型	检出限	线性范围	响应时间 s	最小检测量 g	适用范围
TCD	通用型	4×10^{-10} g/mL(丙烷)	$> 10^5$	< 1	$1 \times 10^{-4} \sim$ 1×10^{-6}	有机物和无机物
FID	选择性	2×10^{-12} g/s	$> 10^7$	< 0.1	$< 5 \times 10^{-13}$	含碳有机物
NPD	选择性	N：$\leqslant 1 \times 10^{-13}$ g/s P：$\leqslant 5 \times 10^{-14}$ g/s	10^5	< 1	$< 1 \times 10^{-13}$	含氮、磷的化合物、农药残留物
ECD	选择性	最低可达 5×10^{-15} g	10^4	< 1	$< 1 \times 10^{-14}$	卤素及亲电子物质、农药残留物
FPD	选择性	S：$< 1 \times 10^{-11}$ g/s P：$< 1 \times 10^{-12}$ g/s	S：10^3 P：10^4	< 0.1	$< 1 \times 10^{-10}$	含硫、磷化合物、农药残留物

目前最常见的气相色谱检测器有以下几种。

19.3.3　热导检测器

热导检测器(thermal conductivity detector,TCD)的设计是依据每种物质

都具有导热能力,组分不同则导热能力不同以及金属热丝(热敏电阻)具有电阻温度系数这两个物理原理。由于它结构简单,性能稳定,对无机和有机物都有响应,通用性好,而且线性范围宽,因此是应用最广的气相色谱检测器之一。

1. 热导池的结构和工作原理

热导池由池体和热敏元件组成(如图19-6所示),有双臂和四臂两种,常用的是四臂。热导池体由不锈钢制成,有四个大小相同、形状完全对称的孔道,内装长度、直径及电阻完全相同的铂丝或钨丝合金,称为热敏元件,且与池体绝缘。

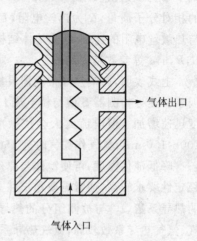

气体出口

气体入口

图 19-6 热导池结构图

由四个热敏元件组成的惠斯通电桥的四臂,其测量线路如图 19-7 所示。其中两臂为试样测量臂(R_1,R_4),另两臂为参考臂(R_2,R_3)。其工作原理为:在没有试样的情况下,只有载气通过,池内产生的热量与被载气带走的热量之间建立起热动态平衡,使测量臂和参比臂热丝温度相同,电阻值相同。根据电桥原理:$R_1 \times R_4 = R_2 \times R_3$,电桥处于平衡状态,无信号输出,记录仪显示的是一条平滑的直线。进样后,载气和试样组分混合气体进入测量臂,参比臂(池)仍通入载气。由于试样和载气组成的二元混合气体的热导系数与载气的热导系数不同,测量臂的温度发生变化,热丝的电阻值也随之变化,此时参比臂和测量臂的电阻值不再相等,$R_1 \times R_4 \neq R_2 \times R_3$,电桥平衡被破坏,产生输出信号,记录仪上出现了色谱峰。混合气体与纯载气的热导系数相差越大,输出信号也就越大。

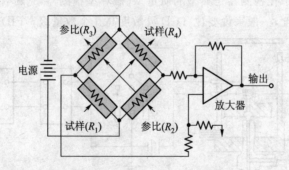

参比(R_3)   试样(R_4)

电源   输出

放大器

试样(R_1)   参比(R_2)

图 19-7 热导池工作原理图

2. 影响热导检测器灵敏度的因素

根据理论推导,热导检测器的输出信号与以下因素有关:

$$S=\frac{K\times(\lambda_g-\lambda_i)\times I^3\times R^2\times\alpha}{M_i\times\lambda_g^2\times 8G(1+n)} \tag{19-8}$$

式中 S 为响应值，K 为常数，λ_g，λ_i 分别是载气和组分的热导系数，M_i 是被测物 i 的相对分子质量，R 为热丝电阻，I 是桥电流，α 为热丝电阻系数，n 为固定电阻与热敏丝电阻的比例，G 为池体结构的几何因子。在结构固定的热导检测器中，G，R，n，α 等参数是固定的。

上式表明，影响热导检测器灵敏度主要是桥电流、池体温度、载气的种类等因素。热导检测器 S 值与桥电流 I 的 3 次方成正比关系，电流增加，检测器灵敏度迅速增加。但电流太大会使噪声加大，基线不稳。氮气作载气时桥电流为 $100\sim 150$ mA；氢气作载气时为 $150\sim 200$ mA 比较合适。

降低池体温度，可使池体与热丝温差加大，有利于提高灵敏度。池体温度的稳定性要求较高，通常需要稳定在 $0.1\sim 0.05$ ℃。采用热导系数高的载气，载气的热导系数（λ_g）与被测组分的热导系数（λ_i）差别越大，检测灵敏度就越高。氢气、氦气热导系数较高，氮气热导系数较低。因此，氢气、氦气作载气具有较高的灵敏度。

19.3.4　氢火焰离子化检测器

氢火焰离子化检测器（hydrogen flame ionization detector，FID）是以氢气和空气燃烧的火焰作为能源，含碳有机物在火焰中燃烧产生离子，在外加的电场作用下，离子定向运动形成离子流，微弱的离子流经过高电阻，放大转换为电压信号被记录仪记录下来，或经 A/D 转换被计算机记录下来，得到色谱峰。其结构如图 19-8 所示。

氢火焰离子化检测器是典型的质量型、破坏型检测器，它对含碳的有机物具有很高的灵敏度，一般来说要比 TCD 灵敏度高几个数量级。FID 属选择性检测

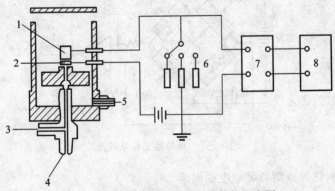

图 19-8　氢火焰离子化检测器结构示意图

1. 收集极；2. 极化极；3. 氢气；4. 接柱出口；5. 空气；6. 高电阻；7. 放大器；8. 记录仪

器,对含碳有机物有较大的响应,对永久性气体、水、CO、CO_2、氮氧化合物、H_2S 等无机物没有响应。

1. 氢火焰离子化检测器的结构及检测机理

FID 主体是离子室,由石英喷嘴、极化极、收集极、气体通道及金属外罩等部件组成。载气携带试样流出色谱柱后,与氢气混合进入喷嘴,空气从喷嘴四周导入点燃后形成火焰,在极化极和收集极之间加直流电压,形成电场,试样随载气进入火焰发生离子化反应,形成离子流。

火焰离子化机理至今还不十分清楚,普遍认为是一个化学电离过程。以有机烃类化合物为例,其离子化反应过程如下:

$$C_n H_m \longrightarrow CH\cdot \tag{19-9}$$

$$CH\cdot + O_2* \longrightarrow CHO^+ + e^- \tag{19-10}$$

$$CHO^+ + H_2O \longrightarrow H_3O^+ + CO \tag{19-11}$$

有机物首先在高温下($2\,000 \sim 2\,200\ ℃$)形成自由基 $CH\cdot$,与激发态氧作用生成 CHO^+,燃烧后生成的大量水蒸气进而与 CHO^+ 反应形成较稳定的 H_3O^+,被电极接收。

2. 影响氢火焰离子化检测器灵敏度的因素

离子室的结构,如喷嘴的孔径大小与材料、极化极与喷嘴的相对位置等对 FID 灵敏度有直接影响,孔径较大时,线性范围宽,而灵敏度较低;孔径较小时,离子化效率高。喷嘴孔径一般在 $0.2 \sim 0.6$ mm 之间。喷嘴采用绝缘和惰性较好的石英、不锈钢、白金、陶瓷等材料,有机物不易在表面沉积。极化极必须处在喷嘴出口的平面中心,极化极如低于喷嘴则噪声增大,高于喷嘴则灵敏度大大下降。

FID 操作条件,如放大器输入高阻的大小,载气、氢气、空气的流量比等影响灵敏度。输入高阻大,灵敏度高,但噪声会增大。空气量加大有利于提高离子化效率与提高灵敏度。一般的流量比为 $1:1:10$。

19.3.5 电子捕获检测器

电子捕获检测器(electron capture detector, ECD)是一种用 ^{63}Ni 或 ^3H 作放射源的离子化检测器,主要用于检测较高电负性的化合物,如含卤素、硫、磷、氰基等,它是一种高选择性、高灵敏度、对痕量电负性有机物最有效的检测器,已广泛应用于农药残留分析。缺点是线性范围窄,其测定结果重现性受操作条件和放射性污染的影响较大。

1. 电子捕获检测器的结构与工作原理

ECD 的结构如图 19-9 所示。在检测器池体内有一圆筒状 β 放射源 ^3H 或

^{63}Ni 贴在阴极壁上,为负极(阴),以不锈钢棒作正极(阳),两极间加直流或脉冲电压,在放射源的作用下,使通过检测器的载气(N_2,Ar)发生电离,产生的正离子和自由电子,在电场的作用下,电子向正极移动,形成 $10^{-8} \sim 10^{-9}$ A 的基流 I_b,当载气带有电负性组分(AB)进入检测器时,捕获这些自由电子,从而使基流下降,产生检测信号,由于测定的是基流的降低值,得到的是倒峰。生成的负离子又与载气正离子复合成中性化合物。捕获机理可用以下反应式表示:

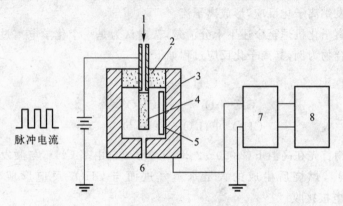

图 19-9　电子捕获检测器结构示意图

1. 载气入口;2. 绝缘体;3. 阴极;4. 阳极;5. ^{63}Ni 放射源;6. 载气出口;7. 放大器;8. 记录器

$$N_2 \xrightarrow{\beta} N_2^+ + e^- \qquad (19-12)$$

$$AB + e^- \longrightarrow AB^- + E \qquad (19-13)$$

$$AB^- + N_2^+ \longrightarrow N_2 + AB \qquad (19-14)$$

从以上可以看出,被测组分的电负性越强,捕获电子的能力越大,使基流下降越快,倒峰也就越大;被测组分浓度越大,捕获电子概率越大,倒峰越大。

2. 影响电子捕获检测器灵敏度的操作因素

检测器基流大小直接影响它的灵敏度,引起基流下降有三个原因:放射源的流失;电极表面或放射源污染;载气中的杂质,特别是氧和电负性物质的存在。克服办法有:采用高纯氮气作载气,含量为 99.99%;为防止放射源污染,检测器的温度要高于柱温,固定液的使用温度要远低于其最高使用温度;使用高纯度、不含电负性杂质的试样溶剂;如检测器已污染,可采用通 N_2 长时间烘烤或用溶剂清洗。

19.3.6　火焰光度检测器

火焰光度检测器(flame photometric detector,FPD),又称硫、磷检测器,它实际上是一个简单的发射光谱仪,用一个温度 $2\,000 \sim 3\,000$ K 的富氢火焰作发射源。当有机磷、硫化合物进入富氢火焰中燃烧时,产生 HPO 或 S_2^* 碎片,分别发出 $480\sim600$ nm 和 $350\sim430$ nm 特征波长的光,以适当的滤光片分光,磷用 526 nm、硫用 394 nm 滤光片,然后经光电倍增管把光强度转变成电信号进行测量,经放大后由记录仪记录。它是一种对含磷、硫有机化合物具有高选择性和高灵敏度的质量型检测器,这种检测器可用于大气中痕量硫化物以及农副产品、水中有机磷和有机硫农药残留量的测定。

1. 火焰光度检测器的结构与工作原理

FPD 检测器的结构如图 19-10 所示,它由氢火焰和光度计两部分组成。氢火焰部分有火焰喷嘴、遮光槽、点火器等。光电部分包括石英窗、滤光片、散热片和光电倍增管。

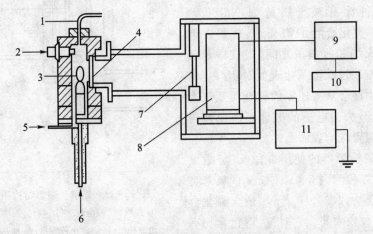

图 19-10　火焰光度检测器结构示意图
1. 出口管;2. 点火器;3. 火焰;4. 窗口;5. 氢气;6. 载气+试样气+空气(或氧气);
7. 滤光片;8. 光电倍增管;9. 放大器;10. 记录系统;11. 高压源

根据硫和磷化合物在富氢火焰中($H_2:O_2>3:1$)燃烧时,生成化学发光物质,并能发射出特征波长的光,记录这些特征光谱,就能检测硫和磷,以硫为例有以下反应发生:

$$RS+2O_2 \longrightarrow CO_2+SO_2 \tag{19-15}$$

$$2SO_2+4H_2 \longrightarrow 4H_2O+2S \tag{19-16}$$

$$S+S \xrightarrow{390\,℃} S_2^* \tag{19-17}$$

$$S_2^* \longrightarrow S_2+h\nu \tag{19-18}$$

当激发态 S_2^* 分子返回基态时发射出特征波长光 λ_{max} 为 394 nm。对含磷化合物燃烧时生成磷的氧化物(PO),然后在富氢火焰中被氢还原,形成化学发光的 HPO^* 碎片,并发射出 λ_{max} 为 526 nm 的特征光谱。

2. 影响火焰光度检测器灵敏度的操作因素

使用火焰光度检测器首先要保证火焰为富氢火焰,否则无激发光产生,灵敏度很低。在使用操作上,为延长光电倍增管寿命,防止光电倍增管损坏,点火之前不要开高压电源。检测器恒温箱低于 100 ℃时不要点火,以免检测器积水受潮。

19.3.7　氮磷检测器

氮磷检测器(nitrogen phosphorus detector,NPD),又称热离子检测器(thermionic detector,TID),是一种质量检测器,适用于分析氮,磷化合物的高灵敏度、高选择性检测器。它具有与FID 相似的结构(如图 19-11 所示),只是将一种涂有碱金属盐如 Na_2SiO_3,Rb_2SiO_3 类化合物的陶瓷珠,放置在燃烧的氢火焰和收集极之间,当试样蒸气和氢气流通过碱金属盐表面时,含氮、磷的化合物便会从被还原的碱金属蒸气上获得电子,失去电子的碱金属形成盐再沉积到陶瓷珠的表面上。

氮磷检测器的使用寿命长、灵敏度极高,可以检测到 5×10^{-13} g/s 偶氮苯类含氮化合物,2.5×10^{-13} g/s 的含磷化合物,如马拉松农药。它对氮、磷化合物有较高的响应,而对其他化合物的响应值低 $10^4 \sim 10^5$ 倍。因此,它已广泛应用于农药、石油、食品、药物、香料及临床医学等多个领域。

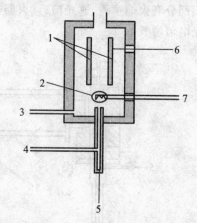

图 19-11　氮磷检测器结构图
1. 收集极;2. 碱金属珠;3. 空气;4. 氢气;
5. 色谱柱出口;6. 微电流输出;7. 加热线圈

19.3.8　气相色谱-质谱联用

在气相色谱-质谱联用分析技术中,质谱仪相当于气相色谱仪的一个检测器,可提供被分离各组分相对分子质量和有关结构信息,可确定未知物的化学组成及结构,进行定性定量分析。参见第 23 章。

19.4　气相色谱固定相

19.4.1　固体固定相

包括固体吸附剂、高分子多孔微球、化学键合固定相等。一般用于分离分析永久性气体(H_2,O_2,CO,CH_4 等)无机气体和低沸点碳氢化合物、几何异构体或强极性物质。

1. 固体吸附剂

常用吸附剂有硅胶、活性炭、氧化铝、分子筛等,见表 19-2。固体吸附剂为多孔性固体材料,具有很大的比表面积和较密集的吸附活性点,其色谱性能常受预处理、操作和环境条件影响,重复性较差;吸附等温线一般是非线性的,易形成不对称拖尾峰,保留值随进样量变化,所以要求进样量很小;在高温下有催化活性等。

表 19-2　常用的固体吸附剂

吸附剂	主要化学成分	最高使用温度 ℃	性质	活化方法	分离特征	备注
活性炭	C	<300	非极性	粉碎过筛,用苯浸泡几次,以除去其中的硫黄、焦油等杂质,然后在 350 ℃下通入水蒸气,吹至乳白色物质消失为止,最后在 180 ℃烘干备用	分离永久气体及低沸点烃类,不适于分离极性化合物	商品色谱用活性炭,可不用水蒸气处理
石墨化炭黑	C	>500	非极性	同上	分离气体及烃类,对高沸点有机化合物也能获得较对称峰形	
硅胶	$SiO_2 \cdot x H_2O$	<400	氢键型	粉碎过筛后,用 6 mol·L^{-1} HCl 浸泡 1~2 h,然后用蒸馏水洗到没有氯离子为止,在 180 ℃烘箱中烘 6~8 h,装柱后于使用前在 200 ℃下同载气活化 2 h	分离永久气体极低级烃	商品色谱用硅胶,只需要 200 ℃下活化处理
氧化铝	Al_2O_3	<400	弱极性	200~1 000 ℃下烘烤活化	分离烃类及有机异构物,在低温下可分离氢的同位素	
分子筛	$x(MO) \cdot y(Al_2O_3) \cdot z(SiO_2) \cdot n H_2O$	<400	极性	粉碎过筛后,用前在 350~550 ℃下活化 3~4 h,或在 350 ℃真空下活化 2 h	特别适用于永久性气体和惰性气体的分离	

为了克服上述的不足,可对吸附剂进行一定的处理。最方便的方法是涂"去尾剂",用去尾剂覆盖吸附剂表面的某些活性中心,使吸附剂表面能趋于均匀,以解决峰不对称的问题。常用的去尾剂如鲨鱼烷、液体石蜡、硅油等高沸点有机物。其用量约为吸附剂质量的 1%~3%。有时也采用无机物如 KOH,NaOH,

$AgNO_3$，$CuCl_2$ 等作去尾剂。

2. 高分子多孔微球

高分子多孔微球聚合物是气固色谱中用途最广的一类固定相，如国外的 Chromosorb 系列、Porapok 系列、Haysep 系列，国内 GDX 系列以及 400 系列有机载体等。这种固定相主要以苯乙烯和二乙烯基苯交联共聚制备，亦或引入极性不同的基团，可获得具有一定极性的聚合物。

此类固定相具有适用性广，既适用作气固色谱固定相，又可作气液色谱载体；选择性高，分离效果好，具有疏水性能，对水的保留能力比绝大多数有机化合物小，特别适合有机物中微量水的测定，也可用于多元醇、脂肪酸、腈类、胺类等分析；热稳定性好，可在 250 ℃ 以上温度长期使用；粒度均匀，机械强度高，不易破碎；耐腐蚀，可用于氨、氯气、氯化氢等分析。

3. 化学键合固定相

这种固定相一般采用硅胶为基质，利用硅胶表面的硅羟基与有机试剂经化学键合而成。其特点是：使用温度范围宽；抗溶剂冲洗；无固定相流失；寿命长；传质速度快。在很高的载气线速下使用时，柱效下降很小。这类固定相，不仅用于气相色谱中，而且更广泛地用作高效液相色谱固定相。

19.4.2　载体

气相色谱载体又称担体，为多孔性颗粒材料。其作用是提供一个大的惰性表面，使固定液能在表面上形成一层薄而均匀的液膜。对载体的要求是：具有足够大的比表面积和良好的热稳定性，化学惰性，即不与试样组分发生化学反应，而且无吸附性、无催化性，颗粒接近球形，粒度均匀，具有一定的机械强度。

1. 载体类型

按化学成分大致可分为硅藻土型和非硅藻土型载体两大类。

硅藻土型载体由天然硅藻土煅烧而成。其中天然硅藻土与黏合剂在 900 ℃ 煅烧后，得到的是红色硅藻土载体。红色是由于氧化铁所致。其结构紧密，机械强度较好；表面孔穴密集，孔径较小，表面积大，能负荷较多的固定液，但表面存在活性吸附中心。

天然硅藻土与少量的碳酸钠助熔剂在 1 100 ℃ 左右混合煅烧，就可得到白色硅藻土载体。由于其中氧化铁与碳酸钠在高温下生成无色的硅酸钠铁盐，故载体呈白色。此种载体结构疏松，强度较差，载体孔径大，表面积小，能负荷的固定液少。其优点是：表面吸附性和催化性弱，分析极性组分时，可得到对称色谱峰。

非硅藻土载体主要包括聚四氟乙烯、聚三氟乙烯以及玻璃微球。这类载体仅在一些特殊对象（强极性腐蚀性化合物）中应用。

2. 硅藻土载体的预处理

硅藻土载体的表面具有硅醇基(Si—OH),并有少量金属氧化物,因此载体表面具有活性中心。当分析极性组分时,易形成色谱峰拖尾,这样,在涂渍固定液之前常常需要进行预处理,使其表面钝化,以降低其吸附性从而减少拖尾现象发生,提高柱效。

常用的预处理方法采用酸洗或碱洗,分别除去载体表面上的铁、铝等金属氧化物或氧化铝等酸性杂质,减少吸附性能。亦可采用硅烷化消除载体表面上的硅醇基,减弱生成氢键作用力,使表面钝化。常用的方法是:先用盐酸浸泡载体,打开载体表面的硅氧桥键,使之生成硅醇键,然后用硅烷化试剂(10%二甲基二氯硅烷的甲苯溶液或 5%~8%六甲基二硅胺的甲苯溶液)与之反应生成硅烷键。硅烷化载体适用于分析水、醇、胺类等易形成氢键而产生拖尾的物质。偶有采用硼砂(2%)水溶液中浸泡,870~980 ℃加热、灼烧釉化,堵塞载体表面的微孔和改变表面的性质。釉化载体吸附性能低,机械强度有所增加,适于分析醇、酸类极性较强的物质。

19.4.3 液体固定相

液体固定相亦称为固定液,其应用远比固体固定相广泛。采用液体固定相有如下优点:溶质在气液两相间的分布等温线呈线性,可获得较对称的色谱峰,保留值重现性好;有众多的固定液可供选择,适用范围广;可通过改变固定液的用量调节固定液膜的厚度,控制 k 值,改善传质,获得高柱效。

19.4.3.1 固定液的基本要求

固定液是一类高沸点有机物,涂在载体表面,操作温度下呈液态。它应具备:

(1) 对组分有良好的分离选择性,即组分与固定液之间具有一定的作用力,使被分离组分间分配系数显示出足够的差别,同时,固定液对试样的各组分还要有适当的溶解能力。

(2) 热稳定性和化学稳定性好,在使用条件下不会发生热分解、氧化及与分离组分不会发生不可逆的化学反应。

(3) 在操作温度下,有较低的蒸气压,保证固定液的最高使用温度高,防止固定液流失。

(4) 润湿性好,固定液能均匀地涂渍在载体表面或毛细管柱内壁。

19.4.3.2 固定液与试样分子间的相互作用

在气液色谱分离中,试样组分溶解在固定液中,构成以固定液为溶剂,以试样组分为溶质的稀溶液。可根据溶液理论来考察组分在气相中的行为、组分与固定液形成溶液的性质及溶质和溶剂的相互作用。

根据 Raoult 定律,在一密闭容器内,理想溶液中任意组分的蒸气分压 p 等于它在液相中的摩尔分数 x 与它在纯态时的蒸气压 p^* 的乘积：

$$p = x p^* \qquad (19-19)$$

由于溶液中分子间存在一定的作用力，两种液体很难形成理想溶液，这时需要用 Henry 定律描述溶液中溶质的性质：

$$p = \gamma x p^* \qquad (19-20)$$

式中修正系数 γ 称为活度系数。对于理想溶液，$\gamma = 1$；对于非理想溶液，γ 是一个常数，在气液色谱中，则是组分和固定液分子间作用力的度量。

气液色谱分离采用永久性气体作流动相，组分在气相中溶解度很低，相互之间的作用力可以忽略，故气相接近于理想气体。根据理想气体分压定律，溶质在气相中分压 p，等于气相中总气压 p_g 与气相中溶质的摩尔分数 y 的乘积：

$$p = y p_g \qquad (19-21)$$

则

$$y p_g = \gamma x p^* \qquad (19-22)$$

得

$$x/y = p_g / \gamma x p^* \qquad (19-23)$$

溶质在气相和液相中的摩尔分数之比，与分配系数有关：

$$K = \frac{\text{组分在固定液中浓度}}{\text{组分在气相中浓度}} = \frac{c_g}{c_m} = \frac{x}{y} \times \frac{n_s}{n_m} \qquad (19-24)$$

n_m, n_s 分别为单位体积内气体与固定液的物质的量。将式（19-23）代入式（19-24），得

$$K = \frac{x}{y} \times \frac{n_s}{n_m} = \frac{p_g}{\gamma p^*} \times \frac{n_s}{n_m} \qquad (19-25)$$

根据气体定律：

$$p_g V = n_m R T \qquad (19-26)$$

n_m 是单位体积内气体的物质的量，即 $V = 1$，将式（19-26）代入式（19-25），得

$$K = \frac{n_s R T}{\gamma p^*} \qquad (19-27)$$

此式说明气液色谱过程中，组分分配系数决定于组分与固定液的相互作用力（γ），组分的蒸气压（p^*）以及固定液的量（n_s），K 亦与温度有关。

欲分离分配系数为 K_1 和 K_2 的两组分，则它们的相对保留值等于两组分的分配系数之比：

$$\alpha = \frac{K_2}{K_1} = \frac{\gamma_1 p_1^*}{\gamma_2 p_2^*} \qquad (19-28)$$

该式说明混合物各组分分离决定于组分的蒸气压和它在固定液相中的活度系数 γ。γ 反映了溶质与溶剂分子间的作用力,因而组分与固定液之间的作用力对分离起很大作用,这与蒸馏分离有本质上的区别。当 $p_1^* = p_2^*$,即两组分沸点相等,只要选择合适固定液也可将两组分分开。这时

$$\alpha = \frac{\gamma_1}{\gamma_2} \tag{19-29}$$

色谱分离选择性主要决定于组分与固定液的分子结构及相互作用力的差异。

　　分子间的作用力,是分子间一种较弱的吸引力,它是决定物质的沸点、熔点、溶解度、汽化热、表面张力和黏度等物理化学性质的主要因素,分子间的作用力主要包括色散力、诱导力、定向力(静电力)、氢键作用力以及其他特殊作用力。

19.4.3.3　固定液的分类

　　固定液品种繁多,曾有数百种的物质被用作气液色谱固定液。它们具有不同的组成、性质和用途。为了研究固定液的色谱特性,便于按试样的性质选择相应的固定液,不少专家、学者通过对固定液的分子结构、极性、特征常数等研究,提出多种评价和分类方法。

　　1. 按固定液相对极性分类

　　最早根据固定液的相对极性分类的是 Rohrschneider(1959 年)。他规定非极性固定液角鲨烷的相对极性为 0,β,β-氧二丙腈固定液的相对极性为 100,选择苯-环己烷或正丁烷-丁二烯作为测定的"物质对",分别测得它们在上述两种固定液及欲测固定液上的相对保留值。被测固定液的相对极性 p_x 由下式求出:

$$p_x = 100 - \frac{100(q_1 - q_x)}{q_1 - q_2} \tag{19-30}$$

式中 p_x 为固定液的相对极性,q_1 为苯-环己烷在 β,β-氧二丙腈柱上的相对保留值对数,即

$$q_1 = \lg \frac{t'_{R苯}}{t'_{R环己烷}} \tag{19-31}$$

q_2 为苯-环己烷在角鲨烷柱上的相对保留值对数,q_x 为苯-环己烷在待测固定液柱上的相对保留值对数。

　　测定的结果表示:各种固定液的相对极性 p_x 均在 $0\sim100$ 之间。以每 20 个相对极性单位为一级,用"+"表示,共分为五级。相对极性在 0 与 +1 间的叫非极性固定液,+1~+2 为弱极性固定液,+3 为中等极性固定液,+4~+5 为强极性固定液。常用固定液相对极性见表 19-3。

表 19-3　常用固定液的相对极性

固定液	相对极性	级别	固定液	相对极性	级别
角鲨烷	0	0	XE-60	52	+3
阿皮松	7~8	+1	新戊二醇丁二酸聚酯	58	+3
SE-30,OV-1	13	+1	PEG-20M	68	+3
DC-550	20	+2	PEG-600	74	+4
己二酸二辛酯	21	+2	己二酸聚乙二醇酯	72	+4
邻苯二甲酸二壬酯	25	+2	己二酸二乙二醇酯	80	+4
邻苯二甲酸二辛酯	28	+2	双甘油	89	+5
聚苯醚 OS-124	45	+3	TCEP	98	+5
磷酸二甲酚酯	46	+3	β,β-氧二丙腈	100	+5

　　这种按相对极性分类的方法,由于苯-环己烷或丁烷-丁二烯"物质对",主要反映的是分子间的色散力和诱导力,未能反映出固定液与组分分子间的全部作用力,在表达固定液性质上还不够完善。

　　2. 固定液的选择性常数

　　大量实验事实表明,固定液极性的大小不仅仅决定于固定液本身,同时也取决于所测定组分的性质。1966 年 Rohrschneider 对相对极性分类体系做了两个方面的改进:

　　(1) 选用五种不同性质的化合物作为评价、表征固定液选择性的标准物质:苯(电子给予体),代表易极化物质;乙醇(质子给予体),代表氢键型化合物;甲乙酮(质子接收体),代表接收氢键能力强的化合物;硝基甲烷(质子接收体),代表特殊氢键化合物;吡啶(质子接收体),代表氮杂环上可形成大 π 键的物质,也是易极化物质。

　　(2) 用保留指数差值 ΔI 表示相对极性的大小,即在柱温 100 ℃下检测以上五种标准物质,在被测固定液保留指数(I_p)与参比固定液角鲨烷上保留指数(I_s)的差值。其表示通式为:$\Delta I = I_p - I_s$,如苯就是:$\Delta I_1 = I_p - I_s = aX$,其他四种物质同样可写出四个类似方程。于是,乙醇:$\Delta I_2 = bY$;甲乙酮:$\Delta I_3 = cZ$;硝基甲烷:$\Delta I_4 = dU$;吡啶:$\Delta I_5 = eS$。式中的 a,b,c,d,e 为组分的作用常数(通常为 100);X,Y,Z,U,S 则是固定液各种作用力的极性因子,被称为固定液选择性常数,也被称作 Rohrschneider 常数。

　　由于分子间的作用力具有相加性,因此,任一固定液的总极性就可用分子间各种作用力的总和来表示:

$$\Delta I = aX + bY + cZ + dU + eS \tag{19-32}$$

固定液的总极性越大,表示该固定液的极性越强。为了提高保留指数的准确性,McReynolds 于 1970 年提出以丁醇、2-戊酮、硝基丙烷代替乙醇、甲乙酮、硝基甲烷,保留苯和吡啶,在柱温为 120 ℃ 下测定了 200 多种固定液的常数,分别用 X'、Y'、Z'、U'、S' 表示相应的 McReynolds 固定液常数,并将数值分别乘以 100:$X'=\Delta I$(苯),$Y'=\Delta I$(丁醇),$Z'=\Delta I$(2-戊酮),$U'=\Delta I$(硝基丙烷),$S'=\Delta I$(吡啶)。此后,McReynolds 固定液常数便被广泛用于固定液的性质比较以及固定液的选择。表 19-4 为比较常见的固定液 McReynolds 常数。

表 19-4 固定液 McReynolds 常数

固定液	型号	苯 X'	丁醇 Y'	2-戊酮 Z'	硝基丙烷 U'	吡啶 S'	总极性	最高使用温度/℃
角鲨烷	SQ	0	0	0	0	0	0	100
甲基硅橡胶	SE-30	15	53	44	64	41	217	300
	OV-1	19	55	44	65	42	222	300
苯基(10%)甲基聚硅氧烷	OV-3	44	86	81	124	88	423	350
苯基(20%)甲基聚硅氧烷	OV-7	69	113	111	171	128	592	350
苯基(50%)甲基聚硅氧烷	DC-710	107	149	153	228	190	827	225
苯基(60%)甲基聚硅氧烷	OV-22	190	188	191	283	253	1 075	350
三氟丙基(50%)甲基聚硅氧烷	OF-1	144	233	355	463	305	1 500	250
氰乙基(25%)甲基硅橡胶	XE-60	204	381	340	493	367	1 785	250
聚乙二醇-20 000	PEG-20M	322	536	368	572	510	2 308	225
己二酸二乙二醇聚酯	DEGA	378	603	460	665	658	2 764	200
丁二酸二乙二醇聚酯	DEGS	492	733	581	833	791	3 504	200
三(2-氰乙氧基)丙烷	TCEP	593	857	752	1 028	915	4 145	175

常数表可用于按组分和固定液之间的作用来选择合适的固定液;亦可发现固定液性能相似性,如 SE-30 和 OV-1 的常数基本一致,说明其色谱性能相同,可以互相代用;还可用于测定新合成的固定液的性能与适用范围。根据固定液测定的 Rohrschneider 和 McReynolds 常数,预测其分离选择性。

3. 按固定液的化学结构分类

这种分类方法是按固定液官能团的类型分类。便于按分离试样和固定液的化学结构,按"相似相溶"的原则选择固定液。

(1) 烃类 包括烷烃、芳烃及其聚合物,都属于非极性和弱极性固定液,典型代表为角鲨烷,它是极性最小的固定液。

(2) 醇和聚醇 它们是能形成氢键的强极性固定液,其中广泛应用的是聚乙二醇及其衍生物。它们是分离各种极性化合物的重要固定液,其中尤以相对分子质量为 2 000 左右,商品名为 PEG-20M 或 Carbowax20M 用得最广泛。具有弱酸性的 FFAP 固定液,就是在 PEG-20M 的末端羟基以邻硝基对苯二甲酸衍生化的酯,热稳定性可提高到 250 ℃以上,而且适合分离中性和偏酸性化合物。

(3) 酯和聚酯　聚酯由多元酸和多元醇反应而成。对醚、酯、酮、硫醇、硫醚等有较强的保留能力。例如酯类,邻苯二甲酸二壬酯(DNP)、聚二乙二醇丁二醇聚酯(DEGS)等。

(4) 聚硅氧烷类　聚二甲基硅氧烷是在气相色谱中应用最广的一类固定液。它具有很高的热稳定性和很宽的液态温度范围,在-60 ℃至 350 ℃下均为稳定的液体状态,相当多的化合物均可在该类固定液上得到很好的分离。硅氧烷的烷基可被各种基团,如苯基和氰基取代,形成具有不同极性和选择性的固定液系列,并有良好的热稳定性。如将硅硼烷引入或共聚则可形成高温固定液,柱温可高达 450 ℃。

(5) 特殊选择性固定液　有机皂土:它由二甲基双十八烷基氯化铵与皂土进行离子交换制备,商品名为 Bentone34,对芳香族化合物异构体具有特殊的分离选择性。液晶:是一种按分子形状分离组分的固定液,分子形状不同的位置异构体尤其是空间异构体能够得到良好的分离。手性固定液:目前在气相色谱中使用的手性固定液可分为三类:第一类,基于氢键作用的手性固定液,主要包括氨基酸衍生物、二肽及多肽、碳酰双氨基酸酯、二酰胺和单酰胺等。其中分离氨基酸衍生物对映体的典型代表为以 L-缬氨酸为手性基团的聚硅氧烷固定液:Chirasil-Val。第二类,基于配位作用的手性固定液,即手性金属络合物固定相、手性选择体是由过渡金属离子和有机配体构成的金属络合物。第三类,基于包结络合作用的手性固定液。主要指 α-、β-和 γ-环糊精的烷基化或酰基化衍生物。是目前发展最快、选择性最高、应用面最广的一类手性固定液。

19.4.3.4　填充柱制备

1. 固定液涂渍

将固定液涂渍到载体表面以形成均匀溶膜,首先选择能溶解固定液和适当挥发性的溶剂,如氯仿、丙酮、乙酸乙酯、乙醇、苯、甲苯等。根据试样性质确定固定液与载体质量比,制备固定液溶液。

常用固定液涂渍方法有蒸发法与过滤法。前者,将载体缓慢倒入固定液溶液中,使载体全部浸没,轻轻搅拌,让溶剂在红外灯照射下慢慢蒸发。也可使用旋转蒸发器蒸发溶剂;后者,将载体在固定液溶液中浸渍、过滤,让过滤后载体中的溶剂慢慢挥发。测定过滤前、后的溶液体积,则可计算出载体中固定液含量。

2. 柱填充、老化

一般将色谱柱与真空泵连接,在泵抽吸、振动或轻轻敲击条件下将涂渍固定液载体紧密填入色谱柱,然后将柱接入色谱柱箱内,在一定载气流下加热进行色谱柱老化,以除去残余溶剂、挥发性杂质,促进固定液膜更趋均匀。

19.5 毛细管气相色谱

19.5.1 毛细管柱的特点和类型

由于填充柱内填充的填料颗粒不均匀、多路径使涡流扩散严重、渗透性差、柱效低。1957 年美国工程师 Golay M J E 基于色谱动力学理论,在细而长的毛细管柱内壁涂上固定液(图 19-12)用于色谱分离。这种柱子被称为开管柱(open tubular column),习惯上称为毛细管柱(capillary column)。毛细管色谱的出现是气相色谱发展的一个重要里程碑。

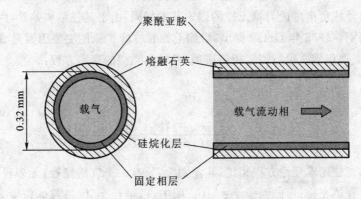

图 19-12 毛细管柱涂层剖面图

19.5.1.1 毛细管柱的特点

(1) 柱的渗透性好,毛细管柱的比渗透率比填充柱大近 2 个数量级,可采用高线速载气实现快速分析。

(2) 柱效高,可采用长色谱柱,其总理论塔板数可达 10^6,特别适合分离性质极其相似($\alpha=1.05$ 的物质对)、组分复杂(100 多个)的混合物。

(3) 相比高、传质加快、柱容量小。毛细管柱的相比在 50~150 之间,填充柱的相比一般在 6~35 之间,前者比后者高得多,是两种柱重要区别之一。因而其分配容量(k)小,使进样量受到限制。

19.5.1.2 毛细管柱的类型

毛细管的内径 0.1~0.5 mm,柱长 10~100 m。根据固定液在毛细管内涂渍方式或柱结构不同,可分为以下类型:

(1) 涂壁开管柱(wall coated open tubular,WCOT) 固定液直接涂渍在毛细管柱内壁。

（2）壁处理开管柱（wall treated open tubular column，WTOT）　为改善柱内涂敷性，减少表面活性，对柱内壁进行物理化学处理后再涂固定液。

（3）多孔层开管柱（porous layer open tubular column，PLOT）　在管壁上涂一层多孔性物质，如分子筛、氧化铝、石墨化碳黑、高分子微球等，在毛细管柱的内壁形成多孔层。

（4）载体涂层开管柱（support coated open tubular column，SCOT）　为提高试样容量，将载体黏敷在毛细管柱的管壁内，再涂固定液称为载体涂层开管柱。

（5）填充毛细管柱（packed capillary column）　将涂有固定液的载体填充到毛细管内称为填充毛细管柱，它介于填充柱与毛细管柱之间，兼有二者的优点。

19.5.2　毛细管柱的速率理论方程

毛细管柱色谱理论与填充柱的理论基本相同，由于其柱结构差异，因而二者有一些差别。1958 年 Golay 提出，影响毛细管柱峰扩张的主要因素是纵向分子扩散项、流动相传质项与固定相传质项，并导出类似的速率方程：

$$H=\frac{B}{u}+(C_m+C_s)u \qquad \text{（Golay 方程）} \qquad (19-33)$$

$$H=\frac{2D_m}{u}+\left[\frac{r^2}{D_s}\times\frac{1+6k+11k^2}{24(1+k)^2}+\frac{d_f^2}{D_s}\times\frac{2k}{3(1+k)^2}\right]u \qquad (19-34)$$

与填充柱速率理论方程相比，其差别为：只有一个气路路径，无多径项，$A=0$；柱中没有填充物，弯曲因子 $\gamma=1$；C_m 项中，以半径 γ_0 代替粒体粒度 d_p，系数有些不一样。

19.5.3　毛细管柱的制备

毛细管柱的制备技术比填充柱要复杂得多，通常制备一根柱子要经过选材、拉制、粗糙化、表面钝化、固定液涂渍等几个主要步骤。

（1）毛细管柱的材料　可选用金属（不锈钢）、玻璃、石英玻璃制成。石英具有熔点高、热膨胀系数小、惰性、化学稳定性比玻璃好，被广泛地采用。1979 年出现的弹性石英毛细管柱，在拉制好的石英毛细管外涂上了一层耐高温、机械强度好的聚酰亚胺外涂层，增加毛细管的柔性、弹性，使其不易折断而且便于安装。这种管柱的出现，成为推动毛细管色谱技术迅速发展的重要原因之一。对毛细管柱的要求是：内径合适、均匀，内表面惰性，有足够的机械强度。

（2）拉制　在高温下（1 800～2 000℃）由玻璃拉制机拉制，石英柱由于熔点较高，利用拉制光导纤维的机器拉制。

（3）内壁粗糙化、惰化　类似于填充柱载体，石英玻璃表面的活性来自金属氧化物和表面结构硅醇基(Si—OH),须经氯化氢或氟化氢气体腐蚀、沉积固体颗粒氯化钠或载体等表面化学处理,除去表面活性点并使表面粗糙化,表面能量分布均匀;提高表面润湿性;增加表面积,提高固定液涂渍量,增大 k 值。

(4) 固定液的涂渍　涂渍方法有动态与静态两种。动态法采用一定压力的氮气,将固定液溶液压入预处理好的毛细管,然后以稳定的载气流使柱内的"液栓"缓慢通过柱子,继续以氮气洗吹 $3\sim 4$ h,除去溶剂,柱内壁形成一层薄而均匀的液膜。静态法将柱充满一定浓度的固定液,将柱子的一端封死,另一端接真空系统,在一定温度下使溶剂慢慢挥发,留下薄而均匀的液膜。一般认为静态法涂渍的柱子柱效较高,但时间过长;动态法则简单、快速。

(5) 固定相的固定化　用静态或动态法涂渍在毛细管柱内的固定液,通过原位交联(固定液分子间的共价连接)或键合(与毛细管柱壁连接)是提高液膜稳定性的重要途径,也是毛细管柱制备技术的一大发展。固定液经交联固化后的毛细管柱有以下优点:增加了高温下液膜的稳定性,提高了固定液的最高使用温度;抗溶剂冲洗,有利于柱头沉积污染物的清除;固化固定液在常用有机溶剂中溶解度小,允许注入大体积稀溶液不致造成柱子超载,对痕量分析有利,适用于不分流或柱头进样技术;有利于大口径厚液膜柱的制备。

19.5.4　毛细管柱的评价

评价毛细管柱主要参数为:

(1) 以理论塔板数 N 代表的柱效。

(2) 涂渍效率(CE)　在最佳条件下,理论板高与实测板高之比:

$$CE = \frac{H_{理论}}{H_{实测}} \times 100\% \tag{19-35}$$

$$H_{理论} = r_0 \left[\frac{1+6k+11k^2}{3(1+k)^2} \right]^{1/2} \tag{19-36}$$

式中 r_0 为柱半径。

(3) 表面惰性　以拖尾因子和酸碱性等作为度量指标。拖尾因子是反映色谱柱内的残余吸附活性,选用极性组分,例如辛醇,测定其峰高 1/10 处的前后峰的宽度比为指标。

$$TE = \frac{q}{b} \times 100\% \tag{19-37}$$

酸碱比测定常选择一组酸性和碱性化合物,如 2,6-二甲苯酚(P)和 2,6-二甲苯胺(A),按 1:1 称量配成溶液,进行色谱测定各自的峰面积,P/A 即为酸碱比,P/A>1 即为酸性,P/A<1 为碱性,P/A=1 为中性。

19.6 气相色谱分离条件的选择

气相色谱分离条件的选择是为了提高组分间的分离选择性,提高柱效,使分离峰的个数尽量多,分析时间尽可能短,从而充分满足分离要求。

19.6.1 固定液及其含量的选择

1. 固定液选择的一般规律

一般可按"相似相溶"的原则来选择固定液。下列选择固定液的一般规律,具有参考价值。分离非极性化合物,一般选用非极性固定液,此时非极性固定液与试样间的作用力为色散力,被分离组分按沸点从低到高顺序流出;中等极性化合物,一般选用中等极性固定液,此时,固定液与试样间的作用力主要为诱导力和色散力,在这种情况下,组分基本按沸点从低到高先后流出,若沸点相近的极性和非极性化合物,一般非极性组分就先流出;强极性化合物,一般选用强极性固定液,固定液与组分之间主要是静电力(定向力)作用力,一般按极性从小到大的顺序流出;能形成氢键的化合物,一般选用极性或氢键型固定液,按试样组分与固定液分子形成氢键的能力从小到大地先后流出,不能形成氢键的组分最先流出;具有酸性或碱性的极性物质,可选用强极性固定液并加酸性或碱性添加剂;分离复杂的组分,可采用两种或两种以上的混合固定液。

2. 根据固定液选择性常数选择固定液

固定液选择性常数(Rohrschneider 或 McReynolds)能较好地反映固定液对不同类型化合物的分离选择性。见表 19-5。

表 19-5　Rohrschneider 常数表征的分离选择性

常数	化合物结构特征	代表性化合物
X	易极化,电子给予体化合物	芳烃、烯烃
Y	含羟基、质子给予体,形成氢键化合物	醇、腈、酸、氯化物、氟化物
Z	含碳基、定向偶极矩,接受氢键化合物	酮、醚、醛、酯、环氧化物
U	含强极性基团的电子给予体化合物	硝基化合物、腈类衍生物
S	质子接受体化合物	含喹啉、吡啶、氧、氮杂环化合物

固定液选择性常数表可用于指导按组分和固定液之间的作用力来选择合适的固定液。如果在常数表中,选择性类似的固定液有几种,就应选择其中热稳定性好的固定液。

表 19-6 为气相色谱常用固定液及其性能。

表 19-6　气相色谱常用固定液及其性能

名称	交联键合相	化学组成	使用温度/℃	McReynolds 常数 X' Y' Z' U' S'	平均极性	McReynolds 常数相近的固定液	应用范围
OV-1	DB-1	100%甲基硅橡胶	100~350	19 55 44 65 42	44	BP-1,SBP-1	酚类、胺、硫化物、农药
SE-30	CP^{tm} sil5CB	100%甲基硅橡胶	50~300	15 53 44 64 41	43	GB-1,RSL-150	烃类、PCBc
OV-101		100%甲基硅油	0~350	17 57 45 67 43	34	SP-2100,HP-101	氨基酸衍生物、香精油
SE-33		1%乙烯基甲基聚甲基硅氧烷	50~300	17 54 45 67 42	45	同 OV-1,SE-30	同 OV-1,SE-30
SE-52	CP^{tm} sil8CB	5%苯基甲基硅油	20~300	32 72 65 98 67	67	HP-5,Ultra2,RSL-200,OV-73	脂肪酸甲酯、药物
SE-54	DB-5	5%苯基1%乙烯基甲基硅橡胶	20~300	33 72 66 99 67	67	GC-5,BP-5,SPB-5	多卤化合物、生物碱、酚
OV-1701	DB-1701	7%苯基7%氰丙基甲基硅橡胶	40~300	67 170 153 228 171	158	HP-17,007-17,GC-17	天然产物、酒类、酚类
OV-17	DB-17, CP^{tm} sil19CB	50%苯基50%甲基聚硅氧烷	0~375	119 158 192 243 202	177	SP-2250,RSL-5	药物、甾体、农药、二元醇
OV-210	DB-210	三氟丙基甲基聚硅氧烷	0~275	146 238 358 468 310	304	BP-15,SP-2300,GB-60	甾族、农药
OV-225	DB-225, CP^{tm} sil43CB^3	25%氰丙基 25%苯基甲基聚硅氧烷	0~275	228 369 338 492 386	363	XE-60,RSL-500,HP-225	脂肪酸甲酯、醛醇乙酸酯
Garbowax20M	CP^{tm} wax57CB	聚乙二醇	60~220	322 536 368 572 510	462	HP-20M	游离脂肪酸酯、香精油
Superox-4		聚乙二醇胶	50~300	322 536 369 572 510	462		二元醇、溶剂
FFAP		聚乙二醇 20 mol/L 与 α-硝基对苯二甲酸反应物	50~250	340 580 397 602 627	509	HP-FFAP,OV-351 SP-100	酸、醇、醛、酮、腈、丙烯酸酯
DEGS		聚二乙二醇丁二酸酯	20~200	496 746 590 837 835	700		分离饱和与单不饱和脂肪酸酯

3. 固定液含量

以固定液与载体的质量比表示固定液的含量,它决定固定液的液膜厚度 d_f,影响传质速率。同时固定液含量的选择与分离组分的极性、沸点以及固定液的性质有关。低沸点试样多采用高液载比(或液担比)的柱子,一般为 20%～30%;高沸点试样则多采用低液载比柱,一般为 1%～10%。

19.6.2　载体及其粒度的选择

若试样相对分子质量大、沸点高、极性大、使用的固定液量少,大都选用白色载体;试样的相对分子质量小、沸点低、非极性、固定液的用量多,则应选用红色载体;对于那些具有强极性、热和化学不稳定的化合物。可用玻璃载体。一般载体的粒度以柱径 1/20～1/25 为宜。当柱内径为 3～4 mm 的填充柱,可选用 60～80目或 80～100 目载体。

19.6.3　柱长和内径的选择

填充柱的柱长一般为 1～5 m,毛细管柱的柱长一般为 20～50 m。

柱内径增大可增加柱容量、有效分离的试样量增加。但径向扩散路径也会随之增加,导致柱效下降。内径小有利于提高柱效,但渗透性会随之下降,影响分析速度。对于一般的分析分离来说,填充柱内径为 3～6 mm,毛细管柱内径为 0.2～0.5 mm 左右。

19.6.4　气相色谱操作条件选择

根据色谱速率理论,对色谱操作条件优化是进行各种分析的重要步骤。

1. 载气及载气线速度的选择

气相色谱常用氢气、氮气、氦气、氩气等作载气。载气的选择首先要适应所用的检测器的特点。例如,使用热导检测器时,为了提高检测器的灵敏度,选用热导系数大的氢或氦作载气,电子捕获检测器常用 99.99% 的高纯氮气或氩气作载气。氢火焰离子化检测器用相对分子质量大的氮气作载气,稳定性高,线性范围广。其次,要考虑载气对柱效和分析速度的影响,载气的扩散系数 D_m 与其相对分子质量的平方根成反比。用低相对分子质量的 H_2 和 He 作载气有较大的扩散系数,它的黏度小,也有利于提高载气线速,加快分析速度。然而,不同种类的流动相的 $H-u$ 曲线具有不同程度的差异,用 H_2 和 He 作载气时最佳线速、最小板高都比用相对分子质量大的 N_2 时为大。如图 19-13 所示。

载气线速也是气相色谱操作的一个重要影响因素,见 18.3.3.5 讨论。当载气线速低时,一般应选用扩散系数小即相对分子质量大的氮气、氩气作载气,降低组分在载气中的扩散。载气线速较高时,选用扩散系数大、相对分子质量较小

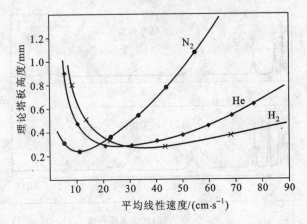

图 19-13　不同流动相的 van Deemter 曲线

的氢气、氦气作载气,可提高气相传质速率。实际上,为加快分析速度很少选用最佳线速,而是采用稍高于最佳线速的载气线速。

2.温度的选择

气相色谱中温度的选择包括三个部分:气化室温度、检测器温度与柱温。三者中的柱温是影响色谱分离效能和分析时间的一个最重要操作参数。柱温提高、扩散系数 D_m 和 D_s 增大,有利于改善传质,提高柱效。但是,增加柱温会使纵向扩散加剧,导致柱效下降。同时,提高柱温,一般相对保留值降低,分离选择性下降。因此,柱温的选择要兼顾热力学和动力学因素对分离度的影响;兼顾分离和分析速度等多方面的因素。根据实际情况选定柱温。一般情况下的柱温选择,首先需要考虑的是固定液的最高使用温度。为了避免固定液的流失,采用的柱温需要低于固定液的最高使用温度(低于 30～50 ℃)。使用毛细管柱上限温度应比填充柱低,最好比其固定液的最高使用温度低 50～70 ℃。某些固定液有最低操作温度即凝固点温度,一般操作温度就应选择在凝固点温度以上。

宽沸程的试样,可采用程序升温,即在一个分析周期内,以一定的升温速率使柱温由低到高随时间成线性和非线性增加,使混合物中各组分能在最佳温度下洗出色谱柱如图 19-14(c)所示,达到用最短时间获得最佳的分离效果。

气化室的温度选择取决于试样的沸点范围、化学稳定性以及进样量等因素。气化室温度一般选择在试样的沸点或高于柱温 50～100 ℃,用以保证试样快速而且完全气化。

检测器的温度一般均应高于柱温,以防止污染或出现异常响应。

3.进样量

进样量的大小对柱效、色谱峰高、峰面积均有一定影响。进样量过大会引起色谱柱超负荷、柱效下降、峰形扩张、保留时间改变。另外,由于检测器超负荷会

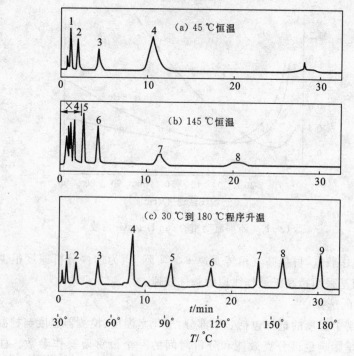

图 19-14　柱温对色谱分离的影响

出现畸形峰。一般,对于填充柱,液体试样的进样量 $0.1 \sim 10~\mu L$,气体试样进样量控制在 $0.1 \sim 10~mL$ 之间。

19.7 气相色谱分析的应用

19.7.1 环境中有机污染物的分析

多氯联苯(PCB)这类持久性污染物在生态环境中几乎到处都有,已知它有 10 种同系物,209 种异构体,成分非常复杂。多氯联苯 Aroclor1260 的气相色谱分离图如图 19-15 所示。来源于石油化工、炼焦及造纸工业的酚类化合物,具有很强的极性,采用极性固定液可得到很好的分离。如图 19-16 所示。

19.7.2 食品

气相色谱法用于食品分析所涉及的范围很广,从牛奶、奶酪、肉、鱼、蛋、鸡到蔬菜水果中的各种风味组分、添加剂、防腐剂以及食品中的农药残留量。采用 HS-SPME-GC 方法分析葡萄酒中的醇、脂肪酸和酯类风味物质,见色谱图 19-17。

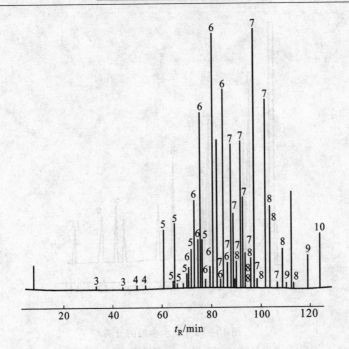

图 19-15 多氯联苯(PCB)Aroclor GC 分离图

色谱峰:图中标号为氯的取代数

色谱柱:SE-S2,50 m×0.25 mm

柱温:75 ℃(1 min) $\xrightarrow{40\,℃/min}$ 120 ℃ $\xrightarrow{1\,℃/min}$ 240 ℃

19.7.3 生物、医学

气相色谱法在生物、医学中的应用非常广泛,不仅可以分离和测定生物体中高含量的氨基酸、维生素、糖类,还可以分离分析血浆、尿液、唾液及组织中微量的药物、毒物。胆汁酸是多官能团、极性甾族化合物,在尿、血清及胆汁中,胆汁酸含量的变化和肝胆疾病有密切的关系,在临床上,通过尿、血清中胆汁酸的分析,对疾病的诊断有一定的意义。胆汁酸的分离图如图 19-18 所示。

手性醇在昆虫外激素中常见,也广泛存在于水果中,它一般以特定对映体比例存在,当对映体比例变化以后,信息激素可能会失效,水果香味有可能改变,因此手性醇及其衍生物对映体的研究是很有意义的。图 19-19 是一些手性醇的GC 分离图谱。

19.7.4 石油化工

石油工业是应用气相色谱最早、最广泛的领域。从气体、馏分油到原油,从单体烃到族组成,从烃类到非烃类等组分的分析,采用气相色谱均能得到很好的

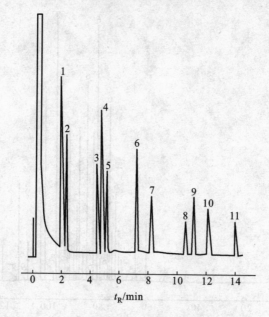

图 19-16　废水中酚的分离

色谱峰：1. 苯酚；2. 氯酚；3.2-硝基酚；4.2,4-二甲酚；5.2,4-二氯酚；6.4-氯-3-甲酚；
7.2,4,6-三氯酚；8.2,4-二硝基酚；9.4-硝基酚；10.3-甲基-4,6-二硝基甲酚；11. 五氯酚

色谱柱：SPB-5,15 m×0.53 mm

柱温：75 ℃(2 min) $\xrightarrow{8\ ℃/min}$ 180 ℃

载气：He

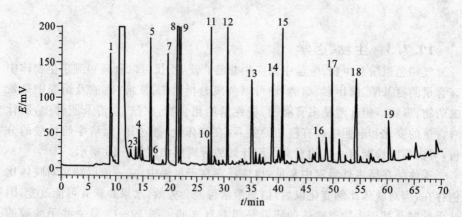

图 19-17　葡萄酒试样中风味组分分离图

色谱峰：1. 乙酸乙酯；2. 乙酸异丁酯；3. 丁酸乙酯；4. 正丙醇；5. 异丁醇；6. 乙酸异戊酯；
7.4-甲基-2-戊醇；8. 异戊醇；9. 己酸乙酯；10. 乳酸乙酯；11. 正己醇；12. 辛酸乙酯；13. 里哪醇；
14. 癸酸乙酯；15. 丁二酸二乙酯；16. 己酸；17.β-苯乙醇；18. 辛酸；19. 癸酸

色谱柱：PEG-20M 毛细管柱,35 m×0.32 mm I.D.

柱温：40 ℃(8 min) $\xrightarrow{5\ ℃/min}$ 230 ℃(20 min)

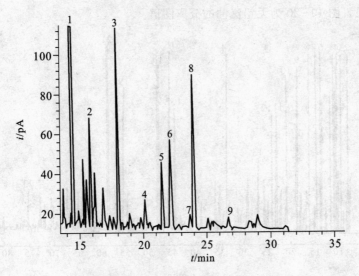

图 19-18 人体排泄物中胆汁酸分析图

色谱峰：1. 甾醇；2. 胆固醇；3. 粪甾醇；4. 谷甾醇；5. 降胆酸（内标）；6. 石胆酸；

7. 异去氧胆酸；8. 去氧胆酸；9. 熊去氧胆酸

色谱柱：CP-Sil-S CB

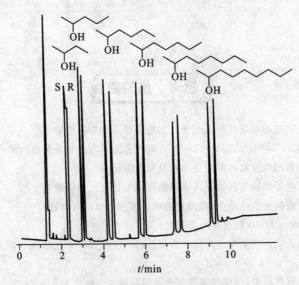

图 19-19 手性醇的分离图

色谱柱：Chiragil-Ni ckcl(Ⅱ)，25 m×0.25 mm

载气：He

分离结果。图 19-20 为无铅汽油的分离图谱。

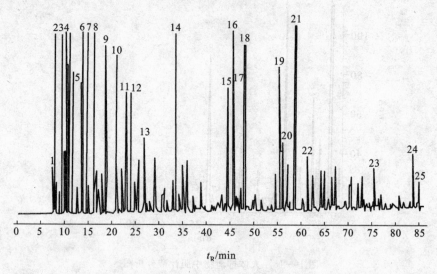

图 19-20   无铅汽油分析

色谱峰：1. 异丁烷；2. 正丁烷；3. 异戊烷；4. 正戊烷；5. 2,3-二甲基丁烷；6. 2-甲基戊烷；7. 3-甲基戊烷；8. 正己烷；9. 2,4-二甲基戊烷；10. 苯；11. 2-甲基己烷；12. 3-甲基庚烷；13. 正庚烷；14. 甲苯；15. 乙基苯；16. 间二甲苯；17. 对二甲苯；18. 邻二甲苯；19. 1-甲基-3-乙基苯；20. 1,3,5-三甲基苯；21. 1,2,4-三甲基苯；22. 1,2,3-三甲基苯；23. 萘；24. 2-甲基萘；25. 3-甲基萘

色谱柱：AT-Petro, 100 m × 0.25 mm

柱温：35 ℃ $\xrightarrow{2\ ℃/min}$ 200 ℃

载气：He

思考、练习题

19-1   填充柱气相色谱仪与毛细管气相色谱仪流程有何差异？

19-2   简述 TCD, FID, ECD, FPD, NPD 检测器的基本原理及各自的特点。

19-3   检测器的性能指标灵敏度与检测限有何区别？

19-4   引起电子捕获检测器基流下降的原因是什么？如何避免？

19-5   固定液的分类体系中，按固定液相对极性分类法有何缺点？

19-6   McReynolds 常数表有什么用途？

19-7   硅藻土载体在使用前为什么需要经过化学处理？常有哪些处理方法？简述这些处理方法的作用。

19-8   在气相色谱中，色谱柱的使用上限温度取决于什么？

19-9   什么叫固定化固定相？有什么优点？目前有哪几种固定化方式？

19-10   在气相色谱操作中，为什么要采用程序升温？

19-11   与玻璃、金属柱相比较，石英毛细管柱的优势在哪？

19-12   以下开管柱的区别是什么？(1) PLOT 柱；(2) WCOT 柱；(3) SCOT 柱。

19-13　试设计下列试样测定的色谱分析操作条件：

(1) 乙醇中微量水的测定；

(2) 超纯氮中微量氧的测定；

(3) 蔬菜中有机磷农药的测定；

(4) 微量苯、甲苯、二甲苯异构体的测定。

19-14　用气相色谱法氢火焰检测器检测某焦化厂用生化处理废水中酚的浓度，已知苯酚标准浓度 1 mg·mL^{-1}，进样量 3 μL，测得苯酚峰高 115 mm，峰半高宽 4 mm，3 倍噪声信号为 0.05 mV，记录仪灵敏度为 0.2 mV·cm^{-1}，记录仪纸速为 10 mm·min^{-1}。试计算苯酚的灵敏度(S)、检出限(D)和最小检测量(m_{min})。

$$(S = 1.96 \times 10^7 \text{ mv·s·g}^{-1}, D = 255 \times 10^{-9} \text{ g·s}^{-1}, m_{min} = 6.52 \times 10^{-5} \text{ mg})$$

参考资料

[1] Jennings W, Mittlefehldt E, Stremple P. Analytical Gas Chromatography. London: Academic Press, 1997.

[2] 达世禄. 色谱学导论. 2 版. 武汉：武汉大学出版社, 1999.

[3] 许国旺. 现代实用气相色谱法. 北京：化学工业出版社, 2004.

[4] 张祥民. 现代色谱分析. 上海：复旦大学出版社, 2004.

[5] 吴采樱, 曾昭睿. 现代毛细管柱气相色谱法. 武汉：武汉大学出版社, 1990.

[6] Eiceman G A, Torresdey J G, Dorman F, et al. Gas Chromatography. Anal Chem, 2006, 78: 3 985 – 3 996.

[7] Cochran J W, Frame G M. Recent Developments in the High-Resolution Gas Chromatography of Polychlorinated Biphenyls, J Chromatogr A, 1999, 843: 323 – 368.

[8] Pang G F, Cao Y Z, Zhang J J, et al. Validation Study on 660 Pesticide Residues in Animal Tissues by Gel Permeation Chromatography Cleanup/gas Chromatography – mass Spectrometry and Liquid Chromatography – tandem Mass Spectrometry. J Chromatogr A, 2006, 1 125: 1 – 30.

[9] Schurmg V. Chiral Separations Using Gas Chromatography. Trends in analytical chemistry, 2002, 21(9-10): 647 – 661.

第20章 高效液相色谱法

20.1 概论

20.1.1 高效液相色谱法的产生和发展

高效液相色谱法作为现代色谱学的一个重要分支,在经典柱色谱基础上和气相色谱高速发展的影响下产生于 20 世纪 60 年代末。早期液相色谱,包括 Tswett 最初的工作,常称为经典柱色谱,大多采用内径 $1\sim5$ cm、长 $50\sim100$ cm 的玻璃柱,固定相填料粒径 $150\sim200$ μm,流动相流速低、分离速度慢,完成一次分离需几小时到一天以上,作为制备分离技术具有重要应用价值,但作为分析分离是不可取的。气相色谱技术上的局限,无法解决生命科学、生物工程技术、医药学等新兴学科发展中面临高沸点、强极性、热不稳定、大分子等复杂混合物的分离分析难题,如氨基酸、多肽、核酸、碳水化合物、药物、杀虫剂、抗生素、有机金属化合物、各种无机物等,这些需要推动色谱工作者重新致力于液相色谱研究。人们从气相色谱理论和技术成就得到启示,为克服经典液体柱色谱分离速度慢、柱效低的缺点,采用高压泵加快液体流动相的流动速率;采用微粒固定相以提高柱效;设计死体积小的检测器。高压、高速的现代高效液相色谱仪于 1967 年面世,导致高效液相色谱法(high-performance liquid chromatography,HPLC)的产生。

高效液相色谱发展极为迅速,最初使用薄壳型填料,柱效仅每米 $1\,000\sim3\,000$ 塔板数,$5\sim10$ μm 球形和无定形微粒硅胶及以其为基质的键合硅胶研制成功,匀浆高压装柱技术出现,HPLC 柱效已达每米 $5\sim6$ 万理论塔板数。20 世纪 80 年代以来 HPLC 的应用领域、文献数量均超过气相色谱。近 20 多年来的进展可从高效液相色谱方法学本身及生物、医药学为代表的研究对象两方面来观察。随着各种新型色谱分离材料和柱技术发展,柱效和分离选择性不断提高,高度均匀甚至单分散 $1\sim3$ μm 硅胶基质球形填料和相应色谱柱出现,其柱效已达每米 $15\sim30$ 万理论塔板数。然而,柱渗透性下降,柱前压升高,只能采用短柱或超高压泵操作。同时,高效液相色谱分离模式和方法不断增加,例如,各种键合相色谱、离子色谱、疏水色谱、亲和色谱、手性色谱、脂质体色谱、生物膜色谱、整体柱色谱、微径柱和毛细管柱色谱及液相色谱-质谱联用等。微芯片液相色谱分析系统出现是引人瞩目的新进展。液相色谱方法成为解决生命科学、医药学发展中各种难题的重要手段。例如,手性高效液相色谱直接分离对映体选择性高、速度快,已分离分析上万种手性化合物对映体,远超过对映体发现 100 多年以来分离对映体的手性化合物,促进化学和生物不对称合成、手性技术发展,特别是对映体医药学发展。液相色谱-质谱联用技术等在促进基因组学、蛋白质组学、代谢组学的发展上发挥极其重要作用。离子色谱的发展改变了现代色谱分析的面貌,色谱法不仅广泛用于有机物;而且适用于无机阴、阳离子和金属元素分析,亦成为无机分析的重要手段之一。HPLC 应用极其广泛,当今已成为化学化工、生物、医药学、环境、食品等领域最重要的分离分析、实验室仪器制备分离技术。

　　HPLC 采用生物体液相似组成和 pH 的水溶液为流动相,与生物组织类似的脂质体、各种结构的膜为固定相,构成类似生物体系的色谱分离体系;分离过程存在亲水性、疏水性、分子排阻以及离子交换等类似生物体系推动物质迁移的作用力,它已成为研究活性物质与生物大分子之间特异性相互作用、生物活性物质的分离纯化以及生化参数、药代动力学、生物代谢过程等的重要手段。以高效液相色谱为代表的各种液相分离分析技术向生命科学渗透,一个新的学科分支——生物色谱学(biochromatography)正在形成和发展。生命科学崛起为 HPLC 提供新的发展机遇,显示广阔的应用前景。

20.1.2　高效液相色谱法的特点及与其他色谱法比较

20.1.2.1　基本特点

1. 高效、高速、高灵敏度

高效液相色谱法与气相色谱法相似,为仪器分析技术,具有高速、高效、高选择性、高灵敏度的特点,区别于低速、低效、无在线检测器、非定型仪器的经典液相色谱法。高速是指在分析速度上比经典液相色谱法快数百倍。高压泵输液流动相线速可大于 $100\ \mathrm{cm \cdot min^{-1}}$。例如,氨基酸分离,用经典柱色谱法需用 20 多小时才能分离出 20 种氨基酸;而 HPLC,1 h 之内即可完成。又如用 25 cm×0.46 cm 的 Lichrosorb-ODS(5 μm)的柱,采用梯度洗脱,可在不到 0.5 h 内分离出尿中 104 个组分。

2. 填料粒径和流动相性质影响色谱柱效

根据速率方程,流动相传质系数 C_M 正比于固定相粒径平方(d_p^2),高效液相色谱柱填料粒径 3～10 μm,比经典柱液相色谱、气相色谱填料粒径≥100 μm 小得多,导致柱效升高 1～2 数量级。HPLC 填充毛细管柱已获得每米 10^6 理论塔板数。理论上分析,液体比气体黏度约高 100 倍,而扩散系数低 10^5 倍,低传质速率抵消低扩散,液相色谱柱效可比气相色谱高 10^3 倍,还有很大发展空间。

但技术难度和仪器设备比气相色谱复杂,设备成本高得多。

3. 局限性

从目前发展来看,高效液相色谱法尚缺少灵敏度高的通用型检测器;另外,使用有机溶剂为流动相污染环境,梯度洗脱操作复杂等是其局限。

20.1.2.2　操作条件

1. 流动相对分离选择性的影响

高效液相色谱分离温度与经典柱色谱相似,通常为室温,分离在液相中进行;而气相色谱分离一般在高温、气相中进行。液相分子间作用力强度比气相高 10^4 左右,液相色谱分离过程流动相与分离溶质分子间亦存在相互作用,改变流动相的类型和组成是提高分离选择性的重要手段;而气相色谱流动相对分离选择性影响很小,主要是改变固定相来提高分离选择性。

2. 柱外效应

液体高黏度导致柱管中心溶质迁移比管壁附近高,使色谱系统连接管柱外效应增大,而气相色谱中气体高扩散性补偿了这种差异;此外,HPLC 柱填充密度高,柱长较短,只有气相色谱的 $1/10\sim1/20$,柱体积占色谱系统总体积比例较小,控制色谱系统连接管内径 $\leqslant 0.25$ mm,降低柱外效应比气相色谱更为重要。

3. 操作压力

HPLC 在高压下操作,柱前压一般为 $(50\sim350)\times10^5$ Pa 或 $750\sim5\,000$ lbf/in² (磅力每平方英寸,psi),(10^5 Pa ≈0.1 MPa ≈1 大气压;1 lbf/in² $\approx0.07\times$ 10^5 Pa),超高效柱已使用 $\geqslant800\times10^5$ Pa 柱前压。经典柱色谱在常压或低压下操作;气相色谱亦属低压,柱前压一般 $<5\times10^5$ Pa。高效液相色谱仪器和运行成本均高于气相色谱。

20.1.2.3　适用范围广

气相色谱法分析对象只限于气体和沸点较低的化合物,它们仅占有机物总数的 20%。高效液相色谱可分离分析占有机物总数近 80% 的高沸点、热不稳定、生物活性、高分子化合物及无机离子型化合物等。高效液相色谱法在生物和医药学领域应用最为普遍。气相色谱法在石油加工过程应用较多,在气体分析上占有其他色谱法不可替代的位置。常压或低压经典液相色谱具有操作简单、成本低的优点,作为制备分离技术,无论是实验室或工业规模均具有重要应用价值。

20.1.3　高效液相色谱法分类和正反相色谱体系

高效液相色谱分离机理多种多样,比气相色谱复杂得多。根据色谱固定相和色谱分离的物理化学原理或分离机理,主要有下列四种类型。

1. 吸附色谱(adsorption chromatography)

用固体吸附剂为固定相,以不同极性溶剂为流动相,依据试样各组分在吸附剂上吸附性能差异实现分离。

2. 分配色谱(partition chromatography)

用涂渍或化学键合在载体基质上的固定液为固定相,以不同极性溶剂为流动相,依据试样各组分在固定相中溶解、吸收或吸着能力差异,即在两相中分配性能差异实现组分分离。

3. 离子交换色谱(ion-exchange chromatography)

用含离子交换基团的固定相,以具有一定 pH 含离子的溶液为流动相,基于离子性组分与固定相离子交换能力差异实现组分分离。

4. 体积排阻色谱(size exclusion chromatography)

用化学惰性的多孔凝胶或材料为固定相,按组分分子体积差异,即分子在固定相孔穴中体积排阻作用差异实现组分分离,亦称为凝胶色谱(gel chromatography)。

需要指出的是每种色谱方法通常存在一种起支配作用的主要保留机理,但可能还存在次要的其他机理,如分配色谱也可能存在某些吸附作用,乃至离子交换作用;离子交换色谱可能存在吸附或分配作用,常可观察到存在多种保留机理的色谱过程。

根据固定相和液体流动相相对极性的差别,有正相色谱和反相色谱两种色谱体系或方法。反相色谱和正相色谱主要区别是流动相和固定相的相对极性,最初形成于液液分配色谱,现已广泛应用于其他各种色谱方法。早期液相色谱工作者以强极性的水、三乙二醇等涂渍在硅胶或氧化铝上为固定相,以相对非极性的正己烷、异丙醚为流动相。由于历史原因,这类色谱现称为正相色谱(normal-phase chromatography,NPC)。在反相色谱(rreversed-phase chromatography,RPC)中,固定相是非极性的,通常是烃类,而流动相是相对极性的水、甲醇、乙腈。正相色谱中极性最小的组分最先洗出,因为大部分情况下是溶于流动相中,流动相极性增加,溶质洗出时间减少。相反,反相色谱中极性最强的组分首先洗出,流动相极性增加,溶质洗出时间增加。图 20-1 表述这些关系。硅胶吸附色谱与正相色谱相似,大致可视为正相色谱体系。正反相色谱概念对预测溶质洗出顺序、评价色谱固定相性能、分离方法选择和分离操作条件优化具有重要实用价值。

上述每种色谱类型均可进一步分为多个不同色谱方法。这些方法可用于分析分离,也可用于制备分离。各色谱方法在相关领域应用互相补充,一般相对分子质量大于 10 000 的溶质采用排阻色谱分离,现在也可用反相分配色谱分析。较低相对分子质量的离子性化合物,广泛采用离子交换色谱。低分子中等极性、非离子性溶质及同系物最好使用分配色谱,主要是各种键合相色谱。吸附色谱

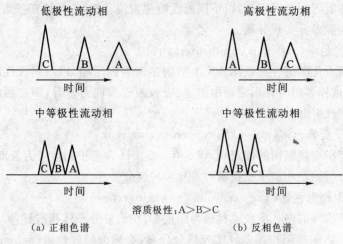

溶质极性:A>B>C

（a）正相色谱　　　　　　　　（b）反相色谱

图 20-1　正相色谱和反相色谱中极性和洗出时间关系

常用于分离非极性化合物、结构异构体及不同类化合物分离,如脂肪醇与烃分离。图 20-2 描述各种色谱方法大致适用分离的化合物类型,其应用领域有些相互部分交叠。

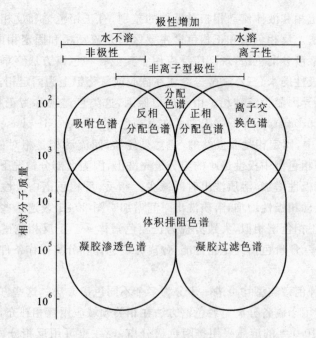

图 20-2　各种 HPLC 方法适用的大致试样范围

20.2　高效液相色谱仪

　　现代高效液相色谱使用 $3\sim 10~\mu m$ 柱填料，为达到适用的流动相流速，高压泵需提供几十兆帕或数百大气压力的柱前压。因而 HPLC 仪比其他类型的色谱仪要复杂和昂贵。图 20-3 是典型高效液相色谱仪的主要组成部件。

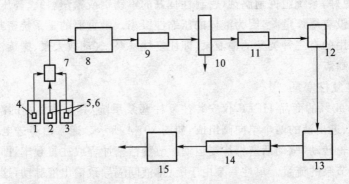

图 20-3　高效液相色谱仪主要组成部件

1,2,3.流动相溶剂储器；4,5,6.过滤器；7.溶剂流量比例调节阀和混合室；
8.输液泵；9.脉动阻尼器；10.放空阀；11.过滤器；12.反压控制器；
13.进样阀；14.色谱柱；15.检测器

20.2.1　流动相储器和溶剂处理系统

　　现代高效液相色谱仪配备一或多个流动相储器，一般为玻璃瓶，亦可为耐腐蚀的不锈钢、氟塑料或聚醚醚酮(PEEK)特种塑料制成的容器。每个储器容积 $500\sim 2\,000$ mL。储器位置要高于泵体，以保持一定的输液静压差，在泵启动时易于让残留在溶剂和泵体中微量气体通过放空阀排出。储器常装有脱除溶剂中溶解的氧、氮等气体装置，这些溶解气可能形成气泡引起谱带展宽，并干扰检测器正常工作。溶剂脱气主要有两种方法，其一是搅拌下真空或超声波脱气；另一种是通入氦或氮等惰性气体带出溶解在溶剂中空气。储器的溶剂导管入口处装有过滤器，以进一步除去溶剂中灰尘或微粒残渣，防止损坏泵、进样阀或堵塞色谱柱。

　　分离可用等度淋洗方式，即使用单一恒定组成的溶剂为流动相；亦常采用梯度淋洗以提高分离效率和速度，这时采用两种或三种极性差别较大的溶剂为流动相。后者适用于组分保留值差别很大的复杂混合物分离，淋洗开始后，各溶剂的流量比例按线性或阶梯形程序变化，逐步增加强溶剂体积比例以提高流动相洗脱强度。梯度淋洗缩短分离时间，但并未牺牲先洗出峰的分离度。梯度淋洗

效果类似于气相色谱的程序升温技术。现代高效液相色谱仪一般装有适用梯度
淋洗的两种或多种溶剂流量比例调节阀和混合器。

20.2.2 高压泵系统

通用 HPLC 仪输液泵系统的基本要求是：提供$(50\sim500)\times10^5$ Pa 的柱前
液压，输出无脉动恒定的液流，流速范围 $0.1\sim10$ mL·min^{-1}；流速控制精度
0.5% 或更好，系统组件耐腐蚀（密封性良好的不锈钢或氟塑料）。高压泵产生的
液体高压没有爆炸危险，因为液体的压缩性极小。最重要的是系统密封性能好。
目前常使用的有三种类型的输液泵，即往复柱塞泵、气动放大泵、螺旋注射泵，它
们各有优缺点。

1. 往复柱塞泵

现在 90% 的商品 HPLC 仪安装往复柱塞泵系统，其泵体由小的溶剂室、宝
石活塞杆、进出液的两个单向阀组成，如图 20-4 所示。通常由步进电机带动凸
轮或偏心轮转动，驱动活塞杆往复运动。改变活塞冲程或往复频率，即改变电机
转速以调节泵的流量。单柱塞泵由于吸、排液间隔导致输出液脉动，这是它的缺
点。实际应用常采用双柱塞、三柱塞并联或串联泵，并附加阻尼器可提高输出液
流量稳定性。往复柱塞泵的优点是泵内体积小，一般是 $0.05\sim1$ mL，易于更换
溶剂和清洗；输出液压高（$>700\times10^5$ Pa）；适用梯度淋洗；流速恒定，且流速与
柱反压和溶剂黏度无关。

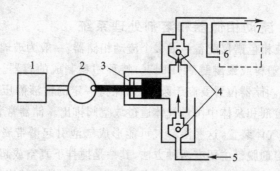

图 20-4　高效液相色谱仪往复柱塞泵结构示意图
1. 电机；2. 往复凸轮；3. 密封柱塞；4. 吸排液单向阀；
5. 溶剂入口；6. 脉动阻尼器；7. 接色谱柱

2. 其他类型泵

气动放大泵又称为恒压泵，其工作原理与水压机相似，以低压气体作用在大
面积气缸活塞上，压力传递到小面积液缸活塞，利用压力放大获得高压。气缸活
塞与液缸活塞面积之比为压力放大倍数，如为 50:1，则压力放大 50 倍。这种泵

结构简单,成本低;输出恒定液压,当系统阻力不变时可保持恒定流速。其缺点是液缸体积大(约 70 mL),更换溶剂操作不方便。

螺旋注射泵又称为排代泵,其结构类似于医用注射器,由一个大体积液体室和柱塞组成,步进电机通过螺旋杆传动机构推动柱塞输出高压液体。液缸容积 $200\sim500$ mL,输出液体压力达 $(500\sim1\ 500)\times10^5$ Pa。步进电机由电子器件调节转速以控制输出稳定流量,与系统反压和溶剂黏度无关。此外,输出流量无脉动。其缺点是体积容量有艰,改换溶剂非常不方便。

3. 流速控制和程序系统

作为输液泵系统组成部分,除了泵本身外,还包括调控梯度淋洗多元流动相流量的比例调节阀和混合器;进一步稳定流速的脉动阻尼器;泵启动时快速排除泵系统空气的放空阀,防止空气进入色谱系统导致系统稳定时间延长;进一步除去各种固体残渣的过滤器;柱前压超过控制极高值时自动停泵的反压控制传感器等。商品 HPLC 仪泵系统都装有计算机控制系统,调控、测定、显示流速、柱前压及泵的运行模式(恒压或恒流等)和状况等,自动调节泵的电机运转速度以提高或降低流量实现与设定值一致。多元比例阀开关、程序梯度变化亦由计算机系统控制。

20.2.3 进样系统

通常高效液相色谱仪有三种进样装置。一种是采用硅橡胶或亚硝基氟橡胶作隔垫片的注射器进样口,用高效液相色谱专用注射器取一定体积试样穿过垫片注入色谱柱头。当色谱柱前压超过 150×10^5 Pa 时,高压下注射进样可能引起溶剂泄漏,此时可采用停流进样。这种进样方式简单,但进样重现性差,其精度很少超过 $2\%\sim3\%$,应用逐渐减少。最广泛的进样方式是高压六通阀进样,带定量管的 Rheodyne 手动进样阀是商品仪器的组成部分,结构如图 20-5 所示,其原理与气相色谱六通阀相似,可在 500×10^5 Pa 高压下进样。定体积试样管 $0.5\sim100$ μL 可变换,制备色谱为 $0.1\sim5$ mL。进样精度可达千分之几。第三种是自动进样系统,现代高效液相色谱仪亦装有计算机程序控制的自动进样器,带定量管的试样阀取样、进样、复位、试样管路清洗和试样盘转动,全部按预定程序自动进行,一次可连续进行几十至上百个试样分析,适用于大量试样自动化分析操作。

20.2.4 高效液相色谱柱

色谱柱是色谱分离的核心,是色谱仪最重要的组件之一。一般为内壁抛光的不锈钢管,偶有厚壁玻璃管,但只能耐 40×10^5 Pa 以下压力。全世界有许多制造商提供数百种不同填料或固定相、规格和型号的色谱柱。

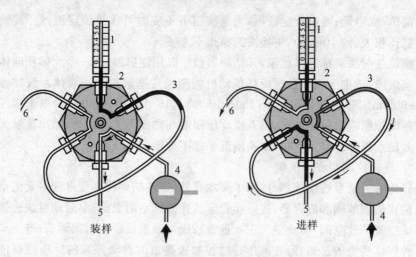

图 20-5　高效液相色谱仪高压六通定量进样阀
1. 取样注射器；2. 阀体；3. 定量管；4. 高压泵；5. 接色谱柱；6. 放空

1. 色谱柱类型

现代高效液相色谱柱按内径大小可大致分为常规分析柱、制备或半制备柱、小内径或微径柱、毛细管柱四种类型，后两者之间尚无公认的界线。95％以上 HPLC 柱长度为 10～30 cm。柱子通常为直型，欲增加长度可将两根或多根柱子连接在一起。分析柱内径 2～6 mm，填料粒径 5 或 10 μm。现在应用最多的分析柱是 25 cm 长，内径 4.6 mm，填料粒径 5 μm，其柱效为每米 40 000～60 000 块理论塔板。HPLC 柱头装有不锈钢烧结材料的微孔过滤片，阻挡流动相中微粒杂质以保护色谱柱。柱出、入口一般用细内径(0.13 mm)、厚壁(1.5～2 mm)不锈钢管连接，以降低柱外死体积。

2. 保护柱

一般在分析柱前装上较短的保护柱，不仅可除去溶剂中的颗粒杂质和污染物，而且可除去试样中含有与固定相不可逆结合的组分，以保护较昂贵的分析柱，延长使用寿命。此外，在液液分配色谱中，保护柱可作为流动相对固定液的饱和器，以降低分析柱上固定液的流失。

3. 柱恒温器

对多数应用，色谱柱在室温下操作而不必严格控制温度。然而严格控制温度可获得重现性更高保留值和更好分离色谱图。大部分现代色谱仪装备了色谱柱恒温箱，可控制温度在室温到 100 或 150 ℃，其精度在十分之几摄氏度左右。亦可用恒温水浴保温夹套保持色谱柱恒定温度。

4. 柱填充技术

装填高效液相色谱柱需专门设备，装柱技术难度较大，针对不同填料需理论分析和丰富的实践经验。HPLC 使用者多数是根据需要购买不同规格、型号商品色谱柱,其价格现一般为每根 1 000～5 000 元人民币。部分有一定技术基础的实验室,具有装柱设备并掌握装柱技术。根据填料粒径大小采用干法或湿法装柱。粒径大于 20 μm,采用类似气相色谱的干法装柱,实际上这种方法已很少使用。目前大多数采用 10 μm 以下填料,以称为等密度匀浆湿法装柱。匀浆装柱机由匀浆槽和高压泵组成,基本结构如图 20-6 所示。根据填料类型,常采用密度、黏度较大的溶剂作匀浆、润湿剂,如二氧六环、环己烷、四氯化碳、四氯乙烯、四溴乙烷等。根据填料,采用不

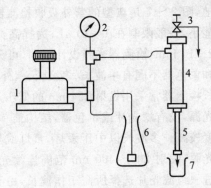

图 20-6 装柱设备流程图
1. 高压泵;2. 压力表;3. 排空气阀;4. 匀浆槽;
5. 色谱柱;6. 加压介质瓶;7. 废液杯

同类型、配比匀浆剂,在超声浴中制备半透明匀浆液,转入匀浆槽,然后,根据填料性质加入不同加压介质或顶替液,如己烷、甲醇、丙酮或水,开启高压泵输入顶替剂加压(200～500)×10^5 Pa 范围。良好的装柱技术、高质量填料、小的死体积柱头结构等是获得高效柱的基本因素。

20.2.5 液相色谱检测器

理想的液相色谱检测器应具有灵敏度高、死体积小、线性范围宽、重现性好、响应快、对所有的试样都有响应而对溶剂无响应,能用于梯度洗脱,对温度和流速波动不敏感,对试样无破坏性,能提供组分定性信息等。高效液相色谱仪还没有气相色谱仪热导和氢火焰离子化这类既通用、可靠且灵敏度较高的检测器。检测液体流动相中溶质组分比气体中组分的技术难度要大,检测器是液相色谱发展中的薄弱环节和主要挑战之一。现有检测器可分为两种基本类型:溶质性质检测器,即只对被分离组分的物理或化学特性有响应,如紫外、荧光、电化学检测器等;另一类为总体检测器,即对试样和流动相总的物理或化学性质有响应,如示差折光检测器、电导检测器等。从广义来讲,液相色谱-质谱等联用技术的各种结构分析仪器,如质谱、傅里叶变换红外光谱、核磁共振波谱仪等,均可视为检测器,只是两者之间装备有特殊设计的接口,以消除流动相对组分检测干扰。

20.2.5.1 光吸收检测器

1. 紫外吸收(UV)检测器

这是目前液相色谱使用最普遍的检测器,几乎所有液相色谱仪都有紫外吸

收检测器。其检测原理和基本结构与一般光分析仪器相似,主要由光源、单色器、流通池或吸收池、接收和电测器件组成。与一般光分析仪器的最大区别是流通池,图 20-7 是典型的紫外吸收检测器 Z 形流通池,为降低死体积,池体积尽可能小,一般限制在 1~10 μL;为提高灵敏度,流通池光程应有一定长度,一般为 2~10 mm。检测器光路设计不同,可分为单光路和双光路两种类型。根据光源和单色器不同有单波长、多波长、紫外–可见分光及快速扫描等多种类型。单波长检测器常采用发射 254 nm 的低压汞灯为光源,没有滤光片或单色器,结构简单,灵敏度较高。多波长以中压汞灯、氘灯或氢灯为光源,发射 200~400 nm 范围连续光谱,通过一组滤光片选择所需工作波长,由于每一波长能量分布不大,其灵敏度略低于单波长检测器。紫外–可见光吸收检测器实际上是装有流通池的光度计,通过反光镜可切换的氘灯和钨灯为光源,波长范围 190~700 nm。通过光栅选择某固定波长或根据组分性质选择最佳波长;亦可连续或停流扫描获得组分光谱图;波长选择和扫描常使用计算机程序控制。透过光的接收元件,一般是光敏电阻或光电管,光电变换信号由微电流放大器放大,由记录系统或计算机接收、储存、显示。紫外吸收检测器只能使用无紫外吸收的溶剂为流动相,用于测定具有紫外吸收的组分。根据测定组分的摩尔吸光系数不同,最低检出量为 10^{-8}~10^{-12} g 的较宽范围。它对流动相流速波动不敏感,适用于梯度淋洗。采用紫外吸收试剂对无紫外吸收试样衍生化或间接光度技术可扩大紫外吸收检测器应用范围。

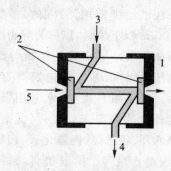

图 20-7   紫外吸收检测器流通池
1. 池体;2. 石英窗;3. 色谱柱洗出液入口;
4. 洗出液出口;5. 紫外光束

2. 光二极管阵列检测器(photo–diode–arry–detector,PDAD)

这是 20 世纪 80 年代发展起来的一种新型紫外吸收检测器,与一般紫外吸收检测器的区别是进入流通池不是单色光,而是获得全部紫外波长的色谱检测信号,可提供组分的光谱定性信息。光源发出的复合光聚焦后照射到流通池上,透过光经全息凹面衍射光栅色散,投射到二百到一千多个二极管组成的二极管阵列而被检测,可同时检测 190~700 nm 波长范围的全部信号。采用计算机程序控制、储存,二极管阵列元件可在 10 ms 内完成一次检测,1 s 内可进行快速扫描采集 10 万个检测数据。图 20-8 为光二极管阵列检测器光路图。它可绘制随时间(t)变化,进入检测池溶液吸光度(A)随波长(λ)变化的光谱吸收曲线,从而获得吸光度(A)、波长(λ)、时间(t)的三维色谱图,如图 20-9 所示。

3. 红外吸收检测器

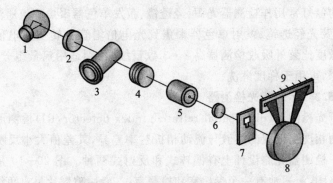

图 20-8　光二极管阵列检测器光路图
1. 钨灯；2. 光闸；3. 氘灯；4,6. 透镜；5. 检测池；7. 狭缝；8. 全息光栅；9. 阵列二极管

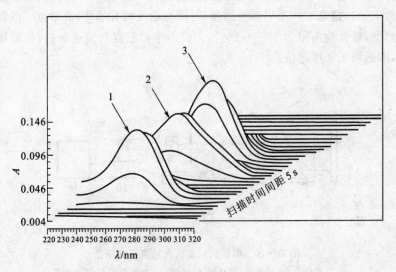

图 20-9　甾体混合物色谱分离连续扫描 A,λ,t 三维光谱-色谱图
1. 可的松；2. 地塞米松；3. 皮质酮

　　与一般光吸收检测器光路设计相似,其吸收池窗口采用氯化钠、氟化钙等红外透明材料,透过吸收池的红外光一般以热电敏感元件接收。这种检测器可提供分子结构信息,但由于大多数液相色谱流动相溶剂都有红外吸收及窗口材料限制,其应用有限。

20.2.5.2　荧光检测器

　　荧光检测器(fluorescence detector,FD)利用化合物具有光致发光性质,受紫外光激发,能发射比激发波长较长的荧光对组分进行检测。对不产生荧光的物质可通过与荧光试剂反应,生成可发生荧光的衍生物进行检测。为避免干扰,检测器光路设计上激发光光路与荧光发射光路互相垂直。可发射 $250\sim600$ nm

连续波长的氙灯常用作检测器光源,经透镜、激发单色器聚焦到流通池。与激发光成 90°的荧光经透镜、发射单色器聚焦到光电倍增管上转变成电信号。荧光检测器灵敏度比紫外吸收检测器高 2～3 数量级,特别适用痕量组分测定,其线性范围较窄,可用于梯度淋洗。

20.2.5.3　示差折光检测器

示差折光检测器(differential refrative index detector,RI)检测原理是基于溶质随流动相洗出形成的溶液与流动相折射率差异,其差值大小反映流动相中溶质浓度。检测器光路设计上有偏转式和反射式两种。图 20-10 是偏转式检测器的光路图,流通池有一个参比室和检测室,二者用玻璃片呈对角线分开。经过流通池的光发生折射,检测室和参比室液体折射率相同或不同时,光偏转角度不同,到达光电转换元件上光点位置发生变化,产生大小不同的光电流,然后被放大和记录。这是一种通用型检测器,对所有物质均有响应,灵敏度一般低于紫外检测器,最低检出限为 10^{-6}～10^{-7} g。折射率对温度和流速敏感,检测器需要恒温,不适用于梯度淋洗。

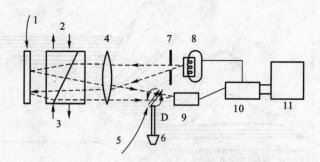

图 20-10　偏转式示差折光检测器光路图
1. 反光镜;2. 试样池;3. 参比池;4. 透镜;5. 光学零点;6. 零点调节;
7. 光栅;8. 光源;9. 检定器;10. 放大器和电源;11. 记录仪

20.2.5.4　蒸发光散射检测器

蒸发光散射检测器(evaporation light scattering detector,ELSD)是近期发展起来并已商品化的新型通用型检测器,其基本结构如图 20-11 所示。色谱柱洗出液进入一个雾化器,在氮或空气流作用下转化成烟雾,然后通过控温的漂移管,溶剂被蒸发,分析溶质形成细小的尘粒通过一个激光束,发生光散射,在与气流成 90°的方向以光二极管检测散射光,产生光电流被放大、储存、显示。这是一种对所有物质均有响应的通用型检测器,适用于梯度淋洗,其灵敏度高于示差折光检测器,最低检出浓度为 5 ng/25 μL。

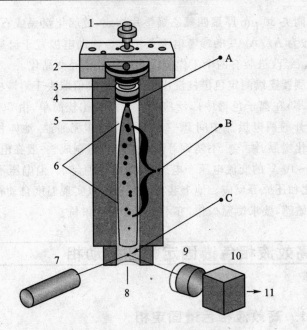

图 20-11 蒸发光散射检测器结构图

1. 色谱柱出口；2. 液压释放口；3. 氮气入口；4. 雾化器；5. 加热漂移管；6. 试样液滴；

7. 激光光源；8. 排气口；9. 光电检测器；10. 放大器；11. 连接记录系统

A. 色谱柱洗出液雾化区；B. 溶剂蒸发区；C. 试样粒子光散射

20.2.5.5 电化学检测器

基于电化学原理和物质的电化学性质进行检测，主要有安培、极谱及电导等几种类型，适用于测定具有电化学氧化还原性质及电导的化合物，如含硝基、氨基等有机化合物及无机阴、阳离子等，广泛应用于生物、医药学及环境试样中酚类（如儿茶酚胺）、胺类（如多巴胺）、维生素及各种药物及代谢产物。检测器具有结构简单、死体积小、灵敏度高、最低检出限达 10^{-9} g 等特点；使用的流动相必须具有电导性，一般只能用极性溶剂或水溶液作流动相。

安培检测器（amperometric detector）是使用较多的电化学检测器。图 20-12 是简单薄层型流通池安培检测器结构图，池体由两块机械加工

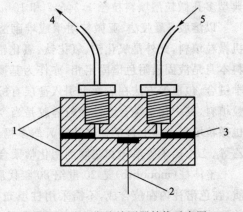

图 20-12 安培检测器结构示意图

1. 氟塑料池体；2. 工作电极；3. 氟塑料或聚酯垫片；

4. 接参比电极，至废液；5. 接色谱柱

的氟塑料之间夹 50 μm 厚聚四氟乙烯垫片构成,玻璃化炭黑或石墨工作电极嵌在池壁,一般为 Ag/AgCl 的参考电极及铂或金辅助电极置于流通池下游,池体积 1~5 μL。经改进装有两个工作电极的检测池已经商品化。

电导检测器连续测定色谱柱洗出液的电导,其值取决于溶液中离子的数量、电荷及迁移率,在离子色谱中广泛应用。其结构比较简单,由 50 μm 厚的聚四氟乙烯膜隔开的两电极片中间开一长条形孔道作流通池,池体积仅 1~3 μL。电极由玻璃化炭黑、铂、金、不锈钢等惰性电极材料制成,一般在电极上施加50~1 000 Hz,5~10 V 的交流电压。电压越大,电导值越大,但电压不可太高,以防止电解、氧化和还原等反应。池上装有热敏电阻以实现温度自动补偿,因溶液电导率对温度敏感,要求恒温操作,亦不适用于梯度淋洗。

20.3　高效液相色谱固定相和流动相

20.3.1　高效液相色谱固定相

色谱柱内固定相,即色谱柱填料、分离材料或分离介质是色谱分离的核心。大多数是具有高机械强度、化学稳定、耐溶剂、一定比表面积和中孔径(2~50 nm),且孔径分布范围窄的微孔结构材料。根据材料的化学组成可分为无机材料、有机/无机材料和有机材料三种类型。按材料的物理结构和形状有颗粒填料和整体柱,前者有薄壳型和多孔微粒型两种。薄壳型填料粒径 30~40 μm,由内核为球形实心玻璃或聚合物和外壳黏结薄层多孔氧化硅、氧化铝、聚苯乙烯-二乙烯苯树脂或离子交换树脂组成,现一般用作保护柱填料,而不用于分析柱。典型多孔微粒型填料粒径 1,3,5,7 和 10 μm,其粒径分布尽可能窄。

以溶胶-凝胶法、亚微粒附聚或堆砌法制备的微粒硅胶是应用最广泛的无机微粒填料,此外是氧化锆、氧化钛、氧化铝及各种复合氧化物等。无机微粒填料本身是液固吸附色谱固定相,亦作为基质材料通过物理或化学吸附、涂渍、化学键合、包覆等方法在表面上引入薄层有机物,并对表面改性,形成有机/无机微粒填料,其中化学键合改性微粒硅胶是当今 HPLC 应用最多的一类固定相。有机微粒填料大体上包括葡聚糖等天然多糖经物理、化学加工得到的凝胶和以苯乙烯、二乙烯苯等单体和交联剂用化学聚合制备的交联高聚物微球。

整体柱(monolith)是 20 世纪 80 年代后期发展起来的一种整体结构分离介质,在色谱柱内在位合成,不需采用柱填充技术。一般采用正硅酸酯类、烷基硅酸酯、丙烯酰胺、N,N-亚甲基二丙烯酰胺、苯乙烯、二乙烯苯、丙烯酸酯、二甲基丙烯酸乙二酯等单体和交联剂在色谱柱内原位交联聚合形成体交联聚合物,具有微孔和穿透孔连续、整体无机或有机柱床。以正硅酸酯制备的硅胶无机整体柱,可采用类似无机微粒填料表面改性方法引进有机物形成有机/无机整体柱;也可采用正硅酸酯、烃基硅酸酯共缩聚制备有机/无机整体柱。整体柱渗透性好,可在较低柱前压操作,适用于快速分离,常规分析整体柱已商品化,也是当今毛细管液相色谱和电色谱及分离材料的前沿研究领域。

需要指出的是,尽管商品化 HPLC 固定相品种繁多,但大多数实验室常用的填料或色谱柱品种有限,主要是硅胶和烃基键合硅胶固定相。

20.3.2 液相色谱流动相

气相色谱中气体流动相为理想气体,其主要功能是携带试样组分通过固定相,对分离没有多少贡献和影响。相反,液相色谱流动相对分离起非常重要作用,可供选用的流动相种类亦较多,从非极性、极性有机溶剂到水溶液,可使用单一纯溶剂,也可用二元或多元混合溶剂。流动相溶剂类型和组成选择常是分离条优化的首要操作。作为液相色谱流动相的基本要求是:(1)化学惰性,不与固定相和被分离组分发生化学反应,保证柱的稳定性和分离的重现性。(2)适用的物理性质,包括沸点较低,以便于分离组分和溶剂回收;低黏度,利于提高传质速率和分离速度、降低柱前压;弱或无紫外吸收等,以降低紫外吸收检测器本低响应,提高检测灵敏度;对试样具有适当溶解能力等。(3)溶剂清洗和更换方便,毒性小、纯度高、价廉等,便于操作和安全。

表征用作流动相溶剂的特征参数有沸点、相对分子质量、相对密度、黏度、介电常数、偶极矩、水溶性、折射率、紫外吸收截止波长等物理化学性质,后两者与检测器选用有关。对色谱分离来说,更重要的是与分离过程密切相关的溶剂洗脱能力或溶剂强度参数。表 20-1 中给出常用溶剂主要特性参数,这包括:

1. 溶剂强度参数 ε^*

定义为溶剂分子在单位吸附剂表面积上的吸附自由能,表征溶剂分子对吸附剂的亲和力大小。表 20-1 中 ε^* 是在氧化铝吸附剂上测定的,在硅胶上的 ε^* 约为氧化铝的 0.8 倍。ε^* 指示液固色谱中溶剂洗脱能力,ε^* 值愈大,对吸附剂的亲和力愈大,对溶质洗脱能力愈强。

2. 溶解度参数 δ

它是溶剂与溶质分子间各种作用力的总和,包括色散力、偶极作用力、接受质子能力、给予质子能力等。正相色谱中,溶剂 δ 值愈大,其洗脱强度愈大,导致溶质保留值降低;而反相色谱中,溶剂 δ 愈大,其洗脱能力愈小,导致溶质保留值升高。

3. 极性参数 P'

表示每种溶剂与乙醇、二氧六环和硝基甲烷三种极性物质相互作用力的度量,类似于气相色谱固定液的 Rohrschneider 常数,反映溶剂接受质子、给出质子和偶极相互作用能力及选择性差异,亦作为表征溶剂洗脱强度的指标。正相色谱中,溶剂 P' 值愈大,其洗脱强度愈大,溶质保留值降低;反相色谱中,溶剂 P' 愈大,洗脱能力愈小,溶质保留值升高。表 20-1 中 ε^0 从吸附色谱中测定,δ,P' 从分配色谱求出。表 20-1 可见各溶剂间 ε^*,δ 差异与 P' 大致平行。

表 20-1　液相色谱流动相几种代表性溶剂的性质

溶剂	bp	η	RI	UV	δ	ε^0	P'
正戊烷	36	0.22	1.355	195	7.1	0	0
正己烷	69	0.30	1.372	190	7.3	0.01	0.1
乙醚	35	0.24	1.350	218	7.4	0.38	2.8
环己烷	81	0.90	1.423	200	8.2	0.04	-0.2
四氯化碳	77	0.90	1.475	265	8.6	0.18	1.6
二氯甲烷	40	0.41	1.421	233	9.6	0.42	3.1
正丙醇	97	1.90	1.385	205	10.2	0.82	4.0
正丁醇	118	2.60	1.397	210		0.7	3.9
四氢呋喃	66	0.46	1.405	212	9.1	0.57	4.0
氯仿	61	0.53	1.443	245	9.1	0.40	4.1
二氧六环	101	1.20	1.420	215	9.8	0.56	4.8
吡啶	115	0.88	1.507	305	10.4	0.71	5.3
丙酮	56	0.30	1.356	330	9.4	0.50	5.1
乙醇	78	1.08	1.359	210		0.88	4.3
乙腈	82	0.34	1.341	190	11.8	0.65	5.8
甲醇	65	0.54	1.326	205	12.9	0.95	5.1
水	100	0.89	1.333		21.0		10.2

注:bp. 沸点,℃;η. 黏度,mPa·s,25 ℃;RI. 折射率,25 ℃;UV. 紫外透过波长下限;δ. 溶解度参数;ε^0. 氧化铝吸附剂上溶剂强度参数;P'. 溶剂极性参数。

优化保留值 k 和分离选择性 α 的重要方法是改变流动相溶剂类型和组成,改变二元或多元溶剂流动相组成,对不同结构溶质,保留值降低或升高值是不一致的,不仅改变 k 值,而且改变 α。溶剂组成优化用试差法比较麻烦、费时,成功率不一定很高。采用溶剂组成与溶剂强度参数关系的估算,可减少优化实验操作。二元混合溶剂极性参数 P' 与其体积组成成线性关系,可按算数平均值求出。例如溶剂 A 和 B 混合物的极性参数 P'_{AB} 可按下式求出:

$$P'_{AB} = \phi_A P'_A + \phi_B P'_B \qquad (20-1)$$

式中 P'_A 和 P'_B 是两溶剂极性参数,ϕ_A 和 ϕ_B 是每个溶剂的体积分数。调节 P'_{AB} 很容易以改变两溶剂混合物的组成来实现。对极性吸附和正相色谱,P' 与 k 的关系可大致用下式表示:

$$k_2/k_1 = 10^{(P_1' - P_2')/2} \tag{20-2}$$

P_1'和k_1是最初溶剂强度和某溶质的k值，P_2'和k_2是组成改变后溶剂强度和同一溶质的k值。若$P_1' > P_2'$，则$k_1 < k_2$。粗略估算，P'改变两个单位，能导致k的10倍变化。对于反相色谱：

$$k_2/k_1 = 10^{(P_2' - P_1')/2} \tag{20-3}$$

此时若$P_1' > P_2'$，则$k_1 > k_2$。如用水作流动相改为甲醇流动相，k将降低10^3。

假设混合一个非极性溶剂（$P' \approx 0$）A 和一个极性溶剂 B，得 B/A 混合溶剂，其溶剂强度为P'，对某特定分离可获得合适k值（一般为 2～5）。然而，因选择性欠佳而分离度不高，则可选用另一个极性溶剂 C 代替 B，调节 C/A 组成，保持与 B/A 组成下的溶剂强度，基本保持k不变而提高α，以达到所需分离度。因为$P_A' \approx 0$，由式（20-1）可得

$$\phi_C = \phi_B (P_B'/P_C') \tag{20-4}$$

亦可采用ε^*值来选择混合溶剂，ε^*值增加 0.05 单位，硅胶吸附和正相色谱所有溶质k可大致降低 3 到 4 倍。然而，ε^*随溶剂体积比成非线性变化，不像P'成线性变化，混合溶剂ε^*值理论计算较为麻烦。

20.4 吸附色谱

液固吸附色谱或液固色谱是 Tswett 发明色谱法时首先采用的色谱方法，现已成为一种重要的液相色谱类型。

20.4.1 液固吸附色谱固定相

液固色谱固定相包括极性和非极性两类多孔微粒固体吸附剂，前者应用最广泛的是多孔微粒硅胶（m SiO$_2 \cdot n$H$_2$O），此外还有氧化铝、氧化锆、氧化钛、氧化镁、复合氧化物及分子筛等；后者有活性炭或石墨化炭黑、高交联度苯乙烯-二乙烯苯聚合物多孔微球等。固定相的色谱性能取决于材料物理、化学结构，特别是表面结构。

硅胶是当今获得最高柱效也是应用最多的液固色谱固定相，呈球形或无定形微粒，其粒径 3～10 μm，表面积为 200～500 m^2/g，平均孔径 5～30 nm，孔容 > 0.7 m^3/g，具有一定机械强度和化学稳定性，一般可以耐受酸性介质的侵蚀，但不耐碱，适用流动相 pH1～8。硅胶固定相化学结构如图 20-13 所示，表面硅羟基以不同形式存在，其中邻位硅羟基可以通过氢键缔合或吸附水，当真空加热至 150～200 ℃时物理吸附水可被除去。硅胶表面的硅羟基使其呈弱酸性，所以

对碱性化合物比中性、酸性有更强保留,且易形成色谱峰拖尾。

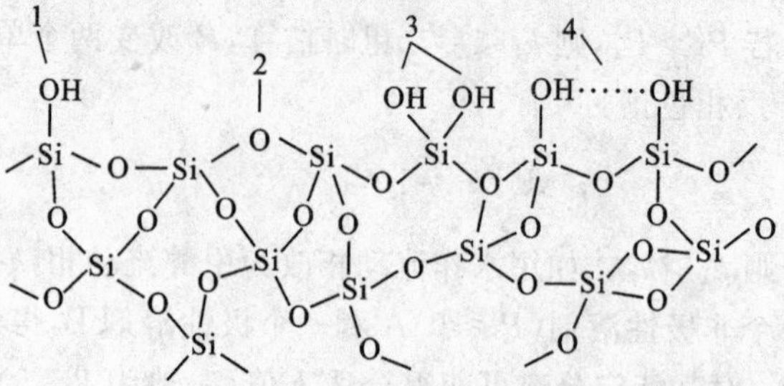

图 20-13　硅胶的化学结构示意图
1. 游离硅羟基;2. 硅氧烷;3. 孪位硅羟基;4. 邻位硅羟基

　　氧化铝通常呈平行板孔结构,色谱柱效较低,在经典柱色谱和薄层色谱中应用较多,在 HPLC 中应用很少。与硅胶不同,碱性化合物在氧化铝上吸附较弱,色谱峰对称,而酸性化合物强烈保留,甚至不可逆吸附;稠环芳烃在氧化铝上有强保留和分离选择性,因此氧化铝较适用于碱性化合物和稠环芳烃分离。

　　近十多年来氧化锆及其复合氧化物引起色谱工作者关注,其主要原因是它的机械强度、化学稳定性高和多种色谱性能,可适用 pH 范围宽至 $1 \sim 14$。ZrO_2 表面存在 Bronsted 酸性、Bronsted 碱性和 Lewis 酸性中心,随流动相 pH 不同,可呈阴离子、阳离子或配体交换功能,已作为离子交换材料在核工业中应用,作为液固吸附色谱固定相适用分离碱性化合物,具有高分离选择性和洗出对称性色谱峰。

20.4.2　吸附色谱分离机理

　　液固色谱体系中,流动相(m)在固体吸附剂表面(s)形成饱和单分子层吸附,当溶质随流动相进入色谱柱,溶质分子(X)与流动相分子(M)间在吸附剂表面吸附点上发生竞争吸附作用,这种作用亦存在不同溶质分子间,以及同一溶质分子中不同官能团之间。当溶质分子在吸附剂表面被吸附时,必然置换已被吸附在吸附剂表面的流动相分子,这种竞争吸附、解吸可用下式表示:

$$X_m + n\,M_s \underset{\text{解吸}}{\overset{\text{吸附}}{\rightleftharpoons}} X_s + nM_m \qquad (20-5)$$

式中 X_m,X_s 分别代表在流动相中和吸附剂表面被吸附的溶质分子,M_m,M_s 代表流动中和吸附剂上吸附的流动相分子,n 表示被溶质分子取代的流动相溶剂分子数,欲吸附溶质 X,就需解吸足够量的溶剂分子。在一定浓度范围内,溶质分子的吸附-解吸过程是热力学平衡过程。X 的吸附力愈强,平衡向右移动,保

留值 k 愈大。溶质吸附力强弱决定于吸附剂物理化学和表面性质、溶质分子结构及流动相的性质。

在吸附剂和流动相组成一定的色谱体系中,溶质分子结构,特别是所含官能团的极性和数目,决定其吸附力和保留值 k。含碳数相同的不同类型烃的保留值顺序一般为:全氟烃<饱和烃<烯烃<芳烃。多环芳烃保留值随芳环增加而上升。结构为 RX(R 是有机基团,X 是官能团)分子中官能团 X 决定保留值顺序一般为:烷基<卤代烃(F<Cl<Br<I)<醚<硝基<腈基<酯≈醛≈酮<醇≈胺<酚<砜<亚砜<酰胺<羧酸<磺酸。溶质分子结构空间效应和官能团之间相互作用会影响保留值大小,被吸附分子能与吸附剂表面平行排列,能提高吸附强度,因而与官能团相邻有庞大体积取代基,会降低保留值;顺式异构体比反式异构体有更高保留值;由于分子内氢键,邻硝基苯酚保留值比对硝基苯酚小得多。

20.4.3 分离条件优化和应用

液固色谱一般较少考虑吸附剂类型。硅胶是一种良好的通用吸附剂,具有商品化水平高的优势,适用于大多数试样分离。改变溶剂组成无法满足分离选择性要求时,才选用其他吸附剂,如多环芳烃采用氧化铝;碱性化合物采用氧化锆等。

液固色谱中,若使用硅胶等极性固定相,流动相应采用正己烷等非极性溶剂为主,加入适量卤代烃、醇等弱或极性溶剂为改性剂来调节流动相洗脱强度。若使用有机高聚物微球等非极性固定相,应采用水、醇、乙腈等极性溶剂为流动相。

硅胶色谱可按式(20-4)计算流动相溶剂组成。例如,已优化流动相三氯甲烷/正己烷(B/A)体积分数,其 25% 三氯甲烷可获得合适 k 值,欲保持溶剂强度不变,为提高分离选择性而改用乙醚/正己烷(C/A)为流动相。这里 $P'_B=4.1$ (三氯甲烷),$P'_C=2.8$(乙醚),则 $\phi_C=0.25(4.1/2.8)=37\%$(体积分数)。25% 的氯仿/正己烷混合溶剂与 37% 乙醚/正己烷两者溶剂强度相同,但对不同溶质的分离选择性各异。

液固色谱溶剂组成优化的实际操作中,常采用薄层色谱技术进行初步探索,这是一个简便、快速的优化途径。

吸附剂含水量是控制吸附剂活性,影响溶质保留的重要因素。在硅胶或流动相中加入一定量的水,利用物理吸附水可降低吸附剂活性,这样可抑制色谱峰拖尾,提高柱效。但流动相中水的饱和度应小于 25%,若含水量太高,大量水吸附在硅胶上会使液固色谱转变成液液色谱过程,影响分离效果。

图 20-2 表明,吸附色谱适用于相对分子质量小于 5000,溶于非极性溶剂,而较难溶于水溶性溶剂的非极性化合物。然而,吸附色谱和分配色谱适用领域

有部分交叠,且互相补充。液固吸附色谱能按官能团分离不同类型化合物,对化合物类型、异构体,包括顺反异构体具有高分离选择性,而对同系物分离选择性很低,这是由于烷基链对吸附能影响很小。图 20-14 所示为一个典型顺反异构体分离色谱图。

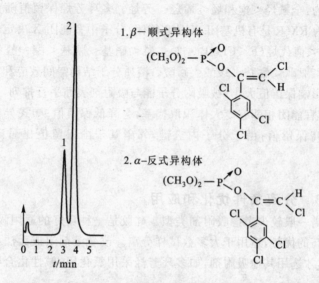

图 20-14　吸附色谱的典型应用:有机磷农药顺反异构体分离

250×2.2 mm,6~8 μm 硅胶柱;流动相:1.5%甲醇/己烷

(体积分数),0.5 mL/min

20.5　分配色谱

　　分配色谱(partition chromatography)是研究最多、应用最广泛的高效液相色谱类型。过去大多数是应用于分离中、低相对分子质量(一般≤3000)非离子、极性化合物,随着衍生化技术、离子对色谱发展,已扩展到强极性、离子性化合物。分配色谱可分为液液色谱和化学键合相色谱。前者是早期主要分配色谱类型,以物理吸附涂渍固定液在多孔载体表面上为固定相;后者以键合相为固定相,即化学键合固定相至载体或基质表面。由于固定相被流动相溶解导致固定相流失等缺点,液液色谱发展和应用受到限制,化学键合相色谱已成为占绝对优势的分配色谱类型。关于键合相色谱分离机理研究中,曾涉及属吸附或分配作用的争论。当今色谱界大多认为键合相色谱过程,溶质与固定相是发生在相内部的“吸收作用”(吸着、吸留)(absorption)分配过程,区别于吸附色谱发生在相表面“吸附作用”(adsorption)的分配过程。

20.5.1　液液分配色谱

液液色谱固定相是将极性或非极性固定液涂渍在全多孔或薄壳型硅胶等载体表面形成的液膜。要求载体表面惰性，比表面积约 $50\sim250$ m^2/g，比表面积不宜太高，以降低残余吸附效应。使用的固定液有极性和非极性两种，前者如 β,β'-氧二丙腈、乙二醇、聚乙二醇、甘油、乙二胺等；后者如聚甲基硅氧烷、聚烯烃、正庚烷等。使用极性固定液时，与硅胶吸附色谱相似，应采用烷烃类为主的非极性流动相，加入适量卤代烃、醇等弱或极性溶剂为改性剂来调节流动相洗脱强度，构成液液正相色谱体系，溶质 k 值随流动相改性剂加入而降低，表明流动相洗脱强度增强。若使用非极性固定相，应采用水为流动相主体，加入二甲亚砜、醇、乙腈等极性有机溶剂调节流动相洗脱强度，构成反相色谱体系，溶质 k 值随流动相有机改性剂加入而降低。

固定液涂渍在载体上有两种方法：一种是静态法，以固定液溶液浸渍载体，然后缓慢地蒸发除去溶剂；另一种是在位动态涂渍法，将载体填充在色谱柱中，然后将一定固定液浓度的流动相连续流经色谱柱，至固定液在载体和流动相中达到分配平衡，形成稳定色谱体系。固定液涂渍量约为每克载体 $0.1\sim1$ g。以静态法涂渍固定液，应选用对固定液溶解度小的溶剂为流动相，用混合或予柱使固定液在流动相中饱和，防止固定液被流动相溶解而流失。

液液色谱具有柱容量高、重现性好、适用试样类型广的特点，包括水溶性和脂溶性试样，极性和非极性、离子性和非离子性化合物。理论上，液液色谱可形成种类繁多的色谱体系，但由于固定液被流动相溶解的限制，具广泛实用价值的液液色谱体系是有限的。

20.5.2　键合相高效液相色谱

20.5.2.1　化学键合、化学吸附色谱固定相

1. 键合相色谱固定相

大部分基质是 3,5 或 10 μm 粒径的多孔微粒硅胶，用 0.1 mol·L^{-1} HCl 加热处理 $1\sim2$ d 使表面完全水解生成可进行键合反应的硅羟基。这种硅胶表面硅羟基浓度 8.0 ± 1.0 μmol/m^2。键合固定相最有用的制备方法是硅胶表面硅羟基和有机硅烷进行硅烷化反应，形成比较稳定的 —Si—O—Si—C— 结构，典型反应如下：

$$-\underset{\displaystyle}{Si}-OH + X-\underset{\underset{CH_3}{|}}{\overset{\overset{CH_3}{|}}{Si}}-R \longrightarrow -Si-O-\underset{\underset{CH_3}{|}}{\overset{\overset{CH_3}{|}}{Si}}-R \qquad (20-6)$$

式中 X 为氯或甲氧基、乙氧基，R 为烷基、取代烷基或芳基、取代芳基。由于空间位阻硅烷化反应的表面键合量一般在 4 $\mu mol/m^2$ 或更低。未反应的 SiOH 给表面带来不利的残留极性作用，引起色谱峰拖尾，特别是对碱性溶质。为了消除这种影响，可用三甲基氯硅烷进一步硅烷化封尾反应，因为它体积小，能键合残留的—SiOH。

根据 R 的结构不同，可分为非极性键合相和极性键合相。非极性键合相的 R 为烷基或芳基，如 C_1，C_4，C_6，C_8，C_{18}，C_{22} 等不同链长烃基和苯基键合相；极性键合相 R 中引入氰基、羟基、氨基、卤素等，如—C_2H_4CN，—$C_3H_6OCH_2CHOCH_2OH$，—$C_3H_6NH_2$，—$C_3H_6NHC_2H_4NH_2$，—C_3H_6Cl 等。这些键合相均已商品化，其中十八烷基键合硅胶（octadecylsilica，ODS 或 C_{18}）应用最广。硅胶键合固定相热和化学稳定性好，耐溶剂，不吸水，可在 pH2～8 水溶液流动相中长期工作。

键合固定相的性能指标有：(1) 键合量：可以键合硅胶含碳量和表面覆盖率表示，其含碳范围 5%～40%，表面覆盖率 1～4 $\mu mol/m^2$。(2) 按某指定 k 值溶质测定的理论塔板数。(3) 色谱柱渗透性，可以柱前压度量。(4) 两种不同溶质的分离选择性 α。(5) 保留值 k 的重现性。(6) 色谱峰的对称性。(7) 稳定性：耐溶剂和 pH 范围。

根据色谱体系固定相和流动相相对极性，可分为反相和正相键合相色谱。非极性或烃基键合相和水、乙腈（CAN）、甲醇（MeOH）等极性溶剂为流动相构成的反相色谱体系，是当今最重要、应用最广泛的反相色谱方法，估计高效液相色谱常规分析工作约 70% 采用这种色谱方法。高效液相色谱中反相色谱已成为非极性键合相色谱的同义语。

极性键合相和正己烷、二氯甲烷等非极性、弱极性溶剂构成正相色谱体系；而以水为主加甲醇、乙腈等极性溶剂的流动相构成反相色谱。因此极性键合相视流动相类型可分别形成为正相或反相色谱方法。

2. 化学吸附改性色谱固定相

其典型代表是新近以微粒氧化锆、氧化锆/氧化镁等为基质，通过 Lewis 酸碱化学吸附作用，制备长链烷基膦酸（C_8～C_{18}）及含极性基团衍生物的非极性和极性色谱固定相。它们具有耐溶剂、耐酸碱（pH1～12）、化学稳定和适用范围广的特点，其色谱性能与键合硅胶固定相基本类似，而制备简便、适用碱性化合物、蛋白质等生物试样分离，是一类极具发展潜力的新型 HPLC 固定相。

20.5.2.2　键合相色谱保留机理

反相色谱溶质保留类似于从水中萃取有机化合物至有机溶剂（如辛醇），非极性疏水化合物更易于萃取至非极性固定相中，非极性化合物保留较强；亲水性极性化合物保留较弱。疏水效应是当今较为公认阐明反相色谱保留机理的理论依据。以色散为主的非极性分子间作用力很弱，烃类键合相具有长链非极性配体,在固定相基质表面形成一层"分子刷",在高表面张力水溶性极性溶剂环境中,当非极性溶质或其分子中非极性部分与非极性配体接触时,周围溶剂膜会产生排斥力促进两者缔合,如图20-15所示。这种作用称为"憎水"、"疏水"、"疏水效应"或"疏溶剂效应"。溶质保留主要不是由于溶质与固定相之间非极性相互作用,而是由于溶质受极性溶剂的排斥力,促使溶质(s)与键合非极性烃基配体(L)发生疏溶剂化缔合,形成缔合物(SL),导致溶质保留。这种缔合是可逆的:

$$S + L \rightleftharpoons SL \qquad (20-7)$$

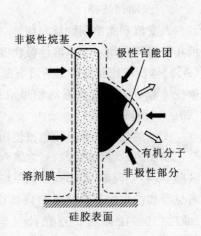

图20-15 反相色谱中溶质与固定相作用示意图

缔合作用强度和溶质保留决定三个因素:溶质分子中非极性部分的总面积;键合相上烃基的总面积;影响表面张力等性质的极性流动相性质和组成。

疏溶剂理论能很好解释高含水量流动相反相色谱溶质保留行为,然而烃基键合相表面不很均匀,在一定条件下,主要是流动相含水量不高时,表面残余硅羟基对极性溶质保留起一定作用。因而溶质保留除疏水作用外还存在残余硅羟基作用,即双保留机理。随着键合相制备和反相色谱技术发展,键合相表面均匀性提高和流动相改进,残余硅羟基作用已大大降低至可以忽略。

极性键合相的正相色谱保留主要基于固定相与溶质间的氢键、偶极等分子间极性作用。如胺基键合相兼有质子受体和给予体双重功能,对可形成氢键的溶质具有极强分子间作用,导致保留值k升高和较好分离选择性。极性键合相反相色谱体系,由于固定相的弱疏水性和极性作用而显示双保留机理,何者占优势则取决于流动相水-有机溶剂类型和组成及溶质结构。

20.5.2.3 反相色谱分离条件优化

极性键合相正相色谱操作条件优化与吸附色谱相似。这里主要讨论影响非极性键合相反相色谱保留值因素和分离条件优化。

1. 固定相选择

改变非极性键合相烃基链长和键合量,链长增加导致溶质保留值k升高,但长链之间k和α差别较小,相同表面覆盖率C_{18}柱保留值略大于C_8柱。因此大多数选用ODS柱(一般ODS含碳约为10%,相当于硅胶表面覆盖率$1\ \mu mol/m^2$)。键合量增加,k上升。表面覆盖率$<3\ \mu mol/m^2$,$\lg k$与覆盖率呈线性关系,且不管链长为C_4或C_{18},即与链长关系不大。

取代烃基键合相疏水性一般比烃基键合相弱,苯乙烯/二乙烯苯交联共聚物微球等非极性有机固定相疏水性比键合相更高。非极性、非离子性化合物的反相色谱保留值一般随固定相遵循以下顺序:

未改性硅胶(弱)≪胺基＜氰基＜羟基＜醚基＜C_1＜C_3＜C_4＜苯基＜C_8≈C_{18}＜聚合物(强)改变色谱固定相或色谱柱通常不如改变流动相溶剂类型和组成有效,只有在改变流动相不成功时,才尝试改变柱类型提高分离选择性以实现需要的分离。

2. 流动相选择

改变流动相溶剂性质和组成,这是调节 k 和选择性 α 最简便有效的方法。反相色谱均采用水和水溶性极性溶剂为流动相,改变流动中有机溶剂(B％)/水(A％)体积配比获得需要的溶剂强度,可调节 k 和 α 值;改变有机溶剂类型亦可改变 k 和 α 值。调节流动相组成以获得所需 k 值可采用上述式(20-2)、式(20-4)计算。

文献的数据表明反相色谱使用的溶剂强度顺序为:水(0,最弱)＜甲醇(3.0)＜乙腈(3.1)＜丙酮(3.4)＜二氧六环(3.5)＜乙醇(3.6)＜异丙醇(4.2)＜四氢呋喃(4.4)＜丙醇(4.5)＜二氯甲烷(最强),括号中数据为反相色谱相对强度 S。可见反相色谱溶剂强度随 P' 降低而增加。流动相中有机溶剂(B)增加,k 下降,B 增加 10％,k 降低 2～3 倍,$\lg k$ 与 B％基本成线性关系,这是色谱固定相反相色谱性能的重要特征。欲保持溶剂强度基本不变,以溶剂 C 置换溶剂 B 来改变分离选择性,其含量按下式计算:

$$\phi_C = \phi_B (S_B/S_C) \tag{20-8}$$

式中 S_B,S_C 为溶剂 B,C 的反相溶剂相对强度数据。

优化流动相类型和组成,通常首先试用高含量有机溶剂(≥80％),而含水量较低,或纯有机溶剂,以确保试样中所有组分在较短时间被洗出,便于对 k 值作出评估;然后逐步增加水含量或改换有机溶剂类型,调节 k 和提高 α。图 20-16 色谱分离表明将甲醇改为四氢呋喃(THF),组分保留和洗出顺序完全逆转。图 20-17 说明甲醇改为四氢呋喃或增加四氢呋喃,保留值不变而 α 改变。

反相色谱优化溶剂组成时,除 CH_3CN、MeOH 和 THF 外,有时也使用二氧六环、丙醇、二甲亚砜、2-甲氧乙醇等。

3. 流动相 pH

流动相缓冲溶液 pH 对离子性溶质保留有显著影响,pH 变化可导致 k 值 10 倍左右变化,视溶质离子化基团多少而异。流动相 pH 可改变解离溶质的电离程度。分子态溶质具较高疏水性,k 值较高;电离成离子态,疏水性降低导致 k 值下降;电离基团越多,疏水性越弱,k 值越小。图 20-18 描述反相色谱中流动

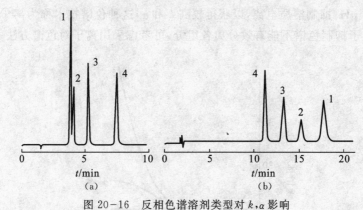

图 20-16　反相色谱溶剂类型对 k,α 影响

流动相:(a) 50％甲醇/水;(b) 25％THF/水

色谱峰:1. 对硝基苯酚;2. 对二硝基苯;3. 硝基苯;4. 苯甲酸甲酯

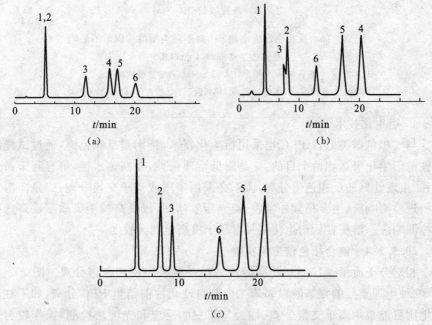

图 20-17　反相色谱溶剂类型和组成对 k,α 影响

流动相:(a) 50％甲醇/水;(b) 32％THF/水;(c) 10％甲醇/25％THF/水

色谱峰:1. 苯乙醇;2. 苯酚;3. 苯丙醇;4. 2,4-二硝基苯酚;5. 苯;6. 邻苯二甲酸二乙酯

相 pH 对不同类型溶质保留的影响,当 pH 升高,酸失去质子解离;而当 pH 降低时,碱获得质子解离。因此随 pH 升高,酸的保留值降低,而碱的保留值升高,中性溶质保留值基本不变。几乎所有与 pH 相关有机酸碱性溶质保留值变化均发生在 pK_a 值±1.5 单位的 pH 范围内。当分离酸或碱性化合物,加入缓冲剂控

制流动相 pH,抑制溶质电离,以获得较高 k 和 α,这种色谱技术称为离子抑制色谱。若离子抑制色谱不能有效分离各组分,可考虑采用离子对色谱方法。

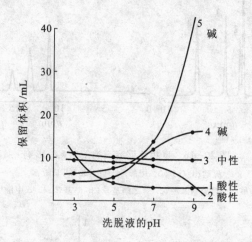

图 20-18　反相色谱流动相 pH 对不同类型溶质保留值影响

色谱柱:300 mm×4 mm ODS

流动相:40%甲醇/0.025 mol/L 磷酸盐缓冲液

溶质:1. 水杨酸;2. 苯巴比妥;3. 非那西丁;4. 尼古丁;5. 甲基苯丙胺

4. 衍生化技术

与气相色谱类似,HPLC 也采用衍生化技术,特别是反相色谱,通过试样组分柱前衍生化可达到两个目的:一是降低溶质极性,提高疏水性,更有利于条件温和、重现性好的反相色谱分离,而不必采用吸附或离子交换分离;二是向溶质中引进检测响应,主要是紫外吸收、荧光激发基团,以提高检测灵敏度或高选择性检测响应。溶质柱后衍生化则只有利于提高检测灵敏度。

20.5.2.4　键合相色谱应用实例

相对分子质量<10 000 的脂溶性试样一般采用反相色谱分离。图 20-19 为 30 种生理重要的氨基酸以邻苯二甲醛自动化柱前衍生 RPC 分离,如不柱前衍生则只能采用离子交换分离、柱后与茚三酮反应和光度法检测,操作较为复杂。图 20-20 为极性氨基柱反相色谱条件下分离水溶性、强极性糖类化合物,这是氨基柱的典型应用实例。

20.5.3　离子对色谱

离子对色谱(ion-pair chromatography)是一种分离分析离子性溶质的色谱方法。在色谱体系中引入一种与试样溶质离子电荷相反的离子对试剂,通常称为对离子或反离子(counterion),它与溶质离子形成离子对,从而改变溶质在两

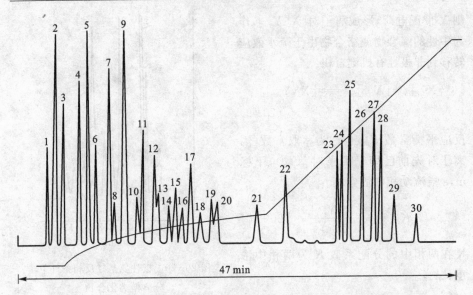

图 20-19　邻苯二甲醛柱前衍生化氨基酸 RPC 分离色谱图

色谱柱：300 mm×4.5 mm，5 μm ODS

流动相：0.05 mol/L 磷酸缓冲液至 2％THF/2％水/甲醇梯度淋洗

色谱峰：1. 磷酸丝氨酸；2. 天冬氨酸；3. 谷氨酸；4. α-氨基己二酸；5. 天冬酰胺；6. 丝氨酸；

7. 谷氨酰胺(Glu.)；8. 组氨酸；9. 甘氨酸；10. 苏氨酸；11. 瓜氨酸；12.1-甲基组氨酸；

13.3-甲基组氨酸；14. 精氨酸；15.β-氨基丙酸；16. 氨基丙酸；17. 牛磺酸；

18. 鹅肌肽；19.β-氨基丁酸；20.β-氨基异丁酸；21. 酪氨酸；22. 氨基丁酸；

23. 蛋氨酸；24. 缬氨酸；25. 色氨酸；26. 苯丙氨酸；27. 异亮氨酸；28. 亮氨酸；

29.δ-羟赖氨酸；30. 赖氨酸

相中的分配，使离子性溶质的保留行为和分离选择性发生显著变化。常用的离子对试剂有提供阴离子的 $C_4 \sim C_8$ 烷基磺酸盐、烷基硫酸盐、羧酸盐、萘磺酸盐、高氯酸盐等；提供阳离子的季铵盐和烃基胺，如四丁基铵盐、十六烷基三甲基铵盐、三乙胺等。将离子对试剂涂渍在液液色谱的硅胶载体上或溶于流动相中，可构成液液离子对分配色谱，由于固定相的流失，这类离子对色谱应用不多。在反相色谱中，离子对试剂加入缓冲液和甲醇、乙腈等极性有机溶剂的流动相构成反相离子对色谱。由于离子交换色谱固定相传质速率慢，柱效低的缺点，对质量大的有机离子分离，反相离子对色谱是更合适的选择，成为当今广泛应用于羧酸、磺酸、胺、季铵盐、氨基酸、多肽、核苷酸及衍生物等有机酸、碱和两性化合物的重要分离分析方法。

基于反相离子对色谱溶质保留行为及影响因素，已提出形成离子对、动态离子交换和离子相互作用等多种保留机理。其中形成离子对是较为典型的过程，主要原理是在水溶液流动相中溶质离子 X^+ 和相反电荷对离子 Y^-（若 X 带负电荷，则 Y 带正电荷)形成离子对[X⁺Y⁻]，作为中性的缔合物或络合物由于疏水效应转移到非极性有机键合相：

$$[X^+]_m + [Y^-]_m \rightleftharpoons [X^+Y^-]_s$$
$$(20-9)$$

反应平衡常数 K_{XY} 也称为萃取常数(因离子对先前已用于离子对萃取)，下标 m，s 指流动相和固定相。

$$K_{XY} = \frac{[X^+Y^-]_s}{[X^+]_m[Y^-]_m} \quad (20-10)$$

X 在两相中的分配系数 K 为两相中浓度比：

$$K = \frac{[X^+Y^-]_s}{[X^+]_m} = K_{XY}[Y^-]_m$$
$$(20-11)$$

色谱过程中溶质的保留值 k 为

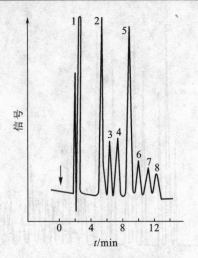

图 20-20　极性氨基柱反相条件下
分离糖类化合物

色谱柱：5 μm 键合胺丙基硅胶柱，
250 mm×4.6 mm
流动相：75%乙腈/水
色谱峰：1. 溶剂；2. 鼠李糖；3. 木糖；4. 阿拉
伯糖；5. 果糖；6. 甘露糖；7. 葡萄糖；8. 半乳糖

$$k = K\frac{V_s}{V_m} = K_{XY}[Y^-]_m\frac{V_s}{V_m} \quad (20-12)$$

上式说明，溶质的 k 与 K_{XY} 和流动相离子对试剂浓度[Y⁻]成正比。K_{XY} 与溶质解离度、对离子的类型及结构、性质有关。因此影响溶质保留和分离选择性的因素，除一般反相色谱条件外，主要还有流动相缓冲液的 pH 应高于溶质的 pK 值，以确保溶质解离呈离子态；离子对试剂具有适当烷基链、疏水性，在水溶性流动相有较好溶解度，且可调节一定浓度范围。因此改变离子对试剂的结构和浓度可以控制 k 值和提高 α 值。采用具紫外吸收的离子对试剂可测定非紫外吸收试样，称为间接光度离子对色谱。反相离子对色谱的主要缺点是反相键合填料适应 pH 范围(pH2~8)限制，若采用有机聚合物反相填料能扩大离子对色谱应用 pH 范围，然而有柱效低的缺点。图 20-21 是反相离子对色谱分离水溶性维生素色谱图。

20.5.4　手性色谱

手性色谱法(chiral chromatography)直接分离手性化合物对映体具有速度快、柱效高、操作简便、适用范围广的优点。气相色谱由于高柱温及可能引起手性固定相外消旋化的缺点，其应用受一定限制。手性高效液相色谱可分为手性

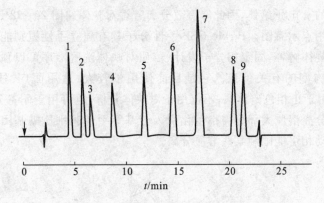

图 20-21　反相离子对色谱分离水溶性维生素

色谱柱:5 μm ODS 250 mm×4.6 mm

流动相:1％乙酸＋0.5％三乙胺＋50％甲醇/水

色谱峰:1. 维生素 C;2. 维生素 B$_1$;3. 维生素 B$_6$;4. 烟酸;5. 维生素 K$_3$;

6. 烟酰胺;7. 对羟基苯甲酸;8. 维生素 B$_{12}$;9. 维生素 B$_2$

固定相(chiral stationary phase,CSP)/非手性流动相和非手性固定相/含手性选择剂流动相,即手性流动相两种色谱技术。具实用价值手性流动相添加剂品种较少,这里主要介绍前者。采用手性固定相 CSP 的高效液相色谱体系的流动相与一般分配色谱相似,根据 CSP 与流动相相对极性不同可构成正相或反相色谱,其中采用极性水溶性流动相的反相手性色谱应用较多。CSP 通常是将手性物质化学键合或涂渍在载体表面上制成。化学键合 CSP 通过含活性基团(如烃胺基)的有机硅偶联剂将手性物质键合到硅胶等基质表面,是当今主要 CSP 类型,已有 100 多种商品化。试样中对映体与键合的手性分子通过氢键、π-π、偶极、疏水、静电、包络和立体镶嵌等相互作用,形成瞬间非对映异构体络合或复合物的结合能力差异,实现对映体拆分。下面介绍常用的 CSP 类型及相应色谱体系。

1. 给体-受体手性固定相

这是 Pirkle 研究组最先开发的一类 CSP,由含末端羧基或异氰酸酯芳香烃手性配体与氨基键合硅胶缩合,分别形成具手性取代芳香酰胺或脲型结构 CSP,亦称为 Pirkle 手性固定相。

$$R^* —COOH＋H_2N(CH_2)_n—SiO_2 \longrightarrow R^* —CONH(CH_2)_n—SiO_2 \quad (20-13)$$

$$R^* —NCO＋H_2N(CH_2)_n—SiO_2 \longrightarrow R^* —NHCONH(CH_2)_n—SiO_2 \quad (20-14)$$

它们具有确定的化学结构,其共同结构特征是在手性中心附近含有取代芳基的π电子给体或π电子受体的π−π作用基团;形成氢键和偶极作用的极性基团;立体位阻的大体积非极性基团,这些是三点作用手性识别模式的结构基础。例如广泛使用的 3,5,−二硝基苯甲酰苯基丙氨酸键合 CSP 为π电子受体,芳香化

合物是良好的 π 电子给体,因此能有效分离芳香对映体。图 20-22 是这种 CSP 立体选择作用点示意图。Pirkle CSP 手性分子具有独立手性识别能力,大多可用三点作用规律解释,固定相分子设计、溶质对映体洗脱顺序可以预测,并可提供溶质绝对构型的有关信息。它是目前使用量较大、适用面广、柱容量高的 CSP。一般用于正相色谱体系,不仅用于对映体分析,也可用于制备分离。其主要缺点是被分离溶质大部分需衍生化引入芳基等手性识别所需基团;多使用非极性溶剂流动相可能限制某些溶质分离。

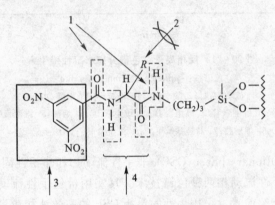

图 20-22　Pirkle CSP 手性识别作用点
1. 偶极-偶极作用;2. 立体位阻;3. π-π 作用;4. 氢键作用

2. 多糖类手性固定相

主要是纤维素及其衍生物 CSP,以引进芳环的取代苯甲酸酯衍生化纤维素居多,如纤维素三(3,5-二甲苯基氨基甲酸酯)、纤维素三(4-甲基苯甲酸酯)、纤维素三乙酸酯等。大多数应用是涂渍在微粒硅胶上,亦有通过羟基和有机硅偶联剂缩合,化学键合至硅胶上。研究表明,纤维素类 CSP 手性识别机理复杂,至今仍未完全阐明。一般认为取决于聚合物螺旋型空穴“立体配合”(steric fit)包结作用,氢键、偶极作用及 CSP 超分子结构对立体识别均有一定影响。纤维素 CSP 用水或非水溶剂流动相,分别构成反相和正相色谱。流动相影响对映体分离选择性,正己烷等非极性溶剂通常要比甲醇/水混合液显示较高分离选择性。这类 CSP 具有应用范围广、试样容量高、价格低的优点;缺点是柱效低,有些溶质呈不可逆吸收,涂渍柱易流失,所用溶剂有一定限制。

3. 环糊精手性键合固定相

亦称为空穴型固定相。环糊精简称 CD,具手性空穴结构,有 α,β,γ 等类型,分别由 6(α),7(β),8(γ) 个葡萄糖苷形成环状空穴结构,其空穴直径依次增加。空穴开口处由极性羟基包围,而空穴本身呈疏水性,可与各种有机分子形成包结络合作用,分子整体上具有光学活性和立体识别能力。分子中的羟基为其衍生化、改性、键合提供了结构基础。通过氨或酰胺键可将 CD 键合到硅胶表面。不含氮、水解稳定的 CD-CSP 是以含环氧基、卤代烃或乙烯基键合硅胶为中间体，与 CD 反应合成。

CD-CSP 可实施正相和反相两种色谱体系。在反相色谱中，其保留和立体识别机理是溶质在 CD 空穴中的包容络合及与空穴边缘上的羟基氢键作用，这两种作用必须同时提供手性识别所需要的三个能量上不同的作用点。天然 CD 键合相正相色谱体系，有机溶剂占据 CD 空穴，未能观察到对映体选择性。因此手性分离主要采用反相体系，正相体系用于异构体及胡萝卜素分离。CD 衍生化提高了手性识别能力，不仅反相体系，正相体系亦可实现手性分离。如 β-CD 氨基甲酸萘乙酯 CSP，是具有包容络合、$\pi-\pi$、氢键作用和大体积空间障碍基团的多模式手性固定相。CD-CSP 除用于分离手性芳香族有机酸、醇、酯、氨基酸、糖类及衍生物外，其应用最多的是分离各种手性药物对映体。

4. 蛋白质手性固定相

主要有牛血清蛋白（BSA）、人血清蛋白（HBA）、α-酸性糖蛋白（AGP）、蛋白酶，如 α-胰凝乳蛋白酶（ACHT）等。一般通过含氨基、二醇基等键合硅胶中间体将蛋白质键合至硅胶上。这类 CSP 只能用于反相色谱体系。蛋白质 CSP 的手性选择性机理十分复杂，已观察到疏水效应、氢键形成、电荷性质、立体效应等对立体选择性影响。由于这类 CSP 的超分子构型相当复杂，对其手性分离机理知之甚少，因而分离条件优化一般相当困难，不仅流动相对蛋白质 CSP 次级结构立体活性点的活性影响非常敏感，而且不同的键合技术可能形成蛋白质络合点不同的微环境，以致完全改变其手性选择性。这类 CSP 价格昂贵，中等柱效，使用寿命欠佳等在一定程度上限制其应用。尽管

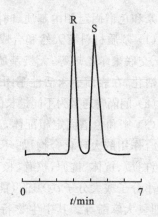

图 20-23 酸性糖蛋白 AGP CSP
上分离 R,S 萘普生

流动相:4 mmol/L 磷酸缓冲液,
pH7.0-异丙醇(99.5:0.5)

存在这些缺点，但按 CSP 的通用性来讲，大致顺序为：蛋白质＞多糖类＞环糊精＞Perkle 型，该顺序将随 CSP 制备技术的发展而变化。蛋白质 CSP 的特殊对映体选择性，其适用范围最广，多种外消旋体，包括许多药物，至今只能在蛋白质 CSP 上分离。图 20-23 是在蛋白质 CSP 上直接分离未衍生化萘普生手性药物对映体。

其他还有大环抗生素、配体交换、手性冠醚、电荷转移、印迹聚合物等应用还不多的 CSP。

20.5.5 亲和色谱

亲和色谱(affinity chromatography)以生物活性配体(如酶、抗体、激素等)通过间隔臂键合到多孔微粒固体基质为固定相,不同 pH 的缓冲溶液为流动相,依据生物分子(氨基酸、肽、蛋白质、核酸等)与固定相配体间的特异、可逆的相互亲和作用力差异,即形成可解离的配位复合物,亦称为锁-键结构复合物或络合物(lock-and-key structural complex),实现生物活性分子分离和纯化。这种亲和作用涉及分子间疏水、范德华力、静电力、络合作用及空间位阻效应等多种因素。亲和色谱过程中,生物活性分子与配体作用被吸留(吸收、吸着)是基于生物活性,而不是物理化学性质,被吸留的活性分子只有改变流动相组成时才被洗脱。当色谱体系中固定相上配体的起始浓度远大于生物活性分子浓度和复合物浓度时,溶质保留值 k 正比于配体的起始浓度,反比于复合物解离常数。特别适用于低浓度生物大分子,如蛋白质的分离纯化,可稳定蛋白质的结构和活性,且收率高。

亲和色谱固定相由基质、间隔臂和配体三部分组成。

(1)基质材料有天然和合成聚合物等有机基质,如葡聚糖、聚丙烯酰胺及衍生物、交联聚苯乙烯等;无机基质是硅胶、氧化锆、氧化钛。基质均需通过功能化反应活化,在表面引入活性基团,如羟基、氨基、环氧基等。

(2)间隔臂通常为不同链长的双功能基化合物,如二醇、二胺、二酸、氨基酸等。

(3)亲和色谱固定相配体,其结构类型多种多样,主要是:① 染料;② 具包结络合作用的大环化合物,如环糊精、杯芳烃等;③ 生物特效配体,如氨基酸、多肽、蛋白质、抗体、抗原、核苷、核苷酸、辅酶、核糖核酸、脱氧核糖核酸及微生物等生物小分子或大分子;④ 还可能是与生物活性分子发生作用的药物,如阿普洛尔、四氢大麻酚等。其中生物特效配体固定相是亲和色谱最重要固定相材料。固定相配体浓度越高,溶质保留值越高,试样容量越大。

图 20-24 是胞嘧啶核苷酸(CMP)配体,通过丁二酸间隔臂,键合到氨丙基活化的硅胶亲和色谱固定相结构。这种固定相已用于细胞色素 C、核糖核酸酶、溶菌酶、纤维素酶、牛血清蛋白等纯度分析。亲和色谱固定相粒径从 3 μm 到几百 μm,10 μm 以下用于分析分离;大粒径填料用于实验室制备或工业规模纯化分离。

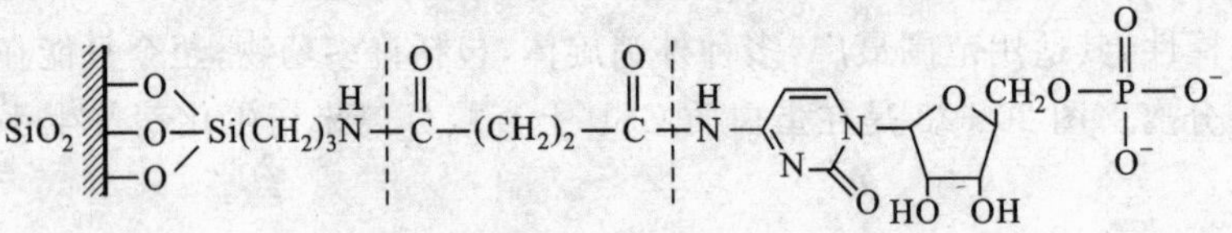

图 20-24   胞嘧啶核苷酸(CMP)亲和色谱固定相结构

亲和色谱分离、纯化对象皆为上述作为生物特效配体及寡糖、多糖等生物分子,多为具生物活性的极性化合物,要求洗脱条件比较温和,以保持生物活性。其流动相为接近中性的稀缓冲液,例如,磷酸盐、硼酸盐、乙酸盐、柠檬酸盐、三羟甲基甲烷与盐酸、顺丁烯二酸等构成的具不同 pH 缓冲液体系。当生物分子与固定相配体存在强亲和作用时,需在流动相中加入一种游离配位基,以取代固定相上配体并与被分离生物分子结合,从固定相上洗脱出来。改变流动相类型、pH、离子强度或改性剂可调节溶质保留值和提高分离选择性。图 20-25 为胸腺嘧啶脱氧核苷酸十八聚体$(dT)_{18}$键合在硅胶亲和色谱固定相上,3 h 程序升温 8 ℃至 44 ℃,分离寡聚腺苷酸十二(A_{12})至十八(A_{18})聚体七个组分。

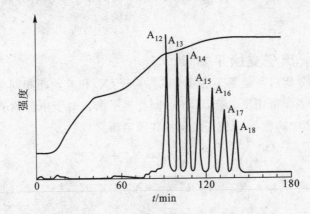

图 20-25　亲和色谱分离寡聚腺苷酸十二(A_{12})至十八(A_{18})聚体

固定相:$(dT)_{18}$键合硅胶色谱柱,300 mm×4.6 mm

流动相:0.49 mol/L NaCl+0.01 mol/L Na_3PO_4,pH=6.5,

程序升温 8 ℃至 44 ℃(图中程序升温线所示)

20.6　离子交换色谱

离子交换色谱(ion-exchange chromatography,IEC)通过固定相表面带电荷的基团与试样离子和流动相淋洗离子进行可逆交换、离子-偶极作用或吸附实现溶质分离。它主要用于分离离子性化合物。第二次世界大战期间为研制原子弹的 Manhatten 计划中以离子交换树脂分离性质非常相近稀土阳离子导致 IEC 的发展。奠定离子交换分离理论基础的里程碑式的工作延伸到第二次世界大战后,多种类型离子交换树脂出现,导致分离、测定氨基酸和其他复杂混合物中离子性溶质的自动分析方法建立。20 世纪 60 年代 HPLC 发展,但 IEC 应用上由于缺乏通用、灵敏测定离子性溶质,如碱、碱土阳离子和卤化物、乙酸、硝酸根阴离子等的检测方法而被延误。直至 1975 年 Small H 发展淋洗离子抑制技术,使电导检测成功应用,建立离子色谱(ion chromatography,IC),致使离子交换色谱焕发新的生机,也改变整个色谱学面貌。现在 HPLC 用离子交换柱已可分离阴、阳离子混合物,特别是用其他技术难以解决的复杂阴离子混合物分离分析,是分析化学的重要进展。

离子交换过程可以近似看成一个可逆化学反应,与液固吸附、液液分配色谱具有显著区别。IEC 已脱离其他色谱技术成为更独立的分离分支学科,不仅是高效、高速分析分离,还用于工业规模分离纯化,是当代分离工程的重要组成部分,广泛应用于水处理、湿法冶金、环境工程、生物化工、制药等领域。但应注意分离工程中有些分离,如水软化、去离子纯化,属离子交换吸着分离,而非淋洗色谱分离过程。

20.6.1　离子交换平衡

离子交换分离过程是基于溶液中试样离子(X)和流动相相同电荷离子(Y)与不溶固定相表面带相反电荷基团(R)间交换平衡。对于单价离子交换平衡可用下式表示,式中脚标 m,s 代表流动相和固定相。

阳离子交换 $\qquad X_m^+ + Y^+ R_s^- \rightleftharpoons Y_m^+ + X^+ R_s^-$ (20-15)

阴离子交换 $\qquad X_m^- + Y^- R_s^+ \rightleftharpoons Y_m^- + X^- R_s^+$ (20-16)

交换平衡常数 $\qquad K_{EX} = \dfrac{[XR]_s [Y]_m}{[YR]_s [X]_m}$ (20-17)

上述方程为化学吸着反应,当 X 进入色谱柱从固定相 R 上置换 Y,平衡向右移动;若 X 比 Y 更加牢固吸着在固定相上,在未被淋洗液中离子置换时,X 将一直保留在固定相上。硬水软化是将硬水连续通过离子交换树脂除去某些离子,是典型化学吸着离子交换反应的应用,这不是淋洗色谱。若采用含 Y 淋洗离子的流动相连续通过色谱柱,则间隙进样被吸着的 X 离子被洗脱,平衡向左移。随淋洗进行,将按上述方程进行吸着、解吸反复交换平衡,按不同溶质与固定相离子作用力差异实现分离。这里,$[XR]_s$,$[YR]_s$ 和 $[X]_m$,$[Y]_m$ 分别代表 X,Y 在固定相上和流动相中浓度。色谱过程分布平衡常数为溶质 X 在固定相和流动相浓度之比,上式重排得

$$K = \frac{[XR]_s}{[X]_m} = K_{EX} \frac{[YR]_s}{[Y]_m} \qquad (20-18)$$

设色谱柱内离子交换剂的质量是 m_s,则固定相上溶质的量(mol 或 g)为 $[XR]_s m_s$;柱内流动相体积 V_m,溶质量为 $[X]_m V_m$。溶质色谱保留值 k 为

$$k=\frac{[\mathrm{XR}]_s m_s}{[\mathrm{X}]_m V_m}=K_{\mathrm{EX}}\frac{[\mathrm{YR}]_s}{[\mathrm{Y}]_m}\frac{m_s}{V_m} \qquad (20-19)$$

平衡常数 K_{EX} 反映溶质离子 X 与固定相离子间亲和力大小。K_{EX} 愈大,表示 X 与固定相亲和力愈强,溶质保留值愈高;K_{EX} 愈小,溶质保留值愈小。为了比较给定离子交换剂对各种离子亲和力差异,导致在两相分布值 K_{EX} 大小不同,选择 H^+ 作为比较的共同参比离子。实验表明,多电荷比单电荷离子有较高保留值。对交换剂上给定电荷基团,与离子间亲和力差异同溶质水合离子体积及其他性质有关。例如,对典型磺酸基强阳离子交换剂,K_{EX} 降低顺序为:$Ag^+>Cs^+>Rb^+>K^+>NH_4^+>Na^+>H^+>Li^+$。对两价阳离子亲和顺序为:$Ba^{2+}>Pb^{2+}>Sr^{2+}>Ca^{2+}>Ni^{2+}>Cd^{2+}>Cu^{2+}>Co^{2+}>Zn^{2+}>Mg^{2+}>UO_2^{2+}$。对强碱性阴离子交换剂,亲和力降低顺序为:$SO_4^{2-}>C_2O_4^{2-}>I^->NO_3^->Br^->Cl^->HCO_2^->CH_3CO_2^->OH^->F^-$。这些只是大致顺序,实际情况还受离子交换剂类型和反应条件影响而略有变化。

离子交换平衡是 IEC 典型的分离机理,但实际 IEC 分离过程要复杂得多,可能包含二级平衡,如通过络合物形成改变溶质离子形态;还包括存在库仑排斥、吸附、疏水、分子体积排阻等作用。正因为分离机理的复杂,IEC 保留行为理论预测不如其他色谱方法有效。

20.6.2　离子交换色谱固定相–离子交换剂和流动相

天然离子交换剂,如黏土和沸石,已被发现和使用了几十年。现在广泛应用的离子交换固定相主要是三种类型:

(1) 苯乙烯和二乙烯苯交联聚合物离子交换树脂,早在 20 世纪 30 年代中已有生产,用于水的软化、去离子和溶液纯化。阳离子交换树脂最普通的活性点是强酸型磺酸基—$SO_3^- H^+$,弱酸型羧酸基—$COO^- H^+$。阴离子交换树脂含季铵基—$N(CH_3)_3^+ OH^-$ 或伯胺基—$NH_3^+ OH^-$,前者是强碱,后者是弱碱。按树脂物理结构不同,有微孔和大孔之分,前者交联度高,骨架紧密,孔穴小,适用于分离小的无机离子;后者交联度低,除微孔外,还有刚性大孔结构。聚合物离子交换固定相有适用 pH 范围广(0~14)的优点,但不是满意的色谱填料,因为聚合物基质微孔中传质速率慢,导致柱效低及基质可被溶胀、压缩。

(2) 表面薄壳型无机–有机复合型交换剂,具有较大粒径(10~40 μm),在无孔玻璃珠或聚合物内核表面涂覆薄层聚合物离子交换树脂或微粒硅胶。

(3) 硅胶化学键合离子交换剂,粒径 5~10 μm,通过键合、化学反应引入离子交换基团,具有机械强度高、柱效高的优点,但适用 pH 范围窄(2~8)。

离子交换色谱流动相具有其他色谱方法相同的要求,即必须溶解试样,有合适溶剂强度以获得合理的保留时间和 k 值,和各溶质有差异的相互作用以改

进分离选择性 α。离子交换色谱流动相是含离子水溶液,常是缓冲剂溶液。溶剂强度和选择性决定于加入流动相成分类型和浓度。一般流动相的离子与溶质离子在离子交换填料上的活性点发生竞争吸着和交换。流动相缓冲液的类型、离子强度、pH 及添加有机溶剂类型、浓度等是实现分离条件优化的主要因素。

20.6.3　离子色谱

采用紫外等检测器,离子交换色谱已广泛应用于有机离子分离分析。人们早已注意到,IEC 推广应用到无机离子的定量测定由于缺乏一般通用检测器而受到限制。电导检测器是这种测定的合理选择。它对带电粒子具有通用性、高灵敏度,其响应随离子浓度变化。此外,这种检测器结构简单、价廉、便于维护和微型化,可无故障长时间使用。但严重限制它应用的原因是淋洗流动相高电解质浓度导致高本底响应淹没检测溶质离子响应,从而大大降低检测器的灵敏度。

1975 年,淋洗液高本底电导问题,以采用离子交换分离柱后引入称为抑制柱的方法获得解决。抑制柱填充第二种离子交换填料,能有效地将流动相淋洗离子转变成低电离的分子而不影响分析的溶质离子检测。这种淋洗液离子抑制、电导检测的离子交换色谱方法称为离子色谱(ion chromatography, IC),亦称为双柱离子色谱。离子抑制柱反应如下:当分离测定阳离子时,一般用盐酸等无机酸为淋洗剂,抑制柱是—OH 型阴离子交换树脂(R—OH)。抑制柱的反应产物是水,式中脚标 m,s 代表流动相和抑制柱固定相。

$$H_{(m)}^+ + Cl_{(m)}^- + R^+ - OH_{(s)}^- \longrightarrow R^+ - Cl_{(s)}^- + H_2O_{(m)} \qquad (20-20)$$

溶质阳离子不会在抑制柱上保留。

对阴离子分离测定,抑制柱填料为—H 型阳离子交换剂填料,一般用碳酸氢钠或碳酸钠为淋洗剂,抑制柱内的反应为

$$Na_{(m)}^+ + HCO_3^-{}_{(m)} + R^- - H_{(s)}^+ \longrightarrow R^- - Na_{(s)}^+ + H_2CO_{3(m)} \qquad (20-21)$$

这里,低电离度的碳酸不会产生明显电导响应。

为使填料回复到原来的酸或碱型,最初抑制柱需定期再生(通常每 8~10 h)而使用不便。适用于连续操作,新发展的纤维膜抑制器,如图 20-26 所示。它由两片标有 M 的渗透性离子交换膜和三片网格组成。淋洗液在交换膜中间流通,抑制器再生液在两侧反向流动。分离阴离子,膜为阳离子交换剂;分离阳离子,膜为阴离子交换剂。例如,以 NaOH 淋洗液分离阴离子,图中上下两片为高交换容量阳离子交换膜,膜的外侧为不断流动的再生液 H_2SO_4 通过网

格,从分离柱出来的试样随淋洗液流经膜中间网格,其间发生两个非常有用的化学反应:再生液中阳离子 H^+ 经过阳离子交换膜进入内侧与淋洗液中 OH^- 结合成低电导的水;同时,交换膜上等当量的 Na^+ 被 H^+ 交换到膜外侧,流入废液,膜获得再生。这种装置具有非常高的离子交换速率,当淋洗液流速为 2 mL·min^{-1},能从 0.1 mol/L NaOH 溶液中除去全部 Na^+。

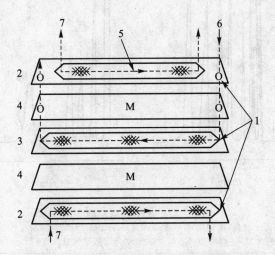

图 20-26　离子色谱的微膜抑制器结构示意图

1. 垫片材料;2. 再生网格;3. 淋洗网格;4. 离子交换膜;
5. 打开网格;6. 淋洗液流;7. 再生液流

　　最新设计的离子色谱仪,通过电解产生 H^+ 或 OH^- 使抑制器溶液自动再生,无需中断仪器操作加入再生试剂,称为无试剂(reagent-free)离子色谱。图 20-27 为双柱离子色谱分离无机阴、阳离子的典型应用实例。

　　不用抑制柱的离子色谱装置,亦称为单柱离子色谱也已商品化。这种方法是基于试样离子与常用淋洗离子间电导的微小差异。为了扩大这种差异可采用低容量离子交换剂和低电导淋洗离子。单柱离子色谱检测灵敏度稍低,适用范围有限。

　　间接光度检测离子色谱是单柱离子色谱另一种方法,可用紫外检测器测定无紫外吸收离子。它是在色谱流动相中加入一种高紫外吸收的淋洗或检测离子,具有高本低紫外响应,当无紫外吸收的试样溶质离子被淋洗离子置换,并进入色谱区带,导致区带内检测离子平衡浓度降低,显示负的色谱峰。图20-28是以邻苯二甲酸为检测试剂分离测定阴离子间接光度检测色谱图。

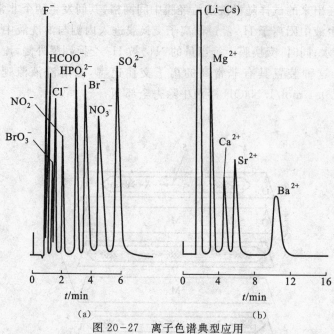

图 20-27　离子色谱典型应用
（a）阴离子分离，流动相：0.0028 mol/L NaHCO₃/0.0023 mol/L Na₂CO₃；
（b）阳离子分离，流动相：0.025 mol/L 对苯二胺盐酸盐/0.0025 mol/L HCl

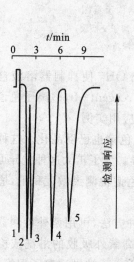

图 20-28　几种阴离子间接光度
离子色谱分离图

流动相：10⁻³mol/L 邻苯二甲酸钠＋
10⁻³mol/L 硼酸，pH＝10UV 检测器
色谱峰：1. 碳酸根离子；2. 氯离子；
3. 磷酸根离子；4. 叠氮物；5. 硝酸根离子

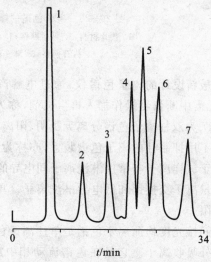

图 20-29　离子排阻色谱分离六种弱酸混合物

淋洗液：0.01 mol/L HCl；抑制柱-电导检测
色谱峰：1. 硫酸根离子；2. 马来酸；3. 丙二酸；4. 乳酸；
5. 甲酸；6. 乙酸；7. 丙酸

20.6.4 离子排阻色谱

离子排阻色谱(ion-exclusion chromatography)分离测定的是低电离度的分子而不是离子,分离在离子交换柱上实现。它的理论基础是说明离子通过膜扩散的 Donnan(道南)平衡,其主要论点是离子交换剂上大体积不扩散离子可排斥同电荷小离子扩散进入该相。由于阳离子和阴离子交换剂排阻离子,使快速通过色谱柱,无保留或保留值很小;而非离子性溶质被分布、保留并实现分离。其保留基于溶质分子与交换剂之间范德华力、偶极、疏水作用等。有机酸同系物保留值随碳数增加;具相同碳数长链脂肪酸保留值随羧基增加而降低;芳环衍生物比同碳数脂肪族化合物保留值要高。图 20-29 是用离子排阻色谱在强酸型阳离子交换固定相上以盐酸淋洗分离羧酸色谱图。分析柱后接有银离子的阳离子交换抑制柱,淋洗液中的氢离子被交换成银离子,然后沉淀、除去淋洗液中氯离子以有利电导检测。羧酸被抑制解离以非解离的分子态在色谱柱上保留。各种酸的分布常数主要与它们电离常数有关,亦还有其他因素起一定作用。离子排阻色谱已发现许多应用,如测定牛奶、咖啡、酱油、酒和其他产品中的酸性物质、氨基酸、糖类、酚类等。

20.7 体积排阻色谱

20.7.1 分离原理

体积排阻或排除色谱(size-exclusion chromatography,SEC)亦称为凝胶色谱或凝胶过滤色谱,是分析高分子化合物的色谱技术。SEC 填料为微粒均匀网状多孔凝胶材料。比填料平均孔径大的分子被排阻在孔外而无保留,被最先洗出;分子体积比孔径小的分子完全渗透进入孔穴,最后洗出;处于这两者之间具中等大小体积分子渗透进入孔穴,由于渗透能力差异而显示保留不同,产生分子分级,这取决于分子体积,在一定程度上亦与分子形状有关。因此,SEC 分离是基于溶质分子体积差异在凝胶固定相孔穴内的排阻和渗透性大小。

多孔凝胶填料填充柱总体积 V_t 包括凝胶基质骨架体积 V_g,孔穴中溶剂体积 V_s,凝胶颗粒间体积 V_o 等几部分:

$$V_t = V_g + V_s + V_o \qquad (20-22)$$

这里 V_s 称为固定相体积;V_o 称为柱内流动相体积。假设不存在组分再混合和扩散,V_o 代表洗出被凝胶排阻的大体积溶质所需流动相溶剂体积。然而,事实上一定的混合和扩散可能发生,结果是无保留溶质显示一个最大浓度在洗出流

动相体积为 V_o 的 Gaussian 谱带。小体积溶质可自由地渗透进入凝胶孔穴,洗出谱带最大浓度相应体积为(V_s+V_o)。一般 V_s,V_o 和 V_g 在同一数量级,则中等大小体积分子洗出体积介于(V_s+V_o)和 V_o 之间的 V_e 值:

$$V_e=V_o+KV_s \qquad (20-23)$$

对体积太大以致不能进入凝胶孔穴的分子,$K=0$ 和 $V_e=V_o$;对无阻碍地进入孔穴的小分子,$K=1$ 和 $V_e=V_s+V_o$。式(20-23)重排得

$$K=(V_e-V_o)/V_s=c_s/c_m \qquad (20-24)$$

K 为溶质的分配系数。K 值范围从完全排除的大体积分子 K 为 $0(V_e=V_o)$到完全渗透的小分子溶剂 K 为 $1(V_e-V_o=V_s)$之间。对比较不同填料性能,K 是一个有价值的参数。应注意,分配系数 K 的含义与其他色谱方法的差别,这里 K 是溶质淋洗或保留体积占固定相体积的比例,其值总小于 1。此外,不同于其他色谱方法,排阻色谱填料是惰性的,溶质和固定相凝胶之间不存在化学和物理吸附等相互作用,且尽量避免这种作用以免影响柱效。这种色谱方法存在保留时间上限,没有溶质保留时间能大于完全渗透固定相的溶质洗出时间。

　　对 SEC 填料适用的相对分子质量范围可方便地从图 20-30 校准曲线来说明。这里,直接与溶质分子体积有关的相对分子质量对保留时间与流动相体积流速乘积的保留体积 V_R 作图。图中存在一个排阻极限点 A,凡比此点相对分

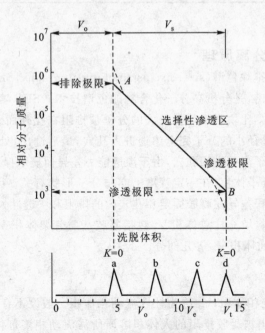

图 20-30　SEC 柱校准曲线和相应色谱图

子质量大的溶质均被排阻,以保留体积为 V_0 的单一色谱峰 a 洗出。此外,还存在一个渗透极限点 B,所有相对分子质量低于此点的溶质分子完全渗透,以单一峰 d 洗出。从 A 点随相对分子质量降低,溶质分子在凝胶孔穴中逐渐渗透,慢慢迁移。这是选择性渗透区,发生溶质按相对分子质量分级分离,形成系列色谱峰,如图中 b,c 等。类似图 20-30 理论校准曲线,以相对分子质量标准试样获得各种商品化填料的实验校准曲线由填料制造商提供。

20.7.2 体积排阻色谱柱填料和流动相

SEC 经常使用的固定相有两种,即粒径 $5 \sim 10 \ \mu m$ 均匀网状孔穴的交联聚合物和无机材料,如多孔玻璃、硅胶基质等。后者具有机械强度和稳定性高、易填充、耐高压和高温、更换溶剂平衡速度快、适用溶剂范围广等优点。孔径范围 $0.004 \sim 0.25 \ \mu m$。其缺点是残余吸附导致溶质非排阻保留及催化作用引起溶质降解。为减少吸附,常采用硅烷化对表面改性,引进羟基等亲水性基团。有机聚合物凝胶常用的是苯乙烯和二乙烯苯交联共聚物,由交联度控制孔径范围。最初聚合物是疏水的,只适用非水流动相,对水溶性高分子,如糖类等应用受到限制。现在通过聚苯乙烯磺酸化或制备聚丙酰胺可获得亲水性聚合物凝胶。

SEC 可分为凝胶过滤和凝胶渗透色谱。前者使用亲水性填料和水溶性溶剂流动相,如不同 pH 的各种缓冲溶液;后者采用疏水性填料和非极性有机溶剂,最常用的是四氢呋喃,其次是二甲基甲酰胺、卤代烃等流动相。SEC 不采用改变流动相组成来改善分离度,溶剂选择主要考虑对试样溶解能力及与固定相、检测器的匹配。

20.7.3 体积排阻色谱应用

SEC 方法主要应用是分离测定合成和天然高分子产物。例如从氨基酸和多肽中分离蛋白质;测定聚合物的相对分子质量和相对分子质量分布。这常是其他色谱方法不能解决的课题。图 20-31 是用多孔硅胶固定相分离测定聚苯乙烯相对分子质量分布色谱图。另一个用途是分离同系物和低聚物。如分离脂肪酸、脂肪醇同系物,聚乙二醇低聚体等。其次,亦可分离低分子化合物,如分离蔗糖、果糖、葡萄糖等。SEC 不适用于分子体积相似的异构体分离。由于溶质与固定相不存在相互作用,因而不存在生物高分子分离中去活的缺点,此乃 SEC 的优点。

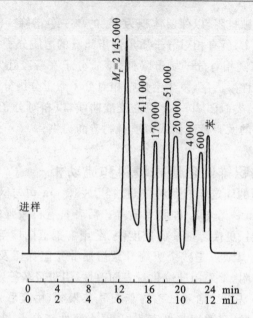

图 20-31　聚苯乙烯相对分子质量分布 SEC 色谱图

色谱柱：四根 300 mm×3.9 mm 8 μm 硅胶凝胶柱

流动相：二氯甲烷

20.8 微径柱高效液相色谱

　　微径柱(microbore column)一般指内径 1～2 mm 细内径填充柱和内径 <1 mm 的毛细管填充柱、整体柱和开管柱。早在 HPLC 发展初期,即 20 世纪 60 年代,就已研究内径 0.5 mm,长 1 m 的毛细管 HPLC。微径柱色谱已成为统一的高分离度色谱方法,包括毛细管气相色谱、超临界流体色谱、微柱高效液相色谱(Micro-HPLC,μ-HPLC,Nano-HPLC)。它们在基本原理、仪器和操作技术,如进样、柱技术、检测器、仪器组件等多方面相似;毛细管柱均多采用内径 50～300 μm 弹性石英管。随着柱和检测技术发展,统一的微柱色谱方法将提供未知试样丰富色谱信息。

　　与常规分析 HPLC 比较,微柱高效液相色谱显示一系列优点:(1) 由于柱长和柱效之间存在线性关系,可采用较长色谱柱(≥2 m),高压泵输液 1 000 大气压以上,可获得每米数 10^5～10^6 高理论塔板的超高柱效;但通常大内径色谱柱未观察到这种线性关系;高压能获得高线速,可实现快速分离。(2) 较小柱体积,柱填料可比常规分析柱节省 100～600 倍。较低体积流速,导致低溶剂消耗,降低成本和减少环境污染。内径 0.5 mm 毛细管柱和 1 mm 微径柱分别为

4.6 mm常规柱（1 mL·min^{-1}体积流速）获得相同线速度条件下溶剂消耗的0.012%和5%。（3）分离洗脱较小的峰体积，导致浓度敏感检测器（紫外、荧光、ESI-MS）有较高的响应，大大降低最低检出限。进同样量试样时，0.5～0.075 mm内径毛细管柱可比4.6 mm常规柱提高灵敏度2～3数量级。（4）石英毛细管柱内壁易于化学改性，降低溶质与管壁作用，提高柱效和选择性。表20-2给出典型微径柱和毛细管柱的流动相流速等主要参数。

表 20-2 液相色谱微径柱和毛细管柱的流动相流速和相对检测灵敏度

柱内径 mm	柱类型	流速范围 μL/min	最适流速 μL/min	柱容量	相应多肽 fmol	柱体积 μL	相对灵敏度
4.6	常规柱	500～2 000	1 000	≈300 μg		3 240	1
1.0	微径柱	20～200	50	≈10 μg	≈1 000	120	20
0.5	毛细柱	5～50	8	≈2.5 μg	≈250	30	85
0.3	毛细柱	2～20	3	≈1.0 μg	≈100	10	200
0.1	毛细柱	0.25～2.5	0.5	≈100 ng	≈10	2	200
0.075	毛细柱	0.1～1	0.3	≈25 ng	≈1	0.7	3 760

注：柱填料为3.5 μm ODS，柱长15 cm，相对灵敏度为与4.6 mm通用分析柱条件下比较。

现代通用 HPLC 仪器有些具有微柱高效液相色谱功能，但常需分流或更换输液泵泵体、检测池才能与微径柱匹配。微柱专用高效液相色谱仪器微机械加工技术要求更高，各种组件与微径柱匹配，可获得优化分离测定条件。这类商品色谱仪采用脉动流量自动校正和高速驱动、微体积双柱塞高压输液泵，液缸体积为微升级（约50～250 μL），柱前压可达500×10^5 Pa 以上，流速50×10^{-6}～5 mL·min^{-1}范围内精度约为0.3%。进样方式采用一般六通阀进样分流（分流比约1/10～1/100）或定时切换取样，如装0.5 μL取样管，流动相流速5 μL·min^{-1}，取样(load)1 s切换至进样，进样为83 nL。现已有商品微体积六通进样阀（microinjector），进样体积在纳升范围可变。微径柱多采用匀浆装柱，毛细管填充柱、整体柱与电色谱柱制备方法相同，填料1.5～3 μm。开管柱内壁改性、固定化与气相色谱柱制备方法相似。检测方式，若为光学检测器，对石英毛细管柱，一般采用在线检测，即将色谱柱出口端装在检测光路固定支架上。现已有微型池检测器，池体积为数微升或更小，如4～8 μL 或50～500 nL；光程长为数毫米。

微径柱液相色谱具有高灵敏度、高通量分离能力，适用于多组分复杂混合物的分离分析。图20-32为炭黑萃取稠环芳烃混合物分离色谱图，质谱鉴定表明组分为相对分子质量从202～450的含4～10苯环不同结构稠环芳烃，但还未能对所有组分作出鉴定。微径柱液相色谱最主要应用是与质谱、核磁共振波谱联用，获取各种分子群的结构信息，在蛋白质组学、药物代谢组学、天然产物和食品安全等领域应用。另一个是多维色谱技术中的应用,如 μ-HPLC/毛细管 GC, μ-HPLC/SFC,μ-HPLC/μ-HPLC 多维分离,提供试样高分离前的纯化、预分离、预浓缩等。

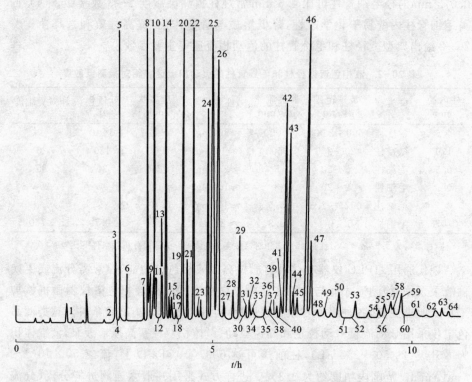

图 20-32   炭黑萃取稠环芳烃混合物分离色谱图

色谱条件:180 cm×200 μm,3μm ODS 填充柱,总理论塔板 22 5000

流动相:ACN/水,ACN/乙酸乙酯梯度淋洗,流速 1.1 μL·min^{-1}

柱前压:360×10^5 Pa

检测器:荧光,激发 365 nm,发射 470 nm

20.9   制备高效液相色谱简介

    制备色谱是分离、收集一种或多种色谱纯组分,供进一步使用。与分析分离的区别是色谱柱尺寸、柱容量更大。评价制备色谱方法的主要指标是:(1) 最大允许分离试样体积或量(色谱柱负荷);(2) 单位时间内分离纯物质的量,即产率;(3) 淋洗溶剂量或试样在分离中的稀释度。

    一般实验室通用色谱仪可进行半制备分离,柱内径≤10 mm,色谱操作条件与分析分离大致相同,制备量在 0.1～25 mg 范围。专用制备色谱仪设备与分析为主的通用型色谱仪结构、操作技术差别较大。其输液泵流量 2～100 mL·min^{-1};制备柱内径 10～100 mm,长 25～100 cm,填充固定相粒径 10～40 μm,重 25～1 000 g。小内径制备柱可采用匀浆高压装柱,大内径多为径向压缩柱,采用真空抽吸和床层压缩相结合的装柱技术。自动进样器允许最大进样量 20～100 mL。检测器灵敏度要求不高,如示差折光或短光程(如 1 mm)的紫外检测器,亦可采取柱后分流,以适应高浓度试样检测。检测器后有试样馏分自动收集器。进样和馏分收集均由计算机程序控制,可实现全自动化制备分离。一次分离制备试样量 0.1～100 g。

影响制备色谱产率的主要因素有:(1) 产率随柱长、柱内径、柱效升高而增加,但不成线性关系。制备柱一般比分析柱长。增大柱内径比增加柱长更有效,但柱内径增大,流动相溶剂消耗和试样稀释度增加。(2) 比较获得相同产率使用粗(25～40 μm)或细(≤10 μm)不同颗粒填料,操作条件各有优缺点。小粒径填料与小内径柱(≤10 mm)匹配,其柱效高,需柱长短,填料用量少,柱前压高,溶剂消耗量低,试样稀释度小;大粒径填料与大内径柱(>10 mm)匹配,其柱长长,填料用量大,柱前压低,溶剂消耗量大,试样稀释度大。一般选用制备柱内径较大,较大粒径填料以降低分离成本。(3) 制备分离的目标组分要求有比较高的分离选择性 α 值,可允许较大进样量。(4) 制备色谱经常在柱超负荷条件下操作,一般适当降低进样浓度,保持在线性分布范围,用增加进样体积提高进样量以提高产率。应选择与流动相互溶的溶剂制备试样溶液。(5) 以硅胶为填料的正相色谱通常是制备分离首选方法,低沸点有机溶剂易于回收,具有成本低的优点。但对各种特殊分离,如对映体、蛋白质等需采用手性、弱疏水性填料。

制备色谱广泛用于天然产物、生物技术、药物等领域生物活性物质制备分离;亦是化学化工、生物医药、环境科学等未知样和高纯标准试样制备的主要技术手段。

思考、练习题

20-1　试与气相色谱、经典液相柱色谱比较说明高效液相色谱有哪些基本特点,其色谱性能和应用范围有何异同?

20-2　高效液相色谱仪有哪几个主要组成部分? 它与气相色谱仪有何异同之处?

20-3　试说明高效液相色谱常用检测器类型、基本原理,比较其检测灵敏度和适用范围。

20-4　何谓正相色谱和反相色谱? 色谱固定相、流动相极性变化对不同极性溶质保留行为有何影响?

20-5　试预测下面两组溶质在正相和反相色谱的洗出顺序:(1) 正己烷、正己醇、苯;(2) 乙酸乙酯、乙醚、硝基丁烷。

20-6　用作液相色谱流动相的溶剂有哪些基本要求？评价常用溶剂色谱性能有哪些主要特性参数？

20-7　在氧化铝吸附色谱中以苯/丙酮为二元流动相进行梯度淋洗,其操作是增加或降低苯在流动相中比例,为什么？

20-8　在某正相色谱体系中,当流动相为 50％氯仿和 50％正己烷(体积分数)时溶质保留 29.1 min,死时间为 1.05 min,试计算(1) 溶质 k 值;(2) 欲调节 k 为 10 左右,应如何改变溶剂组成？

20-9　在某反相色谱体系中,初始流动相含 30％甲醇和 70％水(体积分数),最后溶质峰保留时间 t_R 为 31.3 min,其死时间 t_M 为 0.48 min,试计算初始条件下溶质 k 和欲获得溶质 k 为 5 左右,应如何改变溶剂组成？

[按式(18-28)求出初始条件下 k 为 64[(31.3-0.48)/0.48];根据表 20-1 中甲醇、水的极性指数,按式(20-1)求出初始二元混合溶剂 $P'=8.7(0.3×5.1+0.7×10.2)$;代入式(20-3)[$5/64=10^{(P'_2-8.7)/2}$],得 $P'_2=6.5$;设新混合溶剂甲醇体积分数为 x,按式(20-1)得 $x=0.73$ 或 73％[$6.5=x×5.1+(1-x)×10.2$],因而 73％甲醇/27％水混合溶剂将把溶质 k 调节到 5。]

20-10　液固色谱有哪些主要色谱柱填料？试说明其保留机理和影响分离选择性和保留的因素。

20-11　正相分配色谱与吸附色谱有哪些方面相似？

20-12　在硅胶色谱中,以甲苯为流动相,某化合物保留时间为 28 min,选用四氯化碳或氯仿中哪种溶剂能更有效缩短保留时间？为什么？

20-13　化学键合固定相有哪些结构类型？可用于哪些色谱方法？并说明主要制备方法和性能指标。

20-14　试说明非极性键合相 RP-HPLC 按溶质极性强弱的保留值变化,色谱保留机理,影响溶质保留的因素,适用分离试样类型和色谱分离条件优化的基本步骤。

20-15　何谓离子对色谱？说明影响该色谱方法中溶质保留因素,适用分离哪些类型化合物？

20-16　试说明影响离子交换色谱溶剂保留和分离选择性的主要因素。

20-17　什么是离子色谱抑制柱？为什么要使用抑制柱？

20-18　试定义下列几个术语:(1) 等度淋洗;(2) 梯度淋洗;(3) 停流进样;(4) 柱外效应;(5) 正相填料;(6) 反相填料;(7) 手性填料;(8) 排阻极限。

20-19　假设图 20-30 中化合物 a 的保留体积 5.1 mL,化合物 d 为 14.3 mL,试估算色谱峰 b,c 化合物的分布常数 K。

(0.39,0.75)

20-20　提出适合分离下列混合物的色谱方法:

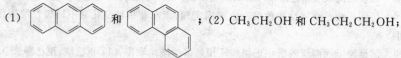

(1) 　　　　 和 　　　　 ;(2) CH_3CH_2OH 和 $CH_3CH_2CH_2OH$;

(3) Ba^{2+} 和 Sr^{2+};(4) C_4H_9COOH 和 $C_5H_{11}COOH$;(5) 高相对分子质量糖苷。

参考资料

[1] Skoog D A,Holler F J,Nieman T A. Principles of Instrumental Analysis. 5th ed. Philadelphia:Harcourt Brace & Company,1998.

[2] 达世禄. 色谱学导论.2版. 武汉:武汉大学出版社,1999.

[3] 邹汉法,张玉奎,卢佩章. 高效液相色谱法. 北京:科学出版社,1998.

[4] Snyder L R,Kirkland J J,Glajch J L. Practical HPLC Method Development. 2nd ed. John Wiley & Sons,Inc,1997.

[5] 朱良漪. 分析仪器手册. 北京:化学工业出版社,1997.

[6] 于世林,高效液相色谱方法及应用. 北京:化学工业出版社,2001.

[7] 北京大学化学系. 仪器分析教程. 北京:北京大学出版社,1997.

[8] 武汉大学化学系. 仪器分析. 北京:高等教育出版社,2001.

[9] 牟世芬,刘克纳. 离子色谱方法及应用. 北京:化学工业出版社,2000.

[10] 施良和. 凝胶色谱法. 北京:科学出版社,1985.

[11] Yang F J. Microbore Column Chromatography. Marcel Dekker, Inc. ,1989.

[12] Hoppe H. Some Reflections on Speed and Efficiency of Modern Chromatography Methods. J of Chromatogr A,1997. 778:3-21.

第21章 毛细管电泳和毛细管电色谱

毛细管电泳(capillary electrophoresis,CE)是一类以高压直流电场为驱动力,毛细管为分离通道,依据试样中各组分之间淌度和分配行为的差异而实现分离的新型液相分离分析技术。它是经典电泳和现代微柱分离技术相结合的产物。传统电泳最大的局限性是难以克服电场高电压所引起的电介质离子流的自热,即焦耳热。在毛细管电泳中,电泳是在内径很小的毛细管中进行,由于毛细管具有很高的表面积/体积比,使产生的焦耳热有效地扩散,因此分离过程能在高电压下进行,极大地提高了分离速度。

毛细管电泳是分析科学中继高效液相色谱之后的又一重大进展,它使分析科学从微升水平得以进入纳升水平,并使单细胞分析成为可能。与高效液相色谱法相比,毛细管电泳具有操作简单、试样量少、分析速度快、柱效高、成本低等优点。但毛细管电泳在迁移时间的重现性、进样的准确性和检测灵敏度方面比高效液相色谱法稍逊色。

毛细管电色谱(capillary electrochromatography,CEC)是毛细管电泳与液相色谱相结合形成的一种高效、快速微分离分析技术。它一般在熔融石英毛细管柱内填充微粒填料、管壁键合或制成连续床类型等固定相,以电渗流或电渗流结合压力驱动流动相,溶质基于在流动相和固定相间分配系数的不同及自身电泳淌度的差异实现分离。CEC克服了毛细管电泳对电中性物质难分离的缺点,并利用液相色谱固定相和流动相选择类型多的优点,其适用范围比 CE 大为扩展。20 世纪 90 年代以来,CEC 进样技术、柱技术、高灵敏度微检测技术、分离机理及生物医药学应用研究迅速发展,开辟了高效微分离分析技术的新途径,成为分离分析领域一个重要的发展方向。

21.1 毛细管电泳和毛细管电色谱的基本理论

21.1.1 双电层和 Zeta 电势

双电层或偶电层是浸没在液体中两相界面都具备的一种特性,通常是指两相之间的分离表面,形成相对固定和游离的、与表面电荷异号的两部分或双离子层。毛细管电泳通常采用石英毛细管柱,其表面等电点 pI≈3,当溶液 pH 大于

3时,石英管内表面相当数量硅羟基(SiOH)电离而以 SiO⁻ 的形式存在,使内表面带负电。当它和溶液接触时,由于静电作用吸附溶液中带相反电荷的离子,形成紧贴硅胶表面的和游离的两部分离子。由这两部分离子组成的与表面电荷异号的离子层,称为双电层。其中的第一部分又称为 Stern(斯特恩)层或紧密层(compact layer),第二层为扩散层(diffuse layer),其电荷密度随着和表面距离的增大而急剧减小,直至在溶液内部相反电荷离子的浓度相等,如图 21-1 所示。

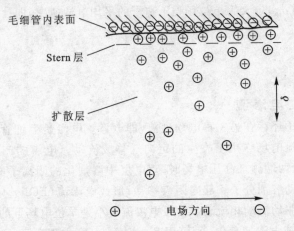

图 21-1 毛细管壁双电层形成示意图

紧密层和扩散层的交点的边界电势称为管壁的 Zeta 电势(ζ),在扩散层内 Zeta 电势随表面距离增大按指数衰减,衰减一个指数单位所需的距离称为双电层的厚度,记为 δ。

毛细管壁上 Zeta 电势是毛细管电泳的一个重要参数,对控制电渗流,优化 CE 分离条件有实际指导意义。与固液界面相似,带电粒子表面也形成类似的双电层结构,即在带电粒子有效半径所构成的界面存在 Zeta 电势。为了区分管壁和带电粒子的 Zeta 电势,用 ζ_w 表示管壁 Zeta 电势,用 ζ_e 表示带电粒子 Zeta 电势。

21.1.2 电泳

在电解质溶液中,带电粒子在电场作用下,以不同的速度或速率向其所带电荷相反电场方向迁移的现象叫做电泳。阴离子向正极方向迁移,阳离子向负极方向迁移,中性化合物不带电荷,不发生电泳运动。

在充满自由溶液开口管中球形粒子的电泳速率公式为

$$v_{ep} = \frac{\varepsilon \zeta_e}{6\pi\eta} E \tag{21-1}$$

式中 ε 为介电常数,η 为介质黏度,E 为电场强度,ζ_e 为带电粒子的 Zeta 电势。

由上述公式可见,带电粒子在电场中的迁移速率,除了与电场强度和介质特性有关外,还与粒子的 Zeta 电势有关。对于非胶体粒子,Zeta 电势近似地正比于 $z/M_r^{2/3}$,其中 M_r 是相对分子质量,z 是净电荷。因此,粒子的荷质比越大,迁移速率越快。不同粒子按照带电种类和表面电荷密度的差别以不同的速率在电介质中迁移,实现粒子分离。

在毛细管电泳中,常用淌度(mobility,μ)来描述带电粒子的电泳行为与特性。电泳淌度(μ_{ep})定义为单位场强下离子的平均电泳速率,即

$$\mu_{ep} = \frac{v_{ep}}{E} \tag{21-2}$$

21.1.3　电渗流

在毛细管中还存在另一种电动现象,即电渗。电渗是毛细管中整体溶剂或介质在轴向直流电场作用下发生的定向迁移或流动。电渗的产生和双电层有关,当在毛细管两端施加高压电场时,双电层中溶剂化的阳离子向阴极运动,通过碰撞作用带动溶剂分子一起向阴极移动,形成电渗流(EOF)。相当于 HPLC 的压力泵加压驱动流动相流动。度量电渗流大小是单位电场下的电渗流速率即电渗淌度(μ_{eo})或电渗速率(u_{eo}),可用 Smoluchowski 方程表示:

$$\mu_{eo} = \frac{\varepsilon_0 \varepsilon \zeta_w}{\eta} \tag{21-3}$$

$$u_{eo} = \mu_{eo} \cdot E = \frac{\varepsilon_0 \varepsilon \zeta_w E}{\eta} \tag{21-4}$$

式中 ε_0 为真空介电常数,ζ_w 为毛细管壁 Zeta 电势。实际应用中,u_{eo} 和 μ_{eo} 用下式计算:

$$u_{eo} = \frac{L_d}{t_0} \tag{21-5}$$

$$\mu_{eo} = \frac{u_{eo}}{E} = \frac{L_d}{t_0} \cdot \frac{1}{E} = \frac{L_d}{t_0} \cdot \frac{L_t}{U} \tag{21-6}$$

式中 L_t 是毛细管的总长,L_d 是进样端到检测器的柱长,U 是毛细管柱两端所加电压,t_0 是电渗标记物在 L_d 段的停留时间。u_{eo} 单位为 $cm \cdot s^{-1}$ 或 $m \cdot s^{-1}$;μ_{eo} 单位为 $cm^2 \cdot V^{-1} \cdot s^{-1}$ 或 $m^2 \cdot V^{-1} \cdot s^{-1}$。通常,采用中性粒子作为标记物,可以直接从实验中测得电渗流大小。

以电场力驱动产生的溶液 EOF,与高效液相色谱中由高压泵产生的液体流型不同,如图 21-2 所示,EOF 的流型为扁平流型(flatflow),或称"塞流"。HPLC 流动相的流型则是抛物线状的层流(laminar flow),它在壁上的速率为

零,中心速率为平均速率的 2 倍。扁平流型不会引起试样区带的展宽,这是 CE 获得高柱效的重要原因之一。

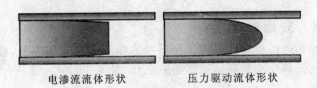

电渗流流体形状　　　压力驱动流体形状

图 21-2　电场力驱动的电渗流与高压泵
驱动的压力流流型比较

21.1.4　电渗流的控制

电渗是 CE 的基本现象之一,它可以控制组分的迁移速率和方向,进而影响 CE 的分离效率和重现性,所以电渗流控制是 CE 中的关键问题或技术之一。

影响电渗流的因素很多,直接影响因素有:电场强度、黏度、介电常数和 Zeta 电势等;间接影响因素有:温度、缓冲液的组成和 pH、管壁的性质等。

(1) 电场强度　毛细管长度固定时,EOF 与电场强度成正比。但是,当外加电压太高时,EOF 与电场强度的关系偏离线性,这是由于电场强度增加,产生焦耳热,导致温度升高,介质黏度变小,扩散层厚度增大。

(2) 温度　增加温度会使缓冲液黏度下降,管壁硅羟基的电离度升高,进而提高电渗流速率。

(3) pH　缓冲液 pH 影响管壁基团的解离度。不同的 pH 对应于不同的 Zeta 电势,因此对电渗流产生很大影响。对于石英毛细管,在 pH 小于 2.5 时,硅羟基基本不解离,电渗流接近于零;当 pH 大于 10 时,硅羟基解离基本完全,电渗流变化很小;在 pH3~10 之间,硅羟基的解离度随 pH 上升而迅速增加,电渗流亦迅速增强。pH 同样影响试样的解离能力,不同的试样需要不同的 pH 分离条件。

(4) 缓冲液溶剂　CE 一般使用水溶液,有时可添加少量有机溶剂以改变电渗。不同溶剂的黏度和介电常数不同,对应的电渗也不一样。在缓冲液中添加甲醇等有机溶剂可引起电渗的大幅度减小。

(5) 离子强度　缓冲液离子强度增加,双电层厚度减小,电渗流下降。但使用过高的离子强度,将产生大量的焦耳热,对分离不利。

(6) 添加剂　添加剂的种类很多,性质各异,通过在管壁上的可逆和不可逆吸附,可影响毛细管内壁电荷的数量及其分布。如在缓冲液中添加一定浓度(小于临界胶束浓度)的阴离子表面活性剂将使 EOF 增加,而阳离子表面活性剂则可使 EOF 降低甚至反向。

(7) 管壁涂层　管壁涂层技术是通过物理涂覆或化学键合技术将毛细管壁

改性,改变表面硅羟基浓度和活性,对 EOF 进行控制。这是目前调控电渗流的一种有效方法,但需要一定的制管技术。

21.1.5 分离原理

由于电泳和电渗流并存,那么,在不考虑相互作用的前提下,粒子在毛细管内电介质中的迁移速率是两种速率的矢量和,即

$$u = u_{ep} + u_{eo} = (\mu_{ep} + \mu_{eo})E \tag{21-7}$$

通常,令 $\mu_{app} = \mu_{ep} + \mu_{eo}$,称之为表观淌度,即从毛细管电泳测量中得到的淌度为粒子自身的电泳淌度和由电渗引起的淌度之和,并有

$$\mu_{app} = \mu_{ep} + \mu_{eo} = u/E = \frac{L_d \cdot L_t}{t_r \cdot U} \tag{21-8}$$

式中 L_d 是毛细管从进样口到检测器的距离,t_r 是粒子通过这段距离所用的时间,L_t 是柱的全长,U 是电压。因此,μ_{app} 可直接从毛细管电泳的测量结果求得。

在典型的毛细管电泳分离中,溶质的分离基于溶质间电泳速率的差异。电渗流的速率绝对值一般大于粒子的电泳速率,并有效地成为毛细管电泳的驱动力。当溶质从毛细管的正极端进样,它们在电渗流的驱动下依次向毛细管的负极端移动。带正电的粒子电泳流方向和电渗流方向一致,因此最先流出,质荷比越大的正电粒子流出越快。中性粒子的电泳速率为零,其迁移速度相当于电渗流速度。带负电的粒子电泳流方向和电渗流方向相反,故它将在中性粒子之后流出。溶质依次通过检测器,得到与色谱图极为相似的电泳分离图谱。

毛细管电色谱由于引入了色谱机制,其保留机理包括两个方面:其一,如同 HPLC,基于溶质在固定相和流动相间分配过程;其二,如同 CE,基于溶质电迁移过程。CEC 容量因子可用下式表示:

$$k = k' + k'(\mu_{ep}/\mu_{eo}) + \mu_{ep}/\mu_{eo} \tag{21-9}$$

式中 k 是 CEC 的容量因子,k' 是 CEC 中由分配作用对色谱保留的贡献,μ_{ep} 为溶质的电泳淌度,μ_{eo} 为电渗淌度。

从公式(21-9)可以看出,CEC 的容量因子并非 CE 的选择性因子和 HPLC 的容量因子的简单加和,而是两者之间相互影响。对于中性化合物,μ_{ep} 为零,k 等于 k',反映纯粹的色谱过程;对于无分配或色谱保留的带电化合物,k' 为零,反映纯粹的电泳过程;对于有分配保留的带电化合物,色谱和电泳机理同时起作用。因此,CEC 既能分离电中性溶质,又能分离带电溶质,对复杂的混合试样显示出强大的分离潜力。

21.1.6 柱效和分离度

与色谱相同,CE 和 CEC 的柱效一般也用塔板数 N 或塔板高度 H 来表示。

实际应用中,可根据以下公式计算:

$$N = 5.54 \left(\frac{t_R}{2\Delta t_{1/2}} \right)^2 \tag{21-10}$$

式中 t_R 为流出曲线最高点对应的时间,即保留时间;$2\Delta t_{1/2}$ 以时间为单位的色谱峰半高宽度。而单位塔板的高度 H 为

$$H = L_d/N \tag{21-11}$$

从理论上分析,CE 分离的柱效可表示为

$$N = L_d/H = (\mu_{ep} + \mu_{eo})VL_d/(2DL_t) \tag{21-12}$$

上式中 D 为扩散系数,试样相对分子质量越大,扩散系数越小,柱效越高,所以毛细管电泳比色谱更适合于生物大分子分离分析,毛细管电泳之所以能在 20 世纪 80 年代后期迅速发展起来,与此有很大的关系。

类似于 HPLC,CEC 的柱效可用 van Deemter 方程表征:

$$H = A + B/u + Cu \tag{21-13}$$

A 为涡流扩散迁移项,代表由于填充床中流体路径不同导致流速差异而引起的谱带展宽,在 CEC 中,只要双电层不重叠(填料粒径 $\geqslant 0.5~\mu m$),电渗流速率就与填料大小无关。流速在管中呈塞子流型,在毛细管中几乎没有流速梯度,所以谱带展宽效应很小。因此在 CEC 中,A 项可忽略。在一般操作条件下,传质阻力 C 项也可忽略。因此在 CEC 中,决定板高的只有 B 项即纵向扩散项,其柱效上,CEC 远优于 HPLC。

作为一种重要的分离分析手段,CE 和 CEC 仍沿用分离度 R 作为衡量分离程度的指标,并定义如下:

$$R = \frac{2(t_{R_2} + t_{R_1})}{W_2 + W_1} \tag{21-14}$$

式中下标 1 和 2 分别代表相邻两个溶质,t_R 为迁移时间,W 为以时间表示的色谱峰底宽度。因此上式分子代表两种物质迁移时间之差,分母则表示这一时间间隔组分展宽对分离的影响。

21.2　毛细管电泳和电色谱仪器装置

21.2.1　仪器基本结构

CE 和 CEC 在常规毛细管电泳仪上进行,图 21-3 为毛细管电泳仪装置示

意图。在一根长 $10\sim100$ cm，内径 $10\sim100$ μm 的毛细管柱中充入缓冲液，柱两端置于两个缓冲液池中，每个缓冲液池分别接有铂电极，与高压电源相连。试样从毛细管一端进入，迁移到另一端的检测器位置接受检测。运行时两个缓冲池中缓冲液的液面应保持在同一水平面，且毛细管柱两端应插入液面下同一深度，以避免柱两端产生压差引起溶液的流动。

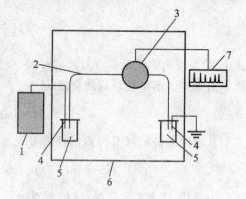

图 21-3　毛细管电泳仪器装置图
1. 高压电源；2. 毛细管；3. 检测器；4. 电极；5. 缓冲液瓶；6. 恒温系统；7. 记录仪

21.2.2　进样系统

毛细管分离通道十分细小，整个柱体积一般只有 $4\sim5$ μL，所需的试样区带只有几纳升。常规色谱进样方法由于存在较大的死体积，会使 CEC 分离效率严重下降，因此不适用于 CEC。毛细管电泳的进样方式一般是将毛细管的一端从缓冲液移出，放入试样瓶中，使毛细管直接与试样接触，然后由重力、电场力或其他动力来驱动试样流入管中。进样量可以通过控制驱动力的大小或时间长短来控制。CE 进样技术均适用于 CEC。

目前有三种方法可以让试样直接进入毛细管，即电动法、压力法和浓差扩散法。电动进样法的原理为：当把毛细管的进样端插入试样溶液并加上电场时，组分因电迁移和电渗作用进入管内。电动进样对毛细管内填充介质没有特别限制，可实现自动化操作，是常用的进样方法。但电动进样对组分存在进样歧视现象，即对淌度大的组分进样量要大些。压力进样也称流动进样，它要求毛细管中的填充介质具有流动性，比如溶液等。当将毛细管的两端置于不同的压力环境中时，管中溶液即能流动，将进样带入。压力的产生有三种方法，即正压、负压和重力虹吸作用。压力进样没有进样歧视问题，但选择性差，试样及本底溶剂都同时被引进管中，对后续分离性能产生影响。利用浓度差扩散原理同样可将试样分子引入毛细管。当将毛细管插入试样溶液时，试样分子因管口界面存在浓差而向管内扩散。浓差扩散进样时间在 $10\sim60$ s 之间，扩散进样对管内介质没有任何限制，属普适性进样方法。

21.2.3　电源及其回路

电流回路系统包括高压电源、电极、电极槽、导线和电解质缓冲溶液等。CE 和 CEC 一般采用 $0\sim\pm30$ kV 连续可调的直流高压电源。理想的电源应具备：

（1）能输出单极直流高压（一端接地）；

(2) 电压、电流、功率输出模式任意可选;

(3) 能控制电压、电流或电功率的梯度;

(4) 电压输出精度应高于 1%。

CE 的电极通常由直径 0.5～1 mm 的铂丝制成。电极槽,即缓冲液瓶,通常是带螺口的小玻璃瓶或塑料瓶(1～5 mL 不等),要便于密封。缓冲液内含电解质,充于电极槽和毛细管中,通过电极、导线与电源连通,一同构成整个电流回路。

在仪器操作过程中,必须注意高压的安全保护问题。高压容易放电,尤其在空气湿度较大时。商品化仪器通常有自锁控制,在漏电、放电、突发高电流或高电压等危险情况下,高压电源会自动关闭。为了防止高压放电,必须保持仪器所在环境干燥。

21.2.4 毛细管及其温度控制

毛细管是 CE 分离的核心。理想的毛细管应该电绝缘、透紫外光、良好的热传导性、化学惰性和高的机械强度和柔韧性。熔融石英毛细管在 CE 中应用最广泛,熔融石英拉制得到的毛细管很脆,易折断,一般在外表面涂有聚酰亚胺保护层,使之变得富有弹性,不易折断。目前商品化 CE 毛细管主要是这种类型。PEEK 毛细管由于其良好的化学惰性、生物相容性、pH 1～14 范围内极高的稳定性在 CE 中也有应用。

CE 是在高电场下进行分离,实现高电场的关键是使用内径较小的毛细管,内径越小,表面积/体积比越大,散热效果越好。但是,内径小,试样负载小,增加检测困难,也增加进样、清洗等操作上的困难。一般使用的毛细管柱内径在 25～100 μm 之间,目前最常用的是 50 μm 和 75 μm 两种。

CE 采用柱上或在线检测,常用紫外吸收检测法。而毛细管外表面的聚酰亚胺涂层不透明,所以检测窗口部位的外涂层必须剥离除去,剥离长度通常控制在 2～3 mm 之间,涂层剥离方法有硫酸腐蚀法、灼烧法、刀片刮除等。

在电泳过程中,由于存在焦耳热效应,毛细管内会产生径向温度梯度,另外气温的变化还会导致分离重现性差。为解决这些问题,需将毛细管置于温度可调的恒温环境中。商品仪器大多有温度控制系统,主要采用风冷和液冷两种方式。

毛细管内表面的性质直接影响电渗流的大小和方向,同时管壁与被分析物相互作用可能产生不可逆吸附。分离大分子蛋白尤其严重,会造成试样回收率降低、基线不稳、重现性变差。一般采用物理吸附或化学键合两种方式形成毛细管内壁涂层,对石英毛细管进行改性或修饰,可有效控制电渗流、抑制吸附进而优化分离。物理吸附涂层稳定性和重现性较差,但涂渍方法简单,制作容易。化学键合采用有机硅烷与毛细管内壁的硅羟基键合反应,得到稳定性较好的键合涂层。

21.2.5　检测系统

　　高灵敏度和多种类型检测器的研制是促进 CE 和 CEC 发展的重要因素,目前常用的有紫外、荧光、化学发光、电化学和质谱检测器等,表 21-1 列出了它们各自适用范围和检出限。

表 21-1　毛细管电泳中常用检测器及其检出限

检测方法	质量检出限/mol	优缺点	是否柱上检测
紫外	$10^{-13} \sim 10^{-16}$	适合于有紫外吸收化合物	是
荧光	$10^{-15} \sim 10^{-17}$	灵敏度高,通常需衍生化	是
激光诱导荧光	$10^{-21} \sim 10^{-20}$	灵敏度非常高,通常需衍生化	是
质谱	$10^{-16} \sim 10^{-17}$	通用性好,能提供结构信息	否
安培	$10^{-21} \sim 10^{-19}$	灵敏度高,只适合于电活性物质	否
电导	$10^{-15} \sim 10^{-16}$	通用性好	否

　　紫外检测器应用最为广泛,是大多数商品仪器的主要检测手段。一般采用柱上检测方式,其结构简单,操作方便,仅需在毛细管的出口端适当位置上除去不透明的弹性保护涂层、让透明部位对准光路即可(图 21-4)。由于毛细管直径极小,光程短,HPLC 用紫外检测器的灵敏度往往不够,可以在入射光方向加一优质石英聚光球(图 21-5),从而将灵敏度提高一个数量级以上。将毛细管检测部分制成"Z"字形、加热吹成泡状、采用扁形毛细管或通过拼接换成大管等方法也是提高检测灵敏度的技术措施。

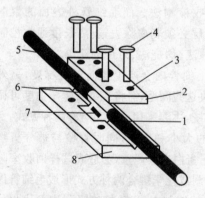

图 21-4　毛细管检测窗口固定方法
1. 毛细管;2. 压片;3. 螺孔;4. 螺丝;5. 光出口;
6. 毛细管导槽;7. 狭缝;8. 底板

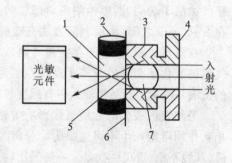

图 21-5　利用石英聚光球增强紫外灵敏度
1. 检测窗口;2. 毛细管;3. 基座;4. 调焦机构;
5. 圆形狭缝;6. 狭缝片;7. 球透镜

荧光检测器是 CE 和 CEC 所用的另一类已商品化的检测器,和紫外检测器相比,荧光检测器的检出限可降低 3~4 数量级,是一类高灵敏度和高选择性的检测器,适合于痕量分析。普通荧光检测器采用氘灯(低波长 UV 区)、氙弧灯(UV 到可见光区)和钨灯(可见光区)作为激发光源。

激光诱导荧光检测器(laser-induced fluorescence detector,LIF)采用激光作为激发光源,激光的单色性和相干性好、光强高,能有效地提高信噪比,从而大幅度地提高检测灵敏度。目前常用的 LIF 多采用氩离子激光器作为激发光(488 nm),一般有很好的荧光量子产率。荧光检测是痕量生物活性和药物成分分析的有效技术,但缺乏荧光特性的试样需要衍生化,因此荧光检测是一种非普适性方法。

电化学检测器与光学检测方法相比,质量检出限低,线性范围宽,选择性好,而且响应不依赖于光路的长度,可用于极细的毛细管。目前,电化学检测应用的方法有电位法、电导法和安培法等。其中,安培检测是最灵敏的检测方式之一,但不像 UV 或荧光检测那样易用于 CE。CE 安培检测面临的主要问题之一就是如何克服高压回路中电流对检测的影响,因为在毛细管两端施加的电压一般比要测量的电化学电流大 6 个数量级以上,因此必须将 CE 与安培检测系统进行电隔离,一般采用联结接口,以分隔分离毛细管与检测毛细管。

质谱检测器(mass spectral detector,MS)能提供丰富的结构、质量信息,它与气相色谱、高效液相色谱的联用已成为测定复杂混合物中化合物的相对分子质量和结构信息的一个极其有用的工具。CE 和 CEC 由于体积流速小,因此较之 HPLC 更容易和质谱联用,目前已有商品化仪器。质谱作为 CE 和 CEC 检测手段均采用柱后检测方式,在毛细管柱出口处外部涂导电层,然后装入电喷雾接口,解决了毛细管电流回路与连入问题。受质谱技术限制,CE 和 CEC 流出物不得含有高盐和表面活性剂成分,最好是易挥发性缓冲液。电喷雾离子源的一个重要特点是使蛋白质离子化形成多电荷离子,通过测定质荷比可使用一般质量范围的质谱仪器测定高相对分子质量蛋白质。CE/MS 在肽链序列、蛋白结构及相对分子质量测定等方面已取得重要进展,是当今生物大分子结构研究极具发展潜力的技术之一。

21.3 毛细管电泳分离模式及应用

21.3.1 毛细管区带电泳

21.3.1.1 基本操作条件

毛细管区带电泳(capillary zone electrophoresis,CZE)也称为毛细管自由溶液区带电泳,是毛细管电泳最基本,也是应用最广的一种操作模式。其分离原理是基于试样组分质荷比的差异。溶质流出顺序依次为正电粒子、中性粒子和负电粒子,质荷比越大的正电粒子流出越快。在 CZE 中,需要控制的操作变量主要是电压、缓冲溶液浓度、pH 和添加剂等。

一般地讲,在柱长确定时,随操作电压升高,电渗流和电泳流速率的绝对值都增加,由于电渗流速率一般远大于电泳流速率,因此表现为粒子的总迁移速率加快。在升高电压的同时,将使柱内的焦耳热增加,缓冲溶液的黏度减小,而黏度和温度的关系是指数型的,因此使操作电压和迁移时间的关系不呈线性,表现为电压高时速率增加更快一些。柱效在一定范围内随操作电压升高而增加,当焦耳热的影响较大时,柱效随电压升高反而下降。

缓冲溶液类型、浓度(离子强度)和 pH 不仅影响电渗流,也影响试样溶质的电泳行为,决定着 CZE 柱效、选择性和分离度的好坏以及分析时间的长短,对 CZE 分离条件优化具有重要意义。缓冲溶液的选择通常需遵循下述要求:

(1) 在所选择的 pH 范围内有合适的缓冲容量;

(2) 本底检测响应低;

(3) 自身的淌度低,即离子大而带电小。

硼酸盐、三羟甲基氨基甲烷(Tris)等缓冲溶液体系由于离子较大,能够在较高浓度下使用也不会产生大电流,同时缓冲能力较强,因而在毛细管电泳中经常被采用。在配制毛细管电泳用的缓冲溶液时,必须使用高纯蒸馏水和试剂,使用前要经过 $0.45~\mu m$ 的滤器过滤,以免堵塞毛细管。

缓冲溶液 pH 决定弱电离试样的有效淌度,同时还控制着电渗流的大小和方向,一般通过实验优化来选择最佳 pH。随着缓冲溶液浓度的增加,缓冲容量增加,但电渗流降低,溶质在毛细管内的迁移速率下降,因此迁移时间延长。

在 CZE 分离中,除了背景电解质外,常常还在缓冲溶液中加入某些添加剂。通过它与管壁或与试样溶质之间的相互作用,改变管壁或溶液物理化学特性,进一步优化分离条件,提高分离选择性和分离度。添加剂的种类主要有以下几类:

1. 中性盐

缓冲溶液中加入高浓度的中性盐后,大量的阳离子将参与争夺毛细管壁的负电荷位置,从而降低管壁对蛋白质的吸附。阳离子愈大,覆盖毛细管壁愈有效。

2. 表面活性剂

如十二烷基硫酸钠、十二烷基季铵盐等;表面活性剂具有吸附、增溶、形成胶束等功能。低浓度的阳离子表面活性剂,能在石英毛细管表面形成单层或双层吸附层,改变 EOF 大小甚至使 EOF 反向。如图 21-6 所示,在缓冲溶液中加入溴化十六烷基三甲铵(CTAB),CTAB 分子首先通过静电作用吸附到毛细管内壁形成第一层,然后又通过疏水相互作用吸附第二层 CTAB 分子,从而使毛细管内壁所带电荷由原来的负电荷变为正电荷,使 EOF 方向发生反转。必须说明的是加入缓冲溶液的表面活性剂浓度必须低于其临界胶束浓度(CMC浓度),否则会形成胶束,使毛细管的分离机理发生变化,即从CEZ分离模式变为胶束电动毛细管色谱(MEKC)分离模式。

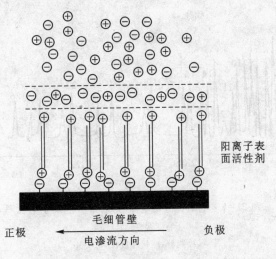

阳离子表
面活性剂

毛细管壁

正极 ← 电渗流方向 负极

图 21-6 电渗流反向示意图

3. 手性添加剂

如手性冠醚、环糊精。一般的CZE并不具备手性选择性,难以实现手性拆分的目的,因此往往需要在运行缓冲液中加入手性添加剂来实现对光学异构体的手性拆分。

4. 非电解质高分子添加剂

如纤维素、聚乙烯醇、多糖等。高分子类添加剂可以形成分子团或特殊的局部结构,从而影响试样的迁移过程,改善分离。高分子添加剂也可以强烈吸附在毛细管壁上,影响电渗以及分离过程。

CE缓冲溶液一般用水配制,对于许多水难溶的试样由于溶解度的原因分离效果不好。如果在缓冲溶液中加入少量的有机溶剂,常常能有效改善分离度。常用的有机溶剂主要有醇类、乙腈、丙酮、四氢呋喃、二甲亚砜,其中最常用的是甲醇、乙腈。在极端情况下,可完全使用有机溶剂,或以有机溶剂为主体,这就是非水毛细管电泳技术。

21.3.1.2 应用

毛细管区带电泳特别适合分离带电化合物,包括无机阴离子、无机阳离子、有机酸、胺类化合物、氨基酸、蛋白质等,不能分离中性化合物。毛细管电泳出现之前,分析小的阴离子常用离子交换色谱法,分析阳离子采用原子光谱法。由于毛细管电泳试样用量少、成本低、速度快、分离效果好,成为分析离子性化合物的新方法。图 21-7 为 3 min 内分离 30 种阴离子的电泳图。

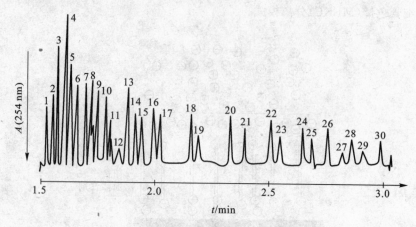

图 21-7　毛细管区带电泳分离 30 种阴离子电泳图

毛细管内径:50 μm

检测器:间接光度法,254 nm

峰号:1. 硫代硫酸盐($4\ \mu g \cdot mL^{-1}$);2. 溴化物($4\ \mu g \cdot mL^{-1}$);3. 氯化物($2\ \mu g \cdot mL^{-1}$);4. 硫酸盐($4\ \mu g \cdot mL^{-1}$);5. 亚硝酸盐($4\ \mu g \cdot mL^{-1}$);6. 硝酸盐($4\ \mu g \cdot mL^{-1}$);7. 钼酸盐($10\ \mu g \cdot mL^{-1}$);8. 叠氮化合物($4\ \mu g \cdot mL^{-1}$);9. 钨酸盐($10\ \mu g \cdot mL^{-1}$);10. 氟基磷酸盐($4\ \mu g \cdot mL^{-1}$);11. 氯酸盐($4\ \mu g \cdot mL^{-1}$);12. 柠檬酸盐($2\ \mu g \cdot mL^{-1}$);13. 氟化物($1\ \mu g \cdot mL^{-1}$);14. 甲酸盐($2\ \mu g \cdot mL^{-1}$);15. 磷酸盐($4\ \mu g \cdot mL^{-1}$);16. 亚磷酸盐($4\ \mu g \cdot mL^{-1}$);17. 亚氯酸盐($4\ \mu g \cdot mL^{-1}$);18. 半乳糖二酸盐($5\ \mu g \cdot mL^{-1}$);19. 碳酸盐($4\ \mu g \cdot mL^{-1}$);20. 乙酸盐($4\ \mu g \cdot mL^{-1}$);21. 乙基磺酸盐($4\ \mu g \cdot mL^{-1}$);22. 丙酸盐($5\ \mu g \cdot mL^{-1}$);23. 丙基磺酸盐($4\ \mu g \cdot mL^{-1}$);24. 丁酸盐($5\ \mu g \cdot mL^{-1}$);25. 丁基磺酸盐($4\ \mu g \cdot mL^{-1}$);26. 戊酸盐($5\ \mu g \cdot mL^{-1}$);27. 苯甲酸盐($4\ \mu g \cdot mL^{-1}$);28. 谷氨酸盐($5\ \mu g \cdot mL^{-1}$);29. 戊基磺酸盐($4\ \mu g \cdot mL^{-1}$);30. α-葡萄糖酸盐($5\ \mu g \cdot mL^{-1}$)

21.3.2　胶束电动毛细管色谱

胶束电动毛细管色谱(micellar electrokinetic chromatography, MEKC)是以胶束为准固定相的一种电动色谱,是电泳技术和色谱技术的巧妙结合。MEKC 是在电泳缓冲溶液中加入表面活性剂,当溶液中表面活性剂浓度超过临界胶束浓度时,表面活性剂分子之间的疏水基团聚集在一起形成胶束,成为分离体系的准固定相,溶质基于在水相和胶束相之间的分配系数不同而得到分离。与毛细管区带电泳相比,MEKC 的突出优点是除能分离离子化合物外,还能分离不带电荷的中性化合物。

在 MEKC 系统中,实际上存在着类似于色谱的两相,一是流动的水溶液相,二是起到固定相作用的胶束相,溶质在这两相之间分配,由于溶质在胶束中不同的保留能力而产生不同的保留值。与毛细管区带电泳一样,由于管壁带负电,水溶液相因电渗流作用向阴极移动。胶束相按照其所带电荷极性不同,具有与周围介质不同的电泳淌度。对于常用的十二烷基硫酸钠(SDS)胶束来说,由于其外壳带负电荷,本应以较大的淌度朝阳极迁移,但在一般情况下,电渗流的速率大于胶束的迁移速率,这就迫使胶束最终以较低的速率向阴极移动。由此可见,胶束电动色谱有别于普通色谱的一个重要特性是它的“固定相”是移动的,这种移动的“固定相”又被称为“准固定相”。典型的准固定相为阴离子或阳离子表面活性剂,也可以用带电的有包容作用的络合物,如环糊精类物质。对于中性粒子,溶质的迁移速率决定于它在两相间的分配系数。具有不同疏水性的粒子与胶束相互作用不同,疏水性强的作用力大,其留在胶束相中的时间就长。因胶束相的绝对速率很小,故组分的保留时间就长,反之组分较多地停留在缓冲液中按电渗的速率移动,因此,保留时间较短。图 21-8 是 MEKC 的分离原理示意图。

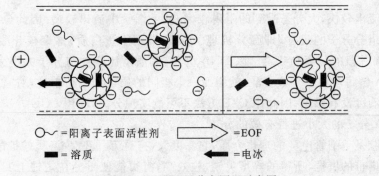

○ =阳离子表面活性剂 ⇨ =EOF

■ =溶质 ◀ =电泳

图 21-8 MEKC 分离原理示意图

在 MEKC 中,迁移时间窗口是指完全溶于水流动相的中性溶质的迁移时间(t_0)与完全溶于胶束中的溶质迁移时间(t_{mc})之间的时间间隔($t_{mc}-t_0$)。t_0 由电渗流速率决定,理想的情况等于电渗流速率,t_{mc} 等于胶束通过分离柱所需时间。带负电荷的离子胶束(如 SDS 胶束)受与电渗流反向的电泳力作用,迁移较慢,在最后流出。胶束中有适当溶解度的中性试样溶质,迁移时间落在迁移时间窗口内,如图 21-9,$t_0 < t_r < t_{mc}$。迁移时间窗口也常用迁移时间比(t_0/t_{mc})表示,t_0/t_{mc} 是MEKC 中一个重要的参数,减少 t_0/t_{mc} 比值,将使迁移时间窗口增宽,峰容量增加。

21.3.3 毛细管凝胶电泳

毛细管凝胶电泳(capillary gel electrophoresis,CGE)是在毛细管中充填多孔凝胶作为支持介质进行电泳。凝胶在结构上类似于分子筛,当被分离分子的大小与凝胶孔径相当时,其淌度与尺寸大小有关,小分子受到的阻碍较小,从毛

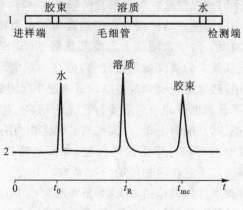

图 21-9   MEKC 迁移时间窗口示意图
1. 区带迁移；2. 相应的谱峰

细管中流出较快,大分子受到的阻碍较大,从毛细管中流出较慢,因此分离主要是基于组分分子的尺寸,即筛分机理。CGE 常用于蛋白质、寡聚核苷酸、RNA 及 DNA 片段的分离和测定。以 DNA 为例,其质荷比往往与分子大小无关,因为 DNA 链每增加一个核苷酸,就增加一个相同的质量和电荷单位,对它在自由溶液的淌度没有影响,因此用 CZE 方法不可能实现分离,而用 CGE 方法则可根据 DNA 分子的大小进行有效的分离。

凝胶是毛细管电泳的理想介质,它黏度大,抗对流,能减少溶质的扩散,因此能限制谱带的展宽,所得的峰型尖锐,柱效高,有可能使组分在短柱上实现极好的分离。

常用的凝胶有聚丙烯酰胺和琼脂糖,应用最多的是前者。聚丙烯酰胺是由丙烯酰胺(Acrylamide,Acr)和 N,N'-亚甲基双丙烯酰胺(N,N'-methylene-bis-acrylamide,Bis)交联聚合而成,前者被称为聚合单体,后者被称为共聚单体或交联剂。交联的聚丙烯酰胺凝胶具有三维网状多孔结构,透明而不溶于水,化学性质稳定。因为没有带电基团,凝胶呈电中性,无吸附作用,机械强度高,有韧性。在 CE 中具有抗对流、减小溶质扩散,阻挡毛细管壁对溶质的吸附和消除电渗流等作用。此外,它的多孔结构还有分子筛效应。是一种性能优良的筛分介质。聚丙烯酰胺凝胶的孔隙大小为 $3\sim30$ nm,由单体和交联剂的浓度决定,单体浓度愈高,孔径愈小。凝胶浓度和交联度分别用 T 和 C 表示:

$$T=\frac{m_a+m_b}{V}\times100\% \tag{21-15}$$

$$C=\frac{m_b}{m_a+m_b}\times100\% \tag{21-16}$$

式中 m_a 为 Acr 的质量(g)，m_b 为 Bis 的质量(g)，V 为缓冲溶液体积(mL)。m_a/m_b 接近 30 时可以制成既有弹性又完全透明的凝胶。可以通过控制 T,C 大小，改变凝胶孔径大小，对被分离组分起到分子筛作用。增加交联度或降低丙烯酰胺的量都能加大孔径，大孔径适于 DNA 序列反应产物的测定。反之，减少交联剂的量（即降低交联度）或增加丙烯酰胺的量均能使孔径变小，以适于蛋白质和寡核苷酸的分离。

聚丙烯酰胺凝胶毛细管的制备有一定技术难度，主要问题在于：

(1) 单体溶液在成胶过程中体积收缩，引起毛细管内凝胶断裂或留下空泡。毛细管越细，收缩越困难，空泡就会越多。

(2) 细管中的凝胶，会因为电渗、电场以及缓冲液的作用而滑出或膨胀溢出毛细管。

(3) 凝胶中出现的极小的气泡，在高压下产生局部放电，造成凝胶的突然毁坏。

(4) 凝胶的紫外背景吸收强，造成检测困难。

为了解决上述问题，得到能反复使用的凝胶管，主要技术措施是：

(1) 为防止凝胶的滑动，可将凝胶键合固定在毛细管壁上或两头加塞堵在管内；

(2) 为防止凝胶出现空泡，可采用高压聚合、逐步聚合等方法；

(3) 为解决检测问题，可设法降低凝胶的检测背景。

琼脂糖凝胶是 D-半乳糖和 3,6-脱水-L-半乳糖相间结合的链状多糖。琼脂糖是一种天然的线状高分子，这类载体能使被筛分物质保持活性，能迅速活化并接上各功能基因，结构疏松，孔径大，透光性好，常用来分离病毒、DNA 和大分子蛋白质。琼脂糖容易成胶，相对而言，琼脂糖凝胶毛细管比较容易制备。它的渗透极限很高，但是较易堵塞。

由于凝胶毛细管柱制备困难，寿命短，进样端易堵，有人提出用低黏度的线性聚合物溶液代替高黏度交联的聚丙烯酰胺，即无胶筛分技术。这种线性聚合物溶液仍有按分子大小分离组分的分子筛作用，只是不在柱内作交联反应，因此可避免气泡的形成。它比凝胶柱便宜、简单，其功能可以通过改变线性聚合物的种类、浓度等予以调节。这种柱子具有寿命长，制备容易，能方便地注入毛细管中重复使用等优点，但它的分离能力较凝胶柱略差。常用的无胶筛分剂包括未交联的聚丙烯酰胺，甲基纤维素及其衍生物，聚乙二醇和葡聚糖等，前两种通常用于核酸及其片段的分离，后两种更多地用于蛋白质。

21.3.4 毛细管等电聚焦

在电场作用下带电粒子将在电介质中作定向迁移，这种迁移和粒子的带电状况有关。蛋白质是典型的两性电解质,所带电荷与溶液 pH 有关,其表观电荷数为零时溶液的 pH 称为蛋白质的等电点(pI)。不同的蛋白质等电点不同,溶液 pH 小于等电点时,蛋白质带正电荷,在电场作用下向负极迁移;溶液 pH 大于等电点时,蛋白质带负电荷,在电场作用下向正极迁移;当迁移至 pH 和等电点一致的溶液中而溶液自身又不受电渗的推动,则迁移就停止进行。如果溶液存在一个 pH 的位置梯度,那么有可能使具有不同等电点的分子分别聚集在不同的位置上,不作迁移而彼此分离,这就是所谓的等电聚焦过程。毛细管等电聚焦(capillary isoelectric focusing electrophoresis,CIEF)过程是在毛细管内实现的,毛细管等电聚焦结合了常规凝胶等电聚焦的高分离能力和现代毛细管电泳的特点。由于可以施加高电场,使分离时间缩短,而小内径可较平板凝胶更为有效地散热,同时能够进行实时检测,具有极高的分辨率,可以分离等电点差异小于 0.01 pH 的两种蛋白质。

毛细管等电聚焦的载体为两性电介质的混合物,它被注入毛细管中,施加电压后,带正电的电介质流向阴极,带负电的流向阳极,使阴极端的 pH 升高,阳极端的 pH 降低。两性电介质载体中各组分分别停留在与自身等电点对应的位置上,并在两者之间形成一个梯度。

毛细管等电聚焦有三个基本步骤,即进样、聚焦和迁移。

第一步,进样。预先使脱盐试样以 1%～2% 的含量与两性电介质混合,对于复杂混合物或未知物采用两性电介质的范围宜宽一些,反之则用范围窄一些,采用窄范围的两性电介质有利于得到高的分辨率。阳极槽装满稀释的磷酸,阴极槽装满稀释的氢氧化钠,用压力将试样和两性电介质的混合物压入毛细管。由于试样和两性电介质一起引入毛细管柱,因此等电聚焦的进样量可以远远大于毛细管电泳的其他操作模式。

第二步,聚焦。采用 500～700 V/cm 的电场强度施加高压 3～5 min,直到电流降到很低的值。在这一过程中,在毛细管的整个长度范围内两性电介质建立了一个 pH 梯度,然后蛋白质在毛细管中向各自的等电点聚焦,并形成一个非常明显的带,如图 21-10 所示。因此,等电聚焦实际上是一个试样的浓缩过程,这一过程可以用于浓缩试样组分。

第三步,迁移。毛细管等电聚焦的检测器通常位于毛细管的一端,因此必须使已聚焦的区带移动,像队列一样依次通过检测器接受检测。目前大体有三种办法,一是通过加盐使之作电泳迁移,二是用流体动力学方法迁移,三是电渗迁移。如采用第一种方法,典型的做法是将氯化钠加入阴极槽中,再施加高压(6～8 kV),这时氯离子进入毛细管,在近阴极端引起 pH

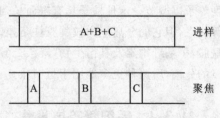

图 21-10　毛细管等电聚焦过程

存在三种聚集状态,即气体、液体和固体。在较低的温度下,增加气体压力时气体会转化成液体;当温度升高时,液体体积增大或转化为气体,某些纯物质存在三相点和临界点,图 22-1 是二氧化碳的典型相图。在三相点下,气、固、液处在平衡状态,存在一个临界温度 T_c 和临界压力 p_c。在高于 T_c 时,无论施加多大压力,物质也不会液化,即 p_c,T_c 以上或临界点以上条件下,物质不会成为液体或气体,物质聚集状态为介于气体和液体之间的流体,这种流体称为超临界流体。物质临界点温度通常高于沸点和三相点。

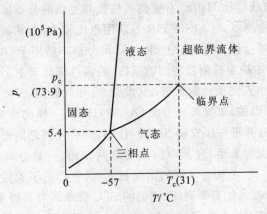

图 22-1   二氧化碳的相图

超临界流体对分离具有极有价值的独特物理化学性质,这些性质介于气体和液体性质之间,如表 22-1 所示。随温度、压力的升降,其密度等性质会变化。

表 22-1   不同物态的物理性质

物态	密度/$(g \cdot cm^{-3})$	黏度/$(g \cdot Pa^{-1} \cdot s^{-1})$	扩散系数/$(m^2 \cdot s^{-1})$
气体	约 10^{-3}	$(1 \sim 3) \times 10^{-5}$	$0.1 \sim 0.04$
超临界流体	$0.2 \sim 0.9$	$(1 \sim 3) \times 10^{-5}$	$10^{-4} \sim 10^{-3}$
液体	$0.8 \sim 1.0$	$(0.2 \sim 3) \times 10^{-3}$	$< 10^{-5}$

早在 1869 年,Andrews 就发现超临界现象。1879 年 Hannay J B 首次报导了超临界乙醇溶解金属卤化物。1943 年发展出一种新的分离方法——超临界流体萃取(supercritical fluid extraction,SFE),其后提出利用超临界流体密度改变对组分进行选择性萃取的观点。1962 年 Klesper E 首次报导了以超临界二氟二氯甲烷和二氟一氯甲烷为流动相法,分离镍卟啉异构体的超临界流体色谱法。Sie S T 和 Giddings 在这一时期进行了 SFC 分离高分子物质的大量研究,显示这种技术的应用前景。由于 SFC 涉及实验技术上一些困难,其发展缓慢。

　　1981 年 Novotny M 和 Lee M L 首次报导了毛细管超临界色谱技术,进而对 SFC 的理论、技术作了系统研究。1986 年美国的 Lee 科学公司推出第一台商品化 SFC 仪。此后十多年,SFC 获得迅速发展,形成一个 SFC 浪潮,以致有人认为 SFC 会掀起分离分析方法的革命。

　　从热力学上看,超临界流体的密度是气体的 100~1 000 倍,和液体相近,具有和液体相似的溶解能力及与溶质的作用力。而从动力学上看,SF 的黏度比液体低,可以使用比液相色谱更大的线速度;扩散系数是液体的 10~100 倍,传质速率高,因而可以获得比 HPLC 有更高的柱效和更快的分析速度。SFC 可选用 GC 和 HPLC 的检测器,与 MS,FTIR 等联用也比较方便,从而使其在定性定量方面有较大的选择范围。从理论上讲,SFC 可分析不适用于 GC 高沸点、低挥发性试样和 HPLC 中缺少检测功能团的试样,约占色谱分离中 25% 的化合物。但 SFC 的发展并不如人们预料的乐观,20 世纪 90 年代后期,SFC 研究报告逐渐减少,其应用还是有限的,未发展成为像 GC 和 HPLC 一样的常规分离分析方法。一些大公司纷纷放弃进一步发展 SFC 的计划,SFC 发展趋向低落。

　　SFC 发展的大起大落,究其原因主要有两方面:一是分离科学发展的大环境。20 世纪 90 年代,毛细管电泳的出现和发展,它提供了大量有价值的分析结果,而仪器设备和技术比需要高压、高温的 SFC 简单和容易得多,从而吸引大量分离科学工作者进入这个新领域。第二个,也是更重要的原因是超临界流体自身物理性质带来 SFC 方法局限性,这是人们在 SFC 发展初期认识不足的。SF 兼具液体的溶剂化能力和气体的低黏度、高扩散系数很难在同一条件下实现。低压或高温条件下,SF 密度低,像高黏度气体,溶剂化能力低,扩散速率比气体低,欲达到一定柱效则分离时间增加;随压力升高,密度增加,类似液体,溶剂化能力上升,扩散系数低,难以保持开管柱柱效,但填充柱仍可获得高于常规 HPLC 柱效。然而,常规 HPLC 仪器稍作技术改进的超高压 HPLC,即可获得超高效、高速的优点。SFC 自身物态的稳定性和仪器设备上的成熟性均不及 GC 和 HPLC,被挤在技术上相当成熟、广泛应用的 GC 和 HPLC 之间,其发展成本和空间受到一定制约,难以成为与 GC 和 HPLC 相媲美的常规分离分析技术。尽管如此,SFC 作为 GC 和 HPLC 的补充,仍不失为难挥发、易热解的高分子化合物、天然产物的一种可供选择的有效、快速分离方法,成为近代色谱学发展中一个有价值的领域。对制备分离,有重要发展潜力。

22.2.2　超临界流体色谱仪

　　SFC 仪流程兼有气相色谱仪和高效液相色谱仪两方面特点,它既有 GC 的色谱柱恒温箱,又有 HPLC 的高压泵,整个系统基本上处于高压、气密状态,其流程图如图 22-2 所示。

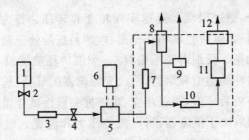

图 22-2 超临界流体色谱仪流程图

1. 流动相储罐；2. 调节阀；3. 干燥净化器；4. 截流阀；
5. 高压泵；6. 泵头冷却装置；7. 热交换柱；8. 进样阀；
9. 分流器；10. 色谱柱；11. 限流器；12. 检测器（FID）

1. 高压泵

SFC 常用高压泵主要是两种，一种是螺旋注射泵，另一种是往复柱塞泵。一般泵的缸体要冷却至 $0 \sim 10\ ^\circ C$，要求工作压力 $\geqslant 400 \times 10^5\ Pa$，流量 $0.01 \sim 5.00\ mL/min$ 范围内可调，并能快速程序升压或程序升密度，且重现性好，压力脉动尽可能小。此外，要求泵体耐腐蚀。过去多数 SFC 仅有一个泵，当使用二元或多元流动相时，使用预混合钢瓶，使流动相组成随压力降低而变化。现已有两泵 SFC 系统，一个泵引入 CO_2 或其他主流体，另一个泵引入单一或混合改性剂。通过控制泵速而改变混合流体体积比。

2. 进样系统

SFC 一般采用 HPLC 手动或自动进样阀。对于填充柱，采用带试样管的 Rheodyne 型六通进样阀。对毛细管柱，采用类似气相色谱的动态分流及微机控制开启进样阀时间的定时分流进样；亦可与 SFE 在线连用柱头进样等。进样重复性不仅与进样方式有关，而且与进样温度、压力有关，需严格控制。

3. 色谱柱

常用色谱柱型主要有毛细管柱或开管柱、毛细管填充柱和填充柱。开管柱为内径 $50 \sim 100\ \mu m$ 石英厚壁毛细管，固定相液膜厚 0.25 到几个微米，壁厚 $\geqslant 200\ \mu m$，可承受 $(400 \sim 600) \times 10^5\ Pa$ 的高压，柱长 $10 \sim 20\ m$。填充毛细管柱为内径 $250 \sim 530\ \mu m$ 厚壁毛细管，填料粒径 $3 \sim 10\ \mu m$，长 $20 \sim 100\ cm$。填充柱填料粒径等与 HPLC 类似，柱内径 $2 \sim 4.6\ mm$，长 $10 \sim 20\ cm$。

4. 限流器（restrictor）

亦称为阻尼器，这是 SFC 中不可缺少的关键部件之一。根据检测器类型，限流器分别置于检测器前或后。图 22-2 中，为氢火焰离子化检测器（FID），限流器的入口端是色谱柱，出口端是检测器，它的作用是一方面保持分离系统流动相处于超临界状态，检测器则工作于常压气态；另一作用是色谱柱流出物，包括流动相和试样组分,通过限流器迅速实现相变和转移。若为 HPLC 检测器,则限流器处在检测器后,保持流动相在分离、检测系统均处于超临界状态。

限流器的结构是一段细内径毛细管、一个细口径喷嘴或一个烧结的微孔玻璃喷嘴。根据色谱柱的类型和结构,可改变限流器的管径、长度和喷嘴或微孔孔径以实现限流调节前后压差,实现相变、难挥发和极性试样组分转移。这种相变和转移能否成功则取决于限流器设计、流体压力和温度。超临界流体通过限流器的相变是个膨胀、吸热过程,因此限流器一般都保持在 $250 \sim 450\ ℃$。

5. 检测器

各种 GC 和 HPLC 检测器均可用于 SFC。使用最多的是 FID,限流器到 FID 喷嘴的最佳距离是 $5 \sim 7\ mm$。流动相含有机改性剂时,不适用于 FID,因而采用蒸发光散射检测器(ELSD)作为通用检测器。元素选择性检测器,如电子捕获(ECD)、火焰光度检测器(PFD)、氮磷检测器(NPD)等均用于多氯联苯、有机磷、硫、氨基甲酸酯农药等测定。紫外吸收(UV)是含有机改性剂流动相常用检测器,要求检测池必须耐高压。各种结构分析检测器,包括 MS,FTIR,NMR 均已用于 SFC。此外能用于 SFC 的检测器还有等离子体发射光谱检测器、电导检测器、荧光检测器等。

22.2.3　流动相和固定相

表 22-2 给出常用超临界流体的物理性质。超临界流体的溶解度参数是密度的函数,即流体密度越高则其溶解度参数值越大。流动相的选择还要考虑它的腐蚀性、毒性及与检测器的匹配。SFC 中流动相不仅是运载溶质通过色谱柱,而且与溶质作用参与分配过程。CO_2 是 SFC 最常用的一种流动相,它的优点是临界温度较低、纯度高、化学惰性、价格低廉和安全性好,与检测器匹配性能也较好。其溶剂力与异丙醇和吡啶相当,可分析大部分非极性和中等极性试样。它是一个非极性流动相,对极性试样溶解性能较差。当分析强极性试样时,可在 CO_2 流体中加入甲醇、乙醇、苯等有机改性剂。加入改性剂或采用二元或多元流动相,是 SFC 色谱条件优化的重要方法之一。但改性剂加入有导致保留值和选择性重复性差的缺点。

六氟化硫流动相主要用于烷、烯、芳烃的族分离及多环芳烃分离,以 FTIR 为检测器,可获得更多的光谱信息。氙气的临界参数比较合适,被认为是 CO_2 的替代物,尤其适用在线光谱检测,其缺点是价格昂贵。

可选用的极性流动相较少。氨是个极性流动相,适用于胺、氨基酸、多肽、单糖、多糖和核苷等分离。但氨具腐蚀性、有毒、化学性质活泼等是其缺点,它不是一个理想的流动相。超临界水也可用作流动相,其临界温度高是缺点,但它能溶解多数有机物,也不存在废溶剂回收问题。

表 22-2 各种超临界流体的主要特性参数

流体	沸点/℃	T_c/℃	p_c/10^5 Pa	临界密度 $g \cdot cm^{-3}$	密度[①] $g \cdot cm^{-3}$	溶解度参数
正己烷	69.0	231.6	29.7	0.233	0.388	
正丁烷	−0.5	152.0	38.0	0.228	0.388	
甲醇	64.7	240.5	79.9	0.272		14.4
氟利昂-13	−80.0	28.9	39.2	0.580	1.010	7.8
六氟化硫	−63.8	45.5	37.6	0.738	1.315	
氙	−107.1	16.6	58.4	1.113	1.893	
氧化亚氮	−89.0	36.5	72.4	0.452	0.764	10.6
二氧化碳	−78.5	31.1	73.9	0.466	0.803	10.7
氨	−33.4	132.4	113.0	0.235	0.358	13.2

注:① 密度是在 $1.02T_c$,$2p_c$ 条件下测定的数据。

SFC 可使用 HPLC 和 GC 中各种固定相。填充柱微粒填料主要是硅胶化学键合固定相,包括 ODS 及辛基、苯基、氰基、氨基、全氟烷基、二醇基等,粒径 $3 \sim 10 \ \mu m$。用填充柱分析极性试样时,大多需在流动相中添加极性改性剂。

开管柱固定相主要是聚甲基硅氧烷(SE-30、SE-33、SE-54、OV-1、SB-Phenyl-30 等)、苯基甲基聚硅氧烷、交联聚乙二醇等。为了能承受高压流动相冲洗,固定相大多数都需交联固化。在手性分离中使用较多的是环糊精类固定相。

22.2.4 超临界流体色谱分离操作条件

SFC 与 GC 分离操作条件不同,其操作压力较高,一般为$(70 \sim 450) \times 10^5$ Pa;和 HPLC 也不一样,其色谱柱工作温度较高,从常温到 250 ℃。流动相的压力和密度在每一温度下以同样方式影响保留值,甚至在类似 GC 区也一样,增加压力,k 值降低。而在较低温度下与 HPLC 的保留行为相似,k 值随压力增加而降低。

图 22-3 是 CO_2 不同温度下压力-密度关系图,其溶解度参数亦随压力、温度变化。随压力升高,密度升高,溶解度参数上升;但在相同压力下,密度随温度升高而降低。且这些变化关系均不呈线性。SFC 常采用程序压力、程序温度操作,包括线性压力/密度程序、非线性压力/密度程序、线性温度程序和非线性温度程序。在实际分析中可根据情况灵活选择。对一些较复杂试样,可采用同步密度、温度程序操作。

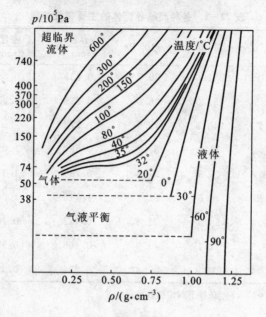

图 22-3　CO_2 不同温度下压力-密度关系图

22.2.5　SFC 与气相和高效液相色谱的比较

　　基于超临界流体密度、扩散系数、黏度等物理性质介于气体和液体之间,可以预计,在最小板高色谱条件下,分析速度和柱效 SFC 亦介于 GC 与 HPLC 之间。根据速率理论方程,柱内径 d_c 的毛细管柱最佳流速 u_{opt} 及保留时间与柱效比 (t_R/N) 的极限值分别为

$$u_{opt} = \sqrt{\frac{B}{C}} = 4.2 D_M/d_c \qquad (22-1)$$

$$(t_R/N) = \frac{1}{24} \times \frac{d_c^2}{D_M} \times \frac{p_i}{p_o} \times (1+k) \times [f(k)]^2 \qquad (22-2)$$

式中 D_M 为流动相扩散系数,p_i,p_o 为色谱柱进、出口流动相压力,k, $f(k)$ 分别为容量因子和容量因子函数。分析速度或单位时间可获得柱效与流动相扩散系数成正比, 其顺序为 GC>SFC>HPLC。与 HPLC 相比,SFC 单位时间内可获

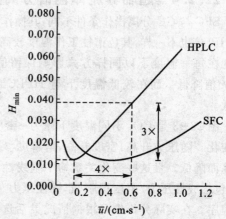

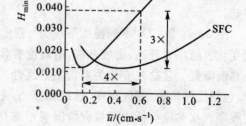

图 22-4　SFC 与 HPLC 的 H-u 曲线比较

得更高柱效。

　　图 22-4 给出 SFC 和 HPLC 的 $H-u$ 曲线。比较说明,当平均线速为 $0.6\ cm\cdot s^{-1}$ 时,SFC 柱效约为 HPLC 的 3 倍;而最小板高 H_{min} 对应的最佳流速 u_{opt},SFC 是 HPLC 的 4 倍,即 SFC 的分析速度比 HPLC 快 4 倍。

　　SFC 与 GC 比较,由于超临界流体扩散系数比气体低,黏度比气体高,较低线速下 SFC 色谱峰较窄,柱效优于 GC;超临界流体密度比气体高,色谱过程中与溶质分子间相互作用,参与分离,以提高分离选择性,区别于 GC 流动相基本不参与分离;SF 溶剂化能力比气体强,能在比 GC 较低温度下分离高分子化合物、天然产物和热不稳定化合物。

22.2.6　超临界流体色谱的应用

　　SFC 可弥补 GC 和 HPLC 在分析性能上的某些不足,分离效能和分析速度介于两种色谱方法之间。SFC 可分析不宜用 GC 分析的一些物质,如强极性、强吸附性、热稳定性差、难挥发的化合物;它可分析相对分子质量比 GC 大几个数量级的物质。图 22-5 给出几种色谱技术可分离试样的相对分子质量范围。SFC 可分析 HPLC 难以检测的各种化合物,如无紫外吸收的各种天然产物、高分子聚合物。

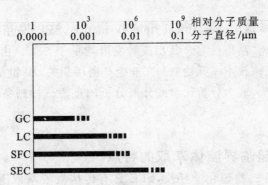

图 22-5　几种色谱技术可分离试样的相对分子质量范围

　　现在 SFC 已用于分离分析脂肪酸甘油酯、类脂物、胆固醇、胆汁酸、脂溶性维生素、甾体类药物、氨基酸、多肽、石油中高级脂肪烃($>C_{100}$)、高级脂肪醇、烃基聚硅氧烷、聚乙二醇、聚醚、金属有机化合物、聚烯烃等。此外,SFC 已用于热力学和溶液理论研究。测定溶质在高压下的吸附、萃取、扩散过程和相关物理化学常数。图 22-6 是 SFC 分离乙二醇齐聚物的典型色谱图。

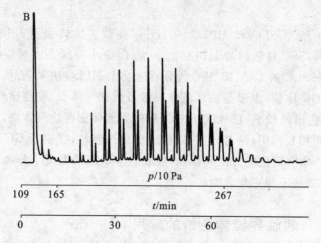

图 22-6　乙二醇齐聚的 SFC 分离色谱图

毛细管色谱柱：20m×50 μm i.d.；固定相：SE-33；

流动相：CO₂ 流体；柱温 160 ℃

22.3　超临界流体萃取

　　超临界流体萃取（supercritical fluid extraction，SFE）是用超临界流体为萃取溶剂的萃取分离、富集技术。其出现和发展均早于 SFC。由于 SFE 能耗低、环境污染少，所以该技术一开始就与工业生产密切相关，20 世纪 80 年代呈现出前所未有发展势头，成为分析化学或分离分析的重要试样制备手段和分离工程的重要单元操作。

22.3.1　超临界流体萃取的特点

　　基于 SF 独特的物理化学性质，SFE 具有传统液液萃取不可比拟的优点。主要有：

　　1. 萃取速度快

　　根据萃取过程动力学，传质速率决定萃取速度。SF 扩散系数比液体高、黏度低，对基体有很强穿透能力，传质速率高，分析型 SFE 通常仅需 10～60 min 完成，而采用索氏萃取器以有机溶剂萃取高密度添加剂需要 1～2 d 时间。

　　2. 容易控制溶剂强度并调节选择性

　　液体溶剂萃取其溶剂强度基本与萃取条件无关。而 SF 的溶剂强度取决于萃取时压力和温度，如图 22-3 为超临界 CO₂ 溶解度参数与温度、压力关系。改变压力和温度很容易改度 SF 溶剂强度，可选择性地萃取特定组分。

3. 后处理简单

常用 SF 在室温、常压下是气体,萃取后可不必浓缩,简化萃取物回收操作,降低能耗。

4. 操作自动化

SFE 易与其他分离分析方法在线联用,实现操作自动化。

5. 安全性好

大多数常用 SF 相对惰性、无毒、较价廉,且可在较低温度下操作,适用于萃取热不稳定化合物,且安全性好,对环境无污染。

22.3.2 萃取仪器和技术

图 22-7 为超临界 CO_2 流体萃取仪器流程图。主要由 SF 储瓶、高压泵、萃取器组成。

超临界萃取操作技术比 SFC 简单,首先要选择合适的萃取剂或流动相,以使它对溶质有足够的溶解能力,同时要仔细选择操作温度、压力、时间和改性剂的量等。萃取操作主要有两种:(1) 静态萃取:将萃取池压力升到预定值,维持一定温度下使萃取试样浸渍在 SF 中,或采用一个循环泵使流体反复流过闭合回路。当达到溶解平衡时,通过切换阀

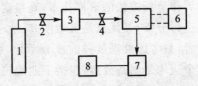

图 22-7 超临界流体萃取流程图
1. SF 储瓶;2,4. 高压开关阀;3. 高压注射泵;5. 萃取池;6. 温度控制器;7. 限流器;8. 收集器

收集萃取物或进入分析仪器中去。(2) 动态萃取:在高压泵推动下,SF 连续流过萃取池,将溶于溶剂中组分携带出来。通过限流器保持萃取池一定压力;达萃取平衡时使 SF 减压进入收集器。

影响 SF 萃取效率的因素主要是:(1) 超临界流体选择:SF 选择主要考虑萃取基体、组分性质、组分含量和在 SF 的溶解度,SFE 实际应用中使用最多的是超临界 CO_2。在萃取极性组分时,若遇到溶解度欠佳的困难,可改性极性溶剂,或在 CO_2 加入有机改性剂,如甲醇、乙醇、2-甲氧基乙醇、二氯甲烷等。(2) 萃取条件选择:主要是温度、压力选择。有一些溶解度参数和流体状态间的关系式可供优化萃取条件估算参考。通常压力升高,溶解度增加。对一定组分和 CO_2,存在最大溶解度压力和显著溶解度压力,应选择这两者之间。温度升高有利于提高溶解度和萃取效率。但当压力恒定时,温度升高将降低 SF 密度,而不利于萃取。对萃取低含量和痕量组分,条件选择很大程度上凭借经验,因为对萃取动力学过程的了解还不够深入。(3) 试样量及流体流速:分析型 SFE 使用的试样量为 $0.001 \sim 100$ g。一般用量小于 10 g。试样量越大,定量萃取时间越长,所需

流体也越多,给萃取物定量收集带来困难。使用常温、常压下为气体的 SF 为萃取剂,其流速应考虑组分的挥发性,对难挥发组分,可采用较高流速;对易挥发组分,为定量收集,流速不应大于 1 mL·min^{-1}。(4) 萃取物收集:以升高温度(等压过程)和减小压力(等温方法)使流体密度降低,萃取物沉积出来。实际应用最多的是减压技术,其中包括将萃取物收集在液体溶剂中、吸附剂表面、深冷表面等;亦可通过柱上分流或无分流进样系统直接收集至色谱柱上。这些收集方法的减压操作都是通过细内径毛细管限流器实现。

22.3.3　SFE 的应用

SFE 的应用可分为两方面,一是作为分析化学试样处理技术,特别是各种分离分析方法的试样前处理,即分离测定组分的前分离富集。这可分为 SFE 与分离分析方法在线(on-line)联用和离线(off-line)联用两种方式。前者,SFE 可看作分析方法的进样技术,直接定量将萃取物转入色谱系统或其他分析仪器中进行分析,其优点是灵敏度高、适于痕量组分测定、易于实现分离分析自动化;后者,只考虑处理试样的成分萃取,收集萃取物再用合适方法分析。SFE 的另一个应用是制备分离,包括工业规模分离,即分离工程的组成部分。

1. SFE 与各种色谱和仪器方法联用

SFE/HPLC 系统使用一个预柱或直接将 SF 萃取液引入色谱柱,在柱内实现流体与试样组分分离。亦有采用一个膜分离器将 CO_2 等流体先分离,再将萃取物引入色谱柱。SFE/HPLC/MS 已用于动植物试样中残留杀虫剂测定。

SFC/GC 的接口采用玻璃珠吸附萃取物,然后通过切换阀连入 GC 系统,用载气脱附进样,已成功用于汽车尾气有机物测定。亦可将限流器毛细管直接插入 GC 色谱柱入口,该方法已用于城市大气中荧蒽、苯并蒽、苯并芘等多环芳烃测定。

SFE/SFC 直接联用较为理想,因两者溶剂和流动相相同。已用于各种天然产物成分分析,如奶酪、黄油、咖啡、烟草等;食品中脂类和农药残留测定;血浆中药物测定等。

SFE/MS 能提供定性和大量分子结构信息而吸引人们研究。SFE/FTIR,SFE/NMR 亦有研究报导。

2. 试样处理

SFE 作为分析试样前处理技术,应用最多的是环境、食品和医药领域。环境试样包括土壤、沉积物、生物试样、空气和水。美国环保局已将 SFE 定为几种物质的常规分析方法。萃取富集的化合物种类很多,主要是有机氯污染物、酚类、以多环芳烃为代表的各种烃、农药和杀虫剂、表面活性剂、食品添加剂、高聚物、药物及代谢产物等。

3. 工业生产中应用

SFE 可降低能耗、减少污染，已成为重要分离工程技术，且仍处在不断发展中。最初应用在石油化工中，20 世纪 70 年代以来，SFE 在食品工业应用快速发展，包括咖啡、茶、烟草、香料、天然产物活性成分的萃取。现在广泛应用的有食品工业中动植物油萃取、食品脱脂、脱色、脱臭、植物色素萃取等。医药工业中天然药物成分萃取、药物原料的浓缩、精制和脱溶剂、酵母、菌体生成物萃取等。其他还有化工、能源、香料化妆品等工业应用。

22.4 固相微萃取

22.4.1 基本装置和特点

固相微萃取（solid phase micro-extraction，SPME）是在固相萃取（solid phase extraction，SPE）基础上发展起来的。20 世纪 70 年代末 80 年代初，随着大孔网状聚合物和硅胶键合相填充柱的出现，SPE 技术产生并以其有机溶剂消耗量小、对试样污染少等优点，成为高效的试样预分离和富集手段。1990 年 Pawliszyn J 等为克服 SPE 吸着剂管材对组分吸收等缺点，提出了固相微萃取新的试样预处理技术。这是一种基于气固吸附（吸收、吸着）和液固吸附（吸收、吸着）平衡的萃取富集方法，利用分析试样组分在固体表面或表面涂层有一定吸附亲和力实现分离富集。Supelco 公司于 1993 年即推出了 SPME 的商品化装置。其基本结构如图 22-8 所示。在直径 0.05～1 cm，长约 1 cm 的熔融石英纤维上涂敷一层厚为 30～100 μm 的萃取固定相。纤维与类似微型注射器的不锈钢柱塞连接，收缩柱塞可将纤维收入不锈钢针头。推出柱塞，纤维从针头伸出，可插入试样溶液或试样顶空，使分析试样组分被吸着、吸收或吸附萃取、富集在固相涂层内。通过手柄的推拉则可以使纤维灵活地伸出或收入针管

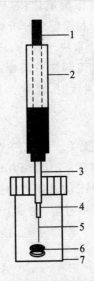

图 22-8　固相微萃取装置基本结构图

1. 推拉杆；2. 手柄筒；3. 可移动注射针头；

4. 支撑杆；5. 萃取头；6. 电磁搅拌块；7. 试样瓶

内。1997 年 Pawliszyn 等又提出了石英毛细管微萃取头－管内固相微萃取(In-tube SPME)技术。萃取的试样组分,在 GC,HPLC 等进样口或系统中,通过热或溶剂解吸进入色谱或仪器分析系统。SPME 具有无需溶剂、萃取快速、试样消耗量小、分析重现性好、操作简便、可进行现场分析并易于实现自动化操作等特点。它将试样的富集和基底去除相结合,集取样、萃取、富集、进样于一体,导致分析速度和灵敏度提高,因此在短短的十几年间,SPME 很快实现与 GC,HPLC,SFC,CE 等分离分析技术的联用,在萃取涂层研制、应用模式及基础理论研究方面均得到很大的发展。

22.4.2　基本原理

SPME 技术的原理是基于分析物在固相涂层和试样中的分配平衡,因此分析物的萃取量随着萃取时间的延长而不断增加直到达到萃取平衡,一般在 $2\sim30$ min 内可达到平衡。在萃取平衡时,分析物在固相涂层和试样液间实现固液或固气吸附(吸收、吸着)平衡,吸附在固相涂层的试样量为

$$n=\frac{KV_{f}V_{s}}{V_{s}+KV_{f}}c_{0} \qquad (22-3)$$

式中 n 为平衡时分析物萃取的物质的量,K 为分析物在固相和试样间分配平衡常数,V_{f} 为固相涂层体积,V_{s} 为试样体积,c_{0} 为分析物在试样中初始浓度。SPME 选用固相涂层对分析物有较强亲和力,高的 K 值确保强富集能力。该式表明,n 的大小取决于 K,V_{f},V_{s} 及分析物在试样中初始浓度 c_{0},且与 c_{0} 成正比,通过测定 n 即可测定分析物在试样中初始浓度,这是 SPME 方法定量分析基础。当 V_{s} 非常大时,即 $V_{s}\gg KV_{f}$,分析物在固相涂层的吸附量可简化为

$$n=KV_{f}c_{0} \qquad (22-4)$$

n 与试样体积无关。SPME 这一性质可用于环境、生产流程、生物流体等现场采样和试样的储存。如以 SPME 完成江河湖泊中的采样、富集,回实验室分析。

随着 SPME 方法研究的进一步开展,从平衡萃取理论发展至非平衡萃取理论。由于慢传质过程,在一定时间内,平衡未完全实现,固相涂层吸附分析物的物质的量为

$$n=\left[1-\exp\left(-A\,\frac{2m_{1}m_{2}KV_{f}+2m_{1}m_{2}V_{s}}{m_{1}V_{s}V_{f}+2m_{2}KV_{s}V_{f}}\right)t\right]\frac{KV_{f}V_{s}}{KV_{f}+V_{s}}c_{0} \qquad (22-5)$$

式中 A 为涂层表面积,t 为萃取时间,m_{1},m_{2} 为分析物在试样和固相涂层中质量转移系数($m=D/\delta$,D 为扩散系数,δ 为涂层厚度)。非平衡萃取理论方程(22-5)表明,被涂层萃取的分析物的量是分析物的初始浓度对萃取时间的函

数。而同时也可以看到,萃取量 n 与分析物初始浓度成正比。这说明在非平衡态萃取时,同样可以经测定分析物的萃取量来测得分析物的初始浓度,是非平衡理论定量分析理论基础。且当吸附时间无限长,式(22-5)中指数项消失,即达平衡时涂层吸附分析物的物质的量 n_0 为

$$n_0 = \frac{KV_f V_s}{V_s + KV_f} c_0 \tag{22-6}$$

与式(22-3)相同,即达平衡后分析物在固相涂层中吸附量与非平衡理论是一致的。

理论分析表明,SPME 取样时,并不一定要求分析物被萃取至平衡,只要求在严格操作条件下获得可靠且稳定响应值与浓度之间的线性关系即可。

22.4.3 固相微萃取头和制备技术

萃取头是 SPME 装置的核心。按萃取头结构有两种基本类型:(1) 纤维:包括涂层纤维和多孔结构涂层纤维。主要是石英纤维,亦有采用金属纤维。将键合硅胶材料等,如 C_8 或 C_{18} 键合硅胶颗粒,黏附到纤维上实现涂层比表面积的增大,可获得多孔结构涂层纤维。其涂层厚度为 $10 \sim 100~\mu m$。例如,$30~\mu m$ 的 C_8 键合硅胶涂层得到的萃取效率较之 $100~\mu m$ PDMS 涂层高 30 倍。(2) 毛细管(In-tube SPME):包括壁涂层毛细管、填充毛细管和整体柱毛细管,大多数是石英毛细管,亦有 PEEK 管等聚合材料。涂层毛细管从 GC 毛细管移植而来。填充型毛细管则更加类似微径液相色谱柱,将纤维、不锈钢丝、键合硅胶等插入或填充至毛细管内,以提高相比。为了得到具有高相比的萃取毛细管而避免较为麻烦的毛细管柱填充或纤维装填过程,整体柱是一种极具发展潜力的 SPME 萃取头。

无论是纤维或是萃取毛细管,其涂层材料根据它们的不同性质大致可分为非极性、中等极性和较强极性等三类。目前应用最多的材料有聚二甲基硅氧烷(PDMS)、聚丙烯酸酯(PA)、聚苯基甲基硅氧烷、聚乙二醇(CW)、聚(苯乙烯/二乙烯基苯)等。除单一聚合物外,还可在聚合物中加交联剂,形成交联的复合固定相涂层,如聚二甲基硅氧烷-二乙烯苯(PDMS/DVB)、聚乙二醇/二乙烯苯(CW/DVB)等。多种新型 GC,HPLC 涂敷和键合固定相材料或化合物,如印迹聚合物、免疫亲和材料、冠醚、环糊精、聚(甲基丙烯酸-乙二醇二甲基丙烯酸酯)等均已用作 SPME 涂层萃取固定相。将一些聚合物,如苯乙烯-二乙烯苯聚合物、碳分子筛加到涂层中,可以增大涂层表面积,提高 SPME 效率。

溶胶-凝胶技术是材料科学领域近年来应用较多的一种技术,由于它具有制备过程简单、反应条件温和、所得材料在分子水平上高度均一、产物组成容易

控制等优点,是当今 SPME 萃取头涂层的主要制备技术,得到的萃取涂层热和化学稳定性高、耐溶剂,且成本低。上述 PDMS,CW/DVB 等均可采用溶胶－凝胶法制备。SPME 制备的另一种技术是电沉积法,可将导电聚合物沉积到金属纤维上,如将聚吡咯和聚－N－苯基吡咯(PPPy)引入到金属电极丝上,这种聚合物涂层可萃取酚类、邻苯二甲酸酯类、杂环胺类、有机砷化合物、无机阴离子等。

其他制备技术有碳素基体吸附法,可将石墨、活性炭等制成碳素基体萃取头;高温环氧树脂固定法,即将微粒色谱固定相、如 C_8,C_{18}(ODS)键合硅胶用环氧树脂高温黏结在基体表面。目前应用和发展中的各种 GC,HPLC,CEC 等色谱固定相材料和制备技术大多数被不断引入 SPME 领域。

SPME 固相层以非键合、键合、部分交联或高度交联的形式涂敷在石英纤维或毛细管上。涂层耐溶剂性能依次为:键合＞高度交联＞部分交联＞非键合。涂层材料结构和表面性质直接影响萃取效率。SPME 操作条件优化,首先是选择合适的萃取头,按相似相溶原理,根据分析物性质选择合适涂层材料,非极性和中等极性涂层具有较宽适应范围,而高极性待测组分选用 CW 等强极性涂层。

22.4.4　SPME 操作技术

SPME 作为试样采集、处理技术,主要用作各种分析方法进样手段,并与其联用,根据最终的分析结果判断 SPME 的优劣。SPME 和分析仪器联用可分为离线模式和在线模式两种。离线操作分析物吸着(吸收)和解吸分别在试样进样口两处、分两步进行,本节主要讨论这种技术。在线模式需对进样系统作适当改装,并可实现 SPME 联用操作自动化,下节作简要介绍。整个 SPME 操作技术目前仍处在迅速发展和改进中。

SPME 的吸附或萃取操作模式主要是两种:浸取法和顶空法。前者吸着作用的萃取头浸入试样,后者萃取头在试样的顶空,即在试样液相上方的气相中萃取。

提高萃取效率的基本方法是对影响萃取效率基本操作条件进行优化,如萃取时间、试样搅拌速度、萃取温度、无机盐浓度、试样基底 pH 等。

SPME 技术的原理是基于分析物在涂层和试样中的分配平衡,因此分析物的萃取量随着萃取时间的延长而不断增加直到达到萃取平衡。但对于在涂层中分配系数很大、达到萃取平衡所需时间过长的试样而言,可以在严格控制萃取时间和萃取条件一致的情况下采取时间较短的非平衡萃取方式。对萃取过程对试样施加搅拌可以促进分析物的扩散,从而缩短平衡时间,有效地提高萃取的效率。

萃取温度对萃取效率的影响在动力学和热力学上相互制约,温度升高,分析物扩散系数增大,从而使萃取平衡的时间缩短。但分析物在涂层中的分配系数会随温度的升高而降低,应综合考虑这两方面的因素选择萃取温度。

试样基底中无机盐的加入以及 pH 的影响。无机盐的加入可以提高极性化合物在非极性涂层上的萃取效率,而 pH 的改变则可以调整分析物以分子状态存在,使之与涂层的作用力增强,易于被萃取。

除了萃取的条件外,解吸操作对于最终分析结果的影响视后续仪器或方法进样条件而异。如与 GC 进行联用,若采用热解吸,GC 气化室的温度、进样器衬管内径、萃取头位置和停留时间等因素均会影响分析物的解吸效率和色谱分析结果。而与 HPLC 联用,采用解吸池进行解吸时,解吸溶剂的选择(流动相或有机溶剂),解吸模式(动态或静态,或动静结合),解吸的时间等是影响最终分析结果的重要因素。

22.4.5 SPME 联用技术

1. SPME-GC

这是最早发展、较为完善、广泛应用的技术。SPME 装置可在 GC 仪进样口直接进样,常使用石英纤维萃取头,吸着的分析物在 GC 气化室 200~300 ℃热脱附。对相对分子质量较高、热脱附困难的化合物,如芘,可用金属丝代替石英纤维,以通电加热脱附。在线联用的装置,将 50~60 cm 长的萃取毛细管接于六通阀进样环位置上,当阀切换到 LOAD 位置时,以气体驱动试样溶液进行萃取。萃取完后,切换到 INJECT 位置后采用瞬间升温的热解吸方法使吸附的分析物解吸下来,经载气和辅助载气携带进入常规 GC 柱进行分析。该套装置对水样中的稠环芳烃、含氯或含磷农药进行了分析,检出限可达 0.01~0.05 ng·mL^{-1}。采用阀切换技术实现了在线的 In-tube SPME-GC-MS 联用,并以 PDMS 为萃取毛细管对水样中的稠环芳烃等进行了分析。

2. SPME-HPLC

SPME-HPLC 联用需要一个接口,接口装置多种式样,均基于对六通阀的改造而成。较多使用石英纤维毛细管萃取头。如图 22-9 所示接口为 T 形三通解吸池与六通阀相连,六通阀切换到 LOAD 位置,此时解吸池与大气相通,其中充满流动相或解吸溶剂,萃取涂层毛细管或纤维直接插入池中,并借助密封嵌套实现密封。当六通阀切换到 INJECT 位置时,流动相流经解吸池将解吸下来的分析物带入色谱柱进行分析。Supelco 公司推出了商品化的这种 SPME-HPLC 联用接口。此后发展出自动进样的 SPME-HPLC 联用装置,萃取毛细管连接于取样针和试样环之间,萃取时,六通阀处在 LOAD 位置,通过自动进样器控制试样的吸入与排出,而当萃取完成后,将六通阀切换到 INJECT 位置,使流动相流经毛细管对分析物进行解吸并同时带入色谱柱进行分析。已发展出采用两个多通阀,分别连入萃取和进样系统,通过程序控制萃取时间、切换至进样,成为 SPME-HPLC 全自动进样分析系统。

3. SPME-CE 或 CEC

SPME-CE 或 CEC 的离线联用,将萃取试样以缓冲液或盐溶液解吸,即可进行 CE 或 CEC 分析。SPME-CE 在线联用是将 $150\sim$ 220 μm 的较大内径热缩 Teflon 毛细管与 CE 分离毛细管连接,涂层纤维完成试样萃取后,插入该大口径毛细管中,施加电压,被萃取分析物经缓冲溶液解吸,进行电泳分离。为了实现 SPME-CE 零死体积在线联用,设计了多种接口。如将 CE 分离毛细管靠近进样端截断,并经 Teflon 接口与萃取毛细管成十字交叉相连。萃取毛细管中插入萃取纤维,萃取时,驱动试样溶液经萃取毛细管实现分析物的富集;解吸时,驱

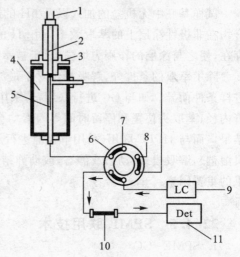

图 22-9　SPME-HPLC 联用接口
1. SPME 推拉杆;2. SPME 针管;3. 密封压缩垫片;4. 解吸池;5. SPME 头;6. 六通阀;7. 接注射器;8. 废液排出;9. HPLC 流动相储瓶;10. HPLC 色谱柱;11. HPLC 检测器

动一定体积的解吸溶剂经萃取毛细管进入交叉接口,然后施加电压即可进行电泳分离。

4. 其他联用技术

SPME 已实现同其他的分析方法联用。ICP-MS 是一种强有力的金属离子分析工具,以 SPME 作为其试样的前处理步骤,则可提高检测灵敏度,检出限达到 10^{-12} 级。SPME 可直接与 MS 联用。此外,SPME 与紫外吸收光谱、原子吸收光谱、红外光谱、电化学分析等的联用也有报导。

22.4.6　SPME 的应用

SPME 已成为环境、生物、医药学、天然产物、食品、毒物、法学等领域重要试样处理技术。与 GC 联用适合于中低极性的挥发性、中等挥发性化合物的分析,而对于低挥发性和不挥发性的化合物,如药物、肽、蛋白质、强极性的杀虫剂等,采用液相色谱作为分离分析手段。SPME 的引入,检出限达到了 ng·mL$^{-1}\sim$ pg·mL^{-1}。

采用 SPME-GC,SPME-HPLC 及与 MS 联用技术可对环境试样中的多种污染物进行检测,如农药残留、酚类化合物、稠环芳烃类、硝基化合物、致癌芳香

内。1997 年 Pawliszyn 等又提出了石英毛细管微萃取头-管内固相微萃取(In-tube SPME)技术。萃取的试样组分,在 GC,HPLC 等进样口或系统中,通过热或溶剂解吸进入色谱或仪器分析系统。SPME 具有无需溶剂、萃取快速、试样消耗量小、分析重现性好、操作简便、可进行现场分析并易于实现自动化操作等特点。它将试样的富集和基底去除相结合,集取样、萃取、富集、进样于一体,导致分析速度和灵敏度提高,因此在短短的十几年间,SPME 很快实现与 GC,HPLC,SFC,CE 等分离分析技术的联用,在萃取涂层研制、应用模式及基础理论研究方面均得到很大的发展。

22.4.2　基本原理

SPME 技术的原理是基于分析物在固相涂层和试样中的分配平衡,因此分析物的萃取量随着萃取时间的延长而不断增加直到达到萃取平衡,一般在 2~30 min 内可达到平衡。在萃取平衡时,分析物在固相涂层和试样液间实现固液或固气吸附(吸收、吸着)平衡,吸附在固相涂层的试样量为

$$n = \frac{KV_f V_s}{V_s + KV_f} c_0 \qquad (22-3)$$

式中 n 为平衡时分析物萃取的物质的量,K 为分析物在固相和试样间分配平衡常数,V_f 为固相涂层体积,V_s 为试样体积,c_0 为分析物在试样中初始浓度。SPME 选用固相涂层对分析物有较强亲和力,高的 K 值确保强富集能力。该式表明,n 的大小取决于 K,V_f,V_s 及分析物在试样中初始浓度 c_0,且与 c_0 成正比,通过测定 n 即可测定分析物在试样中初始浓度,这是 SPME 方法定量分析基础。当 V_s 非常大时,即 $V_s \gg KV_f$,分析物在固相涂层的吸附量可简化为

$$n = KV_f c_0 \qquad (22-4)$$

n 与试样体积无关。SPME 这一性质可用于环境、生产流程、生物流体等现场采样和试样的储存。如以 SPME 完成江河湖泊中的采样、富集,回实验室分析。

随着 SPME 方法研究的进一步开展,从平衡萃取理论发展至非平衡萃取理论。由于慢传质过程,在一定时间内,平衡未完全实现,固相涂层吸附分析物的物质的量为

$$n = \left[1 - \exp\left(-A \frac{2m_1 m_2 KV_f + 2m_1 m_2 V_s}{m_1 V_s V_f + 2m_2 KV_s V_f} \right) t \right] \frac{KV_f V_s}{KV_f + V_s} c_0 \qquad (22-5)$$

式中 A 为涂层表面积,t 为萃取时间,m_1,m_2 为分析物在试样和固相涂层中质量转移系数($m = D/\delta$,D 为扩散系数,δ 为涂层厚度)。非平衡萃取理论方程(22-5)表明,被涂层萃取的分析物的量是分析物的初始浓度对萃取时间的函

trum）。一般给出质谱数据有两种形式：一是棒状图即质谱图，另一个为表格即质谱表。质谱图是以质荷比（m/z）为横坐标，相对强度为纵坐标构成。一般将原始质谱图上最强的离子峰作为基峰，并定其相对强度为 100%，其他离子峰强度以对基峰强度的相对百分数表示。质谱表是用表格形式表示的质谱数据。质谱表中有两项即质荷比和相对强度。表 23-1 和图 23-1 分别为蟾毒色胺质谱数据表和质谱图，其基峰为 m/z 58。

表 23-1　蟾毒色胺质谱（表格）

m/z	41	42	43	56	57	58	59	60	63	64	65	66	76
相对强度	5	30	10	5	12	100	40	1	7	1	10	2	3
m/z	77	78	88	89	90	91	92	101	102	103	104	105	115
相对强度	12	4	1	9	5	15	2	2	2	6	3	2	2
m/z	116	117	118	119	128	129	130	131	132	133	144	145	146
相对强度	4	9	5	2	5	1	12	5	3	2	2	5	37
m/z	147	148	157	158	159	160	161	201	202	203	204	205	
相对强度	6	1	1	5	13	13	3	2	3	2	44	7	

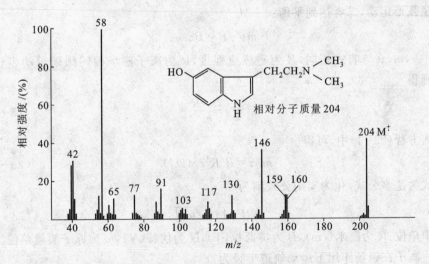

图 23-1　蟾毒色胺质谱图

从质谱图上可以直观地观察整个分子的质谱全貌，而质谱表则可以准确地给出精确的 m/z 值及相对强度值，有助于进一步分析。

23.2   质谱法的基本原理和方程

  分子质谱是试样分子在高能粒子束(电子、离子、分子等)作用下电离生成各种类型带电粒子或离子,采用电场、磁场将离子按质荷比大小分离、依次排列成图谱,称为质谱。质谱不是光谱,是物质的质量谱。质谱中没有波长和透光率,而是离子流或离子束的运动,有类似于光学中的聚焦和色散等离子光学概念。

  分子电离后形成的离子经电场加速从离子源引出,加速电场中获得的电离势能 zeU 转化成动能[kinetic energy,KE,SI 单位为焦耳(J)]$1/2mv^2$,两者相等,即

$$zeU = 1/2mv^2 \tag{23-1}$$

式中 m 为离子的质量,v 为离子被加速后的运动速度,z 为电荷数(多数为 1,亦可 ≥ 2 至数十),e 为元电荷(亦称基本电荷,为最小电荷量的单位 $e = 1.60 \times 10^{-19}$ C),U 为加速电压。在离子源中离子获得的动能与它的质量无关,只跟它带的电荷和加速电压有关(zeU)。而从离子源引出离子运动速度平方与其质量成反比,质量越大,其速度越小。

  具有速度 v 的带电粒子进入质谱分析器的电磁场中,就存在沿着原来射出方向直线运动的离心力(mv^2/R)和磁场偏转的向心力($Bzev$)作用,两合力使离子呈弧形运动,二者达到平衡:

$$mv^2/R = Bzev \tag{23-2}$$

式中 e,m,v 与前式相同,B 为磁感应强度,R 为离子磁场偏转圆周运动半径。整理得

$$v = \frac{BzeR}{m} \tag{23-3}$$

代入方程(23-1)中,可得

$$m/z = B^2 R^2 e/(2U) \tag{23-4}$$

此式为基本公式,化为实用公式则为

$$RB = 144\sqrt{mU} \tag{23-5}$$

式中单位:R 为厘米(cm),B 为特斯拉(T),U 为伏特(V),m 为原子质量单位。

  离子在磁场作用下运动轨道半径为

$$R = \frac{144}{B}\sqrt{\frac{m}{z}U} \tag{23-6}$$

此式可用来设计或核算一台质谱仪器的质量范围。当 R 一定时式(23-4)可简化为

$$m/z = K\frac{B^2}{U} \tag{23-7}$$

K 为常数,从此方程说明:磁质谱仪器中,离子的 m/z 与磁感应强度平方成正比,与离子加速电压成反比;可以保持 B 恒定而变化 U(电扫描),或保持 U 恒定变化 B(磁扫描)实现离子分离,后者是常用的工作方式。

23.3 质谱仪器

23.3.1 分子质谱仪器基本结构

分子质谱仪器由进样系统、离子源、质量分析器、检测器、真空系统及电子、计算机控制和数据处理系统等组成。与原子质谱仪器差别较大的是进样系统和离子源。其基本结构如图 23-2 所示。

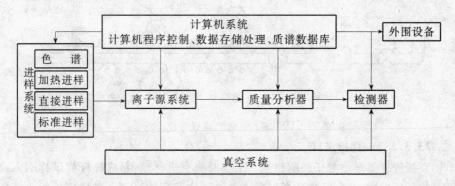

图 23-2 一般有机质谱仪器结构方框图

有机质谱仪器按分辨率可分为高分辨率仪器($R > 50\ 000$)、中分辨率仪器($R = 10\ 000 \sim 50\ 000$)和低分辨率仪器($R \leqslant 10\ 000$)。双聚焦质谱仪器分辨率可由 10 000 到 100 000,傅里叶变换回旋共振质谱仪分辨率可达 1 000 000。而四极质谱仪、飞行时间质谱仪均属低分辨质谱仪器。

23.3.2 进样系统

进样系统的目的是在不破坏真空环境、具有可靠重复性的条件下,将试样引入离子源。现代质谱仪器有多种类型的进样系统,以满足不同试样进样的需求。典型的进样系统包括加热进样、直接进样、色谱进样、标准进样等。

23.3.2.1 加热进样

加热进样是最经典也是最简单的进样方式。试样首先被气化,然后进入高真空的离子源。图 23-3 为加热进样系统的示意图。它适用于气体、沸点低且易挥发的液体(沸点低于 500 ℃)、中等蒸气压固体等试样进样。对气体试样而言,很少量的气体被收集在两个阀之间的测量区域,然后进入储样器。液体试样则通过微升级的进样针注入储样器。无论是液体或气体进样都要确保真空度达到 $10^{-4} \sim 10^{-5}$ mbar。对于沸点高于 150 ℃ 的试样,储样器及连接管必须用电热丝或加热箱加热,对沸点低于 500 ℃ 的液体试样,加热箱的最高加热温度为 350 ℃,以免试样气化过快。试样经过气化后,从储样器以恒定的流速通过含有一个或多个针孔(分子漏缝)的金属或玻璃的隔膜,进入到离子化区域。为防止极性化合物由于吸附而引起损失,进样系统应由玻璃制成。

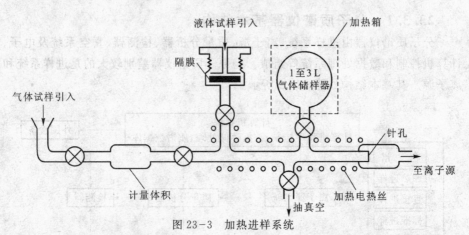

图 23-3　加热进样系统

23.3.2.2　直接进样

直接进样器是通过切换阀建立一个临时真空进样通道,进样杆将试样引入离子源的一种进样方式,通常适合于高沸点的液体及固体进样。进样杆一般为一根规格为 25 cm×6 mm i.d. ,试样(几微克~几十微克)装入可更换的硬质玻璃短毛细管,将其置于进样杆顶端有一小洞的石英管或坩埚内,其结构如图 23-4 所示。

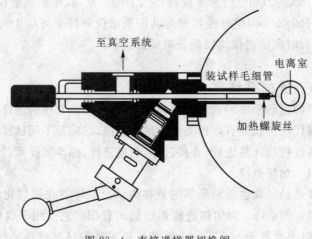

图 23-4　直接进样器切换阀

通过进样杆伸入离子源几毫米的距离,将试样直接送入离子源。特制的真空闭锁系统可以保障进样杆将试样送入离子源时不破坏离子源的真空状态。进样杆顶端装有试样电热线圈,可升温到 400 ℃,调节石英管内加热线圈电流,可按预定升温程序升温,使试样在电离室边高真空下加热气化,大部分的试样蒸气能进入离子源,很快被电离,有效地防止试样热分解。因此,可以获得热不稳定化合物的质谱图。试样的利用率高于加热进样。

23.3.2.3　色谱进样

质谱仪通常会与气相色谱、液相色谱等仪器联用,用于分离和检测复杂化合物的各种组分。将色谱分离后的流出组分通过适当的接口引入质谱系统,称之为色谱进样。相关内容将在色谱-质谱联用技术中介绍。

23.3.2.4　标准进样

有机质谱一般以全氟煤油(perfluorokerosene,PFK)为仪器质量标准试样。PFK 从 69 至 1 200 相对分子质量以上,几乎每隔 12 个质量有一个特征峰,主要特征峰的精确质量均已测定。由于 PFK 的记忆效应较强,如用加热进样或直接进样系统进样,容易造成污染。因此,不少仪器装有专用 PFK 标准样进样系统。

23.3.3　离子源

按照试样的离子化过程,离子源(ion sources)主要可分为气相离子源和解析离子源。气相离子源:试样先蒸发成气态,然后受激离子化。气相离子源的使用限于沸点低于 500 ℃ 的热稳定化合物,通常情况下这类化合物的相对分子质量低于 10^3。此类离子源主要包括电子轰击源、化学电离源、场电离源等。解析离子源:固态或液态试样不经过挥发过程而直接被电离,适用于相对分子质量高达 10^5 的非挥发性或热不稳定性试样的离子化,包括场解吸源、快原子轰击源、激光解吸源、电喷雾电离源和大气压化学电离源等。按照离子源能量的强弱,离子源可分为硬离子源和软离子源。硬离子源:离子化能量高,可以传递足够的能量给分析物分子,使它们处于高能量激发态,弛豫过程包括键的断裂,从而产生质荷比小于分子离子的碎片,因此得到分子官能团等结构信息。软离子源:离子化能量低,试样分子被电离后,主要以分子离子形式存在,几乎不会产生什么碎片,质谱谱图简单,通常仅包含分子离子峰或准分子离子峰和少量的小峰。

分子质谱仪器的离子源种类繁多,现将主要的离子源介绍如下。

23.3.3.1　电子轰击源

电子轰击源(electron-impact sources,EI)应用最为广泛,主要用于挥发性试样的电离。图 23-5 是电子轰击电离源的原理图,试样首先在高温下形成分子蒸气,以气态形式进入离子源,灯丝 8(钨丝或者铼丝)经加热后发射出电子,在电离盒 1 和灯丝之间加一定的电压,称为电离电压,使电子加速形成高能电子。电子流在永久磁铁 12 作用下呈螺旋运动,并聚焦成束,以提高电离效率。高能电子和试样分子的运动路径成直角,交叉点位于离子源的中心,在这里产生碰撞和解离。当高能电子离分子足够近的时候,静电排斥力使分子失去电子,形成的主要产物是带一个正电荷的离子。通过适当的推斥电压导引,让正离子穿过加速狭缝 7,并最终进入质量分析器。

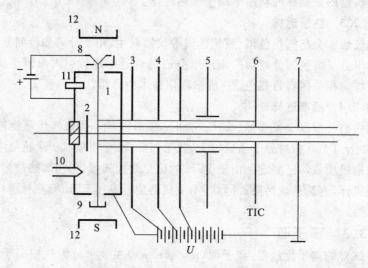

图 23-5　电子轰击电离源的原理图

1. 电离盒;2. 推斥极;3. 引出极;4. 聚焦极;5. z 向偏转极;6. 总离子检测极;7. 加速狭缝;
8. 灯丝;9. 电子收集极(阳极);10. 加热丝;11. 热敏电阻;12. 永久磁铁。

一般有机化合物电离电位约为 10 eV,在电子轰击下,试样分子可能有多种不同途径形成离子,如试样分子被打掉一个电子形成分子离子;进一步发生化学键断裂、重排形成碎片离子、重排离子等。试样究竟形成何种离子,与轰击电子的能量有关。

电子轰击源电离效率高,能量分散小,结构简单,操作方便,工作稳定可靠,产生高的离子流,因此灵敏度高。可作质量校准。大量的碎片离子峰,提供了丰富的结构信息,使化合物具有特征的指纹谱,同时有标准质谱图可以检索。目前所有的标准质谱图大多是在 EI 源 70 eV 下获得的,但它也具有一些缺陷。使用电子轰击离子源很多情况下得不到分子离子峰,因一般化学键的能量为 200～600 kJ·mol^{-1},70 eV 已大大超过化学键裂解所需能量,导致对相对分子质量的测定困难。另一个局限性是要求试样先气化,因此有的分析物还来不及离子化就已经被热裂解。电子轰击离子源只适用于分析分子相对分子质量小于 10^3 的物质,主要适用于易挥发有机试样的电离,GC-MS 联用仪中普遍使用此离子源。

23.3.3.2 化学电离源

化学电离源(chemical ionization sources, CI)和电子轰击电离源在结构上没有多大差别,其主体部件是通用的。主要差别在于 CI 源工作过程中要引进一种反应气体,可以是甲烷、丙烷、异丁烷、氨气等。反应气的量比试样气要大得多。灯丝发出的电子首先将反应气电离,然后反应气离子与试样分子进行离子-分子反应,实现试样电离。现以甲烷作为反应气,说明化学电离的过程。在电子轰击下,甲烷首先被电离:

$$CH_4 + e^- \longrightarrow CH_4^+ + CH_3^+ + CH_2^+ + CH^+ + C^+ + H^+$$

甲烷电离后生成的 CH_4^+,CH_3^+ 等离子占 90% 以上。这些离子再迅速与剩余的甲烷分子进行反应,生成加合离子:

$$CH_4^+ + CH_4 \longrightarrow CH_5^+ + CH_3$$
$$CH_3^+ + CH_4 \longrightarrow C_2H_5^+ + H_2$$

加合离子与试样分子 M 反应,实现了质子和氢化物的转移:

$$CH_5^+ + M \longrightarrow [M+H]^+ + CH_4 \quad 质子转移$$
$$C_2H_5^+ + M \longrightarrow [M+H]^+ + C_2H_4 \quad 质子转移$$
$$C_2H_5^+ + M \longrightarrow [M-H]^+ + C_2H_6 \quad 氢化物转移$$

质子转移反应产生质子化的准分子离子分子 $(M+1)^+$,而氢化物转移反应消去氢负离子,产生离子 m/z 比试样相对分子质量少 1 的准分子离子 $(M-1)^+$。事实上,以甲烷作为反应气,除 $(M+1)^+$ 之外,还可能出现 $(M+17)^+$,$(M+29)^+$ 等准分子离子以及碎片离子。

相对于电子轰击电离,化学电离是一种软电离方式,电离能小,质谱峰数少,图谱简单;准分子离子 $(M+1)^+$ 峰大,可提供相对分子质量这一重要信息。有些用 EI 方式得不到分子离子的试样,改用 CI 后可以得到准分子离子。在 EI 源中,一般负离子只有正离子的 10^{-3},负离子质谱灵敏度极低;而 CI 源一般都有正 CI 和负 CI,其灵敏度相当,可以根据试样情况进行选择,对于含有很强的吸电子基团的化合物,检测负离子的灵敏度远高于正离子的灵敏度。由于 CI 得到的质谱不是标准质谱,难以进行库谱检索。

23.3.3.3 场电离源

场电离源(field ionization sources, FI)是应用强电场诱导试样电离的一种离子化方式。如图 23-6 所示,间距极小的电极(间距 0.5~2 mm)间具有很强的电场(电压梯度 $10^7 \sim 10^8$ V/cm),引入的气体分子在阳极微针高场区域分散,蒸气分子在高静电场作用下,由于量子隧道效应(quantum mechanical tunneling),价电子以一定的概率穿越位垒而逸出,生成分子离子,而带正电试样分子离子被排斥,并加速进入质量分析系统。在此过程中,分子本身很少发生振动或转动,裂解很少,碎片离子峰很弱。

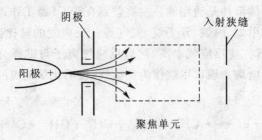

图 23-6　场电离源示意图

　　场电离源由于要获得强的电场,对电极要求较高。单靠提高电压和减少发射丝直径来获得高场强比较困难。如果让金属丝活化,在其上生长微针(其尖端直径小于 1 μm),把微针作为场发射体则可大大提高场强。将直径约为 10 μm 的钨丝焊在发射体架上,放入活化装置中,活化室抽真空后,通入苯甲腈蒸气,在发射丝施加 10~20 V 的高压,这样钨丝上生成出很多碳微针,构成多尖陈列电极从而提高电离效率。

　　场电离源的优点在于电离温和,产生的碎片较少,主要产生分子离子 M^+ 和 $(M+1)^+$ 峰,所获得的质谱图简单,分子离子峰易于识别。适用于相对分子质量的测定和有机混合物的直接定量分析。场电离源的缺点是它的灵敏度低,相对于电子轰击源,至少要低一个数量级,它的最大电流在 10^{-11} A 的水平上。

23.3.3.4　场解吸电离源

　　场电离源分子需气化后电离,不适用于难挥发、热不稳定的有机化合物。因而发展出场解吸电离源(field desorption ionization sources,FD),使用了和场电离源相似的多针尖发射场。类似于场电离源,它也有一个表面长满“胡须”(长 0.01 mm)的阳极发射器(emitter),阳极发射器被固定在一根可以在试样腔中来回移动的探针上,将试样溶液涂于发射器表面并蒸发除溶剂,当探针再次插入试样腔时,电极上的高电压使试样发生离子化,形成分子离子向阴极移动,并最终引入质量分析器。

　　采用解吸源时,试样无需气化再电离,特别适于非挥发性、热不稳定的生物试样或相对分子质量高达 100 000 的高分子物质。当施加不同形式的能量在固相或液体试样上,可使之直接形成气体离子。因此,试样的电离行为较为简单,所获得的质谱信号也大大简化,常常只看到分子离子峰或是质子化的准分子离子峰。图 23-7 为极性化合物谷氨酸的 EI,FI 和 FD 的质谱图,比较说明,EI 碎片峰很多,但未显示分子离子峰;FI 给出较弱的准分子离子峰;FD 以准分子离子 $(M+1)^+$ 为基峰,而无碎片离子峰。

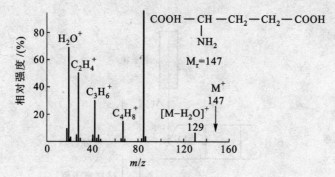

（a）电子轰击源

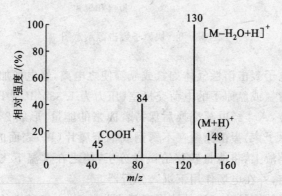

（b）场电离源

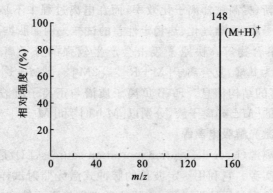

（c）场解吸电离源

图 23-7 谷氨酸的 EI,FI 和 FD 质谱图比较

23.3.3.5 快原子轰击源

快原子轰击源（fast atomic bombardment sources, FAB）是另一种常用的离子源，它主要用于极性强、高相对分子质量的试样分析。其工作原理如图 23-8 所示。

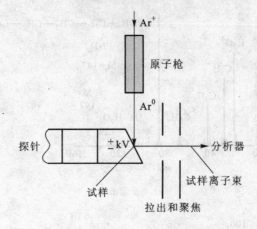

图 23-8　快原子轰击源示意图

　　通过高速电子轰击惰性气体如氩或氙等使之电离,经电场加速后,高速氩或氙离子奔向充有氩或氙原子的电荷交换室(压力为 1.33×10^{-3} Pa),原子发生共振电子转移反应,Ar^+ 经电荷交换后保持着原来的能量,形成 $2 \sim 8$ keV 高能量的中性氩或氙原子束,轰击涂覆在不锈钢或铜金属片(靶)表面的甘油或硫甘油基质的试样浓缩液上,将能量转移给试样分子,使之在常温下飞溅(sputtering)电离后进入真空,并在电场作用下进入分析器。

　　快原子轰击使用甘油或硫甘油作溶剂或分散剂,由于试样的流动性,试样分散表面层不断更新,提高试样离子化效率,而在电离过程中不必加热气化,适合于分析大相对分子质量、难气化、热稳定性差的试样。例如肽类、低聚糖、天然抗生素、有机金属络合物等。快原子轰击会产生较强的分子离子、准分子离子 $[M\pm1]^+$ 或以其为基峰,复合离子 $[M+R]^+$,$[2M]^+$,$[2M+1]^+$ 以及其他碎片离子,提供较丰富的结构信息。FAB 负离子质谱与正离子质谱有时非常一致,均生成得失质子的 $[M\pm n]$ 离子簇,分别以 $[M+1]^+$ 和 $[M-1]^-$ 为基峰。

23.3.3.6　激光解吸电离源

　　激光解吸电离源(laser desorption ionization sources,LD)是一种结构简单、灵敏度高的新电离源。它利用一定波长的脉冲式激光照射试样使试样电离,被分析的试样置于涂有基质的试样靶上,脉冲激光束经平面镜和透镜系统后照射到试样靶上,基质和试样分子吸收激光能量而气化,激光先将基质分子电离,然后在气相中基质将质子转移到试样分子上使试样分子电离。激光电离源需要有合适的基质才能得到较好的离子产率。因此,这种电离源通常称为基质辅助激光解吸电离(matrix-assisted laser desorption ionization,简称 MALDI)。基质必须满足下列要求:能强烈地吸收激光的辐照,能较好地溶解试样并形成溶液。对生物聚合物而言,只有很少数的物质能被用作基质。MALDI 常用的基质有

2,5-二羟基苯甲酸、芥子酸、烟酸、α-氰基-4-羟基肉桂酸等。由于激光与试样分子作用时间短、区域小、温度低,采用基质辅助电离技术,避免试样共振吸收激光辐射裂解,得到的质谱主要是分子离子、准分子离子、少量碎片离子和多电荷离子。

MALDI 特别适合于飞行时间质量分析器(TOF),组成 MALDI-TOF 质谱仪。MALDI 属于软电离技术,它比较适用于分析生物大分子,如肽、蛋白质、核酸等,对一些相对分子质量处于几千到几十万之间的极性的生物聚合物,可以得到精确的相对分子质量信息。

23.3.4　质量分析器

质量分析器(mass analyzer)的作用是将离子源产生的离子按质荷比(m/z)顺序分离。用于有机质谱仪的质量分析器有磁分析器、四极杆分析器、离子阱分析器、飞行时间分析器、回旋共振分析器等。

23.3.4.1　磁分析器

1. 扇形磁场和扇形电场的离子光学性质

离子光学分析说明,扇形磁场的基本性质是:

(1) 质量色散能力,即对不同质量离子有分离能力,因此磁场可单独作质谱仪器的质量分析器。

(2) 能量色散能力,对不同能量离子将发散开,质量相同、速度或能量不同离子不能聚焦到一起。

(3) 方向聚焦能力,质量相同、速度相也相同,而从离子源狭缝出口方向上有散角的离子通过扇形磁场可聚焦到一"点",即达到一级方向聚焦。

扇形电场具有:

(1) 方向聚焦能力。

(2) 能量色散能力,是一个能量分析器,质荷比相同而能量不同的离子经过扇形电场后会彼此分开。一方面对大能量分散起过滤作用;另一方面和磁场配合可以达到能量聚焦。

(3) 无质量分离能力,不能单独作质量分析器。

2. 双聚焦型磁分析器

磁分析器可分为单聚焦分析器(single-focusing analyzer)和双聚焦分析器(double-focusing analyzer),前者为单一扇形磁场,后者由电场、磁场串联而成。

第 6 章讨论的扇形磁质谱仪即为单聚焦型质谱仪器。之所以这样命名,是因为从离子源出来具有相同质荷比,但具有微小的速度差别的离子通过磁场方向聚焦会聚到一点。由于离子源的离子能量遵守 Boltzmann 能量分布,即从离子源出来的离子具有不同的动能。而磁场具有能量色散作用,从而限制扇形磁质谱仪的分辨率($R \leqslant 5\,000$),不能满足有机物分析要求。

扇形电场是一个能量分析器,如果在扇形电场出口设置一个狭缝,可起到能量过滤作用。让离子束首先通过一个由两层光滑的弧形金属板组成的静电分析器(electrostatic analyzer,ESA),向外电极加上正电压,内电极为负压。由于存在电势差,扇形静电分析器可以使能量超出一定范围上限的离子碰撞到静电分析器上层的金属板而无法到达磁场区;同样,能量低于下限的离子将会碰撞到静电分析器下层的金属板而会被除去。这样,可消除试样离子能量分散对分辨率的影响,只有一定能量的离子通过能量限制狭缝,即将到达扇形磁场区的离子的动能限制在一个非常窄的范围。

下面从离子光学说明双聚焦仪器的聚焦原理,其离子光学系统如图 23-9 所示。图中 S_1,S_2 分别为主缝(分析器入口)和接收缝(分析器出口),α 缝为方向散角限制缝,β 缝为电场方向聚焦能量分散限制缝。一质量相同,速度为 v_1 和 v_2 的离子束从 S_1 以散角 $\pm\alpha$ 射向 ESA。由于扇形静电场的能量色散作用,速度 v_1 和 v_2 的离子束被分开。如果 ESA 的方向聚焦点落在 β 缝位置,则速度 v_1 和 v_2 的离子束分别在 A_1' 和 A_2',达到一级方向聚焦和能量过滤。A_1' 和 A_2' 作为扇形磁场的物点,又以一定角射向磁场。如果 S_2 位置是磁场的方向聚焦点,A_1' 和 A_2' 两点射出质量相同,能量不同,有一定方向分散的离子束可能聚焦到 S_2 的 A'' 点上,实现方向和能量双聚焦。这是由于磁场的能量色散能力,可以认为,速度为 v_1 和 v_2 的离子束从 A'' 出发,逆向射向磁场,由于磁场能量色散分散在 A_1' 和 A_2' 两点。实际是只要磁场的逆向能量色散等于 ESA 的能量或速度色散,即可达到 A'' 点上双聚焦。

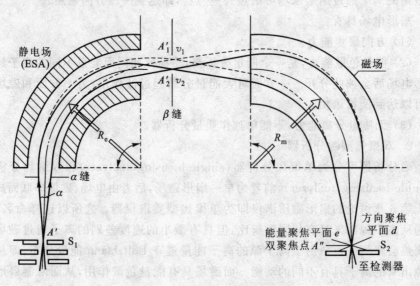

图 23-9　双聚焦型分析器原理图

概括来说,一方向和能量有限分散的离子束通过 β 狭缝进入扇形磁场实现方向聚焦作用会聚在图 23-9 中 S_2 处平面 d;而利用磁场的能量色散与静电场的能量色散大小相等、方向相反的能量聚焦作用会聚到平面 e。所以,在任意给定的加速电压和磁感应强度下,只有质荷比为一定的离子同时在 d 和 e 交点上聚焦,而收集器就设置在双聚焦点上,从而达到方向和能量双聚焦的目的,因此被称为双聚焦质量分析器。显然,如果在 A'' 点射出一束离子,也可在 A' 点达到双聚焦,可见双聚焦系统是可以倒置的。

双聚焦质谱仪器在离子几何学设计上有多种类型,最典型的是采用反偏转方向配置扇形电场和扇形磁场分析器,如 Mattauch-Herzog 型双聚焦质谱仪器,如图 6-3 所示,其独特之处在于它的能量聚焦和方向聚焦的位置是一致的,通常可使用感光板记录谱线。感光板就安装在所有的离子的聚焦位置。另一种是 Nier-Johnson 型,其电场、磁场为顺式配置,如图 23-9 所示。此外,电场、磁场顺序亦可反转,即扇形磁场在静电场前面。根据电场、磁场大小,可分为小型、中型、大型双聚焦质谱仪器,电场、磁场越大,其分辨率、相对分子质量范围等性能指标越高。

一般商品化双聚焦质谱仪器的分辨率为 $10\ 000 \sim 100\ 000$,最高可达 $150\ 000$,质量测定准确度可达 $0.03\ \mu g \cdot g^{-1}$,即对于相对分子质量为 600 的化合物可测至误差 $\pm 0.000\ 2\ u$。双聚焦分析器的优点是分辨率高,缺点是扫描速率慢,操作、调整比较繁复,而且仪器造价也比较昂贵。

23.3.4.2 飞行时间质量分析器

飞行时间质量分析器(time of flight mass analyzer,TOF)的主要部分是一个长 1 m 左右的无场离子漂移管。图 23-10 是这种分析器的原理图。

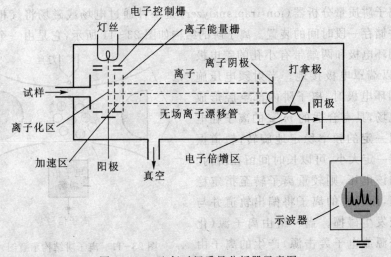

图 23-10 飞行时间质量分析器示意图

与式(23-1)相同,离子在加速电压 U 作用下得到动能,则有

$$1/2mv^2=zeU \quad 或 \quad v=(2zeU/m)^{1/2}$$

离子以速度 v 进入自由空间(漂移管),假定离子在漂移管飞行的时间为 t,漂移管长度为 L,则:

$$t=L\left(\frac{m/z}{2U}\right)^{1/2} \tag{23-8}$$

由上式可见,离子在漂移管中的飞行时间与离子质量的平方根成正比。即对于能量相同的离子,离子的质量越大,达到接收器所用的时间越长,质量越小,所用时间越短,根据这一原理,可以按时间把不同质量的离子分开。从理论上分析,漂移管的长度没有限制,适当增加长度可以增加分辨率。TOF 分离离子的相对分子质量没有上限,可分离高质量的离子。

飞行时间质量分析器的特点是扫描质量范围宽,扫描速度快,仪器结构简单,既不需磁场也不需电场。可以在 $10^{-5}\sim10^{-6}$ s 时间内观察、记录整段质谱,测定轻元素至大分子。但由于试样离子进入漂移管前存在空间、能量、时间上的分散,相同质量的离子到达检测器的时间并不一致,导致该类质谱仪器分辨率较低。目前,采取激光脉冲电离方式,离子延迟引出技术和离子反射技术,可以在很大程度上克服上述三个原因造成的分辨率下降。现在,飞行时间质谱仪器的分辨率可达 20 000 以上。最高可检测相对分子质量范围超过 300 000,并且具有很高的灵敏度。现在,这种分析器已广泛应用于气相色谱–质谱联用仪,液相色谱–质谱联用仪和基质辅助激光解吸飞行时间质谱仪中。

23.3.4.3　离子阱质量分析器

离子阱质量分析器(ion trap analyzer)是一种通过电场或磁场将气相离子控制并储存一段时间的装置。离子阱的结构如图 23-11 所示,它是由一个双曲面的圆环电极和两端带有小孔的盖电极组成,以端罩电极接地。当射频电压施加在圆环电极时,离子阱内部空腔形成射频电场,具有合适的 m/z 的离子在电场内以一定的频率稳定地旋转;轨道振幅保持一定大小,可以长时间留在阱内。若增加该电压,则较重离子转至指定稳定轨道,而轻些的离子将偏出轨道并与环电极发生碰撞。当一组由离子源(化学离子源或电子轰击源)产生的离子由

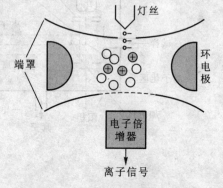

图 23-11　离子阱结构示意图

上端小孔进入阱中后,射频电压开始扫描,陷入阱中离子的轨道则会依次发生变化而从底端离开环电极腔,进入检测器被检测。离子阱质量分析器的工作原理与四极杆质量分析器相类似。

离子阱质量分析器的特点是结构小巧,质量轻,灵敏度高,同时易于实现多级质谱功能,已用于 GC-MS 联用装置可分离 $m/z200\sim2\,000$ 的分子离子。

23.3.5 检测器、放大器和记录仪

分子质谱仪器采用的检测器等与原子质谱类似,早期质谱离子直接打在插入磁场的感光板上,称为质谱仪(mass spectrograph);后来接收离子进行电学放大,主要包括 Faraday 杯、电子倍增器,光电倍增管等,用笔记录器记录,称为质谱计(mass spectrometer)。现代质谱仪器均采用紫外线示波感光记录器记录质谱峰,计算机采集、处理质谱数据给出归一化谱图和表。参见第 6 章原子质谱法。

23.3.6 真空系统

参见第 6 章原子质谱法。

23.3.7 计算机系统

现代有机质谱仪器均配有计算机系统,能快速准确地采集、处理、显示、给出数据,且能监控仪器各部分工作状态,优化操作条件,可代替人工进行有机化合物定性、定量分析,直至全自动化操作。

1. 数据采集和简化

每个有机化合物可能有数百个质谱峰,每个峰采集 $15\sim20$ 次,在几秒钟内扫描在 $2\,000$ 次以上,快速采集、简化成峰位(时间)和峰强数据储存。若为多组分复杂混合物,采用色谱-质谱分析,一试样扫描 10^5 次以上。

2. 质量数转换和峰强度归一化

以标样(一般为全氟煤油 PFK)为基准,以内插和外推法将峰位转换成质量谱,扣除本底和相邻组分干扰,以最佳峰(一般为最强峰)为准归一化各质谱峰相对强度,可显示和给出归一化质谱图、表。

3. 谱图累加、平均

根据试样情况,如成分挥发性差异、微量成分等,可增加扫描次数,对谱图进行累加、平均,有效提高仪器信噪比和灵敏度。

4. 用总离子流对峰强度进行修正

可自动修正总离子流洗出浓度变化对扫描质谱峰相对强度变化和失真的影响。

5. 输出质量色谱

采用两种扫描方式:全扫描和选择离子扫描(select ion monitoring, SIM)。累加并给出总离子流色谱图(total ion chromatogram, TIC)、选择离子的质量色谱图(mass chromatogram, MC)或质量碎片谱图(mass fragmentogram, MF)。全扫描是对选定质量范围内的离子全部扫描并记录,得到的质谱图可以提供未知物的相对分子质量和结构信息。SIM 消除了其他离子的干扰,选定离子的检测灵敏度大大提高。选择单离子、多离子检测,并可用于定性、定量分析。关于 TIC 等应用在 GC-MS 中介绍,参见 23.7.6。

6. 给出高分辨率质谱的元素组成

7. 谱图检索

给出化合物名称、分子式、相对分子质量、结构式和相似指数。参见 23.6.1.1。

23.4　分子质谱离子类型

分子质谱分析过程中在离子源或无场区等发生下列 4 类离子化及其反应:(1) 分子离子化反应;(2) 裂解反应;(3) 重排、裂解反应;(4) 离子-分子反应。形成各种类型的离子,主要是分子离子、同位素离子、碎片离子、重排离子、亚稳离子、多电荷离子、负离子、准分子离子、加合离子等。

(1) $ABCD + e^- \longrightarrow ABCD^{\cdot+} + 2e^-$

(2) $ABCD^{\cdot+} \longrightarrow A^+ + BCD^\cdot$

$$\longrightarrow A^\cdot + BCD^+ \longrightarrow BC^+ + D$$

$$\longrightarrow CD^\cdot + AB^+ \begin{cases} \longrightarrow B + A^+ \\ \longrightarrow A + B^+ \end{cases}$$

$$\longrightarrow AB^\cdot + CD^+ \begin{cases} \longrightarrow D + C^+ \\ \longrightarrow C + D^+ \end{cases}$$

(3) $ABCD^{\cdot+} \longrightarrow ADBC^{\cdot+} \begin{cases} \longrightarrow BC^\cdot + AD^+ \\ \longrightarrow AD^\cdot + BC^+ \end{cases}$

(4) $ABCD^{\cdot+} + ABCD \longrightarrow (ABCD)^{\cdot 2+} \longrightarrow BCD^\cdot + ABCDA^+$

23.4.1　分子离子

试样分子失去 1~2 个电子(多数为 1 个电子)而得到的离子称为分子离子(molecular ion),如下式所示:

$$M + e^- \longrightarrow M^+ + 2e^- \qquad (23-9)$$

式中 M^+ 是分子离子，m/z 即为分子的相对分子质量。由于分子离子是化合物失去一个电子形成的，因此，分子离子是自由基离子。通常把带有未成对电子的离子称为奇电子离子(OE)，并标以"$^+$"，把外层电子完全成对的离子称为偶电子离子(EE)，并标以"$^+$"，分子离子一定是奇电子离子。分子离子中失去电子的位置(或所带电荷的位置)与分子的结构有关，一般有下列几种情况：如果分子中含有杂原子如 S，O，P，N 等，则分子易失去杂原子的未成键电子，电荷位置可表示在杂原子上，如 $CH_3CH_2O^+H$；如果分子中无杂原子而有双键，则双键电子较易失去，则正电荷位于双键的一个碳原子上；如果分子中既无杂原子又无双键，其正电荷位置一般在分支碳原子上。如果电荷位置不确定，或不需要确定电荷的位置，可在分子式的右上角标："$^+$"，例如 $CH_3COOC_2H_5$ $^+$。

23.4.2 同位素离子

许多元素都是由具有一定自然丰度的一个或多个同位素组成，这些元素形成化合物后，其同位素就以一定的丰度出现在化合物中。因此，当化合物被电离时，由于同位素质量不同，在质谱图中离子峰会成组出现，每组峰会显示出一个强的主峰；亦发现有一些峰的 m/z 大于试样的相对分子质量。这些峰是因为化合物中含有化学组成相同但相对原子质量不同的同位素元素。通常把由重同位素形成的离子峰叫同位素峰，这些离子峰的相对强度与同位素的丰度以及原子个数有关。同位素离子(isotopic ion)的强度之比，可以用二项式展开式各项之比来表示：$(a+b)^n$，式中 a 为某元素轻同位素的丰度；b 为某元素重同位素的丰度；n 为同位素个数。

例如，在天然碳中有两种同位素，^{12}C 和 ^{13}C。二者丰度之比为 $100:1.1$，如果由 ^{12}C 组成的化合物质量为 M，那么由 ^{13}C 组成的同一化合物的质量则为 $M+1$。同样一个化合物生成的分子离子会有质量为 M 和 $M+1$ 的两种离子。当化合物中含有一个碳，则 $M+1$ 离子的强度为 M 离子强度的 1.1%；如果含有两个碳，则 $M+1$ 离子强度为 M 离子强度的 2.2%。这样，根据 M 与 $M+1$ 离子强度之比，可以估计出碳原子的个数。

再如氯有两个同位素 ^{35}Cl 和 ^{37}Cl，两者丰度比为 $100:32.5$，或近似为 $3:1$。当化合物分子中含有一个氯时，如果由 ^{35}Cl 形成的分子质量为 M，那么，由 ^{37}Cl 形成的分子质量为 $M+2$。生成离子后，离子质量分别为 M 和 $M+2$，离子强度之比近似为 $3:1$。如果分子中有两个氯，其组成方式可以有 $R^{35}Cl^{35}Cl$，$R^{35}Cl^{37}Cl$，$R^{37}Cl^{37}Cl$，分子离子的质量有 $M,M+2,M+4$，离子强度之比为 $9:6:1$。

23.4.3　碎片离子

分子离子产生后可能具有较高的能量,将会通过进一步裂解或重排而释放能量,裂解后产生的离子称为碎片离子(fragment ion)。

有机化合物受高能作用时产生各种形式的裂解,一般强度最大的质谱峰对应于最稳定的碎片离子。由于碎片离子是由化学键断裂而来,因此通过研究碎片离子,有可能获得整个分子结构的信息。碎片离子的生成与分子的结构、化学键的性质有关。在分析碎片离子时,由于分子离子(M^+)可能进一步断裂或重排,因此要准确地进行定性分析最好与标准谱图进行比较。

23.4.4　重排离子

在两个或两个以上键的断裂过程中,某些原子或基团从一个位置转移到另一个位置所生成的离子,称为重排离子(rearrangement ion)。例如,当化合物分子中含有 C ══ X(X 为 O,N,S,C)基团,而且与这个基团相连的链上有 γ 氢原子,这种化合物的分子离子裂解时,此 γ 氢原子可以转移到 X 原子上去,同时 β 键断裂,下面是这种重排实例:

这种断裂方式是 Mclafferty 在 1956 年首先发现的,因此称为 Mclafferty 重排,简称麦氏重排。

对于含有像羰基这样的不饱和官能团的化合物,γ 氢是通过六元环过渡态转移的。凡是具有 γ 氢的醛、酮、酯、酸及烷基苯、长链烯等,都可以发生麦氏重排。例如:

麦氏重排的特点如下:同时有两个以上的键断裂并丢失一个中性小分子,生成的重排离子的质量数为偶数。除麦氏重排外,重排的种类还很多,经过四元环,五元环都可以发生重排。重排既可以是自由基引发的,也可以是电荷引发的。

自由基引发的重排:

$$H\underset{\underset{CH_2\overset{\curvearrowleft}{-}CH_2}{|}}{\overset{+}{N}H-C_2H_5} \xrightarrow{i} \overset{+\cdot}{N}H_2-C_2H_5+C_2H_4$$

电荷引发的重排：

$$CH_3-CH_2\overset{\cdot\cdot}{-O}-CH_2-CH_3 \xrightarrow[-\cdot CH_3]{\alpha} CH_2=\underset{\underset{H-CH_2}{|}}{\overset{+}{O}}-CH_2 \longrightarrow CH_2=\overset{+}{O}+C_2H_4$$

23.4.5 亚稳离子

若质量为 m_1 的离子在离开离子源受电场加速后，在进入质量分析器之前，由于碰撞等原因很容易进一步分裂失去中性碎片而形成质量为 m_2 的离子，即

$$m_1 \longrightarrow m_2+\Delta m \tag{23-10}$$

由于一部分能量被中性碎片带走，此时的 m_2 离子比在离子源中形成的 m_2 离子能量小，故将在磁场中产生更大的偏转，观察到的 m/z 较小。这种峰称为亚稳离子(metastable ion)峰，用 m^* 表示。它的表观质量 m^* 与 m_1, m_2 的关系是：

$$m^*=m_2^2/m_1 \tag{23-11}$$

式中 m_1 为母离子的质量，m_2 为子离子的质量。

亚稳离子峰由于其具有离子峰宽大（约 $2\sim5$ 个质量单位）、相对强度低、m/z 不为整数等特点，很容易从质谱图中观察到。通过亚稳离子峰可以获得有关裂解机理的信息，通过对 m^* 峰观察和测量，可找到相关母离子的质量与子离子的质量 m_2，从而确定裂解途径。

23.5 分子质谱基本操作技术

本节以双聚焦质谱仪为例，说明质谱基本操作技术。涉及测定质量范围、分辨率和灵敏度等仪器性能指标，参见第 6 章。

23.5.1 磁扫描技术

由式(23-4)可知，当加速电压 U 一定时，连续改变磁感应强度 B 可得到一组质谱，离子质量越大，所需磁感应强度愈高。由于应用目的不同，扫描方式可分为指数扫描、线性扫描、单次和循环扫描。

1. 指数扫描

其扫描质量为时间的函数。可从低质量向高质量，即从低磁场向高磁场扫

描,称为上扫;或从高质量向低质量扫描,称为下扫。指数扫描中,质量随时间变化是指数曲线。在同一次扫描中,不论质量大小,质谱峰的宽度总是相等的,但峰的间距不等,分辨率为常数。从低质量到高质量间距由大到小,即质量排列由疏到密。

2. 线性扫描

其扫描质量为时间线性函数。线性扫描中质谱峰线性排列,不论何相邻质量峰的间距是相等的。由于同一次扫描分辨率相等,因而不同质量峰宽度不等,低质量峰形狭窄,高质量峰形逐渐展宽。由于质量峰宽度不等,不适于计算机数据采集,主要适用于紫外线示波感光记录器记录。

3. 单次与循环扫描

从预定扫描质量范围起始值到最大值可进行单次或自动循环扫描,前者一般采用紫外记录,后者用计算机采集数据。

4. 扫描速度

一次扫描一般为 1 至数秒。指数型扫描中,采用 10 倍质量范围所需时间表示扫描速度,单位为秒/10 倍程(s/decade),如 3/de,则从 $10 \sim 100$,$30 \sim 300$,$50 \sim 500$ 等均为 3 s。同一次扫描中,无论质量大小,扫每个峰的时间相等。

23.5.2 加速电压选择

离子 m/z 与加速电压 U 成反比,U 越高,测定离子质量范围越小,而降低 U 可扩大质量范围。但实际操作中,并不以无限制降低加速电压,以期获得更高质量范围,而是以尽可能选择高 U,以求获得尽可能高的分辨率和灵敏度。只有在相对分子质量较大时,才适当降低 U,以稍扩大质量范围。因降低 U 至 1 000 V 以下,将导致离子动能过低,散焦现象严重,离子源污染加速,分辨率和灵敏度大大降低。提高加速电压,欲扩大质量范围,就必须提高磁场强度,增加仪器设计制造难度。现代高分辨率仪器 U 可高达 8 000~10 000 V,中分辨率仪器为 3 000~4 000 V,磁感应强度最高为 1.4~1.8 T。质量范围在最高加速电压和最高磁感应强度时为 1 000~1 500。这些数据覆盖大多数分子质谱仪器,分辨率和灵敏度处于最佳状态。

23.5.3 影响分辨率和灵敏度操作条件

分辨率和灵敏度受仪器离子光学类型、光学尺寸等仪器设计、结构和制造因素及操作条件影响,这里只讨论基本操作影响。如图 23-9 所示,这些因素主要是:

(1)分析器入口主缝(S_1)和分析器出口接收缝(S_2)的大小,在灵敏度允许范围内 S_1,S_2 缩小可提高分辨率,但会降低灵敏度,力求两者相等,且相互平行。

S_1,S_2 应与磁场平行,和电场垂直。

(2) 离子源推斥、引出、聚焦等电极电位及与静电场电压匹配性,影响离子进入分析器入口散角、静电场能量分散。调节这些电位力求质谱峰最高、最窄,且峰形对称。降低 α 缝和 β 缝宽度有利提高分辨率,但会降低灵敏度。

(3) 噪声信号影响分辨率和灵敏度,尽可能降低加速电压、静电场、磁场及其他电子部件噪声,有利于提高分辨率和灵敏度。

(4) 分析系统真空度不够,压力升高,分子自由程缩短,离子-分子碰撞概率增加,导致离子束发散,分辨率降低。

(5) 要尽量防止离子源、分析器污染。因污染导致离子堆积形成附加电场,导致分辨率和灵敏度下降。当系统被污染造成很高本底噪声,严重影响仪器性能,需要进行清洗、烘烤。

(6) 扫描速度适当。扫描速度增加,分辨率和灵敏度下降,特别在高分辨率时。因此,在确保不丢失质谱数据条件下,扫描速度不宜过快。

(7) 分辨率选择,一般总是先进行低分辨率质谱测定,可获得高灵敏度,减少进样量,避免污染。高分辨率($R \geqslant 50\,000$)质谱可测量离子质量到小数第 4 位,还能确定实验式,但仪器成本高,调试技术难度较大。

23.5.4　进样技术

比较纯的试样或熔点相差较大多组分混合物,采用程序升温直接进样,不同熔点化合物会先后气化。不同时间扫描可获得不同组分质谱。复杂混合物根据沸点、热稳定性需气相或液相色谱进样。不论采用何种进样,在获得预期分析目标前提下,尽量降低进样量。过量试样会导致灵敏度降低、有损电子倍增器寿命、甚至超出计算机数据系统峰强范围而无法归一化。

有机质谱质量标尺制定和校准、亚稳离子测定、多离子检测、峰匹配测定精确质量、负离子检测等基本技术,可参阅有关专业性参考书。

23.6 分子质谱法的应用

分子质谱法可根据质谱图的质谱峰或 m/z 数据及相对强度对化合物进行定性、定量和结构测定。

23.6.1　化合物的定性分析

质谱定性分析主要指对已知化合物的定性鉴定。所谓已知化合物是指人们已研究或已有文献记录的化合物。

23.6.1.1 标准谱图检索定性

将在一定质谱分析条件下获得的质谱图与相同条件下标准谱图对照是对已知纯化合物最简便定性方法。应用最多的是 EI 电离(70 eV)图谱。

1. 标准谱图汇编

常用的有:

(1) Registry of Mass Spectral Data,Stenhagen E 等主编,John Wiley 出版,共收集近 20 000 张谱图。

(2) 由 Mass Spectrometry Data Center 出版的 Eight Peak Index of Mass Spectra 等。

这些谱图集均比较老,但可靠性较好。

2. 质谱数据库检索

现代质谱仪器均配有质谱数据库可供计算机检索定性分析,检索结果可以给出几个可能的化合物。并以匹配度大小顺序排列出这些化合物的名称、分子式、相对分子质量和结构式等。使用者可根据检索结果和其他的信息,对未知物进行定性分析。现应用最为广泛的有 NIST 库和 Willey 库,前者现有标准化合物谱图 130 000 张,后者有近 300 000 张。此外还有毒品库、农药库、药物库等专用谱库。目前色谱-质谱联用广泛采用质谱数据库检索定性。

3. 互联网上检索最新质谱数据和谱图

通过互联网利用其他实验室、仪器制造公司提供或文献报导的谱图数据亦可用作定性依据之一。

23.6.1.2 相对分子质量测定

分子离子峰的 m/z 可提供准确相对分子质量,是分子鉴定的重要依据。获得分子离子、准确地确认分子离子峰是质谱定性分析的主要方法之一。

获得分子离子峰 M^+ 或离子-离子、离子-分子相互作用生成准分子离子峰,如质子化分子离子 $[M+1]^+$、去质子化分子离子 $[M-1]^+$、缔合分子离子 $[M+R]^+$ 等,可采用各种技术措施,主要有:

(1) 对强极性、难挥发、热稳定性差的试样,制备成易挥发、热稳定的衍生物,如有机酸、氨基酸、醇可衍生化成酯、甲醚,易得到相应衍生物分子离子。

(2) 不用加热进样,而采用直接进样,分子离子峰会增强。

(3) 如采用 EI 源,可降低轰击电子的能量至 $7\sim12$ eV,裂解成碎片离子可能性降低,分子离子峰强度增加,这也是获得和确认分子离子的方法之一。

(4) 降低加热进样或直接进样气化温度,均有利获得分子离子峰。

(5) 采用 CI,FI,FAB 等软电离源离子化技术,一般可产生分子离子或准分子离子。

分子离子的形成和相对强度或稳定性,不仅与电离方法及条件有关,还决定于分子结构。分子链长增加、存在分子支链,含羟基、氨基等极性基团等一般导致分子离子稳定性下降;具有共轭双键系统及芳香化合物、环状化合物分子离子一般较强。有机化合物分子离子稳定性有如下顺序:芳香环＞共轭烯烃＞烯烃＞脂环＞酮＞直链烃＞醚＞酯＞胺＞酸＞醇＞支链烃。在同系物中,相对分子质量越大则分子离子相对强度越小。

在质谱图中,可根据如下特点确认分子离子峰:

(1) 原则上除同位素峰外,分子离子或准分子离子是谱图中最高质量峰,两者均可推导出相对分子质量。

(2) 它要符合氮律。由 C,H,O 元素组成的化合物,分子离子峰的质量一定是偶数。由 C,H,O,N 组成的化合物,分子中含奇数个氮原子,分子离子峰的质量一定是奇数;如果分子中含偶数个氮原子,分子离子峰的质量一定是偶数。这是因为组成有机化合物的主要元素 C,H,O,N,S 和卤素中,只有氮的化学价是奇数(一般为 3)而质量数是偶数,因而出现氮律。

(3) 判断最高质量峰与失去中性碎片形成碎片离子峰是否合理。分子电离可能失去 H,CH_3,H_2O,C_2H_4 等碎片,出现相应的 $M-1,M-15,M-18,M-28$ 等碎片离子峰而不可能出现 $M-3$ 至 $M-14,M-21$ 至 $M-24$ 等碎片离子峰,若出现这些峰,则最高质量峰不是分子离子。

(4) 当化合物含有氯和溴元素,有时可帮助识别分子离子峰。氯和溴含有丰度较高的重同位素,Cl 中含 ^{35}Cl 为 75.77％,^{37}Cl 为 24.23％,溴中含 ^{79}Br 为 50.54％,而 ^{81}Br 为 49.46％。因此,若分子中含有一个氯原子,则 M 和 $M+2$ 峰强度比为 3:1;若分子中含有一个溴,则 M 与 $M+2$ 之比为 1:1。

23.6.2 新化合物的结构鉴定

对于新化合物,即人们未研究或尚无文献报导的合成或天然产物中获得的新化合物定性,则需测定其分子结构。首先按上述求出相对分子质量,然后确定分子式,进而根据化合物的质谱裂解规律推导分子结构。

23.6.2.1 分子式确定

利用质谱决定分子式有两种方法:

1. 由同位素相对丰度法推导分子式

有机化合物一般由 C,H,O,N,S,Cl,Br 等组成,这些元素都有同位素,因此在质谱上会出现一个或多个含这些同位素的分子离子峰 M,$M+1,M+2$ 等,并可估算其相对强度。在自然界各元素同位素的比例是恒定的,一般用百分比来表示同位素的丰度比。表 23-2 列出各种高质量同位素与丰度比最高的低质量同位素的百分比。例如 ^{13}C 下面的 1.08％表示($^{13}C/^{12}C$)×100。所谓丰度比最高的低质量同位素是 $^{12}C,^{1}H,^{14}N,^{32}S,^{35}Cl$ 和 ^{79}Br。

表 23-2　部分常见元素的高质量天然同位素丰度表

同位素	^{13}C	^{2}H	^{17}O	^{18}O	^{15}N	^{33}S	^{34}S	^{37}Cl	^{81}Br
丰度/(%)	1.08	0.016	0.04	0.20	0.37	0.78	4.40	32.50	98.0

用 I 表示质谱峰相对强度,同位素离子峰相对强度与其元素天然丰度及存在原子个数成正比。对于由 C、H、O、N 组成的分子 $C_wH_xN_yO_z$,同位素离子峰 $[M+1]^+$,$[M+2]^+$ 与 M^+ 的强度比值可由下式近似的计算:

$$\frac{I_{M+1}}{I_M}=(1.08w+0.02x+0.37y+0.04z)\%\qquad(23-12)$$

$$\frac{I_{M+2}}{I_M}=\left[\frac{(1.08w+0.02x)^2}{200}+0.2z\right]\%\qquad(23-13)$$

Beynon 等人根据上两式计算出含 C、H、O、N 组成的不同相对分子质量各种组合的质量和同位素丰度 $[M+1]^+$,$[M+2]^+$ 与 M^+ 的强度比值,并编制成表,称为 Beynon 表。相对分子质量 500 以下的各种组合均可查到。一般有机质谱专著均附有该表或该表一部分。由表 23-2 的数据可知,可由不同元素组成相同分子质量而分子式不同的各种化合物,I_{M+1}/I_M,I_{M+2}/I_M 的百分比都不一样。只要质谱图上得到的分子离子峰足够强,其高度和 $M+1$,$M+2$ 同位素峰高度都能准确测定,根据式(23-12)、式(23-13)计算数据,结合氮律、碎片离子峰或其他波谱信息,即可从 Beynon 表确定分子式。

对于含有 S,Cl,Br 等同位素天然丰度比较高的元素的化合物,其同位素离子峰相对强度一般相当大,其强度比值可由 $(a+b)^n$ 展开式计算,若有多种元素存在,则以 $(a+b)^n\times(a'+b')^{n'}\times\cdots$ 计算。

下面介绍两个例子来说明分子式的确定。

例 1　某化合物质谱图确认分子离子峰 M^+ (m/z) 为 150,同位素峰 $M+1$,$M+2$ 为 151,152,三者强度依次为 100%,9.9%,0.9%,试求分子式。

解:由 $I_{M+2}/I_M=0.9\%$,说明分子中不含 S,Cl,Br 等元素;在 Beynon 表中相对分子质量为 150 的可能分子式共 29 个,其中 I_{M+1}/I_M 的百分比在 $9\%\sim11\%$ 的式子有如下 7 个:

分子式	$M+1$ 峰强度	$M+2$ 峰强度
$C_7H_{10}N_4$	9.25	0.38
$C_8H_8NO_2$	9.23	0.78
$C_8H_{10}N_2O$	9.61	0.61
$C_8H_{12}N_3$	9.98	0.45
$C_9H_{10}O_2$	9.96	0.84
$C_9H_{12}NO$	10.34	0.68
$C_9H_{14}N_2$	10.71	0.52

其中 $C_8H_8NO_2$,$C_8H_{12}N_3$,$C_9H_{12}NO$ 含有奇数个 N,因此相对分子质量应为奇数。这个化合

物相对分子质量是偶数,这三个分子式可予排除。其余 4 个式子中,$M+1$ 与 9.9% 最接近的是 $C_9H_{10}O_2$。这个式子的 $M+2$ 与 0.9% 最接近。因此,该分子式应为 $C_9H_{10}O_2$。

例 2　某化合物质谱图确认分子离子峰、同位素峰及强度依次为 M^+ (m/z) 为 104,100%,$M+1$ 为 105,6.45%,$M+2$ 为 106,4.77%,试求分子式。

解:　由 $I_{M+2}/I_M = 4.77\%$,百分比超过 4.40(见表 23-2),说明分子中含 1 个 S。从 104 扣除硫的质量数 32,剩下 72。另从 $M+1$ 和 $M+2$ 峰强度的百分数中减去 ^{33}S 和 ^{34}S 的百分比,即:$M+1$ 为 $6.45-0.78=5.67$,$M+2$ 为 $4.77-4.40=0.37$。然后查 Beynon 表中相对分子质量为 72 的式子共 11 个,其中 I_{M+1}/I_M 的百分比为 5.67% 的式子有如下 3 个:

分子式	$M+1$ 峰强度	$M+2$ 峰强度
C_5H_{12}	5.60	0.13
$C_4H_{10}N$	4.86	0.09
C_4H_8O	4.49	0.28

其中 $C_4H_{10}N$ 含有一个氮,质量不可能为偶数,应予排除。其他两个中 C_5H_{12} 的 $M+1$ 峰强度为 5.60,比较接近 5.67,因此该分子式应为 $C_5H_{12}S$。

例 2 计算说明,利用 Beynon 表确定分子式时,表中未列入的元素应从相对分子质量中扣除这些元素所具有的质量数,并从同位素峰中扣除它们对同位素峰的贡献,从 Beynon 表中找到相应含 C、H、O、N 组成的分子式,然后加上扣除的元素,即为所求分子式。

2. 用高分辨质谱仪器确定分子式

高分辨质谱仪器测定分子离子或碎片离子质荷比的误差可小于 10^{-5},可求出分子离子峰的精密质量。Beynon 等人列出由不同数目 C、H、O、N 元素组成的各种分子式的精密相对分子质量表,测定误差达 ± 0.006。因此,用高分辨质谱仪器测定精确相对分子质量与 Beynon 表的数据对照,配合其他信息即可确定合理的分子式。

例 3　用高分辨质谱仪器测定某新化合物分子离子 M^+ 的质量为 150.1045,该化合物在红外谱有明显羰基吸收,试确定分子式。

解:如果测定误差为 ± 0.006,小数部分应当是 0.0985～0.1105。从 Beynon 表质量 150 的式子中,在上述小数点质量范围的式子共 4 个:

$C_3H_{12}N_5O_2$	150.099093
$C_5H_{14}N_2O_3$	150.100435
$C_8H_{12}N_3$	150.103117
$C_{10}H_{14}O$	150.104459

其中 $C_3H_{12}N_5O_2$,$C_8H_{12}N_3$ 都含有奇数个氮,相对分子质量应为奇数,可予排除。$C_5H_{14}N_2O_3$ 为饱和化合物[按第 10 章计算化合物的不饱和度 Ω 的式(10-4)],与含羰基矛盾,也应排除。因此分子式为 $C_{10}H_{14}O$。

23.6.2.2　化合物的结构鉴定

相对分子质量和分子式的确定是分子结构鉴定的前提。进一步鉴定分子结构大致采取如下一些方法。

(1) 根据各类化合物分子裂解规律研究碎片离子与分子离子、各种碎片离子之间关系,推导分子中所含官能团、分子骨架。

(2) 注意谱图中的一些重要特征离子、奇电子数的离子,并与各类化合物特征离子比较,以推导分子类型和可能存在的消去、重排反应。例如,饱和烷烃形成间隔 14 个质量单位 CH_2 的系列质谱峰;醇类生成稳定的 m/z 为 31 的 CH_2 =OH离子(oxenium ion);羧酸通过麦氏重排生成 m/z 为 60 的 CH_2 =$(OH)_2$ 的高强度或基峰离子。

(3) 若有亚稳离子,根据裂解过程推导相结构。

(4) 结合 UV,IR,NMR 等结构分析方法所提供的信息,以排除不可能并确定可能的结构。

需要说明的是:(1) 对新化合物结构鉴定通常需各种仪器、化学方法结合,技术上从易到难,仪器设备从简单到复杂,而分子质谱提供化合物质量信息是必不可少的手段。(2) 新化合物质谱图的解释要以质谱文献资料为依据,已有各种质谱手册、专著和文献报导可供使用,否则需采用同位素示踪等特殊实验方法验证。(3) 质谱解释或在分子结构分析中应用,是质谱学、有机结构分析的重要组成部分,已超越仪器分析基本范围,这里仅提供这方面的入门思路。

23.6.3 分子质谱定量分析

分子质谱已经广泛地应用于具有一种或多种成分的复杂有机混合物(有时也有无机物)的定量分析。比如,它已应用于石油化工,医药以及环境检测等领域。

23.6.3.1 质谱直接定量分析

质谱直接定量分析有几个基本假设或条件:

(1) 试样中任何一个组分的特征离子峰和相对灵敏度,与该纯化合物获得的特征谱和灵敏度相同,即组分特征峰及强度不受试样中其他组分或本底干扰。

(2) 试样中任何组分的离子流强度与其在进样装置中的分压成正比。

(3) 试样中存在具有相同特征谱峰的组分,发生质谱峰叠加时,叠加峰的强度是各被叠加峰强度的线性累加。

1. 单一组分定量

操作比较简单,可在质谱上确定合适的 m/z 值,其峰高与组分浓度成正比,这个技术称为选择离子检测。采用外标法或校准曲线定量测定,可以从质谱峰的峰高直接得到组分的浓度或百分含量。

2. 混合的试样多组分定量

当各组分特征峰无叠加现象,可以找到代表各个组分具有特定 m/z 值的质谱特征峰强度作为定量依据,作各峰高对浓度的校准曲线就可以测定试样的相应各组分的浓度。若组分特征峰发生叠加,则需通过叠加特征峰强度的线性累加方程计算各组分含量。这与紫外-可见光谱多组分定量方法相似,是比较经典的计算方法。

例如,一个混合物由3个组分组成,选择谱图中显示的4个较强特征峰,经与3个组分的纯化合物谱图比较说明,混合物谱图中峰1(H_1)由3个组分1,2,3的特征峰高(h_{11},h_{12},h_{13})叠加而成;峰2(H_2)由组分1,3两组分特征峰(h_{21}、h_{23})叠加;峰3(H_3)由组分1,2两组分特征峰(h_{31}、h_{32})叠加;峰4(H_4)由三个组分特征峰(h_{41},h_{42},h_{43})叠加。设混合物谱图中三个组分的相对灵敏度、分压或相对含量分别为S_1,S_2,S_3和p_1,p_2,p_3,根据线性叠加可列出下面方程:

$$H_1 = h_1 S_1 p_1 + h_2 S_2 p_2 + h_3 S_3 p_3 + h_4 S_4 p_4 \tag{23-14}$$

$$H_2 = h_{21} S_1 p_1 + h_{23} S_3 p_3 \tag{23-15}$$

$$H_3 = h_{31} S_1 p_1 + h_{32} S_2 p_2 \tag{23-16}$$

$$H_4 = h_{41} S_1 p_1 + h_{42} S_2 p_2 + h_{43} S_3 p_3 \tag{23-17}$$

一般特征峰的数目总是大于组分数,且相对灵敏度常为已知,因而方程数目对于求解是充分的。只要选择系数少,离子强度适当,即可求解各组分相对含量。

无论单一组分或多组分定量均可采用内标法,选择待测物与内标物特征或碎片离子作为定量依据,待测物相对内标的峰信号强度之比是被分析物浓度的函数。加入内标是为了减少试样制备和引入过程中的误差。一种方便的内标就是用同位素标记被分析物的相似物。通常,标记要求制备被分析试样,包含一个或多个下列原子:^{13}C,^{15}N,$^{2}H(D)$等。假设在分析过程中,被标记和未标记的物质一切行为完全相同,质谱就可以很容易区分它们。例如,欲测定氘代苯C_6D_6的纯度,通常可通过$C_6D_6^+$与$C_6D_5H^+$,$C_6D_4H_2^+$等分子离子的相对强度来确定。

另一种内标是分析物的同系物,它可以得到和被分析物碎片相似碎片峰,并且具有相当的强度,可以被检测到。

按照上述方法利用质谱进行定量测量,相对精确度为$2\% \sim 5\%$。分析精确度会依据所分析的混合物的复杂程度及其成分的性质而发生较大的变化。对于含$5 \sim 10$种成分的气态碳氢化合物的混合物来说,绝对误差通常为0.2到0.8摩尔分数。

23.6.3.2 复杂混合物定量

对于含10个以上,数十乃至数百个组分的复杂混合物,求解联立方程过于复杂,难以质谱直接定量,通常采用色谱-质谱联用分析,让试样先通过各种色谱柱分离,再将流出物引入质谱检测。如果在质谱上设定合适的 m/z 值,那么记录下的离子流就是时间的函数。在这个检测过程中,质谱只是一个具有选择性的检测器,采用总离子流色谱图、单离子或多离子检测对多组分进行定性和定量测定,定量测定与色谱法相同。

23.6.4　分子质谱分析的应用

分子质谱,其中主要是有机和生物质谱是化学、化工、生物、医药、天然产物、环境、食品、法庭科学等领域定性、定量和新化合物分子结构鉴定的重要方法之一。

大量而繁多的早期文献都报导了质谱的各种应用,要想对这些文献进行总结并不容易。列举出来的典型应用说明了这种方法用途的广泛性。例如,有机合成中,通过一系列反应欲制备预期目标产物,从原料、各中间产物到最终化合物及副产物检测的最好方法是有机质谱。石油化工中不需要进行试样加热就可以进行分析的混合物,包括天然气、$C_3 \sim C_5$ 的碳氢化合物、$C_6 \sim C_8$ 的饱和碳氢化合物、$C_1 \sim C_4$ 的卤化物、碳氟化合物、噻吩、气体污染物、废气和许多其他的试样。有报导利用高温方法对如下的化合物成功进行了分析:$C_{16} \sim C_{27}$ 的醇类、芳香族酸和酯、类固醇、氟化聚苯、脂肪胺、芳香族卤化物和芳香族腈化物。生命科学中生物大分子的结构鉴定,FAB—MS 可测定数千相对分子质量试样;基质辅助激光解吸质谱法(MALD—MS)、电喷雾电离四极质谱(ESI—MS)基于多电荷离子检测能测定相对分子质量几十万的生物大分子,速度快(几分钟一个试样)、精确度($\pm 0.1\%$)、灵敏度高(10^{-15} mol)。电喷雾电离可产生数十至上百个电荷的多电荷离子,测定质量范围 2 000 左右的四极质谱仪可扩大到数十万。近10 年来发表大量关于蛋白质相对分子质量、天然和重组蛋白质纯度的质谱研究报告主要采用 ESI 和 MALDI 方法。图 23—12 是单克隆抗体 MALDI 质谱图,基质为烟酸,相对分子质量近 150 000。图 23—13 是人血清蛋白 MALD—MS 质谱图。

质谱也用于高相对分子质量聚合物材料的分析和表征。在做这些应用时,首先要对试样进行热解,再将得到的挥发性产物导入质谱仪进行检测。当然,加热过程也可以在一个直接入口系统的探测器上进行。一些聚合物主要得到单一的碎片,例如,天然橡胶得到异戊二烯,聚苯乙烯得到苯乙烯,Kel—F 得到 $CF_2 \!=\! CFCl$。其他的聚合物得到两种或多种产物,产物的量和种类取决于热解的温度。对温度效应的研究可以提供诸如不同种类化学键的稳定性和近似相对分子质量分布等信息。

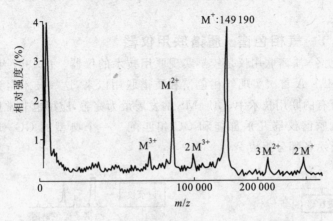

图 23-12 单克隆抗体基质辅助激光解吸电离质谱图

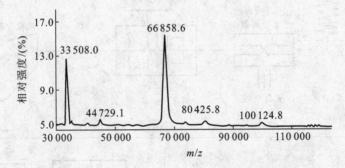

图 23-13 人血清蛋白的基质辅助激光解吸电离质谱图

23.7 气相色谱-质谱联用

　　质谱直接分析试样要求是纯或比较纯的,如为简单混合物,则各组分应具有基本互不干扰的特征质谱峰。对于成分复杂混合物,由于杂质峰、碎片峰等重叠、干扰,谱图过于复杂,难以进行多组分的分析、鉴定。

　　色谱是目前分离复杂混合物最有效的方法,然而由于色谱自身不具备定性能力或定性可靠性欠佳。将色谱分离能力与质谱定性、结构鉴定能力结合起来,可实现复杂混合物的分析。

　　目前,质谱与其他技术的联用已经非常广泛,如气相色谱-质谱联用(GC-MS)、液相色谱-质谱联用(LC-MS)、质谱-质谱联用(又称串联质谱,MS-MS)、傅里叶变换红外-质谱联用(FTIR-MS)、毛细管电泳-质谱联用(CE-MS)等。本章下面几节将主要介绍最常见也是应用最普遍的三种联用技术,即 GC-MS,LC-MS 和 MS-MS,其他联用技术可参考相关专著。

23.7.1　气相色谱－质谱联用仪器

气相色谱－质谱联用仪是较早实现联用技术的仪器。自 1957 年 Holmes J C 和 Morrell F A 首次实现气相色谱和质谱联用以来,这一技术得到了长足的发展。在所有的联用技术中,GC-MS 的发展最为完善,应用也非常广泛。目前市售的有机质谱仪器几乎都能和 GC 相匹配。一个典型的 GC-MS 仪器由图 23-14 所示各部分组成。

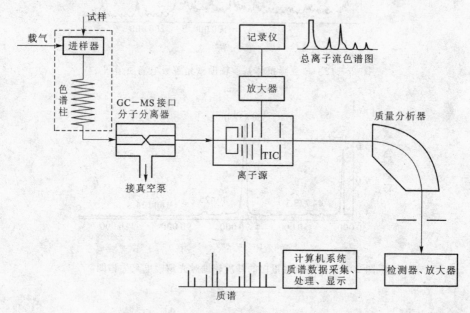

图 23-14　气相色谱－质谱联用仪结构示意图

气相色谱仪器将复杂混合物试样各组分分离后,依次流入气相色谱仪与质谱仪器之间的接口装置,并顺序进入质谱系统,经质谱分析检测后,按时序将测试数据传递给计算机系统并存储。联用仪各部件功能如下:气相色谱实现对复杂试样的分离,接口充当适配器,让气相色谱仪器的大气压操作环境与质谱的真空操作体系相匹配,质谱仪器实现对各组分的检测分析,计算机控制系统交互控制着气相色谱仪器、接口、质谱仪以及数据采集、处理等,是仪器的核心控制单元。

23.7.2　GC-MS 联用中的技术问题

23.7.2.1　GC-MS 接口

通常气相色谱柱出口端压力为一个大气压,然而质谱仪器中试样是在 $10^{-5} \sim 10^{-7}$ mbar 真空条件的离子源或电离室中实现离子化,接口就是实现从大气压到真空之间的转换,将色谱柱流出物中的载气尽可能除去,保留和浓缩待测物。理想的接口应当能够除去全部载气,然而却不损失待测试样组分。目前,常用的接口主要可以分为以下三种:

1. 直接导入型接口

直接导入型接口是指色谱柱的流出物包括载气、试样等全部导入质谱的离子源。最常见、最简单的是将毛细管气相色谱柱的末端直接插入质谱仪器的离子源内,色谱的流出物直接进入离子源,如图 23-15 所示。由于气相色谱的载气通常是惰性气体难以发生电离,而待测试样却会形成带电粒子,带电粒子在电场作用下加速进入质量分析器,而载气由于不会受到电场的影响进入质量分析器而直接被真空泵抽走。此时接口的功能实际在于保持毛细管插入端位置的固定以及维持适当的温度避免色谱流出物冷凝。

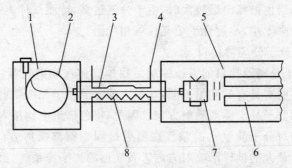

图 23-15 毛细管气相色谱柱直接导入质谱仪器离子源
1. 气相色谱仪;2. 毛细管色谱柱;3. 直接导入接口;4. 温度传感器;
5. 质谱仪;6. 四极滤质器;7. 离子源;8. 加热器

这种接口的优点是结构简单、收率高(100%),缺点是无浓缩作用,对色谱部分的要求较高,通常仅适用于毛细管柱气相色谱,载气的使用仅限于氦气或氢气,流量应控制在 $0.7 \sim 1.0 \ \text{mL} \cdot \text{min}^{-1}$,过大流量会引起质谱仪检测灵敏度的下降。

2. 开口分流型接口(open-split coupling)

与直接导入型接口不同,在开口分流型接口中,仅有一部分色谱洗出物被送入质谱仪,其余部分直接排空或引入其他检测器。

图 23-16 是开口分流型接口的工作原理图。如图所示,气相色谱柱的一端插入接口,其出口端正对质谱仪器限流毛细管的入口,限流毛细管能承受 0.1 MPa 的压力降,与质谱仪真空泵的工作流量相匹配。色谱柱和限流毛细管外有一根充满氦气的外套管,当色谱仪流量大于质谱仪器工作流量时,由于内部压力较大,氦气口被撑开,过多的色谱流出物随氦气流出接口;当色谱仪器流量小于质谱仪器工作流量时,内容压力低,氦气提供气流补充。

这种接口的优点在于结构简单、操作方便,色谱柱出口压力为恒定大气压,

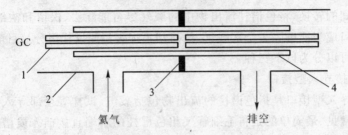

图 23-16　开口分流型接口的结构示意图
1. 限流毛细管；2. 外套管；3. 中隔板；4. 内套管

联用时不需对仪器进行任何改造，且不影响色谱的分离性能，更重要的是，由于氦气补充气的存在，可实现即时色谱柱的更换而避免质谱仪器的开关。这种接口的缺点在于，当色谱流出量较大时，由于分流过多，待测试样离子化效率低，给检测、定量等带来困难，不适合于填充柱气相色谱。

3. 喷射式分子分离器接口

喷射式分子分离器接口的工作原理是根据气体在喷射过程中，相同速度的分子，其质量不同所具有的动量不同，动量大的分子易于保持喷射方向的直线运动，而动量小的分子易于偏离喷射方向。因此，将色谱流出物接入喷射式分子分离器接口后，相对分子质量小的载气在喷射过程中偏离喷射方向，被真空泵抽走，相对分子质量大的试样沿喷射方向进入质谱的离子源系统，最终经离子化后检测。由于试样分子与载气分离，喷射式接口有利于浓缩试样，因此又被称为浓缩型接口。

图 23-17 是一种喷射式分子分离器的结构图。气相色谱的流出物在氦气补充气（流量约 $15 \sim 20$ mL·min^{-1}）作用下，通过接口毛细管，喷射进入分子分离器，分离器 A 处出口狭缝略大于 B 处的入口狭缝，至少 95％的氦气被真空抽走，而大于 50％的待测物通过狭缝 B 进入质谱仪器，试样被大大浓缩。通过控制分离器中 A 和 B 的相对位置以及狭缝宽度，可以获得试样的最佳浓缩效率。这种接口实际上是一种单级分子分离器。为了获得更高的分子分离效率，也有采用多级喷射分离器。

图 23-18 是 Ryhage 型喷射分子分离器接口示意图。气相色谱流出物进入接口后，经直径约 0.1 mm 的喷射孔向外喷射，通过约 $0.15 \sim 0.3$ mm 的行程后，又进入更细的毛细管，进行第二次喷射，喷射过程中，载气分子逐渐与试样分子分离，起到多级浓缩效果。

喷射式分子分离器的浓缩系数与待测试样相对分子质量成正比；收率与氦气流量相关，当氦气流量在某一范围时可以获得最佳收率，通常可通过参数优化获得；一般而言，工作温度较高时收率较高。

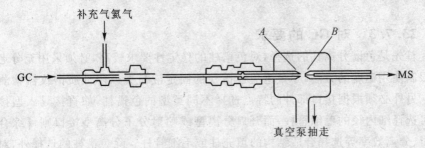

图 23−17 单级喷射分子分离器结构示意图

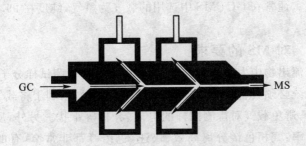

图 23−18 Ryhage 型两级分子分离器结构示意图

喷射式分子分离器这种接口适合于各种流量的气相色谱柱,从填充柱到毛细管柱,均可很方便地使用此种类型的接口。该接口的主要缺点是对于易挥发的试样传输效率较低,效果不甚理想。

23.7.2.2 接口性能的评价指标

在 GC−MS 联用中,常用以表 23−3 所列几个参数来评价接口的性能:传输收率 Y、浓缩系数 N、延时 t 和峰展宽系数 H,如表 23−3 所示。当传输收率 Y 趋向 100%,延时趋向 0,峰展宽系数趋向 1,浓缩系数 N 足够大时,接口达到理想状态,能提供最优异的分子分离性能。

表 23−3 评价 GC−MS 联用接口性能指标

评价参数	计算方法	物理意义
传输收率 Y	$Y=(q_{MS}/q_{GC})\times100\%$	待测试样的传输能力,与灵敏度成正比
浓缩系数 N	$N=(Q_{GC}/Q_{MS})\times Y$	消除载气和试样浓缩的能力
延时 t	$t=t_{MS}-t_{GC}$	质谱检测器上色谱出峰时间的延迟
峰展宽系数 H	$H=W_{MS}/W_{GC}$	气质联用仪峰宽和气相色谱峰宽的比值

注:q_{MS} 和 Q_{MS} 分别表示从接品流出,进入质谱仪的试样量和流量;

q_{GC} 和 Q_{GC} 分别表示从色谱仪流出,进入接口的试样量和流量;

t_{GC} 和 W_{GC} 表示没接口时,气相色谱同样条件下检测到的色谱峰保留时间和 10% 峰高处的峰宽;

t_{MS} 和 W_{MS} 表示有接口时,气相色谱同样条件下,质谱仪检测到的色谱峰保留时间和 10% 峰高处的峰宽。

23.7.3　对 GC 的要求

首先是色谱分离柱的选择,对色谱柱的稳定性要求较高,必须采用充分老化或限制使用温度的方法,尽量避免色谱柱的固定液流失以降低质谱仪器检测噪声。另外必须根据接口部件的特点选择不同类型的色谱柱,如直接导入型接口只可选择细内径的毛细管柱,而开口分离型或喷射分子分离型接口则可综合柱容量、分离效率等选择合适结构的填充柱或毛细管柱。除色谱柱的选择外,对载气亦有一定的要求,载气必须纯度高、化学稳定性好、易于和待测组分分离、易于被真空泵排出。通常在 GC-MS 中选用的载气为氦气,纯度在 99.995％以上。

23.7.4　对 MS 的要求

由于色谱流出物中大量载气的存在,会极大干扰待测试样分子的解离,质谱仪器的真空系统必须具备很高的效率、大的排空容量,以利于将载气最大限度地抽出质谱仪器,避免载气对待测试样的电离、分析等干扰。另外,质谱仪必须具备高的扫描频率:气相色谱分离高效、快速,色谱峰都非常窄,有的仅几秒钟时间。一个完整的色谱峰通常需要 6 个以上的数据采集点,因此,质谱仪必须具备较高的扫描速度,才可能在很短的时间内完成多次全质量范围的扫描。

23.7.5　GC-MS 分析方法

在 GC-MS 联用分析中,色谱的分离和质谱数据的采集是同时进行的。为了使每个组分都实现良好的分离与鉴定,必须设定合适的色谱和质谱分析条件。

色谱条件包括色谱柱的类型(填充柱或毛细管柱)、固定液种类、载气种类、载气流量、试样气化温度、分流比、程序升温方式等。设置的一般原则是:优先选用毛细管气相柱、极性试样使用极性柱、非极性试样使用非极性柱、未知试样可先尝试中等极性的色谱柱,尔后根据实际情况作适当调整。

质谱工作条件包括电离电压、扫描速度、扫描质量范围、扫描模式等,这些均要根据实际试样情况、实际测试需求进行设定。

23.7.6　GC-MS 数据的采集

GC-MS 数据的采集与质谱仪器对数据的采集相同,如分离分析含 50 个组分的试样,则每个试样需采集 10^5 以上质谱数据,采集和处理数据量比一般分析单一成分纯试样大得多。

1. 总离子流色谱图

混合物试样由色谱柱分离的各组分连续地流入离子源。如果没有组分进入离子源,计算机采集到的质谱各离子强度均为 0。当有试样经过离子源时,计算机就采集到具有一定离子强度的质谱信号。并且计算机可以自动将单位时间内所获得质谱的离子强度相加,给出总离子流强度随时间变化的总离子流色谱图(TIC)。一个典型的总离子流色谱图如图 23-19 所示。

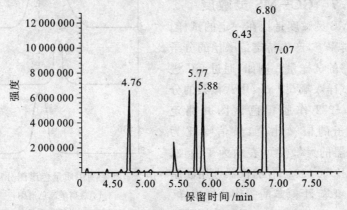

图 23-19 典型的总离子流色谱图

由 GC-MS 得到的 TIC 的形状和采用一般色谱仪获得色谱图是相一致的,可用于化合物的色谱鉴别定性;峰面积和该组分含量成正比,可用于 GC-MS 定量。只要所用色谱柱相同,试样出峰顺序就相同。其差别在于,总离子色谱图所用的检测器是质谱仪,而一般色谱图所用的检测器是氢火焰、热导池等,两种色谱图中各成分的校正因子不同。

2. 质谱图

由总离子流色谱图可以得到任何一组分的质谱图,离子流进入质量分析器,只要设定好分析器扫描的质量范围和扫描时间,计算机就可以采集到每个组分洗出过程中连续的质谱信号。如果色谱分离良好,根据扫描速度,每个色谱峰可采集到多组分全扫描质谱图,且同一组分不同色谱峰位置的质谱图应基本一致,但强度不同。一般情况下,为了提高信噪比,通常由色谱峰峰顶处得到相应质谱图最佳。若色谱分离欠佳,同一色谱峰中存在两个或两个以上组分,此时色谱不同位置扫描的质谱图将不一致,应尽量选择不发生干扰的位置得到质谱,或通过扣本底消除其他组分的影响。

3. 质量色谱图

总离子流色谱图是将单位时间内所有离子加和得到的。也可以通过选择不同质量的离子作质量色谱图(MC),使色谱不能分开的两个峰实现分离,以便进行定性、定量分析。图 23-20 说明利用 MC 分离 TIC 中不能分离的两组分。进行定量分析时也要使用同一离子得到的质量色谱图测定校正因子。

4. 库检索

得到质谱图后可以通过计算机检索对已知化合物进行定性。

23.7.7　GC-MS 灵敏度

GC-MS 灵敏度是指在一定的试样、一定的分辨率下,产生特定信噪比的分子离子峰所需的试样量。例如,通过 GC 进标准测试试样八氟萘 1 pg,用八氟萘的分子离子 $m/z272$ 作质量色谱图并测定 $m/z272$ 离子的信噪比,如果信噪比为 20,则该仪器的灵敏度可表示为 1 pg 八氟萘(信噪比 20:1)。有的仪器选用硬脂酸甲酯、六氯苯、十氟苯酚等作测试试样。

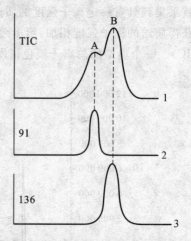

图 23-20　利用质量色谱图分离重叠峰
1. 总离子流色谱图;
2. 以 $m/z91$ 所作质量色谱图;
3. 以 $m/z136$ 所作质量色谱图

23.7.8　GC-MS 的应用

GC-MS 联用已成为有机化合物常规检测必备工具。下面简介武汉大学化学院分析研究中心实验室最近工作实例,初步了解 GC-MS 应用。

1. GC-MS 检测猪肉中的克伦特罗

克伦特罗,化学名为羟基叔丁肾上腺素[α-[(叔丁氨基)甲基]-4-氨基-3,5-二氯苯甲醇,clenbuterol],俗称瘦肉精,是一种禁用饲料添加剂。由于克伦特罗的化学结构中有不易气化的羟基和氨基,因此试样需要衍生化。图 23-21 为经 N,O-二(三甲基硅)三氟乙酰胺(BSTFA)衍生后的克伦特罗的质谱图。图 23-22 为添加 20 μg/kg 克伦特罗猪肉试样的选择离子($m/z86$)质量色谱图。[仪器为 Shimadzu GC-MS QP2010,气相色谱柱:HP-5MS 柱,30 m×0.25 mm,进样口温度:220 ℃;载气(99.999% 的高纯氦)流量 0.9 mL/min。升温程序:初始温度 70 ℃,保持 0.6 min,以 25 ℃/min 升温至 220 ℃,保持 6 min,再以 25 ℃/min 升温至 280 ℃,保持 5 min。EI 能量为 70 eV,离子源温度 200 ℃,接口温度 280 ℃。]

2. GC-MS 检测唾液中的四氢大麻酚

大麻是国际体育竞技中禁用的兴奋剂。根据国际奥委会医学委员会的规定,体育运动中的兴奋剂检测唯一能用作确认的仪器是 GC-MS。唾液比尿液收集方便,对人的侵犯小,且唾液的阳性结果对于解释对象在短期内,特别是 24 h 内使用过药物更具说服力。图 23-23 为四氢大麻酚的质谱图,图 23-24 为唾液试样经固相萃取后得到的 GC-MS 选择离子质量色谱图($m/z299,271,231,243$)。

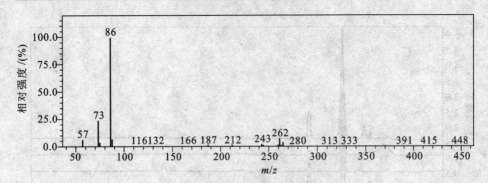

图 23-21　经 BSTFA 衍生的克伦特罗质谱图

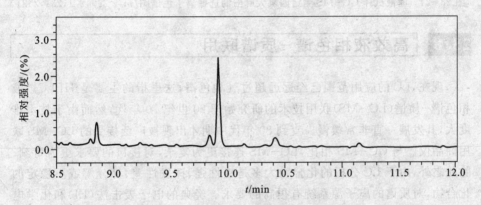

图 23-22　添加 20 μg/kg 克伦特罗猪肉试样的选择离子(m/z86)色谱图

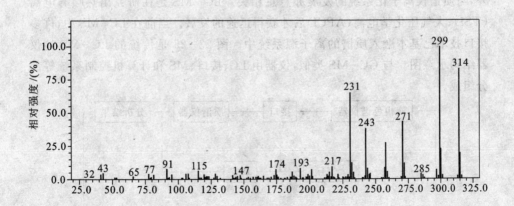

图 23-23　四氢大麻酚的质谱图

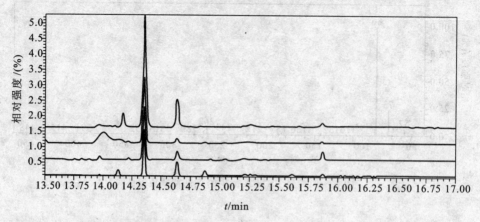

图 23-24　唾液试样 GC-MS 测定四氢大麻酚的选择离子色谱图(m/z 299,271,231,243)

23.8　高效液相色谱-质谱联用

现在,LC 的应用范围已经远远超过气相色谱,这里指的主要是 HPLC。液相色谱-质谱(LC-MS)联用技术的研究始于 20 世纪 70 年代,然而由于技术难度大,其发展一直非常缓慢。直到 80 年代中期才出现被广泛接受的 LC-MS 联用商品仪。与 GC-MS 相比,LC-MS 连接更为复杂,对接口的要求更为苛刻。除此之外,由于 LC 分析的化合物大多是极性强、挥发性差、易分解或不稳定的化合物,对质谱的离子源系统有很高的要求。经典的电子轰击法(EI)和化学电离法(CI)并不适用于这些化合物。因此 LC-MS 的发展除受接口技术的制约外,与质谱仪离子化系统的发展亦息息相关。LC-MS 是在研究出热喷雾电离(TSI)、大气压化学电离(APCI)后才获得迅速的发展。当前在 LC-MS 中,许多接口技术已基本融入质谱的离子源系统中。图 23-25 是传统的 LC-MS 的仪器结构示意图。与 GC-MS 类似,仪器由 LC、接口、MS 和计算机控制系统等部分组成。

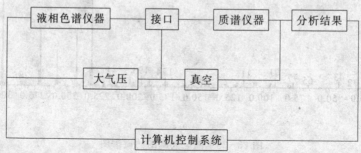

图 23-25　LC-MS 的仪器结构方框图

23.8.1 LC-MS 联用中的技术问题

23.8.1.1 接口的要求和发展

接口装置是 LC-MS 联用的技术关键之一,其主要作用是去除溶剂并使试样离子化。早期曾经使用过的接口装置有传送带接口、热喷雾接口、粒子束接口等十余种,这些接口装置都存在一定的缺点,因而没有得到推广。20 世纪 80 年代,大气压电离源用作 LC 和 MS 联用的接口和电离装置之后,使得 LC-MS 联用技术提高了一大步。目前,几乎所有的 LC-MS 联用仪都使用大气压电离源作为接口装置和离子源。大气压电离源(atmosphere pressure ionization,API)包括电喷雾电离源(electrospray ionization,ESI)和大气压化学电离源(atmospheric pressure chemical ionization,APCI)两种,二者之中电喷雾电离源应用最为广泛。

23.8.1.2 直接液体导入接口

直接液体导入接口(DLI)实际上是将 LC 的柱后流出物经分流后,很少一部分在质谱仪真空泵抽引产生的负压驱动下,通过金属毛细管或多孔薄膜喷射形成细小的液滴,进入接口,在加热条件下脱去溶剂,然后试样再进入离子源实现离子化。DLI 是液质联用中最简单的接口,造价低廉,但其无法在大流量下工作,难以和 LC 相匹配,同时喷射过程中喷口容易堵塞,没有形成商品化仪器。

23.8.1.3 移动带接口

移动带接口(moving belt,MB)是最早研究的 LC-MS 接口之一。其接口原理是在 LC 柱后增加一个移动速度可调整的传送带,传送带置于红外线加热场中。试样经 LC 分离后,色谱柱流出物直接滴落在传送带上,通过红外线加热除去大部分溶剂,进入密闭真空室,在真空中溶剂被进一步脱除,同时待测试样挥发并导入离子源,电离后进行质谱分析。移动带将残留未挥发试样带出离子源,经加热等方法去除残留试样,净化后的传送带循环使用。在传送带接口技术中,试样的离子化往往是通过 EI 源或 CI 源进行,也可用 FAB 离子化技术。

传送带技术的最大缺点在于离子化效率低,尤其是那些沸点较高、挥发性很差试样很难实现离子化,因此传送带技术难于满足日益提高的质谱分析要求。除此而外,传送带净化清理的可靠性差,重复使用时容易产生记忆效应而干扰试样分析。

23.8.1.4 热喷雾接口

热喷雾接口(thermospray,TS)出现于 20 世纪 80 年代中期,是第一个被广泛使用的 LC-MS 商用接口,它将接口和电离技术有机地融为一体。热喷雾接口的核心部件是能够加热的不锈钢毛细管。当 LC 的流出物以 $1 \sim 2$ mL/min 的流速进入 TS 中心的不锈钢毛细管(约 0.1 mm 内径、1.6 mm 外径),在毛细管出口前受到剧烈加热,溶剂快速蒸发,体积膨胀,以超声音速喷出毛细管,形成由微小液滴、粒子和蒸气组成的雾状混合体。当混合体向下游移动时,部分在热喷射过程中已带电荷的小液滴溶剂继续蒸发,表面积迅速缩小,当电荷与液滴表面积之比达到一个临界值时,溶质以离子或离子聚合体的形式从液滴蒸发出来,进入气态,实现质谱分析所需的试样电离,这就是"离子蒸发理论"。

在采用 TS 接口的 LC-MS 中,LC 流动相中通常会添加合适含量的挥发性电解质(< 0.1 mol/L),最常用的是醋酸铵,由它在喷雾过程中产生大量的气态 NH_4^+,H_3O^+,CH_3COO^- 等正负离子,与待测试样形成离子加合物从而使其离子化。许多极性化合物在适当的溶剂体系中(如含水量较高的溶剂体系),通过热喷雾过程,可自然产生足够量的气态离子供质谱检测,在此情况下,无需额外的电离手段如电子轰击,此时常被称为"灯丝关闭"(filament-off)。当一些试样如弱极性试样或强极性试样在大量有机溶剂体系,无法产生足够量的离子供质谱检测时,此时需要借助其他手段来辅助电离,如将电子发射灯丝开启,利用电子束轰击雾状混合体,让大量的溶剂分子电离,形成反应试剂,对待测试样进行化学电离,此时这种过程常称为"灯丝开启"(filament-on)。

TS 接口适合于 LC 流速在 $0.5 \sim 2$ mL/min,以 1mL/min 为最佳,当 LC 流速过高或过低时,可采用柱后分流或补偿的方式进行调整。流动相中水含量较高,通常使用效果较好。值得注意的是,在 TS 接口中,严禁非挥发性电解质如磷酸盐、离子对试剂等的使用,以免因溶剂蒸发沉淀而堵塞喷雾毛细管。

23.8.1.5　粒子束接口

粒子束接口(particle beam,PB)又称为动量分离器,接口是利用流体力学原理,将溶质转变成中性粒子,利用动量差与溶剂分开后,送入质谱的电离系统。从 LC 柱后流出物到进入质谱电离室之间经历了三个主要过程:形成气溶胶、脱溶剂和动量分离。LC 的流出物经过毛细管到达喷雾口,在毛细管外套管的惰性气体推动下,喷射成雾状小液滴即气溶胶进入具有一定温度的脱溶剂室,气溶胶骤然扩散,挥发度高的溶剂蒸发成气体,而挥发度低的溶质形成亚微米级的粒子或粒子集合体,部分未能蒸发的溶剂与溶质粒子一起进入动量分离器,动量分离器的结构与 GC-MS 中喷射式分子分离器结构类似,原理相同,溶剂和溶质粒子由于动量不同,获得分离,溶剂被真空泵排空,溶质以气态粒子形式进入电离室实现离子化。

粒子束接口中为了便于溶剂与溶质充分分离,通常要求 LC 流动相以挥发性的有机溶剂为主,而尽量避免使用含水相,如因 LC 分离要求,通常也需将含水量控制在 50% 以内,如果更高的话,可考虑在柱后采用有机溶剂补偿的方式。PB 接口的 LC-MS 适合分离非极性和中等极性的化合物,PB 仅起试样输送作用,电离方法依然采用传统的 EI 或 CI 源,当选用 EI 源时可与传统的 EI 质谱库相匹配,便于检索。

23.8.1.6 大气压电离接口

在传统的质谱电离技术中,例如 EI,CI,FAB 和场电离源等,待测试样的电离均是在质谱的高真空条件下实现。因此,在连接 LC 和 MS 时,为避免大量溶剂进入高真空的离子源系统,必须预先脱溶剂,这是 LC-MS 联用研究早期的主导思想。溶剂和待测试样的分离主要靠两者间挥发度的不同或动量的不同或同时利用两种差异。然而由于溶剂的量远远超过待测试样的量,仅仅依靠这种差异,难于获得溶剂和待测试样的良好分离。同时在 LC 分离分析时,色谱流动相条件千变万化,使得接口设计很难具有普适性。

大气压电离(atmospheric pressure ionization,API)接口的设计跳出传统思维:利用待测试样与溶剂电离能力的不同,将分析物首先在大气压或略低于大气压条件下电离,尔后利用电场导引,将带电试样"萃取"进入质谱高真空系统,与传统的方法相比,大气压电离接口模式利用待测试样和溶剂间带电能力的差异,更利于将二者分开。同时,大气压电离接口更容易和 LC 相匹配。目前常用的大气压电离接口有电喷雾电离(electrospray ionization,ESI)和大气压化学电离(APCI)。

1. 电喷雾电离(electrospray ionization,ESI)

电喷雾电离是近年来出现的一种新的电离方式。它既作为液相色谱和质谱仪之间的接口装置,同时又是电离装置。如图 23-26 所示,它的主要部件是一个多层套管组成的电喷雾喷嘴。试样溶液从中心 0.1 mm 内径的不锈钢毛细管中以 $0.5 \sim 5$ μL/min 的速度喷出。针尖加有 $3 \sim 8$ kV 电压,形成电场强度高达 10^6 V·m^{-1},毛细针尖周围可形成圆柱形的电极。外层是喷射气,喷射气常采用

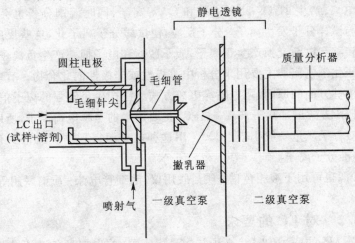

图 23-26 电喷雾电离源结构示意图

大流量的氮气,其作用是使喷出的液体容易分散成雾状液滴。雾状液滴在喷射出来时由于针尖电极的作用而带上电荷。另外,喷嘴的斜前方还有一个补助气喷嘴,补助气的作用是使液滴的溶剂快速蒸发。液滴不断挥发而缩小,导致表面电荷密度不断增大。当电荷之间的排斥力足以克服液滴的表面张力时,液滴发生裂分。溶剂的挥发和液滴的裂分如此反复进行,最后得到单电荷或多电荷的离子。离子产生后,借助于喷嘴与锥孔之间的电压,穿过取样孔进入质量分析器。

不同型号仪器 ESI 设计结构大同小异,但电喷雾电离均包括三个基本过程,即电喷雾、离子的形成、离子的输送。加到喷嘴不锈钢毛细管上的电压可以为正,也可以为负。通过调节电压极性,可以控制试样的电离行为,获得正或负离子。

电喷雾电离源是一种软电离方式,即便是相对分子质量大,稳定性差的化合物,也不会在电离过程中发生分解,适合于分析极性强的大分子化合物,如蛋白质、肽、糖等。另外,电喷雾电离源的最大特点是容易形成多电荷离子,有利于对高分子量试样进行测定。例如,一个相对分子质量为 10 000 的分子若带有 10 个电荷,则其质荷比只有 1 000,进入了一般质谱仪可以分析的质量范围之内。电喷雾电离源的另一个显著优点在于很容易实现与高效液相色谱、毛细管电泳等分离技术联用,拓展其应用范围。

2. 大气压化学电离源(atmospheric pressure chemical ionization,APCI)

如图 23-27 所示,大气压化学电离源(atmospheric pressure chemical ionization,APCI)的结构与电喷雾电离源大致相同,不同之处在于大气压化学电离源中喷嘴下方放置了一个针状放电电极,通过放电电极的高压放电,使空气中的中性分子电离,产生 H_3O^+,N_2^+,O_2^+ 和 O^+ 等离子,同时溶剂分子也会被电离,这些离子与试样分子发生离子-分子反应,使试样分子离子化,这些反应过程包括由质子转移和电荷交换产生正离子,质子脱离和电子捕获产生负离子等。

大气压化学电离源主要用来分析中等极性或非极性的化合物。有些试样由于结构和极性方面的原因,用电喷雾电离方式无法产生足够强的离子信号时,可以采用 APCI 方式增加离子产率。APCI 主要产生的是单电荷离子,所以分析的化合物相对分子质量一般小于 1 000。用这种电离源得到的质谱很少有碎片离子,主要是准分子离子。

APCI 源也可用于液相色谱-质谱联用仪、毛细管电泳-质谱联用等。

23.8.2　对 LC 的要求

在 LC-MS 的联用中,LC 必须与 MS 相匹配,首先就是色谱流动相液流的匹配,包括液流的流速、稳定性等。由于质谱是在真空条件下工作,色谱流动相

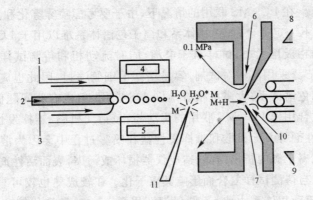

图 23-27 大气压化学电离源结构示意图

1. 辅助气；2. 试样入口；3. 喷雾气；4,5. 加热器；6,7. 气帘；

8,9. 低温外壳；10. 锐孔；11. 针状放电电极

需经过蒸发气化的过程，为减轻质谱真空系统的负荷，同时避免溶剂对质谱仪器的损坏以及对待测试样的干扰，流动相的流速应控制在较低的范围，通常不能超过 $1\ mL\cdot min^{-1}$，依接口的不同而略有差异。另外，LC 必须提供高精度的输液泵，以保证在低流速下输液的稳定性。对于分析柱，则最好选用细内径的分离柱，与低流量 LC 相匹配，从根本上减轻 LC-MS 接口去除溶剂的负担。

23.8.3 对 MS 的要求

在 LC-MS 联用中，质谱仪器的真空系统必须具备很高的效率、大的排空容量，以利于将溶剂气最大限度地抽出质谱仪，避免引入质量分析系统，对待测试样的分析造成干扰。由于 LC-MS 采用软电离技术，所获试样离子信息多为分子离子峰，对试样的定性造成一定困难，因此好的质谱仪器可能提供多级 MS 串联使用，有利于获得丰富的结构信息。当然，为简化仪器结构、降低成本，质谱仪器最好能提供源内碰撞诱导解离功能(collision induced dissociation, CID)，以期获得试样更多的结构信息。质谱仪器应当具有较宽的质量测定范围，利于大分子、蛋白质等生物试样的分析。质谱仪器应当匹配多种接口，利于互换以适应不同的待测试样分析需求，如现在的质谱仪器普遍能够实现 ESI 接口和 APCI 接口的更换。

23.8.4 LC-MS 分析方法

23.8.4.1 LC 分析条件的选择

LC 分析条件的选择要考虑两个因素：使分析试样获得最佳分离并有利于其电离。如果二者发生矛盾，则需折中考虑。LC 可调节的参数主要有流动相

的组成和流速。在 LC-MS 联用的情况下,由于要考虑喷雾雾化和离子化,常规的 LC 体系并不一定适合,如正相体系和离子色谱体系难以用于 LC-MS 联用,前者由于流动相极性太小,试样难于电离,同时流动相和待测试样间的分离困难;后者由于广泛采用离子对试剂,容易堵塞毛细管喷口,因此也应用较少。对于传统的反相色谱体系,大多可很好地同 MS 联用,但也有些问题值得注意,许多体系并不适合用作 LC-MS 联用的流动相,包括无机酸、难挥发性盐(如磷酸盐)和表面活性剂等。无机酸和难挥发性盐在喷雾过程中会因为溶剂快速蒸发而在喷雾口或离子源内析出结晶,造成仪器损坏或污染,表面活性剂会降低体系的表面张力或与待测试样复合而影响其离子化。在较成熟也较可靠的 LC-MS 分析中,常用流动相体系由水、乙腈、甲醇、甲酸、乙酸、氢氧化铵和乙酸铵等组成。LC 分离的最佳流量,往往超过电喷雾允许的最佳流量,此时需要采取柱后分流,以达到好的雾化效果。

23.8.4.2 质谱条件的选择

质谱条件的选择主要是为了改善雾化和电离状况,提高检测的灵敏度。调节雾化气流量和干燥气流量可以达到最佳雾化条件,改变喷嘴电离电压和聚焦透镜电压等可以得到最佳灵敏度。对于多级质谱仪器,还要调节碰撞气流量和碰撞电压及多级质谱的扫描条件。

对于不同的试样应当根据试样的带电能力的不同、带电性质的差异,选择不同的质谱电离方式和工作模式。如极性试样,多电荷大分子试样蛋白质、氨基酸等,倾向于采用 ESI 电离模式;中等极性或非极性试样适合采用 APCI 电离模式。碱性试样或容易带正电荷的试样宜选用正离子模式(通常为 ESI^+,$APCI^+$)检测,并可通过调节流动相体系的 pH 让试样尽可能带正电;酸性试样或容易带负电试样适合采用负离子模式(ESI^-,$APCI^-$)检测。对于无法判断试样可能的带电模式时,则应当在正、负离子模式下均对试样进行测试,然后再根据其他信息来判断。

23.8.4.3 LC-MS 定性、定量分析

LC-MS 分析得到的质谱过于简单,结构信息少,进行定性分析比较困难,主要依靠标准试样定性,对于多数试样,保留时间相同,子离子谱也相同,即可定性。当缺乏标准试样时,为了对试样定性或获得其结构信息,必须使用串联质谱检测器,将准分子离子通过碰撞活化得到其子离子谱,然后解释子离子谱来推断结构。如果只有单级质谱仪,也可以通过源内 CID 得到一些简单的结构信息。

用 LC-MS 进行定量分析,其基本方法与普通液相色谱法相同。即通过色谱峰面积和校正因子(或标样)进行定量。但由于色谱分离方面的问题,一个色谱峰可能包含几种不同的组分,给定量分析造成误差。因此,对于 LC-MS 定量分析,不采用总离子色谱图,而是采用与待测组分相对应的特征离子得到的质量

色谱图或多离子监测色谱图,此时,不相关的组分将不出峰,这样可以减少组分间的互相干扰。LC-MS所分析的经常是体系十分复杂的试样,比如血液、尿样等。试样中有大量的保留时间相同、相对分子质量也相同的干扰组分存在。为了消除其干扰,LC-MS定量的最好办法是采用串联质谱的多反应监测(multiple reaction monitoring,MRM)技术。即对质量为 m_1 的待测组分作子离子谱,从子离子谱中选择一个特征离子 m_2。正式分析试样时,第一级质谱选定 m_1,经碰撞活化后,第二级质谱选定 m_2。只有同时具有 m_1 和 m_2 特征质量的离子才被记录。这样得到的色谱图就进行了三次选择:LC选择了组分的保留时间,第一级MS选择了 m_1,第二级MS选择了 m_2,这样得到的色谱峰可以消除其他组分干扰。然后,根据色谱峰面积,采用外标法或内标法进行定量分析。此方法适用于待测组分含量低,体系组分复杂且干扰严重的试样分析。比如人体药物代谢

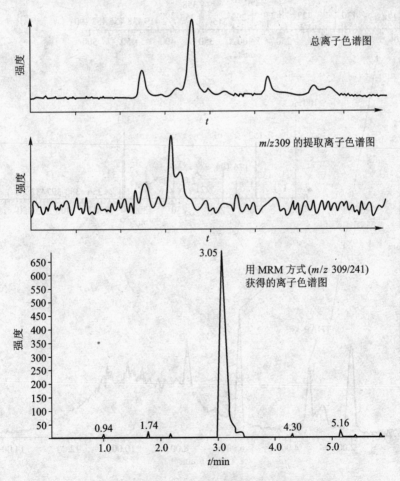

图 23-28　多反应监测(MRM)技术用于定量测定

研究,血样、尿样中违禁药品检测等。

图 23-28 是采用 MRM 技术分析的例子,上图为试样的总离子色谱图,下图为选定特征离子 $m/z309$ 和 $m/z241$ 后,利用 MRM 得到的质量色谱图。

23.8.5　LC-MS 的灵敏度

与 GC-MS 相同,LC-MS 的灵敏度是指在一定的试样、一定的分辨率下,产生特定信噪比的分子离子峰所需的试样量。LC-MS 常采用利血平作为标准

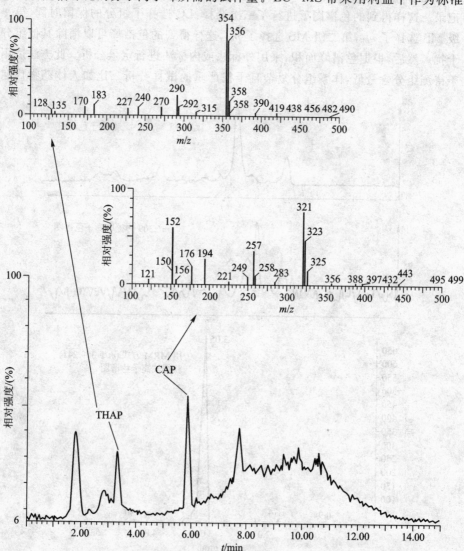

图 23-29　LC-MS 联用(Waters ZQ)测定蜂蜜中的氯霉素残留

试样来测定其灵敏度,例如,配置一定浓度的利血平(如 10 pg/μL),通过 LC 进适当量试样,以水和甲醇各 50％为流动相(加入 1％乙酸),作质量范围全扫描,提取利血平分子离子峰 $m/z\,609$ 的质量色谱图,计算其信噪比,最终仪器的灵敏度用进样量和信噪比标定。

23.8.6　LC－MS 的应用

以 ESI 和 APCI 接口为代表的 LC－MS 技术已经在药物、化工、环保、临床医学、分子生物学等许多领域中获得了广泛的应用。

图 23-29 是我们实验室采用 LC－MS 联用(Waters ZQ)测定蜂蜜、鸡蛋、牛奶等食品中的氯霉素(chloramphenicol, CAP)、甲砜霉素(thiamphenicol, THAP)残留总离子流色谱图和 CAP,THAP 质谱图。LC 采用流动相梯度洗脱,梯度程序如下:0 min:30％甲醇/70％水,5 min:70％甲醇/30％水,8 min:0％甲醇/30％水,15 min:30％甲醇/70％水。质谱条件选用电喷雾负离子模式、选择离子扫描,锥孔电压:对 $m/z\,321,323$ 为 25eV;$m/z\,354$ 为 30eV;$m/z\,152$ 为 45 eV。氯霉素的最低检测限可达到 0.2 ng/g。

23.9　毛细管电泳－质谱联用(CE－MS)

HPLC 与 MS 的成功联用,激起了人们对 CE 与 MS 联用(CE－MS)的兴趣。早在 20 世纪 80 年代毛细管电泳与质谱联用技术已经开始有人尝试,然而由于许多技术性障碍,直到近年来才取得了一定进展。

CE 与质谱联用时需解决的关键问题主要有以下三点:(1) 高电压的匹配问题,CE 在进行分离时,操作电压通常为数十千伏,如何让 CE 出口端与质谱进样口有效衔接而又不受高分离电压的影响是首先必须克服的难题。(2) 在 CE 分离中,电渗流起着关键作用,与质谱连接时,质谱的高真空可能对电渗流产生影响。(3) CE 通常用毛细管分离柱,柱容量低,所分析的对象也往往是痕量的试样,因此质谱必须提供非常高的灵敏度才可能与 CE 匹配。

近年来,随着接口技术的发展以及质谱仪器的不断改进,CE 已可实现与 MS 的联用。在目前成功的 CE－MS 联用中,往往是采用 ESI 接口,同时在 CE 出口端设计流体补偿通路用于弥补 CE 流量的不足来实现电喷雾,现已经有商品化的仪器问世。CE－MS 在药物、生物试样等方面的应用也有一些报导,然而与 LC－MS 相比,CE－MS 目前还很不成熟,许多技术问题有待解决。例如,CE 分离中缓冲液必不可少,通常使用的缓冲液是磷酸盐体系,显然磷酸盐体系并不适合于质谱系统,质谱更倾向使用挥发性缓冲盐,从而限制了 CE 分离条件的选择。因此,如何克服这些矛盾,才能使 CE－MS 迅速发展,并发挥更大的效能。

23.10　质谱－质谱联用

质谱－质谱联用或多级质谱(MS－MS)是在 20 世纪 70 年代后期迅速发展起来的一种新型质谱技术,通常被称为质谱－质谱法(mass spectrometry-mass spectrometry、串联质谱法(tandem mass spectrometry)或二维质谱法(two dimensional mass spectrometry)。

23.10.1　联用原理

多级质谱的工作原理是充分利用了质谱的分离与分析功能:将多个质谱串联在一起,最简单的就是将两个质谱顺序连接获得的二级串联质谱,其中第一级质谱(MS1)对离子进行预分离,将感兴趣的离子作为下一级质谱的试样源,经过适当方式获得碎片离子等送入第二级质谱,由第二级质谱(MS2)进一步分离分析。

23.10.2　MS－MS 仪器结构

一个典型的二级串联质谱由 3 大部分构成,一级质谱、碰撞室、二级质谱。如前所述,一级质谱用于感兴趣离子的捕获,称之为母离子(parent ion),将母离子送入碰撞室,与惰性气体分子相撞而裂解,即碰撞诱导解离过程(CID)或碰撞活化解离(collisionally activated dissociation,CAD),产生碎片离子,即子离子(daughter ion),而后,子离子进入二级质谱分离、检测并记录,得到与母离子相关的结构信息。

最经典的二级串联质谱为三级四极杆串联质谱。第一级和第三级四极杆分析器分别为 MS1 和 MS2,第二级四极杆分析器起碰撞解离室作用是将从 MS1 得到的各个峰进行轰击,实现母离子碎裂后进入 MS2 再进行分析。三级四极杆串联质谱共有四种工作模式,代表着串联质谱的多种不同的用途,如图 23－30 所示。

图中(a)为子离子扫描方式,这种工作方式由 MS1 选定质量,CAD 碎裂之后,由 MS2 扫描得子离子谱。(b)为母离子扫描方式,在这种工作方式,由 MS2 选定一个子离子,MS1 扫描,检测器得到的是能产生选定子离子的那些离子,即母离子谱。(c)为中性丢失扫描方式,在这种方式是 MS1 和 MS2 同时扫描。只是二者始终保持一定固定的质量差(即中性丢失质量),只有满足相差固定质量的离子才得到检测。(d)为多离子反应监测方式,由 MS1 选择一个或几个特定离子(图中只选一个),经碰撞碎裂之后,由其子离子中选出一特定离子,只有同时满足 MS1 和 MS2 选定的一对离子时,才有信号产生。用这种扫描方式的好

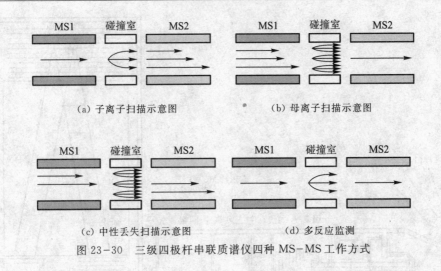

（a）子离子扫描示意图　　　　　　（b）母离子扫描示意图

（c）中性丢失扫描示意图　　　　　　（d）多反应监测

图 23-30　三级四极杆串联质谱仪四种 MS-MS 工作方式

处是增加了选择性，即便是两个质量相同的离子同时通过了 MS1，但仍可以依靠其子离子的不同将其分开。这种方式非常适合于从很多复杂的体系中选择某特定质量，经常用于微小成分的定量分析。

随着科技的发展，接口技术的进步，基于不同原理的质量分析器也已经很好地实现了串联，如四极杆和磁质谱混合式（hybride）串联质谱、四极杆-飞行时间串联质谱（Q-TOF）和飞行时间-飞行时间（TOF-TOF）串联质谱等。

图 23-31 是一个由液相色谱-四极杆质量分析器和飞行时间质量分析器组成的混合型串联质谱仪器。其基本结构由试样雾化-电离室、去溶剂装置、双重离子漏斗、四极杆质量（Q）分析器、碰撞池、飞行时间（TOF）质量分析器和检测器等部件组成。质谱分析过程如下：

（1）试样溶液由带高电压的金属毛细管喷出，在雾化气的辅助下进入到雾化室并雾化，产生带电小液滴和离子，被雾化室和金属涂覆的玻璃毛细管之间的电场导入去溶剂化装置，即玻璃毛细管。雾化器外壳和玻璃毛细管尖端之间的电压相差约 500 V 可进一步将带电小液滴和离子推进真空系统。

（2）加压并干燥的热氮气以与试样液滴流动相反的方向通入去溶剂化装置，辅助液滴挥发然后离子化，同时将未能电离的物质带走。

（3）离子从玻璃毛细管中出来，直接进入连在初级泵上的第一个真空层；接下来的真空层与三重分子涡轮泵相连，泵中的废弃物都被带入初级泵中。在这个真空装置中，这三个真空层分别通过中间有一个小孔隙的隔板分离开，离子通过前后真空层的压力差和电势差从中间孔隙中进行传输。撞到隔板上的其他离子就被反弹到基电压隔板上而吸收。

（4）真空层Ⅰ和Ⅱ中是双重离子漏斗，所加的射频电压将离子聚焦并传输

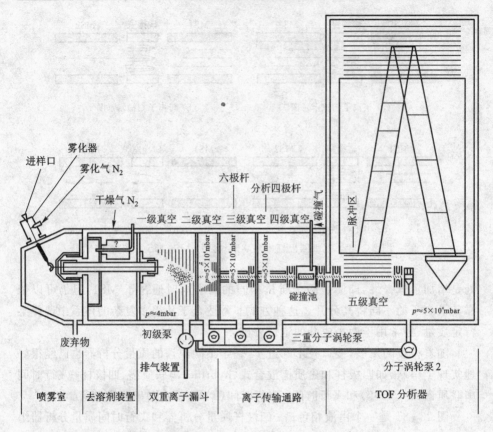

图 23-31　Micro TOF-Q 四极杆和飞行时间串联质谱仪器（Bruker Daltonios 公司提供）

入真空层Ⅲ中的六极杆。通过调节操作电压将离子按稳定的轨道在六极杆内传输，在进入四极杆后离子束被进一步聚焦。四极杆分析器与飞行时间质谱仪串联，组成 Q-TOF。

（5）在 Q 和 TOF 之间有一个碰撞池，离子在其中可以与中性气体分子（如 Ar 和 N_2）发生碰撞诱导解离。Q 从离子源中选择所感兴趣的离子，在碰撞池中发生解离，反应产物由 TOF 分析。

除上述介绍的空间串联型质谱联用仪器外，人们还利用离子阱技术、傅里叶变换质量分析技术开发出时间串联型多级质谱仪。例如，通过调节离子阱环形电极上的射频电压，可让感兴趣的母离子稳定在离子阱内，然后利用加在端电极上的辅助射频电压激发母离子，使其与池底的本底气体碰撞，再通过基频电压扫描，抛射并接收所有 CID 过程中形成的子离子信号。这种时间串联型质谱在不增加仪器主要构件的情况下，能方便地实现多级质谱的功能，尤其有利于构造更多级数联用的质谱仪器，代表着串联质谱的一个发展方向。

23.10.3 串联质谱的特点

与单级质谱相比,多级串联质谱有以下突出的优点:

(1) 串联质谱有利于对物质进行定性,获得结构信息。在许多 LC-MS 联用的离子化技术中,一般都是软电离技术,它们的质谱主要显示分子离子峰,缺少分子断裂产生的碎片信息。如果采用串联质谱技术,通过分子离子与反应气体的碰撞产生裂解,能提供更多的结构信息。

(2) 串联质谱适合于复杂混合物的分析。在质谱与气相色谱或液相色谱联用时,即使色谱未能将物质完全分离,也可以进行鉴定。MS/MS 可从试样中选择母离子进行分析,而不受其他物质干扰。如在药物代谢动力学研究中,对生物复杂基质中低浓度试样进行定量分析,可用多反应监测模式(MRM),利用母离子和子离子的良好对应关系,对二者同时检测,排除杂质干扰。

(3) 串联质谱可使试样的预处理大大简化,尤其那些难以进行处理或是在离子化过程中引入的杂质。例如在采用解吸离子化技术使试样电离时,一般要使用底物,底物往往会造成强的化学噪声,串联质谱可以消除此类干扰,从而提高检测灵敏度。

(4) 串联质谱可以说明在多级质谱中母离子与子离子间的联系,根据各级质谱的扫描模式,如子离子扫描、母离子扫描和中性碎片丢失扫描,可以查明不同质量数离子间的关系。

(5) 串联质谱可以同时定量分析多个化合物。采用中性碎片丢失扫描能找到所有丢失同种功能团的离子,如羧酸容易丢失中性碎片二氧化碳,对二氧化碳碎片扫描可获得所有母离子羧酸的信息,从而实现羧酸类的定量测定。

23.10.4 串联质谱的应用

串联质谱的抗干扰、抗污染、检测灵敏度高等优势使其在环境监测、未知物分析、新药开发、农药残留等方面显示出广泛的应用前景。下面是武汉大学化学学院分析研究中心实验室最近的一个应用实例。

图 23-32 是微萃取预富集-液相-串联质谱联用(SPME-LC-MS-MS)用于测定猪肉中两种 β-兴奋剂克伦特罗和沙丁胺醇(Salbutamol)残留的质量色谱图和质谱图。

液相条件为:色谱柱,$2.1\ mm \times 150\ mm$ 填充 $3.5\ \mu m$ XTerra® MSC$_{18}$;柱温:$40\ ^\circ C$;二元梯度:流动相 A——0.1% 甲酸水溶液;流动相 B——乙腈和水的混合溶液($80:20$,体积分数,含 0.1% 甲酸),梯度为:$0\ min$,$B=22.5\%$;$6\ min$,$B=22.5\%$;$6.01\ min$,$B=100\%$;$15\ min$,$B=100\%$;$15.01\ min$,$B=22.5\%$;流动相流速:$0.2\ mL/min$。质谱条件为:电喷雾离子源(正离子模式),毛细管电压

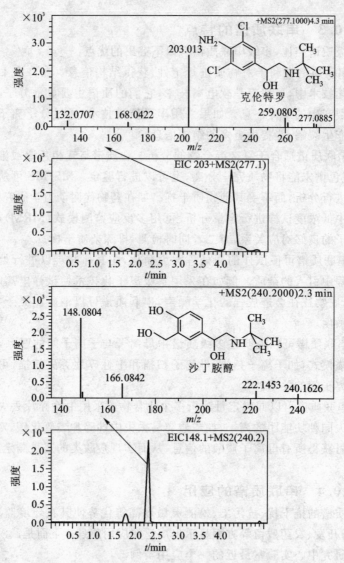

图 23-32　微萃取－液相－串联质谱联用（SPME-LC-MS-MS）
测定猪肉中两种 β-兴奋剂残留质量色谱图和质谱图

$4.0\ kV$；喷雾器 $1.4\ bar$；干燥气 $8.0\ L\cdot min^{-1}$；干燥温度 $200\ ℃$；碰撞气，氩气；碰撞能量 $7\ eV/z$，前体离子的选择（四极杆质谱）：沙丁胺醇，$[M+H]^+$ 离子，$m/z240.2$；克伦特罗，$[M+H]^+$ 离子，$m/z277.1$；对选择的离子进行全扫描（时间飞行质谱）：$m/z50\sim300$，分别获得兴奋剂试样脱除特丁基和水（—t-$Bu-2H_2O$）的强质谱信号 203，148。

实际试样检出限可达到克伦特罗 0.38 ng/g、沙丁胺醇 0.28 ng/g。

思考、练习题

23-1 何谓分子质谱？它与原子质谱有何异同？

23-2 试说明分子质谱仪器主要组成部分和各自的功能，它们与原子质谱仪器有何不同？

23-3 试计算和说明：(1) 在电子轰击源中，单电荷离子($z=1$)通过 10^3 V 电场加速以后，试计算它获得的动能(KE)。(2) 离子的动能跟它的质量有关么？(3) 离子的速度跟它的质量有关么？

[(1) 1.6×10^{-16} J,(2) 无关,(3) 函数关系]

23-4 试计算采用 70 V 电离电压加速电子的能量(J·mol^{-1})，并与一般化学键能比较其大小。(阿伏伽德罗数为 6.02×10^{23} mol^{-1})。

(6.7×10^6 J·mol^{-1})

23-5 一束有各种不同 m/z 的离子，在一个具有固定狭缝位置和恒定电位 U 的质谱仪中产生，磁感应强度 B 慢慢地增加，首先通过狭缝的是最低还是最高 m/z 值的离子？为什么？

(最低 m/z 值)

23-6 一台中分辨率仪器，其加速电压 U 选定为 4 000 V，磁场半径 $R=15$ cm 最高质量数定为 800，试计算最高磁感应强度。

(≈ 1.7 T)

23-7 现有一台质谱仪，它的质量分析器的磁感应强度为 1.405 3 T，离子运动的环形轨道的半径为 12.7 cm。如果要让分子离子为 $512/z(z=1)$ 顺利通过出口狭缝，则需要给予多少的加速电压？

(3 000 V)

23-8 试计算可分辨质量数为 500 和 500.01 仪器分辨率为多少？其分辨质量精度为多少原子质量单位？在同样分辨率下，分别分离 200 及 1 000 附近两对峰，其分辨精确度分别为多少原子质量单位？

(50 000,0.01,0.004,0.02)

23-9 三癸基苯、苯基十一基酮、1,2-二甲基-4-苯甲酰萘和 2,2-萘基苯并噻吩的相对分子质量分别为 260.250 4,260.214 0,260.120 1 和 260.092 2，若基于分子离子峰对它们作定量分析，需要多大的分辨率？

(9 320)

23-10 试计算 $M=168$，分子式为 $C_6H_4N_2O_4$(A) 和 $C_{12}H_{24}$(B) 两个化合物的 I_{M+1}/I_M 值？

(A:7.46%；B:13.34%)

23-11 写出 $m/z142$ 的烃的分子式，I_M 和 I_{M+1} 应有怎样的大概比例？

($C_{10}H_{22}$,100:11；$C_{11}H_{10}$,100:12)

23-12 在一张谱图中，$I_M : I_{M+1}$ 为 100 : 24，该化合物有多少个碳原子存在？

(约 22 个)

23-13 在 $C_{100}H_{202}$ 中 M+1 对 M 的相对强度怎样？

(112%)

23-14 在 CH_3SH 中，硫同位素做出怎样的贡献？由硫同位素所做贡献的相对强度怎样？

$(M+2; M : (M+2) = 95 : 4)$

23-15 计算下列物质 $[M+2]^+$ 峰相对于 M^+ 的丰度。(1) $C_{10}H_6Br_2$；(2) C_3H_7ClBr；(3) $C_6H_4Cl_2$。

23-16 何谓分子离子？并说明如何获得、确定分子离子及在质谱定性定量分析中应用。

23-17 分别以电子轰击、场电离化学电离作为电离源，得到的谱图有什么区别？

23-18 为什么双聚焦的质谱仪会得到更窄的峰和更高的分辨率？

23-19 试说明定型商品质谱仪器应用中，影响分辨率和灵敏度的操作条件。

23-20 试述质谱法对新化合物结构鉴定的基本步骤和方法。

23-21 试说明质谱、色谱-质谱联用定量分析基本方法，与一般色谱定量分析比较基本原理和技术有何异同之处。

23-22 硝基酚化合物氯化得到的同位素峰比例如下：$I_M : I_{M+2} : I_{M+4} = 9 : 6 : 1$。试问该化合物中有多少个氯原子？

(2 个)

23-23 请解释总离子流色谱图、质量色谱图、质量碎片图的含义，在质谱或质谱联用定性、定量分析的应用。

23-24 何谓同位素离子？它在质谱定性、定量分析中有哪些应用？

23-25 试说明 GC-MS 联用接口的作用及评价色谱技术的主要性能指标。

23-26 试说明电喷雾电离源电离机理与特点，与传统 EI, CI 源比较有何异同之处？

23-27 请从近期文献中查找 1~2 个 GC-MS, LC-MS 在环境、食品、天然产物或生物医药学的应用实例，并分析其应用的特点。

23-28 试与单级质谱比较，多级串联质谱有哪些不同的特点？

参考资料

[1] Skoog D A, Holler F J, Nieman T A. Principles of Instrumental Analysis. 5th ed. Philadephia: Harcourt Brace & Company, 1998.

[2] 朱良漪. 分析仪器手册. 北京:化学工业出版社,1997.

[3] 季欧. 质谱分析法. 北京:原子能出版社,1977.

[4] 北京大学化学系仪器分析教学组. 仪器分析教程. 北京:北京大学出版社,1997.

［5］达世禄.色谱学导论.2版.武汉:武汉大学出版社,1999.

［6］武汉大学化学系.仪器分析.北京:高等教育出版社,2001.

［7］Frigerio A.质谱法概要.卞慕唐,译.北京:化学工业出版社,1984.

［8］刘炳寰.质谱方法与同位素分析.北京:科学出版社,1983.

［9］McFadden W H.气相色谱-质谱联用技术在有机分析中应用.周自衡,译.北京:科学出版社,1983.

［10］丛浦珠.质谱学在天然有机化学中应用.北京:科学出版社,1987.

［11］洪山海.光谱解析法在有机化学中应用.北京:科学出版社,1981.

［12］Creswell C J.有机化合物的光谱分析.周黛玲,译.上海:上海科学技术出版社,1985.

［13］汪正范,杨树民,吴侔天,等.色谱联用技术.北京:化学工业出版社,2001.

［14］Burlingame A L,Boyd R K,Gasskell S J. Mass Spectrometry. Anal. Chem. 1998,70(12):647-714.

［15］Burlingame A L,Boyd R K,Gasskell S J. Mass Spectrometry. Anal. Chem. 1996,68(12):599R-651R.

第24章 热 分 析

24.1 概论

热分析法的历史相当悠久,最早可追溯到 1887 年 Chatelier L 利用升温速率曲线对黏土的测定和研究。迄今,热分析法已成为一类多学科的通用仪器分析技术。它所能应用的材料包括金属材料、无机非金属材料和有机高分子材料。它所涉及的领域包括化学、化工、石化、塑料、橡胶、轻纺、食品、医药、土壤、地质、海洋、冶金、电子、炸药、能源、建筑、生物及空间技术等等。

热分析(thermal analysis)是在程序控温下,测量物质的物理性质与温度的关系的一类技术。所谓"程序控温"一般指线性升温或线性降温,也包括恒温或非线性升、降温。"物质"指试样本身和(或)试样的反应产物。"物理性质"包括质量、焓变化、尺寸等等,常为简单的物理量。而红外光谱、核磁共振波谱等技术虽然也能在不同温度下记录谱图,但不列入热分析范围,因为它们测定的不是简单的物理量随温度的连续变化。

国际热分析联合会(ICTA)建议,根据所测的物理性质的不同,热分析方法可分为 9 类 17 种(表 24-1)。虽然热分析方法繁多,但应用最广的是差热分析(DTA)、差示扫描量热法(DSC)和热重法(TG)等少数几种,这也正是本章将重点介绍的内容。

表 24-1 热分析方法的分类

物理性质	方法	英文名称及常用缩写	备注
质量	热重法	thermogravimetry(TG)	测定物质的质量与温度的关系
	等压质量变化测定	isobaric mass-change determination	测定在恒定挥发物分压下的平衡质量与温度的关系
	逸出气检测法	evolved gas detection(EGD)	测定逸出的挥发物热导性与温度的关系
	逸出气分析	evolved gas analysis(EGA)	测定挥发物的类别及分量与温度的关系
	射气热分析	emanation thermal analysis	测定放射性物质与温度的关系
	热粒子分析	thermoparticulate analysis	测定放出的微粒物质与温度的关系

物理性质	方法	英文名称及常用缩写	备注
温度	升温曲线测定	heating—curve determination	测定物质温度与时间的关系
	差热分析	differential thermal analysis（DTA）	测定物质与参比物之间的温差与温度的关系
焓	差示扫描量热法	differential scanning calorimetry（DSC）	测定物质与参比物的热流差（功率差）与温度的关系
尺寸	热膨胀法	thermodilatometry（DIL）	测定物质尺寸与温度的关系（包括线膨胀法和体膨胀法）
力学量	热机械分析	thermomechanical analysis（TMA）	测定非振荡负荷下形变与温度的关系
	动态热机械分析	dynamic mechanical thermal analysis（DMA 或 DMTA）	测定振荡性负荷下动态模量（阻尼）与温度的关系
声学量	热发声法	thermosonimetry	测定声发射与温度的关系
	热传声法	thermoacoustimetry	测定声波的特性与温度的关系
光学量	热光法	thermophotometry	包括热光谱法、热折射法、热致发光法、热显微镜
电学量	热电法	thermoelectrometry	测定电学特性（电阻、电导、电容等）与温度的关系
磁学量	热磁法	thermomagnetometry	测定磁化率与温度的关系

24.2　差热分析和差示扫描量热法

24.2.1　基本原理

传统的 DTA 和两类不同 DSC 的基本原理示意于图 24—1。

经典的 DTA 的基本原理是，将试样和参比物（一种热惰性物质，如 $\alpha-Al_2O_3$）置于以一定速率加热或冷却的相同温度状态的环境中，记录试样和参比物之间的温差 ΔT 与时间或温度的关系，如图 24—1(a)所示。DTA 的两根热电偶反向串联，热电偶的两个输出端所测的热电动势对应于 ΔT。传统的 DTA 的热电偶直接插到试样或参比物内，热电偶与试样均会被污染。现代的 DTA 一般热电偶与试样及参比物不接触，试样装在特殊的坩埚内，热电偶隔着坩埚壁测

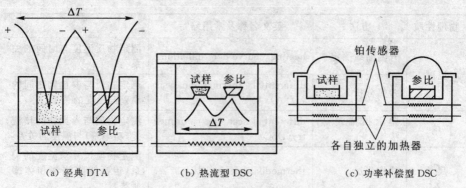

(a) 经典 DTA　　　(b) 热流型 DSC　　　(c) 功率补偿型 DSC

图 24-1　3 种主要热分析系统示意图

量。DTA 由一个较大炉子加热试样与参比物周围气氛,因而容易得到较线性的仪器基线,但稳定仪器需时较长。总之 DTA 的优点是能用于高温测定(最高温度可达 1 500 ℃,有的仪器甚至达 2 400 ℃),但测量灵敏度较差,适合于矿物、金属等无机材料的分析,一般用作定性分析,定量准确性较差。

DSC 仪器则分为两种,一种是热流型,另一种是功率补偿型。前者的原理与 DTA 类似,定量也是通过 ΔT 换算,只是热电偶紧贴在试样或参比物支持器的底部,如图 24-1(b)所示,有的仪器试样和参比物分设独立的加热器。由于这种设计减少了试样本身所引起的热阻变化的影响,加上计算机技术的应用,其定量准确性较传统的 DTA 好,所以又被称为定量 DTA。而功率补偿型 DSC 的原理特别。在程序控温的过程中,始终保持试样与参比物的温度相同,为此试样和参比物各用一个独立的加热器和温度检测器,如图 24-1(c)所示。当试样发生吸热效应时,由补偿加热器增加热量,使试样和参比物之间保持相同温度;反之亦然。然后将此补偿的功率直接记录下来,它精确地等于吸热和放热的热量。在仪器上使用周波信号源,正半周控制线性升(降)温,负半周控制试样和参比物的温差为零,从而巧妙地使两个不同的控温回路几乎同时运转。

DSC 的分辨率、重复性和准确性均较好,更适合于有机物和高分子材料的分析,测定温度范围为-170~700 ℃(有的仪器也可达高温)。不仅用于定性分析,还能用于定量分析。

典型的 DTA 和 DSC 曲线分别示于图 24-2 和图 24-3,两种曲线所测的转变和热效应是相似的。由于各仪器所设定的吸热/放热方向不同,所以曲线上必须注明吸热(endo)和/或放热(exo)的方向。转变温度取值有时以峰最大值为准;但有时以峰起始温度(onset)为准,即取基线与峰前沿的切线的交点,如图 24-4所示。而焓对应于曲线与基线包围的面积,如图 24-3 的阴影部分。玻璃化转变温度(T_g)一般取起始温度或中点(midpoint),如图 24-5 所示。

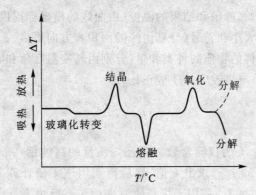

图 24-2 典型的 DTA 曲线

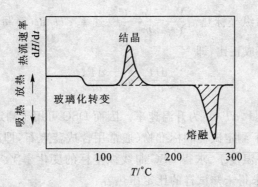

图 24-3 典型的 DSC 曲线

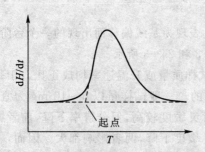

图 24-4 在 DSC 峰上熔点的取值方法

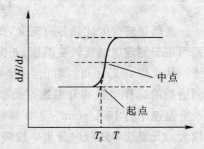

图 24-5 在 DSC 曲线上确定
玻璃化转变温度的方法

需要说明的是,DSC 记录的是热流速率(dH/dt 或 dQ/dt)对温度的关系曲线,热流速率的单位可以是 W(即 $J \cdot s^{-1}$)或 $W \cdot g^{-1}$,后者与试样量无关,又称为热流量。横坐标有时采用时间代替温度,特别是做动力学研究或恒温测定时。

DTA 或 DSC 提供的主要信息是:

(1) 热事件开始、峰值和结束的温度(由曲线的横坐标提供)。

(2) 热效应的大小和符号(分别由峰的面积和方向提供)。

(3) 参与热事件的物质的种类和量(分别由转变温度值和峰面积提供)。

由于峰面积 A 与热效应 ΔH 成正比,即

$$\Delta H = k \cdot \frac{A}{m} \qquad (24-1)$$

式中 m 为试样质量,k 为仪器常数。用已知质量的高纯铟(99.999%)的熔化峰面积和熔化热(28.59 J/g)求出 k 值,然后再利用该 k 值计算未知物的热效应。高纯铟(熔点 156.634 ℃)还用于仪器的温度校正。反过来,已知 ΔH 便可以求得参与热事件的物质的质量 m。

此外,DSC 的纵坐标热流 $\frac{Y_{样}}{Y_{标}} = \frac{m_{样}}{m_{标}} \frac{C_{p样}}{C_{p标}}$ 速率 $\mathrm{d}H/\mathrm{d}t$(简写为 Y)与试样的瞬间比定压热容 C_p 成正比,即

$$\frac{\mathrm{d}H}{\mathrm{d}t} = mC_p \frac{\mathrm{d}T}{\mathrm{d}t} \qquad (24-2)$$

式中 m 为试样质量,$\mathrm{d}T/\mathrm{d}t$ 为升温速率。因而 DSC 可用于测定试样的比定压热容。在相同条件下测定试样和标准物(通常用合成蓝宝石,即高纯 $\alpha-\mathrm{Al}_2\mathrm{O}_3$)的 DSC 曲线,在某一温度下,求得 DSC 曲线纵坐标的变化率 $Y_{样}$ 和 $Y_{标}$(与空白基线相比),按下式求得未知试样的比定压热容:

$$\frac{Y_{样}}{Y_{标}} = \frac{m_{样}}{m_{标}} \frac{C_{p样}}{C_{p标}} \qquad (24-3)$$

玻璃化转变时比热容有突变,曲线上表现为基线偏移而出现的一个台阶,从而可用于测定玻璃化转变温度,如图 24-2 和 24-3 所示。

从式(24-2)还可以看出,纵坐标与试样质量或升温速率均成正比。于是控制适当的试样质量和升温速率是很重要的。一般试样量以 5～10 mg 为宜,标准升温速率为 10 ℃·min^{-1}。试样较多时灵敏度较高,但分辨率下降,前者影响较大。升温速率较慢时分辨率较高,但灵敏度下降,两者影响都大。因而,一般选择较慢的升温速率以保持好的分辨率,而以适当增加试样量来提高灵敏度。

24.2.2 应用

总体来说,DTA/DSC 的应用可分物理转变和化学反应两大类。物理转变包括结晶/熔融、固-固转变(如多晶形转变)、液-液转变、液晶相转变、升华、汽化、吸附、脱附、玻璃化转变等,化学反应包括氧化/还原、异构化、解离、脱水、聚合、交联、分解等。因而 DTA/DSC 可测定各转变的温度和转变焓、反应热、比热容与玻璃化

转变温度、结晶度、结晶动力学、反应动力学、纯度、相图、热稳定性等等。

熔融、汽化、升华、析出、脱水、脱附、还原等为吸热过程,而结晶、吸附、氧化、化学吸附、聚合、交联等为放热过程。分解或其他化学反应有的吸热,有的放热。晶形转变或液晶相转变取决于有序程度的变化方向,从有序程度较高向较低的转变为吸热过程,反之亦然。

以下分别举无机物、有机物和聚合物的实例予以说明。

1. 硫黄的各种相变

图 24-6 是硫黄的 DTA 曲线。温度 113 ℃ 出现的吸热峰是由于正交晶形转变成单斜晶形引起的;温度 124 ℃ 的吸热峰是熔化峰;温度 179 ℃ 的峰则归属于液体硫的进一步转变(即液-液转变);最后汽化峰的温度为 446 ℃。

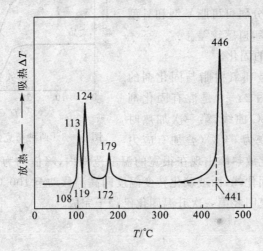

图 24-6 硫黄各种相变的 DTA 曲线

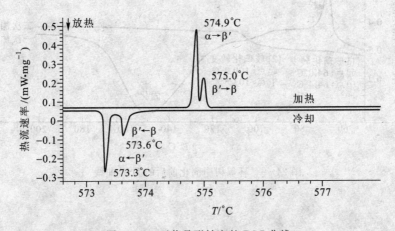

图 24-7 石英晶形转变的 DSC 曲线

2. 石英的晶形转变

图24-7是石英的 $\alpha \rightarrow \beta'$，$\beta' \rightarrow \beta$ 晶形转变，升温时是吸热峰，降温时是放热峰。冷却时峰的位置出现在较低温处，这种现象称为过冷。过冷现象经常出现在结晶/熔融转变中，降温时的结晶峰比升温时的熔化峰温度要低得多，过冷度达 20~30 ℃ 以上。但对于玻璃化转变，只要升、降温速率一致，转变温度能重现。

3. 巧克力的品质鉴别

图24-8为奶油巧克力的 DSC 曲线。正品巧克力主要含可可脂Ⅴ型结晶，在 29.5 ℃ 呈现单一的熔融吸热峰，口感较好。次品巧克力在 28.3 ℃ 和 32.9 ℃ 存在两个吸热峰，分属可可脂Ⅴ型和Ⅵ型晶体的熔融吸热峰，口感较差。

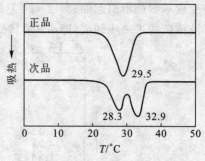

图24-8 两种巧克力的 DSC 曲线

4. 环氧树脂的固化

市售 AB 胶是环氧树脂与固化剂的二组分黏接剂。图24-9是混有固化剂的环氧树脂的 DSC 曲线，第一次加热时观察到玻璃化转变为 64 ℃（叠加有应力松弛吸热峰），固化放热峰出现在很宽的温度范围内，峰值约为 150 ℃。再次加热时没有观察到固化峰，而玻璃化转变温度向高温移动至 100 ℃（交联使玻璃化转变温度提高），说明经第一次升温固化已趋于完成。

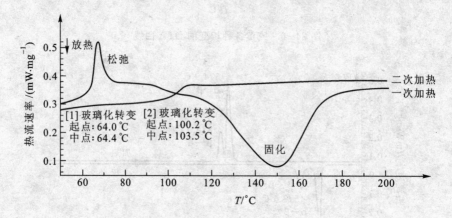

图24-9 环氧树脂固化前后的 DSC 曲线

24.3　热重法

24.3.1　基本原理

　　热重法是在程序控温下,测量物质的质量变化与温度关系的一种技术,其基本原理就是热天平。热天平分为零位法和变位法两种。所谓变位法,就是根据天平梁的倾斜度与质量变化成比例的关系,用差动变压器等检知倾斜度,并自动记录。所谓零位法,是采用差动变压器法、光学法或电触点法测定天平梁的倾斜度,并用螺线管线圈对安装在天平系统中的永久磁铁施加力,使天平梁的倾斜复原。由于对永久磁铁所施加的力与质量变化成比例,这个力又与流过螺线管的电流成比例,因此只要测量并记录电流,便可得到质量变化的曲线。图 24－10 是零位法热天平的原理图。

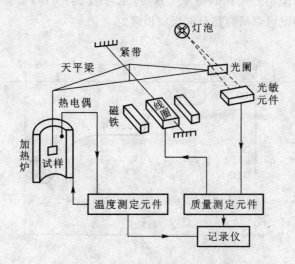

图 24－10　零位法热天平的原理图

　　热重曲线(TG 曲线)记录的是质量保留百分数(w)与温度的关系,如果记录质量变化速率与温度的关系,就需要将质量对温度求导,称为微商热重法(DTG)。典型的 TG 和 DTG 曲线示于图 24－11。DTG 的主要优点是与 DTA或 DSC 曲线有直接可比性。其峰值对应于质量变化速率最大处,可直接成为物质的热稳定性指标。峰面积则与失重量成正比,可用于计算失重量。

24.3.2　应用

原则上,只要物质受热时有质量的变化,就可以用热重法来研究。而没有质量变化的转变,如结晶的熔融是不能用热重法来研究的,因而主要的应用是热分解反应(分解温度)、蒸发(沸点)、升华、脱水、腐蚀/氧化、还原、热稳定性、组成、固相反应、反应动力学和纯度等的测定。

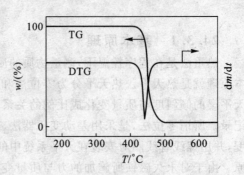

图 24-11　尼龙 66 的 TG 和 DTG 曲线

1. 草酸钙的热分解反应

$CaC_2O_4 \cdot H_2O$ 在升温时发生了典型的三步失重过程。从图 24-12 清楚地看到失水、失 CO 和失 CO_2 的三步热解反应,理论上计算的每步失重量(见习题 24-8)与实验值相符。反过来,根据失重情况可以研究热分解反应机理。

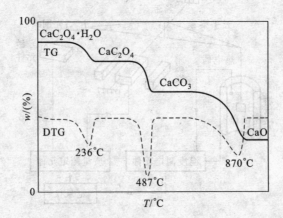

图 24-12　$CaC_2O_4 \cdot H_2O$ 的 TG 曲线(实线)和 DTG 曲线(虚线)

2. 聚合物热稳定性的评价

目前解释物质热稳定性的临界温度(常称为热分解温度)的标准并不统一。除了前述的最大失重速率温度(即 TG 曲线拐点或 DTG 曲线峰最大值)外,还有用起始失重温度、终止失重温度或预定的失重百分数温度(常预定 1%,5%,10%,20% 和 50% 等)。

图 24-13 为五种聚合物的热重曲线。由图可知,聚甲基丙烯酸甲酯(PMMA)、聚乙烯(PE)和聚四氟乙烯(PTFE)可以完全分解,但稳定性依次增加。

聚氯乙烯（PVC）稳定性较差，它的分解分两步进行。第一个失重阶段是脱HCl，发生在 200～300 ℃，由于脱 HCl 后分子内会形成共轭双键，热稳定性增加，直至较高温度下大分子链才裂解，形成第二个失重阶段。而且由于伴随打开双键发生分子间的交联反应，因而在较高温度下也难以完全失重。聚酰亚胺（PI）则直至 850 ℃才分解了 40％左右，热稳定性较强。

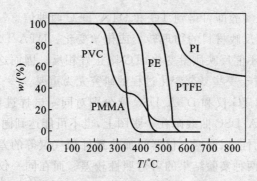

图 24-13　五种聚合物的 TG 曲线

3. 橡胶混合物的组成分析

TG 是定量分析各类混合物组成或添加剂与杂质含量的快速方法。图24-14是橡胶化合物热重分析的一个实例。从 DTG 的峰值鉴别出橡胶化合物的各主要成分，然后从失重百分数直接得到组成百分数。要注意炭黑在 N_2 气氛下不会失重，若在 600 ℃时切换成空气，碳黑会被氧化而完全失重。剩下的3.6％是其他添加剂。

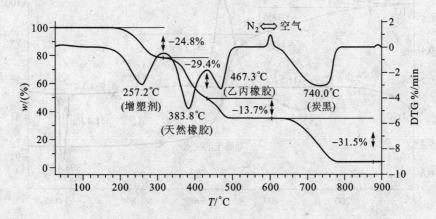

图 24-14　橡胶混合物的 TG 曲线

24.4　同步热分析

同步热分析仪(simultaneous thermal analysis, STA)同时测定 TG 与 DTA (或 DSC),可以解决单 TG 或单 DTA/DSC 无法解决的问题。显示了以下主要优点:

(1) 只需一次实验即可得到 TG 和 DTA/DSC 两种信息,节省了时间。

(2) 更全面地反映材料的物理转变或化学变化。DTA/DSC 只能反映熔变或比热容变化,而不能反映质量变化,TG 则正好相反。因而这两种方法互相补充、互相印证,这对于一些复杂变化过程的研究尤为重要。

(3) 如果单用 TG 仪和 DTA/DSC 仪分别对同一试样进行两个实验,再把其 TG 曲线和 DTA/DSC 曲线画在一张图上,也不可能达到同步热分析的效果。因为试样的不均匀性,以及两台仪器间加热条件和气氛等的差别和其他人为操作因素的影响,使两种实验结果的可对照性较差。而在同一仪器上进行的同步热分析完全消除了这些影响。

(4) DSC 利用标准物质校准温度,精度达 0.1 ℃。而 TG 的温度校准一般采用居里点法或吊丝熔断失重法,其误差约 2 ℃,不但精度低,而且操作复杂。同步热分析可以采用与 DSC 相同的方法校准温度,达类似的精度。

图 24-15 是陶瓷坯体的 STA 曲线,由 TG 曲线与 DSC 曲线组成。相应于 TG 曲线上的三步失重,DSC 曲线上均有吸热或放热效应与之对应。相反并非 DSC 曲

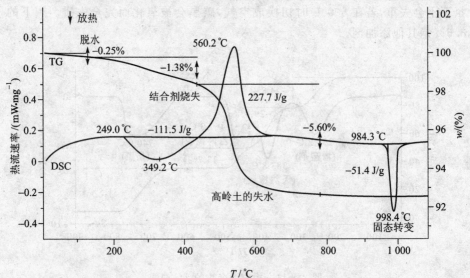

图 24-15　陶瓷坯体的 STA 曲线

线上的热效应都有对应的失重,998.4 ℃对应的是固态转变就没有失重。这样,经过同步热分析,对加热过程中的各种转变或反应都可以进行更加直观的辨析。

24.5 联用技术

热分析仪器可与其他一些分析仪器联用,以便同时测得几种信息。TG/(GC)/MS 法和 TG-DTA/FTIR 法是常见的热分析联用技术,又被称为逸出气分析。TG 和 DTA 主要用来测定气体的量和推测试样化学结构的变化,而 GC,MS 和 FTIR 主要用来鉴别试样产生的气体的种类和结构。

以纯聚氯乙烯的 TG/MS 在线联用为例,图 24-16 是测得的曲线(在 He 气

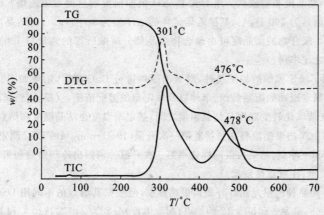

(a) TG-DTG 曲线与 TIC 曲线

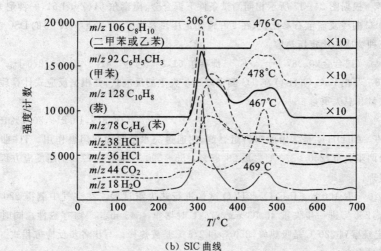

(b) SIC 曲线

图 24-16   纯聚氯乙烯的 TG-DTG/MS 曲线

流中,升温速率为 10 ℃·min^{-1},试样量 0.8 mg)。从(a)图看,DTG 曲线与 TIC (全离子流)曲线的形状非常相似,因而其结合测定能得到很全面的信息。(b) 图为 SIC(单一离子流)曲线,从图中可以了解到各主要分解成分产生的温度。H$_2$O 和 CO$_2$ 的出现是 TG 装置内未置换干净的残存空气所致。

思考、练习题

24-1　从 DSC 曲线中,如何求熔点、玻璃化转变温度和熔融热?

24-2　怎样利用热分析技术,区分玻璃化转变、结晶和熔融三种不同的热事件?

24-3　高密度聚乙烯是线形结构的聚合物,结晶度较高;而低密度聚乙烯是有少量支化结构的聚合物,结晶度相对较低。用 DSC 的 ΔH 值如何鉴别这两种聚乙烯?已知完全结晶的聚乙烯的熔融热为 290 J·g^{-1},某聚乙烯试样的 ΔH 值为 180 J·g^{-1},问结晶度(质量分数)是多少?(提示:聚合物的结晶度可由聚合物结晶部分熔融所需的热量与 100% 结晶的同类试样的熔融热之比求得。)

24-4　为了确定聚酯的加工条件,对聚酯原料进行 DSC 测定,结果如图24-3所示。试从该曲线分别确定聚酯的熔融纺丝、牵伸以及热定型的温度范围。(提示:纺丝温度应高于熔点,牵伸温度在玻璃化转变温度与结晶温度之间,热定型温度在结晶温度和熔点之间。)

24-5　对上题的聚酯原料在紧接着第一次升温(10 ℃·min^{-1})的 DSC 测定(图 24-3)之后,以 10 ℃·min^{-1}降温,然后再以同样速率第二次升温。请画出冷却曲线和第二次升温曲线的示意图。(提示:注意过冷现象。)

24-6　不同品种的尼龙用红外光谱很难鉴别,但根据其熔点的不同用 DSC 却很容易区别。已知尼龙 66、尼龙 6 和尼龙 12 的熔点(起点温度)分别为 240 ℃,220 ℃和 180 ℃,在同一个示意图上分别画出这三种尼龙的三条 DSC 曲线。

24-7　根据图 24-17 所示相同测试条件下镍合金、捷泰尔 61(Zytel 61,一种尼龙材料)和金的 DSC 曲线及蓝宝石参比物(在 360 K 比定压热容为 0.887 J·g^{-1}·K^{-1})的 DSC 曲线,计算上述三种物质的比定压热容。

　　　　　(镍合金,0.387 J·g^{-1}·K^{-1};捷泰尔 61,2.03 J·g^{-1}·K^{-1};金,0.1276 J·g^{-1}·K^{-1})

24-8　写出 CaC$_2$O$_4$H$_2$O 在 TG 测定时三步失重的反应式,并根据反应式计算理论上每步的失重量和总失重量。

　　　　　　　　　　　　　　　　　　　　　　　(12.3%,19.2%,30.1%,61.6%)

24-9　Al(OH)$_3$ 是常用的塑料阻燃剂,它通过失水散热而起阻燃作用。TG 曲线上观察到它分两步失重,240～370 ℃失重 28.85%,455～590 ℃失重 5.77%。用反应方程式表示其失水机理。

24-10　取 100 mg FeC$_2$O$_4$·2H$_2$O 试样进行热失重试验。在空气中测得 220 ℃失重 20.02 mg,250 ℃进一步失重 40.03 mg,275 ℃时增重 4.45 mg,产物有磁性。同时进行的 DTA 测定观察到 220 ℃是吸热峰,250 ℃和 275 ℃是放热峰。写出各步反应方程式。产物的理论收率是多少?

　　　　　　　　　　　　　　　　　　　　　　　　　　　　　　(44.40%)

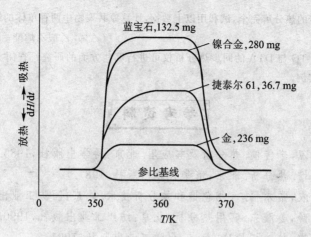

图 24-17　三种物质和参比物蓝宝石的 DSC

24-11　按图 24-18 的 TG 实验数据求聚丙烯/CaCO₃ 混合物中填料 CaCO₃ 的质量分数。

(31.27%)

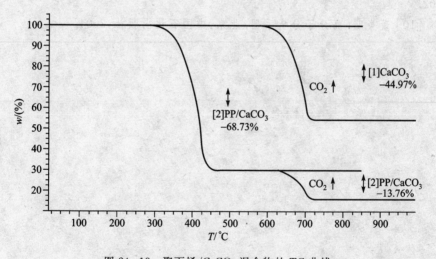

图 24-18　聚丙烯/CaCO₃ 混合物的 TG 曲线

24-12　从乙烯-乙酸乙烯酯共聚物(简称 EVA)的 TG 曲线得到第一失重阶段的失重百分数为 23%,其成分为乙酸。下面反应方程式示意了高分子链中某一段的热分解情况。

$$\text{\textasciitilde CH}_2-\text{CH}_2-\text{CH}_2-\underset{\underset{OCOCH_3}{|}}{\text{CH}}\text{\textasciitilde} \xrightarrow{390\,℃} \text{\textasciitilde CH}_2-\text{CH}_2-\text{CH}=\text{CH\textasciitilde}+\text{CH}_3\text{COOH}$$

假设这一步的热分解完全,试利用以上数据,计算原共聚物中两种单体的组成比例。

（乙烯：乙酸乙烯酯＝67.03：32.97）

24-13　用 TG 与 DTA 的同步热分析仪可进行哪些方面的研究？查阅文献,举一个本书尚未提到的实例。

参考资料

[1] 陈镜泓,李传儒.热分析及其应用.北京:科学出版社,1985.

[2] 李余增.热分析.北京:清华大学出版社,1987.

[3] 傅若农,常永福.气相色谱和热分析技术.北京:国防工业出版社,1989.

[4] 于伯龄,姜胶东.实用热分析.北京:纺织工业出版社,1990.

[5] 刘振海.热分析导论.北京:化学工业出版社,1991.

[6] 蔡正千.热分析.北京:高等教育出版社,1991.

[7] 董炎明.高分子材料实用剖析技术.北京:中国石化出版社,1997.

[8] 武汉大学化学系.仪器分析.北京:高等教育出版社,2001.

[9] 过梅丽.高聚物与复合材料的动态力学热分析.北京:化学工业出版社,2002.

[10] 董炎明.高分子分析手册.北京:中国石化出版社,2004.

第25章 流动注射分析及微流控技术

概论

　　溶液化学分析(或称湿法分析)大约已有 200 多年的历史,是分析化学中最基本和最经典的分析方法。其分析过程可大致分为一系列的"单元"操作。例如,仪器准备及器皿的清洗;试样制备(研磨、匀化和干燥等);试样量度(称量和体积量度);试样溶(消)解;分离(沉淀、过滤、萃取、渗析、柱吸附或色谱分离等);目标物测量(吸光度、辐射强度、电位、电流、电导以及电荷量等物理量的测定、滴定、称量等);校准(标准溶液配制并制作校准曲线)以及数据评价及结果报告等。

　　以上过程多采用手工操作完成。它费时、费力、分析速度慢,而且分析结果常常受到操作者主观因素的影响。例如,临床实验室在对大量人体血液、尿液等样本中 30 多种理化指标实施常规检测时,除需要在短时间内完成检测之外,还要求控制合理的检测成本,同时避免大量试剂对操作者健康和环境的影响。显然,手工操作很难满足这些临床检验要求。另一方面,在实验室完成一次分离、分析所需要的分析设备种类多、体积大、试样和试剂消耗量很大、难于操作,且不便于进行现场分析。为此,人们尝试研究并发展了一系列自动分析方法及装置。本章简要介绍其中的流动注射分析和微流控技术。

25.2 流动注射分析

　　流动注射分析(flow injection analysis,FIA)是由丹麦技术大学的 Ruzika J (鲁齐卡)和 Hansen E H(汉森)于 1974 年首先提出。它是在间歇式分析(discrete analysis,也称自动分析)和连续流动分析(continuous flow analysis,CFA)的基础上,吸收了高效液相色谱的某些特点发展而来的。所谓间歇式分析,是通过机械式自动分析装置模拟手工分析步骤的技术。间歇式分析器可将大部分操作步骤(取样、分离、试剂加入、搅拌等)按照预先编制的程序由机械装置自动完成。多数情况下,该类分析器只用于一、两种特定组分的分析,因此又是一种专用型分析仪器。尽管间歇式分析方法在一定程度上克服了手工分析的不足,但由于采用的仪器通用性差,分析功能不易变换,结构复杂,部件加工精度要求高,活动部件多、易磨损,因而其发展及推广受到一定的限制。

连续流动分析是将化学分析所使用的试剂和试样按一定顺序和比例用泵和管道输送到一定的区域进行混合,待反应完成之后再经由检测器检测反应产物并记录和显示分析结果。该分析技术的独特之处在于用"试剂流"与"试样流"按比例混合的方式代替手工量取试剂和试样并混合的过程,实现了管道化的自动连续分析。在连续流动分析的发展过程中,曾出现过"气泡间隔"和"无气泡间隔"两种方式的连续流动分析体系,其中以 1956 年 Skeggs 提出的气泡间隔连续流动自动比色分析系统发展最快、应用最广泛,其流程如图 25-1 所示。

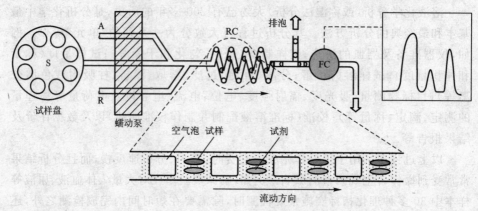

图 25-1　气泡间隔连续流动分析示意图

该系统用蠕动泵(或称比例泵)将试样液 S 提升后推入系统,同时通过另一泵管将空气 A 有规则地推入试样流,形成气泡间隔。随后将试剂 R 也泵入到每段间隔中去。此时,被气泡分隔的各段中的试样和试剂进入反应盘管 RC 中进行化学反应。在反应产物进入检测器之前,通过除泡器将影响测定的气泡排出,被气泡间隔的试样和试剂重新混合,再进入流通比色池 FC 进行测定。该技术引入气泡除具有防止试样过度扩散并使试样和试剂充分混合(搅拌作用)的作用之外,还起到冲洗管道内壁,避免试样交叉污染的作用。

连续流动分析克服了间歇式自动分析的不足,具有通用性强、分析速度快(30~50 样/h)、易于自动化的优点。因此,该技术在 20 世纪 60 到 70 年代发展很快,并有一些商品仪器面世。然而,连续流动分析技术也因气泡的引入而带来一些缺陷:

(1) 气泡的可压缩性使液流产生脉动并导致液流流动状态不稳定;

(2) 气泡体积不易控制;

(3) 有气泡存在时,压降和流速与管材种类有关;

（4）塑料管道中的气泡有绝缘作用，易产生静电积累从而干扰一些传感器的正常工作；

（5）载流运动不易控制，不易瞬间起停。此外，该连续流动分析系统还有结构复杂、试样和试剂消耗量大、响应慢等不足。

无论是间歇式自动分析还是连续流动分析，都有一个共同特点，即，为保证分析结果有足够好的准确度和精密度，都要求试样和试剂处于一定的物理平衡和化学平衡状态。然而，达到这两种平衡需要经历一定时间，这也是这两种方法的分析速度难以进一步提高的根本原因。

流动注射分析废弃了用气泡间隔试样的方法，将试样溶液直接以"试样塞"的形式注入管道的试剂载流中，化学分析可在非平衡的动态条件下进行，试样间交叉污染小、扩散程度低，因此 FIA 的分析准确度、精密度和分析速度都大大提高。大量实验研究及应用成果表明，FIA 具有更多优点：

（1）操作简便　省去大量手工操作过程，如器皿洗涤、试剂加入及混匀等。

（2）重现性好　FIA 相对标准偏差（RSD）一般小于 1％；

（3）试剂和试样消耗量小，环境友好　FIA 是一种很好的微量分析技术，通常完成一次测定仅需要试样 $25\sim100\ \mu L$，试剂 $100\sim300\ \mu L$；此外，分析系统封闭，减小了外界因素（如玷污、与空气中 CO_2 和 O_2）对测定的干扰。同时，系统封闭也有利于环境保护、减少对操作者的健康影响；

（4）分析速度快　通常每小时可获得 $100\sim300$ 个，有时甚至可达 700 个分析结果；

（5）适用于物理和物理化学过程研究　由于 FIA 在非平衡的动态条件下完成，因此该方法是研究扩散以及化学反应过程等非常有用的手段；

（6）仪器简单，易于自动化　FIA 仪器可通过常规仪器自行进行组装，并可实现在线分析；

（7）应用范围广　FIA 技术可与分光光度计、离子计、原子吸收光谱仪以及等离子体发射光谱仪等仪器联用，达到多种分析目的。

图 25-2 是分光光度法测定氯离子的最简单的流动注射分析系统及其记录响应曲线。其具体分析过程是：蠕动泵 P 将 $Hg(SCN)_2$ 和 Fe^{3+} 溶液以 $0.8\ mL\cdot min^{-1}$ 的流速直接泵入管路中，形成试剂载流，然后通过进样器（通常为六通阀）将 $30\ \mu L$ 含氯试样溶液注入试剂载流中，此时，试样和试剂进入 $50\ cm$ 长的反应盘管 RC 并发生如下反应：

$$Hg(SCN)_2(aq) + 2Cl^- \rightleftharpoons HgCl_2(aq) + 2SCN^-$$

$$Fe^{3+} + SCN^- \rightleftharpoons Fe(SCN)^{2+}$$

反应生成的红色产物 $Fe(SCN)^{2+}$ 通过充液体积为 $18\ \mu L$ 的流通池 FC，以

配有 480 nm 干涉滤波片的分光光度计进行检测并记录。图 25-2(b)为含有 7
种不同浓度($5\sim75\ \mu g\cdot mL^{-1}$)$Cl^-$ 标准溶液的输出记录曲线,其中每个浓度的溶
液重复测定 4 次,共耗时 23 min;记录图右侧曲线 R_{30} 和 R_{75} 表示浓度分别为 30
和 75 $\mu g\cdot mL^{-1}$ Cl^- 的快速扫描曲线。当两次进样(S_1,S_2)的时间间隔为 28 s
时,前次进样在流通池中的残留量小于 1%,或者说两个相邻试样之间的交叉污
染程度小于 1%。

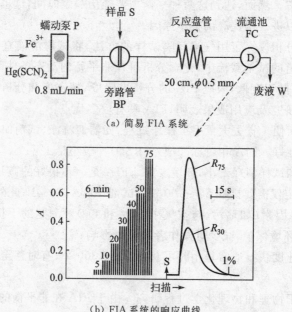

(a) 简易 FIA 系统

(b) FIA 系统的响应曲线

图 25-2 简易 FIA 系统及其响应曲线

　　一般可将 FIA 过程概括为:将一定体积的试样液以"塞子"(plug)的形式,
间歇地注入处于密闭的、具有一定组成的流动液体(试剂或水)载流中,试样塞
在被载流推入反应管道的过程中,因对流和扩散作用而分散形成具有一定浓
度梯度的试样带(sample zone)。该试样带与载流中的某些组分发生化学反应
生成可被检测的物质,最后被载流带入检测器进行检测,并由记录仪连续记录
响应信号随时间的变化情况。在 FIA 中,载流除了具有推动试样进入反应管
道和检测器、与试样待测组分发生反应等作用外,还可对反应管道和检测器进
行自动清洗,防止试样交叉污染。这也是 FIA 方法分析速度快的一个重要
原因。

25.2.1 流动注射分析基本原理

　　在 FIA 中,从试样注入到完成分析,整个过程经历了一系列复杂的物理、化

学过程。例如,基于试样、试剂和载流三者之间的扩散和对流的分散混合过程(物理过程),试剂与试样间的化学反应过程(化学过程)以及检测器对目标物的响应(能量转换过程)。

25.2.1.1 物理混合过程及分散度

1. 物理混合过程

在 FIA 中,在试样以"试样塞"进入反应管道并随载流向前移动的过程中,试样塞的分子与载流之间将产生分子扩散和对流扩散作用并导致试样"带"变宽,即试样的分散。在混合过程中,轴向对流和径向分子扩散两种作用的竞争决定了输出峰的形状。图 25-3 给出了 4 种不同混合程度时的扩散情况和相应的响应峰。

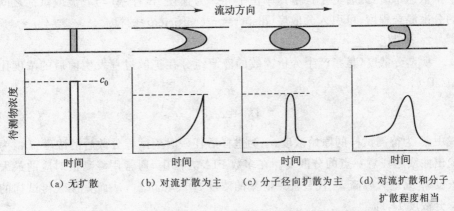

(a) 无扩散　　(b) 对流扩散为主　　(c) 分子径向扩散为主　　(d) 对流扩散和分子
　　　　　　　　　　　　　　　　　　　　　　　　　　　　　　　　扩散程度相当

图 25-3　对流和径向扩散程度对各种响应峰轮廓的影响

在运动着的液体间摩擦力的作用下,液体质点各处的轴向流速不同。靠近管壁附近的流速较慢,而靠近管中心的流速快,此时轴向流速沿管径的分布呈抛物线形,"试样塞"在此条件下产生对流扩散过程。如果试样在载流的推动下向前移动的过程中,沿流动方向(轴向)只发生对流扩散(试样中心区域的流速大于靠近管壁的区域的流速),那么当试样进入检测器时,输出峰形将产生严重的拖尾,从而导致试样间的交叉污染,如图 25-3(b)所示。但实际情况中并未发生这种现象,这说明在对流扩散进行的同时还有另一种扩散过程,即分子扩散,如图 25-3(c)所示。

分子扩散过程是因分子的布朗运动而产生的。在作层流运动的流体中,与流动方向垂直(径向)的截面上,如果存在浓度梯度,则在此截面上的物质将通过分子扩散作用从浓度高的地方移至浓度低的地方。试样和载流借助这种径向扩散作用进行有效混合,同时限制了轴向的对流扩散,减小了试样间的交叉污染,提高了进样频率,如图 25-3(d)所示。

应该指出的是,在运动的流体中,一般情况下的对流扩散除分子的轴向对流扩散外,还包括液体质点在各处的运动速度和方向随时间和空间随机变化的湍流扩散。但由于 FIA 是在层流扩散条件下进行的,因此可认为湍流扩散为零,对流扩散简化为分子的轴向对流扩散。同样,因浓度梯度产生的分子扩散也包括分子径向扩散和分子的轴向扩散。然而,当使用的管径足够小时,分子的轴向扩散可以忽略不计,此时的分子扩散主要是径向扩散。

在 FIA 中,对流扩散与分子扩散作用的强弱取决于载流流速、管道内径、留存时间以及试样和试剂分子的扩散系数。当试样注入方式、反应管道内径、载流和试样特性以及 FIA 系统确定之后,载流速率增加时,"试样塞"中心处流速与管壁处流速之差增加,对流扩散增强;反之则分子扩散增强。当载流速率接近分子扩散速率时,此时分子扩散速率占主导。为描述"试样塞"与载流或试剂之间的分散混合程度,可引入分散度(dispersion coefficient)的概念。

2. 分散度

所谓分散度,是指产生分析读数的液流组分在扩散过程发生前后的浓度比值,即

$$D_{(t)} = c_0/c_t \tag{25-1}$$

式中 c_0 为待测试样的原始浓度;c_t 为进样后任一时刻试样分散后的浓度;$D_{(t)}$ 为输出曲线上任意一点的分散度。在多数 FIA 方法中,通常用峰高值对应的最大浓度 c_p 或最大峰高 h_0 代替任一时刻的浓度 c_t 或峰高 h_p,从而直接获得试样的总分散度 D,即

$$D = c_0/c_p = h_0/h_p \tag{25-2}$$

式(25-2)描述了原始试样被稀释的程度。在试样原始浓度 c_0 一定的情况下,总分散度 D 越大,峰值浓度 c_p 越小,表明试样被稀释的程度越大。例如,当原始浓度 $c_0 = 1$,$D = 2$ 时,即 $c_p = 1/2$。也就是说,试样被载流或试剂稀释,使其浓度由 1 下降到 1/2,试样中混入了一倍的载流或试剂。

分散度是 FIA 系统中的一个重要参数。不同检测方法要求采用不同分散度的 FIA 系统。通常按 D 值大小将体系分散程度分为低分散($1 < D < 3$)、中分散($3 < D < 10$)和高分散($D > 10$)三个范围。

3. 影响分散度的因素

在 FIA 分析中,分散度主要受进样体积(V_s)、反应管长度(L)和内径(r)、载流平均流速(f)或流量(q)等因素的影响。通过控制和选择这些参数可获得合适的分散度。

进样体积(V_s):以水为载流,染料试样 V_s 与分散度的关系如图25-4(a)所

示。可见,在所有其他因素一定的条件下,随着 V_s 的增加,分散度下降,此时峰高增加直至达到稳定的输出信号(此时的分散度趋近于 1)。与此同时,峰形显著变宽,且达到峰值的时间也增加。另外,所有记录曲线都从同一起点 S 开始响应,各曲线上升部分的斜率相同,表明斜率与 V_s 无关。

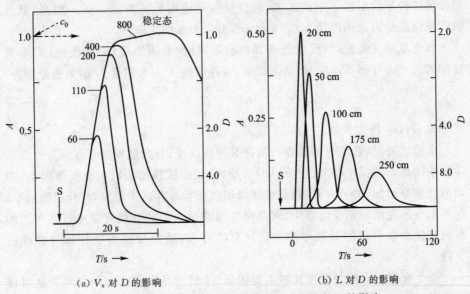

(a) V_s 对 D 的影响　　　　　　　　　　　　(b) L 对 D 的影响

图 25-4　试样体积 V_s 和反应管长 L 对分散度 D 的影响

(a) $L = 20$ cm;流速,1.5 mL/min;V_s 单位为 μL;(b) $V_s = 60$ μL;流速,1.5 mL/min

　　如果将达到稳定信号的 50%($D = 2$)时的进样体积记为 $V_{1/2}$,理论计算和实验表明,对低分散体系而言,当进样体积超过 $2V_{1/2}$ 时,分散度的下降变得非常有限,此时很难再通过增加进样体积来提高灵敏度。因此,低分散体系的最大进样量一般不大于 $2V_{1/2}$;在具有中、高分散度的 FIA 体系中,从开始响应点到进样体积为 $V_{1/2}$ 所对应的响应点这一曲线上升部分可视为直线,因此进样体积与响应峰高成正比,其最大进样量也不应超过 $2V_{1/2}$。

　　综上所述,试样注入体积增加可引起分散度下降,分析灵敏度增加。但同时导致峰形变宽以及留存时间延长。通常在分析高浓度试样时注入体积不宜过大,而在分析低浓度试样时可适当增加注样体积。

　　反应管长及内径:以水为载流,染料试样反应管长与分散度的关系如图 25-4(b) 所示。可以看出,随着管长 L 的增加,"试样塞"在管道中的扩散混合等物理过程的时间也增加,导致分散度增加,峰宽也随之增加,最终导致灵敏度和进样频率的下降。因此,在保证系统有足够灵敏度的条件下,应采用尽可能短的反应管长。

　　由于同一体积的试样在不同内径的管道中的长度不同,管径越细,同体积的

"试样塞"越长,与载流或试剂的接触面越小,因而相互之间的混合分散程度越小。此外,使用细管道也可节省试样和试剂用量。但是,太细的反应管道对流体的阻力增加,不便于使用简易蠕动泵。另一方面,细管道也易被固体颗粒物堵塞,而且当流通池孔径(通常在 0.5~1.5 mm 之间)大于管道内径时容易引起检测区流体的不稳定性。一般来说,最佳反应管道内径约为 0.5 mm,而高、低分散体系流路分别采用内径为 0.75 mm 和 0.3 mm 的反应管。

载流流量或流速:当反应管长和内径一定时,载流流量(q)或流速(f)可通过控制泵速进行调节。此时,载流流速、留存时间 T 与分散度 D 的关系分别为

$$D^2 = k_1/q = k_2/f = k_2 T \tag{25-3}$$

式中 k_1, k_2, k_3 均为常数。

由上式可见,载流量或流速与留存时间成反比,与分散度的平方成反比。必须注意的是,按"试样塞"流动分散模型推理,载流流速增加时对流扩散增加,因而分散度亦增加;另一方面,载流流速增加也使得留存时间减少,使分散度减小。在影响分散度两种相反因素中,因留存时间缩短引起的分散度减小值远大于因载流流速增加引起的分散度增加值。总的看来,载流流速增加导致分散度的下降。

以上介绍了影响分散度几种主要因素,了解这些因素之间的相互关系对设计合适的 FIA 系统具有一定的指导意义。然而,FIA 系统中涉及的影响因素很多。除以上所介绍的几种物理因素外,还有化学因素,如试样和试剂浓度、pH、载流种类和物性、干扰物及其浓度、反应速率、反应产物及物性等。此外,其他因素如检测器的选择、试样注入方式和管道连接方式等。因此在进行 FIA 分析或设计 FIA 系统过程中,必须全面考虑这些因素的影响。其详细描述,读者可参阅有关专著。

25.2.1.2　化学动力学过程

假设在简单 FIA 系统中,试剂(R)与试样中待测物(A)在管道中经混合分散并发生如下化学反应:

$$A + R \Longrightarrow P \tag{25-4}$$

在 FIA 中,由于试剂(R)与试样中待测物(A)在管道中的分散混合和化学反应不完全,因此在物理和化学方面均存在动力学过程。两种过程可用图 25-5 中的各条曲线来描述。

图中曲线 1 表示试样待测物 A 的分散程度以及与试剂 R 反应时的消耗规律;曲线 3 反映了试剂 R 因扩散进入"试样塞"中心区域的浓度变化;曲线 2 表示在实验条件下,反应产物 P 与留存(反应)时间的关系。可见,随着反应的进

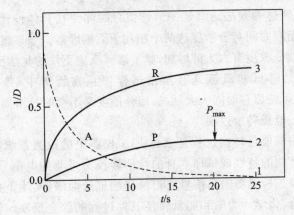

图 25-5　不同留存(反应)时间下各反应物和反应产物在 FIA 中变化过程

实验条件:$V_s=30\ \mu L$,$Q=0.86\ mL/min$,反应管长 L 分别取 25、50、75、100 cm,管内径为 0.5 mm

行,反应产物 P 生成的曲线上出现最高点 P_{max},此时产物的生成速率等于产物的分散速率。该点左边部分表明产物的生成速率大于分散速率,"试样塞"中产物浓度随时间而增加,而该点右边的情况则刚好相反。

以式(25-4)中的二级反应为例,在任一时刻 t,试样在管道中的化学反应、反应速率、产物生成速率与分散度之间的关系可用下式描述:

$$\frac{\mathrm{d}c_t}{\mathrm{d}t}=k\left(\frac{c_A}{D_t}-c_t\right)\left(\frac{D_t-1}{D_t}c_R-c_t\right)\mathrm{d}t-\frac{c_t}{D_t}\left(\frac{\partial D}{\partial t}\right)\mathrm{d}t \qquad (25-5)$$

式中 c_A,c_R 分别表示流体中待测物和试剂的原始浓度,c_t 和 D_t 分别表示某一时刻 t 时,反应产物的浓度及其分散度。该式可将"试样塞"中 A 与 R 的反应产物的分散度与化学反应速率这两个不同领域的概念联系起来。

将式(25-5)式中的 t 用留存时间 T 代替并经变换可得

$$\mathrm{d}c_t=k\left(\frac{c_A}{D}-c_t\right)\left(\frac{D-1}{D}c_R-c_t\right)\mathrm{d}T-\frac{c_t}{D}\left(\frac{\partial D}{\partial t}\right)\mathrm{d}T \qquad (25-6)$$

式中 D 为总分散度。

对上式进行数学积分,可得到产物随留存时间 T 和分散度 D 而变化的规律(图 25-5 中曲线 2)。当 $\mathrm{d}c_t/\mathrm{d}T=0$,此式有一极大值 P_{max},该值所对应的 T 值为最佳留存时间 T_{opt}。对于快反应,T_{opt} 很小,而对于慢反应,T_{opt} 将很大。必须指出,由于 k 和 D 值未知,因此不能直接用该方程计算产物的形成曲线,还需通过实验方法测定产物形成曲线,并进而估计反应进行的快慢和程度(即化学反应产率)。

从以上讨论和一些实例研究表明,为获得最大分析灵敏度,一般取产物形成曲线上 P_{max} 点所对应的反应时间作为 FIA 系统的最佳留存时间,可采用改变反应管长、调节泵流速等方法达到这一最佳留存时间。在具体设计 FIA 方法时，必须综合考虑留存时间与分散度这两个相互矛盾的因素。如果想要增加反应产物浓度而又不使分散度有太大的增加，除了选择反应更快的化学反应之外，另一个有效的途径是降低载流流速甚至使试样停止在管道中（停流技术，参见 25.2.3）。这样可使留存时间大大延长，而分散度又不会明显增加。

25.2.1.3   能量转换过程

FIA 分析中的能量转换过程是通过 FIA 仪器中的检测系统完成的。检测系统能将反应产物的特性或试样本身的性质转换为可测的电信号，并通过仪器仪表显示或记录。检测器输出信号或记录仪的记录曲线，实质上是对试剂和试样间的物理混合、化学动力学和能量转换三种过程的综合反映。FIA 系统可与许多能量转换检测器联用达到多种分析目的，如 FIA-比色分析和 FIA-离子选择性电极等。

25.2.2   流动注射分析仪器的组成

通常，流动注射分析仪器主要由蠕动泵、进样器、反应器、检测器和记录仪等部分组成。

25.2.2.1   蠕动泵

图 25-6 为常用的压盖式蠕动泵工作原理示意图，它是由 8～10 个平行排列于同一圆周上的轴辊组成，能通过滚筒挤压一根或多根弹性塑料泵管（0.25～4 mm i.d.）提升并推动各管内流体形成连续的载流（使用采样阀进样时，蠕动泵可将试液抽入采样环内），其流速可通过改变马达转速或弹性塑料管内径进行控制和调节。压盖式蠕动泵的最大缺点是对泵管的适应性差，如果被挤压的各泵管的壁厚不均匀，可能导致各泵管中流体的流速不一致。目前多使用层状压片式蠕动泵，即将压盖制成分裂式的层状压片，每块压片挤压一根泵管，其压紧程度可通过微调螺丝单独调节，从而克服了压盖式蠕动泵的不足。

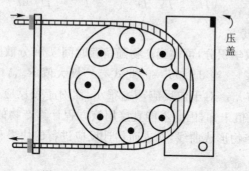

图 25-6   压盖式蠕动泵工作原理

用来输送液流的蠕动泵管材应具有一定的弹性、耐磨性、抗腐蚀性以及对温度的不敏感性等特征。材质不同的泵管,其用途各异。对水溶液,一般为含有添加剂的 PE 或 PVC 管,而对强酸或有机溶剂环境,通常采用催化异构管和硅橡胶管等。

25.2.2.2 进样系统

FIA 分析进样器要求能以较高重现性将一定体积($5 \sim 500 \ \mu L$,通常 $10 \sim 30 \ \mu L$)的试样(S)以"塞子"或"脉冲"的形式快速、不受载流干扰地注入流路中。早期采用注射器,现在多采用具有采样环的进样阀(V)。图 25-7 给出了最常用的单通道进样阀的工作过程。与 HPLC 进样阀类似,当进样阀处于图中所示的位置时,试样溶液被蠕动泵吸入一定体积的采样环中,此时,载流从进样阀的"旁路管"(BP)中流过。采样完成后,快速转动进样阀,将采样环接入载流管道,同时断开旁路管,试样以塞子形式进入载流。

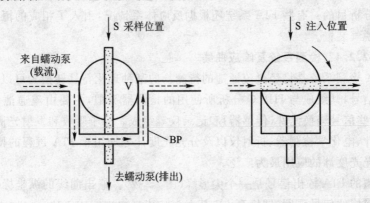

图 25-7 进样阀及其工作示意图

25.2.2.3 反应器

反应器是被注入的"试样塞"在载流中分散,并与其中的待测组分发生化学反应生成可被检测的物质的场所。反应器种类很多,大致可分为开管式反应器(open tubular reactor,OTR)和填充式(packed reactor,PR)反应器两大类。

1. 开管式反应器

包括直管(straight)和盘管(coiled)反应器。前者实际上是一段具有一定长度的细管。在 FIA 分析条件下,这种反应器中的液体的流动是层流,"试样塞"的分散可以认为是轴向和径向扩散的综合过程,它一般用于低分散的 FIA 系统;后者是最常用的,也称为反应盘管(图 25-2),它是将细管绕成具有一定直径(一般不大于 1 cm)的螺旋状圆圈而成。当流体高速通过反应盘管时,液体因离心力的作用而在径向上产生"次生流"。该次生效应限制了"试样塞"的轴向扩散,降低了"试样塞"的变宽程度,从而提高了进样频率。

2. 填充式反应器

包括填充层(packed bed)和单珠串(single bead string)反应器等。前者是按需要截取的一段填充惰性球状微粒(玻璃珠)的管子。当柱管内径与微粒直径之比在 5~50 范围内时,注入试样的轴向分散程度与粒子直径成正比,因此填充细小的微粒可降低"试样塞"的轴向分散度。此外,填充层反应器中"试样塞"间的交叉污染小,且可获得较长的化学反应时间和较高的灵敏度。但因液流通过反应器的压强损失大,需采用高压泵。单珠串反应器是由填充有直径为反应管内径的 60%~80% 的"大玻璃珠"的管子构成。由该反应器得到的分散度比同样规格的开口直管反应器分散度小 10 倍,而且在一定流量范围内,响应峰值几乎不受影响。与填充层反应器相比,单珠串反应器压强损失小,可采用普通蠕动泵获得近似高斯分布的响应曲线。

此外,填充式反应器还可通过充填离子交换树脂、还原剂和固定化酶等实现不同的分析目的。有些 FIA 系统还根据反应体系情况,引入了相应的恒温加热装置和脱气装置。

25.2.2.4 检测系统及响应曲线

FIA 检测系统是将经过流通池的待测物的某种理化特性转换为可以识别并记录的信号,其组成与 HPLC 分析所使用的检测器类似,主要由流通池(flow-cell)、某些信号转换元件(传感器)和记录仪等组成。原子吸收和发射光谱仪、荧光光度计、电化学检测器、折射仪以及分光光度计等均用于 FIA 过程的检测,其中以分光光度计的应用最为广泛。

典型的 FIA 输出信号是一个尖形峰(图 25-2)。输出曲线的纵坐标表示待测物响应峰的信号强度(即峰高 h),其大小与待测物浓度成正比;横坐标为时间轴,从试样注入到出现响应峰的最高点所经历的时间称为留存时间(residence time),FIA 的留存时间一般为 5~20 s。

FIA 分析中,待测物随着试样带的移动,可形成中间浓度高、两端浓度低的梯度曲线,此曲线实质上是试样浓度的分布图。除 FIA 分析常使用的浓度分布曲线最高点之外,曲线其他部分还存在大量而丰富的"信息"。通过研究这些"信息"已开发了许多流动注射梯度技术,如梯度稀释、梯度校准和梯度滴定等技术。

必须注意,在形成试样浓度梯度的同时,载流或试剂在试样带中则形成一种相反的浓度梯度。当载流中试剂浓度很低时,分散进入试样带中心的试剂浓度则更低,此时,试样中心区域反应物产率就可能低于试样带两端,从而导致双峰的出现;当试样溶液与载流存在酸碱性差异时,由于 pH 梯度的形成,一些对 pH 变化敏感的化学反应可产生不同浓度或不同产物,也会产生双峰甚至多峰。此外,当载流中试剂浓度一定,注入试样体积过大或反应盘管长度不适当也有可能导致双峰的出现。

　　当载流与注入的试样溶液之间盐类浓度差别太大,载流和试样因黏度、折射率、电导率、液接电位或吸光度等的不同或变化可能导致负峰的形成。例如,以分光光度计为检测器时,当待测物浓度很低时,反应产物的光吸收可能小于载流固有的光吸收,从而出现负峰。

　　双峰、负峰和不规则峰的出现可以通过改变实验条件得以避免。对于双峰,可通过增加载流浓度、减小进样体积、选择适宜管长及内径、选择合适的 pH 缓冲溶液或者设计可周期性改变溶液流向的流路系统等方法减小或消除双峰;对于负峰则可以通过调节载流的离子强度、改变 pH 缓冲溶液组成(离子选择性电极分析)或者采用蒸馏水作载流,使试样适当稀释后,再与试剂流汇合(光度分析)等方法加以消除。最为有效的方法是使载流和试样的盐度或酸度尽可能一致,这样既可消除负峰,又可保证基线的稳定。

25.2.3　流动注射分析的应用

　　基于分析对象的性质、浓度范围、分析目的以及 FIA 系统的综合过程(物理混合、化学反应和能量转换),各国科技工作者在分析体系的选择、反应器的设计、采样-注样技术、分离富集技术、梯度技术、多组分同时测定方法、流路设计及集成微管道化等的研究方面取得了很大的进展,并在各分析领域得到了广泛应用。限于篇幅,本章按照 FIA 系统分散混合程度的不同,列举部分实例来说明 FIA 方法的应用。

25.2.3.1　低分散度流动注射分析体系

　　当需要迅速测量试样本身性质时采用低分散度。如火焰光度法、电感耦合等离子体发射光谱法(ICP-AES)和火焰原子吸收法(FAAS)等与 FIA 联用测定试样溶液金属离子浓度,电化学方法与 FIA 联用测定 pH、pCa 值和电导等。由于不涉及化学反应,因此要求试样尽可能集中,不经稀释地流过检测器,即试样与载流的混合程度应尽可能地小。实际工作中,通过增加进样体积、减小注入点与检测器响应点之间的距离、降低泵速等措施降低试样的分散度,可获得较高的分析灵敏度。

　　例如,采用与图 25-2 类似的单流路 FIA-FAAS 方法测定水中 Mg^{2+} 时,可以在保持 FAAS 方法测定精度的前提下,显著地提高分析速度。通过对 FIA 系统分散度的控制等方法可以灵活地改变分析灵敏度,扩大分析的线性范围。如果采用图 25-8 所示的合并带注样技术(此时试剂不作为载流,而是利用另外一个采样阀,将试剂直接注入"试样塞"中),还可以将添加释放剂和缓冲剂等过程自动完成,从而大幅减少添加剂的用量。FIA-FAAS 方法的另一优点是,由于进样与载流的洗涤过程交替进行,即使试样盐分浓度很高,也可直接分析而不至于堵塞 FAAS 的雾化器,这在一定程度上避免了 FAAS 分析中因需稀释试样而引起的灵敏度下降。

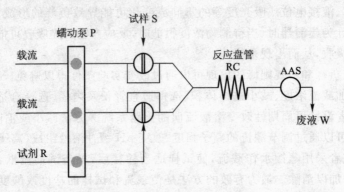

图 25-8   合并带注样——FIA-FAAS 方法测定 Mg^{2+} 流程图

25.2.3.2   中分散度流动注射分析体系

当试样必须与一种或几种试剂进行化学反应转化为另一种可被检测的化合物时,需采用中度分散的方法(如各种光度法与 FIA 系统的联用)。该 FIA 分析系统中,试样带在管道内运行时须与试剂适当混合,并有足够的时间进行反应、产生一定量的可以被检测的化合物。如果分散度过低,反应产物的数量达不到分析灵敏度的要求;如果分散度过高,尽管可使化学反应更充分,但同时亦可因过度稀释使测定灵敏度下降。FIA 分析中,多采用中分散度的方法。通过调节进样体积和流速、改变管长和内径等方法均可达到受控分散的目的。

1. 试剂预混合

图 25-9 是中分散体系下,采用分光光度法测定血清、牛奶和水中 Ca^{2+} 浓度的 FIA 流程图。从图中可见,为降低分散度,作为载流的缓冲溶液首先与显色剂(o-cresolphthalein complexon)在盘管 A 中进行预混合,然后再进入盘管 B 中与注入的试样发生化学反应生成可被分光光度计检测的产物。

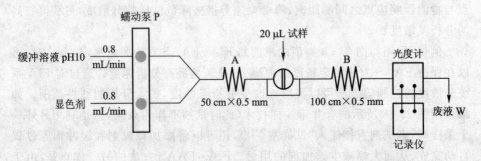

图 25-9   流动注射分光光度法测定水等试样中的 Ca^{2+} 流程图

2. FIA 分离分析技术

我们知道,溶剂萃取是对试样进行分离富集行之有效的方法之一。然而,在萃取过程中需要使用大量的有机溶剂,污染环境,影响人的健康。如将在密闭体系中进行的 FIA 技术与溶剂萃取相结合,不仅可大大减少溶剂使用量、克服了手工溶剂萃取的不足,而且也为摆脱复杂手工操作、实现自动化萃取提供了一条良好的途径。

图 25-10 是流动注射分离、分光光度法测定乙酰水杨酸(阿司匹林)中咖啡因的流程图。含有微量咖啡因的试样被注入碱性 NaOH 载流中,试样基体(主要是乙酰水杨酸)在 R_1 管中与 NaOH 充分混合、反应后进入相混合器 T_1 中,被 $CHCl_3$ "切割"成水相和有机相互相间隔的小段(相混合);随后,疏水性咖啡因在盘管 R_2 中,从水相转移到 $CHCl_3$(相转移)中;最后,水相和有机相进入相分离器 T_2,密度小的水相($\sim 65\%$)被泵抽出,密度较大的有机相($\sim 35\%$)则进入流通池(相分离),使用分光光度计在 275 nm 波长处测定咖啡因的含量。为防止因水相污染流通池而降低两相分离效率,通常需要在相分离器通往检测器的一端使用疏水性管材并在管中插入疏水性(如 Teflon 等)纤维。上述相分离是利用两相的"密度差"实现的,实践中也有利用膜分离的技术和方法。

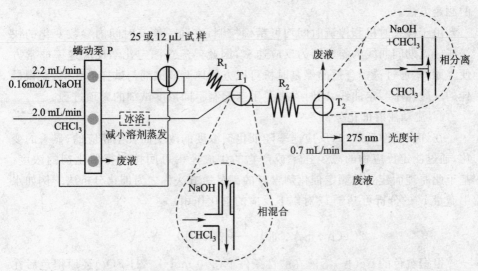

图 25-10 相分离技术流动注射测定乙酰水杨酸中的咖啡因

图中虚圆圈内分别是 T_1 和 T_2 的放大图;R_1 和 R_2 是内径为 0.8 mm 的 Teflon 管

(从试样注入点,经 R_1 到 T_1 的管长为 0.15 m,R_2 管长为 2 m)

FIA 分离方法中,通过改变载流和有机溶剂的流速、载流 pH 以及萃取盘管的长度等实验条件可获得最佳分离效率。

3. 停流技术(stopped-flow)

事实上,当流动完全停止时,浓度的分散过程也几乎完全停止。FIA 停流法就是在试样带进入检测器的某一时刻停泵,通过观测静态条件下反应混合物进一步反应的参数(如吸光度)随时间的变化来完成某些分析的技术。停流法可用于研究反应机理、测定反应速率以及各种慢反应体系的流动注射分析。

图 25−11 是停流法示意图。在试样带进入检测器时停泵(A 时刻),使其静止于流通池内。一定停流时间(AC 段)之后,当化学反应使记录曲线达到一定高度时(峰 1),再启泵将该试样带排出,进行下一个试样的分析。同样,改变停流起始时间和停流时间可得到一系列陡度不同、线性范围不同、灵敏度不同和反应速率不同的停流曲线(图中虚线是未停流的记录路径)。目前基于停流法已建立葡萄糖、尿素、乙醇以及一些活性酶的测定方法。

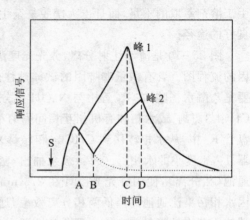

图 25−11 停流法示意图

由于停泵时机和停流时间均可精确控制,在同一停流时间内参数变化的快慢或停流期间曲线的斜率即为反应速率,因此停流法测定化学反应速率非常方便。此外,通过选择合适的停泵时机可以方便地调节试剂与试样的比例,获得最佳的反应速率测定曲线,同时省去了手工配制不同浓度试剂的繁琐过程。

4. 流动注射催化分析

在许多化学反应中,反应速率随催化剂浓度的改变而发生相应的、显著的变化,通过测定反应物的减少速率或产物的生成速率可间接获得催化剂的浓度。基于此原理而建立的测定催化剂含量的高灵敏方法称之为催化分析法。例如水中微量 I^- 的分析可基于 I^- 对以下反应的催化作用:

$$2Ce(IV) + As(III) \xrightarrow{I^-} 2Ce(III) + As(V)$$

根据黄色的 $Ce(IV)$ 溶液在酸性条件下$(1.0 \ mol \cdot L^{-1} H_2SO_4)$还原褪色后在 312 nm 处吸光度的变化间接测量 I^-。

然而,由于常规催化分析方法操作过程繁琐,反应时间和反应过程难以准确控制,因此不易得到高度重现性的分析结果。若将 FIA 技术与常规催化分析方法相结合则可以方便地测定 I^- 催化剂含量,其分析流程如图 25−12 所示。

该流程系统中引入了恒温和脱气装置,主要目的是提高反应速率,同时脱除可能因加热而影响检测的气泡。该方法线性分析范围为 $5 \sim 50 \ ng \cdot mL^{-1}$,检出

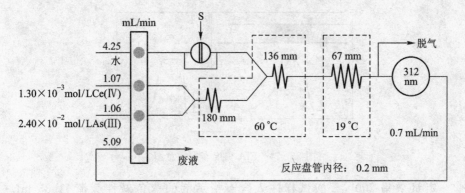

图 25-12 FIA 催化分析法测定水中微量 I⁻ 的流程图

限为 1 ng·mL⁻¹。

25.2.3.3　高分散流动注射分析体系

高分散流动注射分析常用于滴定分析。该方法 FIA 响应曲线的读出信号为半峰宽而不是通常使用的峰高,其 FIA 系统与常规 FIA 系统的区别在于:进样器与检测器之间加设了一个混合室 M(mixing chamber)或细内径的反应盘管(图 25-13),首先人为地增加试样带的分散程度($D>10$),拉长试样带浓度梯度区域,使试样带两端梯度区域内有明显的滴定终点(或化学计量点)。此时,试样带两端的终点之间的时间间隔 Δt 或半峰宽与被滴定试样浓度的对数成正比(图 25-14)。

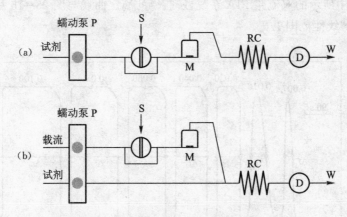

图 25-13　单、双路 FIA 滴定分析流程

应用图 25-13(a)中所示的单流路 FIA 系统,以 0.001 mol·L⁻¹ NaOH(含 8×10^{-4} mol·L⁻¹ 溴百里酚蓝)滴定盐酸为例。溴百里酚蓝 pK_a 值为 7.1,其 pH 变色范围是 6.2~7.6。指示剂在碱性液中变蓝($\lambda=620$ nm),在酸性液中变黄($\lambda=435$ nm)。滴定过程如下:

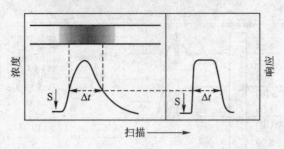

图 25-14   FIA 梯度滴定示意图

定量采集 200 μL 酸试样注入含有指示剂的蓝色碱性载流(1.35 mL·min^{-1})中,进入梯度混合室(0.98 mL)中充分混合形成高分散的浓度梯度带(不是完全混合),再经反应盘管进一步反应。试样带中间区域因酸过量而显黄色,而试样带两边均存在浓度梯度(即存在不同浓度的 HCl,其中总有一个浓度的 HCl 刚好与 NaOH 完全反应),载流中指示剂颜色将发生两次突变:由蓝变黄和由黄变蓝。因此,当试样带前部终点区进入检测器(620 nm)时,吸光度信号(A)开始向上突跃;当试样中间区(黄色)流过检测器时吸光度不变,出现曲线"平台";当试样带尾部终点区流过检测器时,曲线陡然下降。

如果用 NaOH 溶液滴定不同浓度的 HCl 试样(0.007～0.100 mol·L^{-1}),可得到如图 25-15 所示的一系列 FIA 滴定曲线。在一定浓度范围内,以各曲线的半峰宽 Δt 对浓度的对数 lg$c$。作图,可得线性良好的标准曲线;当采用图 25-13(b)中所示的双流路 FIA 系统,所获得的滴定曲线与图 25-15 相似,但其校准曲线的线性范围更宽。

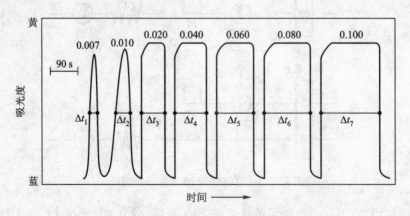

图 25-15   NaOH 滴定不同浓度的 HCl 的流动注射响应曲线

25.3 微流控分析

以微流控分析芯片为核心的微流控分析是 20 世纪 90 年代初诞生的一种流动分析的新概念。人们沿用微电子工业中加工集成电路的思路,通过微机电加工技术(micro electro-mechanical systems,MEMS),在方寸大小的玻璃、硅、石英和聚合物等材料薄片上,加工出具有一定结构的微细通道网络及其他相关分析器件,形成集成化的微流控芯片(microfluidic chip),如图 25-16 所示。通过控制试样溶液和试剂溶液在芯片通道网络中的有序流动,完成取样、稀释(浓缩)、反应、分离、检测等化学分析的基本操作。图 25-16(a)所示的是一片由玻璃制作的、用于 DNA 片段分离分析的商品微流控分析芯片。微流控分析芯片的通道宽度和深度一般为微米至数十微米,长度一般在厘米范围。微流控分析芯片与适当的溶液驱动和控制系统、分析信号的检测系统(目前,这两个系统多半处于芯片以外)一起,构成了各种微流控分析系统。图 25-16(b)是与图 25-16(a)所示芯片配套使用的微流控 DNA 分析系统。一般来说,微流控分析系统具有以下分析特点:

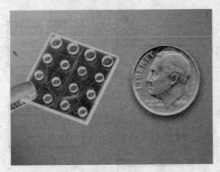

(a) 微流控分析芯片　　　　　　　(b) 仪器分析系统

图 25-16　微流控 DNA 分析芯片及其仪器

(1) 分析速度极快。微流控芯片一般可在数秒至数分钟时间内完成分离、测定或其他更复杂的操作,分析速度常高于对应的宏观分析方法 1～2 个数量级;

(2) 试样与试剂消耗在纳升至微升水平。这既降低了分析费用和贵重生物试样的消耗,也减少了对环境的污染;

(3) 通过 MEMS 技术,不仅可以在芯片上制作微细通道网络,而且还可以在芯片上加工制作诸如微阀、微泵、微电极和微透镜等微分析器件,形成高度集成化的微流控芯片;

(4) 微流控芯片的微小尺寸使材料消耗甚微。当实现批量生产后,可望大幅度降低芯片成本而成为一次性分析器件,有利于普及应用。

微流控分析系统的最终目标是通过化学分析设备的微型化与集成化,最大限度地把分析实验室的功能(如取样、试样预处理、反应、分离、检测、数据处理等)转移到以微流控分析芯片为核心的便携式分析仪器中。在此基础上,像个人电脑、家用血压计那样,实现分析仪器的"个人化",从而使化学和生化分析从化学实验室解放出来,进入办公室、病房、事发现场,甚至千家万户。但是,目前微流控分析还处于发展阶段,真正具有全分析(从引入粗试样到给出数据的所有操作)功能的系统还不多见。

25.3.1　微流控芯片的制备

最为常见的微流控分析芯片是用玻璃制作的。除玻璃外,也有用石英、硅片等无机材料制作芯片。近年来,用高分子材料加工制备微流控分析芯片引起了人们的重视。微流控分析芯片的制作一般包括通道的制备,集成化器件(如引流孔、微电极等)的加工、芯片的封合、芯片的后处理(如黏接储液池)等若干步骤。

玻璃芯片上微细通道的加工沿用了集成电路芯片制备工艺中广泛使用的光刻和湿法腐蚀技术(图 25-17)。其实质与用氢氟酸在玻璃上刻字相似,所不同的是微细通道结构复杂、精度要求高,因此需要通过光刻技术将通道的图形转移到玻璃基片上去。光刻之前,先要在玻璃片表面沉积一层金属牺牲薄层(一般是厚度为几十纳米的铬层)。在铬牺牲层表面均匀地涂覆一层类似于照相纸感光乳剂的光胶,将具有通道图形的光刻掩膜(相当于照相底片)置于光胶之上,经曝光后,通道的图形即转移到光胶层上,此过程称为光刻(photolithography)。用适当的溶剂,首先将曝光过的光胶除去,露出具有通道形状的铬保护层,再用适当的溶剂(如硝酸铈铵和高氯酸的混合液)除去不为光胶掩盖的铬牺牲层,于是玻璃底板上需刻制通道的部位便暴露出来。然后除去未曝光的光胶并在玻璃基片的背

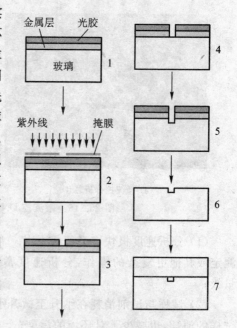

图 25-17　玻璃芯片的制备过程

1. 带有金属牺牲层和光胶的玻璃基片;2. 曝光;
3. 除去曝光部分光胶;4. 刻蚀金属牺牲层;5. 刻蚀玻璃;6. 除剩余的光胶和牺牲层;7. 封合

后贴(涂)上耐腐蚀薄层(如透明胶带纸),再将被铬牺牲层选择性保护的玻璃基片放入含氢氟酸的溶液中,经过一段时间的湿法刻蚀,玻璃基片的表面便刻蚀出一定深度的微细通道结构。所刻通道的宽度和深度由刻蚀时间和温度等实验条件所决定。

聚合物芯片上的通道可以根据所用聚合物材料的物理和化学性能采用不同的加工方法。对于热塑型聚合物,如聚甲基丙烯酸甲酯(PMMA,俗称有机玻璃)和聚碳酸酯(PC),最常用的方法是热模压法(hot embossing)。热模压法需要将一个相当于印章的阳模置于聚合物基片上,加热至该聚合物的玻璃化(软化)温度附近,加压使阳膜上的凸起结构嵌入聚合物基片,待阳模和聚合物基片冷却后脱模,即在聚合物基片上形成与阳模凹凸互补的微细通道。聚合物芯片的通道结构还可以用模塑法加工。但与热模压法不同的是,模塑法是将混合了引发剂的、尚未完全聚合固化的聚合物前聚体,浇铸在阳模之上,待前聚体聚合固化以后,再将聚合物片与阳模小心剥离后就得到具有微通道的片基,如聚二甲基硅氧烷(PDMS)芯片通道结构的制备。

无论采用何种通道加工的方法,所得到的只是有一面是开放的凹槽,还需要用适当的方法封合。即将另一片相同或不同的材料盖片与带有通道凹槽的基片封合成密闭的通道结构。最常用的封合方法是热封接。以玻璃芯片为例,将刻有通道的玻璃基片和同种材料的、大小一致的玻璃盖片充分洗净、吹干,在无尘的环境中合拢后,放入高温炉,加热至玻璃的软化温度(550 ℃左右)保温一段时间,冷却后即可实现永久性封合。

25.3.2 微流控分析系统的液流驱动和控制

微流控分析系统是通过试样和试剂溶液在微细通道网络中的有序流动完成化学分析的各个步骤。因此,流体的有序流动是微流控分析的前提。溶液在芯片中的有序流动依赖于一定的液流驱动和控制系统。微流控分析中常用的液流驱动和控制方法有压力和电渗两种方法。

压力驱动是微流控分析系统常用的驱动方式。根据产生压力方式的不同,可分为重力驱动和微泵(注射泵、蠕动泵等)驱动。图 25-18 所示的是利用流体自身的重力驱动液流的微流控芯片。在芯片的上部(竖直位置)加工了三个储液池,中部为混合/反应通道,底部为废液池。将芯片水平放置时,向储液池中分别加入试样、指示剂和标样溶液;将芯片竖直,各储液池中的溶液在重力的驱动下流入混合/反应通道,进行混合与反应,所生成的产物在中央通道下游经检测后流入废液池。重力驱动的特点是装置简单,容易集成化,流体无脉动,但流量容易受通道内的阻力变化而变化,且难以在复杂的多流路通道网络中进行复杂的液流调控。

图 25-19 所示的是采用外置的注射泵驱动和控制液流的微流控液液萃取装置。两个注射泵分别驱动试样水溶液和与水不互溶的有机溶剂,使它们在中央通道汇合并形成具有明确相界面的层流。在流动过程中,试样溶液中的疏水性化合物通过扩散越过两相界面,进入有机溶剂相而实现液液萃取。由于相转移的距离很短(通道宽度<200 μm),相转移的速率快、效率高,只需几毫秒即可完成萃取分离和测定。图 25-20(a)是集成在芯片上的蠕动型气动微泵的示意图。它由三层结构所组成,上层为用来控制泵运行的若干气体微通道,下层为一条充有将被驱动流体的微通道,它与所有上层气体微通道均垂直交叉(图25-20(b)为气体微通道与液体微通道交叉区域液体微通道的横截面)。上、下层片基之间夹有一弹性 PDMS 薄膜,它们是流体驱动的执行部分。当压缩气体进入气体微通道 G1,G2,G3,顺序压迫液体通道上的 PDMS 薄膜时(类似常规蠕动泵的泵头转动时轴辊依次挤压弹性泵管),薄膜下陷压迫液体通道内的溶液向前运动。采用外置或集成式微泵驱动的特点是液流的流量稳定,且流量容易调节。但是设备

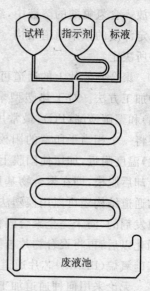

图 25-18   重力驱动液流
的微流控芯片

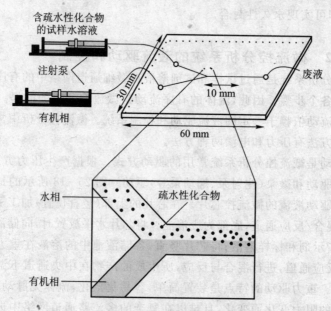

图 25-19   注射泵驱动和控制液流的微流控液液萃取装置

比较复杂,产生的液流有脉动,难以在复杂的多流路通道网络中进行复杂的液流
调控。

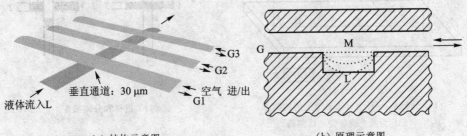

(a) 结构示意图   (b) 原理示意图

图 25-20 集成在芯片上的蠕动型气动微泵结构和原理示意图

G(包括 G1,G2 和 G3),压缩气体通道;L,液流通道;M,弹性硅橡胶膜。(b)图中虚线表示弹性硅橡胶
膜受气体通道中压缩气体压力后,向液体通道变形,使液体通道堵塞的过程

　　电渗驱动是基于通道表面与电解质溶液相接触的界面存在表面双电层,在
电场作用下产生电渗流现象而实施流体的驱动与控制。对于玻璃通道来说,由
于硅醇基的解离,在通道表面具有大量带负电的硅氧基点位,而在溶液一侧的紧
密层和扩散层中则聚集了带正电的 H^+,在直流电场的作用下,当水化的 H^+ 向
负极迁移时,牵引着通道中的溶液整体向负极移动,形成了电渗流。通过调节外
加电场的方向和大小,以及控制通道内缓冲溶液的 pH 和浓度等化学条件,可以
控制电渗流的大小与方向。

　　现以微流控分析最为常见的十字通道芯片毛细管电泳系统,如图 25-21(a)
所示的进样和分离为例,说明电渗驱动的控制方法。图 25-21(b)中的短通道为
试样通道,长通道为分离通道,两者的交叉口实为一简易的采样环;与通道相连
的储液池(1~4)中分别储有试样溶液(1)和分离缓冲溶液(2,3,4)。试样通道和
分离通道中也都充有分离缓冲溶液。先在试样通道施加电压(如储液池 1 为
+500 V,储液池 2 为 0 V),在电渗流的作用下,试样从 1 经十字交叉口流向 2
(如图 25-21(b)中的十字交叉口放大图);然后将电压切换到分离通道(如储液
池 3 为 1500 V,储液池 4 为 0 V),储存在十字交叉口处的一段试样溶液在电渗
流的推动下进入分离通道进行分离,组分经过检测点 D 时,检测到组分的电泳
谱图(图 25-21(c))。

　　电渗驱动的特点是设备简单;溶液的流速和方向容易控制,可以按分析任务
的需要,设计出多路高压电源,完成较为复杂的液流汇合、分流等任务;液流平
稳,没有脉动。但是,电渗驱动易受通道表面的性质和状态影响,长时间运行的
稳定性欠佳。

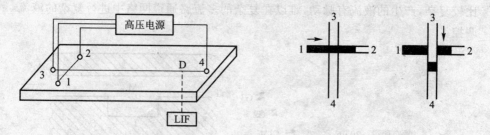

（a）分析系统（D 为分离通道上的检测点，　　　　　（b）进样和分离操作
LIF 为激光诱导荧光检测器）

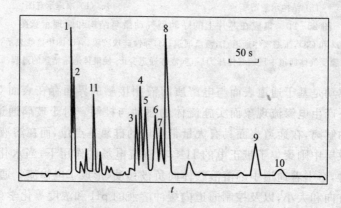

（c）分离经荧光标记氨基酸混合物得到的电泳图谱
图 25-21　十字通道毛细管电泳芯片分析系统及其进样和分离操作示意图
1. 精氨酸；2. 赖氨酸；3. 亮氨酸；4. 苯丙氨酸；5. 天冬酰胺；6. 丙氨酸；7. 缬氨酸；
8. 甘氨酸；9. 谷氨酸；10. 天冬氨酸；11. 荧光屏标记试剂 FITC

25.3.3　微混合、反应和分离系统

　　微流控分析系统中，待测物质（或其衍生物）进入检测器前所需的混合、反应、分离等过程是在芯片的通道网络中完成的。为适应不同的分析任务，人们设计、加工了各种各样的通道构型。对于芯片毛细管电泳，分离所需的毛细管就是如同图 25-22 所示的一条通道。对于均相化学反应，可以使试剂和试样通过 Y 形通道汇合后，在通道内混合、反应。然而，由于通道的深、宽度都很小，液流处于层流状态，在有限的长度内，难以达到充分的混合，因此反应产率不高。

　　为解决这个问题，可将微混合-反应器通道设计成透迤形，以扰乱层流，提高产率。例如将混合通道设计成如图 25-23 所示构型。图中右边 Y 形通道汇合后（尚未充分混合）的试剂和试样区带溶液进入混合器后，一部分溶液沿路径较长的反 W 形的主通道流过，另一部分溶液则经接在主通道之间的短水平细通道进入下一段主通道。由于路径长度的不同，促进了试样区带和试剂的混合，经

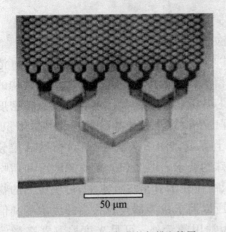 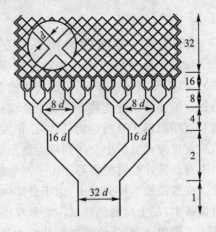

（a）色谱柱床入口部分的扫描电镜图　　　　（b）制备微型色谱柱的掩膜图形

图 25-22　带有有序排列微型小墩的整体色谱柱床

（a）色谱柱床入口部分的扫描电镜图（白亮线表示 50 μm，色谱柱总尺度为 4.5 mm×150 μm×10 μm）；（b）制备微型色谱柱的掩膜图形。通道以 2^n 函数形式逐步从一条宽度为 32d 的干通道分裂成 32 条宽度为 d 的支通道（图中圆圈放大部分），d 单位为 μm。右边竖直部分的数字表示在该区域内通道的条数。

 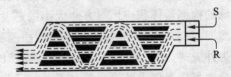

（a）微混合器通道结构示意图　　　　（b）流体的流线示意图

图 25-23　基于路径差异的微混合器通道结构和流体的流线示意图

（a）中 M 形主通道宽 27 μm，水平直通道宽 5 μm；（b）中 S 和 R 表示两股不同的液流从右边进入混合器。

过三个拐弯，试样和试剂达到了充分的混合。对于蛋白质的酶解反应，往往可以将酶直接固定在一段通道的内壁，形成开口式固相反应器。当蛋白质溶液流经反应器或在其中短暂停留时，由于通道的横截面积很小，通道的内部的表面积/容积比很大，溶液中的待测物质可以较快地扩散到通道内表面，在液固表面发生酶解反应；对于微固相萃取或色谱分离，为了提高液固接触面积，可以在通道内部加工许多有序排列的微型小墩［图 25-23（a）］，形成非常规则的柱床，再在柱床表面修饰具有一定官能团的分子层，形成固定相。通过上述几种典型的混合、反应和分离实例可以看出，通过 MEMS 技术，可以在芯片上加工出各种各样的混合、反应、稀释、浓缩和分离单元，形成一个具有多种功能的高度集成化的通道网络系统，用于完成较为复杂的分析任务。这一优势，是常规流动分析系统所难以达到的。

25.3.4　微流控分析系统的检测器

试样溶液在微流控芯片通道网络中经过有序的流动,完成取样、稀释(浓缩)、反应、分离等步骤后,最后将由检测器测得试样中有关组分的浓度或结构的信息。检测器的性能将影响整个微流控芯片分析系统的灵敏度、检出限、精密度以及适用范围等分析性能,同时在很大程度上决定了微流控分析系统的总体积。虽然常规流动分析中所用到检测器原则上都可以用于微流控分析,但微流控分析本身的特殊性对检测器提出了一些特殊的要求,例如,(1) 高的灵敏度和信噪比。在微流控芯片分析中,由于进样体积往往在纳升至皮升水平,可供检测的物质量很少,加上检测的区域一般非常小,所以要求检测器具有很高的灵敏度和信噪比。例如,在常规流动注射分析中最为常用的紫外-可见光度检测器在微流控分析系统中很少应用,其中的一个主要原因是它的灵敏度较低,难以实现微米尺度光程下微量物质的测定;(2) 响应速度快。由于芯片上的通道一般较短,许多混合、反应及分离过程往往在很短的时间内完成(秒级甚至更短),组分流经检测器的线速很高(在毫米每秒数量级),因此要求检测器有很快的响应速度;(3) 体积小,易集成化。为了实现分析仪器集成化、微型化的总体目标,微流控分析系统的检测器体积应该与方寸大小的芯片相匹配,并且容易与芯片集成于一体。然而,目前微流控分析系统采用的检测器体积均大大超过芯片的体积,而且大多为外置式,成为微流控分析系统"瘦身"的瓶颈。

完全满足以上要求的检测器并不多。目前在微流控分析中应用得最多的是激光诱导荧光检测器,其次是电化学检测器。

1. 激光诱导荧光检测器

我们知道,荧光物质受激发后所发出的荧光强度是与激发光的强度成正比的。因此采用高强度的激发光源,可以提高荧光检测的灵敏度,改善检出限。微流控分析系统的通道只有微米尺度,这就要求激发光能够聚焦成高强度的微米级大小的光斑,以便激发出较强的荧光。由于激光可发出高强度的相干光,能聚焦成很小的光斑,因此,在微流控分析中,大多采用激光作光源的激光诱导荧光(laser induced fluorescence,LIF)检测,其检测下限一般可达到 $10^{-9} \sim 10^{-12}$ mol·L^{-1}。

图 25-24 所示的是微流控分析中常见的共聚焦型 LIF 检测器的光学系统,主要由滤光片(只能透过具有一定宽度的特定波长的光)、二向色镜(dichromic mirror)、显微物镜、光阑、目镜和光电倍增管等组成。其中,二向色镜能让大于所选定波长的光通过而使小于该波长的光反射。一定波长的激光(如从氩离子激光器发出的 488 nm 的激光)经过滤光片 1(滤去激光器发出的其他波长的光)射到二向色镜(488 nm 反射/520 nm 通过),经二向色镜反射到显微物镜后,聚焦到芯片的检测通道上,通道内的待测组分受激发后,所发出的荧光(520 nm)

由显微物镜收集后,透过二向色镜,再经过光阑和滤光片 2 除去特定波长 (520 nm)荧光以外的杂散光以后,经目镜聚焦在光电倍增管上产生光电流。可见,该光学系统中,激发光的聚焦与荧光的收集采用同一个显微物镜,由此得到共聚焦的名称。

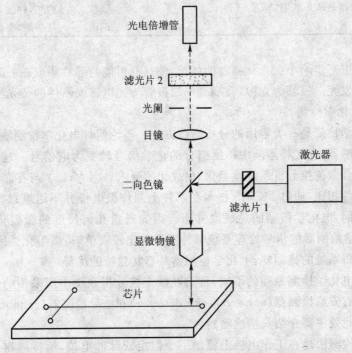

光电倍增管

滤光片 2

光阑

目镜

激光器

二向色镜

滤光片 1

显微物镜

芯片

图 25-24　共聚焦型激光诱导荧光检测器示意图

在微流控芯片分析中最常用的激光器是主要输出波长为 488 nm,输出光功率在 2～20 mW 的小功率氩离子气体激光器。该激光器输出光的功率稳定、光束会聚性能好,有不少荧光探针(衍生待测物的荧光试剂)的激发波长与之匹配。但该激光器体积较大、价格较贵。近年来,半导体二极管激光器越来越多地得到普及。在分析化学中得到应用的主要有波长为 635 nm 的红半导体二极管激光器和波长为 473 nm 的蓝半导体二极管激光器。半导体二极管激光器具有体积小、功耗低、输出功率稳定、使用寿命长、价格相对便宜等优点,已成为微流控分析荧光检测的理想激发光源。

尽管用激光作光源具有强度大、相干性好的优点,但是多数激光器所能发射的谱线数量有限,而具有天然荧光的化合物也不多,因此可用 LIF 直接测定的化合物并不多。目前,在微流控分析中,用 LIF 测定的氨基酸、DNA、蛋白质都要经过衍生处理后才能测定。表 25-1 列出了三种最常用的荧光探针试剂与它们的主要分析性能。

表 25-1　微流控激光诱导荧光检测常用的荧光衍生试剂

试剂	激发波长/nm	荧光波长/nm	衍生对象
荧光素异硫氰酸酯 (fluorescein isothiocyanate, FITC)	494	518	氨基酸,多肽,蛋白质
7-氯-4-硝基苯并呋咱(NDB-Cl)	475	550	伯胺,仲胺
Cy-5™	649	670	氨基酸,多肽,蛋白质

为了进一步缩小荧光检测器的体积,使其有可能与芯片集成在一起,人们正在探索用发光二极管为光源,雪崩光电二极管为光电转换器件的荧光检测器。

2. 电化学检测器

电化学检测是一类常用的分析测试方法。不论何种电化学检测法都采用电极作为传感器,直接将溶液中待测组分的化学信号转变为电信号。这一传感方式十分符合微流控分析系统微型化、集成化的要求。因为,(1) 与在芯片上加工微光学器件相比,通过 MEMS 技术在芯片上制作微电极并不困难;(2) 与光学检测法不同,电化学传感的灵敏度并不会因为通道几何尺度的微型化而降低;(3) 电化学检测器的信号处理系统等外围设备比较简单,易微型化。因此,作为微流控分析系统的检测器,电化学检测器具有其独特的优势。

根据电化学检测原理的不同,目前在微流控分析系统中所采用的电化学检测器主要有安培检测器(amperometric detector)和电导检测器(conductivity detector)。此处主要介绍安培检测器。

安培检测法是在工作电极上施加一个恒定或脉冲电位,使待测物质在工作电极上发生电化学反应,通过测定所产生的氧化或还原电流对待测物进行定量的检测方法。它的灵敏度接近激光诱导荧光法,且有一定的选择性。但安培法不是一种通用的检测方法,它要求测定对象在所选用的电极上具有电化学活性。另外,安培检测的工作电极容易被污染而钝化,使稳定性下降。迄今为止,在微流控分析中,安培检测器几乎都用于芯片毛细管电泳的检测。

图 25-25(a)是一种采用非集成式传感电极的芯片毛细管电泳-安培检测系统示意图。分离通道的终点储液池(缓冲废液池)同时也是安培检测池。池中置有由微型碳纤维圆盘工作电极、微型 Ag/AgCl 参比电极以及 Pt 丝对电极所组成的三电极体系,它与芯片外的恒电位仪和微电流测量器一起构成了安培检测系统。工作电极通过与分离通道相对的电极引导孔与分离通道的出口对准并固定于分离通道的出口处,通过恒电位仪向工作电极上施加一定的检测电位。当待测组分从分离通道中流出,扩散到工作电极表面后即发生氧化或还原反应并产生信号电流,在电泳谱图上形成一个组分峰。采用非集成式传感电极的安培检测系统的优势在于,当工作电极钝化后,可以将它从芯片上卸下进行抛光处

理或化学清洗,甚至更换一支新的工作电极,而不影响芯片的使用。但是,这种形式的检测系统集成化程度不高。

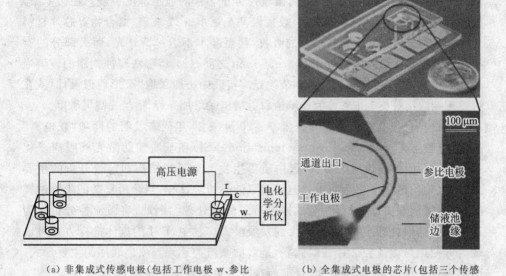

(a) 非集成式传感电极(包括工作电极 w、参比
电极 r 和对电极 c)的芯片

(b) 全集成式电极的芯片(包括三个传感
电极和四个施加电泳电压的电极)

图 25-25　带有安培检测器的毛细管电泳芯片

目前,人们更多地致力于通过 MEMS 技术,将电极直接制备在芯片之上,形成集成化程度很高的芯片分析系统。图 25-25(b)所示的即是将检测用的三个电极及施加分离电压用的四个电极与通道网络一起全部集成于一体的毛细管电泳-安培检测芯片,其集成化程度获得了显著的改善。然而,当电极钝化后,而原位化学或电化学清洗又不能使电极活化再生时,整块芯片只能报废。因此采用聚合物材料制备这种集成化的且可"一次性"使用的芯片,将是微流控分析的一个发展方向。

安培检测器常用于检测多巴胺和儿茶酚等神经递质、糖类、含硫化合物等生命活性物质,以及硝基(如炸药)和酚类化合物等。

3. 其他类型的检测器

除了上述两种最常用检测器以外,在微流控分析中用到的其他检测器还有电导检测器、紫外-可见光检测器、质谱检测器以及化学发光检测器等。其中,电导检测器是根据带电离子对溶液电导率的贡献而进行检测。它不像安培检测器那样要求待测组分在电极上具有电化学活性,只要是离子型都有响应,是一种通用型检测器,尤其适于无机离子、氨基酸等小分子离子的检测。作为一种易于微型化、集成化的通用型检测器,它在微流控分析系统中的应用开始为人们所重视。但是,电导检测器的灵敏度比安培检测器低,受背景电解质的影响较大。

　　紫外-可见光检测器在高效液相色谱和常规毛细管电泳中得到了广泛的应用,但在微流控分析系统中的应用却较少。这是因为,(1)紫外-可见分光光度法测定的灵敏度与光程成正比,而微流控分析芯片的通道深度一般只在微米级,能测到的吸光度值往往只有 10^{-4} 数量级甚至更小;(2)玻璃、聚合物等芯片材料对小于 400 nm 的紫外光有很大的吸收,甚至基本不透过紫外光,而大部分的有机化合物的最大吸收波长处于 200~360 nm 之间;(3)经湿法腐蚀刻制的玻璃通道表面粗糙,易产生较强的反射和杂散光。实践中一般采取"Z"形通道设计,或在通道末端嫁接石英毛细管作为检测窗口等措施来增加光程,适当提高灵敏度。

　　质谱具有很高的灵敏度和分辨率。20 世纪 80 年代末发明的两项"软电离"技术,电喷雾离子化(electrospray ionization,ESI)和基质辅助激光解吸离子化(MALDI),使得质谱成为多肽、蛋白质等生物大分子的结构和定量分析的主要工具,生物质谱学也应运而生。但质谱只能分析纯试样,当分析复杂的生物试样时,往往需要在质谱分析前,对试样进行预分离处理。因此,将微流控分析作为质谱分析的前处理工具,具有巨大的发展潜力。其中,ESI 的流体进样方式可以较为方便地与微流控芯片在线偶联,是目前微流控芯片与质谱联用的主要形式。但质谱仪价格昂贵、体积较大,目前尚难在多数实验室中普及。

25.3.5　微流控分析系统的应用选例

　　微流控分析在过去的十多年中,得到了突飞猛进的发展。除了发现或建立了许多有关微流控分析的基础理论和基本技术平台外,其应用也涉及以芯片毛细管电泳、微型流动注射和免疫分析等技术进行细胞分选、单细胞内痕量物质以及氨基酸、多肽、核酸、蛋白质和神经递质等重要的生命活性物质的分析。除了前面提到的一些分析实例外,此处再介绍几个具有代表性的应用实例。

　　1. 荧光激发细胞分选

　　在生物学和临床医学研究中,经常要从众多细胞的混合悬浮液中将极少量的目标细胞(如癌细胞)分选出来。荧光激发细胞分选是常用的一种细胞分选法。它采用荧光探针(荧光试剂)对细胞进行荧光标记,使目标细胞在光谱特性上表现出与其他细胞具有明显的差异,然后通过荧光成像的方法,对细胞进行筛选。传统荧光激发细胞分选仪器分选细胞的速度可达 $10^3 \sim 10^4$ 个/s。但设备复杂,价格昂贵,试剂消耗量大。

　　图 25-26 所示的是一种由微流控芯片、高压电源和荧光显微镜所组成,依靠电渗驱动的微型荧光激发细胞分选装置。其中微流控芯片由一个 T 形通道网络和三个液池组成[图 25-26(a)]。将混合细胞的悬浮液置于试样池中,并在废液池和试样池之间施加驱动电压。受电渗驱动,缓冲液带着非目标细胞从试样池流向废液池,而当被荧光探针所标记的目标细胞经过检测窗口时,荧光检

测器检测到异常的荧光信号。该信号经放大后输入计算机,指令高压电源将电压切换到收集池[图 25-26(b)中右上角],即可使电渗流带着目标细胞流向收集池,从而完成目标细胞的分选任务。

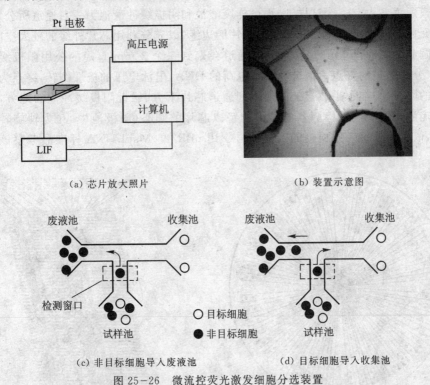

（a）芯片放大照片　　　　　　（b）装置示意图

（c）非目标细胞导入废液池　　　（d）目标细胞导入收集池

图 25-26　微流控荧光激发细胞分选装置

　　用上述微型荧光激发细胞装置分选初始细胞浓度比为 100∶1 的野生大肠杆菌中少量的以绿色荧光蛋白表达的大肠杆菌,经一次分选后,收集池中两者的浓度比达到 70∶30,即绿色荧光蛋白表达的大肠杆菌被富集了 30 倍左右。虽然该装置细胞的分选速度较慢(约 20 个/s),但是装置简单,灵敏度高,试剂用量少。特别要指出的是,该装置的潜在优势在于,它的分选通道可以与其他功能的微流控通道集成于同一片芯片上,组成一个多功能的细胞分选和分析系统。

　　2. 芯片阵列毛细管电泳分离 DNA 片段

　　可以说,芯片毛细管电泳是微流控分析研究的主流领域,也是最早得到商业开发的一种较为成熟的微流控分析技术。图 25-21 所示的十字通道毛细管电泳芯片是最简单、最基本的芯片毛细管电泳分析系统。虽然芯片毛细管电泳的分离速度较常规毛细管电泳高得多,但是这种只有一条分离通道的芯片,其试样通量(单位时间分析试样的个数)仍难满足诸如基因测序等大批量试样分离分析的需要。应用 MEMS 技术在芯片上制备具有相同结构单元的微细通道阵列可以较好地解决这一问题。

图 25-27(a)是一片集成了 96 个十字通道的圆盘形阵列毛细管电泳芯片。该阵列通道芯片的基本结构单元由一对分离通道和四个液池所组成,其中每条分离通道各占有一个试样池,而试样废液池和阴极缓冲液池为一对通道所公用。单元内的四个液池排列在圆盘形芯片的边缘,以充分利用芯片外缘的较大空间。在圆心处,48 个单元的 96 条分离通道会聚到一个 2 mm 直径的公用阳极缓冲池(分离通道的终点。因分离带负电荷的 DNA,电泳电压的极性倒转,终点为电泳的阳极)。在水平放置的圆形阵列通道芯片下方、靠近阳极缓冲池的地方,将共焦激光诱导荧光检测器的显微物镜以芯片的圆心(阳极池中心)为轴旋转扫描,依次读取每一条通道的荧光信号。用 pBR325 MspI DNA 标准品考察该系

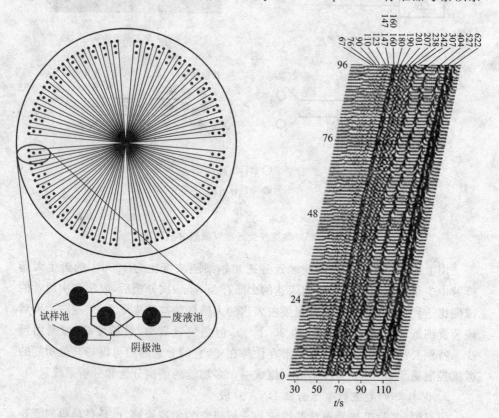

(a) 圆盘形 96 道阵列毛细管芯片通道网络结构　　　　(b) DNA 片段分离图谱

图 25-27　圆盘形 96 道阵列毛细管芯片通道网络结构及 DNA 片段分离图谱

(a) 中椭圆内插图表示每个基本结构单元中 1 对孪生分离通道(局部)、1 对孪生"T"形进样器和 4 个储液池的分布情况。其中,圆盘形片基直径:10 cm;分离通道尺寸:35 mm×110 μm×50 μm(长×宽×深);4 个储液池直径:1.2 mm。芯片中央另有 1 个直径为 2 mm 的阳极液池(因分辨率问题而未能显现)。

(b) 中 DNA 片段上边的数字为碱基对数。

统时,在 170 s 内完成 96 个试样的分离分析[分离图谱如图 25-27(b)所示],其分析速度高达 1.8 s/样。与单通道芯片相比较,该阵列通道芯片的试样通量得到大幅度的提高。此例充分体现了微流控分析芯片的高度集成化所带来的高分析效率。

3. 微型 DNA 全分析系统

正如前述,微流控分析系统的最终目标,是通过化学分析设备的微型化与集成化,最大限度地把分析实验室的功能转移到以微流控分析芯片为核心的便携式分析仪器中。如果一个微流控分析系统集成了取样、试样预处理、反应、分离、检测、数据处理各个必要的分析单元,具备了从试样引入到分析结果的获得的全分析功能,那么它就成为一个微型全分析系统(micro total analytical system,μ-TAS)。例如,基因测序、PCR 扩增、限制性内切酶消化等典型的生化分析常常包含以下几个必不可少的步骤:(1) 准确量取一定体积的化学试剂、酶试剂和DNA 模板溶液;(2) 溶液的混合;(3) 在一定温度下混合物经历一定时间的化学反应;(4) 取一定量的产物进行电泳分离;(5) 检测按片段大小分离的 DNA片段。如果以上步骤全靠人工借助于一定的专用仪器分步完成的话,其工作量大,没有半天一天时间是难以完成的。图 25-27 所示的 96 个通道的圆盘形阵列毛细管电泳芯片,它所承担的任务仅仅为(4)和(5)两步,而图 25-28 所示的是一个能够自动执行上述五步操作的用于 DNA 分析的 μ-TAS 雏形。

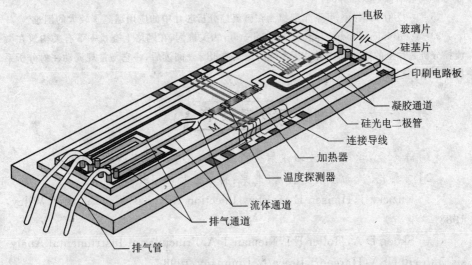

图 25-28　微型 DNA 全分析系统的芯片结构

该 μ-TAS 装置由三层结构所组成:最上层为玻璃片,其上刻蚀有用于取样、混合、反应和电泳分离等的气流和液流通道网络;中间层为硅片,通过MEMS 技术在硅片上集成了二极管光电检测器、滤光膜、加热器、温控器和电泳电极等光电器件。将上层玻璃和中层硅片封合后,形成一集成化的微流控全分析芯片;再用导线使中层的电气部分与下层的印刷电路板连接,用管道使通道网络中的气路与压缩气源接通,在电泳分离通道、采样通道和试剂通道的端头分别接上缓冲液、试样池和试剂池,最后将外置激光光源(图中未画出)与分离通道上检测窗口对准,一个完整的 μ-TAS 就形成了。使用时,将分离介质充入分离通道,将缓冲液、生物试样和有关试剂加入相应的液池,启动光、电、气源后,集成于 μ-TAS 中的各个器件在电脑的指令下,协同工作,片刻就能输出与基因信息相关的分析信号。这一微型 DNA 全分析系统的问世,极大地激发了分析化学家研究 μ-TAS 的热情。目前,人们正致力于使微流控分析系统向 μ-TAS 方向发展,最终实现分析仪器微型化、自动化、个人化的目标。

思考、练习题

25-1　试述流动注射分析基本原理。查阅相关文献,列举 1~2 个流动注射分析实际应用的例子并说明其分析过程。

25-2　FIA 分析中,有哪些影响分散度的主要因素? 实验中如何加以控制?

25-3　FIA 响应曲线中出现双峰和负峰的原因是什么? 如何避免?

25-4　试从原理、进样和分离操作、仪器设备等比较微流控分析系统中的芯片毛细管电泳与常规毛细管电泳的异同。

25-5　为什么紫外-可见光度检测在微流控分析芯片中的应用遇到了较大的困难?

25-6　用 microfluidic chip 和 flow injection 为关键词,在网络上查找一下有关构筑在微流控分析芯片上的微流动注射分析系统的论文或报导。阅读后,将它与常规流动注射分析系统作比较。

参考资料

[1] 李永生,承慰才.流动注射分析.北京:北京大学出版社,1986.

[2] 方肇伦.流动注射分析法.北京:科学出版社,1999.

[3] Ruzicka J,Hansen E H. Flow Injection Analysis. New York:J. Wiley,1988.

[4] Skoog D A,Holler F J,Nieman T A. Principles of Instrumental Analysis. 5 th ed. USA:Harcourt Brace & Company,1998.

[5] Skoog D A,West D M,Holler F J. Fundamentals of Analytical Chemistry. 7 th ed. Harcourt College Publishers,1996.

[6] 方肇伦.微流控分析芯片.北京:科学出版社,2003.

[7] 方肇伦.微流控分析芯片的制作及应用.北京:化学工业出版社,2005.

第26章 分析仪器测量电路、信号处理及计算机应用基础

仪器分析的发展和电子学、化学统计学或化学计量学、计算机科学发展密切相关。因为分析仪器的信号发生、转换、放大、处理和显示都采用电子器件和线路、统计学等数学方法和计算机来完成。因此,电子学、化学计量学和计算机技术是分析仪器的重要基础,是基于分析仪器物理、化学原理实现分析测量的主要技术手段。

电子学含义很广,不同领域有不同解释或内容。分析仪器涉及半导体元器件、光电器件和各种模拟、数字等集成电路,其核心是放大、测量器件和电路。

分析仪器出现以来,一般的数理统计方法,如线性回归、正交设计等,在化学测量和信号处理中已被应用。传统的仪器分析理论在很大的程度上只涉及如何获取化学体系的诸多方面的信息,而在对信息的再处理方面显得稍嫌不够。然而,随着现代分析仪器发展,化学工作者可以在很短时间内获得大量原始分析信号和数据,甚至可获得具有很高时间、空间分辨率的多维数据。仪器分析的主要目的已不仅是获取有关测量信息或数据,更重要的是如何从大量数据中提取更多解决化学问题的有用信息。近30年来,由数学、统计学、计算机科学与化学相结合形成的化学计量学,成为研究分析方法选择、数据处理、信息提取及解释的有力手段,是分析仪器及应用软件研发、设计及操作技术的重要理论基础。

计算机及技术不仅导致化学计量学的形成和发展,也促进微电子技术进步,利用计算机辅助设计,微电子技术取得瞩目成就,如专用集成电路、数字信号处理器芯片、电荷耦合器件(CCD)等新型电子器件出现,极大地推动仪器器件发展,从而改变了分析仪器面貌、很好地适应现代仪器分析发展需要,导致分析化学学科内涵的发展、变化。因此,计算机是当代各种分析仪器不可缺少的组成部分,给分析仪器带来的主要变化有:

(1)大大提高分析仪器数据处理能力,在计算机控制下,分析仪器快速完成大量数据采集、归整、变换和处理。这包括一些基本数据处理,如信号的平均、平滑、微分、换算、线性化、比较并求差等;复杂的数据处理,如各种定性、定量数据,谱图库和检索,各种变换仪器的傅里叶变换等。计算机化的分析仪器,结合化学

计量学方法,可以解决一般仪器方法不能或很难解决的分析问题,如谱图识别、实验条件优化、多组分同时测定、干扰校正、多变量拟合、多指标综合评价等,并极大提高仪器性能指标和分析的准确性。

(2) 分析仪器数字图像处理功能的发展。数字图像处理与有关应用软件已成为现代分析仪器的重要组成部分,如扫描电镜、各种波谱仪、能谱仪、探针技术等,获得多维、立体分析图像。分析结果更为清晰且直观。

(3) 分析仪器联用技术发展。由于计算机的强大数据处理能力,导致以色谱为代表的分离分析和质谱等结构分析仪联用、多维色谱、多种结构仪器联用技术的大发展,不仅在解决生物医药学、环境、材料科学等前沿领域研究课题中发挥重要作用,并已成为常规分析技术。

(4) 自动化水平提高,分析仪器从手动模式变为计算机控制模式、从半自动分析发展为全自动分析,已逐步发展到采样、试样预处理、进样、分析、数据处理、分析结果提供的全自动化及在线连续自动分析。

(5) 分析仪器智能化发展。智能化是信息技术的最高水平,目前智能分析仪器仍处于仪器智能化的低级阶段,处在手工操作向自动化过渡,运用人工智能技术建立起来的各种分析条件优化、化学谱图识别与解释、化学模式识别等专家系统已成为现代仪器智能化研究的前沿课题。

可以从不同角度理解测量电路或电子学、信号处理或化学计量学和计算机在分析仪器中应用的相互关系。它们各分属相对独立学科领域,又相互交叉、渗透、促进,共同导致各种分析仪器总体设计、结构、功能和操作技术的根本变革,且大多与仪器研发、制造有关,基本属于分析仪器范畴。本章仅讨论与分析仪器有关的几个典型放大、测量器件和电路及信号处理、计算机接口、应用等方面的一些入门知识。了解和掌握这些基础知识,对有效掌握仪器分析技术、分析方法或模式选择和操作条件优化,充分发挥分析仪器功能具有重要价值,对学习分析仪器专业性参考书和相关文献也是有益的。

26.2　放大器与测量

26.2.1　晶体管放大器

晶体管放大器主要由半导体三极管构建而成,而常用的半导体三极管有 npn 型和 pnp 型两类,如图 26-1 所示。图 26-2 所示为晶体管的放大电路。要使晶体管放大器正常工作,必须外加大小和极性适当的电压。以 npn 型为例,给发射结外加正向电压,位垒降低,形成发射极电流 I_e,它是电子流与空穴流之和。由于基区杂质浓度比发射区小 2~3 个数量级,注入发射区的空穴流与注入基区的电子流相比可略去不计,故 I_e 可近似地认为是电子流形成的。

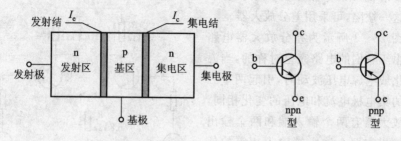

（a）npn 型晶体管示意图　　（b）晶体管符号

图 26-1　晶体管结构示意和符号

发射区注入基区的电子流浓度随发射结电压 U_{be} 的增加而按指数规律增大。电子向集电极扩散,扩散中与基区的空穴复合,复合掉的空穴由外电源补充,形成基极电流 I_b。扩散中大部分电子到达集电结。由于基区宽度很窄,掺杂浓度很低,故可提高到集电结的电子数量。通常在集电结加较大的反向电压,这虽然使位垒增高,但由于外加电压较大,依然可形成强电场使基区电子迅速通过集电结进入集电区,形成集电极电流 I_c。

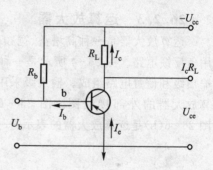

图 26-2　晶体管放大电路

发射极电流大,集电极电流也就大。这种控制作用形成晶体管的放大作用。在共发射极电路中,发射极每向基极流过一单位的基极电流,就要向集电极流过 β 个单位的电流。如果基极电流 I_b 作为输入电流,I_c 为输出电流,β 就是电流放大倍数,它们之间的关系如下:

$$I_c = \beta I_b \qquad (26-1)$$
$$I_e = I_b + I_c$$

通过负载电阻 R_L 可以把放大了的集电极电流转化为电压 I_cR_L,从而进行电压放大(电压增益),

$$U_{ce} = U_{cc} - I_c R_L \qquad (26-2)$$

26.2.2　差分放大器

分析仪器使用过程中,由于温度或电源电压等因素的变化会产生漂移,即在输入端不加入信号时,输出电压也会偏离零值而上下缓慢漂动。漂移是影响分析测量准确性的一个重要因素。为了克服这一缺陷,可采用差分放大器。

图 26-3 所示为差分放大器电路图。由于它们的电路完全对称的,当温度变化或电源电压波动时,引起两个三极管的集电极电流和电压的变化相同。差分放大器有两个输入端和两个输出端。如果在两个输入端输入相等的信号,输出为零,只有存在输入差时,才能在两个输出端间有输出信号。

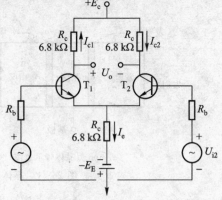

图 26-3　射极耦合差分放大器

26.2.3　运算放大器

运算放大器是一种高增益、宽频带、直流耦合的差分放大器,使用时一般采用负反馈电路。图 26-4 所示是一种常用的运算放大器,它由输入级、中间级、输出级和偏置电路组成。输入级采用差分放大电路。图 26-5 是常见 5G23 运算放大器的外部接线图。图 26-6(a)是理想的运算放大器的等效电路。图 26-6(b)是运算放大器的表示符号。

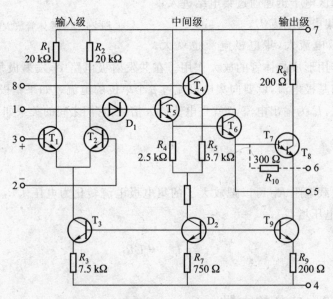

图 26-4　集成运算放大器 5G23 内部原理图

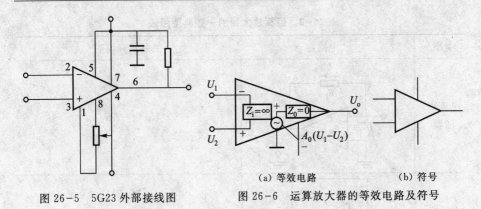

图 26-5 5G23 外部接线图

（a）等效电路　　（b）符号

图 26-6 运算放大器的等效电路及符号

1. 负反馈的连接

图 26-7 是典型的运算放大器的电路。通过图中的 R_f，将输出的一部分反馈到输入的反相端，其输出电压 U_o 与输入电压 U_i 有 $180°$ 的相位差。负反馈可以大大提高放大器的稳定性，当输入信号不变，由于放大器参数的变化，使放大倍数有增加或减少时，输出信号增加或减少，反馈信号也增加或减少，使得有效的输入信号减少或增加，从而使放大器达到稳定。

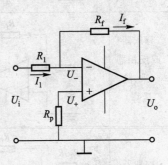

2. 运算放大器的主要特性

理想的运算放大器的特性如表 26-1 所示。当然，具有完全理想参数的运算放大器是不存在的，但是却为我们制造接近理想运算放大器性能提供了依据。

图 26-7 反相输入放大器

表 26-1 运算放大器的主要特性

主要参数	理想特性
开环增益	∞
输入阻抗	∞
输出阻抗	0
输入偏置电流	0
输入偏置电压	0
共模抑制比	∞
转换速率(slew rate)	∞

3. 运算放大器的一些典型用法

表 26-2 所示是运算放大器的一些典型用法。

表26-2　运算放大器的一些典型用法

类型	电路	关系式和说明
电流跟随器		$U_o = -I_i R_f$
电压跟随器		$U_o = U_i$
分压器或反相器（乘、除运算）		$U_o = -U_i \left(\dfrac{R_f}{R_i} \right)$ $R_f = R_i$ 反相器 $R_f < R_i$ 分压器 $R_f > R_i$ 电压放大器
加和器（加、减运算）		由于 $I_f = I_1 + I_2 + I_3$ $U_o = -\left[U_1 \left(\dfrac{R_f}{R_1} \right) + U_2 \left(\dfrac{R_f}{R_2} \right) + U_3 \left(\dfrac{R_f}{R_3} \right) \right]$
微分器		由于 $I_i = C \dfrac{dU_i}{dt}$ $U_o = -I_i R_f = -R_f C \dfrac{dU_i}{dt}$
积分器（电流积分）		由于 $I_f = -C \dfrac{dU_o}{dt} = I_i$ $dU_o = \dfrac{I_i}{C} dt$ $U_o = -\dfrac{1}{C} \int I_i \, dt$

续表

类型	电路	关系式和说明
积分器 （电压 积分）	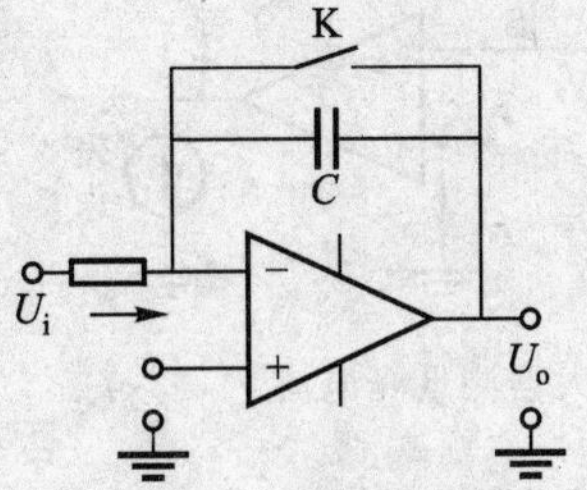	由于 $I_i = \dfrac{U_i}{R}$，代入上式 $U_o = -\dfrac{1}{RC}\displaystyle\int U_i \, dt$
对数	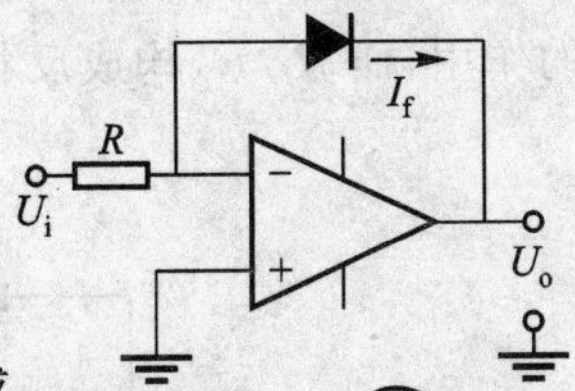 或 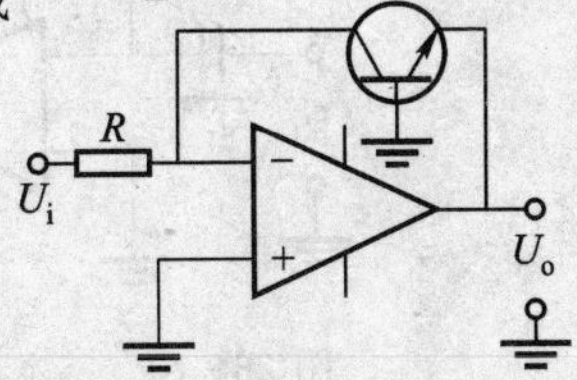 	$U_o = -U_f = k_1(\ln I_f - k_2)$ $I_f = I_i = \dfrac{U_i}{R}$ $U_o = k_1 \lg U_i + k_2$ 把晶体三极管的集电极与基极短路，或使其电位差为零，接成二极管形式，则集电极电流 I_c 与基-射极电压 U_{be} 之间可以在很宽范围内保持严格对数，优于二极管。
反对数	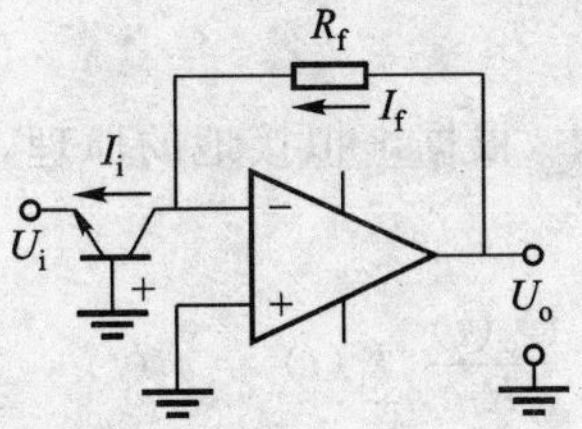	$I_i = k_1 \exp(k_2 U_i)$ $I_i = I_f$ $U_o = I_f R_f$ $U_o = k_1 \lg^{-1}(k_2 U_i)$

26.2.4 应用举例

1. 电流的测量

图 26-8 所示为利用运算放大器直接测量光电管产生的光电流 I_X。

$$I_X = I_f + I_S I_f$$
$$U_o = -I_f R_f = -I_X R_f \qquad (26-3)$$
$$I_X = -U_o/R_f$$

其中，R_f 的大小可以用来调节测量范围。

2. 电压的测量

图 26-9 是一个电压跟随器和反相放大器组成的电路。它们构成一个既能

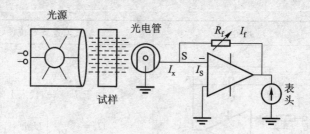

图 26-8   用运算放大器测量光电流

放大,又能测量高阻抗电压信号的电压测量器件。运算放大器的输入阻抗较高,输出阻抗较低,电压跟随器起了阻抗转换的作用,而 R_f/R_i 构成反相放大器的放大倍数,$U_m = 20U_X$。

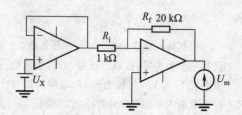

图 26-9   一种供电压放大用的高阻抗电路

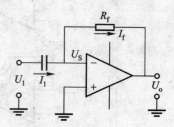

图 26-10   基本的微分电路

3. 微分电路

图 26-10 是基本的微分电路。在图中,根据虚拟接地的原理,$U_s = 0$,于是可以得到

$$I_1(t) = C\frac{\mathrm{d}U_1(t)}{\mathrm{d}t}, I_f(t) = \frac{U_o(t)}{R_f}, I_1(t) = I_f(t) \qquad (26-4)$$

根据这些式子,可以得到

$$U_o = -R_f C\frac{\mathrm{d}U_1}{\mathrm{d}t}$$

我们可以看出,这个电路的输出 U_o 和输入 U_i 的微分值之间成比例。

4. 积分电路

图 26-11 为基本的积分电路。类似地,根据虚拟接地原理,$U_s = 0$,可以得到下列式子:

$$I_1(t) = \frac{U_1(t)}{R_s} = I_f(t)$$

$$U_o = -\frac{1}{C}\int I_f \mathrm{d}t = -\frac{1}{C}\int I_1 \mathrm{d}t$$

由此可以得到 U_o 为

$$U_o = -\frac{1}{CR_s}\int U_1 \mathrm{d}t \qquad (26-5)$$

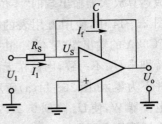

图 26-11 基本的积分电路

5. 恒电位源

参比电池,如 Weston 电池,可用作恒电位源,但它通过的电流不能很大,否则不能维持其电位的恒定。当它与运算放大器连接时,如图 26-12,就构成一个可使相当大电流通过的标准恒电位源。由于 S 点处于虚地,且

$$U_o = U_s \qquad (26-6)$$
$$IR_L = U_o = U_s$$

这时通过 R_L 的大电流,来自运算放大器,而非标准电池。

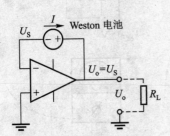

图 26-12 恒电位源电路图

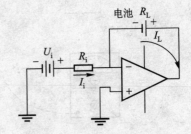

图 26-13 恒电流源电路图

6. 恒电流源

分析仪器有时需要恒电流源,如保持通过电解电池的电流恒定,它不受输入功率或电池内阻变化的影响。图 26-13 所示为恒电流源电路。

$$I_L = I_i = \frac{U_i}{R_i} \qquad (26-7)$$

U_i 和 R_i 是保持恒定的,I_L 也就恒定。

26.2.5 集成运算放大器的判测

集成运算放大器大都是采用圆形管壳封装的结构,因为集成电路的用途不同,管脚接法不尽相同,所以在测试和使用时,必须查阅集成电路手册或者有关技术资料进行对照和比较,以免搞错而损坏器件。

在缺少专用测试仪器的情况下,通常用万用表的适当直流电压挡级,检测集

成运算放大器输出端的"零位"、"正位"和"负位"的数值，以判断其质量好坏。在图 26-14 中，使用万用表的 2.5 V 直流电压挡级，检测运算放大器集成电路 FC52A 的输出端"零位"。由于运算放大器集成电路内部的差分放大器不对称，特别是 U_{be} 不一致，因此在无信号电压注入时，运算放大器集成电路的输出电压并不为零，如图 26-14(a) 所示。如果 $0.2\ V < |U_o| < 2\ V$，必须借助外接的调零电位器 W，使 U_o 降到 0.2 V 以下，如图 26-14(b) 所示。如果调零无效，表明这个运算放大器集成电路的质量不好，应予更换。

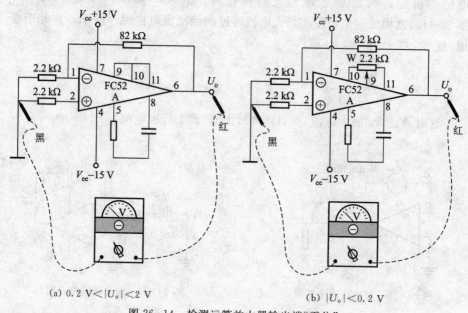

(a) $0.2\ V < |U_o| < 2\ V$　　　　　　(b) $|U_o| < 0.2\ V$

图 26-14　检测运算放大器输出端"零位"

检测运算放大器集成电路输出"正位"和"负位"的大小，即检测其最大输出电压 U_{op-p} 是否正常，如图 26-15 所示。它的反相输入端通过 10 kΩ 电阻接地，先将同相输入端通过电阻接至"$+V_{cc}(15\ V)$"，此时同相端的放大器饱和导通，反相端的放大器截止，输出为 $+U_{op}$。如果使用万用表的 10 V 直流电压挡级测量输出电压 U_o，应大于 $+7\ V$。U_o 愈大，表示集成块输出的正向幅度越大。如果 U_o 小于 $+7\ V$，甚至为零值或者负值，表明该运算放大器集成电路已经损坏，必须更换。

如果在反相输入端通过 10 kΩ 电阻接地，再将同相输入端通过 10 kΩ 接至 $-V_{ee}(-15\ V)$，此时反相端的放大器饱和导通，同相端的放大器截止，输出为 $-U_{op}$。使用万用表的 10 V 直流电压挡级测量输出端电压 U_o，应小于 $-7\ V$。如果 U_o 大于 $-7\ V$，甚至为零值或者正值，表明该运算放大器集成电路已经损坏，必须更换。总之，采用上述三种方法检测时，只要其中一项不符合要求，就表

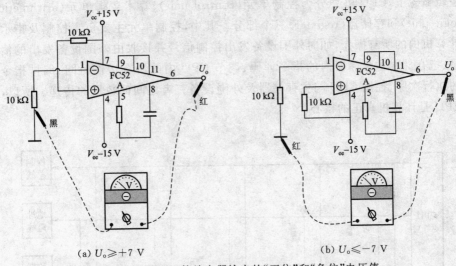

(a) $U_o \geqslant +7$ V　　　　(b) $U_o \leqslant -7$ V

图 26-15　检测运算放大器输出的"正位"和"负位"电压值

明该集成电路已损坏。

26.3　计算机在分析仪器中的应用

26.3.1　计算机的基本结构与原理

计算机系统由硬件系统和软件系统组成,其原理基本上还是基于 Neumann V(冯·诺伊曼)的思想。图 26-16 所示为 Neumann V 型计算机系统的结构示意图。

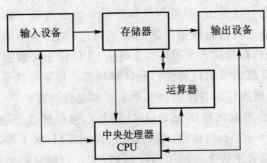

图 26-16　Neumann V 型计算机系统的结构示意图

计算机的硬件系统包括主机、外部设备。图 26-17 是一个典型的计算机硬件系统结构示意图。在计算机中,CPU 负责控制计算机内所有部件的运作。从逻辑概念上，CPU 可划分为控制单元（control unit）、算术逻辑单元（arithmetic logic unit）和存储器（register）三个部分。其中，控制单元主要负责控制及指示计算机内的所有操作，如向外围设备发出控制信号并接收由外围设备发出的信号、把存储在主存储器内的指令译码、调节 CPU 内的所有运作时间、编排指令的执行次序、控制 CPU 与主存储器及外围设备三者之间的数据的传递。所以，CPU 是计算机真正的核心。

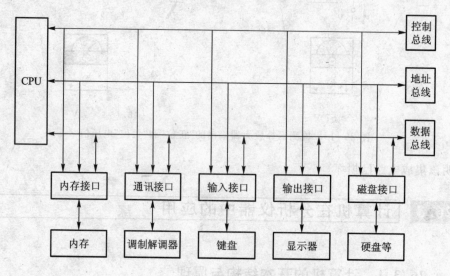

图 26-17　计算机硬件系统结构示意图

控制总线、地址总线和数据总线统称为系统总线。地址总线是外围设备和总线主控设备之间传送地址信息的通道，为数据传输指明内存位置。地址总线位数决定了系统的寻址能力，表明构成计算机系统的规模。数据总线是外围设备和总线主控设备之间进行数据传送的数据通道，包含传输的数据。数据总线是双向的，它既允许数据读入 CPU，也支持从 CPU 读出来数据。数据总线的位数表明了构成计算机系统的计算能力和计算规模。控制总线是专供各种控制信号传递的通道，总线操作的各项功能都是由控制总线完成的。

外围设备又称为输入输出设备（I/O 设备），包括键盘、鼠标、打印机、显示器、软盘、硬盘、CD-ROM、扫描仪、数码相机、MODEM、网卡等。这些外围设备受控于位于主板或者主板上插槽中的控制器（芯片），而这些控制器通过各种总线连接到 CPU 上或者相互连接。控制器是一些类似 CPU 的处理器，它们可以看成 CPU 的智能帮手，CPU 则是系统的总控。虽然所有这些控制器互不相同，但是它们的寄存器的功能类似。运行在 CPU 上的软件必须能读出或者写入这些控制寄存器。在总线上的每个控制器可以被 CPU 所单独寻址，这是软件设备驱动程序能写入寄存器并能控制这些控制器的原因。从某种意义上说,分析仪器应算作计算机系统的外围设备。然而,由于分析仪器往往发挥的是主导作用,而计算机系统则居于为分析仪器服务的地位。

计算机的软件系统包括操作系统和各种应用软件。著名的操作系统有Unix,Windows 和 Linux,而其中又以 Windows 操作系统使用面最广,占据个人计算机软件系统 90% 的市场。Unix 和 Linux 目前还主要面向于服务器市场。值得一提的是,Linux 操作系统因其开源特征,目前已经获得越来越多的重视,具有比较广阔的应用前景。应用软件主要包括各种数据库管理软件(如 Database,Access 等)、文档处理软件(如 Office,LaTeX 等)、程序开发软件(如 VC++,Delphi 等)、专用设备软件(如色谱工作站、电化学工作站等)等。

26.3.2 计算机与分析仪器的接口电路

26.3.2.1 概述

计算机系统的接口是 CPU 与外围设备连接的部件,是 CPU 与外围设备进行信息交换的中转站。它把外围设备送给 CPU 的信息转换成与计算机相容的格式,并经常把外围设备的状态提供给计算机,协调计算机与外围设备之间的时序差别。例如,源程序或数据要通过接口从输入设备被送入计算机,运算结果也要通过接口向输出设备送出;控制命令通过接口发出,现场状态通过接口取进来等。图 26-18 所示为计算机与分析仪器接口示意图。

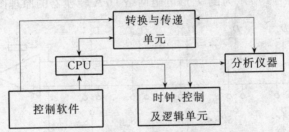

图 26-18 计算机与分析仪器接口示意图

接口电路是计算机技术发展的必然结果。首先,CPU 与外围设备两者之间的信号线不兼容,在信号线功能定义、逻辑定义和时序关系上都不一致;其次,CPU 与外围设备两者的工作速度不兼容,前者速度高,后者速度低。如果不通过接口而由 CPU 直接对外围设备的操作实施控制,就会让 CPU 处于穷于应付与外围设备打交道之中,大大降低 CPU 的效率;最后,若外围设备直接由 CPU 控制,也会使外围设备的硬件结构依赖于 CPU,对外围设备本身的发展不利。所以,设置接口电路,可以很好地协调 CPU 与外围设备两者的工作,提高 CPU 的效率,并有利于外围设备按自身的规律发展。

有了接口电路之后,CPU 与外围设备的交互作用通过接口进行。例如,当 CPU 希望向某输出设备送一串数字(比如给打印机发送打印字符),首先由 CPU 把要打印的字送到打印接口电路中,然后由该接口电路在适当的时候送给打印机。相反地,主机要想查询外界状态,必须先由特定的接口电路将状态信息读入并保持,CPU 才能通过接口读指令,最终得到该信息。

随着 IT 技术的迅猛发展,计算机的外围设备也在不断发展,变得越来越复杂,这使得接口技术也成为一门十分关键的技术。目前,计算机接口硬件已不是一些逻辑电路的简单组合,它将软硬件结合,采用可编程的大规模集成电路芯片(LSI),功能可由 CPU 的指令来加以改变,这使得同一个接口芯片可执行多种不同的接口功能,因而十分灵活。另外,一些接口芯片自带处理器,可自动执行接口内部的固化程序,形成智能接口。这些技术使得安全、高效、可靠的电子信息的交换和共享成为现实。

计算机的接口电路有多种,本节中只能有选择地介绍几种常用的接口电路。

26.3.2.2   数模-模数转换电路

模拟信号到数字信号的转换称为模数转换(analog to digital,A/D),把实现 A/D 转换的电路称为 A/D 转换器(analog digital converter,ADC)。从数字信号到模拟信号的转换称为数模转换(digital to analog,D/A),把实现 D/A 转换的电路称为 D/A 转换器(digital analog converter,DAC)。一般来说,从计算机到分析仪器的通讯是通过 D/A 转换器,从分析仪器到计算机的通讯是用 A/D 转换器。图 26-19 所示为倒 T 形电阻网络 D/A 转换器的原理图。

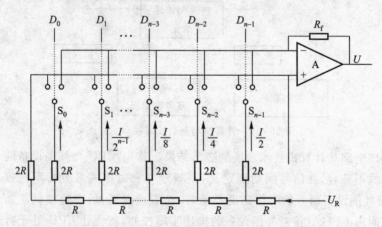

图 26-19   倒 T 形电阻网络 D/A 转换器原理图

从图 26-19 中可以看到,整个电路由若干个相同的电路环节组成,每个环节由两个电阻(R 和 $2R$)和一个开关(S)组成。开关 S 是按二进制位进行控制的,当开关合上时其对应位为 1,此时有电流流入放大器,大小为

$$I_{in} = D_{n-1}\frac{I}{2^1} + D_{n-2}\frac{I}{2^2} + \cdots + D_0\frac{I}{2^n} = \frac{I}{2^n}\sum_{k=0}^{n-1}D_k 2^k \qquad (26-8)$$

式中 D_i 是二进制的输入数字量。

运算放大器的输出电压为

$$U = -IR_f = -\frac{IR_f}{2^n}\sum_{k=0}^{n-1}D_k 2^k \qquad (26-9)$$

若 $R_f = R$,并将 $I = U_R/R$(U_R 为基准电压输入)代入上式,则有

$$U = -\frac{U_R}{2^n}\sum_{k=0}^{n-1}D_k 2^k \qquad (26-10)$$

即,输出模拟电压正比于数字量的输入。

图 26-20 所示为 DAC0832 逻辑结构框图。DAC0832 是美国国家半导体公司生产的 8 位 D/A 芯片,内部有 16 个数据缓冲寄存器:8 位输入寄存器和 8 位 DAC 寄存器,称为具有双缓冲功能的 D/A 转换器。DAC0832 有三种工作方式。

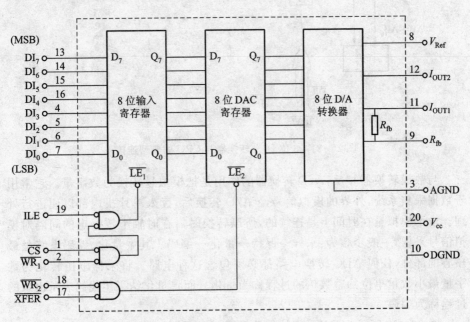

图 26-20　DAC0832 逻辑结构框图

(1) 直通工作方式　输入寄存器和 DAC 寄存器都接成直通方式。此时提供给 DAC 的数据,必须来自锁存端口($LE_1 = LE_2 = 0$)。

(2) 单缓冲工作方式　控制输入寄存器和 DAC 寄存器同时跟随或锁存数

据,或只控制这两个寄存器之一,而另一个接成直通方式。此方式适用于只有一路模拟量输出或几路模拟量非同步输出的情形。

(3) 双缓冲工作方式　分别控制输入寄存器和 DAC 寄存器,此方式适用多路 D/A 同时输出的情形:使各路数据分别锁存于各输入寄存器,然后同时(相同控制信号)打开各 DAC 寄存器,实现同步转换。

图 26-21 所示为 8 位 D/A 转换器与 CPU 的典型连接示意图。在此要说明的是,如果 CPU 的数据总线的位数小于 D/A 转换器的位数,则需要采用多级缓冲结构。例如,12 位的 D/A 转换器与 8 位微处理器的连接时,输入数据线的高 8 位 $DI_7 \sim DI_0$ 与数据总线 $DB_7 \sim DB_0$ 相连;而低 4 位 $DI_3 \sim DI_0$ 也接至数据总线的 $DB_7 \sim DB_4$ 上,12 数据的输入应由两次写入操作完成。

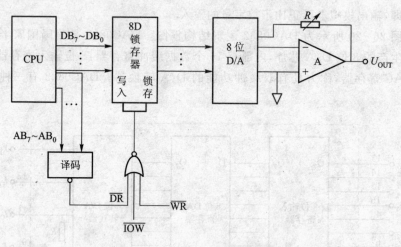

图 26-21　8 位 D/A 转换器与 CPU 的典型连接

与数模转换器相反,A/D 转换器的作用是把模拟量转换为数字量。它常用于数据采集系统,外界的模拟信号经 A/D 转换后,读入单片机内部以便进行处理。由于模拟量在时间上是连续的,所以转换时需在时轴上按一定的间隔对模拟信号采样,一般步骤为:采样→保持→量化→编码。其中量化、编码电路是最核心的部件,任何 ADC 转换电路都必须包含这种电路。将采样电压转化为数字量最小数量单位的整数倍的过程称为量化。而将量化结果用代码表示出来的过程称为编码。

图 26-22 所示为采样-保持电路及采样信号示意图。图中,$S(t)$ 是采样控制信号,C 是保持电容。要说明的是,为了保证采样信号包含了原信号的全部信息,取样频率 f_s 必须大于或等于输入模拟信号包含的最高频率 f_{max} 的两倍。而实际应用中通常取:

$$f_s = (5 \sim 10) f_{max}$$

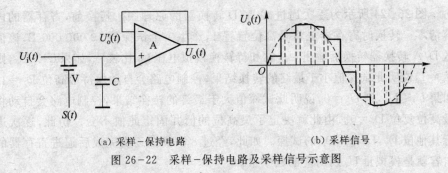

（a）采样-保持电路　　　　　　　　（b）采样信号

图 26-22　采样-保持电路及采样信号示意图

采样-保持电路所输出的电压信号是一个时间离散、幅值跳跃的信号,而数字量的大小只能是某个规定的最小数值的整数倍,故必须将采样-保持电路输出的电压信号,按某种近似形式转化为与数字信号相对应的离散电平之上,这一过程称为数值量化,简称量化。为了方便处理,通常将量化值进行二进制数表示,称为编码。对于相同范围的模拟量,编码位数越多,量化引入的误差就越小。编码后的输出就是 A/D 转换器的输出。

ADC 电路的形式有多种,常见的是计数式、逐次逼近式、双积分式及并行式。图 26-23 所示为计数式 A/D 转换器的原理图。它由计数器、比较器和一个内部数模转换器组成。计数器对时钟脉冲进行加 1 计数,以产生从 0 开始的数字量,经数模转换器转换成模拟电压 U_0。U_0 与待转换电压 U_i 进行比较,若 $U_i > U_0$,则比较器的输出端 $U_c = 1$,计数器继续计数;若 $U_i \leqslant U_0$,则比较器的输出端 $U_c = 0$,计数器停止计数,此时计数器输出的数字量就是与输入模拟电压 U_i 相等效的数字量。

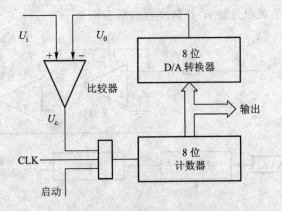

图 26-23　计数式 A/D 转换器

计数式 A/D 转换电路构造简单,价格低廉,但转换速度慢。如 8 位 A/D 转换器的输入模拟电压为满量程时,计数器要计数到 FFH 才完成转换,需要 255 个时钟周期。

图 26-24 所示为逐次逼进式 A/D 转换器的原理图。转换前,寄存器的内容清零。转换时寄存器先将最高位置置 1,产生一个试探值 10 000 000 B,该值送 D/A 转换器转换后输出 U_0,它和待转换模拟电压 U_i 比较后,如果 $U_i > U_0$,则 $U_c = 1$,说明此试探值小于最终的转换结果,控制电路会自动保持最高位 $D_7 = 1$;如果 $U_i \leqslant U_0$,则 $U_c = 0$,说明此试探值大于最终的转换结果,控制电路会自动将最高位复位 $D_7 = 0$。由此就决定了最高位的值并固定此值不变。仿此,逐次进行其他位 $D_6, D_5, \cdots, D_0$ 的试探。如此,经过 8 次试探逐次完成后逼进寄存器的内容就是模拟量 U_i 所对应的数字量。

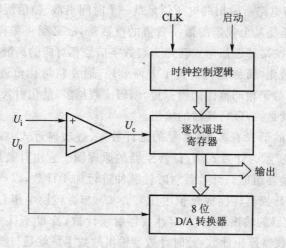

图 26-24　逐次逼进式 A/D 转换器

图 26-25 是双积分型 A/D 转换器的示意图。

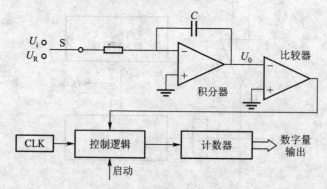

图 26-25　双积分型 A/D 转换器

转换过程分两个阶段。一是对输入模拟电压 U_i 进行积分的阶段,其积分时间是固定的;二是对反极性的基准电压 U_R 进行积分的阶段,其斜率是固定的。

转换开始时,由控制逻辑使开关将待转换的模拟电压 U_i 接入积分器进行固定时间的正向积分。此过程实际上也是电容 C 充电过程。此时积分器的输出电压 U_0 正比于输入模拟电压 U_i。该积分过程持续一个固定的时间 T 后,控制逻辑使开关接向与输入电压 U_i 极性相反的基准电压 U_R,开始反向积分,同时计数器开始重新对时钟脉冲计数。该过程实际上是电容 C 向基准电源的放电过程,经过一定时间后,积分器输出为 0,零比较器开始动作,使计数器停止计数,转换过程结束。此时计数器中的计数值就是 A/D 转换结果的数字量,它与输入模拟电压成正比。

双积分型 A/D 转换过程,由于经历了两次积分,所以速度较慢。它的主要优点是转换精度高,即使转换电路本身元器件精度较差,也可以得到很高的转换精度。而且,由于其测量的是输入电压在一个固定的时间间隔内的平均值,而不是输入电压的瞬时值,因此它的抗干扰能力强。

图 26-26 所示为美国国家半导体公司生产的逐次逼近型 8 位 A/D 转换器芯片。其输出具有三态锁存和缓冲能力,易于和微处理器相连。其分辨率为 8 位,转换时间为 100 μs,功耗为 15 mW,输入电压范围为 0~5 V,采用+5 V 电源供电。

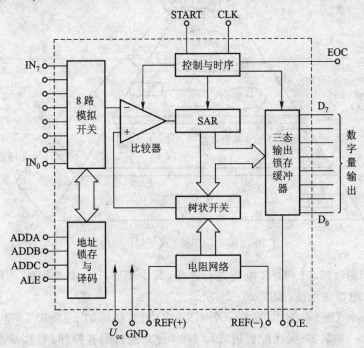

图 26-26　ADC0809 转换芯片

26.3.2.3　USB 接口电路

通用串行总线(universal serial bus,USB)是目前为计算机和外围设备之间

提供一种通用的、灵活的、简单易用的连接平台,以方便用户、降低成本,扩展 PC
连接外围设备的范围。它是一种快速、双向、同步传输、廉价的并可以进行热拔
插的串行接口。

　　USB 接口使用方便,它可以连接多个不同的设备。当前执行 USB2.0 标准
的高速 USB 接口速率更是达到了 480Mb/s,这使得高分辨率、真彩色的大容量
图像的实时传送成为可能。普通的使用串口、并口的设备都需要单独的供电系
统,而 USB 设备则不需要。

　　正是由于 USB 的这些特点,已经在 PC 机的多种外围设备上得到应用,包
括扫描仪、数码相机、数码摄像机、音频系统、显示器、输入设备等。对于广大的
工程设计人员来说,USB 是设计外围设备接口时理想的总线。

　　USB 系统由 USB 主机(host)、USB 集线器(hub)、USB 功能设备组成,采
用星形级联的拓扑结构,如图 26-27 所示。

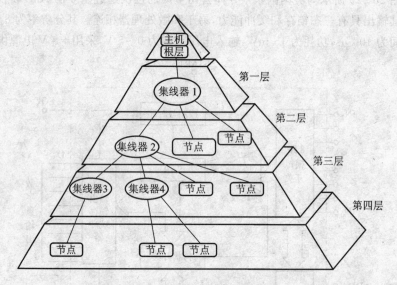

图 26-27　USB 总线的拓扑结构

　　它们通过四芯的 USB 电缆进行连接,其中 D+,D- 是数据线,VBus,Gnd
是 +5 V 电源和地线,如图 26-28 所示。

　　在一个 USB 系统中,仅有一个 USB 主机,其功能如下:管理 USB 系统;每
毫秒产生一帧数据;发送配置请求对 USB 设备进行配置操作;对总线上的错误
进行管理和恢复。USB 设备接收 USB 总线上的所有数据包,通过数据包的地
址域来判断是不是发给自己的数据包:若地址不符,则简单地丢弃该数据包;若
地址相符,则通过响应 USB 主机的数据包与 USB 主机进行数据传输。USB 集

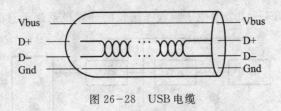

图 26-28 USB 电缆

线器用于设备扩展连接,所有 USB 设备都连接在 USB 集线器的端口上。一个 USB 主机总与一个根 hub(USB root hub)相连。

　　USB 总线的数据流可用传输(transfer)、事务(transaction)、分组(packet)、帧(frame)和微帧(microframe)等几个元素来描述。一个传输可包含多个事务,而分组是构成事务的基本单元。USB 支持四种基本的数据传输方式:控制传输(control transfer)、等时传输(isochronous transfer)、批量传输(bulk transfer)、中断传输(interrupt transfer)。控制传输采用的是消息管道机制,因此支持双向传输,而后面三种采用的是流管道机制,因而传输方向是单向的。为了保证传输的可靠性,USB 为除等时传输事务外的其他三种数据传输提供检错与重传机制。USB 允许连续三次的数据差错重传,当超过三次时,该事务将被取消,管道被禁止。

　　USB 的一个重要特色是支持即插即用和热插拔,为用户提供了极大的方便。它包括设备连接与拆除状态的识别:设备的动态配置,如资源的分配或回收,驱动程序的装载或卸载等方面的内容。USB 主机或集线器能够通过 USB 电缆直接向下行端口的设备提供＋5 V 电源,每个端口最多能获得 500 mA 的电流。对于功耗较小的设备可采用该总线供电的方式,而当设备功耗较大时,应采用自身的电源供电。

　　一个实用的 USB 数据采集系统包括 A/D 转换器、微控制器以及 USB 通信接口。为了扩展其用途,还可以加上多路模拟开关和数字 I/O 端口。USB 数据采集设备的构成结构图如图 26-29 所示。

图 26-29　USB 数据采集设备的构成

26.3.3　计算机在分析仪器中的应用举例

26.3.3.1　计算机在原子吸收光谱分析仪器中的应用

　　目前的原子吸收、发射光谱仪几乎都配备有计算机系统,利用该系统能对仪器操作条件和被分析元素的各种分析条件,如波长、狭缝宽度、元素灯电流、光源参数及其正确位置、供气系统的各种参数、分析曲线形状等进行自动选择。图

26-30 所示为 GFU-202 型原子吸收光谱仪的计算机系统示意图。

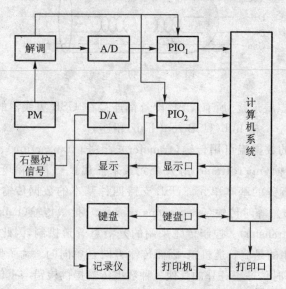

图 26-30　GFU-202 型原子吸收光谱仪计算机系统示意图

　　光电倍增管 PM 接受元素灯发出的特征辐射信号,通过解调仪把这一信号解调为直流信号,再经 A/D 转换为数字信号,进入计算机进行处理。解调信器内有同步信号,分别使接口 PIO₁ 在 A/D 转换完成后产生中断信号,使 CPU 进行中断操作,按一定的方式交替接受数据及控制信号。PIO₂ 口为接受石墨炉控制信号的并行接口,在石墨炉开始原子化时发出信号,计算机接受这一信号后便开始进行峰值和峰面积的取样与计算。完成测量后,通过记录系统把分析结果显示出来,并可通过打印机打印出分析结果。若需连续观测分析信号,可经 D/A 再把数字量转化为连续变化的模拟量进行记录。该系统的计算机软件可以执行连续测量、信号求平均值、求信号峰高和信号峰面积四种测量方式。该系统的积分时间为 0.1~10 s,量程可扩展至 1~10,延时达 1~99 s。该系统可实现自动调零和浓度直读,具有四点校直系统和灵敏度漂移自动修正功能,可用标准加入法计算元素浓度并同时作误差统计处理,每次测量完成后可即时打印相关的仪器、试样信息和测量结果。

26.3.3.2　计算机在色谱分析仪器中的应用

　　现代色谱仪都已计算机化,仪器的性能、自动化程度等也因此有了很大的提高。色谱仪的计算机化,经历了从脱机到联机,从使用小型计算机到使用专用的色谱处理机直至目前高度计算机化的色谱工作站系统。同时,计算机已不再局限于结果处理与分析,而可以控制色谱仪的各种程序动作,可以自动调整各种工作参数,实现基线的自动补偿和自动衰减,并可对异常的工作参数自动报警,在必要时自动停机以保护色谱系统。

图 26-31 所示为计算机在色谱仪中的功能框图。

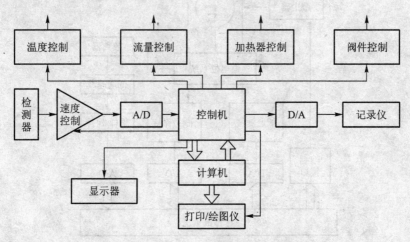

图 26-31 计算机在色谱仪中功能框图

色谱工作站由数据采集板、色谱仪控制板和计算机软件组成,适用于气相色谱、液相色谱、超临界流体色谱、离子色谱等仪器的自动进样、分离操作条件优化、控制、各种检测器的数据采集及处理。其主要功能有:

(1) 具备积分仪的全部功能;

(2) 数据的永久存储;

(3) 谱图再处理功能,如谱图相加、相减、比较;谱峰放大、缩小、人工调整峰起落点;

(4) 色谱峰打印功能;

(5) 单通道、双通道数据采集可供选择;

(6) 液相色谱仪的梯度淋洗程序控制;

(7) 气相色谱的程序升温控制;

(8) 超临界流体色谱仪的压力梯度及程序升温控制;

(9) 智能化色谱软件系统,如液相色谱专家系统包括色谱自动进样操作、色谱方法、体系选择、分离操作条件及优化、检测方法和操作条件、色谱定性、定量方法选择和给出相应数据、谱图或结果。

26.3.3.3 计算机在电化学分析仪器中的应用

计算机在电分析化学中有着广泛的应用,常见的带微处理机的电化学分析仪器有离子计、pH 计、自动电位滴定仪、极谱仪、溶出伏安仪等。图 26-32 所示为多功能电化学分析系统。在计算机和恒电位系统之间通过 DAC 连接,在计算机控制下,控制输出到 DAC 的数字信号,便能得到各种极化电压波形。再由

DAC 的输出,加到恒电位系统的输入端,便能进行各种电化学方法的研究。

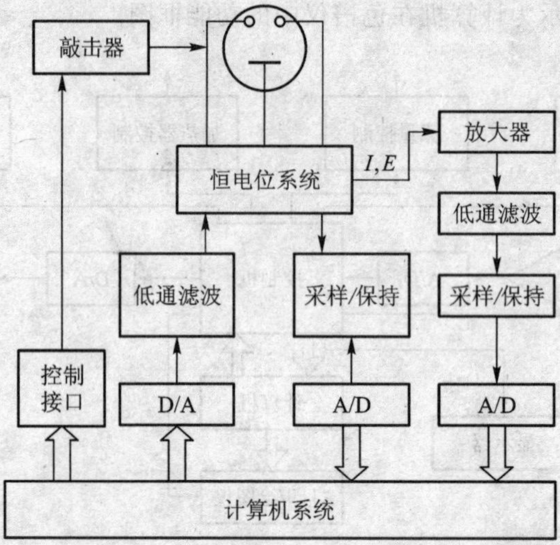

图 26-32　计算机多功能电化学分析系统

　　例如,实验研究需要一个阶梯形的斜坡扫描电压,可由计算机输出一个定值的二进制数至 DAC,则 DAC 输出一个与该数字信号成比例的电压值,且保持 Δt 时间。然后再将二进制数增加一个增量,DAC 同时也输出一个相应的阶跃增量,同样保持 Δt 时间。如此不断进行,便可得到一个阶梯斜坡扫描电压。改变保持时间 Δt,便改变了扫描速率;改变计算机的输出初始值,便得到不同的起始电压;改变数字增量的符号,便改变扫描电压的方向。

　　将激化电压信号加到电化学池,产生的电化学响应通过数据采集系统读入计算机进行处理和存储。数据采集系统的核心器件为 ADC,将电流和工作电极电势转换成数字信号送入计算机。读取电流和电极电势值的时间,即数据采集时间,也完全由计算机控制。例如,进行微分脉冲极谱测定,可在脉冲加入前和脉冲结束前采样电流,由 ADC 转换为数字信号,计算其差值,送入指定地址存储。

26.4　常用的分析信号处理方法

　　分析仪器给出的信号实际上已包含了样本的定性、定量及其他方面的信息,只是这些信息不像分析仪器给出的信号那么直观。本节的目的,是对仪器分析中常用的信息处理方法作一个简要的介绍。限于篇幅,本节中对方法的选取采用简单与实用的原则。同时,考虑到一些方法涉及复杂的数学计算。建议读者在学习过程中用实际数据或模拟数据进行分析,从而更好地领会这些方法的实质。

26.4.1 线性插值

在化学中,有很多参数常以表格的形式表示,如表 26-3 所示的不同温度下的溶解度。

表 26-3 CO$_2$ 在水中的溶解度

$t/℃$	0	1	3	5
$S/[g \cdot (100 \ gH_2O)^{-1}]$	0.334 8	0.321 3	0.297 6	0.277 4

然而,我们有时不会直接使用表中列出来的数据,而需使用介于表中的数据之间的数据,如要求 $t=4 \ ℃$ 时的溶解度值。这时,可以采用线性插值的方法进行计算。

线性插值法的原理如下:设温度 t_1 和 t_2 对应的溶解度值分别为 S_1 和 S_2,通过这两点可以建立线性方程:

$$S_i = S_1 + \frac{S_2 - S_1}{T_2 - T_1}(T_i - T_1) \qquad T_2 \geqslant T_i \geqslant T_1 \qquad (26-11)$$

这样就可以很容易求得温度 T_i 时对应的溶解度。例如,$t=4 \ ℃$ 时的溶解度值:

$$S_{4℃} = 0.297 \ 6 + \frac{0.277 \ 4 - 0.297 \ 6}{5 - 3}(4-3) = 0.287 \ 5 \ [g \cdot (100 \ gH_2O)^{-1}]$$

26.4.2 拉格朗日插值

对于实际的化学体系,变量与响应之间往往是非线性的,采用线性插值法就会产生一定程度的误差,此时宜采用非线性插值方法。拉格朗日插值是较为常用的非线性插值方法。设测量结果如表 26-4 所示,其中 $x_1 < x_2 < \cdots < x_m$

表 26-4 测量结果

x	x_1	x_2	$\cdots$	x_m
y	y_1	y_1	$\cdots$	y_m

拉格朗日插值的计算公式为

$$y(x) = \sum_{j=1}^{m} \left(\prod_{\substack{i=1 \\ i \neq j}}^{m} \frac{x - x_i}{x_j - x_i} \right) y_j \qquad (26-12)$$

Matlab 工具包中也包含有多种插值方法的程序,使用者可以根据情况选择合适的方法。

26.4.3   三次样条函数插值

样条函数插值是一种分段拟合方法,它的一个显著的优点是拟合曲线在各结点处是光滑的,避免了一些方法在结点处拟合效果好但拟合曲线不光滑而产生偏差。

对于表 26-4 中的数据,如果存在这样一个函数 $S(x)$ 满足如下三个条件:

(1) $y_i = S(x_i), i = 1, 2, \cdots, m$;

(2) 在区间 $[x_1, x_m]$ 上,各点 x_i 处具有连续一阶和二阶导数;

(3) 在每个子区间 $[x_i, x_{i+1}]$ 上都是三次多项式。

则函数 $S(x)$ 称为三次样条函数,其表达式如下:

$$S(x) = -\frac{(x - x_{i+1})^3}{6h_i} m_i + \frac{(x - x_i)^3}{6h_i} m_{i+1} - \left(y_i - \frac{h_i^2}{6} m_i\right) \frac{x - x_{i+1}}{h_i}$$

$$+ \left(y_i - \frac{h_i^2}{6} m_{i+1}\right) \frac{x - x_i}{h_i}, (i = 0, 1, 2, \cdots, n-1) \qquad (26-13)$$

式中 $x_i \leqslant x \leqslant x_{i+1}$;$S''(x_i) = m_i, i = 1, 2, \cdots, m$;$h_i = x_{i+1} - x_i, i = 1, 2, \cdots, m-1$。

m_i 的确定要用到边界条件,限于篇幅,此不赘述。Matlab 工具包中包含有样条插值的程序 spline.m。在此举一个例子来说明其在分析化学中的应用。

图 26-33(a)为原始信号,图 26-33(b)为加入噪声后的信号,图 26-33(c)基于图 26-33(b)模拟了实际测定的信号,其缺损部分可能是由于信号自吸产生(如发射光谱)。采用样条插值能复原这部分信号。图 26-33(d)为对图 26-33(c)中曲线进行采样的结果。注意,采集的数据点不包括信号缺损部分。

将采样时间点 $t = [t_1, t_2]$ 及其相应的信号 $y = y_t$,以及总的时间 t_0 代入 spline.m 函数如下:

$$y_0 = \mathrm{spline}(t, y, t_0)$$

即可求得经样条插值拟合的完整曲线 y_0,如图 26-34 的实线(虚线为真实曲线)。

26.4.4   累加平均法

对于随机噪声而言,当测量次数 $N \to \infty$ 时噪声的加和为零,所以采用多次测量加和后取平均的方法可在一定程度上消除噪声的影响。如果对某一响应进行了 N 次测量,第 i 次测定的结果为 x_i,设第 i 次测量中的噪声为 ε_i,则

$$\sum_{i=1}^{N} x_i = x_1 + x_2 + \cdots + x_N = N\overline{x} \qquad (26-14)$$

噪声的均方根为

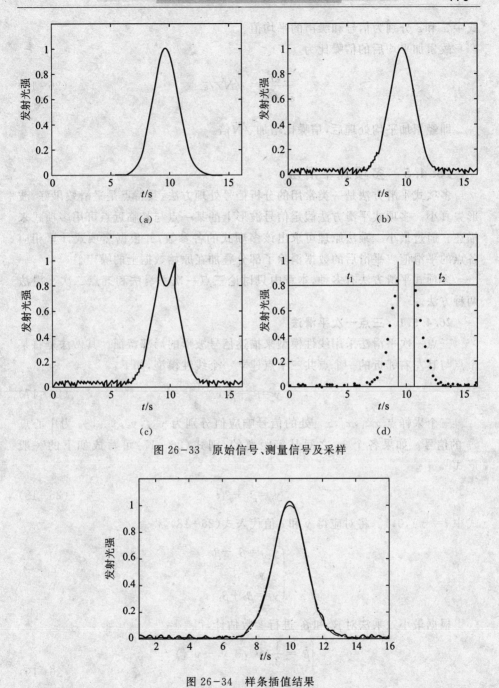

图 26-33 原始信号、测量信号及采样

图 26-34 样条插值结果

$$\sqrt{\sum_{i=1}^{N}\varepsilon_i^2}=\sqrt{\varepsilon_1^2+\varepsilon_2^2+\cdots+\varepsilon_N^2}=\overline{\varepsilon}\sqrt{N} \qquad (26-15)$$

式中 $\overline{x}$ 和 $\overline{\varepsilon}$ 分别为信号和噪声的平均值。

故累加平均后的信噪比为

$$\frac{N\overline{x}}{\overline{\varepsilon}\sqrt{N}} = \sqrt{N}\,\overline{x}/\overline{\varepsilon} \tag{26-16}$$

即经累加平均处理后,信噪比增加 $\sqrt{N}$ 倍。

26.4.5　多项式平滑法

多项式平滑方法是一类常用的分析信号处理方法,其特点是平滑效果好、波形失真小。多项式平滑方法假定信号波形上的某一点与其临近点可用多项式来描述。通过最小二乘法原理可求出该多项式的各参数,并根据多项式计算相应各点的平滑值。平滑后的数据消除了部分叠加在原始数据上的噪声。

多项式平滑方法有多种,本章中只讨论三点一次平滑法和五点二次平滑法两种方法。

26.4.5.1　三点一次平滑法

三点一次平滑法采用线性模型来描述信号波形的局部特征。其做法是将某个点与其左右邻近的一个点共三个点建立一个线性模型,如下:

$$y = \beta_0 + \beta_1 x \tag{26-17}$$

三个采样点 x_{-1}, x_0, x_{+1} 处的信号响应值分别为 y_{-1}, y_0, y_{+1},y_0 为中心点 x_0 的信号。如果各个 x_i 之间是等距离的,则式(26-17)可写成如下的一般形式[①]:

$$y_i = \beta_0 + \beta_1 i \tag{26-18}$$

式中 $i = -1, 0, 1$。将对应得 y 和 i 值代入式(26-18),得

$$\begin{cases} y_{-1} = \beta_0 - \beta_1 \\ y_0 = \beta_0 \\ y_1 = \beta_0 + \beta_1 \end{cases}$$

根据最小二乘法对 β_0 和 β_1 进行参数估计,得

$$\begin{cases} \hat{\beta}_0 = \dfrac{1}{3}(y_{-1} + y_0 + y_{+1}) \\ \hat{\beta}_1 = \dfrac{1}{2h}(y_{-1} + y_{+1}) \end{cases} \tag{26-19}$$

---

① 因 $x_i = x_0 + ih, i = -1, 0, 1$,令 $x_0 = 0$。

式中 $\hat{\beta}_0$ 和 $\hat{\beta}_1$ 分别为式(26-17)中 β_0 和 β_1 的估计值。

由此可得三点一次平滑后的各数据点的平滑值。由于在实际的计算过程中可采用逐点移动的方式进行,此时只需计算中心点的值,即

$$y_0^* = \frac{1}{3}(y_{-1} + y_0 + y_1) \tag{26-20}$$

这个计算显然是非常容易进行的。注意,信号两端的点无法求其平滑值。

26.4.5.2　五点二次平滑法

与上述方法类似,对于等间距的点集,五点二次平滑法将某一点及其左右两边临近的两个点共五个点按二项式模型进行拟合:

$$y_i = \beta_0 + \beta_1 i + \beta_2 i^2 \tag{26-21}$$

通过与上述过程类似的处理,可得中心点的平滑值为

$$y_0^* = \frac{1}{35}(-3y_{-2} + 12y_{-1} + 17y_0 + 12y_1 - 3y_2) \tag{26-22}$$

式(26-22)表明,中心点的平滑值实际上是邻近各测定点的值的加权平均。对于五点二次平滑法,权系数为 $-3, 12, 17, 12, -3$,归一化常数为 35。经推导可得中心点的平滑值的通式如下:

$$y_0^* = \frac{1}{w} \sum_{i=-m}^{m} \omega_i y_i \tag{26-23}$$

式中 ω_i 是权重系数,w 是归一化常数。

$$w = \sum_{i=-m}^{m} \omega_i$$

借助于 Savitzky-Golay 权重系数表,我们可以很容易地实现分析信号的平滑运算。关于这一点可参考相关书籍,此不赘述。

26.4.6　信号微分

对分析信号进行求导,有助于消除背景的影响,并在一定程度上改善分辨率。以高斯分布的光谱图为例,谱线强度为频率的函数:

$$I(\nu) = \frac{1}{\sigma\sqrt{2\pi}} e^{-(\nu - \nu_0)^2/(2\sigma^2)} \tag{26-24}$$

式中 ν_0 为中心频率,σ 为标准差。式(26-24)的一阶倒数为

$$I'(\nu) = -\frac{1}{\sqrt{2\pi\sigma^3}}(\nu - \nu_0) e^{-(\nu - \nu_0)^2/(2\sigma^2)} \tag{26-25}$$

我们着重关注一下二阶导数谱和四阶导数谱。二阶导数谱是个倒峰,其基底部分宽度为 2σ,而原始光谱基线部分宽度为 6σ。四阶导数谱的峰是个正峰但其宽度更窄,基线宽度约为 1.48σ。如图 26-35 所示。这种求导使峰收窄的功

能使得导数谱较常规光谱有较高的光谱分辨率。图 26-36 中的原始信号是由多个信号复合而成,对其求导可使信号分离。

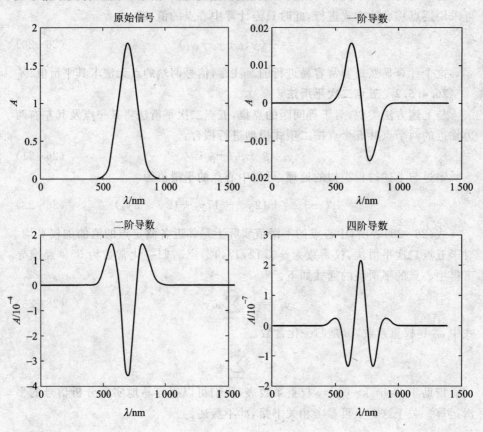

图 26-35   单一信号及其导数谱

对分析信号进行求导的方法有多种,常用的有简单差分法和多项式最小二乘拟合法。

26.4.6.1   直接差分法

图 26-35 和图 26-36 所示的例子就是用直接差分法求得。测得的分析信号通常是一个数据序列 $x_i(i=1,2,\cdots,n)$,其对应的波长点为 $\lambda_i(i=1,2,\cdots,n)$,直接差分法的计算公式为

$$y_i = \frac{x_{i+1} - x_i}{\lambda_{i+1} - \lambda_i}$$

不过,直接差分法显然过于简单,对分辨率高的波谱和噪声大的波谱,效果不佳,甚至无法提供任何有用信息。如图 26-37 所示,顶图是含有低噪声的信号,其二阶导数已将噪声放大,而四阶导数基本上表现为噪声形态。

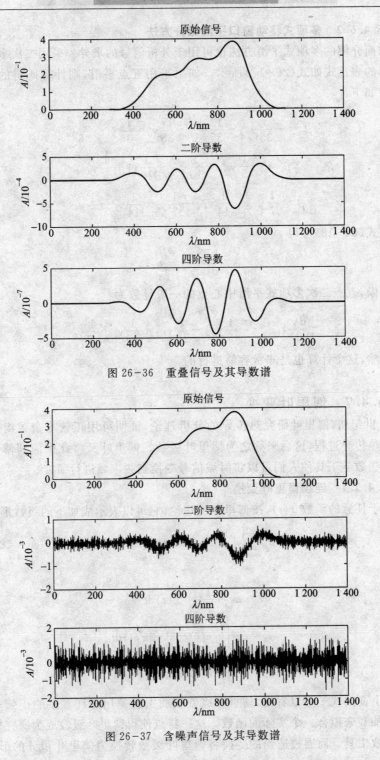

图 26-36　重叠信号及其导数谱

图 26-37　含噪声信号及其导数谱

26.4.6.2 多项式移动窗口平滑微分方法

前面介绍的多项式平滑方法也可用于分析信号的求导。采用二次多项式进行平滑的表达式如式(26−17)所示。如果采用五点平滑,则计算所得的各 β 的估计值如下:

$$\hat{\beta}_0 = -\frac{3}{35}y_{-2} + \frac{12}{35}y_{-1} + \frac{17}{35}y_0 + \frac{12}{35}y_1 - \frac{3}{35}y_2$$

$$\hat{\beta}_1 = -\frac{1}{5}y_{-2} - \frac{1}{10}y_{-1} + \frac{1}{10}y_1 + \frac{1}{5}y_2 \qquad (26-26)$$

$$\hat{\beta}_2 = \frac{1}{7}y_{-2} - \frac{1}{14}y_{-1} - \frac{1}{7}y_0 - \frac{1}{14}y_1 + \frac{1}{7}y_2$$

从式(26−18)可得

$$\frac{\mathrm{d}y_i}{\mathrm{d}i}\Big|_{i=0} = \beta_1$$

所以,五点二次多项式平滑中心点的一阶导数为

$$\frac{\mathrm{d}y_i}{\mathrm{d}i}\Big|_{i=0} = -\frac{1}{5}y_{-2} - \frac{1}{10}y_{-1} + \frac{1}{10}y_1 + \frac{1}{5}y_2$$

显然,这个计算也是非常容易进行的。

26.4.7 傅里叶变换

19世纪初,傅里叶研究热传导的分析理论,证明可用正弦与余弦组成的级数表达热传导过程,这后来称之为傅里叶级数。傅里叶又将此推演到傅里叶积分。这些数学工具使人们可以将时域信号变换到频率域进行研究。

26.4.7.1 连续傅里叶变换

对于任意的函数 $x(t)$,按傅里叶的理论,它可以表示成如下的级数形式:

$$x(t) = a_0 + \sum_{n=1}^{\infty} \left[a_n \cos(n2\pi ft) + b_n \sin(n2\pi ft) \right] \qquad (26-27)$$

其中

$$a_0 = \frac{1}{T}\int_0^T x(t)\,\mathrm{d}t$$

$$a_n = \frac{2}{T}\int_0^T x(t)\cos(n2\pi ft)\,\mathrm{d}t$$

$$b_n = \frac{2}{T}\int_0^T x(t)\sin(n2\pi ft)\,\mathrm{d}t$$

从上面的式子可以看出,傅里叶级数实质上就是用许许多多的正弦和余弦函数的加和来拟合一个实际的函数。这一特点使得傅里叶级数成为研究周期函数的有效工具。而通过适当的变换将傅里叶级数转换为傅里叶积分的形式,就

可用于研究非周期函数。令：

$$\cos(n2\pi ft) = \frac{e^{jn2\pi ft} + e^{-jn2\pi ft}}{2}$$

$$\sin(n2\pi ft) = \frac{e^{jn2\pi ft} - e^{-jn2\pi ft}}{2j}$$

经变换，傅里叶级数可表达为

$$x(t) = \sum_{k=-\infty}^{+\infty} C_k e^{jn2\pi ft} \tag{26-28}$$

有了这些基本概念后，可以直接给出傅里叶变换的定义。设有时间函数 $x(t)$，其傅里叶变换表达式为

$$X(f) = \int_{-\infty}^{+\infty} x(t) e^{-jn2\pi ft} \mathrm{d}t \tag{26-29}$$

逆变换为

$$x(t) = \int_{-\infty}^{+\infty} X(f) e^{jn2\pi ft} \mathrm{d}f \tag{26-30}$$

26.4.7.2 离散傅里叶变换

在实际的测定过程中，我们只能获得信号的一系列采样点，式(26-29)和式(26-30)所示的连续变换形式需转换成能处理离散序列的变换形式。转换的过程可参阅文献，限于篇幅，此不赘述。离散傅里叶变换的形式如下：

$$X\left(\frac{n}{NT}\right) = \sum_{k=0}^{N-1} x(kT) \, e^{-j2\pi nk/N} \tag{26-31}$$

式中 N 为离散样本点的数目，T 为采样间隔。

采用式(26-31)进行傅里叶变换所遇到的一个困难是计算量的问题。式(26-31)的计算时间是正比于 N^2。如果 N 很大，则计算时间很长。直到1965年，Cooly-Tukey(库利-图基)在《计算数学》(Mathematics of Computation)发表了他们的著名的"机器计算复傅里叶级数的一种算法"的文章，提出了后来被称为"快速傅里叶变换"的算法，傅里叶变换才真正开始被人们广泛应用于各研究领域。

关于傅里叶变换的详细内容可参阅有关书籍。Matlab 工具包中有完整的傅里叶变换(fft. m)和逆变换(ifft. m)的程序可供直接使用。

26.4.7.3 傅里叶变换用于分析信号处理

作为傅里叶变换在仪器分析中的运用，在此以两个例子进行说明。当然，傅里叶变换在仪器分析领域中的运用决不局限于此。

1. 滤噪

噪声是分析测定过程中不可避免地存在的一种影响因素。噪声滤除一直是仪器分析工作者所关心的重要问题之一。在此用一个实例来说明傅里叶变换用

于噪声滤除的方法。

图 26-38 是一分析信号及其傅里叶变换结果(只画出部分)。由于噪声一般都表现为高频信号,所以只要将傅里叶变换中的高频信号剔除,然后再进行傅里叶逆变换,就可以得到滤除噪声的分析信号。

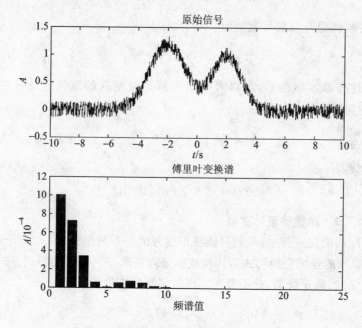

图 26-38   含噪声信号及其傅里叶变换

图 26-39 是将高频噪声信号剔除后复原的信号图(此例保留 12 个低频信号)。从噪声滤除后的信号与真实信号对比的情况来看,傅里叶变换确实是非常有效的去除噪声的工具。

2. 卷积运算和去卷积运算

基于傅里叶变换方法的卷积和去卷积的概念在信号处理中有重要应用。复合信号的去卷积通常是指用傅里叶变换技术进行信号分辨。在光谱、色谱和电化学分析等方面都已有应用。在讨论复合信号的卷积运算前,先以光谱分析的一个例子说明有关卷积的概念。设有一条光谱线,以 $f(x)$ 表示,其真实形态如图 26-40 中的原始信号所示。我们当然希望在实际的测定过程中能记录到这一光谱的真实形态。

然而,用光谱仪记录这一条谱线时,通常是通过一狭缝沿横轴 x 方向进行扫描。如果狭缝的宽度无限小,则检测器上记录的光谱曲线与谱线图 26-40 中原始信号完全相同。但实际上由于光谱仪的狭缝总有一定宽度,因而记录的光谱曲线与谱线图 26-40 中原始信号就不完全相同。若用狭缝函数 $h(x)$ 表示在

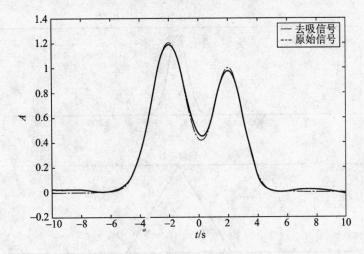

图 26-39 滤除噪声后的信号

不同 x 值时,狭缝通过的光强到达狭缝中心点所对应的位置上的检测器的比例数,如图 26-40 中狭缝函数图所示(为凸现卷积的效果,在此夸大了狭缝宽度)。检测器检测到的光谱强度实际上是通过狭缝的谱线与狭缝函数对应点相乘后的加和,如图 26-41 所示。图 26-40 中卷积信号图是原始信号图的卷积运算结果。

卷积运算的数学表述如下,设有两个函数 $f(x)$ 和 $h(x)$,积分

$$g(y) = \int_{-\infty}^{+\infty} f(x)h(y-x)\mathrm{d}x \qquad (26-32)$$

叫做函数 $f(x)$ 和 $h(x)$ 的卷积,记为

$$g(y) = f(x) * h(x) \qquad (26-33)$$

对上面光谱分析的例子,$f(x)$ 就是原始光谱曲线,$h(x)$ 是变宽函数,$g(y)$ 就是实测光谱曲线。其中,x 和 y 是同一域中的变量。

利用傅里叶变换可以很容易地进行卷积运算,其根据是如下的卷积定理:

$$g(y) = f(x) * h(y) \Leftrightarrow F(\nu)H(\nu) \qquad (26-34)$$

这里,右边是左边相应函数的傅里叶变换。

所以,经过傅里叶变换,复杂的卷积运算变成了简单的乘法运算。利用卷积运算还可以从测得的(变宽的)光谱 $g(y)$ 与变宽函数 $h(x)$,还原出原始波谱 $f(x)$,如下:

(1) 计算测量谱的傅里叶变换,

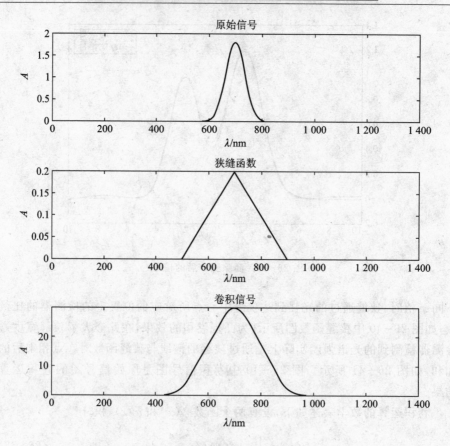

图 26-40　信号及其卷积

$$g(y) = f(x) * h(y) \xrightarrow{\text{FT}} G(\nu)$$

（2）计算变宽函数的傅里叶变换，

$$h(x) \xrightarrow{\text{FT}} H(\nu)$$

（3）计算真实谱的傅里叶变换，

$$F(\nu) = \frac{G(\nu)}{H(\nu)}$$

（4）通过傅里叶逆变换求得真实谱，

$$F(\nu) \xrightarrow{\text{IPT}} f(x)$$

傅里叶变换在各种分析仪器中已得到广泛应用，如傅里叶变换红外光谱仪逐渐取代了色散型仪器；脉冲傅里叶变换（PFT）NMR 谱仪逐渐取代连续波 NMR 谱仪，且仪器性能得到极大的提高。

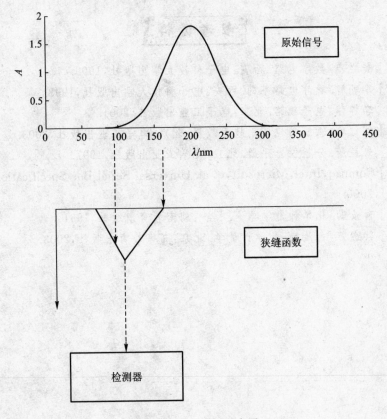

图 26-41 卷积示意图

思考、练习题

26-1 试述晶体管放大器的原理。

26-2 差分放大器有什么优点？

26-3 如何用万用表判断集成运算放大器的好坏？

26-4 计算机的系统总线起什么作用？

26-5 计算机的接口电路为什么很重要？

26-6 数模和模数转换器各起什么作用？

26-7 USB 接口电路有哪些优点？

26-8 何谓分析信号、干扰和噪声？

26-9 样条插值法的基本步骤。

26-10 多项式平滑法有何优点？

参考资料

[1] 龚之春. 数字电路. 西安:电子科技大学出版社,1999.

[2] 李朝鲜. 数字电路基础. 西安:电子科技大学出版社,1998.

[3] 李锦萍. 电子线路. 北京:电子工业出版社,2001.

[4] 刘红玲. 微机接口实用技术教程. 北京:电子工业出版社,2003.

[5] 朱良漪. 分析仪器手册. 北京:化学工业出版社,1997.

[6] Compaq,Intel,Microsoft,et al. Universal Serial Bus Specification(Revision2),2000.

[7] 俞汝勤. 化学计量学导论. 长沙:湖南教育出版社,1991.

[8] 梁逸曾,俞汝勤. 化学计量学. 北京:高等教育出版社,2003.

索　引

郑 重 声 明

高等教育出版社依法对本书享有专有出版权。任何未经许可的复制、销售行为均违反《中华人民共和国著作权法》，其行为人将承担相应的民事责任和行政责任，构成犯罪的，将被依法追究刑事责任。为了维护市场秩序，保护读者的合法权益，避免读者误用盗版书造成不良后果，我社将配合行政执法部门和司法机关对违法犯罪的单位和个人给予严厉打击。社会各界人士如发现上述侵权行为，希望及时举报，本社将奖励举报有功人员。

反盗版举报电话：（010）58581897/58581896/58581879

传　　真：（010）82086060

E－mail：dd@hep.com.cn

通信地址：北京市西城区德外大街 4 号
　　　　　高等教育出版社打击盗版办公室

邮　　编：100011

购书请拨打电话：（010）58581118